상담학 사전

2

이 사전은 2009년도 정부재원(교육인적자원부 학술연구 조성 사업비)으로
한국연구재단의 지원을 받아 연구되었음(NRF-2009-322-B00024).

상담학 사전

2
ㅂ~ㅅ

연구 책임자 김춘경 공동 연구자 이수연 · 이윤주 · 정종진 · 최웅용

학지사

상담학 사전

바넘효과
[-效果, Barnum effect]

누구나 갖고 있는 일반적 특성을 자신만 갖고 있는 특성이라고 무비판적으로 받아들이는 심리적 경향. 인지치료

바넘효과는 19세기말 미국의 링링 서커스단을 이끌었던 곡예사 바넘(Barnum)의 이름에서 유래했는데, 그는 서커스 도중에 아무 관객이나 불러내서 극히 일반적인 묘사를 사용하여 직업이나 성격을 알아맞히는 것으로 인기를 끌었다. 이후 1940년대 말 심리학자 포러(Forer)가 성격진단 실험을 통해 처음으로 증명하여 '포러효과(Forer effect)'라고도 한다. 포러는 자신이 가르치는 학생들을 대상으로 각각의 성격 테스트를 한 뒤, 그 결과와는 상관없이 신문 점성술 칸의 내용 일부만 고쳐서 학생들에게 나누어 주었다. 그는 이 테스트 결과가 자신의 성격과 맞는지 맞지 않는지 학생들에게 평가하도록 하였고, 자신이 받은 테스트 결과가 자신에게만 적용되는 것으로 착각한 학생들은 대부분 자신의 성격과 잘 맞는다고 대답하였다. 포러가 학생들의 성격진단 결과로 나누어 준 점성술 칸의 내용은 대부분의 사람들이 가지고 있는 보편적인 특성을 기술한 것이었다. 포러는 실험을 통해 보편적 특성을 개개인에게 적용할 때 사람들이 어떻게 반응하는지 알아본 다음, 그 결과로 바넘효과를 증명한 것이다. 즉, 사람들은 보통 막연하고 일반적인 특성을 자신의 성격이라고 묘사하면, 다른 사람들에게도 그러한 특성이 있는지는 생각하지 않은 채 자신만이 가지고 있는 독특한 특성으로 믿으려는 경향이 있다. 이처럼 착각에 의해 주관적으로 끌어다 붙이거나 정당화하는 이러한 경향은 자신에게 유리하거나 좋은 것일수록 강해진다. 바넘효과는 유동적이고 불명확한 자아개념과 관련이 있다. 자아개념이 불명확하다는 것은 자신에 대한 다양한 상반되는 생각과 행위를

기억 속에 저장하고 있다는 의미이기도 하다. 이는 점쟁이가 무슨 말을 해도 자신의 모습에 대한 것이라고 여기고 진지하게 받아들일 수 있다는 것이다. 하지만 이러한 착각이 항상 부정적으로만 작용하지는 않는다. 사회 속에서 생활하는 우리는 자신이 경험하는 일을 자기중심적으로 받아들이고 해석하며 수없이 많은 착각을 한다. 그런데 이러한 착각이때로는 우리 스스로를 만족스러운 결과로 이끌기도 하며, 이타적인 행위를 촉진하기도 한다.

바르비튜레이트
[- , barbiturate]

바르비탈산으로 만드는 유사 합성물질로, 불안과 불면증 치료에 사용되는 중추신경 안정제. '바르비탈류'라고도 함. 중독상담

바르비튜레이트는 억제성 신경전달물질의 작용을 높이는 효과 때문에 수면촉진이나 경련억제를 위해 의사가 처방하는 약물인데, 중추신경계에 작용하는 물질이기 때문에 중독의 문제가 발생할 수 있다. 보통은 경구투여를 하지만 정맥주사로도 사용하며, 적은 양을 복용하면 진정효과가 나타나고 많은 양을 복용하면 최면효과가 나타난다. 이 물질을 남용하는 사람은 발음이 불분명해지고 주의가 산만해지며, 감정적 기복이 심해지고 조정기능이 약화된다. 보통의 사용량으로는 신체적, 정신적 영향에 대한 내성이 잘 발생하지 않는다. 하지만 장기간에 걸쳐 남용하는 경우에는 헤로인보다 더 심각한 의존성을 나타낸다. 또한 땀을 많이 흘리고, 환상이나 과대망상 같은 생각으로 혼란스러우며, 환상과 경련을 일으키기도 하는 등 이에 따른 금단증상도 매우 심각해서 남용자의 갑작스러운 사용 중단은 매우 위험하다. 이러한 경우 환자는 점차적으로 바르비튜레이트의 사용량을 줄여 가야 하고, 주의 깊은 관찰과 의료적 처치가 필요하다. 일부 남용자는 바르비튜레이트의 억제감을 상쇄시키기 위해서 술이나 흥분제와 함께 복용하기도 하는데, 이는 의존성의 악순환을 유발하고 죽음에 이를 수도 있다. 바르비튜레이트는 1900년대 초 처음으로 개발된 이래 2,500개 이상의 유도체가 개발되었으며, 현재 90여 종의 약품명으로 판매되고 있다. 세코날, 탈부탈, 루미날 등 보통 마지막 글자가 알(~al)로 끝난다.

관련어 | 억제제

바빈스키 반사
[- 反射, Babinski reflex]

신생아의 발바닥을 간질이면 엄지발가락을 구부리는 반면, 다른 네 발가락은 부챗살처럼 펴는 반사행동. 아동청소년상담

영아(嬰兒)의 원시 반사기능 중 하나로서 바빈스키가 발견한 반사행동이다. 신생아는 여러 형태의 선천적인 반사기능을 가지고 태어나는데, 이러한 반사기능은 다시 두 가지 유형으로 분류된다. 한 개체의 생존에 필수적이면서 지속적으로 유지되는 반사기능을 생존반사(survival reflex)라고 하며, 종 특유의 반사기능이지만 생존을 위해 필수적인 것이 아니라 생후 일정 기간이 경과하면 사라지는 반사기능을 원시반사(primitive reflex) 혹은 비생존 반사라고 한다. 원시반사에는 바빈스키 반사 외에 모로 반사(Moro reflex), 잡기 반사(grasping reflex), 손바닥 반사(palmar reflex), 걷기 반사(stepping reflex) 등이 포함된다. 원시반사는 대부분 수개월 이내에 사라지는데, 이는 대뇌피질이 발달하면서 신생아의 반사운동이 점차 의식적이고 자발적인 반응행동으로 대체되기 때문이다. 바빈스키 반사는 출생 직후에 나타나 생후 8개월에서 1년이 되면 사라지는데, 그 후에는 정상 성인처럼 발가락을 발바닥 쪽으로 굽힌다. 이들 세 가지 원시 반사가 정상적으로 나타나고 사라지는 형태는 영아기 신경계

발달의 정상성을 가늠하는 중요한 지표이며, 인지 발달의 정상성과도 관련된다. 바빈스키 반사는 신생아이 척추 하부에 결함이 있으면 나타나지 않는다. 또한 중추신경계에 문제가 있는 경우 특정 반사가 사라져야 할 시기 이후에도 여전히 남아 있다. 아동이 지각하는 신체적 열등감과 보상심리가 후일 성격발달에 영향을 미친다고 주장한 아들러(Adler)의 주장을 수용한 초기 발달론자들은 인간발달의 신체적인 측면이 심리적인 변화의 구조적인 토대가 된다는 것을 인정하였다.

바이오피드백
[-, biofeedback]

몸에 부착된 감지기를 통해 심박수, 근육 긴장, 호흡, 발한, 피부온도, 혈압, 뇌파 등의 생리적 기능의 변화를 알려 주어 신체 기능을 의식적으로 조절하도록 유도하는 기법.

뇌 과학 | 행동치료

감지된 다양한 생체신호를 기초로 하여 인체의 생리적 활동상태를 실시간으로 제공받고 목표로 하는 상태에 이르렀음을 알려 줌으로써 스스로 자기조절을 학습할 수 있다. 내담자는 자신의 내부 활동을 자유롭게 탐구하는 과정을 통해 스스로 변화를 이끌어 내기 때문에 바이오피드백을 사용할 경우 치료사에 대한 저항을 다룰 필요가 없고, 치료 실패의 원인을 치료사나 가족 등 다른 어떤 것으로 돌릴 수 없다. 이 기법은 이론적으로 행동주의와 섞여 있으며 조작적 조건형성의 형태로서, 이를 통해 자동 신체기능을 조절하는 것을 배워 스트레스를 줄이거나 신체적 또는 정신적 성취를 개선할 수 있다. 구체적 기법으로 근전도 바이오피드백, 피부온도훈련 바이오피드백, 피부전기반응 바이오피드백 등이 있다.

관련어 | 뇌파, 뉴로피드백, 조작적 조건형성

근전도 바이오피드백 [筋電圖-, electromyography biofeedback: EMG biofeedback] 근육의 전기적 활동을 조절하는 바이오피드백이다. 전두근의 긴장수준을 낮추면 다른 근육으로 일반화되어 이완상태를 이끌어 낸다는 설명을 기초로 한 기법이다. 심도 있는 이완과 근육 긴장을 제거하기 위해 자주 사용되는데, 예를 들면 목의 근육 긴장을 이완시키는 방법을 배우면 경직된 두통 증세를 줄일 수 있다. 바이오피드백으로 근육을 훈련하는 방법에는 근육을 직접 훈련하는 것과 근육을 통제하는 뇌의 부분, 즉 운동 피질을 뉴로피드백으로 훈련하는 방법이 있다.

피부온도훈련 바이오피드백 [皮膚溫度訓練-, skin temperature biofeedback: ST biofeedback] 중요한 몸의 말단부위에 혈액순환을 증가시키는 바이오피드백이다. 팔다리가 무겁고 따뜻함을 강조하는 암시법이나 손을 따뜻하게 하는 심상을 시도하도록 함으로써 스트레스 상황에서 말초신경계가 신호를 보내 혈관근육이 이완되고 확장되어 피부온도를 올리도록 한다. 이는 걱정이 많거나 고도의 긴장, 편두통 등의 개선에 효과적이다.

피부전기반응 바이오피드백 [皮膚電氣反應-, galvanic skin response biofeedback] 피부의 전도율과 전기적 저항을 활용하는 바이오피드백이다. 스트레스나 긴장은 교감신경계를 자극하고 손과 발의 외분비 땀샘을 자극한다. 이러한 땀 생산은 전기적 저항을 낮추는데, 내담자는 매 순간의 전기적 저항을 모니터링하고 바이오피드백 도구의 신호는 외분비샘 분비를 변화시키면서 분비가 감소할 때마다 강화된다. 이는 일반적인 이완훈련으로 사용되거나 체계적으로 민감성을 감소시키는 데 유용하다.

ㅂ

바인랜드 적응행동척도 [-適應行動尺度, Vineland Adaptive Behavior Scale]

개별적인 영역에서 적응행동을 측정하기 위한 적응검사. 심리검사

사회적 적응행동을 측정하기 위해 1965년에 돌(E. Doll)이 개발한 바인랜드 사회성숙척도(Vineland Social Maturity Scale)를 1984년에 스패로우(S. Sparrow), 발라(D. Balla), 시체티(D. Cicchetti)가 개정한 검사도구다. 대상은 생후부터 만 18세 11개월까지다. 장애인과 비장애인의 사회적 능력을 사정하기 위한 규준참조검사로 개별검사에 해당한다. 검사는 조사형(survey form), 확장형(expanded form), 교실형(classroom edition)의 세 가지 유형이 있다. 유형별로 의사소통(수용성, 표현성, 쓰기), 일상생활 기술(개인, 가정, 지역사회), 사회화(대인관계, 놀이와 여가시간, 대처기술), 운동기술(대운동과 소운동) 등 4개의 개별적인 영역에서 적응 행동을 측정하기 위한 구조화된 인터뷰를 시행한다. 4개의 영역과 적응행동은 해당 연령과 적응수준을 포함한 다양한 유도점수로 표현된다. 조사형(297문항)과 확충형(577문항)은 0세부터 9~18세까지의 아동과 기능수행수준이 낮은 성인에게 사용한다. 또 교실형(244문항)은 3세부터 9~12세까지의 아동을 위한 것이다. 측정된 적응행동의 결핍은 지적장애 진단에서 꼭 필요한 부분이다.

바질 [-, Basil]

진통작용, 항우울, 방부, 항경련, 머리를 맑게 하는 작용, 신경강화, 소화, 통경(痛經), 발한제 등의 효과가 있는 열대 아시아와 아프리카 등에서 재배되는 허브. 향기치료

바질은 초장이 0.5미터 정도의 일년생 허브다. 뇌와 정신을 맑게 하는 가장 훌륭한 치료제 중 하나로, 머리를 맑게 하고 정신적 피로를 없애며 정신을 강화 및 정화해 주는 효과가 있다. 특히 소모성 질환과 저항력 저하, 신경쇠약이나 신체쇠약 또는 몸에 쇠약감을 초래하는 삶의 변화에서 기인한 나약함 우유부단 또는 히스테리와 연관된 신경장애에 사용된다. 그리고 바질은 진정시키고 안정시키는 효과가 있어서 정신분열적인 경향이 있는 사람에게 효과적이다. 또한 구토, 내장경련, 메스꺼움, 소화 불량, 딸꾹질과 같은 소화기 장애에 유용하며, 발한성과 해열성이 있어 모든 형태의 해열에 사용이 가능하다.

박물관에서 글쓰기 [博物館-, writing in museum]

글쓰기치료기법 중 하나로 박물관 방문 후 전시물과 관련된 글쓰기. 문학치료(글쓰기치료)

박물관이나 화랑 등을 갈 때는 같이 가는 사람이나 혹은 자신에게 어떤 이야기를 하게 된다. 전시물을 보고 감명을 받았거나 어떤 느낌에 대해서 자기 생각을 표현하는 것이다. 아무 생각 없이 그때 했던 말들은 부지불식간에 사라져 버리기도 하지만, 집으로 돌아와서 당시 기억을 떠올려 좀 길게 글 매무새를 다듬어 가면서 일기처럼 쓸 수도 있고, 자신이 본 것에 대한 글을 편지로 써서 친구들에게 보낼 수도 있으며, 시나 문학적인 형태의 글을 쓸 수도 있다. 여러 가지를 보고 어떤 글의 형식으로든 쓰는 과정에서 창조적인 작품이 나오기도 한다. 역사적인 물건으로 역사적 사건이나 인물의 페르소나 뒤

에 자신을 두고 다른 시대의 인물과 공감하면서 그 것을 현재와 연결시킬 수도 있고, 깃털이나 돌 같은 독특한 물건으로는 자기 내면을 탐색해 볼 수도 있다. 박물관에서 글쓰기를 하기 위해서는 기록을 할 수 있는 간단한 수첩이나 메모장을 들고 박물관을 방문해야 한다. 그다음 그곳에서 보고 느낀 것 중에서 한 가지를 골라서 글로 쓴다. 집단의 경우 서로 글로 쓴 것들을 가지고 종류에 따라 소집단으로 다시 나누어서 서로 본 것에 대한 것을 글로 다시 써서 서로 나누어 본다. 가능하다면 본 것들에 대해서 분장을 한 채 공연을 할 수도 있다. 박물관에서 본 것들에 대한 기억을 떠올리는 과정에서 좀 더 긴 글을 써 보도록 한다. 글의 형식은 자유롭게 할 수 있다. 이런 경험을 통해서 박물관의 전시물이 하나의 투사물이 되어 미처 인식하지 못하고 있던 자신의 생각이나 관점, 혹은 자기 내면까지 탐색해 보는 기회를 얻을 수 있다.

박자
[拍子, time, meter]

박(拍, beat)이 모여 균등한 시간적 거리를 구획하여 셈여림이 규칙적으로 되풀이되면서 형성되는 리듬의 기본 단위. 음악치료

박자는 리듬에서 구조적 구성 요인들의 기초가 되는 길이의 기본 단위인 박이 모여서 만들어진다. 박이란 일정한 간격으로 규칙적으로 되풀이되는 움직임의 단위를 말한다. 이런 박을 모아 주기적인 심리적 강점을 두는 지점을 설정하고, 그에 따라 박의 진행을 정리, 통합하는 전체적인 반복적 조직을 박자라고 한다. 이때 강점을 두는 지점의 박을 센박(강박, 強拍), 상대적으로 강점을 두지 않는 약한 지점의 박을 여린박(약박, 弱拍)이라고 한다. 따라서 박자는 음악에서 시간을 구성하는 기본 단위가 된다. 예를 들어 4분의 2박자일 때, 시간 단위는 4분음표 한 개의 길이가 되고, 한 마디 안에서 4분음표가 분자에 해당하는 일정 수, 즉 2개만큼의 길이가 들어간다. 매 마디 이런 박자가 반복되면서 4분의 2박자는 첫 박이 센박이 된다. 마디는 보표의 세로줄로 나누어지는 단위다. 박자는 홑박자인 2박자, 3박자, 4박자, 겹박자인 6박자, 9박자, 12박자 등이 있다. 이외에도 섞음 박자로 5박자, 7박자도 있다. 이러한 박자 때문에 음악에서 선율의 양식이 정해지고 리듬의 강약도 정해진다.

ㅂ

박티 요가
[–, bhakti yoga]

헌신과 귀의를 통해 신과 인간이 하나가 되는 경지에 이르는 최상의 사랑관계를 이루려는 요가. 명상치료

박티는 '나누다' '참여하다'를 의미하는 바즈(bhaj)에서 파생한 단어로서 헌신 또는 사랑을 뜻하며, 초기 경전에서는 시바신에게 헌신하는 뜻으로 사용되었다. 박티 요가는 『바가바드기타(Bhagavadgita)』의 사상에 그 근원을 두고 있으며, 신에 대한 헌신을 수련함으로써 해탈에 이르고자 한다. 해탈의 본질은 사랑이며 최고의 헌신(parabhakti)은 신의 존재, 권능, 지혜, 선함을 믿고 언제나 신을 생각하고 찬송하고 모든 행위를 신을 위해 할 수 있는 신념이 필요하다. 종교적인 실천에 따라 상대성이 사라진 존재로 경험되는 신과 하나가 되고, 자기 속에서 신과 만나 인간과 신이 하나가 되는 경지에 이른다. 이것이 최상의 사랑관계다. 박티 요가는 후대의 유신론적인 인도종교의 일반적인 경향으로 나타나고 있다. 만트라(mantra), 즉 '옴(ohm)'과 같은 진언을 유성 또는 무성으로 읊조려 수련함으로써 삼매에 이를 수 있음을 강조하는 요가다.

관련어 | 요가

박해불안
[迫害不安, persecutory anxiety]

나쁜 외부의 힘에 의해 자아가 파멸될 것이라고 느끼는 불안.
대상관계이론

클라인(M. Klein)의 성격발달에 있어서 편집-분열자리와 관련된 불안이다. 편집-분열자리에서는 투사과정을 거쳐 멸절불안이 박해불안으로 변형된다. 유아의 초기자아(primitive ego)는 멸절불안을 완화시키기 위해 자신의 공격성과 그에 따른 불안을 어머니의 젖가슴에 투사한다. 좋은 수유와 좋은 신체 다루기는 좋은 젖가슴에 투사되는 반면, 부정적인 수유 경험과 나쁜 신체 다루기는 나쁜 젖가슴에 투사된다. 이렇게 자아 내부에 있던 파괴성의 위협은 나쁜 젖가슴에게로 투사되었지만, 그 결과 이제 다시 그 나쁜 젖가슴에 의해 공격받는 환상을 유발한다. 즉, 박해불안이 생기게 된다. 좌절을 유발하던 외부대상은 이제 두려움이나 공포를 주는 내면의 박해자가 된 것이다. 이때 박탈된 환경에서는 이러한 파괴적 공격성을 적절히 다룰 수 없다. 따라서 증가하는 파괴적 충동을 더욱 외부로 투사하며, 유아의 외부는 나쁜 대상들로 채워지면서 박해불안이 강화된다. 이렇게 증가된 불안을 제거하기 위해 유아는 더 극단적인 분열과 투사를 반복하고, 그 결과 파괴적 충동과 나쁜 대상들이 가득 차며 박해불안이 커지는 악순환이 계속된다. 반면에 부모가 적절한 양육환경을 제공하는 상황에서는 자연스럽게 편집-분열자리에서 벗어나 그다음 자리로 옮겨 간다.

관련어 | 멸절불안, 편집-분열자리

박해자
[迫害者, persecutor]

교류분석

⇨ '드라마 삼각형' 참조.

반대 세트
[反對-, reverse set]

내담자에게 일반적이고 상식적인 반응과 반대되는 반응을 하도록 함으로써 혼란을 조장하는 최면기법. 최면치료

에릭슨(Erickson)의 자연적 접근의 일종으로, 내담자의 생각에 따른 일반적 반응과 반대되는 반응을 하도록 하여 혼란상태를 조성한다. 이는 내담자가 실제로는 협조하면서도 겉으로는 저항적인 태도를 보이는 것을 허용할 수 있기 때문에 저항적인 내담자에게 특히 유용한데, 내담자의 저항심리를 우회하거나 역이용하는 접근이라 할 수 있다. 예를 들어, 실제로 '예'라는 의미는 '아니요'로 대답하거나 머리를 좌우로 움직이도록 하고, '아니요'라는 의미는 '예'로 대답하거나 머리를 위아래로 끄덕이도록 한다. 일반적인 상황에서 효과가 없을 때 이 방법을 활용하면 혼란상태를 조성하는 것으로 새로운 반응과 행동패턴을 가르칠 수 있다.

관련어 | 에릭슨 최면

반대의 나열
[反對-羅列, apposition of opposites]

반대되는 단어나 구문을 연결하여 혼란을 유발함으로써 효과적으로 최면을 유도하는 에릭슨 최면기법의 하나.
최면치료

에릭슨 최면기법 중 분할하기의 일종으로, '잊어버리기를 기억할 수 있습니다.'와 같이 반대되는 단어나 구문을 나란히 놓아 내담자의 마음에 혼란을 유발하고, 혼란 속에서 질서를 찾거나 스스로 의미를 찾아 부여하려는 무의식적 차원으로 유도하여 최면적 암시적용이 효과적으로 이루어지게 하는 기법이다.

관련어 | 에릭슨 최면

반동형성
[反動形成, reaction formation]

받아들일 수 없는 충동이나 욕구로부터 벗어나기 위해 그와는 정반대되는 행동을 하는 것. 정신분석학

자신의 욕망을 인식했을 때 생겨나는 불안을 직면하지 않기 위해서 불안을 야기하는 욕망과 반대되는 의식적 태도나 행동을 강박적이고 과장되게 하는 것을 뜻한다. 강박신경증에서 특징적으로 보이지만 다른 신경증에서도 나타날 수 있다. 행동과 성격 특성에서 지나친 경향성이 존재하거나 상호 모순된 특징이 공존할 때 반동형성을 확인할 수 있다. 반동형성 기제는 두 가지 단계를 거친다. 첫째, 받아들일 수 없는 충동을 억압하는 것이며, 둘째, 그 반대적 행동이 의식적 차원에서 표현되는 것이다. 예를 들어, 파티의 주인이 싫어하는 손님을 더 많이 배려한다거나 혹은 강한 성욕을 의식한 여성이 외설적인 영화상영을 반대하는 선동가가 된다. 공격이나 증오 등의 파괴적 충동이 무의식 속에 강하게 억압되어 있을 경우 의식적으로는 오히려 과장된 친절과 예의를 갖추어 행동한다. 지배적이고 공격적이고자 하는 소망의 위협을 받는 남자가 지나치게 소심하고 부끄러움을 잘 타며 수동적으로 행동하는 경우 이때의 소심함과 소극성은 강한 공격적 요구에 대한 반동형성이라고 할 수 있다. 또한 '미운 놈 떡 하나 더 준다.'라는 속담도 이에 해당한다. 초기 자아발달단계에서는 방어기제로 주로 사용되지만 강박적 성격처럼 영구적인 성격으로 고착될 수도 있다.

관련어 | 방어기제

반리비도적 자아
[反-的自我, anti-libidinal ego]

거부하는 대상에 의해 발생된 자아. 대상관계이론

페어베언(W. Fairbairn)에 의하면, 유아는 어머니를 좋고 나쁜 요소로 나누고, 하나를 다른 것으로부터 심리적으로 분열시킴으로써 지속적으로 위협받는 감정 없이 의존성의 끈을 유지할 수 있다. 그 결과 유아의 내적 세계는 좋은 혹은 나쁜 내적 대상으로 분열되는데, 각 대상은 어머니의 만족스러운 측면과 불만족스러운 측면에 해당한다. 아동은 자신의 사랑이 거부당했다는 고통과 불안을 다루기 위해 어머니의 불만족스러운 측면을 흥분시키는 대상과 거부하는 대상으로 다시 나누고 그것들을 억압한다. 이러한 대상의 내재화는 결국 자아를 리비도적 자아(libidinal ego)와 반리비도적 자아(anti-libidinal ego)로 나누는 심리적 분열을 초래한다. 흥분시키는 대상은 리비도적 자아를 발생시킨다. 한편, 거부하는 대상은 반리비도적 자아, 즉 내적 파괴자(internal saboteur)로 구조화되는데, 내적 파괴자는 거부하는 대상의 공격으로부터 자신을 방어하고 거부하는 대상을 개조하거나 파괴시키려고 시도한다. 내적 파괴자의 반응은 단순히 회피하는 수준으로부터 자기 증오나 붕괴에 이르기까지 다양하다. 정신병리적 행동은 이러한 자아의 극단적인 분열로 인한 것이다. 어머니의 나쁜 대상 부분을 통제함으로써 어머니의 좋은 대상 부분을 보호하려는 아동의 시도는 내적 경험 전체를 억압하는 결과를 초래한다. 고통스러운 부분이 억압되기 때문에 아동은 의식적인 통제를 따를 수 없고, 그 결과 내적 좌절감을 경험하게 된다.

관련어 | 거부하는 대상, 리비도적 자아, 부차적 자아

반복과 머물기
[反復－, repeating and staying with it]

게슈탈트 무용동작치료의 대표적 기법으로서, 내담자가 자신의 정서패턴을 인식하고 직면하기 위해 특징적인 동작패턴에 머물고 반복하는 것. 무용동작치료

무용동작치료에서는 동작을 사용할 때 아들러가 언급한 개인무의식에서 나오는 개인 특유의 제스처나 동작패턴이 자각되어야 한다고 설명한다. 이런 동작패턴을 개인특질적 패턴이라고 한다. 개인특질적 동작에 직면하기 위해서는 특정 동작의 반복이 매우 중요하다. 만약 개인특질적 동작과 특정 정서가 연결되어 있다면, 감정 머물기를 위한 동작패턴의 반복이 매우 중요하다. 이러한 반복과 머물기의 동작은 핼프린 동작 중심 표현예술치료의 5단계 가운데 직면에서 필수적인데, 융(Jung)이나 슈타이너(Steiner)의 이론에 따르면 제3의 변화와 변용, 그리고 생명의 창조를 위해서도 필수적이라고 하였다.

관련어 | 게슈탈트 무용동작치료

반복설계
[反復設計, repeated design]

독립변인의 처치효과를 분석할 때 매개변인이 많아서 통제가 불가능할 경우에 사용하는 설계로서, 동일한 연구대상에게 다른 처치를 반복적으로 가하여 그 처치 간에 차이가 있는지 검증하는 방법. 연구방법

반복설계는 생리학이나 약학, 체육학 분야에서 많이 사용하는 실험설계법이다. 예를 들어, 일정 거리를 달리고 난 뒤 혈압에 어떤 변화가 있는지 분석하고자 할 때 반복설계를 사용한다. 100미터, 500미터, 1,000미터, 그리고 2,000미터를 달리고 나서 혈압에 어떤 차이가 있는지 분석하기 위해서는 통제해야 할 변인이 무수하다. 우선 남녀에 따라 차이가 있을 수 있고 연령, 체중, 평소 혈압 등에 따라서도 달라질 수 있기 때문에 모든 매개변인을 통제한다는 것은 무척 어렵다. 따라서 이와 같은 경우에는 동일한 피험자에게 100미터, 500미터, 1,000미터, 2,000미터를 달리게 한 다음 혈압을 측정하여 달리는 거리가 혈압에 미치는 영향을 분석할 수밖에 없다. 이 같은 반복설계는 처치 사이에 충분한 시간을 두어 전 단계의 처치효과가 완전히 사라진 뒤에 다음 단계의 처치를 가해야 한다. 그렇게 하지 않으면 전 단계의 처치효과가 남아 다음 단계의 처치효과를 제대로 측정할 수 없다. 이런 이유 때문에 반복설계는 학습효과에 대한 연구에는 잘 사용하지 않는다. 왜냐하면 인간의 학습은 바로 소멸되지 않으므로 시행효과와 누적효과가 나타나 처치변인의 영향을 정확하게 분석할 수 없기 때문이다. 예를 들어, 교수법에 따른 학습효과를 연구하기 위하여 반복설계를 사용한다면, 사실상 가장 효과적인 교수법보다는 가장 나중에 사용한 교수법이 학습의 누적 효과 때문에 가장 높은 학습효과를 가진 것으로 파악하기 쉽다.

반복연구
[反復硏究, replication study]

실험결과의 일반화 가능성을 알아보기 위하여 특정 연구의 실험 절차를 다른 대상이나 환경에 반복해서 적용해 보는 연구. 연구방법

실험연구결과의 일반화 가능성을 조사하는 방법 중 하나는 연구에 사용된 실험처치를 다른 대상자에게 적용해 보는 것이다. 이때 제공된 처치가 대상자의 특성과 상호작용하면 연구자는 외적 타당도 또는 처치효과의 일반화 가능성을 입증하게 된다. 단일대상 연구에서 결과의 일반화 가능성을 평가하기 위한 주요 개념은 중재효과를 대상자 간에 반복시키는 것이다. 여기서 반복이란 특정 연구의 실험 절차를 다양한 변인(대상자, 환경 등)에 반복해서 제공하는 것을 의미하며, 이를 반복연구라고 부른다. 특정 연구에서 나타난 결과는 이러한 반복에 따라 다양한 상황이나 행동, 연구자 또는 기타 변인들로 확장 혹은 일반화될 수 있는지를 평가받는다. 연

구에서 반복은 연구자가 일반화 가능성을 측정하고자 하는 관심영역에 따라 직접 반복, 체계적 반복 등 여러 가지 방법으로 이루어질 수 있다. 직접 반복(direct replication)이란 많은 대상자를 상대로 동일한 실험절차를 적용하는 것이다. 이와 같은 직접적인 반복연구를 통해서 원래 연구의 결과가 그 연구에 참여한 대상자에게 국한되는지 아니면 연구에 참여하지 않은 다른 대상자에게도 일반화될 수 있는지를 결정할 수 있다. 체계적 반복(systematic replication)이란 원래 실험에 적용된 요소들을 의도적으로 변경하여 반복연구를 수행하는 것이다. 따라서 체계적인 반복연구에서는 원래의 연구와는 다른 대상자가 참여할 수 있고 중재나 상황 또는 목표행동도 다양해질 수 있다. 이러한 체계적인 반복연구를 통해서 나타난 결과는 원래의 연구결과가 다양한 실험조건 간에 반복되어 나타날 수 있는 정도를 평가해 준다.

반복현상
[反復現象, repetition phenomenon]

내담자가 현실적인 어려움 때문에 문제행동을 계속해서 반복하는 것. 생애기술치료

생애기술치료의 목표는 내담자가 문제를 해결할 수 있도록 도움을 주는 것뿐만 아니라, 그 문제를 발생시키는 근본적인 생활기술의 변화를 유도하는 데 있다. 그러나 내담자가 다양한 내부적 · 외부적 요인 때문에 그 문제를 유발하는 생활습관이나 행동, 생각의 패턴을 계속해서 반복하는 반복현상이 나타나는 경우, 내담자의 문제를 해결하기가 점점 어려워진다. 따라서 상담자는 반복현상을 보이는 내담자의 근본적인 기술부족 패턴에 대하여 논의하고, 이를 개선해야 할 필요성을 내담자 스스로 인식하도록 하는 데 충분한 시간과 노력을 기울여야 한다.

관련어 | 생애기술 치료

반사
[反射, reflex]

외부자극에 무의식적이고 자동적으로 반응하는 것. 발달심리

인간의 발달단계에서 출생 직후 신생아는 선천적으로 지니고 있는 반사기능을 통하여 외부환경에 적응하고 생존한다. 반사는 기능에 따라 유형을 나눌 수 있는데, 예를 들어 생존, 보호, 유지, 기본욕구 충족에 필요한 생존반사(survival reflexes)와 생존과는 관계가 없지만 인류의 진화과정의 흔적이라 할 수 있으며 대부분 출생 후 1년이 지나면 사라지는 원시반사(primitive reflexes)가 있다. 생존반사에는 호흡 반사, 눈 깜박거리기 반사, 빨기 반사, 삼키기 반사, 근원 반사 등이 있다. 여기서 근원 반사란 입 주변에 자극을 갖다 대면 자극이 닿는 쪽으로 고개를 돌려 입을 벌리고 빨려는 반사행동을 말한다. 원시반사에는 바빈스키 반사(Babinski reflex), 모로 반사(Moro reflex), 수영 반사(swimming reflex), 파악 반사(grasping reflex), 걷기 반사(stepping reflex) 등이 있다. 바빈스키 반사는 프랑스의 바빈스키(1896)가 발견한 것으로, 신생아의 발바닥을 발꿈치에서 발가락 쪽으로 간질이면 엄지발가락은 위로 치켜세우고 다른 네 발가락은 부채처럼 쫙 펴는 반응을 말한다. 이는 생후 8개월에서 1년 사이에 사라진다. 모로 반사는 모로(1951)가 발견한 것으로, 갑자기 큰 소리가 나거나 머리 위치가 바뀌면 등을 구부리고 손과 팔을 앞으로 뻗어 무엇인가를 잡으려는 것처럼 팔을 서로 감싸 안는 것이며 생후 4~6개월경 사라진다. 수영 반사는 영아를 물속에 넣으면 살아남기 위하여 적절하게 팔과 다리를 움직이고 호흡을 멈추어 한동안 물에 떠 있을 수 있는 것을 말하며, 생후 4~6개월 사이에 사라진다. 파악 반사는 영아의 손바닥에 무언가를 올려놓으면 빼내기 힘들 정도로 꽉 잡는 것을 말한다. 이 반사는 생후 3~4개월에 의도적으로 잡기 시작하면 사라진다. 걷기 반

사는 바닥에 발을 닿게 하면 몸을 곧게 펴고 걷듯이 무릎을 구부리며 발을 번갈아가면서 움직이는 것이다. 이러한 원시반사 기능이 나타나고 사라지는 것은 영아가 정상적으로 신경계가 발달하고 있는지 평가하는 데 중요한 지표가 된다.

관련어 | 신생아

반사회적 성격장애 [反社會的性格障礙, antisocial personality disorder]

아동기 또는 사춘기에 시작되어 성인기까지 계속되는 장애로, 타인의 권리를 무시하거나 침해하고 사회 질서 및 규범을 위반하는 증상. 이상심리

18세 이후에 사회질서를 지키지 않거나 사회적 규범이나 법을 위반하여 사회적으로 골칫거리가 되는 성격을 지닌 경우에 이 장애로 진단받으며, 정신병질(psychopathic), 사회병질(sociopath), 비사회적 성격장애(asocial personality disorder)라고도 한다. 이 장애는 아동기나 사춘기에 주로 발병하는데, 타인의 기본 권리를 침해하고 사회 규범이나 규칙을 반복적이고 지속적으로 위반한다. 사람이나 동물을 학대, 재산이나 기물 파손, 사기 또는 절도, 심각한 규칙위반 등의 품행장애 또는 주의력결핍 및 과잉행동장애를 보인다. 이러한 행동양식은 성인기까지 지속되어 재산 파괴, 고문, 절도, 불법 약물거래와 같은 범법행위를 저지른다. 이 장애가 있는 사람은 다른 사람의 감정, 권리, 소망을 알아차리지 못하거나 무시하고 자신의 이득을 위하여 다른 사람을 속이고 조종하며 꾀병을 부리고 충동적으로 행동하는 경향이 강하다. 이 같은 충동적 행동에는 순간적인 결정, 잦은 이사, 잦은 직업 변경, 잦은 신체적 다툼이나 타인 폭행, 위험한 운전 행위, 위험한 성적 행동, 약물남용 등이 있으며 때로는 자녀를 보살피지 않고 위험에 빠트리기도 한다. 이러한 행동은 무책임으로 이어져 자신의 행동에 대하여 책임을 지지 않고 그 결과에 대한 자책을 하지 않으면서 오히려 자신의 행동을 합리화하고 다른 사람을 비난한다. 이 장애를 지닌 사람은 정서적으로 긴장감, 지루함, 권태로움, 우울기분 등을 나타내는데 불안장애, 우울장애, 물질관련장애, 신체화장애, 병적 도박 및 충동조절장애 등을 동반하기도 한다. 이러한 행동과 증상은 나이가 들어가면서 다소 감소하고, 특히 40대에 이르면 현저하게 감소하거나 완화된다. 이 장애는 유전과 가정 환경적 요인이 크게 영향을 미치는데, 의학적으로는 신경전달물질인 세로토닌의 대사가 부족해서다. 가정 내에서는 학대를 받거나 적절한 보살핌을 받지 못한 아동이 성인이 되었을 때 이 장애로 진단될 가능성이 높다. 이들은 공감력이 부족하여 치료자와 라포를 형성하지 못하기 때문에 전통적인 심리치료가 도움이 되지 않으며, 대개 통제된 기관이나 시설에서 치료를 받는 것이 좋다.

반사회적 인격장애1) [反社會的人格障礙, antisocial personality disorder]

이상 심리

⇨ '반사회적 성격장애' 참조.

반사회적 인격장애2) [反社會的人格障礙, sociopath]

필요에 따라 자신의 얼굴에 가장 적합한 선한 미소를 지을 수 있으며 인생이라는 게임에서 승리자가 되기 위하여 자신의 본성은 드러내지 않고 사람들을 이용할 수 있는 특성. 이상심리

이 특성을 지닌 사람은 자기 자신이 어떤 사람인지 다른 누구보다 잘 꿰고 있는 사람이다. 그러나 원래 이 용어는 잔인한 범죄자를 지칭하는 최초의 용어로 사용되었다. 다시 말해, 지속적으로 범죄를

저지르는 사람을 통칭하는 것으로, 연쇄살인범과 가장 부합된다. 이 용어는 미국정신의학회에서 정신병질이라는 용어를 대신하여 사용되었는데, 현재의 범죄를 저지르는 행동에 대한 진단준거로는 합당하지만 범죄를 저지르기 이전에 잠재되어 있던 소양에 대해서는 그 근거를 찾을 수 없다는 비판이 있었다. 그런 가운데 이 용어의 의미를 유년기나 청소년기부터 시작하는 잠재적인 소양으로 보아야 한다는 의견이 강하게 주장되면서, 미국정신의학회는 정신장애진단 및 통계편람(DSM)에 반사회적 성격장애(antisocial personality disorder)라는 용어를 만들어 등재하였다.

관련어 | 반사회적 성격장애

반사회적 행동
[反社會的行動, antisocial behavior]

다른 사람에게 의도적으로 신체적 · 정신적 · 경제적 손상을 입히거나 불법적 행동, 사회적 규칙이나 규범을 지키지 않는 일. 이상심리

사회에서 요구하는 규범과 질서에서 이탈하여 그것을 파괴하려고 하는 행동을 말한다. 성인의 반사회적 행동은 다른 사람의 물건을 훔침, 사기, 법이 금한 약물거래 등으로 주로 범죄와 같이 형벌 법령에 위반하는 행위다. 소아나 청소년의 반사회적 행동은 비행과 같이 장래 범죄를 저지를 위험이 있는 행위도 포함된다. 그러나 요즈음 자주 볼 수 있는 미성년자의 음주, 끽연처럼 법령에 저촉되지 않는 행위 등도 반사회적 행동으로 보아야 하는지는 해석하기 전의 도덕적, 윤리적 태도에 따르는 경우가 많다. 또 집단규범의 강제에만 전념하면 반대로 구성원의 자발성과 창조성을 기르는 데 방해가 되기 때문에 주의해야 한다.

관련어 | 반사회적 성격장애

반야바라밀다
[般若波羅蜜多, prajna-paramita]

불교의 개념으로서 지혜를 완성하는 것. 동양상담

반야는 모든 법의 자성이 비어 있는 것, 즉 공함을 보고 사물의 실상을 직관하는 지혜를 말하며, 일체의 분별을 떠날 수 있으므로 무분별지(無分別智)라고도 한다. 그리고 바라밀다는 피안에 이르는 길, 또는 피안에 든 상태를 말한다. 즉, 수행의 궁극적인 것, 완성의 의미를 뜻하기도 한다. 그래서 반야바라밀다는 지혜가 피안에 도달한 것, 지혜의 완성을 뜻한다. 삶과 죽음의 경계에서 일체의 분별망념을 멸하여 피안에 도달하는 것을 가리키지만 대승불교의 뜻은 초기 불교의 뜻과는 사뭇 다르다. 초기 불교는 아함경의 설과 같이 생사와 열반을 분별했을 때의 경지와는 차이가 있다. 만일 그렇게 본다면 생사와 열반이라는 분별에서 벗어나지 못했기 때문이다. 대승경전의 공관의 실천에서는 모든 법은 끝이 없는 것이니 처음도 없고 중간도 없고 그 후도 없는 것이다. 색즉시공이요, 공즉시색이다. 따라서 보살은 마땅히 반야바라밀다를 성취해야 한다고 말하지만 절대 공의 세계에서는 보살이라고 부를 만한 대상도 없다. 일체는 공이요, 공이라는 것 또한 공이다. 일체는 얻을 수 없으며, 얻을 수 없다는 것도 불가득(不可得)이다. 바로 이것을 아는 것이 반야바라밀다의 세계다.

관련어 | 공과 무

반영
[反映, reflecting]

상대방의 이야기를 듣고 이해한 것을 다시 말하는 것. 이야기치료 정서중심부부치료

물체에 비친 상이라는 사전적인 뜻 그대로의 반영이 일어날 때, 반영하고 있는 물체에 따라 같은 대

상이라 하더라도 비치는 상의 모습이 조금씩 다르다. 거울과 같이 매끄러운 물체에 반영이 된다면 매끄럽고 부드럽게 상이 맺힐 것이다. 하지만 시냇물과 같이 움직임이 있는 물체에 반영이 된다면 흔들리거나 불특정한 형태로 보일 것이다. 이렇게 '반영한다'는 것은 반영하는 대상의 모습을 왜곡시키지는 않지만, 반영을 하고 있는 물체의 성질에 따라 약간씩 다른 독특한 상을 맺는다. 이와 마찬가지로 내담자의 이야기를 반영한다는 것은 내담자의 이야기에 관한 자신의 의견이나 분석을 말하는 것이 아니라, 혹은 내담자의 이야기를 그대로 똑같이 다시 말하는 것이 아니라 내담자의 이야기를 자신이 어떻게 이해했는지에 대하여 말하는 것이다. 내담자의 이야기를 똑같이 듣는다고 해도 개인적인 담화, 경험, 지식, 사회문화적인 배경 등에 영향을 받아 이해하고 받아들이는 방식이 매우 다양할 수 있기 때문이다. 예를 들어, 성폭력을 당한 내담자의 이야기를 듣는 상담자가 과거에 자신도 성폭력을 당한 경험이 있다고 가정해 보자. 이렇게 동일한 경험이 있는 상담자는 그 경험이 없는 상담자보다 내담자의 이야기를 더 감정적이고, 큰 의미를 부여하여 이해할 가능성이 있다. 이때 상담자에게 이해된 내담자의 이야기는 내담자가 자신의 이야기에 부여한 의미와 해석과는 또 다른 것이라고 볼 수 있다. 이야기치료에서는 이렇게 내담자의 이야기를 치료자나 반영팀 혹은 외부증인집단에게 반영하게 하여 동일한 이야기에 대한 다양한 시각을 공유하고, 그 속에서 새로운 변화의 가능성을 찾으려 한다. 이야기치료과정에서 반영을 할 때 주의해야 할 점은, 듣는 사람의 개인적인 경험 또는 선입견이나 전문가로서의 지식을 가지고 내담자의 이야기를 평가한다거나 듣는 사람의 의견을 강요해서는 안 된다는 것이다. 반영을 하는 사람은 상대방의 이야기를 자신이 어떻게 들었는지, 어떻게 이해했는지에 대해 진술해야 한다.

관련어 | 다시 말하기

반영적 반응
[反映的反應, reflective responding]

상대방이 전달하는 언어적 · 비언어적 메시지에 대한 개인의 생각이나 의견 등이 포함되지 않은 응답. 생애기술치료

반영적 반응을 나타내는 영어 단어인 'reflective responding'은 'responding with understanding as if in the speaker's internal viewpoint(말하는 사람의 내면의 관점으로 이해하면서 보이는 반응)'의 줄임말이다. 즉, 반영적 반응은 말하는 사람으로부터 들려오는 이야기뿐만 아니라 감정, 목소리, 몸짓 등 여러 메시지에 내포된 중요한 의미에 대해 듣는 사람의 개인적인 평가나 판단을 첨가하지 않고, 마치 거울에 비추는 듯한 방식으로 응답해 주는 것을 말한다. 예를 들어, 남편이 아내에게 "아이들의 교육이 거의 끝나니 이제는 나 자신을 위한 삶을 살고 싶어. 나는 가족을 돌보는 데 나의 삶 전체를 소비하는 것보다는, 나가서 좀 더 활동적으로 살고 싶어."라고 할 때, 아내가 이에 대해서 "당신은 더 이상 빈 둥지를 지키지 않고 가정 밖에서 무언가를 이루기로 결심했군요."라고 응대하는 것이다. 이러한 화법은 말하는 사람에 대한 개인적 혹은 사회 일반적인 평가나 관점을 첨가하거나 강요하지 않은 채, 말하는 사람의 숨겨진 감정과 의미들을 이해하고 이를 표현하는 응답을 하는 것이다. 따라서 반영적 반응은 말하는 사람이 계속해서 자신의 감정과 의미를 전달하는 대화를 지속하도록 해 주는 기능이 있다.

관련어 | 생애기술치료, 어구바꾸기

반영적 편지 쓰기
[反映的便紙-, reflective letter writing]

글쓴이의 글쓰기 과정을 약점 및 강점을 평가하면서 분석하는 것. 문학치료(글쓰기치료)

반영적 편지는 글쓴이가 자신의 글쓰기 과정을

살펴보고 자기 글쓰기에 관한 여러 가지 요소를 평가자나 심사자와 함께 나누어 볼 기회를 준다. 이를 상담 및 심리치료에 적용하면, 내담자가 치료과정 중에 보여 준 실제적 자료에 근거해서 치료사가 그 내담자의 일대기의 단편들이 되는 짧은 글을 써 주는 것이 된다. 반영적 편지는 기록 보존이나 관리 행정상의 요건에도 필요하고, 일반 임상의 장에서 나누는 편지로 활용되어 이야깃거리를 서로 나눌 수 있도록 하는 것이 목적이다. 치료사는 전문가로서의 이론적인 면이나 해석 같은 것을 쓴다기보다는 병리적, 치료적 진행과정에 대하여 내담자가 더 잘 이해할 수 있도록 하는 것이 좋다. 이 편지도 치료과정이라는 것을 유념해야 한다. 따라서 전문용어나 관념, 개념적 이론에 대한 설명 등은 쓰지 않는 것이 좋다. 반영적 편지는 대개 내담자에게 치료 방식이나 과정에 대한 설명을 해주는 데 사용하고, 회기 진행을 분명히 밝히는 데 사용하기도 하며, 약속을 언제 잡을지와 같은 실용적인 부분에 대해 말하기도 한다. 한편으로는 내담자에게 직접 편지를 쓰는 것이 치료사와 내담자 모두에게 다시 한 번 생각할 기회를 주고, 간단하지만은 않은 치료과정의 여러 요소에 대한 명료도와 이해도를 높이며, 정신에 집중하고 사고를 명료화하는 데도 도움을 준다. 또한 편지를 보낸다는 것이 치료사와 내담자, 치료 등이 모두 현실생활에 근거하고 있음을 환기시키기도 한다. 편지는 사적이고 친근하면서도 공적일 수도 있다. 그렇기 때문에 편지에 사용하는 용어는 가능한 한 평상시 쓰는 말로 하고, 명료하면서도 정확한 말을 써야 한다. 이 편지는 내담자로 하여금 내담자 자신에 대한 유익한 정보를 제공받아 치료적으로 도움이 될 수 있도록 치료사가 조심스러운 발언을 하는 것이다.

반영팀
[反映-, reflecting teams]

내담자 이외의 다양한 사람의 여러 가지 해석과 풍부한 아이디어가 상담에 적극적인 영향을 미칠 수 있도록 구성된 팀.

이야기치료

반영팀은 주로 포스트모더니즘적인 접근법에 대한 사전지식을 가지고 있는 사람들로 구성된다. 이러한 이유는 반영팀이 상담과정에서 수행하는 역할이 단순히 내담자나 상담자에게 충고를 한다거나, 특별히 정해 놓은 긍정적인 변화의 목표를 향해 대화를 이끈다거나, 혹은 상담과정에 대한 평가나 조언을 주기 위해 존재하는 것이 아니기 때문이다. 상담과정에서 내담자와 반영팀과의 대화하는 전 과정을 통해, 내담자와 반영팀 내 구성원들의 이야기는 모두 동등한 가치를 지니며 동일한 영향력을 행사한다. 이러한 과정은 또한 내담자 삶의 이야기를 보다 풍성하게 만들도록 자극하고, 삶에 대한 더 깊은 이해와 삶 속에서 어려움을 극복할 수 있는 다양한 기술을 개발하는 데 자극을 주는 등의 긍정적인 영향을 미친다. 내담자는 반영팀과 작업하면서 기존에 가지고 있던 생각과 행동의 습관에서 벗어나 다양한 각도에서 자신의 삶을 바라보고 문제해결의 가능성을 발견할 수 있게 된다. 이야기치료이론의 창설자인 화이트(M. White)는 1987년 톰 앤더슨(Tom Anderson)의 글인 'The reflecting team: Dialogue and meta-dialogue in clinical work.'에서 영감을 얻어 반영팀을 이야기치료에 적용하기 시작하였다. 그는 주로 반영팀을 정의 예식에 사용하였는데, 이때 구성하는 반영팀은 이야기치료나 상담에 대한 전문적인 지식을 가지고 있는 그룹뿐만 아니라, 내담자와 관련이 있는 가족이나 친구들, 혹은 비슷한 경험을 공유한 사람들과 함께 구성하여 이를 특별히 '외부증인집단(outsider witness group)'이라고도 부른다. 이러한 외부증인집단도 마찬가지로 내담자와의 대화를 통해 대안적 이야기에 대한 다양한 시각의 가능성을 주어 그 의미를 보다 풍성하게 발전시키고, 강화하는 역할을 담당한다. 이렇게 반영팀, 혹은 외부증인집단을 상담과정에 적용하는 데 가장 중요한 것은, 내담자와의 상호작용에서 서로 동등해야 한다는 점이다. 어느 한쪽의 의견이나 의미 혹은 이야기가 다른 쪽보다 우세한 영향을 미치지 않도록 주의해야 한다.

관련어 | 대안적 이야기, 외부증인집단, 정의 예식

반응대가
[反應代價, response cost]

혐오통제의 일종으로 바람직하지 못한 특정 행동을 했을 때 그 조건부로 보유하고 있던 정적 강화를 상실하도록 하는 것. 행동치료

소거가 정적 강화가 주어지지 않는 것이라면, 반응대가는 이미 보유하고 있던 정적 강화를 박탈한다는 차이가 있다. 타임아웃은 정적 강화가 적은 곳에 일정 시간 격리시키는 데 반해, 반응대가에는 시간이라는 요소가 관련되어 있지 않으면서 반응대가가 실행되는 동안 대개 강화의 조건에 변화가 없다는 차이가 있다. 반응대가의 예로는 숙제를 저녁 9시까지 끝내지 못하면 9시부터 1시간 동안 주어지던 인터넷 사용을 못하게 되는 것을 들 수 있다. 반응대가는 행동을 억제하는 효과나 속도 측면에서 행동을 감소시키는 데 효과적인 방법이다.

관련어 | 혐오통제

반응어
[反應語, reaction word]

융(C. G. Jung)의 단어 연상실험에서 사용된 용어로, 단어 연상실험 과정에서 피험자가 주어지는 자극어에 대해 떠오르는 표상을 표현하는 것. 분석심리학

분트학파에서는 연상실험에서 피험자가 자극어에 대해 즉시 떠오르는 반응어를 말하도록 한다. 블로일러(Bleuler)와 융이 속한 취리히학파에서는 연상실험에서 나타나는 반응에 대한 분석방법까지 제시하였다. 취리히학파는 연상실험에서 실험자가 자극어를 제시했을 때, 피험자의 머릿속에 가장 먼저 떠오르는 단어를 말하게 한 다음, 독특한 반응어에 대해 다음 연상으로 해명하도록 하였다. 이때 제시되는 자극어와 반응 간의 시간 간격, 반응으로 나타나는 대답 특성에 주목해야 한다. 반응은 개인경험, 신념, 욕구 등이 간접적으로 투사되는 것이다. 융은 인간 내부의 콤플렉스가 의식의 흐름을 막아 독특한 반응을 야기한다고 말하였다.

관련어 | 연상검사, 콤플렉스

반응의 범위 모형
[反應－範圍模型, range of reaction model]

부모로부터 받은 유전자형이 표현형으로 나타나는 과정에서 유전적 요인이 환경적 요인에 따라 변화되어 표현형으로 나타날 수 있는 크기. 아동청소년상담

반응의 범위 모형은 인간발달의 기저를 설명하는 모형 중 하나로, 유전적 요인이 한 개인의 발달을 결정하는 것이 아니라 여러 가지 환경에 따라서 개인이 발달시킬 수 있는 가능한 범위가 있다는 것을 강조한다. 즉, 사람의 발달은 선천적인 요소와 후천적인 요소가 복합적으로 작용한다는 견해다. 예를 들어, 신장은 유전적으로 부여받은 요인을 벗어나서 무한정으로 클 수 없지만 체중은 환경에 따라 더 크게 바뀔 수 있다. 이때 신장은 반응의 범위가 체중보다 좁다고 말한다. 또한 같은 조건의 풍요로운 환경조건에서도 큰 폭의 발달적 증가를 보이는 아동과 그렇지 않은 아동이 있으므로 발달의 개인차를 연구하는 데 중요한 개념이 될 수 있다. 따라서 이 모형은 유전적 요인뿐만 아니라 환경적 요인 또한 개인의 발달수준을 결정하는 데 큰 영향을 미친다는 것을 설명함으로써 개인의 잠재력의 한계를 이

해하는 데 도움을 준다.

관련어 | 거래적 상호작용모형, 수로화 모형

반응저지
[反應沮止, response prevention]

치료자가 적극적으로 개입하여 개인의 여러 의식(儀式)적 행위를 저지하는 노출치료법. 인지행동치료

반응제지라고도 하며 이는 강박장애 치료에 특히 효과가 있다고 알려져 있다. 일상생활에 불편을 가져오는 불합리한 행동을 제거하기 위해 사용하는 처벌의 한 가지 대안은 환경을 어떤 식으로든 수정함으로써 그 행동이 일어나지 않도록 하는 것인데, 반응저지는 이러한 절차를 의미한다. 반응저지 기법은 이론적으로 '조건형성의 원리'에 기반을 둔 행동치료의 한 영역으로서 불안을 피하는 것이 아니라 오히려 불안을 경험함으로써 불안을 감소시킨다는 원리를 바탕으로 한다. 내담자는 종종 특정 불안을 야기하는 대상이나 상황, 생각 등에 노출되면 상황을 피해서 불안을 감소시키는 의식을 수행하곤 한다. 반응저지에서 내담자는 보통 이러한 단서들로 유발되는 의식을 수행하지 않도록 용기를 얻음으로써 노출을 지속시킨다. 이를 반응저지 치료라고 한다. 불편하고 두려워하는 자극에 의도적으로 노출되는 것은 처음에는 상당한 불안감을 유발할 수 있지만, 습관화 기제에 따라 그 불안은 참아 낼 수 있을 정도로 감소한다. 예를 들어, 더러운 것과 접촉한 후 손이 오염되어 반복적으로 씻어야 한다는 강박증(불안감)이 일어난 경우, 그들에게 두려움을 불러일으키는 더러운 옷, 쓰레기 등을 만지도록 한 다음 손을 씻지 않고 견디어 보도록 한다. 처음에는 1분, 다음에는 3분, 5분으로 견디는 시간을 늘려 나가거나 아예 처음부터 10분 이상 참아 보도록 한다. 이러한 경험을 통해 막연하게 상상해 왔던 부정적인 생각이 잘못된 믿음이었음을 깨닫게 된다. 실제로 손을 씻지 않아도 아무 일도 일어나지 않는다는 것을 알게 되면 이러한 강박행동은 점차 감소한다. 이때 손을 씻는 것은 '반응'하는 것이고, 손을 씻지 않는 것이 '반응저지'다.

반자동 글쓰기
[半自動-, semiautomatic writing]

글쓰기치료에서 페니베이커가 자동글쓰기에 기반을 두고 제안한 글쓰기 기법. 문학치료

자동글쓰기가 의식적 검열현상을 배제시킬 수 있다는 전제하에 글쓰기치료기법의 일환으로 제안한 것인데, 글쓴이가 자신을 수동적이고 거의 무아지경에 가까운 정신상태로 둔 채 글을 쓸 수 있다는 것이 반자동글쓰기의 특성이다. 페니베이커(James Pennebaker)는 의식적 사고에서 나오는 글쓰기를 배제하여 글쓴이가 무엇이 쓰일지 스스로는 전혀 인식하지 못한 채 손이 메시지를 만들어 낼 수 있다는 전제하에 주변에 대한 인식을 하지 않고 손이 이끄는 대로 글을 쓰도록 하는 기법을 제안하였다. 가끔 무아지경까지 이르는 사람들이 있어서 유령, 천사, 악마, 외계인과 같은 초과학적 현상에 이끌린 것이라고 생각하는 경우도 있지만, 심리학 전문가들의 노력으로 단순한 환상이나 초인적 상황에서 쓰이는 것은 아니라는 것이 연이어 드러났다. 반자동글쓰기는 지나치게 자기비판적이거나 완벽하게, 또는 예술적인 미학의 측면에서 글을 써야 한다는 내면의 끈질긴 검열관의 목소리 때문에 표현적 글쓰기를 자유롭게 할 수 없는 사람들에게 적용할 수 있는 기법이다. 이는 문법, 서체, 철자법, 논법 등에 전혀 얽매이지 않는 자유로운 글쓰기로, 다른 사람에게 공개되지 않는 자신만을 위한 사적인 글쓰기다. 반자동글쓰기는 육필 또는 컴퓨터를 이용하여 할 수 있다. 규칙은 쓰고 있는 것을 보면 안 된다는 것이다. 컴퓨터를 이용한다면 모니터를 끄고 사용하

면 된다. 손으로 쓸 때는 옷이나 수건 등으로 필기를 하는 손과 종이를 덮은 채 실행한다. 눈을 감거나 다른 곳에 시선을 두어도 된다. 글을 쓸 준비를 끝내고 나면 마음을 비우고 차분히 앉아서 호흡, 감정이나 그 외 어떤 것에 정신을 집중한다. 글을 쓴다는 데서 벗어나 주의가 다른 곳으로 옮겨지면, 그때 글을 쓰기 시작한다. 자신이 무엇을 쓰고 있는지에 대해서는 의식적으로 집중하지 않도록 한다. 오타나 오기는 전혀 신경을 쓰지 않는다. 쓰는 과정에도 신경을 기울이지 않는다. 이렇게 10분 동안 쉬지 않고 글을 쓴다. 글쓰기를 마친 다음 자신이 쓴 것을 읽어 본다. 전혀 의미가 통하지 않는 어휘의 조합이나 글자들의 엉킴뿐일 수도 있고, 경우에 따라서는 자신에게 매우 중요한 문제를 쓴 경우도 있을 것이다. 마음속에서 자신을 괴롭히고 있는 문제가 있는데, 그것이 무엇인지 명확하게 알 수 없을 때 반자동글쓰기를 사용하면 효과가 있다. 반자동글쓰기는 자신이 보기에 결함이나 흠이 있다 해도 내면의 검열관을 잠재우고 무엇이든 마음 놓고 자유롭게 쓸 수 있도록 하는 기법이다. 이는 우리가 회피하고 있거나 채 인식하지 못한 주제를 발견하는 기법이고, 글쓰기를 저해하는 요인을 제거할 수 있는 기법이다. 이 기법에는 어떤 마술적인 힘이 작용하지 않는다는 것을 명심해야 한다.

관련어 | 자동글쓰기, 4일간의 표현적 글쓰기

반전
[反轉, retroflection]

개체가 타인이나 환경에 대하여 하고 싶은 것 혹은 타인이 자신에게 해 주기를 바라는 것을 자기 자신에게 스스로 하는 것. 게슈탈트

반전은 접촉경계혼란을 일으키는 요소 중 하나다. 예를 들어, 타인에게 화를 내는 대신 자기 자신에게 화를 내거나, 자신을 돌봐 주어야 할 부모가 너무 바쁘거나 무관심하여 부모에게 사랑을 받지 못한 아이가 스스로 자기 가슴을 쓸어 주면서 자장가를 부르는 경우 등이다. 반전을 쓰는 사람은 부모에게서 받은 상처 때문에 생긴 공격적인 충동을 부모에게 나타내는 것이 아니라 자신에게 돌려 자신을 괴롭히고 학대하며 살아간다. 이러한 행동은 성장환경이 억압적이거나 비우호적이어서 자연스러운 접촉행동을 할 수 없을 때 나타난다. 이때 개체는 내사로 내면세계가 두 부분으로 분열되어 행위를 하는 자와 행위를 받는 자로 나누어진다. 그래서 원래는 개체와 환경 간의 갈등이었던 것이 이제는 개체의 내부갈등으로 바뀐다. 이런 방법은 대인관계 욕구를 방해하지 않는 정도에서는 자신을 지지하는 의미 있는 행위가 될 수도 있다. 하지만 타인과의 정서적 접촉을 하지 못하게 한다. 처음에는 의식적으로 하지만 나중에는 습관화되어 무의식적으로 반복하고, 이러한 기제는 고립을 초래할 수 있다.

관련어 | 내사, 융합, 자기중심성, 접촉경계혼란, 탈감각화, 투사, 편향

반전설계
[反轉設計, reversal design]

행동수정의 효과를 검증하는 연구설계법. 행동치료

기초선(A)-실험(B)-기초선(A)-실험(B)의 단계로 진행된다. 기초선과 실험단계를 통해 관찰된 변화가 진정한 실험의 효과인지 확인하기 위해 기초선 단계를 한 번 더 반복하므로 반전설계라고 부르며, ABAB 설계라고도 한다. 실제적인 행동수정을 위해서는 다양한 종류의 강화를 종합적으로 활용할 수 있다. 그러나 연구에서 다양한 방법을 사용할 경우 행동의 변화가 정확하게 무엇 때문인지 알 수 없기 때문에 한 번에 한 가지씩 적용해서 결과를 분석해야 한다. 만약 강화와 벌의 동시 사용에 따른 상승효과를 확인하고 싶다면 강화와 벌 각각의 효과

를 먼저 알아본 다음 두 가지를 병행 · 활용해야 정확한 성과분석을 할 수 있고, 명확한 결과를 얻을 수 있다. 반전은 실험기간에 나타난 성과를 확인하기 위해 실험조건을 일시 중단하는 것, 즉 처음 기초선 관찰과 같은 상태로 되돌아가는 것을 뜻한다. 1차 기초선 기간과 같은 상태라는 의미에서 2차 기초선이라고도 한다. 1차 기초선 단계와 1차 실험단계에서 나타난 행동의 변화가 2차 기초선 단계, 즉 반전 단계에서 1차 기초선 단계의 상태로 되돌아가면 실험조건이 행동변화에 영향을 준 것으로 볼 수 있다. 효과적 행동수정의 방법이 반전기간에 확인되면 그 방법을 계속 사용하여 행동이 완전히 개선될 때까지 꾸준히 지속한다. 2차 실험단계에서 행동의 변화가 다시 나타나면 이 연구에서 사용한 조건이 효과적이었다고 결론지을 수 있다. 이 설계에서 ABAB 각각은 정해진 기간이 따로 있지 않다. 기초선 단계는 행동의 발생률이 일정한 경향성을 보이는 정도로 안정될 때까지, 실험처치 기간에도 그 효과가 가시적으로 드러날 때까지는 계속되어야 한다. 그러나 반전설계가 표적행동의 감소나 향상에 주된 목적이 있다면 행동이 안정되기를 기다릴 필요 없이 즉시 반전을 시도하는 것이 좋다. 사후점검 단계에는 행동수정을 위한 조건 적용을 계속하여 행동의 변화가 유지되고 고착되도록 하는 단계다. 경우에 따라서 조건의 적용은 계속되어야 하지만 행동의 측정은 매일 하지 않고 3일 혹은 7일, 한 달에 한 번만 해도 무방하다. 사후점검은 사용 중인 행동수정의 조건이 지속적인 효과가 있는지 확인하는 데 중요한 역할을 한다. 상당히 오랜 기간 지속적인 효과가 있음이 확인되면 행동수정 연구는 완료된 것이다. 이 설계가 연구설계로 타당성을 갖기 위해서는 적어도 기초선 단계(A), 1차 실험단계(B), 효과의 검증을 위한 반전단계(A)는 반드시 포함되어야 한다. 2차 실험설계 단계는 정해진 기간 없이 연구자의 입장에서 만족한 효과를 보았다고 판단할 때까지 계속되어야 한다. 그리고 이 기간에는 행동수정을 위한 실험처치를 중단해도 개선된 행동이 계속 유지될 수 있는가 하는 것을 꾸준히 점검해야 한다. 2차 실험단계에는 실험처치를 중단해도 성과가 유지되는지 알아보기 위한 실험처치의 일시 중단이나 지연을 통해 행동의 변화 여부를 관찰하기도 한다. 연구자가 행동이 어느 정도 형성되었다는 확신이 들면 사후점검 단계로 전환할 수 있다. 이때는 간헐강화를 사용해 학습된 행동의 소멸에 대한 저항을 높이고, 강화 지연의 전략을 활용해 행동수정을 위해 지금까지 사용하던 강화자극을 점차 없애도록 하며, 학습된 행동이 일상생활에서 계속 강화될 수 있도록 연결시키는 작업을 해야 한다. 사후점검 단계에서는 매일 행동을 관찰할 필요는 없지만 행동이 유지되는지, 행동이 어떻게 변화되는지 경향성을 파악할 수 있도록 관찰을 해야 한다. 사후점검 단계 역시 얼마 동안 계속해야 한다는 일정한 원칙은 없고, 연구자가 대상자의 행동이 완전히 수정되어서 더 이상 실험처치를 하지 않아도 학습된 행동이 동일한 수준을 유지한다고 판단될 때까지 계속하는 것이 필요하다.

반정신의학
[反精神醫學, anti-psychiatry]

정신병에 대하여 전통적인 관점에서 벗어나 정치적 · 사회적 차원에서 원인을 설명하려는 학문. 이상심리

1960년대에 구미에서 발생했으며, 쿠퍼(Cooper)가 사용하기 시작한 용어다. 기존의 주류 정신의학이 제시한 여러 가설에 대해 이의를 제기한 일련의 학문적 조류로서, 사스와 랭(Szasz & Laing)이 유명하다. 기존의 주류 정신의학에서는 순수 이론적, 의학적 관점에서 '광기＝질병'이라고 암묵적으로 전제했는데, 반정신의학에서는 이 같은 일면적 관점을 배제하고 정신병을 정치적, 사회적 차원으로 되돌려 문제를 규명해야 한다고 주장한다. 이러한 점에

서 '정신병은 정신과 의사가 환자에게 붙인 딱지'라는 사회학적 관점도 생겨났다.

반짝이는 사건
[-事件, sparkling event]

문제가 가득 찬 것처럼 보이는 개인의 삶에서 그 문제적 상황의 부정적인 영향력 아래에 있지 않는 사건이나 의미 있는 해석. 이야기치료

인간은 인생을 살아가면서 수많은 사건을 경험하는데, 각각의 모든 사건과 그와 연관된 사회문화적인 영향력, 혹은 그 상황에서의 느낌이나 생각 등 모두에 의미를 부여하여 해석하지는 않는다. 그중에서 몇 가지를 선택하여 이야기하고, 그러한 이야기들을 하나의 의미 있는 구조로 만들어 삶의 정체성을 규정하게 된다. 즉, 삶의 수많은 사건 중에서 몇 개의 선택된 사건에 부여된 의미가 인간의 삶에 막대한 영향력을 미치고 있을 때, 이러한 이야기들이 그 사람의 삶과 자아정체성을 형성하고, 이를 나타낼 수 있는 지배적 이야기(dominant story)가 되는 것이다. 그리고 지배적 이야기의 영향 아래 있지 않지만 여전히 그 사람의 삶에 존재하는 숨겨진 이야기들 중에서 지배적 이야기의 영향력을 감소시킬 수 있고 보다 만족스러운 미래의 삶을 위한 희망을 가질 수 있게 하는 어떤 사건이나 의미, 느낌 혹은 생각 등을 반짝이는 사건이라고 한다. 반짝이는 사건을 찾아내는 것은 이야기치료과정에서 내담자의 부정적인 삶의 이야기를 보다 만족스럽게 재구성하도록 하는 독특한 결과(unique outcomes)를 발견하는 시작점이 될 수 있다는 점에서 의미가 있다.

관련어 대안적 이야기, 독특한 결과, 이야기치료, 지배적 이야기

반항기
[反抗期, negativistic age, period of negativism]

인간의 발달과정에서 주위 환경에 대한 반항이 현저해지는 시기. 아동청소년상담

상위자에 대한 반항이 청년기 정도까지 특별한 이유 없이 부모 등에 대해 계속하여 나타나는 시기가 있는데, 이를 반항기라고 한다. 반항기는 유아기의 제1반항기와 청년기의 제2반항기가 있다. 제1반항기는 2~4세경에 나타나는데, 3~4세경에 언어습득이 일단 완성되고 그 때문에 내적 세계가 풍부하게 열려 자신을 의식하게 되며 일종의 완고함이나 자기주장이 나타난다. 따라서 부모에 대해서뿐만 아니라 무엇에 대해서도 '우라고 말하면 좌, 좌라고 말하면 우'라고 하듯 거절증적이라고도 할 수 있는 총체적인 반항이 보인다. 그리고 이 시기의 특징은 신체발육이 진전되어 운동기능도 신장하고 신체적 활동이 활발하지만 자기통제기능은 아직 불충분하기 때문에 부모의 규제가 강하고 그것에 대한 반발이 생긴다. 이 반항은 의지의 강도와 관계되어 있으며 반항이 없는 아동에게는 의지박약의 경향이 보인다. 다음으로 제2반항기는 중학생, 고등학생에게서 나타나고, 자신의 이상과 사회의 현실과의 모순이 반항을 일으키며, 반항에 의한 주변의 반응에 따라 자신의 존재가치를 확인한다. 청년기 반항은 정권교체와 같은 것으로 지금까지는 이유 없이 경외하고 밀착하고 있던 부모와 교사에게서 떨어져 나와 그들을 객관시하기 때문에 이전의 경외나 밀착의 반동과 같은 형태로 혐오나 반발이 생기며 그러한 상위자와는 전혀 별도의 대상에 경외나 동경을 나타낸다. 또한 청년기에는 성적 성숙을 포함한 신체적 발달은 완전히 어른처럼 되지만 사회적으로는 아직 한 사람 몫을 하지 못하고, 이른바 약속이나 말만 해 놓은 채 실행을 계속 미루는 일을 하지 않을 수 없게 되어 반항이 나타난다.

반항성행동장애
[反抗性行動障礙, oppositional defiant behavior disorder]

특수아상담

⇨ '적대적 반항장애' 참조.

반향동작
[反響動作, echopraxia]

타인이 보이는 행동에 따라 자신의 의지와 상관없이 자동으로 행동을 따라 하는 것. 정신병리

타인의 행동을 발작성으로 혹은 불수의적으로 모방하는 것을 말하며, 반향동작증, 반향 행동증, 반향동작, 동작모방증이라고도 한다. 대개 자폐나 정신분열, 치매의 증상으로 나타나며, 보다 일반적인 사람에게 나타나는 경우에는 반향동작이 증오와 분노를 억압하고 복종을 가장한 표현일 수 있다. 유아의 경우는 발달 미성숙으로 나타날 수 있다. 또 다른 자동 행동으로는 다른 사람의 주어진 말에 따라 하는 반향언어, 표정을 따라 짓는 반향 표정이 있다.

관련어 | 자동 행동

반향어
[反響語, echolalia]

전에 들은 낱말이나 문장을 의도나 의미 없이 반복하는 현상. 특수아상담

일반적으로 반향어는 자동적이고 반사적이지만 의사소통 및 인지적 기능에 따라 다양한 양상을 띠기 때문에, 반향어와 의도적인 구어반복을 구별하는 것은 그리 쉬운 일이 아니다. 반향어는 자폐뿐만 아니라 정신분열증, 연결 피질성이나 전두 운동성 실어증, 퇴행성 대뇌 질병, 간질 후 증상, 유아 실어증 또는 심한 지적장애 아동에게서도 나타날 수 있다. 발탁스와 시몬스(Baltaxe & Simmons, 1981)는 자폐 아동의 반향어를 그들의 형태적 또는 통합적 사고 형태와 연관지어 설명하였다. 그들에 따르면, 자폐 아동은 화자의 구어를 분석되지 않는 통합체로 외워 버리기 때문에 창조적이고 융통성 있는 구어를 습득하지 못하는 것이라고 볼 수 있다. 즉, 80% 이상의 자폐 아동에게서 나타나는 인지적 결함과 통합적 사고방식이 그들의 정상적인 언어발달을 방해한다는 것이다. 사실 정상인에게도 통합적 언어 처리 과정이 나타나기도 한다. 예를 들어, 문장의 구성요소를 개별적으로 생각하지 않아도 되는 자동 구어를 사용할 때나 제2외국어를 외워서 사용하는 경우가 이에 속한다. 또는 후수정체 섬유증식(retrolental fibroplasias)으로 인한 시각장애 아동도 이러한 언어형태가 나타나기도 한다. 심하게 반향어를 하는 자폐 또는 다른 장애 아동의 경우에는 마치 앵무새가 반사적으로 구어를 반복하는 것 같은 느낌을 주기도 한다. 따라서 일부 연구자들은 자동적인 즉각 반향어의 원인을 대뇌기관의 병리현상에서 찾으려는 시도를 하기도 하였다. 하지만 아직 이러한 주장들을 지지해 줄 만큼 충분한 증거가 제시되지는 못하고 있다. 일부 자폐 아동은 초기의 반향어 시기를 거쳐서 좀 더 창조적이고 융통성 있는 언어를 습득해 나가기도 한다. 이러한 경우는 아동이 차츰 언어학적인 규칙을 분석적으로 학습해 나간다고 볼 수 있다. 그러나 과정에서 반향어는 창조적인 언어로 나아가는 데 중요한 역할을 한다. 특히 화자의 문장을 그대로 반복하는 것이 아니라 나름대로 바꾸어 반복하는 변조된 반향어는 초기 반향어와 창조적 언어의 중간 형태라고 볼 수 있다.

관련어 | 언어장애

발달 수퍼비전
[發達 -, developmental supervision]

수퍼비전의 과정을 하나의 발달과정으로 보는 접근법. 상담 수퍼비전

발달 수퍼비전은 슈톨텐버, 맥네일과 델워스(Stoltenber, McNeill, & Delworth)의 통합발달모델(IDM)을 스콥홀트와 론스테드(Skovholt & Ronnestad, 1992)가 확장하여 제안한 모델이다. 이들은 상담자의 발달과정이 오랜 시간에 걸쳐 일어나며, 이러한 발달과정이 상담을 배우는 기간에 국한되는 것이 아니라 상담자로서 임상을 수행해 나가는 과정에도 계속해서 일어난다고 설명하였다. 또한 수많은 상담수련생과 임상가를 면접하여 상담자 발달의 특성을 8단계로 분류하였다. 8단계를 살펴보면 유능감, 전문가 수련으로서의 전환, 숙련가 모방, 조건적 자율성, 탐색, 통합, 개별화, 완성이다. 그리고 발달단계에 맞추어 수퍼바이저들이 수퍼비전을 할 수 있는 구체적인 제안으로서의 청사진을 내놓기도 하였다.

관련어 | 통합발달모델

발달검사
[發達檢査, developmental test]

영유아의 발달수준을 평가하는 검사. 심리검사

2~3세경 유아는 주로 언어 및 운동 발달의 지체, 사회적 상호작용의 제한 또는 자폐적 성향이 주 호소문제로 의뢰되곤 한다. 이때 발달의 어느 부분이 지체되고 있는지, 혹은 자폐적 성향을 보이고 있는지 평가하는 것이 중요한데, 이를 위해 아동의 발달수준을 평가한다. 주로 발달지수(Developmental Quotient: DQ)를 바탕으로 영유아의 발달 정도를 따지며, 대부분은 어머니 등에게 청취하거나 행동관찰 등을 통해서 행해진다. 영유아 분석적 발달검사법은 이동 운동, 손 운동, 기본적 습관, 대인관계, 발어(發語), 언어이해의 여섯 가지 영역에서 구성되는 간단한 검사로서 각각의 영역의 월령이 산출되는 것도 있다. 하지만 영유아는 기분, 체조, 환경의 변화, 검사자의 태도와 방법에 따라 결과가 상당히 다르게 나오기 때문에 검사결과에 대한 과신은 가급적 피해야 한다. 발달수준을 평가하는 데 사용하는 검사는 게젤 발달검사(Gesell Development Schedules: GDS, 1949), 유아 선별 검사(Early Screening Inventory: ESI, 1983), 매카시 아동 능력검사(McCarthy Scales of Children's Abilities: MSCA, 1972), 덴버 발달선별검사 II(Denver II, 1992), 베일리 영유아발달검사 II (Bayley Scales of Infant Development II, BSID-II, 1993) 등이 있다. 그중 우리나라에서 주로 사용하고 있는 검사는 덴버 발달선별검사 II와 베일리 영유아 발달검사 II다.

관련어 | 덴버 발달선별검사, 베일리 영유아발달검사

발달단계
[發達段階, developmental stages]

발달현상을 연령별로 구분하여 발달적 변화의 내용을 효과적으로 이해하도록 하는 것. 발달심리

발달심리 분야에서 공통적으로 사용하는 연령별 단계는 출생 이전의 태아기, 출생 후부터 약 2세경까지의 영아기, 2세부터 6~7세까지의 유아기 또는 입학 전 아동기, 6~7세부터 12~13세까지의 아동기, 12~13세부터 22~23세까지의 청년기, 대략 40세까지의 성인 전기, 40세에서 60~65세까지의 성인 중기 또는 중년기, 60대 이후의 성인 후기 또는 노년기의 구분이 대표적이다. 또한 전 생애를 연령으로 구분하여 크게 아동 발달단계, 청년 발달단계, 성인 발달단계라는 3개의 주된 발달단계로 구분할 수 있다. 세 발달단계는 다시 여러 개의 하위단계로 세분될 수 있지만 연구자에 따라 그리고 관심을 갖는

학문영역의 특성에 따라 하위단계 구분방식에 차이가 있다. 그러나 개인의 연령이 발달단계를 구분하는 절대적인 지표는 아니다. 동일한 연령의 개인 사이에도 많은 차이가 있기 때문에 연령은 단지 대략적인 지표에 지나지 않는다. 더욱이 문화에 따라 전 생애를 구분하는 방법이 다르고 각 연령단계에 할당되는 지위와 역할 및 책임이 다르므로 전 생애의 개념과 연령구분이 역사적으로 어떻게 변화해 왔고 문화에 따라 무슨 차이가 있는지가 중요하다. 발달단계를 시기별로 구성하는 것은 각 단계가 갖는 발달적 특징을 명시해 주는 장점이 있지만, 단계가 세분화됨으로써 각 심리적 특성의 발달을 체계적으로 이해하는 것이 어렵다는 단점이 있다.

관련어 | 발달요인, 발달원리

발달상담치료
[發達相談治療, developmental counseling therapy: DCT]

내담자를 보다 효과적으로 치료하기 위해 다양한 치료이론과 중재방식을 통합한 접근법. 통합치료

발달상담치료는 아이비(Ivey), 리가지오 디길리오(Rigazio-DiGilio) 등이 개발한 치료체계로, 포스트모던 사상을 대표하는 평가 및 치료의 통합이론이라고도 한다. 이것은 특정한 이론을 내담자에게 적용하기보다는 내담자에 대한 공감과 이해를 바탕으로 긍정적인 변화를 만들어 가도록 도와주어야 한다는 접근방법이다. 발달상담치료에서는 내담자의 긍정적인 발달이라는 목적을 이루기 위해 다양한 이론과 기법을 통합하는 다중적인 방법으로 인간의 세계관, 삶에 작용하는 방식, 강점과 문제의 영역, 그리고 계속해서 발달하는 인간의 인지발달적 지향을 탐색하고 평가하여 내담자에게 적절한 치료방법을 선택하고, 치료전략을 수립하여 적용한다. 이 같은 발달상담치료는 독자적인 이론체계 때문에 기술적 절충주의인 다양식 행동치료보다 좀 더 치료에 대한 통합적 접근법이라는 평가를 받고 있다.

관련어 | 다양식 행동치료, 발달적 평가면접, 통합치료

발달성 운동조절장애
[發達性運動調節障礙, developmental coordination disorder]

개인의 생활 연령, 측정된 지능의 기대되는 수준보다 근육운동조정기술이 낮아 학업 성취나 일상생활에 뚜렷한 지장을 받으며, 일반적 지적 장애나 특수한 선천적 혹은 후천적 신경장애만으로는 설명할 수 없는 장애. 특수아 상담

DSM-IV에서 운동근육기술장애 아래 발달협응장애로 구분하던 것이 DSM-5에서는 발달성 운동조절장애로 진단명이 변경되었으나, 현장에서는 운동기술장애 또는 발달성 운동근육협응장애라 부르기도 한다. 발달성 운동조절장애는 앉기, 기어 다니기, 걷기, 뛰기 등의 운동발달이 또래보다 현저히 늦고 동작이 서툴러서 물건을 자주 떨어뜨리고 깨뜨리거나 운동을 잘 하지 못하는 경우를 뜻한다. 운동능력은 해부학적 구조상의 발육과 생리학적 기능발달이 서로 영향을 주면서 발달하는데, 그 변화하는 과정이 운동 발달이다. 움직인다는 것은 환경의 요구에 적절하게 반응하는 것을 배우는 것이고, 움직임을 배운다는 것은 움직임으로 감각에 따른 활동을 배워가는 것이다. 이러한 운동 발달은 개개인의 나이와 관련하여 인간의 전 생애를 통해 일어난다. 그러나 어떤 아동은 기어 다니기, 앉기, 걷기, 신발 끈 묶기, 셔츠의 단추 잠그기, 바지의 지퍼 잠그기 등이 서툴고, 발달이 늦는 경우가 있다. 좀 더 크면 퍼즐 맞추기, 모형 만들기, 공놀이하기, 그림 그리기, 글씨 쓰기 등을 제대로 하지 못하여 학교에서 학습할 때나 일상생활에서 어려움이 많다. 발달성 운동조절장애를 가진 아동에게는 정상적인 운동 감각으로 최대한 쉽게(greater easy), 최소의 노력으로

(less effort), 넓은 범위를 통해(through wider range) 움직이는 것이 가능하도록 도움을 주어야 한다. DSM-5에서는 발달성 운동조절장애의 진단 기준을 다음과 같이 제시하고 있다. 첫째, 개인의 연령, 지능을 감안하여 예측되는 운동 수행 능력 보다 운동 수행 능력이 뚜렷이 떨어진다. 운동 발달 지표가 느리거나 물건을 떨어트리거나 서툰 운동 발달, 서툰 글씨 쓰기 등의 현상이 나타난다. 둘째, 운동 발달의 지체로 학습 능력이나 일상생활에서의 장애가 초래된다. 셋째, 뇌성 마비, 근위축증 또는 반신 마비 등 분명한 내과적 또는 신경학적 질환과 동반되어서는 안 되며 전반적 발달 장애와 동반되어도 안 된다. 넷째, 지능 지체가 동반되는 경우 지능 지체로 예측할 수 있는 장애의 수준을 넘어서는 정도여야 한다.

발달요인
[發達要因, developmental factors]

발달에 영향을 주는 중요한 요소. 발달심리

발달요인은 과거에는 유전과 환경을 개인의 성장과 발달에 영향을 주는 2개의 독립된 요인으로 생각했지만 현재에는 두 요인이 분리될 수 없는 상호작용적인 것이라고 인식한다. 1860년대에 멘델(Mendel)이 유전에 관한 법칙을 발표한 후, 특히 1920년대에 들어서면서부터 인간의 심리적인 특성을 형성하는 데 유전적 요인이 지나치게 강조되었다. 따라서 인간의 지능, 성격, 도덕성, 심지어 범죄에 이르기까지 모든 것이 유전적 요인에 따라 결정되는 것이며, 환경적인 요인은 그 역할이 크지 않다고 보았다. 그러나 1930년대부터 유전적인 면을 지나치게 강조하는 전통에 대하여 반작용적인 운동이 일어났는데, 바로 환경적 요인을 강조하는 주장이었다. 특히 왓슨(Watson)과 같은 환경론자들은 인간의 심리적 특성은 유전적 요인으로 결정되기보다는 환경적 요인으로 결정된다고 주장하였다. 인간의 발달에서 환경은 다음과 같은 영향을 미친다. 첫째, 환경은 인간의 특성에서 일어나는 변화와 범위와 종류를 결정해 주는 요인이다. 인간의 특성 중에서 학교교육을 통해서 나타나는 학력은 상당한 정도로 환경의 요인에 의해서 결정되는 경우가 많기 때문이다. 둘째, 인간발달과정에서 가장 급격한 발달을 가져오는 시기에 더욱 큰 영향을 미친다. 인간발달의 과정은 직선적이 아니라 보다 급격한 발달을 가져오는 시기가 있고 비교적 완만한 발달을 가져오는 시기가 있다. 이러한 발달상의 차이에 따라 환경의 요인도 차이가 있으며, 인간발달에서 가장 급격하게 발달하는 시기에 더욱 큰 영향을 미친다. 셋째, 발달에서 초기의 환경이 보다 큰 영향을 미치기 때문에 더욱 중요하다. 한편, 독일의 스턴(Stern)은 발달의 요인이 선천적인 유전만으로 이루어지지 않고 또 환경의 힘만으로도 이루어지지 않는다고 하였다. 발달은 단지 생래적인 특질이 그대로 발현되는 것이 아니며, 또한 외계에서의 환경적 자극에 대한 반응으로서 발현되는 것만도 아니라는 것이다. 즉, 생래적인 내적 성질과 환경적 조건이 서로 폭주하는 결과로 생긴다고 하였다. 다시 말해, 발달에서 유전과 환경의 요소가 모두 중요하다고 주장하였다.

관련어 | 발달단계, 발달원리

발달원리
[發達原理, developmental principle]

발달에 나타나는 일반적인 원칙. 발달심리

발달원리에는 다음의 다섯 가지가 있다. 첫째, 발달에는 일정한 순서가 있다. 아동의 성장과정을 살펴보면 태어나서 앉을 수 있게 된 다음에야 비로소 설 수 있으며, 설 수 있게 된 다음에 걸을 수 있다.

둘째, 발달은 일정한 방향으로 진행된다. 머리에서 발 방향으로, 안에서 바깥으로, 일반적인 것에서 특수한 것으로 발달한다. 예를 들면, 유아는 방바닥에 떨어진 머리카락 하나를 줍기 위해 거의 온몸을 다 사용하지만 시간이 지나면서 엄지손가락과 집게손가락만 사용한다. 셋째, 발달은 연속적인 과정이지만 그 속도는 일정하지 않다. 신체나 정신 기능에 따라 발달의 속도는 각각 다르다. 예를 들면, 신체의 발달은 아동기와 사춘기에 급격한 증가를 보이고 다른 시기에는 발달의 속도가 느려진다. 넷째, 발달에는 개인차가 있다. 모든 사람이 보편적인 성장과정을 거치지만 개개인을 살펴보면 분명히 뚜렷한 개인차를 확인할 수 있다. 다섯째, 발달의 각 영역은 상호 밀접한 연관이 있다. 사회정서적 발달과 신체적 발달은 인지적 발달에 영향을 미치고, 인지적 발달은 사회정서적 발달에 영향을 미친다. 즉, 신체적 발달, 인지적 발달, 사회정서적 발달은 각자 독립적으로 이루어지지 않는다.

관련어 발달단계, 발달요인

발달장애
[發達障礙, development disability]

정적인 뇌 질환(산소 부족으로 인한 뇌 손상) 또는 뇌 상해 때문에 뇌가 통제하는 하나 또는 그 이상의 기능에 심각한 결함이나 제한을 가져온 상태. 특수아상담

정상적 행동이 과장되거나 왜곡되거나 혹은 중요한 행동을 발달시키는 것을 실패하는 데 따른 것이다(Achenbach, 1985, 1992; Richman, 1985). 발달은 발달단계마다 적응해야 하는 일련의 결정적인 발달과제를 중심으로 조직화되어 있다. 개인의 적응은 발달과제의 해결 정도에 따라 결정되는데, 이러한 도전을 적절히 해결하지 못하면 개체의 능력 약화를 가져오고 결국 부적응적 형태로 발달한다(Sroufe & Rutter, 1984; Sroufe, 1990; Achenbach, 1990a, 1990b). 일반적인 상호작용의 발달, 언어적 · 비언어적 의사소통기술의 발달에서는 질적인 장애가 있다. 전반적 발달장애인의 75~80%가 지적장애를 수반한다. 발달장애는 평균 이하의 심각하게 낮은 지적 기능과 그와 연관된 한계로 규정되는데, 그 한계는 적응기술 영역, 즉 의사소통, 자기-관리, 집안생활, 사회적 기술, 공유물 사용, 건강과 안전, 기능적 학업, 여가, 직업 등이며 이 중 2개 이상에서 나타난다. 또한 발달장애는 18세 이하의 연령에서 나타난다. 셰셈(Tjossem, 1976)은 발달장애를 일으킬 위험요인을 선천적 장애 위험, 생물학적 장애 위험, 환경적 장애위험으로 분류하였다. 우리나라에서는 발달장애를 지칭하는 용어로 단순하게 장애라는 용어를 많이 사용하고 있는데, 장애라는 용어는 상황에 따라서 무능력, 핸디캡, 손상 등의 의미가 포함되어 쓰인다. 무능력이란 일반인이 정상적으로 수행하는 능력을 방해하는 다양한 상태를 의미하는 용어로서 감각장애(청각 손상, 시각 손상), 지체장애(신경학적 손상, 정형외과적 손상, 건강상의 손상에 따른 운동기능의 손상), 말 · 언어장애, 인지장애(지적장애, 학습장애), 행동장애 중 하나 이상의 상태를 나타내는 것이다. 일반적으로 손상이란 용어는 무능력과 동일한 의미로 사용되는 경우가 많은데, 주로 특정 상해나 불능으로 인한 손상을 의미한다. 핸디캡은 좀 더 제한적인 의미를 담은 용어로서, 장애의 결과로 일반인이 수행할 수 있는 과제를 수행하지 못하거나 기능하지 못하는 경우를 뜻한다.

발달적 독서치료
[發達的讀書治療, developmental bibliotherapy]

일반인들이 정상적인 일상의 과업에 대처할 수 있도록 하기 위해 문학작품을 활용하는 독서치료. 문학치료(독서치료)

랙(Lack, 1985)은 독서치료 활동의 종류와 참여

자의 특성에 따라 독서치료를 발달적 독서치료와 임상적 독서치료로 구분하였다. 정서나 행동 면에서 심각한 문제를 겪고 있는 사람을 도와주는 개입의 형태로 특정 문제에 초점을 두는 임상적 독서치료와는 달리, 발달적 독서치료는 예방적으로 사용되며, 문제가 생기기 전에 예측하고 필요한 것에 부합하도록 애쓴다. 따라서 읽기자료와 토론활동에서 일반적인 인성발달을 강조한다. 발달적 독서치료의 목표는 다른 사람들이 동일한 혹은 유사한 발달적 단계의 위기를 어떻게 다루는지 예견할 수 있는 정보나 본보기를 제공하여 삶에서 앞으로 닥칠 예측 가능한 단계들로 옮겨 갈 수 있도록 도와주는 것이다. 일부 심리학자들은 모든 사람이 거쳐야 하는 발달적 과업에 대한 목록을 만들기도 하였다. 발달적 독서치료는 아이들이 자신의 감정을 인식하고 분명히 표현할 수 있으며 정상적인 발달과업에서 특정한 어려움과 맞닥트렸을 때 그에 대처할 수 있도록 교사, 사서, 상담사, 부모 등이 도움을 줄 수 있도록 한다. 이는 아동기 및 청소년기 과업을 해결할 수 있도록 도와주는 계획된 노력의 일부라고 할 수 있다. 발달적 독서치료는 제대로 훈련을 받은 정신건강전문가가 필요한 임상적 독서치료와는 달리, 교사, 사서, 부모 등이 자연스럽게 아이들이 자신의 감상이나 느낌에 대해 이야기하는 것을 들어 주는 것만으로도 가능하다. 하지만 안전한 장소에서 시행되어야 한다. 복잡한 전문이론이 필요한 것도 아니다. 그래서 발달적 독서치료는 약간의 지도를 병행하는 독서행위처럼 보이기도 한다. 동일시, 카타르시스, 통찰 등 독서치료의 3단계를 거치고, 마지막으로 네 번째 단계인 보편화에 이르는데, 이는 독서행위를 통해서 자신만의 특별한 문제라고 여겼던 것이 일반적이고 보편적이라는 것을 깨닫는 과정이다. 그러나 독서행위만으로는 이 모든 과정이 이루어지지 않는다. 성공적인 독서치료는 독서 이후에 심도 있는 토의가 있어야 가능하다. 독자가 자기성찰, 자기개념 강화, 개인적 · 사회적 판단력 향상 등에 이를 수 있도록 글쓰기를 병행하는 것 등의 추후활동을 토의와 병행하는 것이 중요하다. 반영적 글쓰기를 나누는 과정에서 학생들은 서로 익숙한 경험이나 태도를 노출하면서 공감하는 이점을 누릴 수 있다. 그렇다 보니 발달적 독서치료는 학교환경과 같은 곳에서 정상적인 학생들의 일반적인 건강이나 발달에 교육적인 목표로 활용되는 경우가 많다. 이 같은 경우 교사는 학생들의 관심사에 대해서 잘 알게 되고 문제가 일어나기 전에 쟁점을 다룰 수 있다. 또한 학생들은 다른 10대가 동일한 혹은 유사한 문제를 어떻게 다루는지 예상할 수 있는 지식과 본보기를 가지고 청소년의 예측 가능한 단계를 밟아 나갈 수 있다. 독서치료는 책과 독자 간의 상호작용과정이며, 이는 발달적 독서치료와 임상적 독서치료 모두에서 일어난다. 효율적인 발달적 독서치료의 결과는 자아존중감을 증가시키고 참여자의 개성과 행동이 적절한 심리적 가치에 더 잘 융화되도록 해 준다. 전문가들이 주관하는 발달적 독서치료는 집단상담기법을 활용하는 경우가 많다. 따라서 학교상황이나 청소년 대상 집단 프로그램에 적합하다. 병원, 특수기관 혹은 집단에서도 유용하다.

발달적 무게중심 [發達的-中心, developmental center of gravity]

개인별로 자연스럽게 완수하고 가장 발달한 의미-구성 체계 또는 관점에 비추어 행동하는 경향이 있는데, 이와 같이 개인이 선호하는 관점 혹은 개인이 의미를 구성하는 중심 경향성.

초월영성치료

각기 다른 발달적 무게중심으로 기능하는 개인에게 각기 다른 치료적 접근을 최적으로 맞춤화할 것을 강조하는 통합심리치료(integral psychotherapy)에서는 내담자의 발달적 무게중심의 평가를 강조한다. 한 인간의 발달수준 또는 무게중심을 평가하는 측정도구를 개발하고 표준화한 쿡 그뢰터(Cook-Greuter)는 상담자들이 워싱턴대학 문장완성검사(WUSCT), 통합적 문장완성검사(SCTI) 등의 검사나 임상적 감각을 통하여 내담자의 발달적 무게중심과 그들의 레퍼토리, 그리고 의미-구성개념과 전략의 범위를 평가할 수 있다고 하였다. 이에 내담자의 발달적 무게중심을 평가하는 데 몇 가지 기준은 다음과 같다. 첫째, 내담자의 언어사용은 사고과정을 반영한다. 내담자가 추상적으로 사고할 수 있는가? 내담자는 자신의 사고와 견해에 대한 증거를 검토하는 데 개방적인가? 그러한 사고와 견해를 기꺼이 변화시키려 하고 그것을 할 수 있는 능력이 있는가? 둘째, 퇴행적 혹은 나이에 부적합한 강렬한 욕구와 같은 발달적 정지 또는 고착과 같은 신호들이 있는가? 셋째, 의미-구성 활동에서의 분화와 복잡성은 어느 정도인가? 넷째, 내담자가 상담자와 관계하는 방식은 어떠한가? 다섯째, 내담자가 가장 일반적으로 사용하는 방어체계는 무엇인가?

발달적 미술치료 [發達的美術治療, developmental art therapy]

에릭슨(Erikson)의 심리사회적 발달, 피아제(Piaget)의 인지발달이론 등의 인간발달과정에 대한 이론을 근거로 미술활동을 구성하여 개인의 성장을 돕는 활동. 미술치료

1977년 윌리엄스(Williams)와 우드(Wood)가 처음으로 사용한 용어로, 그들은 인지능력과 운동능력은 정상이지만 정서적으로 장애가 있는 아동을 대상으로 발달적 미술치료를 실시하여 그 효과를 입증하였다. 발달적 미술치료에서 발달은 정상 발달 범주에 속하지 않는 내담자를 이해하고 조정하기 위한 기본 구조를 의미하며, 그런 만큼 발달적 미술치료는 내담자의 발달적 정상화에 초점을 맞춘다. 발달적 미술치료에서는 내담자에게 미술이라는 비언어적 매체를 제공함으로써 의사소통능력을 확장시켜 주고, 지금까지 접해 보지 못한 다양한 매체를 통하여 내담자에게 흥미를 유발하고 적극적인 참여를 하도록 자극한다. 또한 감각적 자극을 제공함으로써 환경에 대한 인식을 증가시키고 지각을 예민하게 하며 독립적인 사고를 증진시킨다. 이와 같은 발달적 미술치료는 초기의 전 상징단계에 초점을 둔 비장애 아동의 발달원리에 기초를 두고 있다. 이와 같이 윌리엄스와 우드는 행동, 의사소통, 사회화 및 학업 전(pre-academic) 영역에서 발달적 목적을 충족시킬 수 있도록 발달적 미술치료를 고안하였으며, 다음과 같은 가정을 하고 있다. 첫째, 행동은 실제로 작업하게 하거나 아동을 관련시켜 활동하는 것을 포함한다. 아동이 자신의 환경을 알아차리고 환경과 관계를 맺도록 하는 것이다. 인지, 주의집중시간, 충동통제 및 운동반응 등은 아동이 자신의 환경과 관계를 맺을 때 발달되기 시작하는 과정의 일부다. 둘째, 의사소통은 치료자와 집단의 다른 구성원들과의 관계, 즉 사람과 사람의 관계에 관한 것이다. 의사소통이란 언어적 및 비언어적 상호작용의 모든 형태를 포함한다. 의사소통기술이 증진되면 정보를 수용하고 전달하는 능력이 발달한다. 셋째, 사회화는 다른 사람의 존재를 인식하고 집단의 구성원으로서 기능할 수 있는 것과 관련된 것이다. 공유하기, 차례 지키기, 다른 사람의 말 듣기, 공동의 목표 공유하기 등은 집단을 통해서 개발될 수 있다. 치료자와의 상호작용도 사회화 과정의 한 부분이다. 넷째, 학문 전 과정은 창조적 문제해결에 도움이 되는 인지적 과정이다. 감각의 식별, 신체협응, 분류화, 유목화 그리고 세부적인 것들을 인식하는 것 등은 표현언어의 상징들을 인식할 수 있는 보다 복잡한 과정의 발달에 필요하다. 따라서 발달적 미술치료는 이 네 가지 교육영역의 각각에서 개별화된 목표에 초점을 맞춘다. 교육은 아동이 가능한 한 즐겁게 발달적 목표에 숙련될 수 있도록 주의 깊고 연속적으로 구성되어야 한다. 사회성 및 정서적 성장은 아동이 각각의 목표를 충족할 때 일

어난다. 다양한 미술매체로 표현하는 것과 각 개인의 욕구를 민감하게 이해하는 것은 성장에서 중요한 열쇠다. 따라서 발달적 미술치료에서는 소근육의 촉각적 경험을 극대화시키기 위한 찰흙이나 기름이 섞인 유토의 활용, 심리적 · 신체적 이완과 조절을 위한 비지시적 접근, 사물에 대한 관심과 시 · 지각훈련, 인지능력 향상, 이젤을 활용하여 자세를 교정하기 위한 지시적 · 비지시적 접근, 그리고 눈과 손 및 양손의 협응력 향상을 위한 비미술적 재료의 활용 등이 적용되고 있다. 그러나 장애 아동을 대상으로 하는 발달적 미술치료는 단기간에 아동의 기능이 전적으로 향상되는 것이 아닐 뿐만 아니라 아동 개개인의 인지와 운동 능력의 차이가 크고, 그에 따라 심리 · 정서적 변화의 폭이 다양하기 때문에 치료자의 성급한 판단이나 장애에 대한 과도한 연민 등은 발달을 저해할 수 있다. 따라서 아동에 대한 정서와 인지적 · 신체적 능력을 고려한 세심한 관찰과 아동의 특징에 맞는 치료기간과 치료 프로그램으로 연구 · 운영되어야 한다.

발달적 평가면접 [發達的評價面接, developmental assessment interview]

발달상담치료를 위해 내담자의 인지발달 지향을 평가하려는 목적으로 실시하는 면접. 통합치료

발달적 평가면접은 일련의 연속적인 개방형 질문으로 구성되어 있으며, 각 질문의 목적은 격려와 중재로 내담자를 지원하기 위한 것이다. 이 면접을 통하여 상담자는 내담자의 인지발달 지향을 파악할 수 있다. 발달상담치료에서 피아제(Piaget)의 인지발달단계를 중심으로 인간의 인지기능을 감각운동, 구체적, 형식적 조작, 변증법적-조직적의 네 가지 인지발달로 나누고, 개인이 어느 부분을 지향하느냐에 따라 범주화될 수 있다고 가정하였다. 발달상담치료에서는 이러한 인간 인지기능의 네 가지 발달단계 중 어느 하나가 다른 것보다 우월한 것이 아니라고 설명하고 있다. 건강한 발달을 위해서는 네 분야의 장점을 잘 살려서 삶의 과제를 훌륭히 처리하는 것이 중요하다.

관련어 | 발달상담치료

감각운동 [感覺運動, sensorimotor] 다양한 행동과 상황에 대한 느낌 및 생각을 인식하는 영역이다. 감각운동을 지향하는 사람들은 현재 시점에서 행동과 느낌에 초점을 맞추고, 감각에 의한 정보수집에 의존한다. 따라서 정서가 인지적인 면을 지배하여 통찰력을 갖는 것이 어렵다.

구체적 [具體的, concrete] 객관적이고 구체적인 사실을 인지하는 영역이다. 구체적인 것을 지향하는 사람들은 객관적이며, 행동과 관찰 가능한 사건에 초점을 맞춘다. 하지만 경험을 감정과 연결시키는 데 어려움을 나타내고 인과관계의 추론을 힘들어한다.

변증법적-조직적 [辨證法的-組織的, dialectic-systemic] 인지된 사실을 바탕으로 통합적인 인지와 사고를 통하여 다양한 정보를 처리하는 영역이다. 변증법적-조직적인 것을 지향하는 사람들은 자신이 숙고한 내용을 반영하며, 자신의 정보처리 과정을 인식할 수 있다. 또한 정서의 복잡한 본질을 인식하고 양가적이면서 모호한 감정도 파악할 수 있다.

형식적 조작 [形式的造作, formal operation] 인지된 다양한 정보를 바탕으로 논리적인 분석과 추론을 할 수 있는 영역이다. 형식적 조작의 상태에 있는 사람들은 분석적 능력을 가지고 있으며, 추론하고 객관화하는 능력이 있다. 하지만 현재 자신의 감정을 경험하는 것을 어려워한다.

발달적 학습장애
[發達的學習障礙, developmental learning disabilities]

학령 전기 아동 중 학습과 관련된 기본적인 심리과정에 현저한 어려움을 겪는 것. 특수아상담

유아기부터 취학 전기까지의 발달기 동안에 일어나는 장애를 말한다. 주의력결핍장애, 기억장애, 지각장애, 인지장애, 구어장애, 사회성장애 등을 일컫는 발달적 학습장애는 아동이 학업을 성취하는 데 필요한 선수기능에 문제가 있다는 뜻이다. 아동은 자신의 이름을 읽고 쓰기를 배울 때 지각, 운동 및 눈과 손의 협응, 기억 및 여러 선수 기능이 발달해야 한다. 읽기를 배우기 위해 아동은 적절한 시각적 · 청각적 분류, 시 · 청 기억, 언어 및 기타 능력이 발달해야 하며, 대부분의 아동은 취학 후 각 교과를 학습할 수 있을 정도로 이러한 기능이 충분히 발달한다. 아동이 이러한 기능에 심각한 장애를 입으면 다른 기능을 통하여 읽기, 쓰기, 철자 및 수학 영역을 학습하는 데 겪는 어려움을 보상할 수가 없다.

관련어 | 학습장애, 학업적 학습장애

발달협응장애
[發達協應障礙, developmental coordination disorder]

운동영역에서 동작이 서툴고 잘 넘어지며 운동협응이 미숙한 장애. 발달성 근육운동 조정장애라고도 함. 특수아상담

동작을 정확하게 수행하지 못하는 것, 한 가지 행동이나 과제를 수없이 반복해야 겨우 할 수 있는 것, 한 과제를 수행하는 데 시간이 오래 걸리는 것 등을 말한다. 원인은 아직 확실하게 밝혀지지 않았지만, 외부에서 감각기관을 통해 입력된 감각정보를 통합하는 감각통합 기능, 시 · 지각 기능, 근육운동 감각 기능에 문제가 있어서 운동협응에 어려움을 보인다는 이론이 제기되고 있다. 뇌의 어느 부위에 문제가 있는지는 밝혀지지 않았고, 중추신경계와 근 골격계가 상호작용하는 부위에 문제가 있을 것이라는 가정만 제기되고 있다. 동반되는 증상은 글씨를 쓰는 속도가 느리고 글씨가 서툰 것인데, 이러한 증상 때문에 결과적으로 시간이 지체되어 학습지연이 뒤따르면서 학습장애로 이어질 가능성이 있다. 또한 놀이나 운동을 다른 아이들만큼 잘하지 못하기 때문에 또래와 어울리지 못한다. 이들은 반복된 실패 경험에 따라 학교생활에 의욕을 잃고, 무기력해지고, 자신감을 잃고, 정서적으로 불안해져서 정신건강에 문제가 생길 수도 있다. 발생빈도는 아이들의 6%로, 1세 전에는 아직 복잡한 동작을 할 능력이 발달되지 않아 동작이 둔한 아이의 발견이 어려우며, 만 3~5세경이 되어야 쉽게 진단이 된다. DSM-IV에 따른 발달성 근육운동 조정장애의 진단기준은 다음과 같다. 첫째, 근육운동 조정이 요구되는 일상생활에서의 수행능력이 개인의 생활 능력이나 측정된 지능에서 기대되는 수준보다 현저하게 낮다. 이는 운동발달과제(걷기, 기어 다니기, 앉기 등)의 현저한 지연, 물건 떨어트리기, 서툰 동작, 운동이나 글씨 쓰기를 잘하지 못함에서 나타난다. 둘째, 첫 번째 기준의 장애가 학업의 성취나 일상생활의 활동을 현저하게 방해한다. 셋째, 장애가 일반 의학적 상태(뇌성마비, 편측마비, 근이양증 등) 때문이 아니라 전반적 발달장애의 진단기준에 맞지 않다. 넷째, 지적장애가 있는 경우, 운동장애가 통상적으로 지적장애에 동반되는 수준을 초과해서 심한 정도로 나타난다.

발생론적 오류
[發生論的誤謬, genetic fallacy]

명제의 타당성을 논리적으로 따지지 않고 그 명제의 원인이나 기원에 따라 타당성을 결정하는 오류. 인지치료

발생론적 오류는 어떤 이념, 사상, 이론의 기원이

갖는 속성을 그 이념도 가지고 있다고 추리하는 것으로서, 어떤 논증이 보잘것없는 출처를 가졌다는 이유만으로 그것을 필연적으로 거짓이라고 생각하는 오류를 말한다. 발생론적 오류는 주로 '사람에 대한 반대의 추론(argumentum ad hominem)'으로 나타난다. 강재륜(1990)은 이를 '추론의 타당성을 결정하는 오류'라고 정의하였다. 그는 "옳은 주장이라도 가령 그 주장자가 미천하거나 학식이 없거나 심지어 적대적 관계에 있는 사람이면 이를 받아들이지 않는다."라고 하였고, 역사적으로 보면 독일의 나치는 아인슈타인(Einstein)이 유대인이라는 이유로 그의 상대성 이론을 인정하지 않았다. 구소련에서는 오스트리아 출신의 멘델(Mendel)이 성직자의 신분으로 진화론을 발표한 것을 못마땅하게 여겨 이를 '부르주아적 관념론'이라면서 일축해 버렸다. 프로이트(Freud)와 러셀(Russell) 등은 인간의 종교에 대한 관심이 자연에 대한 공포에서 비롯되었다고 주장했고, 사하키안(Sahakian)은 우리의 종교적 신앙이 어떻게 발생했는가와 그 최초의 계기를 무엇이 마련했는가를 확증하는 일은 흥미로운 일이지만 그것이 무신론의 논증으로 사용되는 것은 적절하지 않다고 주장하였다. 그것은 과학이 주술이나 연금술로부터 발생했다고 해서 현대과학이 무의미하다는 증거가 될 수 없다는 것과 마찬가지라는 것이다. 발생론적 오류는 현실세계에서는 매우 강력한 힘을 발휘한다. 특히 당파적 대결구도가 형성된 상황에서는 '오류'가 아니라 '진리'처럼 여긴다. 똑같은 말이라도 누가 했느냐에 따라 전혀 다른 대접을 받는다. 우리 편이 한 말은 선의의 고언인 반면, 상대편이 한 말은 악의의 모함이라는 식으로 여기는 일이 흔하게 벌어지고 있다. 발생론적 오류는 역사 평가에서도 자주 나타난다. 역사를 오늘의 관점과 기준에서 평가할 경우 부정적으로 평가된 인물이나 세력이 했던 일은 모두 나쁘게 평가받을 가능성이 높다. 설사 그들이 좋은 뜻으로 했던 일이라도 나쁜 의도로 해석될 여지가 많다. 예를 들면, 분석 철학은 제국주의 시대의 영미철학으로 "제국주의적 사상에 물들기를 원하지 않는 한 분석 철학을 배워서는 안 된다."라고 말하는 것이다. 또한 손가락으로 달을 가리키는데 달은 보지 않고 손가락에 묻은 때에 시비를 거는 것도 발생론적 오류로 볼 수 있다. 이러한 오류는 인지치료에서 문제행동에 빠져 있거나 갈등상황에 놓여 있는 사람의 인지적 오류를 분석할 때 비교적 자주 접하는 현상이다.

발테그 그림검사
[-檢査, Wartegg-Zeichentest: WZT]

자극의 감각적 수용과 자극에 대한 충동성의 관계를 정확하게 측정하는 투사검사. 심리검사

1939년에 발테그(Ehring Wartegg)가 개발한 그림검사로, 제2차 세계 대전 이후 그의 동료인 베텔(Vetter)이 발테그 그림검사와 필적을 결합시켜 분석하였고, 그 후 아베 랄레만트(Avé-Lallemant)가 계승하여 개발 · 연구하였다. 발테그 그림검사는 내용을 제한하는 일반적인 그림검사와 달리 제한이 없다. 그러나 이 검사는 고정되고 정밀한 자극도를 제시함으로써 자극의 감각적 수용과 자극에 대한 충동성의 관계를 정확하게 측정하고자 하는 목적을 가지고 있다. 발테그 그림검사의 용지에는 8개의 굵은 테두리로 구획된 영역이 있고, 그곳에 여러 가지 자극도가 그려져 있다. 내담자는 각 영역에 그림을 그려야 하며, 어떤 형태로든 각각의 자극도에 반응하게 된다. 검사용지에 그려진 8개의 자극도는 모두 다르게 구성되어 있거나 상이한 차원으로 고안되어 있다. 말하자면, 발테그 그림검사는 내담자가 자극도에 대하여 어떤 인상을 받고 무엇을 그리는가를 살펴봄으로써 그 자극도와 연결된 주제에 대한 내담자의 반응이나 태도를 이해하려는 것이다. 실시 방법은 내담자에게 8개의 사각형이 그려진 A4 용지와 연필을 건네준 다음, "이 8개의 테두리 안에 무엇

인가를 그려 주세요."라고 지시한다. 각각의 테두리 안에는 자극도가 그려져 있지만, 내담자가 이 자극도를 사용하여 그림을 그리도록 지시해서는 안 된다. 그림은 순서대로 그리게 하지만 그리기 어려운 것은 나중에 그려도 되며, 마지막에 그린 것은 기록해 둔다. 해석의 기준은 자극도를 활용하는지, 그 성질에 대해 반응하고 있는지, 테두리 안의 주제에 반응하고 있는지를 살펴보는 것이다. 그리고 형식적인 양식, 요점만 있는 양식, 회화적 양식, 상징적인 양식과 같이 그림을 분류하는 것을 기준으로 해석할 수 있으며, 생활상황 내의 질문을 통한 것과 기타 여러 가지 영역으로부터 해석이 가능하다. 해석의 예를 들면, 자극도를 활용해서 그렸는지 검토해 보는 경우, 대부분 그림을 그리는 중에 자극도를 활용한다. 만약 자극도를 완전히 무시하고 그린다면 내적인 실현욕구를 외적인 실현욕구보다 중요시하고 있는 것이므로, 이러한 아동의 경우는 외부와의 고립감으로 외로움을 느낄 수 있다는 해석을 할 수 있다. 각각의 테두리 안에는 각각의 특정한 주제가 있으며, 이 주제의 특징과 관련된 반응을 어떻게 인식하고 있는지에 대해서도 검토해 본다면 해석의 기준은 다음과 같다. 자극도 1과 8은 자아와 안심, 2와 7은 감정과 감수성(민감성)을 나타내고, 자극도 3과 5는 달성과 긴장(능력), 4와 6은 문제와 통합을 나타낸다.

방계가족

[傍系家族, collateral family]

형제들이 결혼한 후에도 하나의 가족을 이루며 살아가는 형태. 가족치료 일반

가족이 횡적으로 확장된 것으로, 확대가족의 한 형태다. 즉, 직계세대와 방계세대의 형제들이 모두 하나의 가족을 이루어 사는 것이다. 방계란 직계에서 갈라져 나온 존속들, 형제자매, 삼촌, 이모, 고모, 조카 등을 일컫는 말이다. 따라서 방계가족은 이러한 방계의 세대가 결혼한 후에 한 가족을 이루며 살아가는 가족의 형태다. 우리나라와 일본은 직계가족에 속하고, 중국의 전통 가족과 인도의 힌두족, 발칸반도의 몇 개의 민족은 방계가족의 형태를 취하고 있다.

관련어 | 복합가족, 직계가족

방관자효과

[傍觀者效果, bystander effect]

어떤 일을 지켜보는 사람이 여럿일 때 각자가 책임을 느끼지 않게 되어 주변에서 벌어지는 일 또는 사건에 대해 곁에서 지켜보기만 할 뿐 어떤 도움이나 조치도 취하지 않는 현상. 구경꾼효과라고도 함. 인지행동치료

흔히 어려운 처지에 놓인 사람을 도와주지 않을 경우를 묘사할 때 사용하는 개념이다. 일반적으로 어려움에 처한 사람의 주변에 사람이 많을수록 도와줄 확률은 낮아지는 한편, 도와준다고 하더라도 행동으로 옮기는 데까지 걸리는 시간이 더 길어지는 현상을 말한다. 그 원인으로는 조직이나 군집이 클수록 책임회피나 책임분산이 쉽게 일어나기 때문이다. 일종의 부정적 의미의 군중심리가 작용한다고 볼 수 있다. 매우 잘 알려진 예로는, 1964년 뉴욕에서 발생한 살인사건을 들 수 있다. 키티 제노비스(Kitty Genovese)라는 여성이 일을 마치고 새벽에 귀가하던 중 자신의 아파트 근처에서 괴한에게 칼로 피격을 당하였다. 그녀가 여러 번 칼에 찔리면서 지른 비명에 주위 아파트의 여러 곳에서 불이 켜졌고, 괴한은 놀라서 두 번이나 도망쳤다. 그러나 아무런 기척이 없자 다시 돌아와 여성을 살해하였다. 수사결과, 30분 동안 벌어진 이 사건을 목격한 사람은 최소 38명이나 되었지만, 그 누구도 나와 보지 않았고 신고조차 하지 않았다. 이처럼 여러 명이 사건현장을 목격하게 되면 각 개인이 그 상황에 대해 느끼는 책임감이 희석되고, 자신의 생각을 실천으로 옮기는 것을 주저하게 된다.

방문자
[訪問者, visitors]

드세이저(de Shazer)가 분류한 치료자와 내담자 사이의 관계 유형 중 하나로, 치료가 거의 끝날 때가 되어도 치료의 목표나 불평을 명확하게 구체화하지 못하는 관계. 해결중심상담

드세이저는 내담자를 방문자, 불평자, 고객의 세 유형으로 구분하였으며, 이 유형은 내담자의 개인적 특성을 의미하는 것이 아니라 내담자와 상담자 사이에 일어나는 상호작용의 본질을 설명하고 있다. 방문자는 내담자가 변화에 대한 의지가 별로 없거나 무감각하고, 혹은 자신이 아닌 다른 사람이 변해야 한다고 믿는 경우다. 이때 상담자는 이에 동의하지만 내담자가 도움이 필요할 때는 언제든지 도와주겠다는 자세를 취하면서 내담자와 상호작용할 때 방문자의 유형을 드러낸다. 방문자 유형은 주로 내담자가 자발적으로 상담에 오지 않고 다른 사람의 인도나 외부압력으로 오게 되는 비자발적인 경우가 많다. 이 같은 경우는 상담과정이 계속 진행되어도 내담자가 문제나 해결방안을 구체적으로 드러내는 데 어려움을 겪는다. 이때 상담자는 인내하면서 진실하고 성실한 자세로 내담자 스스로 자신에게 좋은 것이 무엇인지 아는 때가 오기를 기다려 주어야 한다. 또한 내담자의 편에 서서 칭찬하고, 공감하는 자세로 내담자가 생각하고 느끼는 것이 무엇인지 이해하려는 노력을 해야 한다.

관련어 | 고객, 불평자, 비자발적 내담자, 해결중심 단기 치료

방백
[傍白, aside]

사이코드라마 기법의 하나로서, 실연에서 주인공이 느끼고는 있지만 말로는 할 수 없는 것을 표현하는 것. 치료적 독백이라고도 함. 사이코드라마

방백은 독백과 유사하지만 독백보다는 짧고, 독백과 달리 항상 두 사람 이상이 있는 장면에서 사용되는 기법이다. 다시 말해, 주인공이 관객을 향하여 자기 생각을 말하고, 상대방은 주인공이 말하는 것을 모르는 상태라는 것을 얼굴 방향이나 손으로 나타낼 수 있다. 또한 방백은 감추어진 생각이나 느낌이 밖으로 표현된 생각들과 병행하여 표현되기도 한다. 이와 같은 방백은 의사소통이 명확하지 못하여 대인관계 문제가 발생했을 때 유용하다.

관련어 | 독백

방법을 넘어선 방법
[方法 – 方法, beyond method's method]

철학상담의 방법을 비판하기 위하여 제시한 개념으로, 철학상담에서 특정 한 가지 철학에 의존하지 않고 다양한 종류의 철학을 적용해야 한다는 개념. 철학상담

아헨바흐(Achenbach)는 아버지가 자식을 훈계하기 위해 다양한 방법을 사용하는 것처럼 철학상담자는 이용 가능한 다양한 철학을 심리치료에 사용해야 한다고 주장하였다. 아헨바흐는 이 개념으로 철학상담과 심리치료의 차별성을 드러내기 위하여, 철학상담의 방법은 특정 철학을 상담활동의 토대로 삼지 않고 다양한 종류의 철학에 의존한다고 말하였다. 그러나 아헨바흐의 주장은 많은 철학상담이론가들에게 비판을 받았다. 아헨바흐는 무방법(無方法)을 주장하는 듯하면서 실제 철학상담자가 준수해야 할 규칙들을 명시함으로써 일종의 방법을 제시하였기 때문이다. 슈스터(Schuster)는 아헨바흐의 이러한 생각이 철학상담의 영역을 축소시키고 심리치료와의 공조 및 경쟁 관계를 어렵게 만드는 요인이라고 비판하면서 그의 방법에 부정적인 의미를 담아 '방법을 넘어선 방법'이라고 지칭하였다.

방어
[防禦, defense]

애정 대상의 상실, 대상의 애정 상실, 거세, 초자아의 비난과 같은 위협적이고 불쾌한 정서로부터 자아가 자체를 보호하기 위해 노력하는 것. 정신분석학

프로이트(S. Freud)가 「The neuropsychoses of defense(방어의 신경 정신증)」(1984)라는 논문에서 처음 사용했는데, 신경증 이론의 핵심 개념이다. 위험하다고 지각하는 내적 자극에 대한 자아의 반응에 해당된다. 위협은 실제적인 혹은 상상적인 처벌과 관련된 억압된 소망, 생각 혹은 감정이 의식화되려고 할 때 발생하는데, 불안, 우울, 수치심 혹은 죄의식과 같은 고통스러운 정서로 나타난다. 그 결과 이러한 정서가 자아로 하여금 소망이나 욕동을 방어하도록 무의식적인 작용이 일어난다. 이때 위협적인 욕동이나 소망을 차단하는 구체적인 방법을 방어기제(defense mechanisms)라고 한다. 한편, 라캉(J. Lacan)은 정통 정신분석학에서는 방어의 개념을 저항의 개념과 혼동하고 있다고 보면서, 다른 견해를 제시하였다. 그에 따르면, 저항은 상징계의 침입에 대한 과도기적인 상상적 반응이며 대상의 편에 존재하는 것이지만, 방어는 주체성의 영속적인 상징적 구조에 해당한다. 욕망과 방어 간의 대립은 변증법적이다. 라캉은 신경증 환자와 마찬가지로 성도착증 환자에게 욕망은 방어이며 일정한 한계를 넘어서 쾌락으로 들어가려는 시도에 대한 금지이므로 자신의 욕망 속에서 자기 자신을 방어한다고 보았다.

관련어 방어기제

방어기제
[防禦機制, defense mechanism]

원초아와 초자아 간의 갈등에서 발생한 불안으로부터 자아를 보호하기 위해 사용되는 심리적 기제. 정신분석학

프로이트(S. Freud)는 성격구조를 원초아, 자아, 그리고 초자아의 세 가지 요소로 가정하고 이들 사이의 갈등을 토대로 불안을 설명하였다. 적절한 대처능력이 결핍되었을 때, 자아가 너무 취약할 때, 그리고 상황 자체가 합리적으로 해결될 수 없는 경우 불안을 야기하는 상황을 제대로 처리할 수 없다. 방어기제는 이러한 상황을 무의식적으로 처리할 수 있도록 도와준다. 초기 정신분석이론에 따르면, 기본적인 증상 형성의 기저에는 심리 내적 갈등에 기인하여 유발된 불안과 긴장이 자리 잡고 있으며, 그 불편함을 해소하기 위해 원래의 불안을 완화시키는 기능을 발전시킨다. 후일 정신분석이론이 정립되어 가면서 이러한 행동들이 정서적인 갈등과 불안으로부터 벗어나고자 하는 무의식적 심리 내적 과정인 방어기제로 보다 더 명확하게 설명되었다. 즉, 자아가 불쾌하고 불안을 야기하는 자극에 대한 인식을 피하는 데 사용되는 심리작용이며, 원초아의 본능적 욕구와 외적 현실 내에서 지각되는 위협으로부터 자아를 보호하기 위한 전략이다. 자아가 이러한 자기보호기능에 실패하면 신경증에 걸린다. 방어기제에는 다양한 유형이 있지만 모든 방어기제는 현실을 거부하거나 왜곡해서 지각함으로써 불안으로부터 자아를 보호하고자 하는 기능과 이러한 과정이 의식영역 밖에서 무의식적으로 이루어진다는 특징을 지닌다. 자아가 불안을 의식적인 수준에서 적절하고 합리적으로 다룰 수 없을 때 무의식적으로 현실을 거부하고 왜곡하는 기제가 이루어진다. 이들 방어기제는 크게 네 가지 유형으로 분류될 수 있다. 첫째, 실제를 인식하는 기능을 전적으로 망각시켜 거의 언제나 병적으로 만들어 버리는 유형이다. 자기애적 방어(narcissistic defenses)는 가장 원시적인 방어기제로 정신병 환자에게서 흔히 나타난다. 이 방어기제를 사용하는 사람은 현실을 재배치하거나 재구성하기 때문에 현실적응능력이 매우 낮다. 자기애적 방어에 속하는 방어기제는 부정, 망상적 투사, 왜곡 등이 있다. 둘째, 사회적으로 받아들이기 힘든 행동을 하게 만들기 때문에 성인기에 접어

들어 대부분 포기되는 성숙되지 못한 유형이다. 미성숙한 방어(immature defenses)는 현실이나 사람들로부터 야기된 고통과 불안을 처리할 수 있는 방어기제로 심각한 우울증 환자, 성격장애 환자, 청소년과 같이 대부분 외부세계 적응에 어려움을 겪는 사람들에게서 발견된다. 행동화, 퇴행, 분열성 환상, 신체화, 수동 공격적 행동, 사고의 막힘, 함입, 동일시, 합일, 모방 등의 경우가 이에 속한다. 셋째, 신경증적이며 흔한 방어기제이지만 관계나 일에 어려움을 유발하기 때문에 현실세계에서의 적응력이 떨어지는 유형이다. 신경증적 방어(neurotic defenses)는 강박신경증이나 히스테리 환자와 심한 스트레스 상황에 놓여 있는 사람들에게서 흔히 관찰된다. 이러한 유형의 방어기제는 단기적인 대처방안은 될 수 있지만 이를 기본 대처방식으로 삼는다면 장기적으로 대인관계, 직장생활, 일상생활 등에서 역기능적인 갈등이 생긴다. 억압, 반동형성, 취소, 격리, 전치, 합리화, 해리, 주지화 등이 이에 속한다. 넷째, 성숙한 방어기제로서 사랑, 일, 즐거움을 경험하기 위해 개인의 능력을 최대한 활용하는 유형이다. 개인의 발달수준과 경험하는 불안의 정도에 따라 개인이 사용하는 방어기제의 유형은 달라진다. 방어기제는 그 속성상 보호적인 기능을 수행하기 위해 증상을 유발한다. 가장 기본적인 방어기제는 억압인데, 자아가 감당하기 힘든 원초아의 욕구를 무의식 속으로 밀어 넣는 것이다. 자아의 불안수준이 극도에 도달할 경우 유기체는 부인(否認)이나 투사와 같은 특정 유형의 방어기제를 사용하여 외부세계와의 접촉을 차단하기도 한다. 그 외 방어기제의 대표적인 예로 전환, 치환, 반동형성, 투사, 퇴행, 합리화, 동일시, 승화 등이 있다. 과도한 부인과 억압은 원초아의 긍정적인 잠재력을 훼손하고 건강한 성격발달을 저해한다. 심리 내적 갈등이 충분히 억압되어 일차 방어가 성공적으로 이루어지면 본래의 항상성 상태를 유지한다. 그러나 갈등이 충분히 처리되지 못해 불안을 계속 느끼면 본능적 소망은 절충형성(compromise formation)이라고 하는 변형된 형태, 즉 이차 방어로 표현된다. 신경증적 증상을 비롯하여 꿈, 말실수, 망각하기 등이 이에 해당한다. 예를 들어, 전환 방어기제를 사용하여 불안을 처리하면 불안이 사라지는 대신에 전환증상이 나타난다. 아버지에 대한 공격성을 말에게 치환하는 경우, 말을 아버지의 상징물로 간주하여 말을 두려워하고 말 공포증을 유발하게 된다. 격리, 취소, 반동형성의 방어기제를 주로 사용하여 불안을 다루면 강박증상이 나타난다. 이와 같이 어떤 방어기제를 사용하여 갈등과 불안을 처리하는가에 따라 다양한 신경증 증상이 나타난다. 한편, 방어기제는 주로 본능적 충동에 대한 자아의 방어라는 측면에서 이해되고 있지만, 적절하고 유연한 방어는 외부현실에 대한 자아의 적응 기제이기도 하다. 방어기제가 현실을 회피하는 삶의 양식이 되지 않는 범위 내에서는 어느 정도 정상적인 심리작용으로 이해되며 나아가 적응적 가치를 지닌다. 불안을 극복하고 불안에 압도되지 않도록 자아를 보호하는 기능을 함으로써 실패에 대처하고 긍정적인 자아상을 유지하는 데 도움이 된다. 또한 개인에게 항상적으로 사용되는 방어기제는 그 사람의 성격과 행동 특징을 형성하는 성격방어로 고정된다.

방어유형
[防禦類型, defence type]

인식된 위협으로부터 자신을 보호하려고 할 때 드러나는 유형. 개인심리학

아들러(Adler)는 인간의 문제가 열등감에서 비롯된 것이며, 사람들은 열등감 때문에 인생의 도전에 대응하지 못하고 회피하며 여러 가지 방어기제를 사용한다고 설명하였다. 개인심리학자인 슐만(Shulman)은 외재화, 눈 가리기, 과도한 자기통제, 독단적인 의, 회피와 혼동, 후퇴, 뉘우침과 자기비하,

고통, 구경거리, 합리화, 지성화, 동일시, 문자주의, 공상, 치환, 균형의 교리, 반동형성 등의 열일곱 가지 방어 유형을 제시하였다. 첫째, 외재화(externalization)는 다른 사람을 비난하거나 자신의 인생이나 약점을 드러냄으로써 자신의 문제에 대해 책임을 지지 않으려는 것이다. 반항이나 투사가 이에 속한다. 둘째, 눈가리기(blind spot)는 눈을 가린 채 보기를 원하지 않는 것으로 책임을 지지 않기 위해서 문제를 무시하는 것이다. 셋째, 과도한 자기통제는 지나치게 스스로를 통제하여 문제에서 오는 불안이나 고통에 무감각해지는 것이다. 넷째, 독단적인 의는 아무런 근거도 없이 자신은 옳고 다른 사람은 틀리다는 신념을 가지는 것이다. 자신의 의견만 생각하고 다른 사람의 의견은 들으려고 하지 않는 유형이다. 다섯째, 회피와 혼동은 문제에 대해서 책임을 지지 않으려고 '기억이 나지 않는다.' 등의 핑계를 대며 회피하는 것이다. 여섯째, 후퇴는 삶의 도전이나 요구를 두려워하여 물러서는 것이다. 일곱째, 뉘우침과 자기비하는 자신을 비하함으로써 다른 사람이 자신의 실패에 대해 언급하지 못하도록 하는 것이다. 여덟째, 고통은 다른 사람의 관심을 조종하거나 자신의 행위를 정당화하는 것이다. 아홉째, 구경거리는 장애물 설치하기와 비슷한 유형으로, 자신의 중요한 문제 대신 덜 중요한 문제에 다른 사람의 관심을 집중시켜 실제적인 문제를 회피하는 것이다. 열째, 합리화는 자신의 패배나 결함 또는 나쁜 행동을 인정하고 싶지 않을 때 그것을 구제해 줄 만한 '이유'를 내세우는 것이다. 열한째, 지성화는 추상적인 개념을 빌려 말함으로써 다른 사람과의 거리를 유지하거나 자신의 감정을 회피하려는 것이다. 열두째, 동일시는 다른 사람의 활동을 통해서 대리로 자존감을 향상시키려는 것이다. 열세째, 문자주의는 상대방이 하는 말의 의미나 의도에 집중하기보다는 문자적인 해석이나 문자를 이용한 유희로 정상적인 의사소통을 단절시키는 것이다. 열네째, 공상은 실제로 달성하기 어려운 문제를 앞에 두고 이를 해결하려고 노력하기보다는 공상으로 시간을 보내는 것이다. 열다섯째, 치환은 특정 대상으로부터 문제가 발생했을 때 다른 대상에게 화를 내거나 불만을 토로하는 것으로 해소하는 것이다. 열여섯째, 균형의 교리(doctrine balances)는 자신의 자존감을 보호하기 위해 일어난 일들을 신의 개입이나 신의 뜻으로 돌리는 것이다. 열일곱째, 반동형성(reaction formation)은 겉으로 보이는 것은 우리가 실제로 믿거나 느끼는 것과는 정반대라고 가정하는 것이다.

방임
[放任, neglect]

아동의 기본적인 필요를 불이행하는 아동학대 유형.

아동청소년상담

보호자의 태만 내지 거부를 말하는 것으로 육체적 · 정서적 · 치료적 · 정신적 건강과 교육적인 방임을 포함한다. 예를 들어, 부모 또는 보호자가 충분한 음식과 의복, 거처 또는 관리를 불이행하는 것, 강력하게 추천되거나 또는 처방되어 왔던 의학적 정신건강 치료를 지연시키거나 하지 않는 것, 만성적인 무단결석에 대해 특별한 교육적 필요에 소홀한 것, 또는 약물과 알코올을 아동에게 허용하는 것 등이다. 방임에 대한 세계적인 공통된 정의는 없고, 취급하는 기관이나 사람에 따라 조금씩 다르다. 우리나라에서는 방임을 보호자의 태만 내지 거부로서의 유기(기아), 의식주나 청결함에 대해서 건강상태를 손상하는 방치(영양불량, 극단적인 불결, 태만 내지 거부에 의한 질병발생), 학교에 등교시키지 않는 것 등으로 본다. 또 잉글랜드와 웨일스의 1979년 통일된 견해에서는 '자녀에 대한 장기에 걸친 가혹한 방치, 그리고 그것이 자녀의 건강이나 발달에 중대한 영향을 초래하는 것(추위나 기아 등의 위험에 직면하는 것 혹은 양육의 포기)'이라고 말하고 있다. 많은 정의에 공통적인 것은 양육 책임자가 아이의 기본적인 욕구충족을 계속적으로 행하지 않는 것이다. 방임을 당한 아이들의 특징은 사회적 환경에 둔감하지만 활동적 · 공격적이고 폭력에 쉽게 접근한다. 행동 통제력이나 자존감이 낮고 쉽게 억울한 기분이 되며 충동적 행동이나 학교 부적응을 일으키고 약물남용, 비행, 범죄를 일으키는 경향이 있다.

관련어 | 아동학대

방하착
[放下着, releasing the attachments]

불교에서 화두로 주로 쓰이는데, 마음속의 집착을 내려놓는다는 뜻. 동양상담

마음속에 한 생각도 지니지 말고 텅 빈 허공처럼 유지하라는 뜻으로 쓰이고 있다. 텅 빈 마음, 즉 마음의 실재를 일컫는다. 중국 당나라 때 엄양 스님이 조주 스님에게 물었다. "한 물건도 가지고 오지 않았을 때, 그 경계가 어떠합니까?" 이에 조주 스님이 "내려놓거라(방하착)."라고 하였다. 그러자 엄양이 "한 물건도 가지지 않았는데 무엇을 방하착합니까?" 라고 다시 묻자 "그러면 지고 가거라(착득거, 着得去)."라고 대답하였다. 이 대화를 보면 엄양이 질문하려는 마음, 즉 마음속에 아무것도 없다는 인식 그 자체도 내려놓으라는 뜻이 담겨 있다. 다시 말해, 더 이상 버릴 것이 없을 만큼 완전히 내려놓는 것을 말하는데, 이러한 경지에 이르면 인간의 고통에서 벗어나 자유로워질 수 있다는 것이다.

방향성과 이동 훈련
[方向性 – 移動訓練, orientation and mobility training]

결함이 없는 감각기관으로 주변환경을 이해하여 물리적 환경을 안전하고 독립적으로 다닐 수 있도록 하는 이동성 훈련. 특수아상담

방향성과 이동 훈련은 시각장애아 교육에서 매우 중요한 관련 서비스에 속한다. 외국의 경우, 시각장애 전문교사, 학급 담임교사, 물리치료사, 작업치료사, 시각장애 아동의 가족 등이 함께 팀을 이루어 시각장애 아동의 방향성과 이동 훈련의 필요에 대한 평가를 하고, 감각기술, 개념발달, 운동능력 발달, 중요한 단서에 대한 환경인식, 지역사회인식 등을 평가하여 장단기 목표의 기초로 삼는다. 우리나라 맹학교에서도 이러한 훈련을 시행하고 있다. 방향성 훈련 목표의 몇 가지 예를 들면 다음과 같다. 감각 기술 영역에서는 선반 위에 있는 점자 타자기를 찾기 위해 창에서 들어오는 빛을 시각적 단서로 사용한다. 개념발달에서는 식당 문 오른쪽으로 두 번째 문을 지나서 화장실을 찾고, 운동성 발달에서는 흔들거리고 지나치게 넓은 보폭을 감소시키는 것이다. 체육실을 찾기 위해 체육관 근처의 울퉁불퉁한 벽의 표면을 촉각적 단서로 이용하는 것은 환경인식의 예다. 이동성 훈련 및 이동 방법으로 많이 쓰이는 것에는 안내인 이용하기, 따라가기, 맹인견 사용, 흰지팡이 사용, 전자 보행기구 사용 등이 있다. 이동 훈련은 대개 안내인을 활용하는 방법부터 시작한다. 시각장애 학생은 안내인의 팔꿈치 바로 윗부분을 잡고 반보 정도 뒤에서 걸어간다. 이렇게 하면 근육 감각적인 지각을 통해서 안내인의 움직임을 안전하게 따라갈 수 있다. 따라가기는 선반이나 벽 등을 따라서 이동하는 방법이다. 편안하게 따라가는 표면과의 거리를 유지하고 팔을 뻗어 넷째와 다섯째 손가락으로 만져 간다. 독립적인 이동을 위해 맹인견을 사용하는 시각장애인은 전체 시각장애인의 2% 이하라고 한다. 16세 이상이면서 개를 돌볼 수 있어야 하고, 무엇보다도 방향성 능력이 좋아야 한다. 맹인견을 사용하더라도 방향을 잡는 것은 시각장애인 본인이기 때문이다. 지팡이 사용은 보편화된 방법으로, 알루미늄으로 만들어진 흰지팡이를 가장 많이 사용한다. 보행자는 지팡이를 반원 모양으로 흔들며 앞에 어떤 장애물의 출현이나 보행표면의 변화가 있는지 파악한다. 단, 위에 매달린 물

체를 찾아내기가 어렵다는 단점이 있다. 최근에는 레이저 지팡이, 소닉 가이드와 같은 전자 보행보조기구가 개발되었는데 가격이 비싸고 훈련기간이 길다는 단점이 있다.

관련어 | 시각장애

배변훈련
[排便訓練, toilet training]

심리성적발달단계 중 항문기에 이루어지는 대소변 훈련. 정신분석학

항문기는 약 2~3세경에 해당되며 리비도가 항문 근처에 집중되어 배변이나 배뇨와 같은 본능적 욕구가 쾌락의 근원이 된다. 이 시기의 성격형성은 본능적 충동인 배설과 외부적 현실인 배변훈련과 관련되어 결정된다. 아동이 배설물을 방출하는 것은 쾌락이지만, 이 시기에 접어들면서 배변훈련의 시작과 함께 이 쾌락을 지연시키는 것을 배운다. 대소변을 참거나 배설할 때 쾌감을 느끼는데, 배설조절과 같이 자신의 신체근육을 자율적으로 조종하고 통제하는 것을 통해 능동적인 성격을 발달시킨다. 그러나 배설행동을 두고 부모와 갈등을 겪으면서 부모에 대한 애증, 즉 양가감정을 갖게 되기도 한다. 배변훈련에 따른 칭찬과 처벌은 이 시기 아동의 성격형성에 큰 영향을 미친다. 만약 배변훈련이 순조롭게 진행되지 않으면, 아동은 배변훈련에서 느끼는 좌절감에 대해 두 가지 방식으로 반응할 수 있다. 먼저, 부모가 금지한 시간과 장소에 고의적으로 배변을 함으로써 부모의 요구를 거절한다. 아동이 이러한 행동을 좌절을 줄이는 대안적인 행동으로 여기고 빈번하게 사용하게 되면 후일 항문 공격형 성격을 발달시킨다. 두 번째 방식은 배설을 보유하는 것이다. 배변을 자신의 신체 내에 보유함으로써 만족을 느끼고 부모를 통제하고자 하는 아동은 후일 고집이 세고 구두쇠와 같은 특성을 지닌 항문 보유형 성격을 발달시킨다.

관련어 | 항문기

배설장애
[排泄障礙, elimination disorders]

인지능력, 언어능력 등이 연령에 적합하게 성장하고 있음에도 불구하고 대소변을 가리는 행동에 지속적으로 문제가 있는 상태. 아동청소년상담

아동이 고의든 아니든 대소변 가리기를 제대로 하지 못하는 경우가 배설장애다. 이 장애의 임상군에는 부적절한 장소에 반복적으로 배변하는 유분증과 부적절한 장소에 반복적으로 소변을 보는 유뇨증이 포함된다. 배설기능의 정상적인 발달단계는 야간에 대변을 가리고, 주야간에 대변을 가리며, 주야간에 소변을 가리고, 야간에 소변을 가리는 순서로 진행된다. 이러한 발달은 대개 만 2세부터 만 4세까지 서서히 이루어지며, 대소변 가리기 훈련에 걸리는 기간은 평균적으로 약 3개월 정도다. 남아보다 여아가 빨리, 소변보다는 대변을 더 빨리 가리는 것이 보통이다. 이러한 대소변 가리기는 소아의 지적 능력, 사회 성숙도, 문화적 요소 및 모자간의 심리적 상호 교류 등의 요인에 영향을 받는다. 이 증세의 원인으로는 여러 가지를 들 수 있는데, 첫째, 가족적 원인으로 야뇨증을 보이는 아동의 75%는 가족력이 있다고 알려져 있다. 부모 중 한 명이 유뇨증이 있었다면 자녀는 40% 정도, 부모 두 사람이 모두 유뇨증이 있었다면 자녀는 70% 정도가 유뇨증이 발생한다. 둘째, 방광의 기능 장해로 증상이 발생하는데, 해부학적으로는 정상이지만 기능적으로는 적은 방광을 가진 경우가 많다. 유뇨증 아동은 정상 아동에 비해 소변을 자주 보고, 소변이 방광에 조금만 차도 요의를 느낀다. 셋째, 중추신경계의 미성숙이 원인이 된다. 대개 유뇨증은 발달장애의 한 형태로 뇌의 성숙과 연관된다고 본다. 유뇨 아동에게 다른 발달 문제가 나타나는 것이 일반 아동의 2배 정도다. 넷

째, 수면의 이상으로 수면 중에 소변 생성과 연관된 항이뇨호르몬의 분비가 정상 아동에 비해 떨어진다는 연구결과도 있다. 다섯째, 부적절한 대소변 가리기 훈련이다. 여섯째, 정신사회적 스트레스가 원인인데, 동생의 출생, 질병으로 인한 입원, 입학, 부모의 이혼, 친척의 사망, 이사, 전학과 같은 스트레스가 있을 때 심리적 퇴행이 발생한다. 혹은 부모에 대한 불만이나 화가 억압되는 경우에도 생긴다. 일곱째, 타고난 기질이 원인이 될 수 있는데, 낮 동안의 유뇨증은 아동이 자신의 신체적 신호에 부주의한 경우 더 많이 발생한다. 집중력이 짧고 노는 데만 신경을 쓰면 화장실에 도착하기 전에 소변을 봐 버리는 경우도 많다.

관련어 | 유뇨증, 유분증

배제
[排除, exclusion]

교류분석

⇨ '구조적 병리' 참조.

백 가지 목록
[百 – 目錄, lists of one hundred]

목록만들기 기법의 하나. 문학치료(글쓰기치료)

백 가지 목록은 하나의 주제를 두고 백 가지 항목을 목록으로 작성하는 것이다. 예를 들어, 바꾸고 싶은 백 가지, 자기 장점 백 가지, 자기 단점 백 가지 등으로 주제를 잡을 수 있다. 이때 주제에 제한은 없다. 백 가지 목록 작성과정에서 사고가 명확해지고, 분류과정을 거치면서 작성자 스스로 자신의 패턴을 발견하여 그 이면을 파악할 수 있다. 백 가지 목록을 작성할 때는 한 가지 주제를 정하고, 보통 목록만들기와 마찬가지로 검열하지 않으면서 반복은 허용하되 가능한 한 빨리 숫자를 세면서 쓴다. 여기서 중요한 것은 목록을 작성한 다음 분류를 해 보는 것이다. 백 가지 항목을 어떤 기준을 두고 분류를 했을 때, 자신이 어느 부분에 치중되어 있는지 발견할 수 있다. 이처럼 목록 작성과정은 작성자가 미처 인식하지 못한 면을 탐색할 수 있도록 해 준다.

백내장
[白內障, cataract]

눈의 수정체가 불투명해지는 눈 질환의 하나. 특수아상담

안구의 수정체가 혼탁해져서 눈이 빛을 받아들이는 능력이 감소되고, 중심 및 주변 시각 예민도가 떨어진다. 동공이 하얗게 보여 백내장이라고 말하는데, 선천성 백내장과 후천성 백내장이 있다. 선천성 백내장은 대부분 뚜렷한 이유를 밝히기 어렵다. 후천성 백내장은 노인에게 많이 나타나고 외상이나 당뇨, 안 질환이 원인이 되어 발병하는 경우도 있다. 술, 담배, 영양결핍, 디지털 기기의 장시간 사용 등이 원인이 되기도 한다. 밝은 곳에서도 보기 어렵고 눈이 부시면서 사물이 이중으로 보이는 등의 증상이 있다. 탁함이 진행되면 시력도 저하되는데, 안경으로 교정하기 힘들다. 치료방법은 경미한 경우에는 탁해지는 진행을 억제하는 약물치료를 주로 실시하는데, 최종적으로 시력장애가 발견되면 수정체 적출(摘出) 수술을 실시한다. 수술 후에는 안경, 콘택트렌즈를 장치하여 시력 교정을 한다. 시각장애는 어떤 원인으로 망막에 시각영상이 제대로 형성되지 못하거나 망막에 형성된 시각영상이 뇌에 전달되는 과정에 장애가 발생한 것인데, 발생원인에 따라서 굴절 이상, 안구운동 이상, 눈 질환, 기타 원인 등으로 분류할 수 있다.

관련어 | 시각장애

백분위
[百分位, percentile rank]

특정 점수분포에서 최하점부터 최고점 순으로 나열했을 때, 그 점수보다 낮은 점수를 얻은 사례 수를 전체 사례 수에 대한 백분율로 나타낸 것. 통계분석

상대적 위치를 나타내는 여러 가지 상대평가 점수 중에서 가장 널리 사용되는 것이 백분위다. 백분위는 주어진 점수보다 낮은 점수를 받은 사례의 백분율을 가리키기 때문에 백분위 100은 불가능하다. 예를 들어, 백분위가 68이라고 하면 규준집단에 비추어 보았을 때, 이 점수 아래에 전체 사례 수의 68%가 놓여 있고, 그 위에 나머지 32%가 놓여 있다는 뜻이다. 백분위는 비교적 계산하기 쉽지만 해석할 때는 주의를 기울여야 한다. 백분위는 한 개인의 점수를 다른 사람들의 점수와 비교하는 상대평가의 점수이기 때문에 평정자는 일련의 점수들이 수집된 모집단을 고려해야 한다. 예를 들어, 한 경주자의 95라는 백분위가 대단한 것인지 아닌지의 해석은 그 경주자가 경쟁하고 있는 규모(예컨대, 지역 경주 대회, 전국 경주 대회, 올림픽 경주 대회)에 달려 있다. 캐플란과 사커초(Kaplan & Saccuzzo, 2004)가 말했듯이 "백분위를 해석할 때는 항상 '무엇과의 비교'인가를 질문해야 한다." 평정자는 또한 백분위에서 동일한 차이가 원점수에서 동일한 차이를 나타내는 것은 아니라는 점을 명심해야 한다. 비록 원점수와 많은 다른 종류의 점수가 정상분포의 경향을 보이지만, 백분위는 균등분포를 형성한다. 균등 분포를 보이는 백분위를 정상분포를 보이는 원점수와 연관시켜 보면, 분포의 중간 범위에서 원점수의 차이를 확대시키고 좌우 극단 범위에서 원점수의 차이를 감소시킨다. 예를 들어, 정상분포를 보이는 일련의 점수에서 백분위 90과 백분위 99 사이의 원점수들 간 차이는 백분위 50과 백분위 59 사이의 원점수들 간 차이보다 훨씬 더 크다(Ebel & Frisbie, 1991; Osterlind, 2006). 또한 백분위가 작은 표본에서 계산되거나 범위의 제한이 있었을 때는 왜곡이 일어날 수도 있다. 오스터린드(Osterlind, 2006)는 70명 이하의 표본이나, 점수분포가 현저하게 치우쳐 있거나, 많은 수의 원점수가 관찰되지 않을 때는 백분위를 사용하지 말 것을 권하였다. 더욱이 백분위는 동일한 간격의 척도가 아니기 때문에 수학적 계산(예컨대, 더하기, 빼기, 곱하기)이나 시간에 따른 변화의 측정(즉, 사후-사전검사의 차이)에 사용해서는 안 된다.

ㅂ

백색의 삼각지대
[白色-三角地帶, white triangle]

중국, 한국, 일본의 3국을 중심으로 이루어진 메스암페타민 밀거래 유통체계. 중독상담

메스암페타민을 생산하고 소비하는 유통체계가 중국, 한국, 일본의 3국을 중심으로 하여 이루어지는 독특한 구도를 백색의 삼각지대라고 지칭한다. 제2차 세계 대전 후 일본에서 메스암페타민을 생산하던 우리 기술자들이 일본 정부의 강력한 마약단속을 피하여 1960년대에 우리나라로 귀국하였다. 이들은 일본 마약 소비자들에게 메스암페타민을 공급하기 위해 대만으로부터 원료를 밀수입하여 우리나라에서 제조한 후, 이를 일본 마약시장에 판매하는 백색의 삼각지대라는 유통구조를 형성하였다. 그 후 1980년대에 들어와 우리나라에서도 마약에 대한 단속이 강화되지, 기술자들은 다시 중국으로 건너가 메스암페타민을 제조하기 시작하였고, 이를 우리나라와 일본에 수출하는 새로운 마약 유통구조를 형성하게 되었는데, 이는 '신(新)백색의 삼각지대'라고 한다.

관련어 메스암페타민

백팔번뇌
[百八煩惱, hundred-and-eight torments of mankind]

불교에서 열거한 인간의 모든 고통. 동양상담

불교에서는 인간의 모든 고민이나 고통을 번뇌라 일컫고 이는 집착(klesa)을 뜻하는데, 인간은 자기 자신뿐만 아니라 타인이나 물질에 집착하고 덧없는 것들이 영원할 것이라 믿으며 그러한 것에 집착하면 인간의 마음은 어디로 가는지 알 수 없으며 삶과 외부환경에 대하여 바르게 지각할 수 없게 된다. 이러한 번뇌를 백여덟 가지로 열거하고 있는데, 이는 눈, 귀, 코, 혀, 몸, 의지의 여섯 가지 감각기관에서 일어나는 색깔, 소리, 냄새, 맛, 감각, 의식의 여섯 가지 대상과 이들과 접촉해서 좋고, 나쁘고, 좋지도 않고 싫지도 않은 세 가지 인식작용이 상호작용하여 6×3=18로서 열여덟 가지 번뇌가 생긴다. 그리고 색깔, 소리, 냄새, 맛, 감각, 의식에 대하여 즐겁고 기쁜 마음이 생기거나 괴롭고 언짢은 마음이 생기거나 괴롭지도 즐겁지도 않은 상태가 되는 세 가지 감정이 발생하여 6×3=18로서 열여덟 가지 번뇌가 생긴다. 감각기관과 대상에 의한 번뇌를 합하면 서른여섯 가지 번뇌이며 이 번뇌는 다시 과거, 현재, 미래에 따른 번뇌가 있으므로 36×3=108로서 인간의 번뇌는 모두 백여덟 가지가 된다. 이 같은 번뇌에 빠져 흩어진 마음을 하나로 모아 삼매 혹은 자기 초월에 이르도록 불교에서는 백팔 참회문을 외우며 백팔배로 수행하기를 권장한다.

버스 운전사
[-運轉士, bus driver]

수용전념치료(ACT)에서 사용하는 마음챙김 기술훈련의 하나로서 자신이 가치를 두고 있는 삶의 목표를 향해 달려가는 것을 상상하는 것. 명상치료 수용전념치료

버스 운전사는 참여자들이 자신을 버스 운전사로 상상하면서 도착할 곳, 즉 자신이 가치를 두고 있는 삶의 목표를 향해 달려가는 것을 상상하도록 하는 활동이다. 예를 들어, 거식증 환자를 위한 프로그램에서는 참여자에게 거식로로 달려가는 것을 상상하게 한다. 이러한 상상훈련을 통해서 거식에 대한 부정적인 사고에 동조하는 행동을 하지 않고, 그 순간 그 생각에 머무를 수 있는 능력을 향상시키면서 가치를 둔 방향, 즉 좋은 사람이 되거나 행복한 가족이 되는 일 등으로 나아가는 힘을 유지시킨다. 이 훈련은 내담자들이 가장 가치 있다고 여기는 목표와 방향을 명료하게 설정하는 데 도움을 준다.

관련어 | 수용전념치료

벅스 행동 평정척도
[-行動評定尺度, Burks Behavior Rating Scale: BBRS]

아동의 문제행동 형태를 평가하는 부모 교사 평정척도. 심리검사

만 4세부터 18세의 유아 및 초・중등 학생에게 나타나는 문제행동의 양상을 식별하기 위해 벅스(Burks, 1984)가 개발하였다. 105문항의 유아용과 110문항의 초・중등 학생용으로 구분되어 있으며, 부모와 교사가 아동의 행동에 관한 기술적 진술을 평정한다. 불안, 위축, 박해감, 공격성, 주의집중, 충동통제, 노여움 통제, 현실접촉, 사회적 조화 등의 하위척도로 구성되어 있고, 행동경향의 광범위한 확산을 측정한다. 진술된 문장과 유사한 정도에 따라 1(전혀 없음)~5점(꾸준히 나타남)까지 채점하며, 하위요소별 총점에 따라 상태가 '심각하지 않다, 심각하다, 매우 심각하다'로 평가한다. 평가시간은 약 15~20분 정도 소요된다. BBRS-2는 파괴적 행동, 정서적 문제, 사회적 위축, 능력결핍, 신체적 결핍, 주의집중 및 충동통제 문제를 하위척도로 하며 부모용과 교사용 각각 100문항으로 구성되어 있다.

부모와 교사가 대상 아동을 잘 알고 있을 때 유용하다.

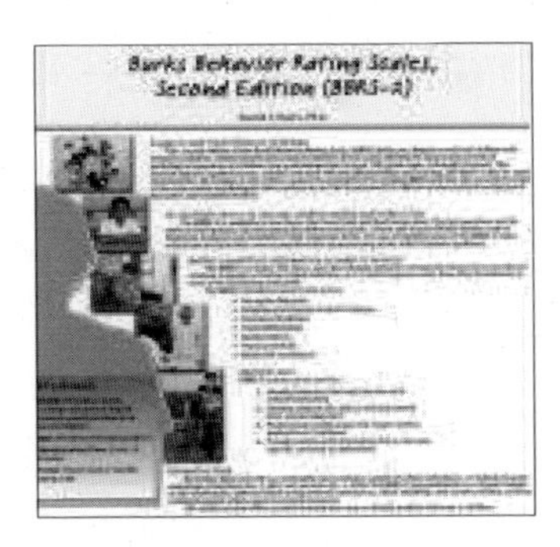

관련어 | 문제행동

범불안장애 [凡不安障礙, generalized anxiety disorder]

다양한 상황에서 만성적 불안과 더불어 미래에 대해 과도한 걱정을 나타내는 상태. 아동청소년상담

범불안장애는 일상생활에서 겪는 여러 가지 사건이나 활동에 대해 지나치게 걱정함으로써 지속적인 불안과 긴장을 경험하는데, 이러한 상태가 오랫동안 지속되면서 몹시 고통스럽고, 현실적인 적응에도 어려움을 겪는 상태를 말한다. 이 장애는 다른 불안장애와 마찬가지로 위험과 위협에 대한 과도한 인지적 평가에 기인하지만, 불안을 유발하는 요인이 불특정적이고 광범위하며 다양하다는 점에서 공포장애와 다르다. 청소년기에 나타나는 범불안장애의 증상은 주로 과도한 걱정이다. 걱정의 주된 주제는 학업적 무능, 친구관계, 진학, 가족, 미래의 불확실성 등으로 알려져 있다. 범불안장애 환자의 병리적인 걱정은 일반적인 걱정과는 매우 다른데, 왜냐하면 걱정이 과도하고 멈추기가 어렵거나 혹은 조절할 수 없기 때문이다. 본질적으로 범불안장애를 가진 사람들은 자기나 가까운 사람들에게 두려운 일이 일어나고 최악의 사태가 일어나지 않을까 늘 걱정한다. 이들은 안절부절못하고 짜증을 잘 내며, 집중하기가 어려워지고 쉽게 피곤해진다. 대부분 만성적인 근육긴장과 불면증으로 고생한다. 그뿐 아니라 사회적 기능과 직접적 기능을 와해시킬 수 있으며, 폐 질환, 약물중독, 주요 우울증 못지않게 심각한 기능손상을 유발한다. 걱정과 불안은 또한 사기를 저하시키고 우울증과 또 다른 불안장애를 일으킬 뿐 아니라, 건강을 악화시킬 수도 있다. 이러한 범불안장애는 심리적, 정서적인 문제에 그치지 않고 신체적이고 행동적인 증상으로도 나타난다. 신체적 증상으로는 위궤양, 두통, 가려움증, 등 결림, 배탈, 가슴 통증, 수면장애, 피로와 식욕 상실, 혈압의 변화와 근육 긴장, 소화기와 화학적 변화 등이 있고, 이러한 증상이 오랫동안 지속되면 심각한 해를 끼칠 수 있다. 또한 행동으로 나타나는 증상으로는 약물을 사용한다거나, 불안의 실제 존재를 부인하고 잠을 자는 것으로 불안을 피하려고 하거나, 작은 자극에 크게 분노하며 특별한 이유 없이 싸우거나 다른 사람을 탓하기도 한다. 이외에도 비관주의, 완벽주의, 불확실성에 대한 인내력 부족, 문제해결에 대한 자신감 부족 등이 나타난다.

범위추론 [範圍推論, range corollary]

켈리(G. Kelly)가 제시한 11개의 정교한 추론의 하나로, 하나의 구성개념은 유한(有限)한 사건만을 예기(豫期)하는 데 편리하다는 것. 개인적 구성개념이론

어떤 이론이든지 그것이 적용되는 편의성 초점과 범위가 있듯이 개인적 구성개념도 그것이 유용하게 적용되는 초점과 범위가 있다. 초점이란 구성개념이 가장 적합하게 활용되는 사건을, 편의성이란 구성개념이 적용될 수 있는 범위를 의미한다. 모든 것에 적절하게 관련되는 개인적 구성개념이 있다고 해도 그것은 소수에 불과하다. 예를 들어, 선(善) 대 악(惡)이라는 구성개념도 한 사람의 모든 지각의 장

(場)에서 사용될 수 있는 것은 아니다. 물론 어떤 사람은 선 대 악이라는 개인적 구성개념을 다른 사람보다 더욱 포괄적으로 사용하지만 이 경우에도 편의성 범위, 즉 적용범위를 설정하고 있어서 그 테두리를 넘어서면 그런 요소들은 선한 것도 악한 것도 아닌 것이 된다. 따라서 개인적 구성개념은 그것이 편리하게 적용되는 범위가 있고, 또 가장 편리하게 적용되는 초점이 있다.

관련어 | 개인적 구성개념, 구성개념, 편의성 범위

범이론적 모델

[汎理論的 -, transtheoretical model: TTM]

프로차스카(Prochaska)와 그의 동료들이 개발한 통합적 접근법의 하나로, 인간의 문제행동에 대한 변화의 단계를 5단계로 구분하여 그에 맞추어 치료해 나갈 것을 제시한 것. 통합치료

인간의 문제행동에 대한 변화를 성공 혹은 실패의 이분화된 관점으로 바라볼 것이 아니라, 변화의 과정으로 이해하는 것이 필요하다는 관점에서 접근하였다. 이에 따라 내담자의 문제행동의 변화과정을 5단계로 나누어 설명한 다음, 내담자가 현재 어느 단계에 있는지 파악하여 각 단계에 맞춘 치료전략을 계획하고 통합하여 적절한 심리치료가 수행될 때 보다 효과적인 상담이 가능하다고 주장하는 조직적이고 체계적인 접근방법이다. 변화의 5단계를 살펴보면, 내담자가 변화의 필요성을 느끼지 못하는 숙고전단계, 문제를 인식하고는 있지만 행동을 실행하지 않는 숙고단계, 변화를 위한 작은 노력을 시도하는 준비단계, 변화에 대한 동기화가 되어 행동에 몰입하는 실행단계, 그리고 긍정적인 변화를 유지하고 재발을 방지하는 유지단계가 있다. 다섯 단계를 계획전단계, 계획단계, 준비단계, 행동단계, 유지단계로 부르기도 한다. 이 같은 변화과정에서는 내담자의 자기효능감과 자신의 행동변화에 대한 균형적인 의사결정능력이 긍정적인 영향을 미친다.

범죄심리학

[犯罪心理學, criminal psychology]

범죄와 범죄자를 심리학적으로 연구하는 과학. 교정상담

범죄심리학은 법률에 의해서 처벌되는 반사회적·반공공적 행동에 대해서 그 행동의 배경인 심적 메커니즘을 밝히는 심리학을 말한다. 협의로는 범죄자의 성격, 인격형성, 범죄의 동기 등을 연구하는 학문영역을 말하지만, 광의로는 정신감정 재판에 관한 심리학적 문제를 취급하는 재판심리학과 범죄자의 교정방법이나 처우 등을 연구하는 교정심리학을 포함한다. 또한 범죄사회학, 범죄정신병리학 등과 함께 범죄학(criminology)을 구성한다. 이와 관련해서는 아들러(Adler), 알렉산더(Alexander) 등이 선구적인 연구를 하였다. 일반적으로 범죄란 법적으로는 법률에 나타난 조문에 위반하고 그 형벌이 정해져 있으며, 위반한 본인에게 책임을 요구하는 경우 등을 규정하고 있지만 일반 사람들의 생각에는 소유한 돈과 물건, 자신의 신체, 더욱이 그 사회가 가지고 있는 관습과 풍속을 어긴 경우라고 인식된다. 그러한 행위는 인간의 도리에 어긋나고 사회에 해를 끼치는 행위이기 때문에 어느 사회에서나 그러한 범죄를 없애기 위해 대책을 강구하고 있다. 이 방법으로는 법적인 입장에서 범죄를 어떻게 다룰지(형법학 등)와 범죄라든가 범죄자의 성질을 과학적, 실증적으로 파악하여 대책을 세우는 입장(범죄학이라고 총칭되지만 이 속에는 범죄심리학, 범죄사회학, 범죄정신의학, 기타가 있다.) 등이 있다. 범죄심리학은 후자의 입장을 취하며 법으로 정한 범죄자를 중심으로 인간의 도리에 어긋난 행동을 하는 사람에 대해서 과학적으로 연구한다. 그 기본 문제는 인간은 왜 범죄를 저지르는가, 어떻게 하면 죄를 짓지 않을까 하는 심리학적 원인을 탐구하는 것으로서, 실제적 과제로는 범죄자의 범행 심리와 행동 특성의 분석 및 심문(審問) 기술의 개발 등과 범죄수사에 관한 문제, 범인의 거짓말 발견과 자수

자 증언의 신빙성 조사 등 재판에 관한 문제, 유죄가 된 범인의 갱생, 교정을 위한 기술개발에 관한 것 등이다. 범죄자에게 접해서 심리를 연구하고 갱생을 도모하려고 하는 경우, 상담기술은 빼놓을 수 없다. 뛰어난 심문을 하는 형사와 우수한 교정 담당자는 동시에 우수한 상담자라고도 할 수 있다.

법정신의학
[法精神醫學, forensic psychiatry]

범죄상황에 있는 사람의 정신상태를 판별하는 일을 주로 하는 법의학. 교정상담

법정신의학은 재판에서 개인의 정신능력을 결정하는 것을 다루는 정신의학의 전문적 분야로, 행동과학으로서의 정신과적 지식을 법적 문제, 넓게는 사회문제 해결에 적용하는 것이다. 재판과 관련된 각종 감정 및 사실 인정 기술, 범죄수사와 관련된 각종 평가 및 예측, 사법절차와 관련된 정신과적 문제 및 범죄와 관련된 정신질환에 대한 평가와 예측, 치료를 다루고 있다.

베르가모트
[-, Bergamot]

항우울, 진정, 진통, 방부, 강심, 항바이러스, 구풍(驅風), 소화, 해열 등에 효과가 있는 과수로서, 이탈리아의 칼라브리아 주 남부의 좁은 해안선에서 거의 독점적으로 자라지만 현재는 코트디부아르, 기니공화국, 모로코, 코르시카 섬에서 재배. 향기치료

베르가모트 나무는 5미터까지 자라고 짙은 녹색의 달걀모양 잎과, 향기를 풍기는 별모양 꽃이 핀다. 베르가모트의 과일향과 생기 넘치면서도 부드러운 꽃향기는 마음을 진정시키는 효과가 있지만, 반면에 정신을 고양시키는 특성도 있다. 베르가모트 오일은 긴장, 걱정 또는 우울한 사람에게 권유되며, 베르가모트의 항우울 특성은 식욕조절 효과와 결합되어 신경성 식욕부진과 같은 섭식장애 치료에 사용된다. 그리고 구풍 및 소화 등 소화계에 미치는 작용과 복통, 위장 내 가스, 소화불량 등을 없애는 데 유용하다. 특히 스트레스로 인한 신경성 소화불량 및 식욕상실에 처방한다. 베르가모트의 방부작용은 상처, 입가의 발진을 유발하는 헤르페스 바이러스의 활성억제, 방광염과 비뇨기 감염 치료에도 효과적이다.

베르니케 실어증
[-失語症, Wernicke's aphasia]

유창실어증(fluent aphasia), 감각실어증(sensory aphasia), 수용실어증(receptive aphasia), 뇌 후반구 실어증(posterior aphasia) 등에 속하며, 주로 상부 측두엽의 후반 3분의 1을 차지하는 뇌 영역, 즉 베르니케 영역을 중심으로 한 뇌 손상에 따른 증상. 특수아상담

손상 부위는 두정엽까지 포함되기도 하는데, 베르니케 실어증의 가장 대표적인 특색은 청각적 이해력이 두드러지게 떨어진다는 점이다. 특히 제시되는 자극어가 문법적으로 복잡하거나 길이가 길어질수록 오류가 증가한다. 청각적 이해력이 떨어질수록 여러 가지 질문에 거의 비슷한 문구만 되풀이하여 반응하는 현상을 보이기도 하는데, 이를 언어상동증(stereotypy of speech)이라고 한다. 예를 들면, "어디가 가장 불편하세요?"라고 물었을 때 "할머니가 돌아가셨어, 할머니가."라고 대답하고, 검사하는 다른 질문에도 비슷한 문구로 계속해서 반응한다. 베르니케 실어증 환자들은 대화를 할 때 혹은 그림설명을 할 때 비교적 유창하며, 때에 따라서는 지나치게 많은 말을 늘어놓는 과유창성을 보이기도 한다. 대개 정상적인 운율이나 발음을 유지하고 비

ㅂ

교적 문법에 맞게 말을 하지만, 어떤 사람은 기능어를 과도하게 사용하는 과도 문법성의 경향을 보이기도 하며, 단어 유출상의 어려움 때문에 의미착어가 많이 등장한다. 의미착어란 목표 단어 대신 그 단어와 의미적으로 연관된 단어로 대치된 반응을 말하는데, 예를 들면 '딸기'를 '사과'라고 말하는 경우 '과일'이라는 공통된 의미 범주에 속한 단어로 대신 반응한 의미착어를 보인 것이다. 그리고 '칫솔'을 '치약'으로 말하는 경우도 '이를 닦을 때 사용하는 물건'이라는 의미적 공통점에서 볼 때 마찬가지다. 베르니케 실어증 환자들은 목표 단어의 일부 음소를 다른 음소로 대치하여 반응하는 음소착어를 보이기도 한다. '장화'를 '갑화'라고 하거나 '소화기'를 '소자기'라고 하는 경우다. 음소착어 반응이 우연히도 일정한 다른 의미를 지니고 있는 실제 단어로 대치되는 타단어화 음소착어도 일어날 수 있는데, '목발'을 '목침'이라고 반응하는 경우다. 뇌의 베르니케 영역이 손상된 베르니케 실어증이 있는 경우, 말은 유창하게 할 수 있지만 청각적 이해력이 빈곤하고, 다른 사람 말을 따라 말하지 못하며, 낱말의 이름을 잊어버려 다른 낱말로 대치하는 착어증(paraphasia) 등으로 무슨 말을 하는지 알아듣기가 어렵다.

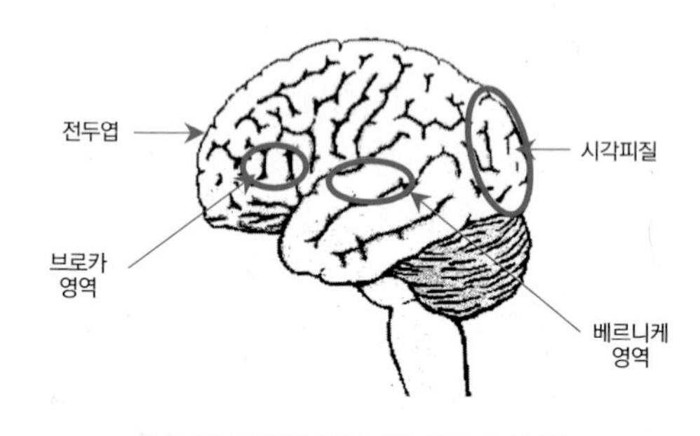

[브로카 영역과 베르니케 영역의 위치]

출처: Sousa(2006). How the brain Learns(3rd ed.). Thousand Oaks, CA: Corwin Press. p. 179.

관련어 | 브로카 실어증, 신경 관련 장애

베르니케 증후군
[-症候群, Wernicke syndrome]

알코올이 원인이 된 뇌 손상의 종류. 중독상담

베르니케 증후군은 영양성 신경병 중의 하나로, 많은 양의 알코올을 장기간 섭취할 때 부족되기 쉬운 비타민 B군 중 티아민의 결핍으로 주로 발생한다고 알려져 있다. 이는 알코올로 인한 정신병 중에서 가장 중증인데, 일반적으로 예후가 좋지 않다. 흔히 나타나는 증상으로는 안근마비(ophthalmoplegia), 보행실족(ataxia), 의식장애(confusion) 등이 있으며, 기억장애로 새로운 지식의 획득이 곤란한 특징이 있다. 치료가 시작되면 주로 수주 이내에 회복되지만, 입원환자 중 약 15% 정도는 기타 합병증으로 사망한다. 또한 베르니케 증후군의 증상이 더 진행되면 코르사코프병으로 진행할 수도 있다.

관련어 | 알코올중독, 코르샤코프 증후군

베이(월계수)
[月桂樹, Bay]

신경강장, 방부, 살균, 구풍(驅風), 거담, 발한, 소화 등에 효과가 있는 나무로서, 원산지는 소아시아로 보이지만 현재는 지중해 지역으로 간주됨. 향기치료

베이는 곧게 자라는 사철 푸른 관목이나 작은 나무로서, 20미터까지 자라고 창모양의 암녹색 잎과 여러 겹의 작은 노란색 꽃이 핀다. 꽃에서는 어두운 향이 나는 작고 짙은 보라색의 열매가 맺힌다. 베이는 신경강장과 대뇌촉진의 효과가 있기 때문에 집중력 부족, 기억력 부족, 만성적 신경쇠약 등에 사용할 수 있다. 특히 에너지와 자신감 부족으로 차갑고 응혈되어 있는 사람에게 효과가 좋다. 그리고 소화계에 현저한 효과가 있으며 식욕 촉진제로도 유용하다. 가스를 배출시켜 위통을 가라앉힘으로써 안정을 주고, 간과 신장을 강화하는 효과가 있다. 또

한 베이 오일은 호흡기계에 적합하여 점액 용해성과 함께 거담효과가 있으므로 만성 기관지염 치료에 권장된다.

베이비붐 세대
[-世代, baby boom generation]

일반적으로 제2차 세계 대전 이후의 시기인 1946년에서 1964년 사이에 출생률이 급격하게 증가되었는데, 이 시기에 태어난 세대. 중노년상담

우리나라에서는 6·25 전쟁 이후 신생아 출생률이 급격하게 증가한 시기에 태어난 세대를 베이비붐 세대라 지칭한다. 베이비붐 세대는 공통적으로 청소년기에 유신시대와 5·18 광주민주화운동, 급변하는 경제성장을 경험하였고, 급변하는 사회에 적응하기 위해서 성실하게 일했으며, 맡은 바 책임을 다하는 것을 중요시하고, 부모의 봉양과 자녀의 교육에 집중하는 특징을 보인다. 또한 이러한 베이비붐 세대가 중년 이상이 되는 2000년대에 들어와서는 개인의 여가생활을 중요시하고, 자신의 젊음과 건강에 대해 관심과 투자를 집중하는 경향을 보이고 있다. 이 같은 최근의 현상은 2010년 통계청의 보도자료를 통해 확인할 수 있는데, 베이비 부머의 절반 이상(53%)이 정기검진을 받고 있으며, 교육 정도가 높을수록 규칙적으로 운동하고 정기적으로 건강검진을 받는 비율이 증가하였다.

관련어 C세대, E세대, G세대, M세대, N세대, P세대, U세대, W세대, X세대, Y세대, Z세대, @세대

베일리 영유아발달검사
[-嬰幼兒發達檢査, Bayley Scales of Infant Development]

베일리(Bayley)가 개발한 영유아의 발달수준을 평가하는 검사. 심리검사

1~42개월의 영유아를 대상으로 현재 발달 정도를 평가하고 정상 발달로부터 이탈 여부 및 그 정도를 파악하기 위해 베일리가 개발한 검사다. 현재 사용되고 있는 것은 개정판으로 1993년에 출판되었다. 엄격한 표준화를 거쳐 유아의 현재 수준을 판단하는 데 효과적이며, 실제 기능을 파악하는 데도 유용하다. 만약 지체된 것으로 판명되었다면 정신영역과 운동영역의 상대적 발달 정도를 비교하여 문제의 핵심을 파악하고 개입하는 데 활용할 수 있다. BSID-II는 정신척도 178문항, 운동척도 111문항, 행동평정척도 30문항으로 구성되어 있다. 정신척도는 인지발달, 언어발달, 개인 및 사회성 발달수준을 평가하며, 운동척도는 운동의 질, 감각통합, 지각-운동 통합 정도를 평가한다. 아동이 통과한 문항수의 합계를 연령별 규준참고표에 따라 지수로 산출한다. 정신발달지수와 운동발달지수 모두 평균은 100, 표준편차는 15다. 연령에 따라 85% 이상이면 정신발달, 70~84%면 경도의 지연, 그리고 70% 미만은 심각한 지연으로 구분하고 있다. 하지만 이는 발달수준의 이상 정도만을 판별할 뿐 특정 영역의 장애를 진단하는 데는 사용할 수 없다. 따라서 지연되었다고 판명된다면 해당 분야 전문가에게 의뢰하여 정확한 진단을 받아야 한다.

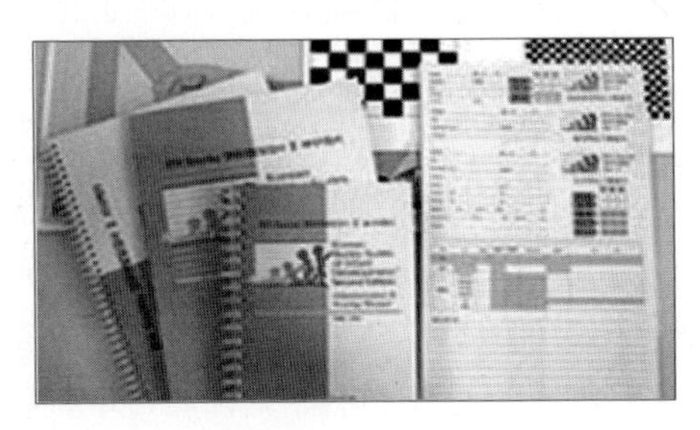

관련어 영유아발달검사

베타요소
[-要素, beta element]

정서적 사건에 대한 감각적 자료의 조각. 정신분석학

비온(W. Bion)이 소개한 정신적 기능과정에 적용되는 개념 중 하나로, 알파요소와 대비되는 개념이다. 일반적으로 감각적 자료는 알파기능에 의해 경험으로 수용되어 적절한 심리적 요소로 변형된다. 알파요소는 정신적 변형에 필요한 연결을 만드는 데 사용되는 심리적 자료로서 꿈, 정서, 기억과 같이 심리적 기능에 활용될 수 있도록 적당하게 형성된 일종의 중간 형태다. 베타요소인 감각적이고 정서적인 경험의 영향을 자아가 수용하도록 도와주는 역할을 한다. 그러나 베타요소가 알파기능에 접근하는 것이 거부되어 변형이 이루어지지 못하는 상태에 머물면, 이러한 감각적 자료는 경험 이전(pre-experience)의 요소로 남게 되어 결국 정신적 요소(mental element)로 변형되지 못한다. 베타요소는 처리되지 않은 투사적 동일시에 사용된다.

베티베르
[-, Vetiver]

신경강화, 진정, 발적제, 기능강화, 방부에 효과가 있는 식물로서, 인도가 원산지이며 히말라야 산맥, 남인도, 스리랑카, 말레이시아의 경사진 곳에서 재배. 향기치료

베티베르는 촘촘히 군생하는 볏과의 사철 풀로 2미터까지 자라고, 길고 가느다란 잎사귀와 밝은 노란색에서 적갈색을 띠는 부드러운 잔뿌리를 가진 식물이다. 베티베르 오일은 이완작용이 있어서 스트레스, 불안, 불면 또는 우울증을 겪는 사람이면 누구에게나 유용하며 극도의 피로로 초래되는 신체적, 정신적, 감정적 탈진에 사용한다. 또한 발적제(發赤劑) 효과로 관절염, 류머티즘, 그리고 근육통에 사용하며, 에스트로겐과 프로게스테론 호르몬 분비를 조절한다는 평가가 있다. 홈스(Holmes)는 베티베르가 내분비 호르몬과 감정적 요인에서 비롯된 PMS(생리 전 증후군)에 효과적이라고 보았다. 따라서 베티베르는 울적함과 우울증을 나타내는 에스트로겐 결핍에 따른 PMS와 무가치하다는 느낌을 들게 하는 프로게스테론 결핍과 연관 있는 PMS에 사용한다.

벡의 우울척도
[-憂鬱尺度, Beck Depression Inventory: BDI]

인지치료의 벡(Beck) 등이 작성한 것으로 우울진단을 위한 척도. 심리검사

벡 등(1961)이 우울증을 측정하기 위해 개발한 자기보고식 검사로서, 총 21개 문항으로 되어 있다. 즉, 분위기(mood), 염세사상(pessimism), 실패감, 불만족감, 죄악감, 수벌감(受罰感), 자기혐오, 자기비난, 자벌원망, 울고 싶은 기분, 초조감, 사회적 퇴각, 미결정, 신체상(身體像), 일의 억제, 수면장애, 피곤, 무식욕(無食慾), 체중감소, 신체에의 선입감, 리비도 결여의 항목으로 구성된다. 자신의 기분을 잘 기술하는 정도에 따라 0~3점까지 채점한다. 총점의 범위는 0~63점까지로 점수가 높을수록 우울 정도가 심하고 다양한 우울증상을 보이는 것으로 해석한다. BDI는 실시가 편하고 채점과 해석이 용이하여 자주 사용되는데, 신뢰도 크론바흐 알파는 정상 대학생 집단에서 .86, 정신과 환자 집단에서는 .87로 나타났다. 벡의 우울척도는 성인뿐 아니라 7~17세 아동·청소년을 대상으로 실시하는 아동용 우울척도(Children's Depression Inventory: CDI)도 개발되어 있다. CDI는 아동의 인지적, 정서적, 행동

적 증상을 포함하는 우울정서, 행동장애, 흥미상실, 자기비하, 생리적 증상의 다섯 가지 범주로 총 27개 문항으로 구성되어 있다. 각 문항은 0~2점까지 평정하며 채점 가능 범위는 0~54점이다. 성인용과 마찬가지로 점수가 높을수록 우울 정도가 심하다고 해석한다.

관련어 | 벡, 우울증, 인지치료

벤더 게슈탈트 검사
[－檢査, Bender Gestalt Test]

벤더(L. Bender)가 고안한 시각운동 기능검사. 심리검사

시각적 구성능력을 평가하여 뇌 손상에 대한 선별검사를 하는 데 광범위하게 사용되고 있다. 5~11세 아동의 시각운동 통합과 기능을 평가할 수 있으며, 충동성, 불안과 같은 성격 특성도 알 수 있다. 수검자에게 9개의 추상적 그림 혹은 기하학 도형을 옮겨 그린 다음, 이를 기억하여 다시 그리도록 한다. 이러한 과정과 결과를 분석하여 자극을 일정하게 파악하는 게슈탈트 기능의 성숙도와 장애를 평가하는 것이다. 도형의 회전, 중복 곤란, 단순화, 파편화, 퇴영, 보속증, 충돌, 불능, 폐쇄 곤란, 운동협응 곤란, 각도 곤란, 응집성 등을 뇌 손상의 징후로 해석할 수 있도록 채점체계가 구성되어 있다.

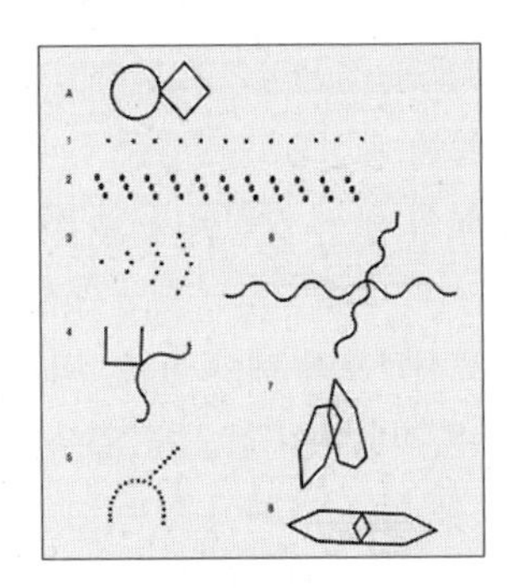

관련어 | 게슈탈트, 투사검사

벤슨의 이완반응법
[－弛緩反應法, Benson's relaxation response]

저각성, 저대사 상태에 머물러 스트레스에 대처하고자 하는 비종교적 명상방법. 명상치료

벤슨은 하버드대학교 의과대학의 행동의학 교수로서 월리스(Wallace)와 함께 초월명상(transcendental meditation, TM)을 가장 먼저 과학적으로 연구하였다. 그는 월리스와 윌슨(Wallace & Wilson)과 더불어 초월명상 수련이 각성 저대사 상태(wakeful hypometabolic state)를 야기한다는 연구결과를 발표한 이후 이완반응이라는 명상기법을 개발하였다. 이 기법은 명상과 유사한 효과를 나타내며 특정 종교적 색채를 띠지 않는다. 일반적인 초월명상에서 실시하는 만트라를 반드시 실시하지 않음에도 불구하고 정신적, 생리적 상태가 저각성, 저대사 상태(low arousal hypometalolic state)에 이르는 이완반응을 나타내고, 초월명상의 효과와 유사한 결과를 보인다. 이는 생리학적으로 부교감신경계의 활동이 우세한 반면 교감신경계의 활동이 감소된 하나의 통합된 시상하부 반응이다. 이완반응법은 다음의 네 단계를 거쳐서 이루어진다. 첫째, 조용한 환경을 만든다. 둘째, 'one'이나 'ohm'과 같은 특정 낱말이나 특정 어구를 반복하여 암송한다. 셋째, 수동적인 태도를 취한다. 이는 명상 중에 혼란스러운 생각이 일어난다고 해도 그것을 염려하지 않는 것이다. 망상이 떠올랐다는 것을 알게 되면 그저 암송하는 특정 낱말이나 어구로 자연스럽게 되돌아가면 된다. 넷째, 편안한 자세를 취한다. 이와 같은 과정을 하루에 한두 번을 매번 10~20분간 실천하면 고혈압, 심장병, 두통과 같은 정신 신체 질병의 예방과 치료에 도움이 된다.

관련어 | 마음챙김, 명상

벤조디아제핀
[-, benzodiazepine]

불안과 불면증 치료에 흔히 처방되는 중추신경 억제 계열의 약물. 중독상담

벤조디아제핀의 상품명인 리브리엄(librium)과 같은 약물을 복용했을 때 처음에는 신체적, 생리적인 의존성이 나타나지 않는다. 하지만 약물을 1년 이상 지속적으로 복용한 사람에게서 금단증상이 나타났다는 보고가 있다. 그럼에도 리브리엄은 바르비튜레이트보다 전반적인 효능과 안정성이 높고, 사용에 대한 의존성 또한 적다. 게다가 벤조디아제핀은 바르비튜레이트보다 불안치료에 대해 좀 더 효과적이라고 할 수 있다. 그러나 알코올과 함께 사용할 경우 효과가 강하게 나타나면서 훨씬 위험해질 수 있고, 또한 임신 초기 3개월 동안 산모가 이 약을 복용하면 태아의 성장에 치명적인 독성을 유발한다. 따라서 의사들은 이 약을 처방하기 이전에 환자들의 가임 여부를 반드시 확인해야 한다. 벤조디아제핀은 특히 불안장애, 공포, 공황장애 치료에 유용한 약물이다. 일반적으로 불면증, 발작, 알코올과 같은 다른 억제제에 대한 금단증상을 완화하기 위해 투여하며, 경련, 흥분, 정신착란, 환각증상을 최소화하는 데 사용한다.

관련어 메타콸론, 바르비튜레이트, 부스피론, 억제제

벽에 걸린 거울
[壁-, mirror on the wall]

내담자에게 자신의 현재 모습과 미래 모습을 상상하여 마치 거울을 보듯이 묘사하도록 하는 해결중심상담의 기법. 해결중심상담

벽에 걸린 거울은 해결중심상담에서 성학대 피해자처럼 격려와 지지가 많이 필요한 내담자를 상대로 하는 집단훈련에서 첫 번째 회기를 진행할 때 주로 사용하는 기법이다. 이를 활용하기 위해 상담자는 내담자의 역량강화에 초점을 맞추어, 집단상담 과정에서 앞으로 이야기하게 될 미래에 대한 대화를 촉진하는 역할을 한다. 벽에 걸린 거울기법을 활용할 때는 '거울'이라고 부르는 칼슨(Carlson, 1997)이 만든 작업표를 사용한다. 이 작업표의 첫머리에는 '대체로, 마음의 평화를 재는 척도는 지금 이 순간 우리가 어느 정도의 삶을 영위할 수 있는가에 따라 결정된다. 어제 또는 작년에 발생한 일, 그리고 내일 발생하거나 아니면 발생하지 않을지도 모르는 일에 관계없이 지금 이 순간이 당신이 항상 존재하는 곳이다!'라는 글이 있는데, 상담자는 벽에 걸린 거울기법을 사용하기 전에 이 글을 큰 소리로 읽어 준다. 그다음 집단구성원들에게 현재 자신이 삶을 영위하고 있는 방식에 대하여 칼슨의 문장이 제시하고 있는 바에 비추어 생각해 보고, 생각과 의견을 함께 나누어 보도록 한다. 집단구성원들이 서로 대화를 해 보면서 인생에서 우리가 택할 수 있는 길이 수없이 많은데 어느 길을 선택하든지, 그리고 인생길을 여행하면서 우리 자신에 대하여 어떤 생각을 하든지 그것은 우리의 경험에 영향을 미칠 수 있다는 점을 깨닫도록 하는 것이 목적이다. 대화를 나누고 나면, 상담자는 집단구성원들과 함께 작업표를 읽어 내려가면서 구성원들에게 지금부터 한 달 후의 삶의 모습이 어떠할지 상상해 보도록 하고, 그에 따른 영향력, 현재 목표에 도움이 되는 행위, 반응, 신념, 그리고 이러한 것들을 성공적으로 활용했던 과거가 있었는지 물어보는 과정으로 진행을 한다. 이때 상담자는 구성원들이 단지 감정이나 막연한 생각을 말하는 것이 아니라 느낌, 모습, 행동까지 구체적이고 세부적으로 묘사하도록 해야 한다. 벽에 걸린 거울의 특이한 점은 작업표의 질문 중 일부가 '피해자'와 '생존자'라는 두 단으로 되어 있는 것을 발견할 수 있다. 이는 집단구성원들이 자신을 우선 피해자로 생각하고, 그다음에는 생존자로 생각해 보아 미래에 대한 어떤 목표를 세우고 달성하는 데 각각 생각

해 보도록 하는 효과를 준다. 따라서 집단구성원들이 자신을 피해자라고 생각했을 때와 생존자라고 생각했을 때 세우는 미래의 목표가 어떻게 달라지는지 보여 주는 근거가 된다. 집단구성원들이 벽에 걸린 거울을 마치고 나면, 과거의 피해나 신념, 행동에 집착하는 것이 현재를 위한 목표설정이나 전략 구상을 매우 어렵게 만든다는 사실을 깨닫게 된다. 또한 구성원 서로를 피해자가 아니라 생존자로 바라보게 되는 시각이 점점 강화되는 효과가 있다.

관련어 | 가족역동집단, 과정집단, 오전 - 오후과정집단

변별
[辨別, discrimination]

어떤 행동이 한 자극상태에서 일어날 때 강화되고 다른 상태에서는 강화되지 않는 차별강화에 따라 서로 다른 상황에서 다른 행동을 하게 되는 것. 행동치료

어린아이가 처음에는 아무 때나 전화기를 들어 보다가 전화벨이 울릴 때 전화기를 들어 전화기 안에서 사람 목소리가 들리면, 전화기에서 들리는 사람 목소리가 차별강화의 작용을 해서 아이는 전화벨이 울릴 때만 전화기를 들게 되어 전화 통화를 변별하게 된다. 이때 전화벨 소리가 변별자극이 된다. 변별이 완전하게 형성되었을 때, 반응이 강화될 때 존재하는 자극을 그 반응에 대한 변별자극이라 한다. 변별자극은 그 자극이 있을 때 앞으로 강화가 온다는 신호이다. 변별훈련은 특수한 자극상황에서만 반응하도록 하는 것으로 어떤 상황에서는 보상을 받지만 또 어떤 상황에서는 보상되지 않을 때 일어난다. 행동은 그 후에 특정 자극 통제하에 있게 된다. 이러한 과정은 특히 인간행동의 융통성을 설명하는 데도 중요하다. 예를 들어, 계속 먹는 비만형 내담자의 경우 어떤 환경에서는 음식에 대하여 자기통제를 잘 할 수 있지만, 혼자 있거나 좌절 또는 우울을 느낄 때와 같이 예측 가능한 특정 상황에서는 자기통제를 못할 수 있다. 한편 변별과 반대되는 개념으로, 하나의 자극상태에서 조건형성된 뒤 다른 비슷한 자극상태에서 같은 반응이 일어나는 현상을 일반화(generalization)라고 한다.

관련어 | 차별강화

변별강화
[辨別强化, discrimination reinforcement]

조작적 조건형성과정에서 유기체에게 두 가지 자극을 제시하고, 그중 하나에 반응하면 강화를 주고 다른 것에 반응하면 강화를 주지 않는 변별학습과정. 행동치료

두 행동 중에서 한 행동을 제거하고 다른 행동으로 대치시키기 위해 두 행동에 대해 상이한 정적 강화를 제공하는 절차다. 변별적 조작은 신호(signal)를 포함하고, 신호는 반응으로 유도하며, 이렇게 나타난 반응은 유기체를 강화로 이끌어 간다. 스키너 상자 실험에서 보면, 상자에 불빛이 켜져 있을 때만 먹이가 나오고 꺼져 있을 때는 먹이가 나오지 않도록 장치해 둔다. 이때 불빛은 변별자극(discriminative stimulus: S^D)이 되는데, 불빛은 지렛대 누르는 반응의 신호가 된다. 이러한 실험조건에서 동물은 불빛이 켜져 있을 때는 지렛대를 누르고, 꺼져 있을 때는 누르지 않는 것을 학습한다. 이러한 절차를 통해 변별강화가 이루어지면, 어떤 상황에서는 조작적 반응이 일어나고, 또 어떤 상황에서는 그 반응이 일어나지 않는다. 일상생활 속에서 예를 들면, 도로를 운전할 때 붉은 신호등(S^D)에 이르면, 이것은 운전자를 정지(R)시키고, 그 결과 교통위반이나 사고(S^R)를 면하게 해 준다. 변별강화는 강화계획의 특수한 한 형태로서, 표적행동이 나타났을 때는 확실하게 강화하고 문제행동이 나타났을 때는 강화하지 않거나 무시하는 절차다. 일반적으로 변별강화는 특정한 문제행동을 제거하고 대안적인 바람직한 행동을 강화하는 경우에 적용한다. 따라서 소거효과

ㅂ

자체를 극대화하기 위한 기법이라고 볼 수 있다. 문제행동을 제거하기 위해 처벌을 사용하는 경우와 마찬가지로 대안적인 반응행동을 유도하는 것이 문제행동을 제거하는 효과를 증가시킨다. 변별강화는 아동과 성인의 대인관계적 혹은 성격적 문제를 치료하는 데 효과적으로 사용되고 있다. 군대 내 정신병원에서 성격장애와 행동장애가 있는 군인을 대상으로 변별강화절차를 적용하는 경우에는, 정적인 사회적 자극을 구성하는 표적행동을 유발하거나 복장을 단정히 하거나 혹은 과제수행을 위해 협력하는 바람직한 행동을 토큰으로 강화한다. 이에 반해, 공격성, 게으름, 사회적 철수 등 부적절한 행동에 대해서는 무시하거나 반응대가절차로 치료한다. 강화철회를 포함하지 않는 변별강화는 문제행동에 대해 대안적이거나 상호 배타적인 행동을 강화한다.

변산도
[變散度, variability]

자료의 분포가 집중경향치를 중심으로 하여 어느 정도로 밀집 또는 분산되어 있는지를 나타내는 통계치. 통계분석

어떤 분포에서 점수들이 집중경향치를 중심으로 많이 떨어져 있을수록 변산도는 크고, 점수들이 가깝게 모여 있을수록 변산도는 작다고 한다. 따라서 변산도가 커질수록 분포 내의 구성원이 이질적이라는 뜻이며, 이때 평균은 대표치로서의 기능을 상실한다. 반면 변산도가 작을수록 분포 내의 구성원은 동질적임을 뜻한다. 변산도에는 범위(range), 사분편차(quartile deviation), 표준편차(standard deviation) 등이 있다. 범위는 한 점수분포에서 최고점과 최저점 사이의 간격을 말하며, $R=$최고점수$-$최하점수$+1$로 나타낸다. 이해하기 쉽고 또한 계산이 간단하지만 극단한 점수가 있는 경우에는 한 집단의 점수분포를 나타내는 변산도지수로 부적당하다. 즉, 범위는 양극단의 2개의 점수로 결정되기 때문에 양극단에 극단한 점수가 한두 개 있는 경우 이 때문에 범위는 사실 이상으로 커져 버린다. 사분편차는 한 점수분포의 중앙에서 사례의 50%가 차지하는 점수범위의 반(半)을 말한다. 사분편차가 쓰이는 경우는 대푯값으로 중앙치만 알고 있을 경우, 점수분포의 양쪽 끝이 잘려 나갔거나 불안전한 경우, 점수분포가 심하게 편포되었거나 극단적인 사례가 있는 경우 등이다. 표준편차는 가장 대표적인 변산도지수로 쓰이는데 구하는 공식은 다음과 같다.

$$S=\sqrt{\frac{\sum(X-\overline{X})^2}{n}}=\sqrt{\frac{\sum x^2}{n}}$$

편차(deviation)란 한 점수 X가 점수분포의 평균치 $\overline{X}$로부터 얼마나 떨어져 있는지를 나타내는 수치다. 다시 말해서, 편차를 x라고 하면 $x=X-\overline{X}$다. 표준편차는 편차를 제곱하여 모두 합한 값을 사례 수로 나누어 이를 다시 제곱근한 값이고, 표준편차의 제곱, 즉 S^2을 변량(variance)이라고 한다. 표준편차는 어느 한 점수분포의 변산 정도를 나타내 줄 뿐만 아니라 다른 통계적 분석을 하는 데 기초로 이용된다. 예를 들어, 상관계수나 회귀분석 또는 표준점수를 계산할 때 표준편차가 필요하다. 그리고 어느 측정치들의 분포가 정상분포를 이루고 있을 때, 그 분포의 평균치와 표준편차를 알면 정상분포의 성질에 비추어 특정한 두 점수 사이에 들어 있는 사례 수를 계산하거나 혹은 특정한 사례가 일정 확률로 나타날 척도상의 점수 등을 계산할 수 있다.

관련어 정상분포, 집중경향치, 표준점수

변성의식상태
[變成意識狀態, altered state of consciousness: ASC]

일반적이지 않은 약물복용상태부터 임사상태, 명상상태까지 포괄하는 모든 비일상적인 의식상태. 초월영성치료

일상적 기능양식과는 상이하게 다른 경험의 마음

상태와 실재의 구조를 의미하는 것으로, 하나의 변성의식은 그것 자체의 고유한 특성을 가진 새로운 불연속적 체계이며 의식이 재구조화된 상태다. 다양한 변성의식은 개인의 거의 모든 발달단계에서 누구에게나 일어날 수 있다. 일시적인 변성상태를 절정경험(peak experience)이라 하는데, 이를 통하여 깨어 있으면서도 심혼, 정묘, 인과, 궁극의 수준 등의 자연상태를 경험할 수 있다. 또한 이러한 상태가 더 나아가 직접적인 영적 경험으로 종종 인도되기도 한다. 실험에 따르면, 변성의식은 합리적 사고의 탈자동화를 수반하는 인지적 상태로서 자기수용을 활성화시킨다. 그리고 이러한 변성의식은 정상적 인지과정의 주관적인 파생물로서 즉각적인 주관적 경험의 질이 민감해지는 상태에서 일어난다. 변성의식은 의도적인 방법과 비의도적인 방법으로 경험할 수 있는데, 의도적인 방법이란 명상, 요가 등 다양한 전통적 수행기법을 이용하여 의도적으로 변성의식을 유도하는 것이며, 비의도적인 방법은 특정 기법에 따르지 않고 자연 발생적으로 신비체험을 경험하는 것을 말한다. 변성의식은 준비가 되어 있지 않은 상황에서도 자연 발생적으로, 일시적으로 체험할 수 있다는 것이다. 그러나 요가, 명상과 같은 오랜 시간 의도적이고 체계적인 수련을 통하여 경험하는 변성의식은 보다 안정적이고 통합적이다.

관련어 | 신비체험

변연계
[邊緣系, limbic system]

대뇌 반구의 안쪽과 밑변에 위치한 신경세포 집단. 뇌 과학

ㅂ

후각, 감정, 동기부여, 행동 등 다양한 감정의 중추 역할을 하는 대뇌의 부위로, 학습, 기억 및 각성에 관여하는 것으로 알려져 있다. 손상을 받으면 적응력에 이상이 생기고 부적절한 행동을 한다. 진화적으로 전뇌 중 가장 먼저 출현한 부위이며, 포유동물에서 가장 발달되어 있다. 구체적이고 해부학적인 작용 메커니즘은 잘 밝혀져 있지 않다.

관련어 | 대뇌

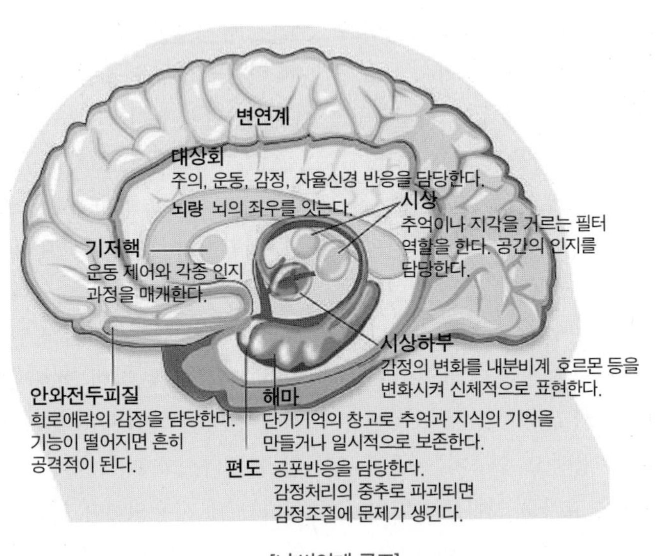

[뇌 변연계 구조]

출처: http://jidam.blogspot.kr/2011/03/blog-post_21.html

변인
[變因, variable]

연구에서 관심을 갖고 있는 현상과 관련된 자료의 속성이나 특징. 변수라고도 함. 연구방법

연구문제는 보통 변인에 의하여 서술된다. 변인은 그 속성에 따라 여러 수준으로 분류하거나 다양한 값으로 측정할 수 있는 어떤 사건이나 사물 혹은 현상을 나타내는 개념이라 할 수 있다. 예를 들어, 지능, 학업성취도, 성별, 육아방식, 가정환경, 자아존중감, 우울 등의 개념은 모두 연구에서 변인이 될 수 있다. 연구를 할 때 연구자는 각 변인을 속성이나 특징에 따라 다양한 값을 부여하거나 여러 개의 하위수준으로 나누는 것이 보통이다. 어느 한 변인을 범주화하여 하위수준으로 세분할 때, 연구자는 동질성, 상호 배타성, 포괄성의 원칙을 따라야 한다. 동질성이란 하위 수준으로 나누어 놓은 각 범주들 간에 상호 논리적인 일관성이 있는 것이고, 상호 배타성이란 어느 한 변인을 나누어 놓은 범주들끼리 서로 중복되지 않는 것이며, 포괄성이란 어느 한 변인의 하위수준으로 구분하여 놓은 범주들 속에 모든 사례가 다 포함됨을 말한다. 연구에서 기술되는 변인에는 독립변인(independent variable)과 종속변인(dependent variable), 유기체변인(organismic variable), 가외변인(extraneous variable) 등 여러 종류가 있다. 우선 연구에서 어떻게 사용되느냐에 따라 변인은 독립변인과 종속변인으로 구분할 수 있다. 독립변인은 연구자가 조작하는 변인이고, 종속변인은 독립변인의 영향을 받는 변인이다. 실험적 연구와 비실험적 연구 모두 독립변인과 종속변인에 대한 연구를 포함한다. 비실험적 연구에서 관심을 갖고 있는 속성이나 특징에 이미 존재하고 있는 차이를 독립변인으로 설정하여 사용하고, 연구자는 이 독립변인이 종속변인에 미치는 효과를 알아보고자 한다. 이 경우에 독립변인은 결과 변인(outcome variable) 혹은 반응변인(response variable)에 영향을 미치는 것으로 가정된다. 예를 들어, 상담회기 내용과 상담이 끝났을 때의 내담자 만족도와의 관계를 알아본다고 했을 때, 상담회기 내용에서 이미 존재하고 있는 차이는 독립변인이고, 내담자의 상담에 대한 만족도는 종속변인이다. 실험적 연구에서는 다른 조건들을 동일하게 하면서 독립변인을 체계적으로 조작하여 조작의 결과가 종속변인에 영향을 미쳤는지 알아본다. 이 같은 연구에서 적어도 독립변인의 2개의 다른 처치 혹은 수준이 있어야 한다. 예를 들어, 상담회기의 내용이 서로 다른 2개 이상의 집단을 설정하여 독립변인으로 삼고, 상담이 끝났을 때의 내담자 만족도를 종속변인으로 삼아 집단별로 측정하여 비교하는 것이다. 독립변인은 종종 투입변인(input variable), 예언변인(predictor variable), 조작변인(manipulated variable), 혹은 외생변인(exogenous variable)이라고도 불리며, 종속변인은 결과변인, 기준변인(criterion variable), 혹은 내생변인(endogenous variable)이라고도 불린다. 유기체 변인은 연구참여자가 지니고 있는 신체적 · 심리적 특성을 말하며, 이미 존재하고 있는 연구참여자의 개인차를 가리킨다. 이처럼 이미 존재하고 있는 차이는 독립변인 혹은 종속변인으로 존재할 수 있다. 유기체변인이 독립변인일 때 그것이 종속변인에 미치는 영향을 중립화하기 위해서 일관되게 하거나 무작위로 뽑히게 할 수 있다. 이때 유기체변인을 차단변인(blocking variable) 혹은 통제변인(control variable)이라고 한다. 예를 들어, 상담회기의 내용과 상담자의 사례개념화(case conceptualization) 간의 관계를 조사하는 연구에서 가능한 유기체변인으로는 내담자와 상담자의 연령, 성, 교육수준 등이 있다. 이런 경우 이미 존재하고 있는 유기체변인에서의 차이는 독립변인 혹은 종속변인에 영향을 미칠 수 있다. 그러나 그것은 또한 독립변인의 수준을 정하는 데 사용되어야 하는 유기체변인일 수도 있다. 예를 들어, 연령, 성, 교육수준과 같은 유기체변인은 사례개념화에 영향을 미치는 독립변인일 수

있다. 유기체변인이 종속변인이 될 때는 문제가 된다. 왜냐하면 종속변인에서 이미 존재하고 있는 차이가 독립변인과 종속변인 간의 관계를 과대추정 혹은 과소추정하도록 할 수 있기 때문이다. 연구 자체와는 관련이 없지만 연구결과에 영향을 미칠 수 있는 변인을 가외변인이라고 한다. 가외변인은 잡음변인 혹은 혼동변인(confounding variable)이라고도 한다. 연구자가 관심을 가지고 있는 독립변인 이외의 연구 외적인 변인들, 즉 가외변인이 종속변인에 편파적으로 영향을 미치는 것을 막기 위해서는 통제를 해야 한다. 연구결과에 유의하게 영향을 미칠 수 있는 가외변인을 피험자변인과 연구자변인으로 구분할 수 있다. 피험자 관련 변인으로 연구자가 특히 유의해야 할 점은 요구 특성(demand characteristics)이다. 이는 피험자들로 하여금 특정한 방식으로 반응하도록 요구하는 연구 관련 여러 가지 단서와 정보(연구목적, 연구과제, 지시사항, 연구 관련 소문 등)를 말한다. 연구에서 피험자가 연구목적을 알거나 연구자가 기대하는 것이 무엇인지 알고 있다면 연구결과를 오도할 수 있다. 일반적으로 사람들의 행동은 자신이 지각한 자신에게 기대되는 행동에 결정되는 경우가 많다. 따라서 연구자는 이러한 요구 특성이 편파적으로 작용하는 것을 최소화하기 위하여 연구절차를 표준화하거나 조건을 통제해야 한다. 연구자 관련 변인으로는 연령, 성별, 외모, 종교와 같은 개인적 특성과 성격, 능력, 태도, 대인관계 등 심리사회적 특성이 피험자의 반응에 영향을 미칠 수 있다. 특히 연구자의 연구결과에 대한 의식적 또는 무의식적 기대심리가 연구결과나 결과의 해석에 영향을 줄 수 있다. 따라서 연구자는 이와 같은 연구자의 여러 가지 특성에 따른 연구자 효과가 나타나지 않도록 통제해야 한다.

관련어 | 양적 연구

변증법
[辨證法, dialectic]

정립과 반정립의 모순을 통해 보다 발전된 단계로 나아간다는 논리구조. 철학상담

변증법은 그리스어 'dialektikē'에서 유래한 말로서, 원래 의미는 대화술 또는 문답법이었다. 일반적으로 변증법의 창시자라고 언급되고 있는 제논(Zenon)은 상대방이 자기모순에 빠지게 하여 자신의 주장이 옳음을 밝히고자 하였다. 이 같은 대화술은 소크라테스의 문답법(elenchos)과 플라톤의 변증법을 거쳐 근대로 이어졌다. 근대에서 변증법의 틀을 제공해 준 사람은 칸트(Kant)와 피히테(Fichte)였다고 할 수 있다. 칸트는 주장과 반대 주장을 동일 대상에 대해서 동시에 주장함으로써 발생하는 이율배반을 검토하는 과정에서 이성이 선험적으로 그려내는 허상에 대한 폭로와 관련하여 '변증론(dialektik)'이라는 용어를 사용하였다. 그는 여기에서 정립과 반정립의 대립과 모순의 문제를 다루었다. 이후 피히테에 이르러서는 정립과 반정립의 종합에 대한 논의가 있었다. 그러나 변증법이라는 것이 가장 체계적으로 자리 잡은 것은 헤겔(Hegel)에 이르러서였다. 그는 변증법을 존재론과 인식론 모두에 적용하여 사용하였는데, 모든 존재와 인식에는 정(正)-반(反)-합(合)의 과정이 작동하고 있다고 하였다. 정은 즉자적 단계로서 모순이 아직 드러나지 않거나 자각되지 않은 단계라면, 반은 대자적 단계로서 모순이 드러나거나 자각된 단계이며, 합은 즉자대자적 단계로서 모순이 '지양(Aufheben)'되어 통일되는 단계다. 헤겔에게 '지양'은 '없애면서 가지는' 것으로 자기부정을 통해 더 높은 단계로 올라감을 의미한다. 이 같은 논리에 따르면, 모든 생명체는 낮은 단계에서 높은 단계로 이행할 때 인식의 면에서나 존재의 면에서 자기부정의 과정을 거치고, 이 과정을 거쳐야만 다음 단계에서 더 발전된 상태를 간직할 수 있다. 부정의 과정이 없는 긍정의 단계만

으로는 더 높은 단계로의 발전이 불가능하다고 본 것이다. 헤겔의 이런 생각은 '만물은 투쟁한다.'는 고대 헤라클레이토스(Herakleitus)의 전통을 계승하고 있다고 볼 수 있다. 그의 주장은 이후 마르크스(Marx)의 계급투쟁론으로 발전하여, 유물사관을 정립하는 데 기초가 되었다. 그러나 실존철학 이후 오늘날의 포스트구조주의에 이르기까지 개체의 고유성과 특이성을 강조하는 철학에서는 변증법 이론이 개체를 매개변수로 전락시키는 폭력을 유발하고 있다고 비판한다. 이에 대해 변증법 이론을 긍정적으로 유지하려는 입장에서는, 변증법은 개체를 무시하는 '추상적 보편'을 추구한 것이 아니라 개체의 발전을 통하여 전체의 조화를 모색하는 '구체적 보편'을 추구한다고 강변하고 있다. 여하튼 이런 변증법 이론은 오늘날 심리치료 영역에서 행동치료(변증법적 행동치료, dialectical behavioral therapy: DBT)와 연관되어 많이 활용되고 있다. 이 변증법적 행동치료는 리네한(Linehan)이 경계선 성격장애를 치료하기 위해 고안한 방법이다.

변증법적 행동치료
[辨證法的行動治療, dialectical behavior therapy: DBT]

경계선 성격장애(borderline personality disorder: BPD)를 치료하기 위해 1994년 리네한(Linehan)이 개발한 다면적 치료 프로그램. 명상치료

처음에는 자살, 자해를 보이는 경계선 성격장애 내담자를 효율적으로 돕기 위해 창안되었으나, 동기강화, 대처기술 증진, 강점강화 등의 목적으로 확대되어 적용되고 있다. 이 프로그램은 대립되는 사상들이 균형을 이루고 통합 및 종합하는 것을 강조하는 변증법적 세계관을 바탕으로 사고, 정서, 행동의 변화를 촉진하는 여러 가지 인지행동적 전략과 마음챙김(mindfulness) 명상활동을 절충하여 구성되었다. 이 프로그램에 참여하기 위해서는 우선 1년 동안 치료에 참여하겠다는 서약서를 작성해야 하고, 개인심리치료와 집단 기술훈련에 매주 참여한다. 개인심리치료 회기에서는 집단훈련에서 익힌 기술들을 일상생활에 적용할 수 있는 작업을 개인치료자와 함께 연습한다. 집단 기술훈련 회기는 핵심 마음챙김, 대인관계 효율성, 정서조절, 고통 인내 기술의 네 가지 모듈로 진행된다. 핵심 마음챙김 모듈은 프로그램의 오리엔테이션 과정이라 볼 수 있는데, 마음챙김 기술훈련의 이론적 근거, 세 가지 마음상태, 세 가지 마음챙김 기술, 세 가지 마음챙김 태도, 주의조절능력의 중요성과 필요성 등에 대한 설명해 주고 정보를 준다. 프로그램을 진행하면서 내담자가 지녀야 할 세 가지 마음상태는 합리적 마음(reasonable mind), 정서적 마음(emotion mind), 현명한 마음(wise mind)이다. 합리적 마음은 이성적이고 논리적으로 생각하면서 사실을 인지하고 계획을 세우며 문제를 해결하려는 마음을 말한다. 정서적 마음은 정서가 사고와 행동을 통제하는 것이며 이 마음으로 다른 사람을 돕고 자신의 안전을 위협하는 일을 감수하거나 창조적이고 예술적 활동을 촉진하는 등 어떤 일을 하도록 동기화하는 상태를 말한다. 현명한 마음은 합리적 마음과 정서적 마음이 통합된 상태를 말한다. 현명한 마음은 균형상태를 유지하고 정서와 이성을 변증법적으로 통합하는 종합적인 마음상태로서 지식과 직관이 포함되어 있다. 변증법적 행동치료에서 현명한 마음이란 보편적인 인간능력으로 개념화하여, 프로그램의 궁극적 목적은 합리적 마음과 정서적 마음의 균형을 이루어 현명한 마음을 형성하는 것이다. 마음챙김을 위한 세 가지 기술은 관찰하기(observing), 기술하기(describing), 참여하기(participating)다. 관찰하기는 현재 순간에 일어나고 있는 생각, 신체적 감각, 정서, 충동 등 내적 경험과 소리, 외부환경, 냄새 등 외적 경험을 무시하거나 벗어나지 않은 채 그냥 알아차리며 느끼고 주의를 기울이는 것이다. 이때 느끼는 경험들이 부정적이든 긍정적이든 실패든 성공

이든 무엇이든 간에 현재 그 순간에 경험한 것들을 알아차리는 것이다. 기술하기는 관찰한 경험을 언어로 표현하는 것이다. 관찰한 모든 경험을 언어화하며 특히 생각이나 느낌을 경험하게 되면 사실 여부를 따지는 것이 아니라 인식하는 것에 초점을 두어 기술하도록 한다. 이는 사고나 감정이 자동적으로 부정적 측면이나 부적응적 과정으로 흘러 들어가는 경향을 줄이기 위한 것이다. 참여하기는 현재의 순간에 활동을 완전하게 수행하는 것, 완전히 관여하는 것, 자의식 없이 자발적으로 활동하는 것을 말한다. 즉, 이 같은 활동은 '어리석은 거야.' '부끄러운 일이야.'와 같이 평가를 한다거나 주의가 산만해지지 않은 채 온전히 집단활동에 참여하는 것이다. 마음챙김에 대하여 가져야 할 세 가지 태도는 비판단적으로(nonjudgmentally), 하나씩 마음챙김하며(one-mindfully), 효과적으로(effectively) 해야 한다는 것이다. 비판단적인 태도는 경험에 대하여 좋은 것 또는 나쁜 것과 같이 어떠한 평가를 하지 않는 것을 말한다. 부정적 판단을 긍정적 판단으로 바꾸는 것이 아니라 좋은 것이든 싫은 것이든 현재 순간의 모든 경험을 있는 그대로 수용한다. 하나씩 마음챙김하는 태도는 한 번에 한 가지 일에 주의를 기울이는 것을 말한다. 효과적으로 행동하는 태도는 일이 되도록 하는 것이다. 개인적인 선호나 의견만 내세우기보다는 실질적으로 행동하거나 상황의 실재 인식하기, 자신의 목적 확인하기, 성취하기 위해 효과적인 방법 생각하기 등을 말한다. 집단 기술훈련의 정서조절 모듈은 정서 촉발 사건, 사건에 대한 내담자의 해석, 정서의 주관적인 경험, 행동충동, 실제로 한 행동, 정서의 추후효과 등 정서적 측면을 관찰하고 기술하기 위한 방법을 훈련시킨다. 그리고 고통인내 기술모듈은 고통은 피할 수 없는 것이며 삶의 일부이므로 고통을 잘 견디는 방법을 익히는 것이 중요하다는 것을 강조한다. 그래서 고통 때문에 정서를 판단하거나 억제하거나 변화시키거나 방어하려 하지 않고 일어나는 그대로 경험함으로써 더 이상 부적응적인 행동을 하지 않고 그러한 상황에서 살아남을 수 있다. 고통을 견디게 하는 기술은, 고통스러운 현실을 인식하고 변화시킬 수 없는 것을 변화시키려는 쓸데없는 노력을 그만두는 것이다. 그리고 현실을 있는 그대로 수용하는 것인데, 여기에는 호흡 알아차리기, 느리고 완전하게 자각하기, 모든 순간을 알아차리기, 차 끓이기, 설거지하기와 같은 간단한 활동에 참여하는 것이 있다. 이 프로그램의 지도자는 마음챙김에 근거한 스트레스 완화(MBSR)나 마음챙김에 근거한 인지치료(MBCT)와 같이 마음챙김에 대하여 충분히 이해하고 있어야 하며, 활동을 하는 동안 참여자들의 어려움을 공감해 주어야 하고, 수련 후에는 활동에 대한 경험에 관해 토론을 하도록 해야 한다.

관련어 | 마음챙김, 마음챙김에 근거한 섭식 자각 훈련, 마음챙김에 근거한 스트레스 완화, 마음챙김에 근거한 인지치료

변태성욕
[變態性慾, paraphilias]

성행위 대상이나 방식이 비정상적이어서 사람 사이의 애정관계를 형성하지 못하는 것. 이상심리

비정상적인 대상이나 상황에 의해 성적으로 흥분되는 경우를 말하는데, 성도착증으로도 불린다. 가장 흔한 경우로는 여성의 속옷이나 신발을 통하여 성적으로 흥분하고 쾌감을 느끼는 것이며, 드물게는 대변이나 시체를 통하여 성적 쾌감을 느끼는 경우도 있다. 성도착증의 진단적 기준은 다음과 같다. 즉, 부적절한 대상이나 목표에 대하여 강렬한 성적 욕망을 느끼고 성적 상상이나 행위를 반복하는 것으로서, 이러한 상태가 6개월 이상 지속되고 이 같은 문제로 심각한 고통을 받거나 현저한 사회적·직업적 부적응을 나타낼 때다. 성도착증의 50% 이상은 18세 이전에 발병하고, 여자보다 남자가 압도

적으로 많으며, 보통 복수의 도착증을 동시에 나타낸다. 도착행위는 15~25세 사이에 가장 많이 나타나고, 이후 감소하는 경향이 있다. 50세 이후에서는 고립적인 생활을 하는 사람을 제외하고는 나타나는 경우가 드물다. 성도착증의 유형으로는 여성 물건애, 의상도착증, 노출증, 관음증, 접촉 도착증, 소아기호증, 성적 가학증과 피학증, 기타 성적 선호 장애 등이 있다. 이 중 가학증, 노출증, 소아기호증, 관음증 등은 법적 구속이 될 수 있으며, 피학증의 경우는 타인에게 해를 끼치지는 않지만 성도착적 상상이 현실화되어 치명적인 결과를 초래할 수 있다. 성도착증 환자에 대한 치료는 자발적이 아니라 그들이 범죄와 관련됨으로써 정신과로 강제 이송될 경우 행해진다. 치료유형은 주로 정신분석적 치료나 통찰 정신치료 등이 시행되고, 여기에 성치료도 보조치료로 행해지며, 혐오치료, 행동치료, 약물치료도 있다. 성도착증은 무엇보다 예방이 중요하고, 그런 만큼 가장 좋은 치료적 접근은 어릴 때의 성교육과 부모의 관심 및 계몽이라고 할 수 있다.

관련어 | 가학피학증, 복장도착증

변형내재화
[變形內在化, transmuting internalization]

상실과 좌절 경험에 따라 심리구조가 변형되어 가는 과정.

대상관계이론

프로이트(S. Freud)의 내재화 개념을 토대로 코헛(H. Kohut)이 확장한 개념이다. 프로이트는 리비도 대상이 지닌 특질은 그 대상의 상실에 이어 내재화된다고 가정하였다. 코헛은 이 개념을 확장하여 상실에 뒤이어 발생하는 이상화 요소의 내재화를 포함하였다. 즉, 자기대상이 지닌 기능 중 하나가 실패하고 따라서 이상화된 자기대상이 부분적으로 상실될 때 변형내재화가 일어난다. 코헛에 의하면, 초기 자기(self)는 핵심 자기로 발달하고 궁극적으로 성인의 응집된 자율적인 자기로 성장해야 한다. 이때 두 가지 심리과정, 즉 대상통과(passage through the object)와 변형내재화(transmuting internalization) 과정이 항구적인 심리구조를 형성하는 데 관여한다. 대상통과는 유아가 부모의 실제적인 한계를 차츰 인식하게 되는 과정을 통해 부모에 대한 이상화가 점진적으로 수정되는 과정을 뜻한다. 한편, 변형내재화는 프로이트의 애도과정과 유사하다. 변형내재화를 통해 자기대상에 부착되었던 자기애적 에너지가 자기의 인격에 재투입된다. 내재화된 에너지는 중립적인 기본 심리구조를 강화하고 확장하는 데 투입되며, 이상을 형성하거나 강화하는 데에도 투입된다. 변형내재화 과정에는 세 가지 요소가 관여한다. 첫째, 심리장치가 심리구조를 형성할 수 있는 준비가 되어 있어야 한다. 심리가 특정 내사체를 수용할 수 있을 정도로 성장한 상태여야 한다. 이렇게 내적으로 기능하는 잠재력이 독립적으로 출현하는 것을 하르트만(H. Hartmann)은 일차 자율기능이라고 일컫었다. 둘째, 대상 이마고의 일정 측면들이 분할되어 내재화되어야 한다. 만약 이상화 대상이 한꺼번에 갑자기 완벽함을 상실한다면 유아는 대상을 통째로 내재화할 수 없다. 대상에게로 향했던 자기애적 리비도가 조금씩 분할되어 철수되어야 한다. 이를 최적의 좌절(optimal frustration)이라고 한다. 변형내재화는 최적의 좌절을 전제로 한다. 최적의 좌절상태란 부모의 태도가 비록 좌절을 안겨 주기는 하지만 그것이 유아에게 상처가 되지 않는 적정수준을 뜻한다. 최적의 좌절은 곧 미세좌절(micro frustration)을 뜻하며, 이러한 미세좌절에 발맞추어 미세내재화(micro internalization)가 무수하게 반복되면서 심리구조가 형성되는 과정이 곧 변형내재화이다. 셋째, 대상이 분할되는 것과 함께 대상은 탈인격화되고 그 대신 특정 기능이 강조된다. 그 결과 내재화된 구조는 자기대상이 수행하던 기능을 수행하게 된다. 즉, 유아의 자기가 자기대상이 하던 기능을 대신하게 된다. 이러한 과정을 거치면서 유아는 자신을 진정시키고 안정시켜 주는 부모와 그 태도를 내재화하는 과정을 통해 점진적인 중성화(progressive neutralization)를 진행해 간다. 그 결과, 욕동을 억제할 수 있는 심리구조, 즉 중립화된 기억들과 중립화된 내적 힘들로 구성된 중립화된 심리영역이 형성된다.

변형단계
[變形段階, transformation stage]

내담자가 더욱 효과적으로 무의식적 정신에너지를 통합할 수 있도록 융(C. G. Jung)이 제안한 분석적 심리치료과정의 마지막 단계로, 내담자와 치료자 간의 역동적인 상호작용을 통해 단순히 사회에 대한 적응을 넘어서 자기실현으로의 변화를 도모하는 단계. 분석심리학

변형단계에서는 내담자가 삶의 의미를 정립하고, 자기실현을 이룩하기 위한 정신적 균형상태로 나아가는 것을 요구한다. 이 단계에서는 내담자와 치료자 간의 역동적인 상호작용을 통해 단순히 사회에 대한 적응을 넘어서 자기실현의 시간을 가지게 된다. 이때의 내담자는 의식적 경험과 무의식적 경험에 가치를 둔다. 융은 대부분의 사람들이 고백단계, 명료화단계, 교육단계를 수행하면 치료를 종결하지만, 내담자들이 인생의 중년기에 있을 경우 치료에 더욱 증진하는 것에 주목하였다. 그는 이러한 중년기 내담자들이 삶에 대한 의미를 재정립하는 경향이 있다고 말하였다. 이 같은 경향은 무의식에 대한 더욱 깊고 강한 탐색과 관련이 있으며, 이 탐색은 중년기 내담자의 진로를 전환시키기도 한다. 예를 들어, 직장생활을 하던 중년기 내담자가 레스토랑 개업을 한다거나 외국에 가서 무료로 공부를 가르치는 것과 같은 것이다. 이렇듯 융의 매우 큰 공헌 중의 하나는 중년의 중요성을 언급하고 초점을 맞춘 것이다. 내담자들은 초기 근원을 심도 있게 탐색하고 변형을 향해 통찰하는데, 융은 이것을 자기실현이라고 설명하였다. 변형단계에 있는 사람들은 의식적 경에서 자기의 원형적 이미지는 꿈과 환상에서뿐 아니라 전이관계에서도 나타나고, 전이와 꿈의 상징이 개인 내적 그리고 원형까지 나타낸다고 보았다. 험은 물론 무의식의 가치를 깨닫는다. 융은 변형단계

관련어 | 고백단계, 명료화단계

변화
[變化, change]

상담의 궁극적 목표로서, 내담자가 바람직하게 바뀌는 것. 통합치료

사전적 정의는 사물의 모양이나 성질이 바뀌어 달라지는 것인데 상담에서 변화란 바람직한 방향으로 내담자가 변화하는 것을 의미한다. 상담이론이나 접근, 모델에 따라 중요시하고 초점을 두는 변화의 영역 혹은 측면, 변화를 창출하는 방법, 변화를 성취한 후의 바람직한 인간상에서 서로 다른 이해와 설명을 하고 있지만 궁극적으로 바람직한 변화를 목표로 한다는 점에서는 동일하다고 할 수 있다. 변화의 영역 혹은 맥락으로 초이론적 모형에서는 증상 및 상황적 문제, 역기능적 인지, 현재의 대인관계 갈등, 가족체계 갈등, 개인 내 갈등의 5가지를 들었다. 김창대(2009)는 상담자가 내담자가 변화를 창출하도록 촉진할 수 있는 핵심요인을 범이론적으로 제시하였다. 이러한 변화촉진요인은 진정성의 경험, 자기의 확인(self validation), 패턴의 수정, 다양한 지식과 기술의 습득, 실존적 선택과 책임의 수용의 5가지다. 진정성의 경험은 내담자가 자신이 경험하고 있는 세계를 현상학적으로, 즉 자신의 세계를 부정하거나 왜곡하지 않고 있는 그대로 경험하게 하는 것이다. 공감적 이해, 버텨주기(hoding), 담아내기(containing), 교정적 재체험, 명료화, 심상작업 등을 활용할 수 있다. 자기의 확인은 참된 자기를 확인하고 타당화하는 것이다. 내담자의 경험을 있는 그대로 타당하게 인정하고 수용하는 타당화,

공감반응, 거울반응, 인정과 칭찬, 버텨주기, 빈 의자 기법 등을 활용할 수 있다. 패턴의 수정은 개인의 특성에 의해 상황변화에 따라 함께 변화하지 않고 지속, 반복되는 습관으로서 정서, 관계, 사고, 행동 전 측면에서 나타나는 것이다. 방어기제, 표상, 작동모형, 생활양식, 비합리적 신념, 인지도식, 습관, 미해결 감정, 게임, 각본 등 이를 설명하는 다양한 용어가 있다. 통찰, 수용, 이해, 논박, 소거, 강화 등 다양한 기법을 활용할 수 있다. 다양한 지식과 기술의 습득에서 상담에서 주로 다루어지는 영역으로는 자기관리, 문제해결, 정보습득, 대인관계 등이 있다. 실존적 선택과 책임의 수용은 변화를 앞둔 시점에 내담자가 서 있을 때 새로운 행동을 선택하고 그 결과를 자신의 것으로 소유하기로 결단하는 것이다. 변화를 가져오진 못했지만 오랜 기간 지속해온 익숙한 것을 포기하고 새로운 것을 시도해야 하는 일은 내담자에게 쉽지 않은 결단이다. 앞서 제시한 요인들을 성공적으로 다루었다면 이 요인은 자연스럽게 다루어질 수 있지만 경우에 따라서는 철학적, 영성적 접근을 필요로 할 수도 있다.

변화시키는 언어
[變化 – 言語, transformative language]

2000년대에 들어와서 문학치료나 글쓰기치료라는 용어 대신 사람을 변화시키는 문학과 글쓰기의 언어적 힘을 강조하여 사용되는 또 다른 광범위한 문학치료를 일컫는 용어. 문학치료(글쓰기치료)

이 용어를 직역하면 '변형언어' 또는 '변형언어예술'이라는 뜻이다. 변화, 변형이라는 뜻의 영어 단어 'transform'은 라틴어, 'trans(넘다, 건너다)'와 'forma(형태, 형상)'의 합성어로서 '형상을 바꾸다, 새로운 형태를 주다, 또는 변신하다'라는 의미를 가지고 있다. 병이나 상처를 고치고 낫게 하는 치료라는 말이 건강하고 온전한 상태로 복구되는 것을 말한다면, 변형은 애벌레가 나비가 되거나 연금술처럼 납이 금이 되거나 또는 종교적으로 새로운 성품과 심성으로 바뀌는 것을 말한다. 즉, 새로운 존재를 향한 적극적인 움직임(trans)과 변화를 말하는 것이다. 따라서 문학치료에서의 변형은 건강하고 온전한 상태로 회복시키는 치료와 함께 보다 적극적으로 새롭게 변화가 가능한 상태와 조건을 창조하는 것을 뜻한다. 그것을 가능하게 만드는 언어의 치료적 힘은 문학에 내재한 시적 요소들이 우리의 정서에 미치는 영향력뿐만 아니라 아울러 자기표현으로서의 글쓰기라는 창조력이 갖는 변화의 힘을 말한다.

변화의 소망
[變化 – 所望, hope of change]

상담자는 내담자의 긍정적인 변화에 대해 간절하고 진실한 소망을 가지고 있어야 한다는 권면적 상담의 입장. 목회상담

제이 애덤스(Jay Adams)가 자신의 권면적 상담에서 상담자가 가져야 할 태도에 대해서 설명한 단어다. 그는 성경에서 말하는 소망은 확신에 찬 기대(confident expectation)라고 설명하면서, 상담자가 상담에 임할 때 내담자가 반드시 변화된다는 확신에 찬 기대를 해야 한다고 말하였다. 또한 상담자는 내담자를 사랑해야 하며, 그러한 사랑은 내담자가 변화되기를 간절히 소망하는 마음과 연결된다고 하였다. 따라서 상담자가 내담자를 대할 때는 주님이 반드시 회복을 시켜 준다는 소망의 확신과 신뢰 속에서 내담자에 대한 사랑을 바탕으로 하여 단호한 어조로 변화의 소망에 대하여 말해야 한다고 주장하였다.

관련어 | 권면적 상담, 제이 애덤스

변화의 역설적 이론
[變化-逆說的理論, paradoxical theory of change]

무언가를 변화시키려고 하면 저항이 일어나지만, 있는 것을 그대로 수용하면 오히려 역설적으로 성장과 변화가 일어난다는 이론. 게슈탈트

게슈탈트 이론의 기본 철학을 구성하고 있는 이론으로, 개인을 변화시키려는 강제적 시도는 변화를 일으키지 못하며 그 사람 자체, 그의 입장을 있는 그대로 수용하려고 노력할 때 변화가 일어난다는 것이다. 즉, 자신이 아닌 것(what he is not)이 되고자 할 때가 아니라, 현재의 자신(what he is)이 되고자 할 때 변화가 일어난다고 본다. 게슈탈트 상담자들은 강압적인 노력이나 설득, 통찰, 해석 등으로는 변화가 일어나지 않는다고 믿어, 변화자로서의 역할을 거부한다. 그보다는 내담자 자신이 무엇이 되고 싶고 무엇을 하고 싶다는 욕구를 그대로 두는 순간에 변화가 일어난다고 보았다. 상담자가 내담자를 '이끌어 준다.' 혹은 '치료한다.'라고 할 때, 상담자는 내담자에게 달라지도록 떠밀거나 압력을 가하고 있는 것인데, 이는 압력에 대한 내담자의 저항을 초래할 수 있다. 또는 내담자가 상담자의 가치관이나 지시를 무비판적으로 그대로 받아들일 수도 있을 것이다. 이러한 상담자는 '당신은 지금 그대로는 충분하지 않다.'라는 메시지를 전달하게 되는 것이다. 이 같은 메시지는 내담자에게 수치심을 일으키고, 자기지지를 하는 데 도움을 주지 못한다. 상담자가 압력을 가하거나 목표를 의도하지 않고 고착된 내담자들을 다루는 방법에는 대화, 알아차림, 그리고 실험이 있다. 이러한 작업이 이루어지려면 상담자의 태도가 중요하다. 상담자는 내담자가 지금 있는 그대로 받아들여질 수 있는 충분한 공간이 이 세상 어딘가에 있다는 태도와 내담자의 유기체적 성장에 대한 믿음, 그리고 인내를 가지는 것이 중요하다. 또한 저항을 알아차리고 인정해 주는 것도 필요하다. 저항을 바람직하지 못한 것으로 판단할 것이 아니라 저항에 이름을 붙이고 있는 그대로 이해받도록 해 준다. 즉, 알아차림 작업, 다시 말하면 지금 있는 것과의 접촉을 중요시한다. 알아차림 작업은 충동과 저항이라는 양극을 통합시키면서 자기지지가 증대되기 때문에 내담자는 각자의 삶의 공간에서 자신에게 적합한 다음 단계를 거칠 수 있게 된다.

관련어 | 알아차림

ㅂ

변화이론
[變化理論, theory of change]

가족의 변화를 일차적 변화와 이차적 변화로 설명하는 가족상담이론. 가족상담

전략적 가족상담에서는 가족의 변화를 일차적 변화와 이차적 변화로 구분한다. 일차적 변화(first order change)는 체계 자체 혹은 체계의 상호작용 구조의 변화는 없는 상태에서 특정 하위체계나 부분의 변화를 뜻한다. 이는 직선적 · 단계적 · 양적인 변화를 의미하고 체계 자체의 근본적인 변화 없이 가족구성원의 행동이 바뀌는 것이다. 가족구성원의 표면적 행동변화에 그칠 뿐 가족체계 안에 내재된 규칙은 동일한 상태로 유지된다. 반면, 이차적 변화(second order change)는 부분의 변화가 아니라 체계 자체의 변화를 뜻한다. 사고의 틀을 변화시키는 것으로서 실제적인 의미에서는 체계의 대치라고 할 수 있다. 체계의 인식변화를 요구하며, 급진적이고, 비논리적이며, 역설적 요인이 포함된다. 문제에 대한 가족의 반응 혹은 인식의 변화를 통해 가족체계 전체를 변화시키는 것이다. 즉, 가족체계의 규칙이 바뀌는 것이다. 가족규칙이 변화됨으로써 가족의 행동뿐만 아니라 신념이 바뀌게 되므로 진정한 의미의 변화라고 할 수 있다. 가족체계 안에 설정되어 있는 규칙은 가족구성원의 모든 행동을 지배한다. 규칙은 이미 시도되었지만 효과가 없었던 경직된

해결책을 지속적으로 사용하도록 만들기 때문에 궁극적으로 변화되어야 할 것은 단지 가족구성원의 행동이 아니라 그 행동을 지배하고 있는 가족규칙이다. 예를 들어, 밤늦게 귀가하는 자녀를 야단치는 부모는 자녀의 행동을 변화시켜 기존 가족규칙을 지키려 한다는 측면에서 일차적 변화를 시도한 것이다. 그러나 늦게 들어온 자녀에게 "혹시 평상시에 자유시간이 부족하다고 생각하니?" 또는 "우리가 너에게 너무 엄격하게 시간제한을 하고 있다고 생각하니?"라는 질문을 한다면, 이때에는 부모와 자녀 모두가 속해 있는 가족체계의 규칙을 근본적으로 탐색하고 조정하려는 것이므로 이차적 변화를 시도하는 것에 해당한다. 또한 컴퓨터 게임을 밤늦게까지 하는 자녀에게 부모가 매로 때리던 것을 말로 야단치고 타이르는 것으로 바꾸었다면 이것은 일차적 변화라고 할 수 있다. 반면, 자녀에게 "혹시 컴퓨터 게임 시간이 충분하지 않니?"라고 물어본 뒤 부모-자녀 간에 컴퓨터 사용과 관련된 제반 조건을 조정해 가는 것은 가족규칙을 검토하고 가족이 함께 변화를 시도하는 이차적 변화에 해당한다.

관련어 | 변화

변화추론
[變化推論, modulation corollary]

켈리(G. Kelly)가 제시한 11개의 정교한 추론의 하나로, 한 사람의 구성개념체계의 다양성은 여러 구성개념이 놓여 있는 편의성의 범위 안에서 삼투성(permeability, 혹은 투과성)에 의해 한계가 있다는 것. 개인적 구성개념이론

현실에 대한 인간의 구성개념은 자신이 독특하게 다른 관점을 만들어 낼 수 있는 자유를 주면서 동시에 구성개념의 위계적 체계에 구속되도록 한다. 이 위계체계 때문에 어떤 의미에서 스스로 구성개념을 한 상위 구성개념들에 자신이 노예가 된다고 할 수 있다. 인간이 어떤 경험으로부터 습득하는 새로운 안목은 결코 경험의 대상이 되었던 사실 그 자체 때문이 아니다. 새로운 경험이나 사건이 어떤 구성개념체계에 추가되려면 그 경험이나 사상을 포괄할 수 있는 상위의 구성개념이 있어야 한다. 이 상위의 구성개념이 삼투적일수록 하위의 구성개념체계 안에서 더욱 많은 변화가 일어날 수 있다. 따라서 여기서의 삼투성이란 새로운 요소를 포괄할 수 있는 능력을 말하며, 어떤 구성개념의 가능성을 가리키는 것이다. 변화추론의 개념은 인간이 자기 안에서 시도하는 변화라고 해도 그것을 본인 스스로 구성개념을 가질 때에만 가능하고, 그렇기 때문에 학습은 자극을 볼 수 있는 구성개념을 가지고 있을 때에만 일어난다는 점을 시사하고 있다.

관련어 | 개인적 구성개념, 구성개념, 구성개념체계

별-파도검사
[-波濤檢査, Star-Wave-Test: SWT]

독일의 심리학자 아베 랄레만트(Avé-Lallemant, 1978)가 개발한 것으로, 별과 파도 등의 그림을 그리게 하는 투사적 그림검사. 미술치료

상담 및 심리치료 장면에서 주로 성격진단도구로 사용되는 검사다. 여기서 별은 이성을 상징하고 파도는 감성을 상징하는데, 별과 파도, 그리고 천둥, 벼락, 바위, 섬, 절벽, 해안, 배, 등대 등의 부가물을 그리도록 하여 내담자가 의식적이거나 무의식적으로 느끼는 긴장이나 개인적 성향을 투사하게 한다. 그 속에서 내담자의 무의식에 관한 정보나 일상생활의 상태를 파악하려는 검사다. 이 검사는 내담자에게 부담을 주지 않으면서, 외부세계에 대한 내담자의 무의식적 태도를 드러내 주어 내담자의 심리적 문제와 문제에 대한 대처방식을 정확하게 파악할 수 있다. 또한 별-파도검사는 실시 후 바로 결과에 대한 상담을 통하여 면접효과를 촉진하고 심화시킬 수 있다는 장점이 있다. 이 검사는 3세 이후의 모든 연령에 적용할 수 있는데, 특히

3세의 유아에게는 발달기능검사로 사용할 수도 있다. 준비물은 A5 정도의 용지와 2B 혹은 4B 연필 등의 필기도구이고, 실시시간은 5~10분 정도 소요된다. 지시어는 "연필로 바다의 파도 위에 별이 있는 하늘을 그려 보세요."다. 그리고 "별-파도 외의 다른 사물을 그려도 좋은가요?"라고 묻는다면 "자유롭게 그려 보세요."라고 대답한다. 그림을 모두 그린 뒤에 성별, 연월일, 생일, 연령을 기입하도록 한다. 별-파도검사의 해석기준으로는 요점만 그렸는지, 감정이 풍부한지 등의 그림양식, 공간구조, 공간의 상징적 의미, 선의 종류, 물체의 상징성 등이 있다.

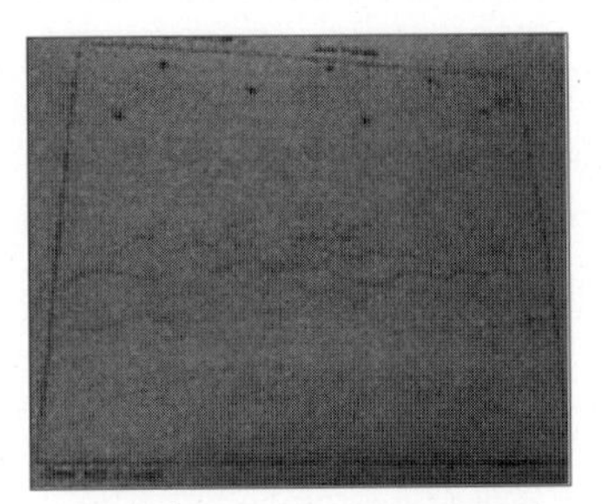

출처: http://cafe.daum.net/arttherapycj

관련어 | 나무그림검사, 발테그 그림검사

별거가족
[別居家族, living-together apart family]

넓은 의미로는 가족이 함께 살지 않고 별도로 생활하는 것이지만, 일반적으로 좁은 의미로는 부부가 따로 생활하는 가족의 형태. 가족치료 일반

현대사회에 들어와서 가장의 근무지에 따라 모든 가족이 이사를 하는 형태에서 벗어나 새로운 장소와 상황에서의 불안과 불편함을 느낀 가족들, 즉 어머니(아내)와 자녀가 아버지(남편)의 근무지로 함께 이사하는 것을 거부하고 따로 거주하는 형태의 가족이 이에 속한다. 이 경우에는 자녀가 어머니와 함께 있는 경우도 있고, 아버지와 함께 있는 경우도 있다. 또한 최근에는 병리성의 별거도 적지 않은 상황이다. 예를 들면, 자녀의 가정 내 폭력이 심해짐에 따라 부모가 신체적 위협을 느껴 원가족으로부터 떠나 별거생활을 시작하기도 한다. 이외에도 자녀가 강력하게 나가고 싶다는 요구를 하여 별거생활을 하는 경우도 있다. 또 다른 형태의 별거가족으로는 가정 내 별거의 형태를 취하는 가족도 적지 않다. 아내와 자녀에게 고립된 남편이 한 가정 속에서 별도의 생활을 하는 경우와 자녀가 없는 부부가 한 지붕 밑에서 별도로 생활하는 경우도 별거가족에 해당한다.

관련어 | 원가족

병 상담 체크리스트
[兵相談-, soldier counseling checklist]

군 복무 중인 장병을 대상으로 실시하는 사고, 사건, 여러 가지 문제 발생 예방을 위한 질문목록. 군상담

병 상담 체크리스트는 군 장병을 대상으로 개인의 기본적인 정보를 수집하여 어떤 사고나 문제 발생을 예방하고자 실시하는 질문지다. 다양한 형태를 볼 수 있지만 대체로 군 장병의 가족관계, 경제적 환경, 교육관계, 사회적 환경, 개인적 특성, 개인 건강, 이성관계, 성(性)군기 관련, 군복무 적응 관련 등에 대한 문항들로 구성되어 있다.

병렬과정
[竝列過程, parallel process]

수퍼비전 과정에서의 수퍼바이저와 상담수련생 간의 상호작용이 실제 상담에서의 상담자와 내담자 간의 상호작용과 어느 정도 유사한 특성을 가지고 있다는 개념. 상담 수퍼비전

수퍼비전의 과정에서 상담수련생의 개인적 발달 측면을 고려하는 것은 중요한 요소 중의 하나로 고

ㅂ

려해야 할 사항이다. 예를 들어, 어떤 수련생은 상담할 때 내담자와의 상호작용에서 일어나는 갈등을 회피하거나 빨리 해결하려고 하는 경향이 있다. 그와 같은 수련생은 수퍼비전 상황에서도 동일하게 잠재적인 갈등을 피하기 위해 수퍼바이저의 의견에 서둘러 동의하곤 한다. 만일 수퍼바이저가 수련생의 이러한 특징적인 패턴을 인식하고 이것을 수퍼비전 시간에 다룬다면, 수련생이 자신의 상담현장에서 내담자와의 관계 속에서도 더 이상 갈등을 피하지 않고 원만하게 해결하려고 하는 병렬과정을 경험하게 되는 것이다. 이렇게 수퍼비전 과정에서 일어나는 병렬현상에 대해 엑스타인과 월러스타인(Ekstein & Wallerstein, 1972)은 수퍼비전이 심리치료와 동일하지는 않지만 수퍼바이저가 수련생의 정서적 반응과 경험에 초점을 맞출 필요가 있다고 주장하였다. 즉, 수퍼비전에서 수퍼바이저가 상담 수련생과의 병렬과정을 이해하고, 그 상호작용에 대해서 주의를 기울일 때 수련생의 개인적 성장과 전문가로서의 성장을 도울 수 있는 것이다.

병립모델
[竝立－, compatibility model]

에드워드 판즈워스(Edward Farnsworth, 1982)가 기독교 신학과 심리학의 통합개념을 설명하기 위해 만든 여섯 가지 모델 중 하나로, 신학과 심리학의 원리를 모두 적용하여 내담자를 도와야 한다고 보는 입장. 목회상담

병립모델은 신학과 심리학이 결과적으로는 유사한 것이라고 보기 때문에 상담과정에서 신학과 심리학을 모두 인정하여 함께 적용해야 한다고 보는 입장이다. 여기서는 같은 사실을 심리학과 신학에서 다른 용어를 사용하여 표현한 것뿐이라고 보고, 한 가지 현상에 대해 신학적 혹은 심리학적으로 다양한 이름과 진단을 동시에 사용한다. 병립모델이 추구하는 이러한 사상은 오히려 신학과 심리학의 유사점과 대립점을 찾는 연구가 소홀해지도록 영향을 주었고, 상충되는 개념과 원리를 별다른 기준 없이 혼란스럽게 상담에 적용하는 결과를 낳았다. 이러한 단점 때문에 병립모델은 신학과 심리학의 통합을 표면적으로만 시도하며, 보다 깊이 있는 철학적인 주제에 접근하지 않는다는 비판을 받고 있다.

관련어 내재통합, 보완모델, 신용모델, 적응모델, 전환모델

병영생활전문상담관
[兵營生活專門相談管, barracks life professional counselor]

군 생활에서 부적응 문제를 보이는 병사들의 적응력을 향상시키고 지휘관의 의사소통능력을 증진시키기 위하여 심리상담 및 상담교육을 진행하는 상담전문가. 군상담

병영생활전문상담관은 전문적인 상담으로 병사들의 복무 부적응 해소와 사고를 예방하는, 존중과 배려의 병영문화 조성을 위한 상담관이다. 군에서는 병영생활 고충상담관을 두어 병사의 병영생활과 임무수행을 위해 도움을 주었지만 무장군인의 탈영, 군인 자살 등의 사건이 종종 발생하였다. 이들은 전문적인 상담을 교육받지 못하고 보직과 상담관을 겸직함으로써 전문적인 상담자 역할을 수행하는 데 어려움이 있었다. 이에 2005년 2월, 육군은 군 기본권 전문상담인력을 확보하고 운영계획을 국방부에 건의하여 군 병사의 심리상담을 위한 군 기본권 전문상담관 선발과 상담실 운영을 실시하게 되었다. 2006년에 처음으로 10년 이상의 군 경력자와 민간 상담전문가들을 대상으로 군 기본권 전문상담관으로 선발하였고, 이것이 병영생활전문상담관으로 명칭을 변경하였다.

관련어 군 기본권 전문 상담관, 군상담, 보호 · 관심병사, 복무부적응병사

병적도벽
[病的盜癖, kleptomania]

충동조절장애의 하나로, 남의 물건을 훔치고 싶어하며 그러한 충동을 조절하지 못하고 반복적으로 도둑질을 하는 상태. 이상심리

이들은 자신에게 쓸모없거나 가치가 없는 물건에 대해, 또는 돈을 충분히 지불할 수 있는 능력이 있음에도 불구하고 훔치고 싶은 충동을 억누르지 못하며 반복적으로 도둑질을 일삼는다. 훔치는 행동이 잘못된 것이고 법적 처벌을 받는다는 것을 충분히 알고 있으며 훔친 후에는 죄책감이나 우울한 감정을 느낀다. 그럼에도 불구하고 이러한 행동을 반복적으로 행하는 이유는 훔치는 물건보다 훔치는 행위를 통해서 느끼는 긴장감, 만족감, 기쁨, 안도감 등에 대한 유혹이 강하기 때문이다. 체포될 위험을 알지만 훔치는 일을 계획하지 않고 다른 사람의 도움 없이 혼자서 행한다. 이러한 행동으로 가정환경, 직장생활에서 법률적 문제를 일으킬 수 있으며, 기분장애, 불안장애, 섭식장애, 성격장애와 관련될 수도 있다. 도벽은 청소년부터 시작되어 점차 만성화되는 경향이 있으며 남자보다 여자에게 더 흔한 것으로 알려져 있다.

병적애도
[病的哀悼, pathological mourning]

좋은 외적 대상과 좋은 내적 대상이 모두 파괴되어 괴로워하는 것. 대상관계이론

유아의 지나친 가학증의 결과로 환상 속에서 좋은 외적 대상과 좋은 내적 대상이 모두 파괴되고, 그 결과 심한 자책감에 빠져 나쁜 자기를 파괴하려는 무의식적 상상이 심각해지는 상태를 뜻한다. 클라인(M. Klein)의 후기 이론에서 아동이 현실의 부모와 다른 대상들과 맺는 관계는 매우 중요하다. 주변 사람들로부터 지나친 공격을 받거나 지속적으로 갈등적인 감정에 직면하게 되면 자신이 대상을 파괴할지도 모른다는 불안을 느낀다. 모든 상실은 자신의 공격성의 대가라고 느끼며 자신이 과거에 다른 사람을 증오하고 공격했던 것에 대한 복수로 받아들인다. 이때 징벌적인 죄책감이 들고 이러한 죄책감이 의식에 떠오르지 않도록 방어기제를 사용한다. 또한 더 이상 다른 사람을 사랑하고 그 사람과 좋은 관계를 맺을 능력이 부족하다고 느끼면서 우울자리의 병리적인 반응, 즉 병적애도 반응을 나타낸다. 유아는 환상 속에서 좋은 외적 대상과 좋은 내적 대상을 모두 파괴해 버렸기 때문에 이제 세상에는 사랑이 존재하지 않는다고 생각한다. 나쁜 내적 대상은 원초적이고 가학적인 초자아를 이루어 완벽성을 추구하고 본능적인 것을 혐오하게 만들어 자책하게 함으로써 죄책감을 유발한다. 이러한 상태에서는 보상노력이 실패하며 대상을 이상화하는 것도 결국 죄책감만 가중시킨다. 나쁜 자기를 파괴하고 좋은 자기를 보호하려는 무의식적인 상상이 정신병적 우울이나 자살과 같은 극단적인 병리로 나타난다. 내부세계의 내적 대상들이 모두 파괴됨에 따라 건강염려증적인 신체망상이 나타날 수 있으며, 이를 외부로 투사하여 외부세계가 전체적으로 파괴되었다는 느낌 때문에 허무망상이 생길 수도 있다. 대부분의 경우 병적 죄책감과 우울감정을 방어하기 위해 편집-분열자리로 퇴행하는 모습을 나타낸다.

관련어 | 편집-분열자리

병치
[倂置, juxtaposition]

상호작용 문학치료과정 중 세 번째 단계. 문학치료(시치료)

병치는 문학치료과정에서 인지, 탐구를 거치면서 자신의 감정과 생각을 표현하고 또한 (그룹의 경우) 다른 사람들의 의견이나 견해, 문학작품이 주는 새

로운 관점 등에 따라 보다 새롭고 더 큰 이해를 하게 되는 과정을 말한다. 이때 참여자는 종종 인지와 탐구 또는 병치 단계에서 느끼고 깨달은 점을 글로 쓰고 (원하는 경우) 함께 나누기도 한다.

관련어 | 상호작용 문학치료

병행되는 이야기
[竝行-, parallel stories]

내담자의 삶에 부정적인 영향력으로 가득한 이야기라 해도, 현재의 삶에 강력한 영향력을 미치는 해석이나 의미 외에 그 이야기를 다른 시각으로 재해석하거나 다른 의미를 부여할 가능성이 항상 존재한다는 개념. 이야기치료

내담자가 자신의 삶의 문제를 가지고 상담현장에 찾아왔을 때에는, 그 문제적 이야기의 부정적인 영향력 때문에 강력한 영향력을 감소시키거나 변화시킬 가능성이 전혀 없는 것처럼 보인다. 하지만 이야기치료에서는 부정적인 영향력으로 가득 찬 듯한 삶의 이야기라 해도 항상 또 다른 해석과 의미 부여가 가능하다고 설명한다. 인간은 단지 현재 부여된 해석과 의미가 삶에 미치는 영향력이 너무 강력해서 다른 해석과 의미의 가능성을 인식하지 못할 뿐이라는 것이다.

관련어 | 감추어진 이야기, 독특한 결과, 드러난 이야기, 보이지 않지만 암시적인

병행모델
[竝行-, parallel model]

카터와 나래모어(Carter & Narramore, 1979)가 신학과 심리학의 관계에 대해서 설명한 네 가지 유형 중 하나로, 신학과 심리학은 전혀 다른 영역의 학문이기 때문에 서로의 영역을 인정하면서 공존해야 한다는 입장. 목회상담

카터와 나래모어는 신학과 심리학의 관계를 대립모델, 종속모델, 병행모델, 그리고 통합모델의 네 가지로 설명하였다. 그중 병행모델은 심리학과 신학은 각각 다른 분야를 다루는 학문이므로, 서로 겹쳐지지 않는다고 보는 입장이다. 이 입장에는 두 가지 종류가 있다. 하나는 맬컴 지브스(Malcolm Jeeves)와 같은 학자들이 주장하는 것으로, 신학과 심리학이 각각 개인적인 경험과 과학을 다루는 학문이기 때문에 전혀 겹쳐지는 분야가 없다고 생각하는 고립적인 입장이다. 다른 하나는 밀러드 살(Millard Sall)과 같은 학자들이 주장하는 것으로, 초자아(super ego)는 양심과 비교되고 자아(Id)는 탐욕이나 옛 본성 등과 연결되는 등 신학과 심리학의 일부 개념이 상호 관련성이 있다고 보는 입장이다.

관련어 | 대립모델, 종속모델, 통합모델

병행치료
[竝行治療, concurrent therapy]

가족치료형태의 하나로 한 사람의 상담자가 전 가족을 합동으로 상담하면서 동시에 특정 가족원 개인에 대해서도 상담을 수행하는 것. 가족상담

동시치료라고도 하는 이 형태는 수회에 걸친 초기 면접에서 가족문제에 대한 진단에 따라 가족구성원의 내담자를 별도로 상담하고 다른 시간에 가족을 상담하는 경우와 처음부터 내담자가 입원하였거나 분리되어 있어서 자연적으로 병행치료가 되는 경우가 있다. 이 같은 형태는 개인의 정신세계의 문제에 대해 깊은 내성(introspection)이 필요한 경우나 내담자가 가지고 있는 감정 또는 생각의 표현에 비밀을 보장해 주어야 할 때 유효하다. 가족원 중 특정 내담자의 치료를 위해서 가족의 도움을 얻을 수 있는 최상의 방법을 결정하거나 집단상담의 힘에 너무도 자극이 되어서 집단에서 나온 자료를 처리하기 위해 상당한 시간의 개인회기를 받을 필요가 있을 때 취하는 방법이며, 결과적으로 집단을 좀 더 생산적으로 활용할 수도 있다. 병행치료는 상담자와 내담자가 직접 깊은 상담을 할 수 있기 때문

에 내담자에 대한 내면적인 생활과 과거력의 상세한 부분에 대해 더 많은 것을 알 수 있고 심층적 이해와 치료가 가능하지만, 치료의 이중성에 대한 배려가 요구된다. 때에 따라서 내담자는 개인상담과 집단상담을 각기 다른 치료자에게 받을 수 있는데, 이를 협력치료(conjoint therapy)라고 한다(Salvendy, 1993).

보건교사
[保健敎師, school health teacher]

학교보건을 담당하여 적절하게 효과적으로 추진하는 교사. 학교상담

보건교사는 아동의 심신의 건강을 유지하고 증진하는 역할을 한다. 이들의 역할은 구급처치, 건강상담, 건강진단의 실시계획 입안 및 실시, 환경위생이나 환경정비에 관한 활동들, 건강관찰 및 그에 대한 보건지도, 보건교육에 필요한 자료, 교재의 정비 및 일반 교사의 지도, 학교보건위원회 및 아동, 학생 등의 보건위원회 운영에 관한 협력 등이다. 보건교사의 노력이나 역량에 따라 학교보건의 질이 크게 달라질 수 있다는 점에서 이들의 역할은 매우 중요하다고 할 수 있다.

보고의 의무
[報告-義務, duty to report]

내담자가 외부압력으로 신체적 · 정신적 위협을 받는다는 사실을 상담과정에서 알게 되었을 경우 그와 관련된 기관이나 주변인에게 알려야 하는 의무. 개인상담

상담을 진행하는 동안 여러 가지 외부환경에 의하여 정신적 · 신체적 고통을 겪고 있다는 사실을 알게 되는 경우, 관련 기관이나 가족 등에게 그 사실을 알리는 것이 상담자의 의무다. 예를 들어, 아동상담을 실시하는 동안 아동학대나 방임이 의심되거나 증거가 있으면 아동학대예방센터(Tel: 1577-1391)에 알려야 한다. 2001년에 개정된 「아동보호법」에 따라 상담자는 학대받거나 방임된 아동으로 의심되는 내담자가 있으면 그 사실을 확인하여 지역기관 또는 중요한 타인에게 알려 상황에 대처하도록 도와야 한다. 신체적인 방임은 아동의 키와 몸무게, 아동의 위생, 의복의 청결상태를 살펴보면 확인할 수 있다. 또한 지적 기능의 감소와 전반적인 발달지연으로도 알 수 있다. 일반적인 증상에는 억압감, 폭력, 감정이입의 결핍 등이 있다. 정서적인 방임은 실제적인 증후를 파악하기 어려울 뿐만 아니라 아동복지사도 증명하기 어렵다. 그럼에도 불구하고 정서적인 방임은 매우 위험하므로 반드시 보고해야 한다. 신체적 학대는 표시가 잘 나지 않는 성학대보다 파악하기 쉽다. 상담자는 아동의 멍, 상처, 다른 흔적이나 신체적 외상의 증거를 알아야 한다. 잦은 사고, 일반적이지 않은 상처, 심각한 상처로 응급실에 자주 가는 것은 신체적 학대의 가능성이 될 수 있다. 이러한 요인만으로는 학대가 될 수 없지만 잦은 사고발생에 따른 상처는 아동과 가족에 대해 학대를 의심해 볼 만하다. 이러한 상처가 의구심을 야기하는 경우 보고해야 한다. 성학대 희생자는 발견하기가 어렵다. 그러나 아동의 학업수행이나 일상생활의 갑작스러운 변화, 즉 식욕이나 수면, 행동에 변화를 보이면 아동생활에 스트레스가 있다는 증거가 될 수 있다. 상담자는 아동이 어떤 형태로든 희생되었다고 믿는다면 보고를 해야 한다. 보고를 하는 데 가장 바람직한 준비는 사전에 그 절차를 조사하는 것이다. 보고가 되면 아동복지사가 아동 관련 정보를 요구할 수 있다. 이때 상담자는 아동, 가해자, 아동의 가족, 가능한 목격자, 보고자 자신, 학대나 방임이 이루어진 정확한 상황, 희생 아동의 현재 건강과 안전 상태, 상황의 본질과 심각성, 목격자의 이름 등에 관한 정보를 알고 있는 한 상세하게 알려 준다. 일단 보고가 되면 치료를 계속할 수 있는 기회를 증진시키기 위해 빨리 가족과 추후 약속을 정하는 것이 좋다. 추후 약속은 아동보호

기관이 조사하는 것을 도와주지만 보다 중요한 것은 가족과 상담자 사이의 신뢰감과 라포 형성의 문제에 역점을 둔다는 데 있다. 상담자는 가족과 아동의 상처받은 감정과 거부감, 배신감을 알아야 한다. 보고서의 공개를 기본으로 한 개개 아동은 개인적으로 신뢰감, 거부, 죄의식의 문제를 탐색해야 한다. 학대나 방임의 보고에서 가족을 다루는 것은 쉽지 않은 일이지만 그들을 다루지 않는 것은 다른 사람에게 더 해로울 수 있다.

관련어 | 보호의 의무

보내지 않는 이메일
[-, unsent e-mails]

보내지 않는 편지의 전자우편 형식. 문학치료(글쓰기치료)

보내지 않는 편지와 달리, 보내지 않는 이메일에서 특히 주의해야 할 점은 이메일은 클릭 한 번으로 편지가 그 대상 혹은 다른 사람에게 전달될 수 있다는 점이다. 하지만 이 문제점은 먼저 이메일에서 수신 주소를 입력하지 않고 임시저장해 두거나 내게 쓰기로 설정해 놓으면 해결할 수 있다.

관련어 | 보내지 않는 편지

보내지 않는 편지
[-便紙, unsent letter, no-send letters]

대상을 두고 편지를 쓴 다음 보내지 않고 파기하는 기법. 문학치료(글쓰기치료)

보내지 않는 편지는 소위 3C, 즉 카타르시스(catharsis), 완성(completion), 명확성(clarity)을 위한 저널도구다. 가장 사랑받고 많이 사용되는 저널기법의 하나인데, 분노와 슬픔 같은 깊은 내적 정서를 표현하기 위한 훌륭한 수단이다. 어떤 일을 종결짓거나 그 일에 대한 통찰력을 얻기 위해 선택할 수 있는 글쓰기 방법이다. 위협적이지 않을 지극히 안전한 환경 속에서 자신의 의견과 내면의 느낌, 적대감, 분개, 사랑, 의견충돌과 같은 감정을 터놓고 나눌 수 있다. 보내지 않는 편지를 쓰는 핵심 요령은 '절대 보낼 생각은 하지 않는다.'는 원칙을 전제로 하는 것이다. 그럼으로써 검열, 위험 부담, 누군가에게 상처를 줄 가능성에 대한 두려움 없이 글을 쓸 수 있는 허가를 받는 셈이다. 시간이 지난 후에 자신이 쓴 편지를 다른 사람과 나누고 싶을 수도 있는데, 그럴 때는 다른 사람과 공유해도 된다. 보내지 않는 편지는 미완성 상태인 대인관계를 완성하는 데 도움을 줄 수 있다. 대화기법과 달리 보내지 않는 편지 기법은 일방적인 의사소통이다. 이 기법은 중간에 방해를 받거나 토론을 하지 않고 글을 쓸 수 있는 좋은 기회가 된다. 이 같은 의사표현은 결과적으로 공기청정효과처럼 자신의 위치에 대한 보다 깊고 명확한 인식을 가능하게 해 준다. 보내지 않는 편지를 효과적으로 쓰는 요령은 쓰는 과정이나 쓴 직후에 어떤 검열도 편집도 하지 않는 것이다. 이것은 아무도 해치거나 상처를 주지 않으며, 대상이 사람이든 사물이든 상관없다. 다른 사람의 입장에 서서, 다른 사람으로부터 자신에게 보내는 편지를 쓸 수도 있다.

보살
[菩薩, bodhisattva]

무상의 깨달음을 구하여 중생을 이롭게 하고, 중생을 깨달음으로 인도하며 자신은 모든 바라밀의 행을 닦아 미래에서 부처님의 깨달음을 열고자 하는 사람. 동양상담

깨달음의 지혜를 완성해 가면서 타인도 이롭게 한다는 뜻으로 존재의 궁극적 목표를 설정하고 있는 것이다. 깨달음의 뜻을 얻으려는 수행자로서 용감하고 위대한 마음이 있다는 점에서 성문(聲聞)이

나 연각(緣覺)도 보살이라 할 수 있지만, 특별히 무상의 깨달음을 추구한다는 점에서 대승의 수행자만 말한다. 보살은 깨달음과 신통력의 차이에 따라 깊고 얕음이 있는데, 관세음보살, 문수보살, 지장보살, 보현보살 등 52위의 층위가 있다.

보상
[補償, compensation]

열등감을 극복하기 위해 자신의 부족한 부분을 보충하는 적극적인 행동. 개인심리학 생애기술치료 정신분석학

인간은 기본적으로 자신의 약점 때문에 생기는 긴장과 불안정감, 그리고 다른 사람보다 열등하고 하위에 있다는 사실을 참기 힘들어한다. 아들러(Adler)는 유기체가 기관과 기관, 유기체와 물리적 환경, 유기체와 사회적 환경과의 관계에서 열등을 인식하면 심리적 상부구조는 이를 보상하려는 방향으로 움직이게 된다는 점을 발견하였다. 그는 개인이 신체적 열등감뿐만 아니라 자신이 약하다고 느끼는 사회적, 심리적인 부분들에 대한 열등의식도 보상하고자 노력한다는 것을 발견하였다. 개인심리학에서는 열등의 감정을 극복하거나 보상하려는 추동을 인간의 기본 동기로 본다. 보상은 인간이 지닌 열등감을 조정하는 효과가 있다. 보상은 초기 어린 시절에 받았던 인상과 경험, 즉 어린 시절에 얼마나 심한 불안감과 열등감을 느꼈는가와 삶의 문제를 극복하는 데 주변 인물이 어떠한 모델이었는가에 따라 서로 다른 형태로 이루어진다. 어린 시절 열등감 때문에 억압받지 않고 생의 유용한 측면에서 성공의 가능성을 찾는 동안에는 권력을 획득하려는 소망이 실제 성숙과 발전을 위한 노력으로 실현될 수 있다. 이렇게 새로 얻은 능력은 아동의 인성을 강하게 하고 객관적 열등성을 끊임없이 극복할 수 있게 해 준다. 실제 열등감의 원인에 끈기 있게 맞서서 그것을 제거하려는 보상적 노력이 그 약점을 제거하는 것을 넘어 지나치게 강하게 이루어졌을 때는 '과보상(過補償)'이라고 한다. 또한 자신의 열등감이나 약점을 극복할 수 없어 다른 면에서 만족을 찾을 때는 '대리보상(代理補償)'이라고 한다. 바람직한 보상은 예술, 운동, 독서, 사색, 작업 등 자신과 사회에 유익이 되는 건강한 방법을 선택하든가 열등의식에 사로잡히거나 구애받지 않고 자신의 삶을 사는 것을 말하는데, 그것이 어려울 때는 부모, 상담자, 교사의 '무조건 적극적 관심(존중)'에 의해 열등감의 근본 원인인 '위협' 또는 '위협받고 있는 느낌'을 감소시키거나 제거하는 것이 필요하다. 그러나 부적절한 환경 때문에 열등감을 더욱 강화시켜 삶의 유용한 측면에서 정상적인 방법으로 자신의 열등감을 극복할 수 없다고 믿게 되면, 사람들은 왜곡된 방향으로 잘못된 보상을 시도한다. 이 같은 상황에서 사람들은 비현실적이 되고, 심리적 병리영역에 속하는 발달장애, 열등 콤플렉스를 발달시킨다.

관련어 | 열등 콤플렉스, 열등감, 우월추구, 우월 콤플렉스

보상청취
[報償聽取, rewarding listening]

인간관계기술 중 하나로, 상대방과의 대화에서 상대방의 말을 잘 듣고 정확하게 이해하는 것과 함께, 이를 이해하고 있다는 것을 상대방에게 보여 주거나 상대방의 말뜻을 더욱 명확하게 이해하기 위한 조치를 취하는 것. 생애기술치료

다른 사람과의 의사소통을 하는 데 보상청취를 하는 것은 상대방에게 자신의 말이 이해받고 있다는 생각을 하게 해 주어 편안함과 안전함을 느끼도록 하고, 개인의 정보와 생각 등을 좀 더 쉽게 나눌 수 있는 효과가 있다. 따라서 보상청취의 과정을 통하여 사람들은 더욱 친밀하고 깊은 인간관계를 오랫동안 유지할 수 있으며, 서로 다른 배경을 가지고 있는 사람들이 서로를 이해하고 보다 효과적인 인간관계를 형성하는 데 도움을 주는 기능이 있다. 보상청취는 상대방의 말을 이해하는 '받는 기술(receiver skills)'과 자신이 이해한 것을 알려 주는 '보내는 기술(sender skills)' 모두를 포함하는 개념이다.

관련어 인간관계기술

보완모델
[補完-, complementary model]

에드워드 판즈워스(Edward Farnsworth, 1982)가 기독교 신학과 심리학의 통합개념을 설명하기 위해 만든 여섯 가지 모델 중 하나로, 신학과 심리학이 서로 다른 영역에 있기 때문에 통합으로 서로 보완하는 결과를 가져온다고 생각하는 입장. 목회상담

보완모델에서는 심리학적인 이론들은 자연과학의 영역에 속한 것이며, 신학적인 사실들은 가치 추구적이고 우주적인 것이므로 서로 영역과 수준이 다르다고 보고 있다. 따라서 서로의 영역과 수준에 대한 존중과 이해를 바탕으로 통합을 이룬다면, 하나의 커다란 진리에 도달할 수 있다고 주장한다. 하지만 이 같은 입장은 실제적으로 심리학과 신학을 통합하는 것이 아니라 완전히 다른 것으로 분리함으로써 상호작용이 불가능하게 만들어 버린다는 특징을 가지고 있다.

관련어 내재통합, 병립모델, 신용모델, 적응모델, 전환모델

보완적 상호작용
[補完的相互作用, complementary interaction]

요소와 요소의 상호작용에서 힘의 차이가 극대화되어, 한쪽은 우위에 있고 다른 한쪽은 하위에 있는 관계. 전략적 가족치료

두 사람 혹은 두 체계 사이의 관계에서 힘의 차이가 벌어져, 한쪽은 우월한 입장에서 지배하고 충고하며, 다른 한쪽은 상대적으로 열등한 위치에서 상대방의 요구와 지시를 수용하고 순종하는 상호작용이 일어나는 관계다. 가족체계 내에서 이러한 보완적 상호작용이 일어나면 그 관계는 강압적이 되기 쉽다. 예를 들어, 아버지는 경제력과 힘을 가지고 가정의 모든 일을 어머니에게 지시하고, 어머니는 아버지의 이러한 지시에 순종하고, 수용하기만 하는 상호작용이다.

보이지 않는 충성심
[-忠誠心, invisible loyalty]

자신의 가족을 보호하기 위해서 자녀들이 취하는 무의식적인 헌신. 정신분석가족치료

보스조르메니나기(Boszormenyi-Nagy)가 도입한 용어다. 예를 들어, 부모가 어떻게 지내는지 알아보려고 전화를 하거나 돈을 보내는 것, 자녀가 부모를 자주 찾아뵙거나 좋은 옷을 사 드리는 것 등은 보이는 충성심이다. 보이지 않는 충성심은 주로 가족의 체계를 보호하고 계승하기 위한 무의식적인 행위와 관련된다. 강박적인 어머니에게서 자란 아들이 결혼 후 자신의 집을 강박적으로 청소하는 것, 폭력적 아버지를 둔 아들이 성장하여 여자에게 폭력을 사용하는 것, 아버지가 외도를 하는 가정에서 자란 아들이 결혼 후 자신 또한 외도를 하는 것 등이 그 예가 된다. 외도의 예에서 그 아들은 의식적으로는 외도를 하지 않으려고 노력하겠지만 아버지의 행동이 무의식적으로 내면화되어 외도를 할 가능성이 높아진다. 이때 아들은 아버지의 외도행동을 반복함으로써 아버지에 대해 일종의 충성심을 나타내는 것이다. 보이지 않는 충성심은 가족이 역기능 관계를 가지고 살아가도록 한다. 즉, 윤리적 맥락에 어긋나는 행동들이 다음 세대의 자녀에게 반복적으로 나타날 때 가족 간에 역기능적 관계가 형성될 수 있다. 이처럼 보이지 않는 충성심이 역기능적 가족관계를 만드는 데는 두 가지 이유가 있다. 첫째, 이러한 행동이 보이지 않는 충성심으로 발생했다는 사실을 인식하기가 어렵기 때문이다. 둘째, 보이지

않는 충성심은 언제 이 행동이 끝날지 알 수 없기 때문이다. 게다가 살아가면서 부부갈등이 많아지고 자녀들과도 갈등이 계속되면 보이지 않는 충성심에 의한 행동들이 강화되어 가족관계는 더욱 역기능적이 된다.

보이지 않지만 암시적인
[-暗示的-, absent but implicit]

내담자가 삶에서 실제로 경험한 것과 이에 대해 내담자가 이해하고 의미를 부여한 것 사이의 차이 혹은 이를 발견하기 위한 기법. 이야기치료

'보이지 않지만 암시적인'의 개념은 자크 데리다(Jacques Derrida)가 텍스트의 본래 의미와 그것을 읽은 독자가 이해한 의미 사이에 간격이 있다는 설명을 1990년도 후반에 이야기치료의 창설자인 화이트(M. White)가 이야기치료에 적용한 것이다. 데리다는 우리가 글을 읽고 그것을 이해하는 방식에 대해 관심을 가졌다. 글 속에는 본래 내포하고 있는 의미가 있지만 독자는 그 의미 그대로 온전히 이해하지는 못하고 자신만의 방식으로 재해석하여 받아들인다. 이때 글의 본래 의미와 그것을 읽고 받아들인 의미 사이에 공간(gap)이 존재하는 것이다. 마이클 화이트(2000)는 이러한 개념을 이야기치료에 적용하여, 인간은 삶 속에서 수없이 경험하는 사건들의 내포된 의미 그대로 이해하지 않고 자신만의 구조화된 방식으로 이해하고 의미를 부여한다고 주장하였다. 인간은 수없이 일어나는 사건에 대해 지금까지 가지고 있는 지식이나 경험, 그리고 기존의 해석방법의 틀과 비슷한 방식으로 해석하고 의미를 부여하는 경향이 있다. 따라서 새롭게 경험하는 삶의 사건도 이러한 기존 해석의 경향성에 영향을 받아 제한적으로 이해하고 의미를 부여한다. 상담의 과정에서 내담자가 자신의 삶에서 경험하는 사건과 이를 이해하는 것 사이에 공간이 있다는 것을 인식하게 되면, 그 사건의 또 다른 의미를 발견하는 계기가 될 것이다. 내담자가 인생의 고통을 겪으면서 자신의 문제적 이야기 속에서 살아갈 때는 그 부정적인 영향력이 삶에 미치는 강력한 힘 때문에 문제의 정체성에 대한 새로운 해석이나 또 다른 의미, 혹은 문제적 이야기에 해당되지 않는 다른 사건들이 있다는 가능성을 생각하기는 어렵다. 하지만 그러한 문제적 이야기의 영향력 아래에서 주목받지 못하고 그 의미를 부여받지 못한 사건은 분명히 존재하고 있으며, 또한 문제적 이야기에 속한 사건이라고 할지라도 또 다른 해석이 가능할 수도 있는 것이다. 이렇게 인간 삶의 이야기들과 그것을 이해하고 의미를 부여하는 인간의 표현 사이의 차이를 '보이지 않지만 암시적인'이라고 말할 수 있다. 또한 이것은 부정적인 영향력으로 가득 찬 삶 속에서도 새로운 의미와 해석을 발견하는 것이 가능해져, 대안적 이야기를 구성할 수 있는 희망이 될 수 있다. 예를 들어, "나는 더 이상 살아가는 데 아무런 의미가 없어요!"라고 삶의 부정적인 영향력으로 가득 찬 내담자에게 이야기치료사는 의미 없는 인생에 대해서 집중하는 것이 아니라, '보이지 않지만 암시적인' 새로운 가능성을 찾아 탐색을 한다. 내담자의 '더 이상'이라는 표현에 관심을 가지면서, "그럼, 인생의 의미가 있었던 때는 언제이지요?"라고 물어볼 수 있을 것이다. 또한 내담자가 인생을 살아갈 아무런 의미가 없다고 말하는 것은 인생을 살아가는 데 필요한 의미가 무엇인지를 안다는 뜻도 된다. 이러한 것에 관심을 가지고 치료자가 "의미 있는 인생을 살아가기 위해서는 무엇이 필요한가요?" "지금의 상황이 바뀐다면 어떤 의미가 있는 인생을 살고 싶으신가요?"라고 물어볼 수도 있다. 이렇게 문제의 부정적인 영향력에 집중하지 않고, 보이지는 않지만 그 속에 내재해 있는 새로운 가능성을 찾아내는 것은 이야기치료에서 대안적 이야기(alternative story)를 통해 재저작(re-authoring)의 단계로 갈 수 있는 관문이 될 수 있다.

관련어 공간, 대안적 이야기, 독특한 결과, 재저작, 지배적 이야기

보장구
[保障具, assisting devices]

지체장애 아동들의 이동을 도와주는 보조공학 장치. 특수아상담

보조공학 장치에는 휠체어와 지팡이, 크러치, 그리고 워커 등이 있다. 특히 킴과 멀홀랜드(Kim & Mulholland, 1999)에 의하면, 개발도상국에 살고 있는 50억 인구 중 2천만 명이 휠체어가 필요하고, 그 중 1% 이하가 자신의 휠체어를 보유하고 있는 것으로 보고되었다. 이를 보면 휠체어는 가장 널리 이용되는 보조공학 장치 중 하나임을 알 수 있다. 휠체어는 구동방식과 구조에 따라 각기 다르게 분류할 수 있으며, 사용장소에 따라 실내용과 실외용으로 구분한다. 일반적으로는 구동방식에 따라 수동식과 전동식으로 구분하는데 수동식은 표준형, 침대형, 스포츠형 등이 있다. 지팡이는 보행능력이 있는 지체장애 학생이 보행 중 균형을 유지하고, 안정성을 확보하기 위하여 사용하는 간단한 이동 보조장치다. 최근에는 간편하게 휴대할 수 있도록 경량의 재질을 사용하여 제작하는 추세이며, 지팡이를 사용하는 지체장애인의 장애 정도에 따라 바닥에 닿는 면이 한 개 또는 그 이상의 것으로 되어 있는 경우도 있다. 또한 사용자의 신장을 고려하여 높이를 조절할 수 있으며, 접는 기능을 갖춘 지팡이도 있다. 보행용 크러치는 나무로 만들어진 것이 대부분이지만 알루미늄이나 가벼운 금속제품도 있다. 일반적으로 키의 16%를 감산하여 크기를 정하고 어깨와 팔 길이의 각도가 25~30도 정도 굴곡이 생기게 높이를 조절한다. 크러치를 적절하게 사용하기 위해서는 겨드랑이에서 손가락 2~3개 아래에 있도록 크러치의 길이를 조절해야 한다. 크러치를 사용할 때는 미끄러운 양말, 신발, 슬리퍼 또는 굽이 높은 신발은 삼가고 밑바닥이 평평하고 단단한 재질로 되어 있는 것이 좋다. 보행 전에 상지(팔)의 힘을 기르고, 몸의 균형을 잡는 훈련과 크러치의 크기를 조절하여 미끄럽지 않은 장소에서 연습해 본다. 평지에서 걷기가 익숙해지면 계단이나 언덕 내리막길 등을 연습하여 다양한 환경에 적응하도록 한다. 계단을 내려갈 때는 크러치와 불편한 발을 먼저 내딛도록 한 다음 손상되지 않은 발이 내려가도록 한다. 이와 반대로 계단을 올라갈 때는 불편하지 않은 발을 먼저 내딛고 크러치와 불편한 발을 나중에 내딛는 것이 안전한 보행법이다. 특히 크러치 걷기 연습에는 헬멧을 착용하여 안전을 도모해야 하는데, 간질이 있는 아동의 경우는 반드시 헬멧을 착용하고 연습한다. 워커는 혼자서 보행하기에는 근력, 조정력, 평행유지 등이 힘든 사람을 위한 이동 보조장치로, 대개 근거리 이동에 사용된다.

보조공학
[補助工學, assistive technology]

손 부목이나 휠체어와 같이 장애로 인한 기능 제한을 개선 · 보완하는 데 사용하는 재활장비 또는 제품체계. 특수아상담

특수교육공학은 컴퓨터, 계산기, 녹음기 등 일반적인 장비 및 체계를 말하는 일반 공학과 보조공학으로 나눌 수 있다. 이러한 공학적 지원은 지체 부자유 아동의 손상된 기능을 회복시키고 학습동기를 부여하는 등 학교생활 및 학습활동에 보다 능동적으로 참여할 수 있도록 한다. 특히 보조공학적 지원은 다양한 신체적 장애를 가진 지체 부자유 아동의 학교적응 및 장래 사회적 자립을 위해 필요불가결한 요소이므로 교사는 이들 기기에 대한 지식을 가지고 실제 지도에 활용할 수 있어야 한다. 보조공학기기는 기능에 따라 지체 부자유 아동의 일상생활, 의사소통, 신체 지지 및 자세 유지, 이동, 교수학습, 그리고 여가생활을 지원하는 데 활용될 수 있다. 일상생활을 위한 보조공학에는 특수 제작한 수저, 그릇, 손의 사용을 돕는 기기, 배변이나 목욕을 돕는 기기, 착탈의를 돕는 기기, 방수팬티, 종합리모컨 등

이 속한다. 신체 지지 및 이동을 위한 보조공학에는 의수족, 보조기, 화장실 변기 주위의 손잡이, 자세 안정용 의자, 각종 휠체어 자동문, 저상 버스, 경사로(slope), 램프 등이 속한다. 최근 기립형 휠체어, 의자의 높낮이를 수동 또는 자동으로 조절할 수 있는 휠체어 등 다양한 휠체어가 시판되고 있다. 교수-학습을 위한 보조공학에는 쓰기 보조기기, 경사진 독서대, 녹음기, 컴퓨터 등이 속하며, 특히 컴퓨터는 지체 부자유 아동을 위한 컴퓨터 보조수업(CAI)이나 정보와 의사소통 기술교육, 그리고 재택, 순회교육 대상 아동을 위한 원격교육 등에 그 활용도가 높을 뿐만 아니라, 직업적 자립을 위한 중요한 수단이 되고 있다. 의사소통을 위한 보조공학에는 보완 의사소통과 대체 의사소통 체계가 속한다. 이는 구어나 문어를 통해서 의사소통을 충분히 하지 못하는 장애 아동에게 일시적 혹은 영구적으로 상징, 보조도구, 전략, 기법이라는 네 가지 구성요소를 총체적으로 적용하는 것을 말한다. 최근 동물에 대한 관심도 높아지고 있는데, 훈련된 도우미 개는 중증 뇌성마비아의 휠체어 이동을 보조하거나 문을 열어 주거나 전기를 켜 주거나 침대에서 휠체어로 이동하는 것을 돕고 있다. 원숭이는 식사준비를 도와주며 창문을 열어 주거나 책의 페이지를 넘겨 주거나 최근의 공학적 보조기구를 사용할 수 있도록 훈련되고 있다.

관련어 | 지체장애

보조맞추기
[步調-, pacing]

내담자의 말에 반영을 하고, 내담자의 어조, 정서 혹은 말에 보조를 맞추어 반응해야 한다는 원칙. 해결중심상담 NLP

해결중심상담에서 상담자가 내담자의 말에 보조맞추기를 하는 것은 내담자와 똑같은 감정과 어조를 사용함으로써 상담자가 내담자와 함께 해결방법을 찾기 원한다는 사실을 반영해 주는 동시에, 내담자의 생각과 정서를 지지해 주는 역할을 한다. 예를 들어, 내담자가 낮고 슬픈 목소리로 이야기하면 상담자도 마찬가지로 낮고 슬픈 어조로 반응해 주고, 내담자가 높고 명랑한 목소리로 이야기하면 상담자도 밝고 명랑한 목소리로 응대하는 것이다. 치료과정에서 이루어지는 보조맞추기는 내담자에게 치료자로부터 자신의 정서와 생각이 지지받는다는 느낌을 주고, 또한 새로운 생각과 시각을 촉진하는 가능성이 높아진다. 보조맞추기에서 보이는 치료자의 언어적 혹은 비언어적인 반응을 보면서 내담자는 자기 말의 뜻이 정확하게 전달되고 있는지 확인하는 효과도 있다.

보조자아
[補助自我, auxiliary ego]

심리극에서 주인공에게 중요한 영향을 주는 타인의 역할을 담당하는 것. 집단상담

보조자라고도 하는 보조자아는 무생물, 애완동물, 감정적으로 위탁된 대상, 주인공의 심리극과 관련 있는 것 등의 역할을 연기한다. 즉, 보조자아는 주인공이 가르쳐 준 중요한 타인에 대한 정보를 토대로 역할을 맡아 연기를 한다. 또한 보조자아는 최소한 초기에 주인공이 제안한 지각대상을 연기하거나 주인공과 보조자아 간의 상호작용을 탐구하여 그 관계를 해석하는 기능을 한다. 다시 말해, 보조자아는 주인공의 워밍업을 돕고, 주인공의 연기를 강하게 만들며, 주인공을 비추어 준다. 보조자아는 주인공이 드라마의 지금-여기에 더 깊이 몰두하도록 독려하여 자신과 주인공 양자의 관계가 좀 더 밀접해지도록 한다. 때때로 보조자아는 연기할 사람에 대한 배경과 그 사람의 스타일에 대한 느낌을 말해 주기도 한다. 그렇기 때문에 보조자아가 역할연기를 할 때는 어느 정도 표현의 자유를 허용하는 것

이 좋다. 다른 사람의 역할을 연기하는 것은 종종 자신의 역할을 연기하는 동안에는 밝혀지지 않았던 자신의 내면적인 부분을 알게 되는 매개의 기능이 있다. 그러나 보조자아는 자신의 심리극을 하지 않도록 해야 하며, 주인공의 심리극에서 주제가 벗어나면 안 된다.

관련어 | 사이코드라마, 연출자, 주인공

보청기
[補聽器, hearing aid]

주위에서 발생하는 소리에너지를 전기에너지로 변환하여 증폭한 다음 다시 소리에너지로 바꾸어 귀에 전달하는 음향증폭기. 특수아상담

보청기의 기본 구조는 마이크로폰, 증폭기, 이어폰의 세 부분으로 나눌 수 있다. 마이크로폰은 입력된 소리를 전기적 신호로 변환하는 입력변환장치이며, 증폭기는 마이크로폰을 통해 전달된 전기신호를 증폭하는 장치다. 그리고 이어폰은 증폭기를 통해 증폭된 전기적 신호를 소리에너지로 변환하는 장치로 출력변환장치라 할 수 있다. 보청기는 착용위치에 따라 상자형 보청기, 귀걸이형 보청기, 귓속형 보청기, 고막형 보청기, 안경형 보청기로 나눌 수 있다. 증폭방식에 따라서는 선형 보청기와 비선형 보청기, 주파수 전위 보청기 등으로 나눌 수 있다. 선형 보청기는 입력과 출력이 비례관계에 있어서 입력수준이 높아질수록 왜곡률이 높아지고 왜곡률을 줄이기 위해 출력을 높여야 하므로 쉽게 불쾌역치에 도달한다. 비선형 보청기는 압축조절기로 어느 한 지점을 기준으로 증폭된 신호를 압축함으로써 최대출력음압레벨에서 배음왜곡이 일어나지 않도록 하는 증폭기다. 주파수 전위 보청기는 잔존 청력이 저음역에만 약간 남아 있는 고심도 청각장애 아동에게 최신 디지털기술을 이용하여 높은 주파수의 소리를 낮은 주파수의 소리로 압축변환하여 증폭하는 보청기다. 근래에 상용화된 DSP(digital signal processing)에 의한 디지털보청기는 비선형 보청기로서 주파수 대역별로 출력 음향 특성을 개인의 청각 특성에 적합하게 조정할 수 있으며, 배음왜곡과 잡음을 최소화하여 음질이 좋다. 또한 고주파수에서 흔히 일어나는 피드백 현상을 방지하고 소리의 안정감과 부드러운 소리로 감각 신경성 청각장애 아동에게 아주 유용하게 사용되고 있다.

관련어 | 청각장애

보편적 설계
[普遍的設計, universal design]

개조의 필요성 혹은 특별한 설계가 필요 없이 가장 광범위한 범위까지 모든 사람이 사용할 수 있는 제품과 환경의 설계. 특수아상담

메이스(R. Mace)는 보편적 설계가 모든 사람에게 유익하다는 점을 강조하는 데 주의를 기울였다. 이것은 보조공학의 전통에 대한 중요한 개념적 파괴다. 특히 메이스와 밴더하이든(Vanderheiden)은 사람들이 자신을 둘러싸고 있는 주변환경 때문에 문제에 직면할 수도 있다는 인식을 갖게 하였다. 보편적 설계원리의 사용은 제품의 생산 후보다는 생산 전에 장애인을 위한 편의를 만듦으로써 많은 종류의 보조공학 장치와 보조공학 서비스에 대한 요구를 줄일 수 있다. 또한 보편적 설계원리의 사용은 기존의 보조공학과 호환할 수 있는 제품을 증가시킬 것이다. 이와 같은 원리는 정보공학, 통신, 운송, 물리적 구조, 그리고 소비재로의 접근을 강화하기 위해 점점 중요해지고 있다.

관련어 | 보조공학

보호 · 관심병사
[保護關心兵士, protective-concerned soldier]

신체적 · 정신적 · 행동적 문제 등을 지니고 있어서 군 생활에 어려움을 보여 군상담자들이 관심을 가지고 지속적으로 관리해야 하는 사병. 군상담

보호 · 관심병사는 복무 부적응자, 정신질환자, 신체질병자, 체력저조자, 이성문제 또는 가정문제를 안고 있는 병사를 가리킨다. 이러한 어려움을 지닌 병사는 일반적 문제, 복무 부적응 문제, 이상심리 문제 등의 세 가지 문제영역으로 구분할 수 있다. 첫째, 일반적 문제영역의 병사는 가정, 재정, 상실감, 이성, 성, 질병, 중독, 진로, 대인관계, 부정적 자아상, 열등감, 무기력 등의 특성을 보이고, 대부분 개인의 사생활과 관련된 문제를 지니고 있다. 둘째, 복무 부적응 문제 영역의 병사는 주로 불안, 분노, 스트레스, 자살, 군무 이탈, 갈등, 구타 및 가혹 행위, 우울증, 집단 따돌림, 부대생활 문제 등으로 복무환경에서 오는 문제를 지니고 있다. 셋째, 이상심리문제영역의 병사는 정신분열증, 편집증, 조울증, 불안장애, 전환신경증, 적응장애, 충동통제장애, 성격장애 등 임상적으로 진단과 치료가 필요한 문제를 지니고 있다. 군의 지휘관이나 간부는 일반적 문제와 복무 부적응 문제를 지닌 병사에 대해서는 더 큰 문제가 발생하지 않도록 예방교육, 상담, 관리에 더욱더 노력해야 한다. 한편, 이상심리를 보이는 병사는 전문상담관, 군종 장교, 군의관 등에 의뢰하고 그들과 함께 협조하여 병사의 어려움을 해결하도록 도움을 주어야 한다.

관련어 | 복무부적응병사

보호고용
[保護雇用, sheltered employment]

장애의 성질이나 정도가 심해 일반 직장의 작업조건하에서 일하기 어려운 장애인에게 특별한 작업환경을 마련해 주고 취업기회를 보장하기 위한 특별 배려의 고용형태.
특수아상담

장애인이 자신의 능력과 적성에 맞는 직업생활을 통하여 인간다운 생활을 할 수 있도록 장애인 직업재활과 관련된 제반 서비스(보호고용, 직업상담, 평가 등)와 취업기회를 제공하기 위해 장애인 직업 재활시설의 설치운영에 필요한 사항을 정하여 장애인의 자활 및 자립을 돕는 제도다. 보호고용에는 장애인이 작업할 수 있는 시설이나 장비, 환경에 대한 배려가 있다. 우리나라에서는 주로 장애인 근로사업장과 보호작업장에서 고용이 이루어진다. 장애인 근로사업장은 직업능력은 있지만 이동 및 접근성이나 사회적 제약 등으로 취업이 어려운 장애인에게 근로기회를 제공하고 최저 이상의 임금을 지급하며 경쟁적인 고용 시장으로 옮겨 갈 수 있도록 도움을 주는 시설이다. 장애인 근로사업장은 최저 임금의 지급과 종합적인 재활서비스를 제공함으로써 장애인의 경제적 기반을 강화하고 지역사회로의 통합을 촉진하며, 장애의 유형과 연령별 특성 및 사업장에서 수행 중인 일의 특성에 따라 재활계획을 수립한다. 또한 보호고용과 함께 적응 훈련, 직업 평가, 취업 및 사후지도, 전환고용 및 지원고용 등 재활서비스도 제공한다. 보호작업장은 근로사업장에 비하여 장애의 정도가 더 심한 직업능력이 낮은 장애인에게 직업 재활 프로그램과 보호가 가능한 조건에서의 근로기회를 제공하고, 이에 상응하는 노동의 대가로 임금을 지급하며, 장애인 근로사업장이나 그 밖의 경쟁적인 고용시장으로 옮겨 갈 수 있도록 도움을 주는 시설이다. 보호작업장은 보호된 환경에서 주로 장애인 중심으로 고용이 이루어지기 때문에 사회통합에 제한이 있으며, 임금수준이 낮고 직종의 다양성도 떨어지는 한계가 있다. 따라서 가능

한 한 보호고용에서 지역사회에 통합된 형태의 고용인 일반고용이나 지원고용으로 전이될 수 있도록 각종 정책을 펼칠 필요가 있다.

관련어 | 보호작업장, 전환교육

보호요인
[保護要因, protective factors]

아동 청소년의 문제행동의 발생 가능성을 감소시키거나 차단시켜 주는 것. 학교상담

가정 내의 학대나 방임, 궁핍, 폭력과 같은 극단적인 요소들은 아동 청소년에게 문제행동을 유발하는 요소로 작용할 가능성이 많다. 이러한 요소들을 위험요인이라 한다. 하지만 때로는 개인의 지각 및 신념, 부모의 지원 등이 다른 형태로 문제행동에 영향을 미친다. 이때 위험요인에 대한 개인의 신념이나 주변인의 개입으로 문제행동의 발생 가능성을 감소시키거나 차단시켜 주는 요인을 보호요인이라고 한다. 이러한 보호요인을 통하여 위험요인에 노출된 아동 청소년이 어려운 상황에 좀 더 유연하고 탄력적으로 적응해 나갈 수 있다. 이와 같은 현상을 회복력, 탄력성 또는 적응 유연성(resilience)이라고 부르기도 한다.

관련어 | 적응 유연성

보호의 의무
[保護－義務, duty to protect]

상담장면에서 내담자에게 비밀보장의 한계와 경고의 의무를 함께 알려 주어야 하는 것으로서 상담자가 당연히 해야 하는 일. 개인상담

상담자는 상담을 하는 동안에 내담자의 신변보호와 외부압력 등으로부터 안정감을 느끼도록 비밀보장과 한계, 경고에 대한 사항, 도움이 되는 지원체계 등을 알려 주어 내담자를 보호해야 하는 의무가 있다. 예를 들어, 어떤 부모가 아동을 해치려고 위협한다면, 상담자는 경찰에 알릴 법적 책임이 있다. 이 경우에는 아동에게 대안적인 보살핌이 확실하게 조치되도록 적절한 아동보호기관과 연계하는 것이 가장 좋다. 만약 그 부모가 상당한 위험이 있는 것으로 간주된다면, 위탁절차를 밟아야 한다. 경고나 보호의 의무는 그 위협이 자신에게 있을 때, 즉 내담자가 자살을 계획하고 있을 때도 적용된다. 아동이 병원에 입원해야 할 정도라면 아동의 부모를 관여시켜야 하므로 아동의 부모에게 정보를 알려야 한다. 치료를 시작할 때 아동이 자신이나 다른 사람에게 위협적이라고 생각된다면, 상담자는 아동을 위탁할 수 있는 병원과 제휴할 필요가 있다. 이때 상담자는 아동이 무엇을 해야 하는지를 알려 주고 그 부모가 이러한 상황의 스트레스를 감당할 수 있도록 도와주며, 클리닉의 초기면접과 응급조치를 주지시켜야 한다. 상담자는 경우에 따라서 내담자와의 상호작용 전부를 기록해야 한다. 기록은 법적 책임으로부터 상담자를 보호하고, 경고의 의무나 보호의 의무와 관련된 그 상황을 증명하는 중요한 자료가 된다. 또한 주의 깊게 기록하는 것은 보고의 의무와도 관계가 있다.

관련어 | 보고의 의무, 비밀보장

보호작업장
[保護作業場, sheltered workshop]

일반고용이 어려운 중증 장애인에게 보호고용의 기회를 제공하면서 개별화된 재활계획서에 따라 직업적응훈련, 직업상담, 직업평가 등의 서비스를 제공하는 직업재활시설의 하나. 특수아상담

형식적이든 비형식적이든 계속 교육은 지적장애인이나 일반인에게 전문직으로의 진출, 여가활용, 그리고 개인적인 심화학습을 위한 수단으로 점점 강조되고 있다. 고등교육기관은 일반인에게 계속 교

육에의 관심을 촉진하고 자극하기 위해 학점 강좌와 비학점 강좌를 개설해 왔다. 지속적인 평생학습은 최대한의 독립을 유지하고 끊임없이 변하는 세계환경에 적응하는 데 필수적이다. 따라서 평생학습은 지적장애가 있는 성인을 위해서는 당연히 필요한 노력이다. 수업은 다수의 서로 다른 환경에서 이루어질 수 있고, 직장이나 훈련센터에서도 시행된다. 거주지에서도 비전통적인 교육기회를 제공할 수 있다. 예를 들어, 모든 그룹홈에서는 아니라도 대다수 그룹홈에는 일주일 중 일정 시간 교육 프로그램을 포함하고 있다. 지적장애를 가진 성인에게 계속 교육을 제공하기 위해 종종 사용되는 또 다른 환경은 지역사회대학이다. 일부 단과대학과 종합대학은 지적장애 성인을 위한 프로그램을 운영하고 있고, 또 다른 대학은 상담, 보충 강좌, 기타 보조 서비스를 통하여 지적장애인의 요구를 충족시켜 주고 있다. 전통적인 교육과 훈련 형태는 보호작업장 프로그램이다. 보호작업장은 지속적인 감독이 필요한 사람들을 위해 주간 활동을 제고하는 프로그램으로 구성된다. 이 작업장에서는 장기나 단기 거주가 가능하고, 고용 능력의 자급자족을 강조하며, 중간 이상의 지원 요구를 가진 사람들에게 서비스를 제공한다. 대부분의 작업장은 기본적인 재활 서비스를 제공하는데, 여기에는 선별, 평가, 훈련, 배치, 추수 서비스 등이 포함된다. 보호작업장은 분리적인 특징 때문에 비난을 받아 왔으며, 지역사회 중심 운동에 비해 점점 재원과 지원이 줄어들었다. 보호작업장처럼 주간 재활 프로그램도 작업장에 들어가는 데 필요한 기술을 갖추지 못한 성인의 요구를 충족해 주기 위해 고안된 것이다. 보호작업장이 직업기술에 초점을 맞춘 반면, 주간 재활 프로그램은 가정관리와 자기보호 같은 보다 광범위한 일단의 기술을 발달시킬 목적으로 만들어졌다. 또한 이 프로그램은 직업기술 훈련과 함께 어떤 경우에는 취업서비스까지 제공할 수 있다.

관련어 | 보호고용

보호하는 행동
[保護-行動, safeguarding behaviors]

자아에 대한 위협으로부터 자기 자신을 보호하는 행동으로 아들러(Adler)가 제시한 개념. 개인심리학

아들러가 제시한 보호하는 행동은 개인의 자아가 본능적으로 위협에 대해 방어하는 프로이트의 방어기제와는 달리 대인관계적 현상에서 세 가지 위협에서 자신을 보호하려는 행동이다. 아들러가 말하는 개인을 위협하는 세 가지 사항은 신체적 위협, 사회적 위협, 자존감 상실이다. 아들러가 제시한 보호하는 행동에는 증상(symptoms), 변명(excuses), 공격(attack), 거리두기(distancing), 불안(anxiety), 배제 경향성 등이 있다. 첫째, 증상은 어떤 과제나 도전을 회피하기 위해 두통과 같은 신체적인 이상증세를 무의식적으로 이용하는 것으로, 개인의 자존감을 보호하고 책임을 면제시켜 주며 다른 사람을 개입시키기 위해서 활용된다. 둘째, 변명은 특정 목표를 달성하지 못할 것을 두려워하여 심리적 · 신체적 이상증세를 핑계로 정당성을 증명하는 것이다. 어떤 문제를 회피하기 위해서 손 씻는 강박증상을 이용하여, 그 증상 때문에 문제를 극복할 수 없다고 변명하는 것을 예로 들 수 있다. 셋째, 공격은 자신의 목표를 이루기 위해서 선택한 것으로, 목표를 달성하는 데 누군가가 방해가 되면 그 사람을 공격하여 원래 얻고자 하는 목표를 달성하는 데 활용한다. 이러한 공격에는 다른 사람을 무시하는 '경멸', 다른 사람에게 책임을 전가하는 '비난', 자신에게 상처를 입히는 '자기비난과 죄의식'이 있다. 넷째, 거리두기는 자신과 문제 사이에 거리를 설정함으로써 어떤 문제에서 도피하려는 시도를 말한다. 거리두기에는 도전을 회피하는 '물러서기', 현실이나 진실에 직면하는 것을 피하는 '머무르기', 문제해결을 망설이거나 지연하는 '주저하기', 실제의 문제와는 별 상관이 없는 과제를 만들어 스스로를 바쁘게 하는 '장애물 설치하기'가 있다. 다섯째, 불안은 인생의 도전에 대

응하기를 회피하고 개인의 자존심을 보호하기 위해서 인생, 생활, 사람 등에 대해 크게 두려워하여 과제를 수행할 수 없다는 것을 정당화하는 것이다. 여섯째, 인생에 대한 접근을 제한하는 보호기제인 배제 경향성은 자신의 문제를 회피하거나 도피하는 수단으로 자신의 요구에 부합하지 않는 사람과 상황을 모두 배제하는 것이다.

관련어 | 방어기제

복고주의
[復古主義, misoneism]

새것이 안겨 주는 불편함을 거부하고 옛것에 안주하여 편안함을 추구하려는 무의식적인 마음상태. 미소니즘이라고도 함. 철학상담

정보화 사회의 도래와 더불어 급변하는 현대적 삶이 안겨 주는 어지럼에 대한 거부이자 자신에게 친숙했던 과거를 불러와 그 속에서 편안함을 누리고자 하는 오늘날의 복고현상과 관련되어 있다. 과거의 노래를 새롭게 만들어 부르거나, 과거의 여러 가지 문화양식을 새롭게 재편성하여 즐기려는 오늘날의 문화형태가 반영된다. 그렇지만 단순한 보수주의는 아니다. 보수주의는 과거의 전통을 중시하고 이를 고수하는 데 더 집중한다면, 복고주의는 너무 빠르게 변하면서 끊임없이 새로움을 추구하는 오늘날의 어지러운 현대적 삶을 거부함으로써 편안함에 더 집중하고자 한다. 따라서 복고주의는 발전이나 변화를 강하게 거부하여 과거로 회귀하려는 입장이기보다는 친숙했던 과거의 것을 통해 지금의 어지러운 자신의 삶을 극복하는 윤활유로 삼고자 하는 것이다. 이러한 현상은 오늘날 영화, 의류, 예술 등의 분야에서 다양하게 표출되고 있다. 이와 똑같은 현상이라고 볼 수는 없지만, 19세기 산업혁명과 더불어 기계가 도입되면서 일자리를 잃은 사람들이 공장 기계도입에 반대했던 러다이트(Luddite)와 유사한 면이 있다. 러다이트는 산업화, 자동화, 컴퓨터화되는 문화 전반에 대한 거부로 이어졌다. 오늘날 복고주의는 이러한 시대적 흐름이 확산되고 심화되면서 발생하는 현기증에 대한 하나의 대응이라 할 수 있다.

복무부적응병사
[服務不適應兵士, duty maladjustment soldier]

군 생활에서 계급과 직책에 부여된 임무, 과제, 역할을 정상적으로 수행하지 못하고 소속된 조직과 환경에 적응하지 못하는 사병. 군상담

복무부적응병사는 개인의 여러 가지 문제 때문에 주변환경으로부터 자신을 분리하여 스스로 위축되거나 고립되어 있고, 대인관계 상황에 대한 자신감이 결여되어 자기만의 현실에 갇혀 있는 병사를 의미한다. 이들은 정서적 반응 역시 위축되고 메말라 있으며, 반면에 많은 생각과 공상활동에 몰두하는 특징을 나타낸다. 이들은 가족이나 재정적 문제, 이성문제, 성문제, 질병문제, 대인관계, 성격문제, 불안과 같은 일반적인 요인을 지니고 있어 특수성을 지닌 군 생활이라는 급격한 환경의 변화에 따른 부적응적 행동을 보인다. 예를 들면, 군 생활은 명령과 복종에 따르는 체계로 이루어지기 때문에 인간적인 관계가 형성되지 않고 정서적 표현을 하지 못하여 슬픔, 분노, 불안 등이 해소되지 않는다. 이 때문에 고립감, 외로움 등을 느끼고 이에 더하여 간부들의 무관심, 정서적 거리감, 동료들의 따돌림, 비난 등이 가세되면 자아를 상실해 버려 자살 등의 위기적 상황이 발생하게 된다. 따라서 군의 지휘관은 이와 같은 특성을 보이는 병사에 대해 관심을 가지고 그들의 어려움을 확인하고 이해해 주면서 지속적으로 관리해야 한다. 부적응 병사를 효과적으로 상담하기 위해서는 그들의 심리적인 면을 이해해야 한다. 그들의 공통적 특징은 의존성이 강하고 독립심

이 부족하다는 것이다. 모든 것을 환경 탓으로 돌리고, 다른 사람 탓을 많이 하는 특징을 가지고 있다. 그리고 현실도피, 회피의 방어기제를 많이 사용하며, 무조건 병영생활 현장을 떠나면 자신의 답답한 문제가 모두 해결될 것이라는 환상을 갖는 특징이 있다.

관련어 | 보호 · 관심병사

복식호흡
[腹式呼吸, abdominal breathing]

숨 쉴 때마다 배의 근육을 폈다 다시 오므렸다 움직여서 횡격막을 신축시키면서 하는 호흡방식으로, 흉곽운동이 주가 되는 흉식호흡에 대응하는 개념. 인지행동치료

횡경막 호흡(diaphragmatic breathing)이라고도 하는 복식호흡은 인지행동치료(CBT)에서 소화흡수와 배설작용, 소화액을 비롯한 호르몬 분비를 원활하게 해 주고, 장운동을 도와 소화장애나 변비를 예방하고 치료를 촉진하는 중요한 과제 중 하나다. 배의 근육이 단련되고 복압(腹壓)이 커지며 대장에 자극을 주어 연동운동을 활발하게 해 준다. 쉼 없이 움직이는 심장의 유일한 에너지원은 관동맥에서 주입되는 산소이므로 심폐기능을 향상시키기 위해서는 산소를 충분히 흡입해야 한다. 복식호흡은 횡격막을 상하로 많이 확장 및 수축시키므로 무엇보다 산소 섭취와 이산화탄소 배출을 효과적으로 해 준다. 즉, 폐활량을 키우고 심폐기능을 향상시키는 것이다. 한편, 교감신경이 활발하면 심장박동이 빨라지고 혈관이 수축하는 등 몸과 마음이 긴장하게 된다. 반면, 부교감신경이 활성화되면 심장박동이 진정되고 산소공급이 원활해지면서 근육이 이완되고 심신이 편안해진다. 유아기 때 또는 신체적으로 온전히 이완된 상태에서 우리 인간은 무의식적으로 복식호흡을 한다. 무엇보다 복식호흡을 하면 부교감신경이 활성화되고 불안증, 불면증, 우울증 등을 치료하는 데 도움이 된다. 그리고 흥분하거나 화가 날 때, 두렵거나 불안할 때는 호흡이 거칠고 빨라진다. 답답할 때 한숨이 나오는 것은 신체의 자정역할이 원활하다고도 볼 수 있다. 감정과 호흡은 긴밀한 관계가 있는데, 복식호흡은 스트레스를 풀어 주며 집중력을 향상시킨다. 또 혈중 콜레스테롤을 감소시켜 심장병, 뇌졸중 등 심혈관 계통의 질환을 예방하고 치료하는 데 효과적이다. 특히 부교감신경을 활성화하여 불안을 감소시키고 우울한 감정에서 벗어나는 데에도 효과가 있다고 알려져 있다.

복원
[復原, rehabilitation]

음악치료의 치료목적 중 하나로, 손상 이전의 상태로 기능을 회복시키는 것. 음악치료

음악치료에서 복원이라는 개념은 기존의 심리 및 신체 치료에서의 재활과는 조금 차이가 있다. 영어로는 'rehabilitation'이라고 같은 단어를 쓰지만, 기존의 의미는 주로 장애를 가진 사람이 주어진 조건에서 최적의 수준으로 기능을 개선하는 것에 초점을 두었다면, 음악치료에서는 질병이나 장애로 손상되기 이전 상태로의 회복에 초점을 두었다. 따라서 재활이 아니라 복원이라는 말로 해석한다. 예를 들면, 우울증으로 인한 대인관계 곤란, 집중력 저하, 사회적 기능 수행능력 저하 등이 음악치료를 통해서 이전 상태를 회복하는 것이 음악치료에서의 복원이다. 신체건강에서도 뇌 질환으로 인한 보행 곤란을 음악치료 중 음악의 리듬을 사용해서 보행기능을 회복시키는 것도 복원으로 볼 수 있다. 다시 말해, 음악치료에서 말하는 복원은 갱생이나 재활의 의미가 아니라 기능의 회복 차원이다.

복장도착증
[服裝倒錯症, transvestism]

자신의 성과 반대되는 성의 복장을 하거나 그렇게 보이는 것을 즐기는 사람. 이상심리

남성이 여성의 복장을 하고 여성으로 보이는 것을 좋아하는 것 혹은 여성이 남성의 복장을 하고 남성으로 보이는 것을 좋아하는 것을 말한다. 이러한 행동은 가끔 입어 보는 것에서부터 이성 복장착용 하위문화까지 그 범위가 매우 넓다. 예를 들면, 어떤 남성은 여성의 속옷이나 양말 등을 속에 하나 정도 입고 그 위에 남성 옷을 입으며, 또 어떤 남성은 완전한 여장을 하고 화장을 하기도 한다. 한편으로는 이성의 옷을 입으면 좀 더 성적 흥분을 느끼거나 자위행위를 시도하는 사람도 있다. 이 같은 증상은 여성보다 남성에게 더 초점을 두고 있다. 왜냐하면 사회적 문화가 여성에게는 남성적 복장착용을 허용하기 때문이다. 이들의 심리적 특성은 다른 사람들과의 관계형성이 매우 제한적이고 억제하는 경향이 있으며, 이러한 행동 때문에 죄책감과 불안한 정서를 형성하기도 한다. 치료에는 내재적 민감화(covert sensitization)가 효과적이다.

관련어 내재적 민감화, 변태성욕

복측피개영역
[腹側被蓋領域, ventral tegmental area: VTA]

측좌핵으로 보내는 도파민을 합성하여 온몸으로 전달하는 보상체계이자 쾌락 중추. 뇌 과학

뇌에서 가장 원시적인 부위로 뇌간 맨 꼭대기에 위치하며, 동기부여, 보상, 쾌락에 관여한다. 사랑에 빠진 연인들에게서 활성화되어 있음을 볼 수 있으며, 이 영역이 활성화되면 마약에 중독된 환자와 같은 행복감을 느낀다.

관련어 대뇌, 도파민

복합 물질의존
[複合物質依存, polysubstance dependence]

3종류 이상의 물질을 반복적으로 사용함으로써 여러 약물에 대한 의존이 동시에 생기는 것. 중독상담

DSM-IV의 정의에 따르면, 복합 물질의존은 지난 12개월 동안 카페인과 니코틴을 제외한 기타 물질 가운데 적어도 3종류 이상의 물질을 반복적으로 사용함으로써 의존성이 생기는 것을 말한다. 이러한 의존은 약물 사이의 상호작용으로 그 효과가 더 감소하거나 증대될 수 있고, 그에 따른 금단증상도 복합적으로 나타난다.

관련어 니코틴, 카페인, 향정신성 약

복합가족
[複合家族, joint family]

아들 형제들이 결혼을 한 뒤에도 부모와 함께 거주하며 한 가족을 이루어 살아가는 형태. 가족치료 일반

가족을 형태에 따라 분류한 확대가족의 하나로, 부모와 함께 자녀들 중에서 아들 형제들이 결혼 후에도 배우자 및 자녀들과 모두 한 가족을 이루면서 살아가는 가족을 말한다. 제일 윗세대인 부모가 사망해도 형제들끼리 함께 모여 산다는 특징이 있는데, 이는 방계가족(collateral family)과는 구별되는 특성이다. 이때 형제들은 한집에서 혹은 이웃에 모여 한 가족을 이루고 살되, 경제적으로는 분리되어 있다. 그러나 가족적 의식은 매우 강하여 가족의 행사를 공동으로 지낸다. 복합가족의 예는 인도 북방 히말라야 산맥 지대의 칼라푸르(Khalapur)에서 볼 수 있다.

관련어 방계가족, 핵가족

복혼제
[複婚制, polygamy]

남편이나 아내가 동시에 여러 사람과 결합하여 가정을 이루는 가족의 형태. 가족치료 일반

부부가 각각 1인으로 결합하는 단혼제와는 달리, 복혼제는 부부 중 한쪽이 1인이고 다른 쪽이 다수로 결합하는 형태다. 이 중 남편이 1인이고, 아내가 다수인 경우를 일부다처제(polygyny)라고 하며, 아내가 1인이고 남편이 다수인 경우를 일처다부제(polyandry)라고 한다.

본능
[本能, instinct]

특정한 방식으로 행동하도록 하는 타고난 경향성. 정신분석학

프로이트(S. Freud)는 1905년 발표한 『Drei Abhandlungen zur Sexualtheorie(성욕에 관한 세 편의 에세이)』에서 처음으로 본능이론을 소개하였다. 그는 본능적 욕동이 아동과 성인의 모든 성적 소망의 근원이라고 주장하였다. 개인의 심리적 에너지는 욕동에서 비롯되는데, 본능이라는 용어는 생물학적 자극으로 인한 행동과 활동을 포함한다. 이러한 본능적 욕동에 근거한 프로이트의 초기 이론을 욕동심리학(drive psychology)이라고 일컫는다. 그는 성격의 구조모형을 형성해 가는 과정에서 본능에 대한 관점이 변화되었다. 초기 본능이론에서는 단일 본능을 전제하여 원래 성적 욕동, 즉 리비도 하나만을 인간의 기본 본능이라고 가정했지만 1920년에 발표한 『Beyond the Pleasure Principle(쾌락원리를 넘어서)』 이후에는 인간의 기본 본능을 궁극적으로 리비도와 공격성의 두 가지로 제시하여 이중본능이론으로 수정하였다. 하나의 본능만으로는 인간 정신활동의 많은 갈등과 혼란을 설명할 수 없다고 생각하여 파괴와 해체를 증진시키는 공격적 본능을 포함시켰다. 모든 정신적 에너지의 원천은 표출과 긴장 감소를 추구하는 신체 내의 흥분상태로 존재하는데, 이러한 상태를 본능이라고 한다. 정신분석에서는 정신에너지가 표현되거나 차단되거나 전환되는 방식을 통해 역동적인 심리과정이 이루어진다고 가정한다. 프로이트는 본능을 정신과 신체 사이의 경계 개념으로 보았으며, 조직 안에서 시작된 자극의 심리적 표상이 정신에 도달하는 것으로 정의하였다. 즉, 마음이 작용하도록 요구하는 것의 의미로 사용하였다. 생리학자였던 그는 인간 정신활동의 기원을 신체에서 찾으려고 했으며, 그 결과 본능이라는 개념을 적용하였다. 생물학에서의 본능은 종 특유의 유전적으로 타고나는 행동기제를 의미하지만, 정신분석에서는 생리적으로 어디에서 비롯되었든 간에 본능은 정신적으로 강제적인 충동 혹은 자극으로 경험된다. 신체 조직상의 욕구에서 야기되는 흥분상태가 소망의 형태로 나타나는 것이 본능인데, 이때 본능은 외부로 표현되고 긴장 감소를 추구한다. 또한 본능은 원초아 속에 포함되어 있는 힘의 원천이기도 하다. 본능은 유형이 다양하지만, 프로이트는 초기 이론에서 자기보전의 경향성과 관련 있는 자아본능(ego instinct) 혹은 자기보존적 본능(self-preservative instinct)과 종족보전의 경향성과 관련 있는 성적 본능(sexual instinct)을 언급하였다. 그러나 후일 자아본능과 성적 본능을 모두 포함하면서 리비도 에너지를 가진 삶의 본능(life instinct)과 죽음 혹은 비유기체로 되돌아가고자 하는 죽음의 본능(death instinct)의 두 가지 범주로 재분류하였다. 삶의 본능과 죽음의 본능은 모두 원초아의 일부다. 따라서 본능은 즉각적인 긴장해소를 원하고 만족과 쾌락을 추구한다. 원초아 속에 존재하는 본능은 모든 정신생활의 힘이다. 본능은 서로 분리되어 있지 않다. 프로이트는 태어나는 순간부터 본능이 지속적인 융합상태에 있다고 보았다. 따라서 삶의 본능이 가장 명확하게 드러나는 성욕은 어

느 정도의 죽음의 본능을 포함하고 있다. 모든 본능은 원천, 목적, 대상, 원동력이라고 하는 네 가지 구성요소를 지닌다. 본능의 원천은 신체적인 조건이나 그 조건에서 발생하는 욕구를 뜻한다. 삶의 본능의 원천은 배고픔이나 목마름과 같이 신경생리학적 조건과 관련되어 있다. 본능의 목적은 욕구로 유발된 흥분을 감소시키거나 해소하는 데 있다. 목적을 이루면 일시적으로 행복감을 느낀다. 목적에 도달하는 방법은 다양하지만 이들 방법은 공통적으로 흥분상태를 최소 수준으로 유지하는 일관된 경향성이 있다. 본능의 대상이란 본능의 목적을 성취시키는 환경 내의 사람이나 사물 또는 개체의 신체 내부에 있는 것 등을 의미한다. 욕구를 충족해 주는 대상들은 항상 고정되어 있는 것이 아니라 일상과정을 통해 변화될 수 있다. 마지막으로 본능의 원동력이란 본능을 충족시킬 때 사용되는 에너지 혹은 힘을 의미한다. 원동력은 특정 목표를 추구하는 과정에서 직면하고 극복하게 되는 장애물의 종류와 그 수를 관찰함으로써 간접적으로 측정할 수 있다.

관련어 | 삶의 본능, 죽음의 본능

부가 의문문
[附加疑問文, tag question]

의식적 차원에서의 저항을 방지하기 위해 진술문 뒤에 덧붙이는 밀턴모형의 최면화법 중 하나. 최면치료

밀턴모형의 최면화법 중 하나로, 암시문에 대한 내담자의 의식적 저항을 줄이기 위해 "~할 수 있겠지요, 그렇지 않겠어요?"처럼 어떤 말의 끝에 부가된 의문문이다. 구체적으로 예를 들면, "…… 그렇죠?" "…… 그렇지 않아요?" "…… 맞죠?" "…… 맞지 않아요?" "~할 것이죠?" "~할 수 있죠?" "~하겠죠?" "~ 안 할 것이죠?" "~할 수 없죠?" "~하지 않겠죠?" "~않죠?" 등이다.

관련어 | 밀턴모형, 최면

부담
[負擔, burdens]

부분들의 삶을 지배하는 부분이 지니고 있는 극단적인 생각이나 감정. 내면가족체계치료

부담은 외부의 사람이나 사건에 노출됨으로써 부분들에게 전가되어 남아 있는 것이다. 부분들은 극단적인 사건이나 한 개인의 삶에서 다른 사람들과의 상호작용을 통하여 극단적인 생각이나 행동 혹은 감정을 가질 수 있는데, 이것을 마치 자신을 구성하고 구속하는 전수된 부담으로 전한다. 일반적으로 지니는 부담은 '크게 성공해야 한다, 절대 성공하지 못할 것이다, 세상은 위험한 곳이다.'라는 믿음 등으로, 다른 가족구성원을 보호하기 위해 생긴 부담들이다. 사람들의 부분들은 살아가면서 부담을 축적한다. 이러한 부담은 그 부분의 존재를 지배하는 극단적인 생각이나 감정의 형태를 이루는데, 이는 부분들이 본래 가지고 있던 것이 아니라 부분들 안에 혹은 표면에 생긴 것이기 때문에 제거가 가능하다.

관련어 | 부분들

부드러운 교육
[-教育, gentle teaching]

맥기(B. McGee)가 처음 사용한 용어로 학습장애와 문제행동을 감소시키는 비혐오적인 치료방법. 특수아상담

부드러운 교육은 부드러움과 존중, 결속을 통하여 상호 의존과 유대를 가르치는 것을 목표로 한다. 즉, 양육과 치료과정에서 무조건적인 존중의 중요성을 강조하고 있다. 이 방법은 자폐 아동이나 학습장애 아동을 치료하는 데 사용되는 여러 가지 혐오적인 기법에 대한 우려가 나타나면서 인기를 얻었다. 이 접근의 핵심은 학생과 교사, 내담자와 상담자 간의 유대가 필수적이라는 신념에 있다. 상담자

는 내담자를 존중하면서 사랑을 가지고 반응하는 것을 배워야 한다. 그리고 각 개인의 고유한 존엄성을 인식해야 한다. 또 다른 기본적인 가정은 문제행동이 의사소통의 메시지로서 고통, 불편, 불안, 분노 등을 나타낸다고 본다. 이에 따라 강화, 소거, 방해, 반응의 방향 바꾸기, 환경과 자극의 통제, 무오류 학습, 행동조성, 소멸, 조용히 가르치기, 피드백, 보조 등이 치료에 포함된다. 맥기는 기법 자체는 새로운 것이 아니지만 "새로운 점은 이러한 기법들을 혼합함으로써 처벌의 사용을 피할 수 있도록 하고, 더 중요한 점은 유대를 형성할 수 있는 상호적인 통제를 가르치는 데 있다."라고 주장하였다. 부드러운 교육의 강점은 비적응적인 행동 자체에 특별히 집중하기보다는 환경과 인간관계 요소에 집중함으로써 학습장애를 가진 개인의 삶의 질을 향상시키는 것이 목표라는 점이다. 내담자와 양육자 혹은 교육자 간의 상호적인 관계와 두 사람의 삶의 질을 모두 향상시켜야 한다고 강조한다는 점도 중요하다.

부모-자녀 대화법
[父母-子女對話法, parent children conversation]

이마고치료에서 부부가 깊은 대화의 과정에 들어갔을 때 한쪽의 어린 시절의 상처를 이해하기 위해 부부 중 한 사람은 부모가 되고 상대방은 자녀가 되어 대화하는 기법. 이마고치료

이마고치료에서 부모-자녀 대화법을 교육하기 위해 부부 중 한 사람이 아픔을 표현하여 깊은 단계의 대화로 전환이 되면 치료사는 화자에게 다음과 같은 문장을 완성하도록 요청한다. "당신이 남편(아내)과의 관계에서 그러한 아픔을 경험할 때, 그것은 당신의 ……을 기억나게 해요." 화자가 문장을 완성함으로써 부부간에 에너지가 흐르고 연결감을 느낄 수 있다. 이 문장은 화자의 고통이 어린 시절에 형성된 뿌리 깊은 것임을 알 수 있게 한다. 치료사가 어떤 해석이나 판단, 또는 분석을 하지 않으면 부부 사이에 반영하기의 과정을 통해 지속적으로 안전감이 유지된다. 이때 치료사는 부부를 부모-자녀 대화법으로 이끈다. 즉, 부부는 자신들이 마치 부모와 자녀인 것처럼 역할연기를 한다. 치료사는 부부 중 한 사람에게 배우자의 상처의 원인이 되었던 사람의 역할을 맡긴다. 만약 아내가 자신의 친정아버지로부터 상처를 받았다면 남편은 아내의 아버지 역할을 하는 것이다. 그리고 아내는 어린 시절로 돌아가서 친정아버지 역할을 하는 남편과 부녀관계가 되어 대화를 한다. 처음에는 "나는 네 아빠야. 넌 나와 사는 게 어때?"와 같은 물음을 통해 일반적인 느낌을 표현하도록 하고 청자가 반영하게 한다. 어느 정도 표현되면 "좌절할 만큼 네가 나에게서 받은 가장 깊은 상처는 무엇이었니?"라고 묻고, 가상 아버지는 반영하기와 나아가 인정하기 및 공감을 표현하도록 한다. 그러고 나서 가상 아버지는 자녀에게 "그 상처가 치유되려면 부모인 내가 무엇을 해야 할까?"라고 물음으로써 미해결 욕구를 말하도록 한다. 여기에 대해 가상 아버지로 하여금 공감을 표현하게 하고 역할극을 중단한다. 그런 다음 원래의 남편 위치로 돌아오게 하여 아내에게 "당신의 어린 시절 상처의 치유를 위해 나에게 가장 원하는 것이 무엇이지?"라고 물어보고는 남편이 아내의 말에 인정하고 공감을 표현할 때까지 반영하기를 계속하도록 권한다. 부부간에 충분한 공감이 이루어지지 않는다면 부모-자녀 대화법은 시행하기가 어렵다. 이 경우에는 부부가 공감적 연결감을 형성하는 이전의 단계로 되돌아가야 한다. 이 기법을 통해 부부는 어린 시절의 상처가 부부문제에 영향을 주었음을 확인할 수 있고, 두 사람이 경험한 고통이 곧 어린 시절의 고통을 재현한 것임을 깨닫는다. 따라서 부모-자녀 대화법을 통해 부부는 서로를 이해하고 상처 때문에 끊어졌던 공감적 유대감을 되찾을 수 있도록 한다.

관련어 | 이마고 부부대화법

부모 – 자녀 상호작용 [父母–子女相互作用, parent–child interaction]

부모와 자녀가 서로에 대하여 자극과 반응을 주고받는 것. 발달심리

초기의 부모–자녀 상호작용은 모성애 박탈(maternal deprivation)과 같이 어머니의 역할과 기능에 관한 연구가 중심이 되었다. 그러나 최근에는 인간이 태어나면서부터 자신의 생존을 위하여 바람직하게 환경에 적응하는 능력을 가진 능동적인 존재라는 인식을 하게 되면서 아이가 양육자에게 주는 영향이 부각되었다. 즉, 엄마를 향한 미소, 발성, 신체를 사용한 반응 등의 강약 정도, 기질의 차이 등에 따라 같은 엄마라도 다른 양육행동을 끌어내게 된다는 것이 밝혀지고 있다. 그리고 과거와 달리 현대는 여성의 사회 진출이 증가하여 주 양육자가 아버지 또는 친인척과 주변인들이 담당하는 경우가 있으므로 부모–자녀 상호작용은 주양육자와 피양육자 간의 상호작용이라는 개념으로 확대되고 있다. 영아기는 주로 먹고 자는 것 등에 대한 아이의 기본욕구에 민감하게 반응하며, 아이의 욕구에 민감한 부모는 인지발달을 촉진한다. 유아기에는 부모가 아이의 욕구를 적절히 통제하고 상황에 적합한 행동을 하도록 조절하는 상호작용을 통하여 사회성을 향상시키는 발판을 형성해 준다. 이 시기에 부모와 자녀의 상호작용으로 형성된 사회성은 학령기의 또래관계, 나아가 성인기의 대인관계에 영향을 미친다. 이는 애정과 통제의 두 가지 요인으로 그 적합성을 설명할 수 있다. 애정은 다시 수용과 거부로 구분되고 통제는 엄격과 허용으로 구분하며, 이를 토대로 부모의 양육형태는 네 가지 유형으로 나눌 수 있다. 그중 거부적이고 엄격한 부모는 성격발달에 심각한 영향을 미친다. 예를 들어, 품행장애나 학업 또는 인지적 과제 수행에 문제를 보인다. 한편, 바움린드(Baumrind, 1991)는 유치원 아동의 행동을 관찰하면서 아동의 행동유형과 부모의 양육유형 간의 관계를 연구하여 세 가지 아동행동 유형과 그와 관련된 부모의 양육형태를 제시하였다. 아동행동은 충동적이고 공격적인 아동, 갈등이 있고 초조한 아동, 활기차고 다정한 아동으로 나누었고, 부모는 허용적 부모, 권위주의적 부모, 권위 있는 부모로 나누었다. 이 중에서 정서적 안정, 높은 인지적 능력, 사회적 유능성을 지닌 아동으로 성장하도록 독려하기 위하여 자녀에게 규율을 명확히 하고 적절한 한계를 제시하며 확고한 태도로 양육하고 자녀의 고집에 굴복하지 않으며 반응적으로 행동하고 애정을 잘 전달하는 권위 있는 부모가 될 것을 권고하였다. 이와 더불어 청년기에 관한 부모–자녀 상호작용 연구에서 과거에는 자녀에게 최대한의 자율성과 힘을 허용하는 평등주의 가족구조가 청소년의 바람직한 성장을 돕는다고 했지만 최근의 연구에서는 아버지 또는 어머니 중심의 가족구조가 청소년의 책임감과 자신감을 더 향상시킨다고 보고하고 있다. 즉, 자녀에게 명확한 행동기준을 제시하고 적절한 자율성을 주는 권위 있는 부모유형이 청소년에게 책임감을 심어 주고, 높은 자아존중감을 가진 채 적극적이고 독립적으로 사회활동을 하며 높은 학업성취능력을 지닌다.

관련어 | 애착이론 , 양육방식

부모 – 자녀관계 놀이치료 [父母子女關係 – 治療, filial play therapy]

놀이치료에서 부모에게 자녀의 놀이과정에 직접적으로 관련시켜 부모가 기본적인 변화 전달자의 역할을 하도록 만드는 치료방식. 놀이치료

부모–자녀관계 놀이치료는 1964년 거니(Guerney)가 심리사회적 적응에 어려움을 겪는 아동의 치료에 부모가 치료자로 참여하도록 하여 치료효과를 높이고자 시도한 놀이치료방법이다. 이 같은 목적

으로 가장 많이 사용하고 있지만, 수년간 다양한 치료형태를 제공하고 부모를 2차적인 변화 전달자로 활용하는 데에도 쓰이며, 또한 부모를 대상으로 직접적으로 양육기술훈련을 시키는 수련과정을 더하면서 간접적으로 자녀에게 치료적 혜택을 주는 방법으로도 확장되어 왔다. 부모-자녀관계 놀이치료의 대상은 처음에는 심리적 어려움을 가진 아동과 부모였지만, 랜드리스(Landreth, 1991)가 10주의 구조화된 프로그램으로 개편하여 일반 아동의 부모에게도 실시함으로써 아동의 문제를 예방하는 데 적용하였다. 이 방법으로 부모가 아동의 욕구와 감정을 민감하게 알아차리고 이해하며, 판단하지 않은 채 그대로 수용해 주는 아동 중심 놀이치료자의 기술을 배워 아동의 건강한 적응을 촉진하는 부모-자녀관계를 가질 수 있다. 부모-자녀관계 놀이치료에서 주의해야 할 점은 아동과 작업을 하는 과제가 항상 최우선이 되어야 하고, 부모의 감정이나 개인적인 관심은 결코 우선이 될 수 없다는 것이다. 즉, 부모-자녀관계 놀이치료는 부모에게 내담자 중심의 개별치료나 부모치료를 제공하려는 우회적인 방법이 아니다. 부모는 자녀에게 혜택을 주고 자녀들과의 관계를 위해 적절한 아동 중심적 놀이 세션을 수행하는 능력을 개발하는 방법에 대해 배우는 과정을 수용하고 이해해야 한다. 부모-자녀관계 놀이치료는 전형적으로 훈련, 부모의 실습, 부모에 의한 치료 세션, 놀이 세션 외부의 생활로 전이 및 일반화하는 것의 4단계로 구분되는데, 충분한 시간이 주어진다면 4단계 이후에 시행된 치료 후 검사문항들에 대한 부모의 반응에서 변화에 대한 토론이나 부모가 변화에 만족하지 못하는 영역에 대해 지도 등과 관련된 평가를 포함할 수도 있다.

관련어 | 놀이치료, 자녀육성치료

부모-자녀관계 진단검사 [父母子女關係診斷檢査, diagnostic test of parent child relation]

부모와 자녀의 관계를 평가하는 검사. 심리검사

부모-자녀관계는 아이들의 성격형성에 큰 영향을 미치는 등 이후 인간생활에 기초가 되는데, 당사자끼리도 의식되기 어렵고 제3자에게는 포착되지 않는다. 그러나 아이들의 성격 특성이나 문제행동의 원인을 규명하기 위해서도 부모-자녀관계의 파악은 필요한 것으로, 현재로서는 질문지법, 평정법, 약화법(略畫法) 등이 사용되고 있다. 이 검사는 부모 자신의 반성 재료나, 교사 또는 상담자(심리치료사 포함)가 부모-자녀관계의 개요를 파악하는 보조 수단으로 사용하면 좋다.

부모 따돌림 증후군 [父母-症候群, Parental Alienation Syndrome: PAS]

자녀가 한쪽 부모와 연합하여 다른 쪽 부모를 거부하고 모독하는 현상. 부부상담

부모가 이혼하는 과정에서 자녀에 대한 양육권 분쟁과 관련해서 보일 수 있는 현상이다. 부모가 해결할 수 없는 갈등의 결과로 이혼의 과정에 있다 하더라도 자녀에게 불필요한 스트레스와 파괴적인 의사소통을 하는 것은 자녀에게 복잡한 심리적 스트레스를 느끼게 만든다. 하지만 이혼위기에 있는 부부는 심화된 갈등 때문에 상대 배우자에 대한 문제나 약점, 혹은 분노를 여과 없이 자녀에게 노출하고, 이 과정에서 자녀가 느끼는 감정에 대해서는 민감하게 반응하지 못하는 경향이 있다. 그리고 이로 인해 자녀는 한쪽 부모에게는 반감을 갖게 되고, 다른 한쪽 부모는 불쌍히 여겨 한쪽 부모와 연합하여 반감을 느끼는 부모를 적대시하거나 반항적인 태도를 보이는 등의 현상이 나타난다. 자녀의 이러한 변화

는 실제 부모의 입장이나 상태에 근거하여 합리적인 판단을 하는 것이 아니므로, 부부관계와 부모자녀관계 모두를 역기능적으로 만들어 버린다. 따라서 이혼과정이나 이혼 후, 혹은 부부갈등의 상황에서 부모는 상대 배우자에 대한 험담이나 욕설로 자녀가 상처받거나 부정적인 평가를 일방적으로 주입하지 않도록 주의해야 한다. 이를 위해 와르샤크(Warshak, 2002)는 자녀에게 부부관계의 갈등에 대해 말하기 전에 다음과 같은 지침을 확인해야 한다고 제안하였다. 첫째, 이 정보를 자녀에게 밝히는 실제 이유는 무엇인가? 자신의 숨겨진 악의는 없는지 점검해 보아야 한다. 둘째, 내가 비판하려는 전 배우자의 행동 때문에 자녀가 해를 입고 있는가? 전 배우자의 행동 때문에 자녀가 상처를 입는 것이 아니라면 전 배우자의 대한 불만을 자녀와 공유할 필요는 없다. 셋째, 내가 하려는 말을 듣는 것이 자녀에게 어떤 도움이 될까? 이러한 사고방식은 자녀가 다른 사고방식을 갖는 데 도움을 주고 건강한 대처방식을 찾는 데도 도움을 준다. 넷째, 자녀에게 사실을 밝혔을 때의 이익이 장차 초래될 수 있는 위험보다 더 가치가 있는가? 진실을 밝히는 것이 자녀에게 도움이 될 수도 있지만 해가 될 수도 있다는 것을 인지해야 한다. 따라서 배우자에 대한 비판을 자녀와 공유하고 싶다면 이익은 최대화하고 해는 최소화하는 방식을 선택해야 한다. 다섯째, 어떤 것에 대해 자녀에게 이야기하고자 할 때 만약 배우자와 행복한 결혼생활을 하고 있고 배우자와 자녀와의 관계를 지키고자 하는 상황이었다면 어떻게 했을지 생각해 본다. 즉, 부모에 대한 아이들의 일반적인 존경심을 훼손하지 않는 방법을 찾아 이야기했을 것이라고 보았다면 이혼 후에도 이와 같은 사려 깊은 태도가 필요하다는 것이다.

부모 C 집단
[父母-集團, parent C group]

개인심리학 이론을 적용한 부모교육 집단의 한 유형. 개인심리학

부모 C 집단은 발달적이고 예방적인 양육(parenting)을 강조하며, 심리교육적(psychoeducational) 측면이 강하다. 집단교육을 통해 부모가 어떻게 기능하고 부모의 태도, 신념, 감정이 아동과의 관계에 어떤 영향을 주는지 가르친다. C는 부모 C 집단에서 나타나는 다양한 활동과 효과를 나타내는 용어의 첫 글자다. 부모 C 집단에서 행하는 일은 집단원 모두에게 제공되는 자문(consultation), 집단원끼리 공통된 관심사에 대해 서로 함께하는 협력(collaboration), 서로 격려하고 격려받는 집단원 사이의 협동(cooperation), 집단원 간의 신념체계와 감정뿐만 아니라 토론개념의 명료화(clarification), 부모-아동 관계의 성공적인 수정을 방해하는 목적, 태도, 신념, 그리고 감정에 대한 직면(confrontation), 집단원과 관련된 일은 집단에서만 공유될 것을 보증하는 비밀성(confidentiality), 단순히 과제를 읽고 다음 모임에서 토론하는 것 이상으로 각 집단원이 직면해야 할 과제의 수행(commitment), 집단원의 목표달성인 변화(change) 등이 있다.

부모보고
[父母報告, parental report]

유아나 아동청소년의 발달적, 행동적, 정서적, 인지적 특성 등에 대한 정보를 부모에게 수집하는 일. 발달심리

자녀가 현재 겪고 있는 어려움을 이해하기 위하여 자녀에 대한 여러 가지 정보를 부모의 보고를 통하여 수집하고 적용한다. 유아동과 청소년의 자기보고로 자료를 수집하더라도 내담자의 평가와 진단에 객관성과 타당성을 높이기 위해서는 부모나 교

사 또는 주변인의 보고를 적극 사용하는 것이 바람직하다. 그리고 영유아의 전반적 발달에 관한 연구는 대부분 부모보고에 의존하고 있다. 부모보고는 아동청소년의 행동을 직접관찰하여 보고하는 것과 객관적이고 표준화된 질문지에 응답하는 것 등이 있다.

관련어 | 자기보고

부모입장되기
[父母立場-, in loco parentis]

'부모입장에서 행동하기'라는 의미의 라틴 구. 학교상담

부모가 다른 사람에게 부모처럼 행동하도록 위임하는 이론적 모델로 때때로 교육기관에서 사용된다. 미국 대학의 초기 역사는 'in loco parentis'에 기초한 역사로, 대학이 학생생활 전반에 걸쳐 부모의 역할을 한다는 원칙이었다. 이에 따라 학생들의 기본 생활뿐 아니라 캠퍼스 밖의 특별 활동이나 개인적 행동까지 부모역할을 대신하고 있는 대학의 규율과 감독의 대상이 되었다. 따라서 단체의 자치활동도 거의 없었고 교과에서도 기독교의 도덕과 윤리가 강조되는 등 학생의 지적 발달보다 도덕과 윤리적 발전을 더욱 중시하였다. 'in loco parentis'는 인간은 결점을 지니고 있기 때문에 영원불변한 절대진리를 이해할 능력이 없다는 종교관에 기초하여 대학교육의 제일 목표를 부끄럽지 않은 도덕적인 사회인 배출로 삼았고, 이 원칙은 다음과 같은 특징을 지닌다. 첫째, 대학이 학생행동을 규제하는 권위를 가진다. 둘째, 규정위반에 대해 처벌할 수 있는 권위를 가진다. 셋째, 대학이 부모와 같이 학생복지의 의무를 가진다. 넷째, 규정을 집행하는 데 탐문과 조사의 제한이 면제되는 특권을 누린다. 이 전통은 19세기에 많은 주립대학이 설립되어 대학교육의 대중화와 여성의 진학이 눈에 띄게 늘어났음에도 불구하고 20세기 중반까지 유지되었다. 그러다가 1960년대에 이르러 이 전통은 일련의 심각한 도전을 받아 쇠퇴할 수밖에 없었는데 그 이유로 첫째는 법원이 헌법에 보장하는 기본적인 자유와 권리를 학생 개인과 단체에 보장하라는 일련의 판결을 내렸기 때문이다. 둘째는 성인의 연령이 21세에서 18세로 낮아졌으며, 셋째는 1974년 가족교육 권리 및 사생활법에 따라 학생 개인과 단체에 대한 대학의 간섭이 점차 배제되는 데 큰 역할을 했기 때문이다.

ㅂ

부부가족회의법
[夫婦家族會議法, couple conference and family]

부부나 가족구성원 간에 회의를 하도록 유도함으로써 상호 존중하고, 서로의 다양성을 인정하도록 하는 치료적 접근법. 기타 가족치료

부부 또는 가족의 의사소통을 촉진, 개선하기 위해 아들러파의 가족치료사인 드라이커스(R. Dreikurs)가 고안하여 확산시켰다. 갈등의 와중에 있는 부부나 가족의 구성원은 각각 다른 사람에게 귀를 기울이거나 이해받는 것이 아니라 일방적으로 회의를 진행시키는 경우가 많다. 그래서 이 회의에서는 구성원 각각이 서로에게 전적으로 관심을 기울이도록 하여, 그것을 통하여 상호 존중하고 서로 가치관이나 개성을 인정하면서 민주적 방법으로 대화하고, 부부 또는 가족 간 갈등이나 차이를 해결하도록 만들어 준다. 가족회의는 다음과 같이 추진된다. 우선 의사소통에서 개선이 필요한 부부에게는 정기적으로 시간, 장소, 빈도를 정하여 밖으로부터 장애가 들어가지 않는 회의일정을 짜도록 한다. 회의의 규칙으로 정해진 시간에 한쪽이 대화하는 사이에 상대방은 완전히 관심을 상대방에게 기울이고 경청하면서 이해한 것을 정리하고 수용하고 인정한다. 이와 같은 행동을 상호 시행하여 토론하며 그 결과를 다

을 회합에서 서로 이야기한다. 또 가족회의에서는 가족 전체에 관계있는 사항에 대하여 가족 전원이 서로 이야기하며 합의를 구한다. 자신들이 표현한 것이 경청되며 수용되고 고려되는 것으로 가족 전원이 성실한 의견을 가지고 있다는 것을 느낄 수 있다. 합의된 결정을 실행하는 것은 반드시 전원이 참가해야 한다.

부부관계향상프로그램 [夫婦關係向上-, marital relationship enhancement program]

부부를 대상으로 결혼생활에서의 자기 발견과 인격적 성장을 통해 부부관계의 질적 향상을 목적으로 하는 집단상담 프로그램. 부부상담

부부관계 향상을 위한 프로그램들은 다양한 이론적 접근에 따라 그 형식과 방법이 달라지지만, 공통적으로 진정한 만남을 통해 부부가 자신의 문제를 해결하기 위한 잠재력을 성장 시키고자 하는 목적을 기초로 하고 있다. 1960년대 초부터 부부관계향상프로그램이 활발하게 개발되고 시행되었는데, 초기에는 주로 부부관계의 문제점을 파악하여 개선하고 치료하는 것에 초점을 두었다. 그러다가 최근에는 예방적이고 성장적인 측면에 초점을 맞추고 있다. 서구에서 개발된 대표적인 부부관계향상프로그램에는 밀러(Miller) 등이 개발한 미네소타 부부 의사소통 프로그램, 트래비스와 트래비스(Travis & Travis)의 부부관계 프로그램, 라파포트(Rappaport)의 부부관계 수정 프로그램 등이 있다. 우리나라에서는 1990년대 이후부터 본격적으로 부부를 대상으로 한 프로그램이 개발되어 실시되어 왔다. 초기에 시행된 프로그램은 가톨릭교회를 중심으로 활성화된 ME (marriage encounter) 프로그램, 부부관계향상프로그램, 교회 중심의 예비부부 프로그램, YMCA에서 실시하는 결혼강좌 등이다. 그러나 기존 프로그램들은 외국의 프로그램을 바탕으로 했기 때문에 문화적 환경이 다른 우리나라 부부들의 요구를 충분히 반영하지 못한다는 한계점을 가지고 있었다. 이러한 한계점을 극복하기 위해 최근에는 기존 프로그램을 보완하여 의사소통기술 습득이나 행동수정을 위한 인지적 재구조화에 초점을 맞춘 프로그램이 개발·실시되고 있다. 또한 의사소통기술의 습득이나 인지, 행동적 접근 중심의 부부관계향상프로그램과 차별화하여 통합적인 프로그램을 개발하려는 노력도 이루어지고 있다.

부부관찰진단표 [夫婦觀察診斷表, Spouse Observation Checklist: SOC]

결혼생활에서 한쪽이 상대 배우자를 관찰하고 자료를 수집하는 데 용이하도록 만든 표. 부부상담

와이스(Weiss)와 페리(Perry)가 만든 부부진단을 위한 표로, 부부가 집에서 관찰자료를 수집하는 데 도움이 된다. 이 진단표는 응답자가 배우자의 행동에서 유쾌한 것과 불쾌한 것을 표시하는 것으로 구성되어 있다. 도구적 행동과 표현적 행동을 모두 포함시킨 12문항, 즉 애정, 동반자 의식, 배려, 성, 의사소통과정, 부부 공동의 활동, 자녀 돌보기 및 부모역할, 가사책임, 재정관리, 일, 개인의 습관, 배우자의 독립성으로 구성되어 있다. 이는 치료기간 중의 변화를 관찰하는 데도 유용하다.

부부균열 [夫婦龜裂, marital schism]

부부가 서로 조화를 이루거나 역할상보에 실패하여 거의 모든 중요 영역에서 의견 일치를 보지 못하고, 다툼까지 유발하는 관계. 가족치료 일반

리츠(Lidz), 플렉(Fleck), 코넬리슨(Cornelison)이 정신분열증과 가족 간의 상관관계를 연구하던 중

형성한 개념이다. 이러한 부부균열의 상태에 있는 부부는 자기중심적이어서 자신의 기대와 욕구를 충족시키기 위해 상대방을 억누르고 상대방의 지위, 특히 부모로서의 지위를 손상시키려고 한다. 이들은 만성적으로 서로의 가치를 깎아내리기 위해 힘을 쓰고 자녀에게 충성과 애정을 얻어 내기 위해 대립한다. 이 경우 자녀는 부부 갈등 때문에 가정이 깨지는 것을 막기 위해 중재자 역할을 하게 되고, 이로써 자녀는 일찍부터 부모의 욕구에 민감하게 반응하는 힘든 짐을 진다. 이들 부부는 서로에게 감정적으로, 또 성적으로 무관심하게 대한다. 대화를 할 때에도 서로 강요하거나 명령식으로 하며, 대화의 목적도 서로의 생각을 혼란스럽게 만들기 위한 것이기 때문에 무엇을 말하려고 하는지 서로 명확하게 이해하기가 어렵다.

관련어 | 부부불균형

부부불균형
[夫婦不均衡, marital skew]

부부간의 권력이 지나치게 불균형한 상태가 되어 부부 중 한 사람은 강한 위치에, 다른 한 사람은 상대적으로 약한 위치에 놓이는 관계. 기족치료 일반

리츠(Lidz), 플렉(Fleck), 코넬리슨(Cornelison)이 정신분열증과 가족 간의 상관관계를 연구하던 중 형성한 개념으로, 부부왜곡(夫婦歪曲)이라고도 한다. 부부 중 약한 쪽은 극단적으로 의존적이고 자학적인 경향을 보이며, 강한 쪽은 아버지와 같이 보호하는 기능을 하는 것처럼 보인다. 이때 강한 배우자가 약한 배우자를 지배함으로써 부부간의 갈등이 표면화되는 것을 막을 수 있다. 이러한 부부불균형의 부부관계는 자녀에게 여러 가지 영향을 미친다. 첫째, 자녀는 부모 중 누구에게 충성심을 보여야 할지 갈등하게 되고, 위태롭고 불안정해 보이는 부모의 결혼생활을 지켜 주어야 한다는 압박감을 느낄 수 있다. 둘째, 강한 쪽의 배우자가 상대적으로 약한 쪽에 있는 배우자를 통해서 이전에 말했던 사실들을 번복하려는 경향성을 보여 자녀는 일관성 있는 관점을 갖기가 어렵고 혼란스러운 상태에 빠진다. 셋째, 자녀는 상대적으로 약해 보이는 쪽의 부모를 동정하고 동일시하는 경향이 있는데, 이러한 경우 약한 부모를 통하여 강한 부모의 관점이 내면화되기 때문에 자신의 정체성을 잃어버릴 가능성이 커진다. 부부불균형 관계에 있는 부부의 자녀가 받는 이러한 부정적인 영향력들은 자녀의 나이가 어릴수록 부모를 통하여 세상을 경험해야 하는 시기에 더욱 많은 혼란과 갈등을 야기하며, 이것이 반복되면 환각이나 환청 등 정신분열증 증상이 나타날 수 있다.

관련어 | 부부균열

부부상담
[夫婦相談, couples counseling]

부부 및 가족체계의 맥락에서 부부관계의 정서적 · 인지적 · 행동적 양상을 다루는 단기적인 성격의 상담 형태. 부부상담

부부상담은 부부관계에 있는 두 사람이 만드는 결혼관계에 대하여 행하는 집단심리상담이다. 체계적 부부상담인 경우 이론적 틀은 부부체계를 남편과 아내의 대자(對自), 대인(對人), 대상(對象)의 세 가지 수준에서 상호작용, 즉 신경증적 커뮤니케이션으로 파악하고 소통의 부재 또는 비효율성을 변화시키려는 커뮤니케이션 이론에 입각해 있다. 우리는 양자택일의 사상을 가지고 있어서 문제에 직면하면 그것을 비문제화하는 것이 치료나 원조적 개입목표가 되는 경향이 있다. 즉, 문제의 반대상황을 문제해결이라고 상정하는 것이다. 이때 문제와 해결은 역설적인 관계에 놓여 있다. 금주하도록 하면 할수록 음주로 달리며, 억울한 상태에 빠져들고

있는 사람을 북돋아 주는 만큼 그 사람의 억울한 상태가 강화되기도 한다. 예를 들면, 남편의 출근 거부라고 하는 커뮤니케이션 행위는 그의 자기상(自己像), 그가 아내와 만들고 있는 관계, 그가 작용하고 있는 회사체계 또는 그가 회사에서 만드는 대인지지망 내에서는 적응적인 기능을 가지고 있다. 그리고 그 때문에 본인이나 아내의 주변 사람들이 출근이라는 방향으로 문제해결을 도모하고자 해도 사태는 변화하기가 어렵다. 전원이 커뮤니케이션 연쇄극(連鎖劇)의 등장인물로서 역할을 하고 있는 것이다. 그래서 체계의 외부인의 개입에 의한 커뮤니케이션의 연쇄중단이 부부치료의 대인수준에서의 목표가 된다. 대인수준의 변화가 대자수준에서의 자기상의 변화, 대상수준에서의 상황 인식의 변화와 연동하는 것은 당연하다. 우리나라 부부의 경우 도움을 청할 때의 주된 호소는 압도적으로 자녀 문제가 많다. 다음은 배우자 중 한쪽이 자신의 증상(불안, 우울 등)이나 문제(불륜, 성적 곤란)를 포함하여 내원하는 경우와 배우자의 증상이나 문제를 호소해서 내원하는 경우, 셋째는 부부관계 그 자체인 경우다. 주된 호소가 무엇이든 문제를 '부부가 만드는 양자관계(兩者關係)'의 친밀성과 관계에 책임이 있는 개인의 '자존심의 위기'로 규정하는 데에서 부부치료가 시작된다. 부부상담의 실천은 사정(assessment)과 원조개입계획에서 시작하는데, 사정이란 원조적 개입을 위한 전략을 세우기 위해 상황을 보고 묘사한 그림을 만드는 것이다. 부부 커뮤니케이션 양식에서의 세 가지 유형을 살펴보면 다음과 같다. 첫째, 갈등체계다. 갈등형에서 부부의 커뮤니케이션은 대칭적이다. 항상 사태가 제대로 되어 가지 않는 원인을 상대방의 탓으로 돌리는데, 이로써 대자-대인관계상의 곤란의 중심으로 되어 있는 '자기 부전감'에 직면하는 것을 회피할 수 있기 때문이다. 원조적 개입은 상대방에게 향하고 있는 눈을 자신에게 향하도록 한다. 그렇게 하기 위해서는 자기회피의 사실을 본인에게 자각시켜야 한다. 자기개시가 안전하다는 것을 면접장면에서 체험시키고 부부가 조금씩 각자의 감정과 행위의 책임을 갖도록 도움을 준다. 항상 따지고 있기 때문에 결과적으로 각각의 자기상은 부정적이며 자존감도 높다. 게다가 두 사람이 합의할 수 있는 경험이 적어서 언어적 의사소통의 불신감을 안고 있다. 원조 개입자는 부부가 합의할 수 있는 사항이나 장면을 과제로 많이 제시함으로써 이른바 합의에 대한 훈련을 행한다. 둘째, 과잉적응-가치적응 체계다. 부부의 한쪽이 다른 쪽을 '약자(미숙함, 병자, 바보)'라고 보고 보살피려고 하는 것이다. 그러나 현실적으로는 영역에 따라서 적응은 다른 것이다. 따라서 적응자, 부적응자로 딱지를 붙이고 그 역할에 전념하는 데에서 양쪽 모두 무리를 한다. 강자는 실제로는 자신의 부적응감을 상대방에게 투사하고 상대방을 돌보아 줌으로써 의사 적응감을 얻고 있는 데 불과하며, 약자는 상대방의 자신에 대한 의존이 약하다고 해석하면서 숨겨진 강자로서의 의사 적응감을 얻고 있는 데 불과한 것이다. 원조개입의 목표는 부부가 각각 자신의 부적응감을 지각하고 수용하며 그것의 변화에 있다. 과잉적응자는 특히 무리를 하고 있기 때문에 본래의 의존욕구를 언어화시키며 일시적으로 원조자에게 의존하도록 한다. 다른 한편 과소적응자의 장점을 찾아냄과 동시에 표면을 향한 약자로서의 자세에 포함된 의미를 검토한다. 셋째, 공동전선 체계다. 부부는 자신의 불안이나 부적응감을 제3자(주로 자녀나 친족 등)에 투사하고 자녀의 문제를 중심으로 자신들은 달라붙어 있다는 착각을 하고 있다. 원조개입의 시도에서 원조자가 제3자로부터 부부의 눈을 다른 곳으로 돌리게 하면(자녀를 위해서는 좋을지도 모르지만) 두 사람을 완전히 적으로 만든다. 자신들의 관계에 눈을 향하려고 하지 않기 때문에 그렇게 만들고 싶다는 원조자와의 사이에서 세력투쟁이 일어난다. 이 같은 부부에게는 제3자에 대한 연합능력을 칭찬하는 역설적인 접근방법이 적절하다. 마다네스(Madanes, 1981)의 말처럼, 자녀의 힘을 빌리는 의미에서 자녀를 면접에 불러들여 부부를 '합의하는 것을 잊어버리고 자신들만으로는 행복해질 수 없는 두 사람'이라는 가족계층의 하위(자녀를 상위자로 하여)에 자리 잡도록 하고, 자녀에게 '행복해지는 기술'을 부모에게 가르쳐 주도록 부탁한다. 즉, 계층상의 지위는 부모-자녀를 역전시킴으로써 역설적 상황을 만드는 돌파구를 발견해 간다. 상담자는 가족체계의 각각의 형태에서 변화의 방향에 맞추어 부부의 커뮤니케이션에 직접 개입한다. 화제는 확산될지도 모르지만 원조자는 부부의 커뮤니케이션 연쇄(길이 막힘)의 패턴을 해소한다. 일반적으로 부부상담은 만성적인 정신치료와 달리 단기적인 성격을 띠며, 문제의 역동성 및 배우자들 간 신경증적 상호작용에 초점을 둔다. 여기서는 한 상대방이 다른 상대방에게 어떻게 병리를 초래하는가를 강조한다. 또한 손상된 인간관계를 개선하고자 노력하고, 과거를 재구조화하기보다는 현재의 문제에 초점을 맞추며, 고통받고 있는 부부에게 자기의사결정과정을 촉진하도록 상담을 통해 도움을 준다.

부부상호작용 코딩체계
[夫婦相互作用 - 體系, Marital Interaction Coding System: MICS]

부부갈등의 협상을 시도하는 동안 부부의 상호작용 내용과 과정을 기술하기 위해 사용하는 행동코딩체계. 부부상담

부부상호작용 코딩체계를 작성하기 위해서는 부부간에 발생하는 상호작용을 비디오테이프에 녹화하거나, 녹음기에 녹음된 상호작용을 훈련된 관찰자가 코딩하면서 이를 컴퓨터로 분석한다. 분석의 결과는 분당 비율로 산출된 문제해결, 긍정적 행동, 부정적 행동, 차단의 빈도와 내용, 성공적인 차단과 성공적이지 못한 차단 등이 포함된 항목으로 이루어진다. 이 코딩체계는 실제로 부부간 상호작용 패턴을 분석하기 위해 고안된 관찰코드라는 점에서 다른 실험실에서 행해지는 일반적인 관찰형태와는 다르다. MICS는 부부의 문제해결능력과 의사소통 능력을 진단하고 평가하는 데 사용이 가능하다. 총 30개의 코드로 구성되어 있는데 동의, 반대, 인정, 책임 수용, 긍정적 신체 접촉, 무반응, 유머, 비판, 불평 등이 포함된다. 분석의 과정에서 분류된 30개의 코드는 긍정적인 사회적 강화, 부정적인 사회적 강화, 그리고 문제해결의 세 가지 영역의 점수를 더해서 산출한다. MICS에서 이루어지는 코딩은 훈련된 관찰자에게 의존하기 때문에 보다 정확한 자료의 점수화가 이루어지기 위해서는 해당 관찰자의 숙련도와 능력이 매우 중요하다.

부부성상담
[夫婦性相談, conjoint sexual therapy]

공동성치료(共同性治療), 합동성적치료(合同性的治療)라고도 부르며, 배우자와의 전반적 관계가 성적 고민의 영향을 받는다는 가정하에 부부를 대상으로 성적인 문제를 치료하기 위해 매스터스와 존슨(Masters & Johnson)이 개발한 방법. 성상담

1970년 『Human Sexual Inadequacy』라는 저서를 매스터스와 존슨이 함께 출판하면서 세상에 알려진 공동 성치료는 배우자와의 관계뿐만 아니라 전반적인 관계문제는 성적 고민의 영향을 받는다는 가정을 바탕으로 한 치료방법이다. 성에 관련된 문제는 개인적인 문제지만 역동성의 문제이기 때문에 서로의 관계를 중시해야 하므로 이를 체계의 문제로 본다. 이는 인지 및 행동주의적 패러다임을 따르며, 성 기능의 문제를 신체상 문제로 보는 것이 아니라 불안의 산물로 보는 입장이다. 즉, 불안이 부부의 원활한 성 관계 능력을 방해하거나 훼손한다는 것이다. 매스터스와 존슨은 성적 문제를 치료과제로 삼을 때는 문제 자체가 배우자 사이에서 시작되는 것이기 때문에 연구대상을 개인이 아닌 부부로

하여 그 전체적 특징을 식별하는 것이 더 효과적이라는 점을 발견하였다. 이에 이 같은 치료방법을 개발한 것이다. 공동 성치료는 남성치료사 한 사람과 여성치료사 한 사람이 참여하여 공동치료팀을 구성하고, 남성과 여성의 관점을 모두 반영하여 치료의 균형과 객관성을 보장한다. 공동 성치료팀은 성적 문제를 불안에서 출발했다고 보기 때문에 성행위와 관련된 불안을 경감시키고 배우자 간의 비언어적 소통을 증대하며, 성적 문제에 관련된 서로의 비난이나 원망을 잠재우고 남성과 여성의 성적 특징을 관계의 측면에서 정립하기 위해 노력한다. 이와 같은 공동 성치료는 심리적, 심리학적 정보를 이용해서 성적 기능 장애에 강력하고 신속하게 접근하는 방법이다. 대개 처음 12~14일간은 부부가 매일 보게 하는데, 이는 불안을 줄이고 부부 고유의 관계에 대해 개별적 주의를 집중시키기 위해 일상적 활동에 의한 주의산만 방지효과를 낼 수 있다. 치료는 배우자 각각이 원하는 특정 요구사항 충족을 위해 진행된다. 매스터스와 존슨은 원활한 성 기능의 장애요인을 식별하고, 부부에게 감각집중을 소개하였으며, 배우자가 서로 성적으로 만족스러운 신체부위를 재발견할 수 있도록 만족운동도 고안하였다. 이 운동을 통해서 배우자가 서로 만족스러워하면서, 배우자가 좋아하는 것과 싫어하는 것을 추측하는 것이 아니라 손 얹기 기법 같은 비언어적 의사소통으로 직접적인 표현을 하도록 한다. 직접적인 성교 이전에 성적 교류과정은 여러 단계를 거치면서 점진적으로 진행한다. 이는 다양한 성 문제에 심어진 걱정, 방관, 실패 등의 악순환에 대한 과민성을 줄이기 위해서다. 공동 성치료는 성 기능에 관심을 집중하고 있던 것을 배우자를 자극하고 감각을 일깨우는 방법을 발견하는 개인의 책임 쪽으로 관심의 초점을 옮겨 놓는다. 매스터스와 존슨은 성교와 관련된 행위의 두려움을 해결하는 인지적 재구성 및 재편을 이용하여 발기장애를 치료하는 등 특정 성기능장애 치료를 위해서 추가적인 방법으로 보충하는 기법을 사용하였다. 발기장애를 지닌 남성에게 스스로 극복반응에 대한 단계를 정할 수 있도록 알려 주고, 일단 발기가 되기 시작하면 성급한 성교보다는 단계적으로 나아갈 수 있도록 도움을 주어 두려움과 발기 손실 가능성을 최소화하였다. 조루증의 경우는 사정반응을 재조정하는 스퀴즈(압박) 요법을 사용하였다. 스퀴즈 요법의 단계적 반복으로 조루증은 극복이 가능하다. 여성도 마찬가지로 단계적인 과정을 거치도록 하였다. 매스터스와 존슨의 치료모델은 이성애자 부부를 위해 개발되었기 때문에 동성애자 부부 관련 연구는 부족한 실정이다. 이 모델 개발 당시에는 동성애가 정신장애로 진단되는 상황이었기 때문에 매스터스와 존슨은 이성애자 부부의 성치료에 중점을 둔 것이다.

부부신화사정
[夫婦神話査定, myth inspection of couple]

부부가 결혼생활과 서로의 관계에 대해 가지고 있는 신화와 비합리적인 신념을 조사하는 것. 부부상담

부부관계에서 결혼생활과 서로에 대해, 그리고 부부관계에 대해 가지고 있는 신화는 일반적으로 그 증거가 빈약하고, 일방적인 특성을 가지고 있어서 서로에 대한 불만이 증폭되게 만든다. 따라서 이러한 신화는 부부관계에서 갈등이 심화되도록 하는 중요한 요인으로 작용을 하기 때문에 부부치료에서 부부의 신화를 파악하고 이를 이해하도록 도움을 주는 일은 중요한 과정이다. 인지적 관점을 가지고 있는 부부상담자들은 부부가 가지고 있는 역기능적인 신념체계를 살펴보는 경향이 있다. 이러한 신화의 상당수는 낭만적인 사랑과 관련된 내용으로 구성되어 있는데, 이것은 실제 자신들이 경험하고 있는 부부관계와 많은 차이가 나므로 관계에 대한 불만을 더욱 강화시킨다. 예를 들어, 어떤 부부는 낭만적인 사랑은 한번 식으면 다시는 회복될 수 없다

고 믿는다. 이러한 신화의 영향으로 한번 경험한 부부갈등에 따라 서로에 대한 사랑이 원래대로 회복될 수 없다는 믿음으로 이어지고, 결과적으로 보다 심화된 갈등으로 번질 잠재적인 불안요인이 된다. 부부간의 신화를 사정하기 위한 방법으로는 검사, 면접, 즐겨 읽는 동화, 단편소설, 영화 등을 검토하는 방법 등 다양한데 그 목적과 접근법에 맞추어 사용되고 있다.

관련어 | 가족 신화

부부이미지법
[夫婦-法, couple images]

부부가 배우자를 각각의 이미지로 표현하고 그 이미지에 대한 대화를 나누도록 하는 부부상담기법. 부부상담

부부이미지법은 간접적이고 비위협적이기 때문에 부부관계에 대해 스스로 말하기를 꺼리는 부부에게 활용할 수 있다. 상담자는 부부에게 직접적인 질문을 하지 않고 부부가 상대에게 부여하는 이미지를 통해 빠른 시간 내에 감정을 파악할 수 있다. 이 기법은 상징적인 이미지를 사용하므로 부부 서로의 관계양상을 이해하지 못할 때 직관적으로 깨닫게 해 준다. 부부가 통찰력을 갖게 되면 상담자는 부부문제에 적절하게 개입할 수 있다. 이는 부부 공상이나 부부 춤 만들기와 유사한 기법이다.

부부재산제
[夫婦財產制, conjugal property]

결혼을 통해 발생하는 부부관계에서 재산에 관한 책임과 권한을 규정해 놓은 것. 부부상담

두 사람이 결혼을 통해 발생하는 변화는 다양한데, 이 중 재산에 관한 변화에 대하여 부부관계에서 그 책임과 의무에 관한 규칙을 정한 것이다. 부부재산제에는 약정 재산제도와 법정 재산제가 있다. 약정 재산제도는 혼인한 부부가 당사자끼리 재산문제에 대하여 계약하는 것을 말하며, 이는 부부간의 재산에 대해 정확한 한계와 책임을 규정할 필요가 있을 때 우선적으로 적용된다. 그리고 법정 재산제는 부부간에 재산에 대해 약정이 없을 때를 대비해 미리 법률규정으로 재산문제를 정해 둔 것을 말하며, 부부관계에서의 재산에 관한 책임과 의무를 조정하는 문제에서 보충적으로 채택하고 있다.

ㅂ

부부집단상담
[夫婦集團相談, couple group counseling]

집단상담장면에서 상담자가 여러 쌍의 부부를 상담하는 상담 유형. 부부상담

부부집단상담은 미국의 존 벨(John Bell)이 개발한 상담방법이다. 부부가 집단을 이루어 다른 부부와 함께 자신의 문제를 해결하는 방법으로 진행된다. 부부집단상담의 장점은 자기 부부와 다른 부부의 문제를 통해 보편적인 문제임을 깨닫고, 관찰을 통해 적절한 행동과 기대를 확인할 수 있다. 또한 다른 부부를 관찰함으로써 통찰과 기술을 개발하고, 자신의 변화된 감정과 행동에 대해 집단 구성원인 다른 부부의 피드백과 지지를 얻을 수 있다.

부부치료
[夫婦治療, couples therapy]

부부상담

⇨ '부부상담' 참조.

부분 대상

[部分對象, partial object]

대상이 전체적으로 경험되지 못하고 좋은 것과 나쁜 것으로 각각 경험되는 상태. 대상관계이론

심리적 세계 내의 이미지나 표상들은 전체 대상뿐만 아니라 부분 대상으로 이루어져 있다. 예를 들어, 한 사람의 발, 성기, 젖가슴과 같은 신체의 부분이 표상으로 존재할 수 있다. 이와 같은 부분 대상은 한 주체가 주관적인 느낌이 좋은가 혹은 나쁜가, 쾌감을 주는가 혹은 주지 못하는가라는 식으로만 판단하게 되는 대상표상을 뜻한다. 한 대상이 욕구를 만족시키는가 혹은 좌절시키는가의 관점에서만 경험되는 것은 그 대상이 지닌 하나의 부분적 측면만을 고려하는 방식이다. 유아가 형성하는 최초의 대상표상은 이러한 부분 대상이다. 유아는 지각이나 감정적인 측면에서 아직 미숙하기 때문에 한 순간에 그 실제 대상의 한 가지 특징만을 지각한다. 클라인(M. Klein)의 대상관계이론에 따르면, 유아는 환상 속의 파괴적 공격으로부터 좋은 젖가슴을 보호하기 위해 젖가슴을 좋은 측면과 나쁜 측면으로 분열시킨다. 자아기능이 취약한 유아는 어머니의 좋은 부분과 나쁜 부분을 통합하지 못하고 이를 양분하여 한 측면만을 의식하고 다른 측면은 의식에서 배제해 버린다. 그 결과, 어머니라는 대상은 유아의 의식세계에서 아직 전체 대상이 아니라 부분 대상으로 지각되고 경험된다. 어머니의 부정적인 측면이 의식차원에서 경험될 때 어머니의 긍정적인 측면은 의식차원에서 배제되어 마치 어머니가 완전히 나쁜 사람인 것처럼 지각된다. 그러나 성장해 가면서 점차 어머니를 전체 대상으로, 즉 만족을 주기도 하고 동시에 좌절도 안겨 주는 대상으로 인식하는 능력을 발달시킨다.

관련어 전체 대상

부분들

[部分-, parts]

내면가족체계치료(IFS)에서 개인의 하위인격을 나타내는 용어. 내면가족체계치료

개인의 인격은 일시적인 감정상태나 습관적인 사고형태가 아니라 지속적이고 일관적으로 나타나는 특유의 감정, 표현양식, 능력, 욕구, 세계관을 가진 분리된 자율적 정신체계다. 인간의 내면에는 이렇게 겉으로 드러나는 인격 외에 잘 드러나지 않고 불특정한 형태로 존재하는 하위인격이 존재한다고 한다. 하위인격은 각 개인이 한 사회에 포함되는 것처럼, 각 부분들도 다른 연령, 다른 흥미, 재능, 기질을 가지고 있는 내적 사람들로서 이 부분들이 결국은 개인의 전체적 인격을 이루는 요소가 되는 것이다. 개인의 하위인격(부분들)은 이처럼 다양한 특성을 가지고 있지만, 그 사이의 균형이 잘 이루어져 있으면 겉으로 드러나는 개인의 인격은 안정되고 일관되게 보인다. 하지만 하위인격이 불균형 상태에 있다면 불안정하고 부정적인 인격이 겉으로 드러날 것이다. 내면가족체계치료에서는 한 가족의 각 구성원은 인간의 하위인격(부분들)처럼 다양한 특성을 가지고 있는데, 이러한 특성은 가족이라는 전체 체계를 이루는 요소가 되며 다양한 부분들이 마치 하나의 가족 특성을 이루는 것처럼 작용한다고 보고 있다.

관련어 균형, 부분의 형태들

부분들의 잔치

[部分-, parts party]

사티어(Satir)가 변화를 위한 하나의 수단으로 인간이 가진 다양한 내적 자원을 통합시키기 위해 개발한 치료모델. 경험적 가족치료

인간이 가지고 있는 다양한 내적 자원을 부분들

(parts)이라고 하는데, 이 부분들을 통합함으로써 전인적인 변화를 추구하는 기법이다. 사티어는 인간 내면의 다양한 자원들이 성장과정에서 부모의 지시나 가족규칙 또는 다양한 경험에 의해 일부분은 부정적이고 좋지 않은 부분으로 인식되어 억압되고 무시되었다고 설명하였다. 그녀에 따르면, 이렇게 억압되고 무시된 부분들 때문에 가족과 사회체계를 유지하는 것처럼 보이지만 실제로 개인에게는 그 내면의 부족함과 갈등으로 행동, 사고, 판단에 부정적인 영향을 미친다고 하였다. 따라서 개인 내면에 있는 다양한 부분을 부정적인 것이든 긍정적인 것이든 세밀하게 탐색하고, 그 욕구를 충족시킴으로써 부분들 사이의 조화와 통합을 이루어 전인적인 발달을 이룩할 수 있다고 하였다. 이러한 생각은 인간이 본래 개인의 성장과 발달을 이룰 수 있는 지혜와 능력을 가지고 태어났다는 신념에서 기인한다. '부분들의 잔치'를 실제 치료현장에서 적용하기 위해 유머, 역설연극 등을 사용하여 인간의 내적 자원을 확인하고, 변형과 통합과정을 거치면서 치유를 경험하도록 한다. 이 과정을 통해 자신의 내적 과정을 변화시키고 지금-여기에서의 문제와 상황을 좀 더 효과적으로 다루게 된다. 즉, 자신이 만든 한계를 제거함으로써 선택의 폭이 넓어지는 것이다. 이 기법을 사용하기 위해서는 안내자(상담자) 한 명, 자신의 내적 부분을 통합하기 원하는 주인(내담자) 한 명, 주인의 내적 부분들을 맡을 6~8명의 역할자, 역할극을 도와줄 사람 2명 등 총 10~12명의 사람이 필요하며, 이들이 자유롭게 활동할 수 있는 큰 방이 있어야 한다. 치료의 전체 과정은 첫째, 부분들의 잔치 준비단계로 각 부분들을 연기할 인물을 선정하고 분류한다. 둘째, 부분들의 만남 단계로 각 부분들이 상호작용을 하면서 문제가 되는 부분들의 감정을 점검한다. 셋째, 갈등의 심화단계로 전체 부분들과의 조화를 이루지 못하는 부분의 느낌을 주인과 확인한다. 넷째, 갈등의 변형단계로 각 부분들의 상호작용을 통해 협동하고 수용하면서 조화되어 나간다. 다섯째, 통합의 의식화를 이루는 단계로 변형되어 조화된 부분들을 기념하는 의식을 치르고, 이에 대한 느낌과 생각을 함께 나눈다. 부분들의 잔치를 통해 내담자가 자신의 부분 가운데 부정적으로 지각하는 것도 자신의 것으로 수용하여 적극적으로 활용하도록 하는 효과가 있다. 또한 내담자 외에도 많은 사람들이 이 과정에서 통찰을 얻고, 그동안 무시하거나 부인해 온 자신의 자원을 인정하고 수용할 뿐 아니라 활용할 수 있게 된다. 결과적으로 편견은 줄어들고 활용 가능한 자원은 늘어나 더 능력 있고 일치적인 인간이 될 수 있다.

부분의 형태들
[部分-形態-, types of parts]

인간이라는 하나의 체계 안에서 조화를 이루고 있는 다양한 형태와 특성을 가지고 있는 하위인격. 내면가족체계치료

내면가족체계치료에서는 한 개인의 인격이 겉으로 드러나는 것은 하나인 것 같지만 다양하고 불특정한 형태로 존재하는 하위인격인 부분들이 서로 조화와 균형을 통하여 마치 하나의 인격처럼 이루어져 있는 것이라고 하였다. 따라서 개인의 내적 갈등과 부정적인 상태는 부분들의 조화와 균형이 이루어지지 않은 상태로 보고, 부분들이 조화를 이루고 대립을 해결하는 길이 내적 갈등을 해결하는 것이라고 하였다. 내면가족체계치료에서는 한 개인의 전체 체계를 이루는 부분들의 다양하고 독특한 특성을 분류하여 유배자, 관리자, 소방관으로 지칭하였다.

관련어 | 부분들

유배자 [流配者, exiles] 자신을 보호하기 위해 혹은 부분들로부터 체계를 보호하기 위해 체계 내에서 격리된 부분들을 말한다. 사람들은 인생의 고통스러운 순간이나 사건을 빨리 잊으려고 무의식적으로 노력하는데, 그 방법 중 하나는 고통의 기억을

한쪽으로 밀어놓고 감금시켜 꼼짝하지 못하도록 하는 것이다. 이러한 노력의 결과로 감금되는 부분들(parts)은 유배자가 되어서 보이지 않는 곳에 버려지고, 추함과 수치심 혹은 죄책감의 부담들로 가려진다. 이 과정이 점점 길어지면 유배자는 점차 극단적이고 절망적으로 바뀌어 체계를 이루고 있는 개인에게 회상이나 악몽 또는 급작스러운 고통과 공포를 떠올리도록 조장하기도 한다. 일반적으로 유배자의 부분들은 필사적으로 사랑과 관심을 원한다. 유배자인 부분들은 지속적으로 자신을 구제하고 속죄시켜 줄 이를 찾는다. 또한 다른 부분이 맡지 않으려는 감정을 수용할 수 있다. 예를 들어, 개인의 인생을 운영하는 부분들인 관리자는 유배자의 부분들에게 관리적 기능을 방해하는 감정, 즉 두려움, 고통, 수치심 등의 부담을 갖도록 한다. 하지만 유배자는 이와 같은 과도한 감정 자체를 제거하기를 원하고, 기회가 있다면 언제든지 다른 부분들이나 '자기'인 체계에게 그 부담을 떠넘기려고 한다. 유배자의 이러한 노력은 고통과 궁핍의 상태에 놓여 있는 체계인 사람을 위험에 빠트린다. 유배자가 과거에 묶여 내부의 벽에 갇혀 있는 동안에는 현재 일어나는 사건에 의해서는 상처를 덜 받는다. 유배자의 출현은 그 사람을 불쾌한 감정에 휩쓸리게 만들 뿐 아니라, 더 나약하고 쉽게 상처받도록 한다. 게다가 이 유배자가 주도권을 잡고 통제하는 경우, 그 사람을 자주 위험에 빠트린다. 유배자는 거부당했던 고통을 치유하고 안전함을 느낄 수 있는 사랑과 보호를 받기 위해, 혹은 구원의 희망을 갖기 위해서 어떤 대가를 치른다. 그 대가로, 그들은 더 많은 강등(degradation)과 학대를 기꺼이 참고 견딘다. 유배자는 학대자와 연결되어 있기 때문에 이들의 존재는 그 사람으로 하여금 마음 깊은 곳에서 자기 자신도 자신을 학대한 사람만큼 나쁜 사람이라고 믿도록 조장한다.

관리자 [管理者, managers] 유배자의 활성화(화나게 하는 것)를 최소화하는 방법으로 체계를 유지하고자 하는 부분들을 말한다. 관리자의 주요 목적은 유배자를 보호하기 위해, 그리고 유배자로부터 체계를 보호하기 위해 유배자를 계속 유배상태에 놓아두는 것이다. 즉, 두려운 감정과 생각들이 내부에서 넘쳐흐르는 것을 막아 체계가 안전한 상태를 유지하도록 함으로써 그 개인이 기능적으로 생활할 수 있도록 만드는 것이다. 관리자는 사람들을 통제하고 모든 이를 즐겁게 함으로써 유배자가 활동하는 것을 막으려고 한다. 관리자는 아주 이성적이고 계획적이며, 유배자가 유배지에서 나와 활동하는 상황을 예상하고 미리 막는다. 관리자의 주요 전략은 통제하기, 위험에서 항상 벗어나게 하기, 의지하는 사람을 기쁘게 하기 등으로서, 이를 통하여 유배자의 활성화를 미리 피하도록 한다. 이러한 내적, 외적 통제를 유지하기 위해서 일부 관리자는 학문적 · 직업적 · 금전적 성취를 얻도록 동기를 부여하고, 그러한 것에 초점을 맞춤으로써 개인에게 외적 · 물질적 성공을 제공해 준다. 관리자의 과격성과 경직성은 그들이 다룰 수 있는 능력보다 더 많은 책임감을 가지고 있다는 것을 보여 준다. 그들은 외부 세계를 위험한 것으로 인지하여 다룰 뿐 아니라, 유배자가 제대로 유배되어 있는지 신경 쓰고, 내 · 외적인 위협으로부터 '자기'를 필사적으로 보호한다. 이러한 위치에 있는 관리자는 고통을 겪으며 겁에 질린 상태에 있다. 유배자와 마찬가지로 그들 역시 양육되고 치유되기를 원하지만, 그들은 체계를 위해 자신의 취약성을 감추어야 하고 자신이 희생되어야 한다고 믿고 있다. 관리자 부분들이 점점 더 유능해질수록 체계는 그들에게 더 의지하고, 관리자 부분들의 의무와 권력에 체계는 압도당할 것이다. 관리자 부분들은 그 개인이 경험한 성공과 안전에 대해 자신이 전적으로 책임져야 한다고 믿게 될 것이며, '자기'의 리더십에 대한 신뢰를 점점 잃어 간다.

소방관 [消防官, firefighters] 유배자가 활성화

될 때 유배자를 진정시키기 위해 혹은 체계가 유배자에게 주의를 기울이지 못하도록 활동을 시작하는 부분들을 말한다. 유배된 부분들이 활동할 때면 언제든지 자율적으로 반응하는데, 알람이 울리면 감정의 불을 끄기 위해 미친 듯이 출동한다. 소방관은 방법의 절차에는 크게 신경 쓰지 않고 유배된 감정에서 개인을 분리시키기 위해, 즉 개인을 돕는 데 필요한 것은 무엇이든 한다. 소방관이 쓰는 방법에는 자해(self-mutilation), 엄청난 대식, 약물이나 알코올중독, 지나친 자위행위, 혼잡한 성생활과 같은 정신을 마비시키는 활동이 포함되어 있다. 활성화되었을 때 소방관은 개인을 철저히 통제하여 그 개인은 해리 혹은 자기위안 활동에 빠지고 싶은 절박한 충동을 강하게 느낀다. 이러한 소방관은 개인을 자기탐닉적이고 요구적(자아도취적)으로 만들고, 다른 사람들보다 자기 자신이 보다 많은 물질을 탐욕스럽게 취하도록 만든다. 때때로 소방관 활동에는 분노의 감각을 마비시켜 보호하는 것, 도벽충동과 도벽탐닉, 자살적 사고나 자살 시도로 고통을 없애려는 것 등도 포함된다. 소방관의 목표는 관리자와 동일한, 즉 유배자를 계속 유배된 상태로 놓아두는 것이지만 그들의 역할과 전략은 상당히 다르고 때로는 관리자의 역할 및 전략과 상충되기도 한다. 소방관은 대개 유배자가 활동한 다음에 반응하며, 충동적이고 생각 없이 반응한다. 관리자가 활성화된 유배자를 쫓아내려는 것과는 반대로, 소방관은 불을 끄는 것처럼 유배자를 진정시키고 달랠 무언가를 찾는다.

부스피론
[–, buspirone]

불안 완화제로 사용되는 중추신경 억제제. 중독상담

부스피론은 임상적 연구를 통해 디아제팜, 클로라제페이트와 유사한 수준의 효능을 가진 것으로 드러났다. 이 약물은 경련억제와 근육이완의 특성을 가지고 있지 않지만 뚜렷한 불안 완화효과가 있다. 또한 벤조디아제핀과는 다르게 다른 중추신경 억제제들과 상호작용을 하지 않는다. 이 약물의 가장 매력적인 특징은 남용의 가능성이 명백히 적다는 것이다. 이러한 이유 때문에 알코올중독 환자를 치료하는 목적으로 널리 처방할 수 있는 약물이다.

관련어 | 메타콸론, 바르비튜레이트, 벤조디아제핀, 억제제

ㅂ

부연
[敷衍, amplify]

심리극에서 주인공의 갈등상황과 감정을 극대화하는 것. 집단상담

심리극의 한 기법으로, 주인공의 말을 통해 그의 감정을 강조하거나 내면적 갈등상황을 통찰하도록 해 준다. 부연은 주인공의 비음성적 메시지를 언어화하거나 질문을 던지고 해석하거나 부정적인 감정들을 반박하는 것으로 이루어지기도 한다. 예를 들어, 주인공으로부터 강력한 이야기를 끄집어내거나 주인공이 실제 내뱉은 이야기와는 반대되는 것이라고 보일 때 보조자아는 주인공의 이야기를 반박한다. 즉, "내가 지금 말한 것처럼 느끼는 건 아니야!" "난 널 미워하는 게 아니고, 사실은 필요한 거야." "난 널 미워해, 그리고 동시에 널 사랑해."라는 식으로 반박한다. 또한 주인공의 행동에 대해 언급함으로써 주인공에 주목하여 전반적으로 관찰한다. "좀 긴장되는 것 같아." "지금 내가 또 설명하고 있군." 처럼 지금-여기에서의 정서를 주목하는 역할을 한다. "난 과거 이야기를 하고 있는데, 지금 예전의 그 당황스러운 기분이 드는걸?" "말해 봐, 난 지금도 그가 나를 판단하고 있다는 듯 반응하고 있잖아?" 하는 식으로 부연을 사용한다.

부인
[否認, denial]

자신의 용납할 수 없는 생각이나 행동을 마치 그러한 것이 없었던 것처럼 무시하거나 부정하는 것. 정신분석학

현실의 불쾌한 상황을 직면하지 않으려 하거나 불안유발 자극을 지각하지 않으려는 방어기제의 일종이다. 방어기제 유형 중에서 가장 단순한 형태로서 비교적 발달초기에 작동된다. 충격적인 상황에 처했을 때 생각하고 느끼고 지각하는 것을 왜곡한다. 위협적인 현실로 인해 유발되는 불안으로부터 도피하기 위해 현실에 대해 눈을 감고 이를 외면한다. 전쟁이나 다른 재난과 같은 비극적인 상황에서 비롯된 고통이 수용되기 어려울 때 그 고통스러운 현실에 대해 눈을 감아 버린다. 예를 들어, 전쟁터에서 자식을 잃은 부모가 죽은 자식이 여전히 살아 있다고 믿는 것처럼 자식의 죽음이라는 현실을 받아들이지 않으려는 경우가 이에 해당한다. 부인에는 두 가지 하위유형이 있다. 하나는 들어오는 위협적인 정보를 의식적으로 거부하는 것이고, 다른 하나는 이미 처리된 위협적인 정보를 타당하지 않고 잘못된 것으로 여기는 것이다. 처음의 것으로 방어하는 데 실패할 경우 그 다음에는 두 번째의 것을 사용한다. 위협정보를 단순히 타당하지 않은 것으로 보고 부정확하거나 거짓된 것으로 여긴다. 예를 들어, 자녀가 도둑질을 했다는 소식을 들은 부모는 처음에는 "그럴 리가 없어, 우리 애는 그런 아이가 아니야."라고 하다가 그다음에는 "뭔가 잘못되었어. 경찰이 오해를 했을 거야."라는 식으로 부인함으로써 자기 자신을 불안으로부터 보호한다. 부인은 억압과 마찬가지로 개인이 대처할 수 없다고 느끼는 것을 무의식으로 밀어 넣는 기제다. 그러나 억압은 심리 내적 역동에서 비롯된 위협을 다루는 반면, 부인은 외적 근원을 가진 위협을 다룬다는 점에서 차이가 있다. 또한 합리화가 현실을 왜곡하는 것이라면 부인은 현실을 회피하는 것이다.

관련어 | 방어기제

부적 강화
[否的強化, negative reinforcement]

행동수정에서 바람직한 행동을 하는 경우의 조건부로 혐오자극을 제거하여 바람직한 행동을 강화하는 것. 행동치료

행동수정에서 정적 강화와 대비되는 개념이다. 행동수정 대상자가 특정 바람직한 행동을 했을 때, 그렇지 않을 경우 그에게 부여되는 혐오자극을 제거해 주어 이후 그 행동의 발생빈도를 높이는 절차이다. 정적 강화나 부적 강화는 모두 어떤 행동의 발생빈도를 증가시킨다는 점에서 동일하다. 그러나 정적 강화는 바람직한 행동을 함으로써 바람직한 강화자극을 얻고, 부적 강화는 바람직한 행동을 함으로써 불쾌한 자극을 피할 수 있다는 점에서 다르다. 부적 강화는 도피조건형성의 기제로 사용된다. 도피조건형성(escape conditioning)의 원칙은 반응이 발생한 직후에 어떤 자극을 제거하면 그 반응이 나타날 가능성이 증가한다는 것이다. 부적 강화는 어떤 행동의 결과로서 부정적인 조건을 피하거나 회피할 수 있기 때문에 행동이 증가하거나 유지되는 절차를 뜻한다. 부적 강화는 단어 자체에 '부정적인(negative)'이라는 뜻을 가지고 있긴 하지만 강화의 한 형태이므로 목표행동을 유지 또는 증가시키는 역할을 한다. 이와 관련된 몇 가지 예를 살펴보면, 혼자서 과제를 해야 하는 시간에 문제행동을 하면 학생지도실로 보내진다는 것을 배운 학생은 문제행동을 함으로써 싫어하는 과제를 회피할 수 있다. 또한 어떤 교사는 교실에서 무례한 문제행동을 보이는 학생에 대해서 늘 불평하는 동료 교사와 마주치지 않기 위해 그 교사와 마주칠 수 있는 시간에는 교사휴게실에 가지 않는다. 만약, 휴대전화에 전화를 받고 싶지 않은 사람의 이름이 뜬다면 그 전화를 받지 않을 것이다. 전화를 회피하는 행동에 따른 강화를 받게 됨으로써 앞으로 그 사람의 전화를 받지 않는 행동을 더 많이 할 것이다. 부적 강화는 현존하는 혐오적 자극의 제거나 회피 또는 앞으로 발

생할 만한 부정적 자극의 회피를 모두 포함한다.

관련어 | 도피조건형성, 정적 강화

부적 환각
[否的幻覺, negative hallucination]

최면상태에서 실제로 존재하는 것을 인식하지 못하는 인식의 왜곡상태. 최면치료

최면상태에서 일어나는 환각의 일종으로, 실제로 존재하지 않는 것을 존재하는 것처럼 인식하는 정적 환각과 반대상태다. 들리는 소리나 보이는 것 등의 자극 또는 현상에 대한 지각에 오류가 생기는 것인데, 이는 최면상태에서 일어날 수 있는 왜곡현상의 하나다.

관련어 | 최면, 환각

부적응적 대처방식
[不適應的對處方式, maladaptive coping style]

도식치료에서 심리도식이 야기하는 강렬하고 압도적인 정서경험을 피하기 위해 생애 초기부터 발달시키는 대처반응이 습관화 되어 굳어진 것. 도식치료

대처반응은 한 개인이 특정한 시점에서 드러내는 특정 행동이나 전략을 말하는데, 개인의 행동목록으로서 모든 행동이 포함된다. 어떤 사람이 습관적으로 특정 대처반응을 계속 사용하면 대처반응은 대처방식으로 굳어진다. 이때 대처방식은 개인이 회피, 굴복, 과잉보상을 위해 특징적으로 사용하는 대처반응의 집합이다. 먼저, 굴복은 심리도식을 회피하거나 맞서 싸우려고 하지 않고 심리도식이 진실이라고 받아들이는 것이다. 심리도식이 초래하는 정서적인 고통을 직접적으로 느끼며 심리도식을 확증하는 방식으로 행동한다. 심리도식이 유도해 낸 행동패턴을 반복하고, 여전히 심리도식이 만들어 낸 아동기 경험 속에서 살아가는 것이다. 회피는 심리도식을 회피함으로써 자신의 삶을 조정하여 심리도식이 활성화되지 못하도록 하는 것이다. 심리도식을 의식하지 않으려 애쓰고, 심리도식이 존재하지 않는 것처럼 생각해 버린다. 촉발할 수 있는 사고와 심상을 주의를 딴 곳으로 돌리거나 마음에서 몰아내는 방식으로 차단한다. 심리도식의 느낌도 반사적으로 회피하는 경향을 보인다. 대인관계에서는 친밀한 인간관계나 도전이 될 만한 일 또는 심리도식을 촉발할 수 있는 상황을 회피하며, 취약하다고 느끼는 삶의 영역을 피해 버린다. 과잉보상은 마치 심리도식의 정반대가 진실인 것처럼 생각하고 느끼고 행동하는 심리도식에 맞서 대항하는 것이다. 심리도식을 갖게 된 어린 시절과 가능한 한 달라지려고 노력하며, 어린 시절 무가치하다고 느꼈던 이는 완벽해지려고 노력하며, 복종적이었던 아이는 사람들을 업신여기고, 통제당했던 아이는 통제하거나 영향력을 거부하는 형태로 반격을 시도한다. 겉으로는 자신감과 확신에 차 있지만 내면에는 위협하는 심리도식의 압력을 느끼고 있다. 과잉보상이 발달하는 이유는 심리도식이 초래하는 고통을 모면할 수 있는 대안이 되기 때문이다. 성장하면서 느꼈던 자신은 희망이 없고 취약하다는 느낌을 떨쳐 내기 위한 수단이다. 이러한 대처방식이 내담자가 심리도식을 회피하는 데 도움을 주는 경우도 있지만, 심리도식을 치유하는 것은 아니다. 모든 부적응적 대처방식은 심리도식을 영속화하는 과정에서 하나의 요인으로 작용한다. 모든 유기체는 위협에 대해서 싸우기, 도망치기, 얼어붙기의 세 가지 기본적인 반응을 보이는데, 싸우기는 과잉보상의 대처방식, 도망치기는 회피방식, 얼어붙기는 굴복방식과 대응된다. 심리도식의 촉발은 핵심적 정서요구의 좌절 및 이에 동반되는 정서를 가져오는 일종의 위협으로서, 개인은 이에 대응하기 위해 무의식적으로 대처방식을 사용한다. 어릴 때는 이와 같은 대

처방식이 적응적이고 건강한 생존방식이라고 생각될 수 있지만, 성장하면서 상황이 변하고 보다 나은 선택권이 생겼음에도 불구하고 동일한 대처방식을 지속함으로써 심리도식이 영속화되어 대처방식은 부적응적인 것이 된다. 결국 부적응적 대처방식은 개인을 심리도식 안에 가두는 역할을 한다. 사람들이 서로 다른 특정 대처방식을 발달시키는 주요 원인 중의 하나에는 정서적 기질이 있다. 기질은 심리도식을 결정짓는 것보다 대처방식을 결정짓는 데 더 큰 역할을 하는 것으로 알려져 있다. 수동적 기질을 가진 사람은 굴복하거나 회피하는 경향이 있는 반면, 공격적인 기질을 가진 사람은 과잉보상을 하기 쉽다.

관련어 | 도식양식

부정적 상호작용 고리
[否定的相互作用 -, negative interaction loop]

정서중심부부치료에서 부부관계를 애착의 관점에서 이해하고, 충족되지 못한 부부의 애착욕구에 대한 불만이 부부관계 속에서 지속적으로 반복되는 것. 정서중심부부치료

애착이론의 관점에서는 부부관계 속에서 자신들의 애착욕구를 채우고자 하는데 이러한 기대와 의도가 좌절되었을 때 부부간에 갈등이 생긴다고 보는 것이 애착의 관점에서 부부관계를 이해하는 것이다. 부부의 애착욕구 좌절에 의한 갈등의 경험에는 지속적으로 반복되는 상호작용의 패턴이 존재하며, 이를 부정적 상호작용의 고리라고 한다. 부부가 관계 속에서 보이는 부정적 상호작용 고리를 명확하게 하기 위해서는 부부의 갈등상황에서 흔히 관찰되는 관계패턴을 탐색해야 한다. 이러한 고리를 관찰하기 위해 질문하기, 과거력 살피기, 치료회기 중 부부의 관계방식 관찰하기 등의 방법을 사용한다. 일반적으로 갈등의 상황에 놓인 부부는 몇 가지 제한되고 경직된 상호작용 패턴을 가지고 있는데, 추적/위축, 위축/위축, 공격/공격, 복합 유형, 반응적 추적/위축 등의 고리가 있다.

관련어 | 재구성, 추적과 반영

추적/위축 [追跡/萎縮, tracking/withering] 배우자 중 한쪽은 분노의 정서적 반응과 함께 어떤 방법으로든 관계적 문제에 직면하고자 하는 반면, 다른 한쪽은 침묵과 무반응으로 일관하는 부정적 상호작용 고리를 말한다. 불화에 직면한 부부에게서 가장 흔하게 발견되는 유형 중 하나다. 추적자의 반응을 보이는 배우자는 분노와 화남의 정서를 빈번하고 폭발적으로 표현하면서 끊임없이 다양한 요구를 한다. 이에 반해 상대 배우자는 정서적 벽을 쌓고 침묵과 무반응으로 일관하는 것이다. 보편적으로 여성은 추적형, 남성은 위축형이 많다.

위축/위축 [萎縮/萎縮, withering/withering] 갈등의 상황에서 부부 모두 무반응과 무관심으로 일관하는 부정적 상호작용 고리를 말한다. 불화 가운데 있는 부부가 자신들의 문제점과 불편한 상황을 인식함에도 불구하고 이를 해결하기 위한 시도나 불만을 표현하려는 노력을 하지 않고 무반응으로 일관하는 상호작용의 패턴이다. 일반적으로 추적/위축 유형의 상호작용 고리를 가지고 있던 부부관계가 시간이 경과하면서 추적형 배우자가 상대방에게 요구하고 표현하던 모든 것을 포기하면서 나타나는 유형이다.

공격/공격 [攻擊/攻擊, aggression/aggression] 부부갈등의 상황에서 배우자 모두 상대방을 향하여 분노와 공격적 태도 및 감정으로 반응하는 부정적 상호작용 고리를 말한다. 보편적으로 추적/위축형의 상호작용 고리를 보이던 부부가 시간이 지남에 따라 위축형 배우자가 분노와 화남의 감정을 드러내며 공격적 태도를 취하면서 나타나는 유형이다. 이 경우 공격적 표현을 하고 난 배우자는 다시 위축

자의 모습으로 돌아간다.

복합 유형 [複合類型, complex type] 부부갈등의 상황에서 위축, 공격, 추적 등의 다양한 관계적 반응이 복합적으로 나타나는 부정적 상호작용 고리를 말한다. 주로 외상을 경험한 부부관계에서 볼 수 있는데, 불안과 회피반응이 많이 나타나고 복잡한 단계를 밟는 관계유형이다.

반응적 추적/위축 [反應的追跡/萎縮, responsive tracking/withering] 부부갈등의 상황에서 추적형 배우자가 이를 철회하였을 때 위축형이던 상대 배우자가 이를 막기 위해 추적의 태도를 보이는 부정적 상호작용 고리를 말한다. 추적/위축의 부정적 상호작용의 고리가 오래 지속되면 적극적이고 분노의 반응을 하던 배우자는 갈등의 상황에서 거리를 두고 관계에 대한 반응을 철회하는 경우가 생기는데, 이에 대해 무관심과 무반응으로 일관하던 상대 배우자가 갑자기 갈등의 관계에 대해 강하게 추적하는 태도를 보이는 경우다.

부정적 자동적 사고
[否定的自動的思考, negative automatic thoughts]

어떤 상황이나 외부자극이 있을 때 스스로 인식하기도 전에 자동적으로 떠오르는 생각이 바람직하지 못한 부정적인 방향으로 왜곡되어 있는 경우. 인지치료

부정적 자동적 사고는 사람들이 자신을 좋아하지 않는다고 생각한다거나, 한두 번의 사건에 근거하여 유사하지도 않은 다른 사상이나 장면에 부적절하게 적용해서 일반적인 결론을 내린다거나, 관련지을 근거가 없는 무관한 상황임에도 불구하고 그 결론을 자기 자신에 대비하여 적용하고, 부정적인 일의 의미는 확대해서 해석하며 긍정적인 일의 의미는 축소해서 해석하고 생각하는 것 등이 해당된다. 이러한 사고가 지속되면 우울하거나 불안한 기분, 자신감 없고 소심한 행동, 불면, 식욕부진, 진땀과 같은 여러 신체적 증상이 유발될 수 있다. 부정적 자동적 사고의 한 형태인 부정적 예측(negative prediction)은 충분하고 적절한 증거가 없는데도 잘못될 것이라고 단정하거나 성급하게 현실적이지 못한 결론에 도달하는 것이다. 이는 벡(Beck)이 제시한 인지왜곡의 한 형태로, 나쁜 일이 이제 막 일어날 것이라고 상상하고 또 실제로 예측을 하며 그러한 예측이 비록 현실적이지 않아도 사실로 간주해 버리는 것을 말한다. 이러한 왜곡은 상황에 대한 비극적 결말이나 최악의 시나리오를 생각한다. 부정적 예측의 또 다른 형태로 독심술과 자의적 추론이 있다.

부정적 전이
[否定的轉移, negative transfer]

과거의 부정적 감정 때문에 왜곡된 방식으로 상담자와 상호작용하는 것. 정신분석학

정신분석적 상담에서 핵심적인 현상이 전이다. 전이는 마치 내담자의 어린 시절에 중요한 대상을 대하는 것처럼 내담자가 상담자에게 반응할 때 발생한다. 부정적 전이는 과거의 사건에 대한 내담자의 부정적인 느낌이나 감정을 내담자가 상담자에게 투사하여 나타내는 것이다. 칭찬, 존경, 애정과 같은 긍정적 전이가 있는 반면, 분노와 증오 등의 부정적 전이가 있다. 아동기에 시작된 문제나 갈등은 상담실에서 다시 나타난다. 정신분석적 상담에서 상담자는 내담자가 아동기에 겪은 감정, 원망, 분노 등을 서슴없이 노출시키도록 허용 혹은 격려한다. 이것의 대부분은 어렸을 때 억압되었던 것이다. 이처럼 은폐되고 억압된 감정과 갈등을 알게 해 주는 것이 전이의 감정이다. 이것은 내담자가 가진 문제의 본질에 대해 중요한 단서를 줄 뿐 아니라 상담자가 즉각적이고 생생한 상황에서 전이를 해석할 기회를

제공하기도 한다. 정신분석적 상담의 회기에서 다양한 개입은 전이의 형성을 촉진하는 역할을 한다. 긍정적인 전이는 종종 상담의 도입단계에서 급격한 향상을 보이는 원인이 된다. 그러나 상담이 진행되면서 내담자의 방어가 도전을 받으면 부정적 전이가 강하게 나타난다. 전이는 여러 형태로 나타나는데, 상담자의 옷이나 사무실의 가구에 대한 언급에서 반영될 수도 있다. 또한 부정적 전이는 혐오, 분노에 대한 직접적인 언급의 형태로도 나타날 수 있다. 때로는 무력하고 의존적인 자세로 나타나기도 한다. 중요한 것은 현재 내담자의 상황이 아니라 아동기에 근원을 두고 있다는 것이다. 기본적으로 부정적인 전이는 저항의 형태로 나타나는데, 해석을 통해 내담자는 전이감정의 근원과 비합리적인 본질을 인식하게 된다. 반복적 해석과 분석으로 내담자는 상담실에서 이러한 반응을 통제할 수 있게 되고, 현실상황에서도 그 같은 통제를 적용하는 방법을 배운다.

관련어 | 긍정적 전이, 전이, 전이분석

부정적 중독
[否定的中毒, negative addiction]

일시적인 즐거움을 추구하기 위해 중독행동을 선택함으로써 만성적 불행을 초래하는 심각한 상태. 현실치료

글래서(W. Glasser)와 우볼딩(R. Wubbolding)은 개인의 정신건강 퇴행단계를 욕구충족을 포기하는 단계, 부정적 증상의 단계, 부정적 중독의 단계로 구분하였다. 부정적 증상단계가 더 심각해지면 부정적 중독단계로 발전한다. 부정적 증상단계에서 개인은 자신과 타인에게 유해한 방식으로 행동하면서 욕구를 충족하고자 한다. 가벼운 거짓말이나 비난에서부터 폭행이나 강간과 같은 심각한 반사회적 행동을 선택한다. 비관적이고 부정적인 생각하기를 선택하며, 그 결과 불안, 분노, 공포 느끼기를 선택할 뿐만 아니라 두통, 소화불량, 성 기능 저하 등의 생리반응을 선택하게 된다. 부정적 중독은 이러한 부정적 증상단계가 더 심각하게 발전하여 일시적인 쾌락과 통제감을 얻기 위해 알코올, 마약, 도박, 쇼핑 등에 의존하는 상태다. 만성적 불행을 초래하는 심각한 상태에 해당한다. 쾌락은 즐거움의 욕구를 일시적으로 충족해 주지만 다른 욕구를 좌절시킴으로써 궁극적으로는 행복을 방해한다. 예를 들어, 섭식장애를 지닌 사람은 음식섭취를 제한하거나 음식을 토하는 행동하기를 선택함으로써 자신의 삶에 대한 통제감을 얻을 수 있지만, 그로 인해 가족이나 다른 사람들과의 관계에서 충족될 수 있는 사랑과 소속감의 욕구를 희생하게 된다.

관련어 | 긍정적 중독

부조화 이론
[不調和理論, incongruity theory]

모순성 이론이라고도 하며, 일반적으로 생각했을 때는 전혀 상관이 없거나 모순되기까지 한 것들이 기대치 않은 어떤 면으로 놀랍게 연결될 때 웃음이 발생한다는 이론. 웃음치료

부조화 이론은 유머이론의 일종으로, 각성이론과 같이 인지적 · 정서적 요소를 가지고 있지만, 유머 발생시점에서 각성이론과는 차이가 있다. 부조화 이론은 특정 상황에 관련된 개념과 그 개념에 관련되었다고 여겨지는 실제 사물 간의 모순 또는 불일치를 인식하는 순간에 유머가 발생하는 것이다. 이 이론의 주안점은 불일치 자체에 있는 것이 아니라 그것을 지각하고 그 의미가 풀리는 순간에 있기 때문에 부조화 해소 이론(incongruity-resolution theory)이라고 부르는 경우가 많다. 유머 때문에 웃음이 유발되는 이유는 유머의 대상이나 순간이 적절하지 않다는 것을 인식하면서 놀람을 수반하기 때문이다. 다시 말해서, 기대하고 있거나 당연히 전개되어야 할 논리의 궤를 벗어나면서 웃음이 유발된다는 말

이다. 부조화 이론을 부조화 해소 이론이라고 부르는 이유도 유머로 인한 웃음이 단순하게 불일치 상황에서 발현되는 것이 아니라 상식적인 면에서는 불일치한 두 가지가 생각지 못한 새로운 규칙에서 묘하게 서로 연관이 되면서 놀라움을 야기하여 카타르시스를 일으키기 때문이다. 칸트(Kant)는 『The Critique of Judgment』에서 긴장된 상황이 갑자기 아무것도 아닌 것이 되는 경우에 웃음이 발현될 때는 놀라움이 필요하다고 했고, 해즐릿(Hazlitt)은 『Lectures on the Comic Writers』에서 전혀 무관한 생각이나 기대에 반하는 감정이 유발되는 불일치에서 웃음이 발현된다고 했다. 쇼펜하우어(Schopenhauer)도 웃음이 청자나 관객이 기대한 개념과 그 기대를 뒤집는 현상 간의 불일치를 인식하게 되는 순간 웃음이 발현된다는 데 동의하였다. 불일치 이론은 우연한, 혹은 자연스럽게 일어나는 다양한 유머의 순간을 설명하는 영향력 있는 이론으로, 20세기 여러 예술가들이 기존의 기대를 깨트리는 재창조의 동력원으로 많이 사용하였다. 술스(Suls)는 부조화 이론에서 유머반응 발생시점을 두고, 불일치 상황에서만 주어지는 유머와 불일치 상황이 해소되면서 얻을 수 있는 유머의 두 가지 상황을 제시하였다. 불일치 상황의 해소에서 발현되는 유머는 익실 속에서 정보와 급소의 만남으로 불일치 상황이 해소되어 유머러스한 상황이 발생하는 것을 말한다. 유머는 동일한 장소나 동일한 내용이라 해도 청자나 환경, 문화적 차이에 따라 효과가 전혀 다를 수 있다. 어떤 시각에서는 불일치 상황이 유머내용의 이해에 장애를 일으켜 짜증이나 혼란을 야기할 수도 있다고 본다. 불일치 상황이 유머러스한 반응을 일으키기 위해서는 신속한 해소, 정보 내용의 경미함, 적절한 심리적 분위기 등의 요소가 있어야 한다. 부조화 이론의 성립순서는 다음과 같다. 첫째, 이야기나 사건에 전개를 가늠할 수 있는 일반적인 기대치가 포함되어 청자나 관객이 당연한 결말을 예측할 수 있어야 한다. 둘째, 청자나 관객의 기대 혹은 예측을 벗어나는 결과가 나타나면서 그들은 놀라움을 경험한다. 셋째, 청자나 관객은 그러한 결과 도출의 상황을 다시 처음부터 추론해 본다. 넷째, 뜻밖의 새로운 논리관계의 자각이 일어나고 웃음이 유발되면서 카타르시스를 경험한다. 결국 부조화 이론은 기존의 기대를 배반하고 예측이 불가능했던 새로운 방식으로 청자나 관객의 기대를 충족시켜 주는 이론이다.

부지의 자세
[不知-姿勢, not-knowing position]

치료자의 전문가적 견해나 평가 혹은 치료자 본인의 가치관, 생각 등이 내담자의 이야기를 이해하는 데 영향을 미치지 않도록 노력하는 태도. 이야기치료

이야기치료사가 상담과정에서 내담자의 삶의 이야기를 듣고 이해할 때 취해야 하는 태도다. 이야기치료의 패러다임 안에서는 자신의 삶에 대해 가장 잘 알고 있는 사람은 바로 자기 자신이라고 생각한다. 이렇게 자신의 삶에 대해 전문가인 내담자의 이야기를 보다 효과적으로 이해하기 위해서는 치료자가 자신이 가지고 있는 전문지식이나 전문가로서의 생각의 구조화된 틀 안에서 내담자의 이야기를 이해하고 분석하려는 것이 아니라, 내담자의 삶의 이야기에 대한 어떤 편견이나 사전지식을 모두 버린 상태에서 내담자가 이해하는 방식 그대로 그 이야기를 이해하려고 노력해야 한다. 이러한 태도를 이야기치료에서는 부지의 자세라고 부르는 것이다. 치료자가 상담과정을 통해 내담자와 내담자 삶의 이야기에 대해서 부지의 자세를 취하는 것은 자기 삶의 전문가인 내담자가 이해하는 방식에 가장 가깝게 이르도록 해 준다. 또한 이러한 이해는 내담자가 가지고 있는 담화나 그것이 그 삶에 미치는 영향력을 보다 정확하게 파악하여 새로운 가능성을 찾는 데 도움을 줄 수 있다. 이렇게 부지의 자세로 내담자의 이야기를 들을 때, 가장 필요한 것은 '호기심

(curiosity)'이다. 보다 더 많이, 그리고 보다 더 내담자가 이해하는 방식에 가깝게 내담자의 이야기를 듣고자 하는 호기심이 있을 때, 치료자는 보다 효과적으로 내담자를 도와주는 많은 정보를 얻을 수 있다. 이런 의미에서 이야기치료사들을 '인생의 동반자(companions on the journey)'라고 부르기도 한다.

관련어 | 이야기, 재구조화

부차적 자아
[副次的自我, subsidiary ego]

중심자아를 제외한 리비도적 자아와 반리비도적 자아부분. 대상관계이론

페어베언(W. Fairbairn) 이론에서 자아는 세 부분, 즉 중심자아, 리비도적 자아, 그리고 반리비도적 자아로 분리되어 있다. 이때 세 부분의 자아 중 리비도적 자아와 반리비도적 자아를 통칭하여 부차적 자아라고 일컫는다. 리비도적 자아는 사랑을 가지고 있는 대상으로부터 사랑을 추구하고 획득하는 역할을 한다. 반면에 반리비도적 자아는 거절하는 대상의 공격을 방어하거나 그 대상을 파괴하려고 한다. 자아의 분리는 너무 많은 공격성을 지닌 자아, 즉 반리비도적 자아와 너무 많은 리비도를 지닌 자아, 즉 리비도적 자아가 서로 나누어지는 것이다. 이렇게 분리된 자아는 정상적인 발달적 욕구를 거부당해 왔기 때문에 사랑에 대한 집착으로 과포화되어 있거나 혹은 정반대로 증오로 과포화되어 있다.

관련어 | 리비도적 자아, 반리비도적 자아

부프레놀핀
[-, buprenorphine]

메타돈과 같이 아편중독에 의한 금단증상을 완화해 주는 효과가 있는 길항성 진통제. 중독상담

부프레놀핀은 1966년 영국에서 합성된 아편양제제의 하나다. 이 약물 또한 메타돈과 같이 진통효과가 오랫동안 지속되지만, 장기간 남용하면 식욕상실, 메스꺼움, 두통, 성욕저하, 피부발진, 충치 등의 부작용이 나타나기도 한다. 부프레놀핀은 지속적으로 복용해서 생기는 이차적인 중독의 효과가 메타돈보다는 약하기 때문에, 약물치료를 종결할 때 약복용을 중단하기가 더 쉬워서 마취의 보조제로 이용되기도 한다.

관련어 | 메타돈, 아편, 아편양제제

부호화
[符號化, encoding]

자극이 들어오면 자극을 뇌에서 정보처리할 수 있는 기호 형태로 바꾸어 주는 것. 인지치료

정보는 부호화를 거침으로써 되뇜을 하여 더 오래 기억할 수 있다. 인간의 작업기억에서 정보는 시공간적 형태로, 또는 음운적인 형태로 저장되는데 장기기억의 정보는 주로 의미부호로 저장된다. 장기적으로 저장하기 위해 저장되어 있는 정보를 기계적으로 되풀이하여 유지하는 과정은 부호화에 별로 도움이 되지 않으며, 그보다 정보를 다른 정보와 관련짓거나, 조직화하는 등 적극적인 부호화가 효과적이다. 이와 같은 효과적인 부호화의 방법은 다음과 같다. 첫째, 일반적으로 의미 처리된 정보는 형태나 음운으로 처리된 정보보다 더 잘 부호화된다. 단어목록을 주면 어떤 단어는 대문자로 쓰였는지, 또 다른 단어는 문장에 적합한지 등의 여부를 판단한다. 둘째, 심상은 자극속성에 대한 정신적 표상인데, 시각 · 청각 · 촉각 등 여러 감각과 관련된 심상이 가능하다. 셋째, 청킹은 무관한 항목들을 조직화하여 더 큰 항목으로 묶어 줌으로써 기억에 도움이 된다. 넷째, 기억내용을 자신과 관련지음으로써 자신을 가상적 상황에 개입시켜 자신의 다른 속성과 기억내용을 연합함으로써 많은 인출단서를 만들

어 낸다. 다섯째, 정서적으로 중립적인 정보보다 긍정적인 정서 혹은 부정적 정서를 수반하는 정보를 더 잘 기억한다.

북 아트
[-, book art]

지식을 전달하는 책과 예술과의 만남. 문학치료(독서치료)

북 아트는 예술의 한 장르로, 광의로 볼 때 책과 미술의 결합이라고 할 수 있다. 또한 협의로 볼 때는 책 내용을 화가들이 삽화나 그림으로 옮긴 것, 혹은 장식그림과 관계된 말이라고 할 수 있다. 중세 성서 필사본에 삽입된 삽화를 기원으로 볼 수 있다. 외국에서는 북 아트를 독립된 예술의 한 장르로 보면서 일반적인 책의 개념과는 완전히 별개인 예술 작품으로 생각하지만, 우리나라에서는 기존의 책을 재구성하는 개념이나 다이어리 또는 노트를 직접 만드는 일로 알고 있는 경우가 많다. 아트 북, 아티스트 북이라고도 하는데, 프랑스어로는 '미술가의 책(livre d'artiste)'이라고 한다. 북 아트의 기법에는 지그재그로 접어서 펼치는 아코디언 북(우리말로 병풍책이라고 불리는 기법), 책을 펼쳤을 때 페이지가 깃발처럼 한쪽 방향으로 누워 펼쳐지는 플래그 북, 문이 열리는 방향으로 그림들이 열리는 플랜 북, 낱장의 종이를 한곳에 모아 고정시켜 펼치는 팬 북, 긴 종이를 말아서 한쪽 면만 사용이 가능한 두루마리 북, 그림들이 입체적으로 튀어 오르는 팝업 북 등이 있다. 이러한 기법들로 북 아트는 창의적 독서와 연관되어 어린이 독서치료 및 독서지도에 많이 이용되고 있다. 간혹 북 바인딩(bookbinding, 제본)이라는 용어와 혼동이 되기도 하는데, 북 아트와 북 바인딩은 개념이 다르다. 북 바인딩은 책의 형태를 만들어 내는 기술적인 부분에 치중한 개념으로, 북 아트는 북 바인딩을 하는 과정이 들어 있으면서 예술적인 가치를 이야기할 수 있을 만큼 공을 들인 작품의 수준에 이르러야 한다. 자신만의 독창적인 방법과 해석으로 자신이 전하고 싶은 내용을 예술적인 기법으로 정제하고 표현해 내는 복합적인 활동이 북 아트의 가치이며, 이런 가치 때문에 독서치료에 자주 활용될 수 있다. 북 아트는 판화기술이 괄목할 정도로 발전한 19세기 중반부터 성행하기 시작했는데, 삽화가 그려진 윌리엄 블레이크의 시집, 낭만주의 화가 들라크루아가 괴테의 『파우스트』를 삽화로 번안한 작업, 에드거 앨런 포의 『갈가마귀』에 실린 모네의 그림, 『살로메』에 비어즐리가 그린 그림, 에드먼드 뒬라크가 그린 『아라비안나이트』에 삽입된 그림 등을 예로 들 수 있다. 20세기 초에 이르면서 화가들의 북 아트에 대한 관심은 더욱 높아졌는데, 에콜 드 파리에 속한 화가들이 대부분이었고, 이들은 상징주의, 초현실주의와 같은 문학운동과 결부된 북 아트를 전개하였다. 마티스는 말라르메의 시를 에칭화로 그리고, 로댕은 보들레르의 『악의 꽃』에, 피카소는 엘뤼아르의 시에 그림을 그렸다. 현대에 들어오면서 북 아트는 그 개념이 더욱 확장되어 '미술가의 책'이라는 개념과 형식에서 벗어나 책의 형태를 취한 시각미술작품을 총칭하는 용어로 쓰이게 되었다. 1972년 필라델피아의 무어 미술대학교에서 '미술가들의 책(Artists' Books)'이라는 제목의 전시회가 열렸고, 같은 뉴욕 근대미술관 사서였던 클라이브 필포트(Clive Philpott)는 『Studio International』의 칼럼에서 '북 아트'라는 말을 처음 사용하였다. 북 아트의 형식은 글자 없이 형상만으로 구성될 수도 있고 반대로 문자만으로 이루어지기도 한다. 순간적인 퍼포먼스나 설치미술을 기록하는 기록형식을 취하기도 한다. 비용이 적게 들고 쉽게 구할 수 있는 매체로 아이디어를 표현하려고 했던 플럭서스 작가들과 개념미술 작가들이 북 아트를 선호한다. 현대적인 북 아트 작품으로는 팝 아트의 영향을 받은 에드워드 러샤(Edward Ruscha)가 제작한 사진첩, 디터 로스(Dieter Roth)가 거리에서 주운 쓰레기 조각을 모아 만든 책 등이 있다. 손쉽게 제작이 가능하고, 아이들이 책을 장난감처럼 활용할 수 있으며, 창의적인 방식으로 독서를 할 수 있다는 이점 때문에 아동 독서치료에서 많이 활용하는 북 아트는 현재 국가적인 공인자격은 없고, 여러 민간단체에서 북 아트 과정을 거치면 일정 자격을 부여하고 있다. 북 아트 과정에서 북 아트의 이론 및 활용, 기법 등을 수료하면 아동의 독서지도나 독서활동 등의 분야에 적용할 수 있다. 북 아트에 대한 관심이 높아지면서 현재는 세계적인 단위로 북 아트 페어가 열리고 있으며, 2004년에는 서울에서 2007년에는 성남에서 개최되기도 하였다.

북스타트 운동

[-運動, bookstart]

모든 부모와 양육자가 아주 어린 나이에서부터 아이들과 책으로 함께 놀 수 있도록 하는 전 국가적 프로그램.

문학치료(독서치료)

북스타트 운동은 영유아기 독서경험이 성장하면서 문제해결 능력과 대인관계 능력, 지능계발, 정서적 안정감 등에 큰 영향을 미친다는 사실을 검증한 운동이다. 어떤 형태로든 책이나 이야기를 가까이 하고 이야기를 들려주는 부모 밑에서 자란 아이들이 초등학교 학업성취도가 높은 것으로 나타나 북스타트 운동의 긍정적인 효과를 증명하였다. 북스타트 운동은 아기 때부터 책을 가까이 하여 책 읽는 습관의 출발점을 만들려는 의도로 시작되었다. 책으로 된 장난감을 가지고 노는 것으로 영유아 단계에서부터 형성된 책에 대한 애착은 평생 지속된다는 것이 이 운동의 기본 생각이다. 북스타트 운동은 '아기에게 책을'이라는 모토로 1992년 영국 버밍햄에서 300명의 아기들을 참여시켜 시작한 시범사업이다. 영국의 전직 교사이자 도서관 사서였던 웬디 쿨링(Wendy Cooling)이 생후 첫 건강진단을 받으러 보건소에 오는 아이들에게 그림책이 든 가방을 무상으로 선물하자는 단순한 제안을 하면서 이 운동은 시작되었다. 영국에서는 2002년 현재 65만 명의 신생아가 참여할 만큼 대중적인 운동으로 자리잡아, 대부분의 아기들이 북스타트 프로그램 혜택을 입은 '북스타트 세대'로 자라고 있다. 북스타트 운동은 북트러스트(Booktrust)와 버밍햄도서관 서비스 및 건강 기구에서 주창했고, Unwin Charitable Trust에서 기금을 받아 시작되었다. 북트러스트는 독립적인 전 국가 단위의 자선단체로, 전 연령과 전 문화가 책을 손에 쥐는 것을 목표로 삼는 단체다. 성공적인 여러 국가적 독서운동을 맡고 있으며, 도서에 관한 상을 지원하고 독자들이 책에서 깨달음을 얻고 책을 즐기려는 목표를 둔 창의적인 독서 프로젝트를 후원한다. 영국의 북스타트 취지는 아기와 부모, 지역사회와 가정이 서로 책을 나누는 즐거움에 있다. 아기가 책에서 최상의 것을 얻을 수 있도록 사회가 배려하는 것이 그들의 바람이다. 영국에서는 보건소를 찾지 않는 가정마다 사회복지사와 자원봉사자들이 직접 방문을 해서 북스타트 가방과 지역소식을 전달하기도 한다. 최근에는 대상 연령을 생후 30개월까지 확대한 '북스타트 플러스(bookstart plus)' 프로그램도 도입하였다. 북트러스트가 지역별 진행과정을 도와주고 있으며 전국적인 망을 가지고 큰 기업체의 후원을 받고 있다. 이 운동은 전 세계적으로 확산되어, 우리나라뿐만 아니라 일본, 태국, 호주, 대만, 포클랜드 아일랜드, 독일 등에서도 시행하고 있다. 일본에서는 외견상 육아지원으로 보이는 북스타트 운동이 종국에는 사람다운 사람, 살기 좋은 마을을 만드는 데 기여할 것이라는 믿음을 갖고 확산되는 추세다. 일본사회에 충격을 주었던 여러 어린이 및 청소년 관련 범죄의 근본적인 해결점을 찾기 위해, 파편화되어 가는 인간관계의 총체적인 회복을 도모하는 하나의 방편으로 북스타트에 대한 관심과 기대가 높아지고 있다. 일본에서는 2000년 어린이 독서의 해를 계기로 시작되어 2007년 6월 30일 현재, 1,827개 지자체 가운데 605개의 지자체에서 시행할 만큼 큰 성과를 거두었다. 장기적인 경제불황 속에서 세수 감소로 어려움을 겪고 있는 일본 지자체들이 앞다퉈 북스타트를 도입하는 것은 사회적 육아지원에 대한 지역주민의 관심이 그만큼 높기 때문이다. 나아가 심각한 사회문제로 노출된 아동학대, 학교 내 이지메 문제, 어린이 살인사건 등 청소년 문제를 예방하는 효과도 있다. 북스타트에는 자신의 아이뿐만 아니라 모든 아이가 행복하게 자라야 내 아이도 더 행복해질 수 있다는 믿음이 깔려 있다. 일본의 북스타트는 특정 비영리 활동법인(NPO)이 지자체 단위의 자율적인 사업을 지원하는 형태이며, 예산은 각 지자체에서 전액 부담한다. 태국은 2004년과 2005년에 4~9개월 된 아기 1,200명에게 책 꾸러미를 배포하는 것으로 북스타트를 시작하였다. 이 운동의 성공으로 태국 정부에서는 2005년 7월 28일부터 전국의 모든 아기에게 책 꾸러미를 선물하고 있다. 태국은 매년 약 80만 명의 아기가 태어나는데 모든 아기를 대상으로 엄청난 성과를 거두고 있다. 배포하는 책 꾸러미에는 부모를 위한 핸드북, 아기 책, 플라스틱 책, 자장가 CD, 장난감, 수건 등이 들어 있다. 태국의 북스타트 프로그램은 새로 설립된 전국두뇌기반학습기구(National Institution for Brain-Based Learning)에서 운영하고 있다. 대만은 2006년 도서전을 계기로 북스타트가 시작되었고, 이때 한국에서도 자료를 보내주었다. 민간기구인 신이 기금(Hsin-Yi Foundation)이 운영하고 있다. 호주는 서부지역(Greater Bunbury)에서 아기들에게 책을 선물하는 프로그램으로 시작하였다. 현재는 공공도서관에서 사서, 소아과 간호사, 언어치료사들이 7~9개월 된 아기들에게 책을 선물하고 있다. 앞으로는 6개월 차 건강검진 때 소아과 간호사가 책 꾸러미를 배포할 계획이다. 2005년부터는 호주 서부에서도 '더 좋은 시작(Better Beginnings)'을 대대적으로 도입할 계획이다. 이 프로그램이 북스타트와 매우 유사하다. 각 지방 정부는 도서관에서 사용할 책과 가방과 물품에 대한 기금을 매년 지원하고 있다. 포클랜드 아일랜드의 북스타트는 소규모 프로젝트인데, 8개월 차 건강검진 시 아기들에게 북스타트 책 꾸러미를 전달하고 2년 차 건강검진 때 북스타트 플러스 책 꾸러미를 주고 있다. 지역의 한 민간기업이 책 꾸러미를 위한 기금을 후원하며, 정부는 포클랜드 섬으로 배송하기 위한 운송비를 지원한다. 놀이방이나 기타 장소에서 아기들이 책을 접할 수 있는 프로그램도 운영하고 있다. 독일의 함부르크 시에서는 2007년부터 도시 전체 아기들에게 책 꾸러미를 선물하고 있다. 시와 복지기관, 민간기업 등이 기금을 마련하고 소아과에서 책 꾸러미를 전달한다. 10~12개월 차 건강검진 때 꾸러미를 전달하는데, 92~95%에 해당하는 1만 5천 명의 아기들이 무상으로 책 꾸러미를 선물받고 있다. 독일 전역으로 북스타트에 대한 관심이 확산되어 현재는 많은 도시가 북스타트 운동의 도입을 계획하고 있다. 우리나라에서는 비영리 민간단체인 '책 읽는 사회 만들기 국민운동'과 '책 읽는 사회문화재단'이 주최하여 2003년 4월 1일부터 12월 29일까지 북스타트 프로그램을 도입하기 위한 첫 시범사업이 서울 중랑구에서 시행되었다. 시행 주체로 순수 민간기구인 '북스타트 한국위원회(현재의 북스타트 코리아)'가 만들어졌고, 사업의 출발을 돕기 위한 지원책으로 역시 민간이 주축이 된 '지원센터'가 조직되었다. 시범사업 기간에 1세 미만 영아 930명이 DTP 3차 접종을 위해 보건소를 방문했을 때 무상으로 책을 선물받았다. 연구 프로젝트 참여를 희망하는 부모와 영아 150명을 대상으로 북스타트 효과를 진단해 보는 연구도 진행되었다. 이 운동의 재정적 지원은 한국 북트러스트가 맡고 있는데, 이는 민간 사업체와 개인 독지가들로 구성되어 있고 영리추구를 철저히 배제하고 있다. 이들은 한국에 태어나는 모든 아기에게 장난감 책과 그림책을 무상으로 제공하여 아이들이 성장기에 누릴 수 있는 혜택의 사회적 평등을 높이고자 하며, 부모의 소득격차에서 발생하는 궁핍과 박탈의 경험이 아이들에게 미치는 영향을 줄이고, 기회의 편차와 불평등을 최소화하는 사회적 장치를 만들어 나가고자 한다. 혜택의 사회적 평등 고양이 한국 북스타트 운동의 독특한 의미다. 북스타트 한국위원회는 현재 북스타트 코리아로 개명되었고, 자문위원회와 상임위원회를 산하에 두고 있다. 웬디 쿨링은 북스타트 운동으로 관계 능력, 의사소통과 언어능력, 정서발달, 집중력, 읽기와 학교준비, 자신감 향상과 같은 영역이 향상된다고 하였다. 그 외에 책을 읽어 주는 부모들도 영향을 받아 어른들의 변화도 촉진되는 것으로 드러났다.

관련어 | 북스타트 코리아

북스타트 코리아
[-, Bookstart Korea]

북스타트 한국위원회가 개명한 것으로, '책과 함께 인생을 시작하자.'라는 취지로 지방자치단체와 함께 지역사회 문화 운동 프로그램을 펼치는 기관. 문학치료

북스타트 코리아는 영국에서 시작된 북스타트 운동을 받아들여 아기들의 정기 예방접종 시기에 해당 지역도서관, 보건소, 평생학습정보관, 동사무소 등에서 그림책이 든 가방을 선물하는 한국의 북스타트 운동을 주관하는 비영리 민간단체다. 그림책을 매개로 아기와 부모가 풍요로운 관계를 형성하고 대화를 통해서만 길러지는 소중한 인간적 능력들을 심화시킬 수 있도록 도움을 주는 것이 북스타트 코리아가 하고자 하는 역할이다. 이들이 내세우는 북스타트의 의미는 다음 여섯 가지다. 첫째, 북스타트는 사회적 육아지원운동이다. 둘째, 북스타트는 아기와 부모의 친교를 돕는 소통수단이다. 셋째, 북스타트는 아기들이 책과 친해지도록 하는 운동이다. 넷째, 북스타트는 아기 양육의 좋은 방법이다. 다섯째, 북스타트는 지역사회 문화복지를 키운다. 여섯째, 북스타트는 평생교육의 출발점이다. 여기서 선물하는 꾸러미는 북스타트 꾸러미, 북스타트 플러스 꾸러미, 북스타트 보물상자 꾸러미, 책날개 꾸러미(초 · 중 · 고) 등이 있다. 북스타트 코리아에서는 관련 분야 전문가를 중심으로 '도서선정위원회'를 조직하여 월령에 맞는 북스타트 도서를 선정한다. 북스타트를 도입한 지역에서는 선정된 도서 중 2권을 선택하며, 꾸러미 안에는 정치적 · 상업적 광고는 어떠한 형태로든 들어갈 수 없다. 북스타트 꾸러미는 3~18개월 아기를 대상으로 하고, 내용물은 북스타트 가방, 북스타트 프로그램 안내책자, 그림책 2권, 부모를 위한 책 읽어 주기 가이드북, 손수건, 지역 시행기관 안내문으로 구성되어 있다. 북스타트 플러스 꾸러미는 19~36개월 아기를 대상으로 하고, 내용물은 북스타트 플러스 가방, 북스타트 프로그램 안내책자, 그림책 2권, 부모를 위한 책 읽어 주기 가이드북, A4 크기의 스케치북과 12색 크레파스, 지역 시행기관 안내문으로 구성되어 있다. 북스타트 보물상자 꾸러미는 36개월에서 취학 전 아동을 대상으로 하고, 내용물은 종이가방으로 만들어진 북스타트 보물상자, 북스타트 프로그램 안내 책자, 그림책 2권, 부모를 위한 책 읽어 주기 가이드북, A4 크기의 판 퍼즐, 지역 시행기관 안내문으로 구성되어 있다. 책날개 꾸러미는 초 · 중 · 고 학생을 대상으로 하고, 내용물은 책날개 가방, 기념 선물과 그림책 2권과 책날개 프로그램 안내 책자(초등), 독서 수첩과 청소년 도서 2권(중 · 고등), 지역 시행기관 안내문으로 구성되어 있다. 북스타트 코리아는 비영리 민간단체인 '책 읽는 사회 만들기 국민운동'과 '책 읽는 사회문화재단'이 주최한 2003년 4월 1일부터 12월 29일까지 한국 북스타트 프로그램 도입을 위한 첫 시범사업의 시행 주체인 순수 민간기구 '북스타트 한국위원회'에서 시작되었다. 현재까지 전국적으로 북스타트 운동을 확대해 가면서 국제회의 개최, 홈페이지 개설, 각 국제 도서전 참여, 다양한 세미나 개최 등 활발한 활동을 벌이고 있다.

분광기법

[分光技法, spectrogram technique]

사이코드라마의 준비단계에서 사용하는 기법으로, 표시선에 개인적 가치, 강도 등을 표시하도록 하는 것. 사이코드라마

토론의 주제가 되는 문제나 특성에 대한 집단의 평가를 보여 주는 기법으로서, 문제를 객관화하고 명료화할 수 있다. 실시방법은 다음과 같다. 무대나 방에서 보이지 않는 선을 긋고 그 선의 한곳에 서 있게 한다. 예를 들어, '인생은 살 만한 가치가 있다/없다'를 선으로 구분한 다음, 가운데 선을 따라 한쪽 끝에서 다른 쪽 끝까지 걷다가 자신에게 적합한 지점을 찾아 느낌을 이야기한다. 또한 자신의 최근 기분상태에 따라 위치를 찾아가도록 하는 방법도 있다. 가장 많이 우울하고 절망스러운 상태부터 가장 행복하고 만족스러운 상태까지 지점을 정하여 참여자들에게 자신에게 맞는 지점을 찾아가도록 한 뒤, 각자 최근 자신의 기분상태를 몸동작으로 표현해 보도록 하는 것이다. 이때, 먼저 가장 행복한 단계의 사람들에게 몸동작을 표현하도록 하고, 마지막으로 가장 우울한 사람들에게 몸동작을 하도록 한다. 연출자는 몸동작을 하는 사람들과 간단하게 인터뷰를 하여 그들의 심리상태를 구체적으로 노출시키고, 그러한 상태에서 마음에서 우러나오는 행동을 해 보도록 한다. 우울에서 벗어나고 싶은 사람에게는 행복한 사람들의 도움을 받아 그곳으로 이동시키거나, 우울상태에 있는 사람들과의 대화를 통하여 그들 중 한 사람에게 주인공이 되어 볼 것을 권해 본다.

분노관리집단

[忿怒管理集團, anger management group]

해결중심으로 접근하는 집단상담의 한 형태로, 내담자가 자신의 분노감정을 통제할 수 있도록 도와주는 기법. 해결중심상담

해결중심상담에서는 내담자가 어떤 것으로부터 회피하고자 하는 태도 때문에 자신을 통제하는 것으로 분노감정을 조절하려고 하는 의지를 상실해 버리는 것이라고 가정한다. 또한 이러한 태도 때문에 내담자의 삶에 문제가 생기고, 다른 사람들과의 관계가 무너진다고 설명하였다. 해결중심 분노관리집단에서는 내담자의 삶에서 여러 가지 문제를 일으키는 분노의 감정을 내담자와 분리시키는 외현화 작업을 통하여, 자신의 분노감정을 보다 객관화하여 생각해 봄으로써 이를 통제할 수 있는 방법을 찾는 데 도움을 주려는 목적이 있다. 분노집단 훈련의 한 예로, 치료자는 칠판에 2개의 칸을 그리고 각 칸에 '분노를 표출하는 상황' '분노가 일어나지 않는 상황'이라고 명명한다. 그 후 치료자는 집단구성원에게 분노경험을 이야기해 보도록 하고, 그 상황에 대해 자신의 의견을 간단히 말하도록 한다. 그리고 계속해서 다음과 같은 질문을 한다. "어떤 상황에서 당신의 생활을 괴롭히고 방해하는 분노를 통제할 수 있는가?" "당신이 마지막으로 분노를 성공적으로 통제할 수 있었던 때는 언제인가?" "당신은 어떻게 이것을 성취할 수 있었는가?" "당신이 집단에서 발표했던 분노관리 방법 중 실천한 것은 무엇인가?" 이 같은 질문은 내담자의 분노감정에 대해 객관적으로 생각하고 평가할 수 있도록 해 준다. 내담자는 이 질문들에 대답하고 집단구성원들과 다양한 활동을 하면서 자신의 분노를 통제할 수 있는 해결방법을 탐색해 볼 수 있다. 또한 내담자에게 척도질문을 사용하여 자신의 분노를 통제하는 정도에 대해서 평정을 하도록 하여 분노관리집단의 치료효과와 단서에 대해서 생각해 볼 것을 유도한다.

관련어 | 가족역동집단, 과정집단, 오전-오후과정집단

분노발작
[憤怒發作, temper tantrum]

자연적 또는 사소한 자극으로 유발되는 분노 혹은 짜증. 정신병리

정동장애(affect disorder)에 속하는 것으로, 유아나 아동에게서 흔히 나타난다. 주로 욕구가 충족되지 않고 좌절될 때 분노를 폭발적으로 강하게 표출하는데, 울거나, 소리 지르거나, 발을 구르거나, 발길질을 하며 뒹굴거나, 펄쩍펄쩍 뛰거나, 숨을 몰아쉬면서 호흡이 가빠지거나, 몸이 뻣뻣해지는 등의 증상행동으로 나타난다. 아동의 분노발작은 부모가 아동을 일관성 없이 지도할 때, 아동으로 하여금 화를 전혀 표출하지 못하도록 억제할 때, 아동의 행동을 일일이 과도하게 지적하고 비판할 때, 아동에게 생긴 모든 문제에 관해 필요 이상으로 과민하게 걱정할 때 나타날 수 있다. 이러한 부모의 양육태도와 상관없이 아동이 극히 피로하거나 배고플 때, 아플 때에도 나타날 수 있다. 또는 발달장애나 뇌의 이상 때문에 나타나기도 한다.

관련어 | 정동장애

분뇨기호증
[糞尿嗜好症, coprophilia]

변태성욕의 하나로서, 배설물과 관련하여 성적 흥분을 느끼는 상태. 이상심리

비정상적인 대상과 성행위를 하거나 비정상적인 방식으로 성행위를 하는 방법 중 하나로서, 상대방의 성기에 대변을 문질러 바름으로써 흥분하는 것 등을 말한다. 이러한 행위는 질병의 감염위험이 매우 높기 때문에 되도록 자제하는 것이 좋다.

관련어 | 변태성욕

분리개별화
[分離個別化, separation-individuation]

유아가 어머니와의 공생관계를 벗어나 독립적인 개체성을 확립하는 것. 대상관계이론

말러(M. Mahler)의 대상관계이론에서 성숙의 세 발달단계 중 세 번째 단계를 뜻한다. 가장 마지막 단계이면서 가장 복잡한 단계인 분리개별화 단계는 일련의 하위단계로 구성되는데, 그 각각은 개체가 독립성을 향해 나아가는 고유한 형태를 보여 준다. 발생 순서상으로 보면 분화, 연습, 재접근, 리비도적 대상 항상성 하위단계다. 분리개별화 단계는 생후 5개월 또는 6개월 무렵에 시작하여 3세 또는 4세까지 진행된다. 이 4개의 하위단계는 본질적으로 유아가 성취하고 있는 분리의 정도를 보여 준다. 인간의 자기감과 관계성의 본질은 이 단계 중에 일어나는 사건에 따라 주로 결정된다. 분리개별화 단계 중에서 첫 번째 하위단계에 해당되는 분화 하위단계(differentiation subphase)는 생후 5개월 혹은 6개월경에 시작되어 대략 10개월까지 지속된다. 분화 하위단계를 부화 하위단계(hatching subphase)로 표현하기도 한다. 이 시기에는 유아가 외부세계에 대한 탐색을 시작하고 관심을 확대시킨다. 어머니에 대한 신체적 의존은 유아가 어머니로부터 떨어짐으로써 감소하기 시작하고, 어머니의 얼굴이나 몸을 관찰하고 만짐으로써 어머니라는 타자와 자기 자신을 구별하기 시작한다. 이 시기에 어머니와 유아 간의 핵심 역동은 지각분화에 중심적인 역할을 한다. 시각과 같은 말초신경 체계가 더 정교화되고 복잡해지면서 유아는 어머니와의 분리를 경험한다. 예를 들면, 유아는 처음으로 낯가림을 경험한다. 아이가 세상을 탐색하기 시작하고 자신의 입술과 손가락 끝 너머로 탐색이 확장되면서 자기와 대상이 점차 구분되어 간다. 분리개별화 단계 중에서 두 번째 하위단계에 해당되는 연습 하위단계(practicing subphase)는 생후 10개월에서 11개월쯤 시작되어

15개월에서 16개월까지 지속된다. 이 시기 유아의 대상관계경험은 아이가 신체적으로 네 발로 움직이는 것과 관련된다. 유아는 기어오르고 네 발로 기면서 어머니에게서 자신을 신체적으로 분리할 수 있게 된다. 말러는 어머니와 신체적으로 거리를 둘 수 있는 유아의 능력이 심리적 탄생의 진정한 시작을 의미한다고 보았다. 그러나 이러한 신체적 경험이 곧 유아가 정서적으로 완전히 기능할 수 있다는 의미는 아니다. 유아는 정서적 재충전을 위해 여전히 어머니를 찾고 일정한 간격으로 재차 확인한다. 이러한 현상은 이 시기 유아의 놀이활동을 관찰해 보면 확인할 수 있다. 유아는 다른 아이들과 활발하게 놀다가도 규칙적으로 어머니의 존재를 눈으로 확인하기 위해 놀이를 멈추고 어머니가 있는 곳을 바라본다. 분리개별화 단계 중에서 세 번째 하위단계에 해당되는 재접근 하위단계(rapproachment subphase)는 생후 15개월과 18개월 사이에 시작되어 30개월 내지 그 즈음까지 지속된다. 유아는 새롭게 나타나는 독립성을 강하게 과시하면서 자기주장성과 분리감을 전면에 드러낸다. 그러나 어머니와 자신을 분리해서 한 개인으로서 자기를 확립하는 데 큰 진전을 보이지만, 한편으로는 여전히 도움과 재확인을 받으려는 강한 욕구가 남아 있다. 유아는 이를 부인하려고 하지만 이러한 과정이 재접근의 위기를 초래한다. 어머니를 필요로 하면서도 분리개별화되고 싶은 욕구 간의 지속되는 갈등으로 인해 어머니와 유아 사이에 위기감이 계속된다. 유아는 확장된 신체적 · 언어적 능력에서 기인한 팽창감과 전능감 속에서 이 하위단계에 진입한다. 그러나 이것은 매달림과 결핍감의 다른 표현으로 교체된다. 재접근 하위단계에서, 아이에게 여전히 건강한 수준에서 독립된 활동을 허용하면서 동시에 균형감 있는 정서적 지지와 안정성을 제공하는 어머니의 능력은 위기를 해결하는 데 중요한 요인이 된다. 분리개별화 단계의 마지막 하위단계인 리비도적 대상 항상성 하위단계(libidinal object constancy subphase)는 자기의 창조와 궁극적인 본질에 중요한 역할을 하기 때문에 가장 결정적인 단계일 수 있으며, 생후 2세나 2세 반에 시작되어 대략 3세가 될 때까지 지속된다. 이 시기의 주요한 과업은 어머니에 대한 안정적인 내적 표상을 발달시키는 것이다. 이것이 성취되지 않으면 유아는 계속적으로 심리적인 안정을 위해 어머니의 신체적인 현존에 의존하며, 결코 자율적인 자기감을 발달시킬 수 없다. 유아가 어머니를 내면화할 수 있게 되면 어머니가 곁에 없을 때에도 어머니에 대한 안정적인 내적 표상을 유지할 수 있다. 내적으로 살아 있는 모성적 존재의 발달, 즉 리비도적 대상 항상성의 성취는 유아가 일차적인 양육자에게서 벗어나 독립적으로 기능할 수 있고 대인 간의 분리를 경험할 수 있도록 해 준다. 이것이 성취되는 정도에 따라 혹은 적어도 이러한 방향이 제대로 시작되었는지에 따라 유아는 스스로 기능할 수 있고 건강한 대상관계를 확립하는 능력을 통합해 나간다. 리비도적 대상 항상성의 성취는 긍정적이고 부정적인 모성의 내사가 통합된 것이다. 만약 통합이 불완전하다면, 유아는 이후 생애 발달을 거치는 가운데 대인관계 환경에서 내적 대상들을 처벌하고 거절하는 것으로 또는 비현실적으로 만족을 주는 것으로 그들과 관계한다.

관련어 | 공생적, 자폐적

분리교육
[分離教育, segregated education]

특수아동의 교육을 일반 교육과 분리해서 특수교육기관, 즉 특수학급, 특수학교, 기숙제 학교, 병원학교와 같은 곳에서 교육을 수행하는 것. 특수아상담

일반 학교교육이 특수아동의 독특한 교육적 욕구를 충족해 주지 못하여 일반학교에서 교육받을 수 없는 경우에 분리교육을 실시한다. 이때 장애 정도가 클수록 더 많이 분리시키게 된다. 경도 장애 아

동은 일반학교의 특수학급에서, 중도 장애 아동은 독립된 특수학교에서, 최중도 아동은 수용 시설에 분리하는데 최근의 경향은 가능한 한 분리를 줄여나가고자 한다. 분리교육은 전문가가 아동의 능력에 적절한 교육을 함으로써 학력이나 여러 가지 능력 또는 기능의 학습이 효율적이라는 장점이 있지만, 정상적인 생활에서 제외되고 고립되며 다양한 사회 경험이 결여된다는 단점이 있다(조홍중, 오종희, 이강희 2001).

관련어 통합교육

입장에서는 기독교상담을 인정하지 않으며, 만일 성도 중에 정신적인 문제가 생기면 심리학자에게 보내야 한다고 본다.

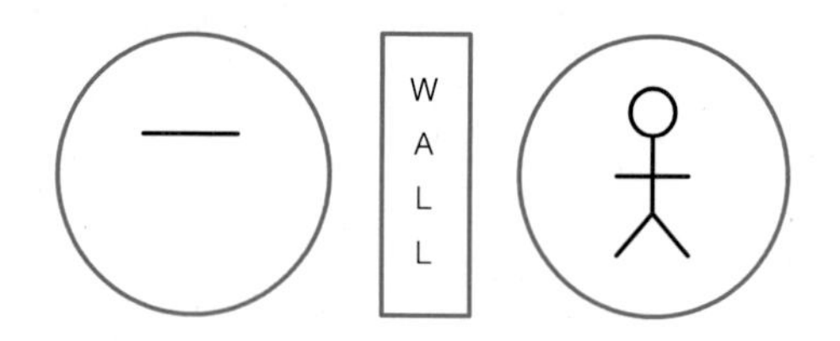

출처: 김용태(2006). 기독교상담학—배경, 내용 그리고 모델들. 서울: 학지사. p. 127.

관련어 래리 크랩, 던져진 샐러드 모델, 오직 하나의 모델, 이집트인에게서 빼앗기 모델

분리되었지만 동등한 모델
[分離－同等－, separated but equal model]

신학과 심리학이 서로 다른 영역에 있는 학문이며, 동등한 가치를 지니고 있다고 보는 입장. 목회상담

래리 크랩(Larry Crabb, 1977)이 신학과 심리학의 통합에 대한 여러 가지 입장의 유형을 분류한 네 가지 모델 중 하나다. 네 가지 모델은 분리되었지만 동등한 모델, 던져진 샐러드 모델, 오직 하나의 모델, 이집트인에게서 빼앗기 모델인데, 이 중 이집트인에게서 빼앗기 모델은 크랩 자신이 개발한 것이고, 나머지는 다른 학자들의 모델을 자신의 방식으로 정리한 것이다. 분리되었지만 동등한 모델은 신학과 심리학이 서로 완전히 다른 분야를 연구하는 학문이므로 서로 겹치지 않고 분리되어 있으며, 그렇다고 해서 어느 한쪽이 가치가 낮거나 높은 것은 아니라는 입장을 취한다. 이러한 입장을 지닌 학자들은 심리학에서 다루는 문제는 기독교와 아무 상관이 없으며, 신학의 분야는 목회자나 교회지도자가 성도의 영적인 건강을 돌보는 것으로 엄격히 분리되어 있다고 보았다. 그리고 각각의 영역에는 각자 전문가가 있기 때문에 서로의 영역을 존중하고 각자의 일에 충실하면 된다고 주장하였다. 이러한

분리불안장애
[分離不安障礙, separation anxiety disorder]

아동·청소년이 집 또는 부모, 직접적인 양육자, 의미 있는 타인 등의 애착 대상으로부터 분리되는 것에 대해 심한 두려움과 고통을 경험하는 장애. 대상관계이론 아동청소년상담

아동들이 정서적으로 고착된 양육자에게서 분리되었을 때 경험하는 불안으로서, 특히 영유아의 어머니와의 분리관계에 사용되는 개념이다. 다시 말해, 아동이 어머니와 잠깐 동안도 떨어져 있지 않고 항상 함께 있으려는 경향을 말한다. 정신분석학에서 프로이트(S. Freud)는 『억압, 증후 그리고 불안(Hemmung, Symptom und Angst)』(1926)에서 분리불안에 대하여 지대한 관심을 표명하면서, 아동의 불안을 애정의 대상을 상실하는 것에 대한 감정의 표출로 간주하였다. 안나 프로이트(A. Freud)는 유아의 분리에 대한 반응을 고아원에서 직접관찰한 다음, 분리불안을 발달의 제1단계에서 생물학적인 모자관계의 파괴에 대한 반응으로 간주하였다. 대상관계이론에서 클라인(M. Klein)은 해결되지 못한 우울, 불안은 다양한 병리적 방어기제를 형성하는데, 우울적 양태에서 죄책감을 해결하지 못할 경우 외적 대상들에게 절망적으로 집착하고 분리불안을

느끼게 된다고 보았다. 이러한 분리불안에는 다양한 유형과 종류가 있으며, 그에 대응하는 아동의 반응도 연령에 따라 다르게 나타난다. 볼비(J. Bowlby)에 따르면 단기간에 분리된 아동의 반응은 다음과 같은 세 단계로 나타난다. 1단계는 급속적인 비통함과 울음, 이른바 저항(protest)의 단계이고, 2단계는 절망하여 무감동이 되는 절망(despair)의 단계이며, 3단계는 어머니에 대한 관심을 상실하고 현재 상황에 만족하는 것으로 보이는 애착을 벗어난(detachment) 단계다. 또 분리의 결과로 나타나는 증세는 발달지체(전면적 발달장애, 특히 언어와 사회 반응성의 지체), 비행, 우울, 급성의 비통반응(acute distress), 애정 결핍성 정신질환(affectionless psychopathy) 등이다. 그러나 이것의 원인이 모두 동일하지는 않다. 예를 들어, 비통반응(항의 절망 등)은 어머니와의 결합에 대한 애착행동을 방해받는 것의 결과지만 발달지체의 원인은 사회적 · 시각적 · 청각적 자극의 결핍인 만큼 여러 각도에서 검토해 보아야 한다. 분리불안 증상이 발달연령에 비해 지나치게 나타나면 분리불안장애로 진단할 수 있다. 취학 전 연령부터 18세까지 다양한 연령층에서 나타날 수 있는데, 처음 집을 떠나는 유치원 입학 시기에 많이 발생하고, 드물게는 청소년기에 발생하는 경우도 있다. 분리불안을 보이는 아동의 경우, 부모는 자녀에게 과보호적인 양육태도를 나타내며, 아동은 의존적인 성격이 많고 부모의 사랑을 지나치게 갈구하는 경향을 보이기도 한다. 우울증, 신체화장애, 알코올중독 등의 장애를 가진 가족력이 있을 수 있으며, 부모의 부부싸움이나 질병, 동생 출생, 이사, 전학 등 외적 요인이 원인이 될 수도 있다. 분리불안이 장애까지 발전하는 아동은 자신이나 애착대상에게 불행한 일이 생겨서 다시는 보지 못하거나 큰 부상을 당할 것 같은 불안을 느껴 애착대상이 항상 곁에 함께 있어야 안심을 하고, 잠시라도 보이지 않으면 사라지지 않았음을 확인하려고 한다. 집을 떠나 혼자 숙박을 해야 하는 학교나 기관의 행사에는 참여하기 싫어하고, 혹시 가게 되더라도 계속해서 전화로 부모나 애착대상의 존재를 확인하고 위안을 받으려 한다. 특히 수면 시에 애착대상이 없으면 심한 불안을 느끼기도 한다. 그런데 또래관계는 의외로 원만한 경우가 많다. 두통, 복통 등 신체증상을 자주 호소하지만 의학적으로는 특별한 진단을 내릴 수 없는 경우가 대부분이다. 애착대상과 분리되는 꿈을 자주 꾸며, 가끔 등교거부까지 하는 경우도 있다. DSM-IV에서는 분리 불안장애가 유아기, 소아기 또는 청소년기에 흔히 처음으로 진단되는 장애의 항목에 속해 있었지만, 2013년 DSM-5가 새로 발간되면서 불안장애 항목의 하위진단으로 변경되었다. DSM-5에는 분리불안장애의 진단기준을 다음과 같이 제시하고 있다. 이 장애에 해당하는 사람은 가정이나 자신이 애착을 가진 사람과 이별하는 것에 대한 발달학적으로 부적절하고 과도한 불안이 있는데, 다음 중 3개 이상의 증세가 나타난다. 첫째, 가정 또는 주된 애착대상과 헤어질 때 반복적인 과도한 고통이 발생하거나 예상된다. 둘째, 주된 애착대상을 잃어버리거나 또는 재난이 닥칠까 하는 걱정이 지속 · 반복적이다. 셋째, 불행한 사건으로 주된 애착대상과 헤어지게 될 것이라는 지속적이고 과도한 걱정을 한다. 예를 들면, 길을 잃거나 유괴당하는 것 등의 걱정을 한다. 넷째, 주된 애착대상과 헤어지는 것이 두려워서 학교가기를 지속적으로 꺼리거나 거절한다. 다섯째, 혼자 있게 되거나 또는 집에서 주된 애착대상과 같이 있지 않거나 또는 다른 환경에서 중요한 성인과 함께 있지 못하게 될까 봐 지속적이고 과도하게 두려워하거나 꺼린다. 여섯째, 주된 애착대상이 가까이 있지 않거나 또는 집을 떠나서는 잠자기를 지속적으로 꺼리거나 거절한다. 일곱째, 이별의 주제와 관련된 반복적인 악몽이 있다. 여덟째, 주된 애착대상과 헤어지거나 또는 예상될 때 두통, 복통, 구토 등의 신체증상을 반복하여 호소한다. DSM-IV에서는 만 18세 이전에 발병하는 것으로 나타났으나, DSM-5에서는 발병 연령 기준이 삭제되었다. 대신 DSM-5에서는 아동뿐만 아니라 청소년과 성인에 적용될 수 있는 기준을 설정하였으며, 분리불안장애가 지속되는 기간이 아동과 청소년에게는 최소 4주 이상이며, 성인의 경유에는 6개월 이상 지속되어야 한다. 분리불안장애는 증상이 주로 전반적 발달장애, 정신분열증 또는 다른 정신질환의 발병 중에 나타나는 것이 아니며, 청소년과 성인의 경우 광장공포증을 수반한 공황장애로 설명할 수 없어야 한다.

관련어 | 대상관계이론, 불안, 애착이론

분별
[分別, vikalpa]

의식이 객관세계에 작용하여 일으키는 여러 현상. 동양상담

불교에서 깨침의 세계에 들어가면 모든 것이 분별이 없는 일체 평등의 세계에 들어가게 된다고 본다. 즉, 깨치지 못한 일반 대중은 무명(無明)에 의해 이 세계를 한량없이 분별해 보는 것이다. 대승불교에서는 대중이 일으키는 분별을 망념의 소산으로 보고 진실하게 자신을 깨치는 것과 거리가 먼 것으로 본다. 대중의 분별은 그림자에 그림자를 더 보태는 허망분별이 되는 것이다. 분별이 선과 악, 좋음과 나쁨, 아름다움과 추함이라는 여러 가지 이분법을 낳고, 이 이분법이 너와 나, 주관과 객관의 영원한 갈등을 일으킨다.

분석
[分析, analysis]

융(C. G. Jung)이 창시한 분석심리학에서 사용된 주요 치료기법의 하나로, 무의식의 내용을 의식화하는 신경증적 치료방법. 분석심리학

융은 먼저 무의식에 대한 분석과 기억에 대한 분석을 구분하였다. 무의식에 대한 분석은 의식적 요소가 고갈되고, 신경증에 대한 충분한 치료법이 없으며, 자아가 꿈과 같은 무의식적 요소를 직접적으로 다룰 만큼 충분히 강해졌을 때 실시되었다. 융의 분석기법은 임상정신의학의 치료와는 별개의 심리학적 작업이다. 또한 융학파에서는 프로이트학파에서 구별하듯 정신분석적 정신치료와 분석을 구별하지 않았다. 융의 분석작업에서는 진단과 예후를 내리지 않고, 체계적인 기술이나 방법을 사용하지 않으며, 치료자나 환자의 의식에 따라 결정하기보다는 무의식적 의도와 경향을 참작하여 결정한다. 분석 과정은 원칙적으로 주당 2~3회 정도이고, 각 회기마다 대략 60분 정도로 구성된다. 분석기간은 일정하게 정해져 있지 않으며, 스스로 자기 자신을 이해하고 자신의 무의식에 대해 어느 정도 인식이 가능해지면 분석을 종결해도 된다. 융은 이러한 무의식에 대한 분석은 인생의 후반기에서의 심리적 문제와 일치한다고 믿었다. 분석에 대한 성공과 실패는 쉽게 단정지을 수 없고, 분석 중단 후 몇 개월, 몇 해 뒤에 비로소 자신에 대해 깨닫는 경우도 있다. 융은 무의식과 직면하여 의식화하는 데 주로 꿈분석 기법을 사용하였는데, 분석의 특수적인 방법으로는 그림분석이나 적극적 명상 등이 있다. 융은 성격과 심리학적 기질을 분석을 통해 완전히 객관화시키는 것이 불가능하다고 언급하였다.

관련어 | 꿈분석

분석가
[分析家, analyst]

환자 혹은 내담자의 감정적인 문제를 다루고 일반적으로 약을 처방하지는 않으며 잠재의식을 분석하는 사람. 분석심리학

심리분석가들의 접근방식은 기존 심리학자들과는 차이가 있는데, 의식의 기억에서 초점을 맞추는 것이 아니라 잠재의식의 분석을 통해 현재 어려움의 원인을 찾는다. 융(C. G. Jung)은 피분석가보다

분석가 자신이 먼저 스스로 분석을 받아야 한다고 주장하였다. 분석심리학에서 분석가는 환자와 함께 체험하는 사람으로, 분석가가 자신의 문제를 모를 경우 직접적으로 환자에게 영향을 줄 수 있다. 또한 분석가는 피분석가로부터 끊임없이 영향을 받고 있기 때문에 자신이 병적인 생각이나 느낌에 전염되지 않도록 조심해야 한다. 융학파는 미국 전역과 영국, 유럽, 남아메리카 각지에 있는 연구소에서 분석가를 양성하고 있다. 연구소에서 수련을 마치면 분석가의 자격을 얻는데, 이처럼 분석가가 되기 위한 융연구소의 수련과정은 일반적으로 두 가지 방향에서 실시된다. 첫째는 체험을 통한 인간심리이해로서의 교육분석이고, 둘째는 정신병리학, 분석심리학, 인류학, 종교사, 신화 등과 관련된 이론적 연구다. 국내 분석가 수련은 한국분석심리학회가 1986년 제정한 융학파 분석가 수련계획에 따라 주로 교육분석과 학술집회 등을 통하여 실시되어 왔다. 또한 분석심리학에서는 치료방법이나 기술보다 분석가의 자세를 중요시 여긴다.

관련어 | 분석심리학

분석심리학
[分析心理學, analytical psychology]

융(C. G. Jung)이 프로이트(S. Freud)가 주장한 심리성적발달과 인생 초기에 성격이 결정된다는 결정론에 반대하여 인간정신에 대한 분석을 주관적 체험과 현상학을 바탕으로 체계화하여 보다 새롭고 정교화한 이론. 분석심리학

융은 인간정신의 소인인 원형이 유전되고, 원형들로 구성된 집단무의식 개념을 바탕으로 분석심리학을 개발하였다. 분석심리학은 정신적 현실에 대한 경험과 같은 주관적 접근방법으로서, 심리적 사실의 발견을 추구하는 학문이다. 융은 프로이트와 함께 초기 스위스 병원에서 정신분열증 환자들을 치료하면서 인간 무의식에 대한 풀리지 않는 신비함에 관심이 많았다. 융은 과학적 실험을 인간정신을 이해하는 가장 좋은 수단으로 여기지 않고, 꿈이나 신화, 민간신앙에 대한 주요 연구가 인간정신을 더 깊이 있게 표현한다고 믿었다. 융도 프로이트처럼 정신을 의식과 무의식의 구조로 보았지만, 인간이 생물학적 본능에 지배되는 것으로 인간에게는 수세기에 걸친 전체 경험의 저장고로서의 집단무의식이 존재한다고 제안하였다. 융의 집단무의식은 사고, 기억과 같은 의식적 요소와는 달리 모든 인간에게 공통적으로 나타난다. 프로이트는 인간의 현재는 과거경험에 기초하여 결정되고 나머지는 무의식으로부터 전해져 온다고 믿었던 반면에, 융의 분석심리학에서는 인간의 긍정적이고 창조적인 힘을 포함하여 의사결정, 목표설정 등을 제안하였다. 또한 융은 인류에게는 한 사람 안에 남성다움과 여성다움이 모두 존재한다고 믿었고, 인간의 영혼과 종교적 욕구는 신체적 · 성적 욕구만큼 중요하다고 생각하였다. 융의 분석심리학에서 가장 중요한 목표는 무의식을 의식화하고, 개인적 원형세계와 개인적 삶의 조화다. 꿈, 예술, 종교 등 상징을 통한 인간의 무의식적 경험은 삶의 모든 부분에 맞닥트리게 된다. 인간은 이러한 세계에 대한 주의와 개방을 통해서만 자신의 개인적 원형을 삶과 조화시킬 수 있다. 인간의 의식과 원형적 세계가 조화를 이루지 못하면 신경증이 발생한다. 분석심리치료는 개인이 무의식에서 건강한 관계를 재설정할 수 있도록 도와주고, 의식과 무의식에서의 상징 간의 촉진은 삶을 풍요롭게 하고 심리적 발전을 이끈다. 또한 융은 심리학적 성숙과정을 고려하고, 개성화의 중요성을 언급하였다. 개성화 작업을 위해 인간은 자신의 자아 뒤에 있는 그림자까지 분석해야 한다는 것이다. 분석심리학의 주요 개념으로는 개인무의식, 집단무의식, 원형, 개성화, 그림자, 아니마, 아니무스, 콤플렉스, 심리적 유형 등이 있다.

분석심리학적 미술치료
[分析心理學的美術治療, analytic psychological art therapy]

융(Jung)의 분석심리학을 바탕으로 무의식적 심상을 시각화하여 개인의 통찰을 이끄는 심리치료 활동. 미술치료

분석심리학은 융이 프로이트(Freud)의 인과론과 아들러(Adler)의 목적론을 수용하여, 집단무의식 개념을 중심으로 수립한 학문이다. 분석심리학의 핵심은 인과론과 목적론이라는 양극의 긴장과 갈등을 통합시킴으로써 자기실현(self-actualization)을 이룬다는 것이다. 자기실현은 개성화(individuation)라고도 불리며, 무의식적 심상들을 의식화시킴으로써 자기를 해방하는 것을 말한다. 이 과정에서 외적 인격인 페르소나(persona)와 자기(self)를 구별하고, 외부대상에 투사된 자신의 무의식적 내용들을 자기 속에 존재하는 그림자로 인정하며, 콤플렉스(complex)의 의식화가 진행된다. 그리고 진정한 개인으로서의 인격적 발달은 모든 인간의 보편적 특질인 집단무의식의 원형의 분화로 이루어진다. 미술치료에 대한 분석심리학적 접근은 원형이 만들어 내는 심상의 시각적 표현을 통하여 증상이 가진 정동성을 해결하려는 것이다. 무의식적 심상을 시각언어로 포착하는 것은 무의식의 창조적 기능을 촉진하여 의식을 보다 높은 차원으로 이끌어 준다. 무의식은 의식과 관계없이 고유한 활동을 전개하는 영역이며, 이 무의식의 고유한 활동을 치료에 반영하는 것이 바로 분석심리학적 미술치료의 핵심 내용이다. 분석심리학적 미술치료에서의 치유는 개인의 내부에 자리하고 있는 무의식의 조절력을 경험하는 순간에 이루어진다. 분석심리학적 미술치료는 특히 심인성 증상을 해결하는 데 효과가 있다. 증상에 대하여 심적 사건에 원인을 두고 이해하기보다는 표현을 유도하여 증상이 가진 강력한 정서적 문제나 정동성 자체를 해결하려는 작업이기 때문이다. 다시 말해, 증상의 원인은 증상의 해소과정에서 가장 분명하게 드러나므로, 분석심리학적 미술치료는 정신의 자기치유능력을 이용하는 것이 가장 특징적인 치료라고 할 수 있다. 미술치료에 대한 분석심리학적 접근에서 사용할 수 있는 치료기법으로는 꿈 그리기, 적극적 상상, 만다라 등이 있다.

관련어 | 꿈 그리기, 만다라, 분석심리학, 적극적 상상

분석적 음악치료
[分析的音樂治療, Analytical Music Therapy]

내담자의 내면탐색 및 성장을 목표로 하고 언어와 상징성을 담고 있는 음악을 즉흥적으로 창작하는 것을 매개로 하는 음악치료. 음악치료

프리스틀리 모델(Priestly Model)이라고도 부르는 분석적 음악치료는 1970년대 초 프리스틀리(Mary Priestley), 라이트(Peter wright), 워들(Marjorie Wardle) 등이 영국에서 기초를 다지고 프리스틀리가 임상실험을 통해서 이론을 정립한 음악치료의 한 형태로, 프로이트(Freud)와 융(Jung), 클라인(Klein) 등의 정신분석적 이론을 기반으로 하고 있다. 분석적 음악치료는 내담자에게 자신의 내면세계를 탐색할 기회를 주기 위해서 치료사와 내담자가 표제음악의 표제에서 도출한 즉흥연주를 중심으로 진행한다. 분석적 음악치료가 지향하는 궁극적 목표는 내담자 내면에 잠재되어 있거나 억눌려 있어서 실현되지 못한 개인적 능력 또는 삶의 목표 등을 가로막고 있는 장애물을 제거하여 개인성장을 꾀하는 것이다. 따라서 내담자의 내면에 잠재되어 있는 능력이나 개인의 목표수행을 가로막고 있는 장애물을 제거하기 위해 무의식적 소재에 접근, 통찰획득, 방어적 능력 탐색, 긍정적 목표 재조정 등의 과정을 거쳐 균형감각과 창조성의 발달 등을 이끌어 낸다. 이는 원래 성인을 위해 개발되어 여러 심리적 문제를 다루는 데 사용되었지만 아동에게 행해진 적도 있다. 분석적 음악치료를 실행하기 위해서는 청취력, 적정 수

준의 지능, 언어능력, 상징적 사고능력 등을 지니고 있어야 하기 때문에 중증의 정신분열이나 지체 등에는 적용하기가 힘들다. 주로 개별치료를 행하지만 2인 1조, 혹은 집단으로 행할 수도 있다. 분석적 음악치료는 쟁점이나 문제점 확인, 즉흥연주를 위한 내담자와 치료사의 역할결정, 표제 즉흥연주, 즉흥연주에 관한 토의 등의 네 가지 절차로 구성하고, 이를 반복하는 형태로 진행한다. 내담자가 일단 자신의 호소하는 문제점이나 주된 쟁점을 확인하고 나면 이를 표제로 삼아 즉흥연주를 행하고, 이에 관한 관찰, 토의, 검토 등을 거치는 구체적인 프로그램을 실행한다. 즉흥연주 후에는 즉흥연주 경험에 관한 즉각적 반응을 탐색하기도 하고 기록된 즉흥연주를 재생하여 들으면서 더 깊은 성찰을 경험할 수도 있다. 분석적 음악치료에서는 즉흥연주에 필요한 악기를 내담자 스스로 선택하며, 내담자 문제점에 따른 표제의 내용에 따라 광범위하고 다양한 악기를 사용할 수 있다. 이때 치료사는 즉흥연주의 반주를 담당하는 경우가 많기 때문에 피아노 반주를 잘할 수 있어야 한다. 물론 내담자의 필요나 요구에 따라 반주 악기의 종류를 선택할 수 있다. 내담자가 즉흥연주를 할 때 내담자의 내적 음악이 표현되기 마련인데, 이것은 내담자의 성격에 따른 것일 수도 있고 즉흥연주의 표제, 시간제한, 구체적인 음악적 발상, 소재나 구성에 따른 것일 수도 있다. 즉흥연주가 이루어진 다음 토의에서는 즉흥연주 경험에 대한 내담자의 즉각적인 반응의 검토와 즉흥연주의 재생 청취가 필요하다. 이 과정에서 내담자의 즉흥연주에 대한 정보를 기록하기 위하여 치료일지와 청취록을 이용하고, 이를 통한 즉흥연주 내용의 사정과 평가를 수반해야 한다. 분석적 음악치료에서 치료사는 감정이입, 내담자 내면탐구, 내담자 수용 및 안아주기와 인정, 음악에 대한 순수한 반응, 내담자의 치료적 성장자극, 내담자의 그림자 극복과 같은 역할을 한다. 분석적 음악치료가 다른 음악치료와 구별되는 특징은 언어, 즉 말을 중요시한다는 점이다. 이에 즉흥연주 이후 진행되는 토의로 내담자의 내면에 대한 탐색 및 분석을 하는 단계가 분석적 음악치료의 핵심 과정이라 할 수 있다. 분석적 음악치료과정에서는 내담자와 치료사의 치료적 동맹을 기반으로 음악적 매체를 통해서 전이와 역전이를 능동적으로 활용하여 치료에 적용한다.

분열
[分裂, splitting]

유아가 자신을 보호하기 위해 사용하는 기제로서 대상을 완전히 좋음(all-good)과 완전히 나쁨(all-bad)으로 구분하는 것.

대상관계이론

자기심리학 이론과 대상관계이론이 공통으로 관심을 갖는 심리기능 중의 하나로서 전체 대상과 관계를 맺지 못하고 부분 대상과 관계를 맺는 방식을 의미한다. 정상적인 발달과정에 포함되기도 하고 방어적인 발달과정에 포함되기도 한다. 클라인(M. Klein)은 편집-분열자리에 놓인 유아가 자기의 감정과 모습을 나누어 놓는 원시적 방어를 분열이라고 보았다. 컨버그(O. Kernberg)는 자기와 중요한 타인에 대한 상반된 경험을 적극적으로 떼어 놓는 것을 분열이라고 보았다. 한편, 페어베언(W. Fairbairn)은 유아가 대상을 처리해 가는 과정을 분열이라는 개념으로 설명하였다. 나쁜 대상을 내면으로 내재화하여 흥분시키는 대상과 거부하는 대상으로 분열시키는 것이 대상을 처리하는 최초의 단계다. 좋은 대상경험이 약하게 형성되어 있다면 대상의 파괴성을 통제할 수 없다고 느끼고 대상의 재내사를 시도한다. 그 결과 외부로부터 통제되는 느낌을 갖게 되는데, 이러한 위험한 내사는 자신이 타인의 마음과 신체를 통제할 수 있다고 믿는 편집적 망상의 원인이 된다. 환상 속의 파괴적 공격으로부터 좋은 젖가슴을 보호하기 위해 유아는 젖가슴을 좋은 측면과 나쁜 측면으로 분열시킨다. 아직 자아기능이 취약한 유아가 어머니의 좋은 부분과 나쁜 부분을 통합하지 못하고 이를 양분하여 한 측면만을 의식하고 다른 측면을 의식에서 배제시키고자 한다. 이와 같이 분열이 나타나면 어머니라는 대상은 유아의 의식세계에서 아직 전체 대상이 아니라 부분 대상으로 지각되고 경험된다. 분열을 통해 자아는 좋은 대상이 상처받을지도 모른다는 불안을 감소시킬 수 있다. 특히 어머니의 부정적인 측면이 의식차원에서 경험될 때 어머니의 긍정적인 측면은 의식차원에서 배제되어 마치 어머니가 완전히 나쁜 사람인 것처럼 지각된다. 대상의 분열은 젖가슴에 파괴적 충동을 투사하는 것과 동시에 일어난다.

분열된 충성심

[分裂 - 忠誠心, split loyalty]

자녀가 한 부모에 대한 충성심을 희생하면서 다른 부모에게 충성을 다할 때 생기는 현상. 기타 가족치료

부부가 서로 갈등하는 상황에서 주로 발생한다. 이처럼 부부가 갈등상황에 놓이면 자녀에게 자신의 편을 들도록 하고 상대방 편을 드는 자녀는 미움의 대상이 된다. 한편, 자녀 입장에서는 부모 모두에게 자신은 생명의 빚을 지고 있기에 한쪽에만 충성심을 보일 수 없는 충성심 갈등을 경험하게 된다. 이렇게 충성심 갈등을 경험하는 자녀의 부모는 대부분 상반된 입장에 있기 때문에 둘 중 하나만 선택해야 하는 분열된 충성심을 경험한다. 부모의 분열 자체는 문제가 아닌데, 부모가 자녀를 통하여 대화하고자 하고 서로의 입장을 강화하고자 함으로써 문제가 발생한다. 부모가 갈라진 상태로 있으면 자녀는 부모에게 따로따로 자신의 충성심을 보이면 된다. 그러나 부모 중 한 명이 자녀에게 자신의 편을 들도록 강요하면 자녀는 한 사람을 선택해야 하고, 따라서 다른 쪽 부모에 대한 충성심을 포기해야 한다.

분장

[扮裝, makeup]

연극치료에서 가면의 대안형식으로 사용되는 투사기법 중 하나. 사이코드라마

분장은 얼굴에 직접 함으로써 얼굴에서 떼어 낼 수 없다는 점에서는 가면과 다르지만, 그 원천이 무속과 주술에 있다는 점은 가면과 동일하다. 또한 가면과 마찬가지로 얼굴을 감춤으로써 일상생활에서 충분히 표현하지 못하는 것을 드러내도록 하는 일종의 투사도구다. 분장작업은 비지시적 접근으로 실시된다. 여기서 치료자는 내담자에게 얼굴용 물감을 비롯하여 루주, 펜슬, 크림 등을 제공하고, 그 재료를 활용하여 원하는 대로 마음껏 표현해 보도록 한다. 이러한 분장작업은 다른 기법, 특히 스토리텔링과 함께 쓰이는 경우가 많다. 이야기에 등장하는 인물의 분장을 해 보면서 내담자는 일정한 거리를 두고 깊이 있게 그 정체성을 탐구할 수 있다.

분할구획설계

[分割區劃設計, split-plot design]

실험설계법에서 집단 간(피험자 간) 설계와 집단 내(피험자 내) 설계 혹은 무선구획설계와 요인설계를 병합한 설계방법. 연구방법

분할구획설계는 복수의 표본집단이 반복측정되고, 복수의 표본집단 내의 구획이 설정되는 경우에 사용된다. 이 경우 복수의 표본집단은 집단 간(피험자 간) 설계에 해당하며, 표본집단 내의 개체들이 반복 측정되거나 구획화되는 경우는 집단 내(피험자 내) 설계에 해당한다. 이러한 특성 때문에 혼합설계(mixed design)라고도 하며, 행동과학에서 많이 사용하는 실험설계법 중 하나다. 분할구획설계에서는 하나 또는 그 이상의 요인이나 처치를 전체 구획에 무작위로 적용한 다음, 또 다른 하나 또는 그

이상의 요인이나 처치를 전체 구획 내의 하위구획에 무작위로 적용한다. 분할구획(split plot)이란 하위구획으로 세분되거나 분할된 농지의 소구역을 의미하는 것으로, 이 설계법은 원래 대지의 전체 구획에 처치를 한 다음(요인 1), 전체 구획 내의 보다 작은 하위구획에 두 번째 처치를 하는(요인 2) 농업분야에서 사용하기 위해 처음 고안되었다. 이처럼 농업 분야에서 개발되었지만, 분할구획설계는 상담연구과정에서도 쉽게 적용할 수 있다. 예를 들어, 어떤 고등학교에서 3학년으로 올라가는 학생들에게 겨울방학 동안 무료로 대학수학능력시험 대비과정을 제공한다고 하자. 상담자는 관련 문헌을 고찰한 뒤에 최고의 대학수학능력시험 프로그램을 마련하였다. 이 학교에서는 과거에 한 번도 이 대비 과정을 진행해 본 적이 없기 때문에 상담자는 대비 과정의 수업시간 길이가 학생들의 대학수학능력시험 점수의 결과에 영향을 주는지 알고 싶어 한다. 상담자는 5주간의 대학수학능력시험 대비과정에 참여하기로 한 모든 학생(전체 구획)을 무작위로 선별해서 45분, 60분, 90분 수업구역(하위구획)에 배정하였다. 그리고 대학수학능력시험 대비 프로그램을 진행할 3명의 교사를 훈련시켰다. 11월에 학생들이 대학수학능력시험을 치렀고, 상담자는 어떤 수업시간별 학급이 가장 높은 점수를 획득했는지 알아보기 위해 각 하위구획(즉, 45분, 60분, 90분 수업)에 속한 학생들의 점수를 비교하였다. 상담자는 60분 수업을 했던 학급의 학생들이 45분이나 90분 수업을 했던 학생들보다 월등하게 높은 점수를 받은 것에 주목하였다. 또한 상담자는 대학수학능력시험 대비과정에 참여했던 학생들이 대학수학능력시험을 치른 그 학교의 다른 학생들보다 좀 더 잘했다는 사실에도 주목하였다. 상담자는 같은 결과가 일어나는지 확인하기 위해서 그 실험을 여러 번 반복하였다. 이 같은 되풀이 과정은 그 결과가 단순한 우연이 아니라는 것을 보장하는 데 도움이 된다. 분할구획설계는 어떤 요인들이 함께 작용해서 최상의 결과를 낳는지 확인하고자 할 때 유용하다. 전체 구획과 하위구획에 어느 요인을 이용할 것인가에 대한 의사결정을 할 때 일반적인 원칙으로 대개 큰 차이를 나타낼 것으로 보이는 변인을 전체 집단에 배치하는 것이 가장 좋다. 예를 들어, 교사들은 동일한 대학수학능력시험 대비 프로그램을 사용하고 모두 그 프로그램의 사용법에 대해서 교육을 받는다 해도 교사의 인성, 교직경력, 교수방식, 그리고 학생들의 효과적인 학습법에 대한 교사의 신념과 같은 변인들이 시간변인보다 더 큰 차이를 나타낼 수 있다. 그렇기 때문에 대학수학능력시험 대비 프로그램이 전체 구획과 수업 시간별 하위구획에 적용된 것이다.

관련어 | 집단 간 설계, 집단 내 설계

분화적 접촉이론
[分化的接觸理論, differential association theory]

미국의 범죄학자인 서덜랜드(E. Sutherland)가 제창한 비행행위를 설명하는 사회학적 이론. 교정상담

분화적 접촉이론은 범행, 비행의 성립과정을 설명하는 이론으로서, 차별적 접촉이론이라고도 한다. 이 이론은 모든 범죄, 비행행동의 발생을 단일원인에 의하여 설명하고자 하는데, 범죄행동을 알코올중독 혹은 부적응 행동이 아니라 학습으로 성립된 일종의 적응행동으로 파악한다는 특징이 있다. 즉, 범죄행동은 분화한 사회조직 중에서 범죄적인 문화나 행동형에 접촉함으로써 발생한다고 보았다. 분화적 접촉이론은 한 개인이 범죄행위를 하기에 이르는 발생과정을 9개의 명제로 설명하고 있다. 이를 요약하면 개인이 범죄적인 행동형과 접촉하거나, 비범죄적인 행동형으로부터 두절된 때 그 개인은 범죄자가 되는 것이며, 분화적 접촉과정에서 범죄행동이 학습된다. 따라서 범죄다발지역에서는 소

년들이 범죄자나 비행자와 접촉하여 그들에게 학습할 기회가 많기 때문에 비행도 많이 발생한다고 설명하고 있다. 그러나 비행화가 범죄행동과의 접촉량에 따라 결정된다고 해도 그것과 정밀하게 접촉한다는 것은 어렵고, 따라서 실증성이 결여되었다는 점과 성격요인을 경시하고 있다는 점 등으로 이 이론은 비판받고 있다.

관련어 | 복무부적응병사, 비행, 사회학습이론

분화추론
[分化推論, fragmentation corollary]

켈리(G. Kelly)가 제시한 11개의 정교한 추론의 하나로, 사람은 추론상 상호 양립할 수 없는 다양한 하위 구성개념체계를 연속하여 활용할 수 있다는 것. 개인적 구성개념이론

개인의 구성개념체계는 독립적으로 조직된 하위 구성개념체계로 분화될 수 있다. 이 경우 분화의 정도는 하위 구성개념체계가 지니고 있는 삼투성에 따라 한계가 정해진다. 그런데 개인적 구성개념이 상위체계 내에서 변화되더라도 후속하는 개인적 구성개념이 선행의 구성개념이나 상위의 구성개념에서 도출되는 것은 아니다. 옛 구성개념이 새 구성개념의 선도자 역할을 하는 경우가 있다 하더라도 둘 사이에 우열이나 주종의 관계가 있는 것은 아니다. 새 구성개념과 옛 구성개념 사이의 관계는 오히려 횡적이며 서로 모순되거나 대립되기도 한다. 따라서 새로운 구성개념은 누가적으로 이루어지는 것이 아니며 모순되거나 대립되는 하위 구성개념체계를 계속 사용하면서 변화되고 분화될 수 있는 것이다.

관련어 | 개인적 구성개념, 구성개념, 구성개념체계

불감증
[不感症, frigidity]

여성이 성적 자극을 받아도 성기의 윤활이나 질 입구의 팽창과 같은 반응이 일어나지 않고 성적 극치감이나 흥분이 생기지 않는 상태. 성상담

불감증은 요즘에는 주로 여성 성적 흥분장애(female sexual arousal disorder)라고 불린다. 이는 성행위 과정이 모두 끝날 때까지 성적 흥분으로 인한 적절한 윤활 부종 반응이 지속적 혹은 반복적으로 일어나지 않는 경우를 일컫는다. 여성이 성적 자극을 받으면 흥분이 일어나고 고조단계로 진입하게 되는데, 이때 성적 쾌감이 높아지고 질 입구가 팽창하면서 윤활액이 분비되어 남성의 성기 삽입이 용이해지도록 생리적 준비단계에 이른다. 하지만 이러한 반응이 일어나지 않아 성생활에 장애를 초래하는 경우를 불감증이라 한다. 불감증이 있는 여성은 스스로에게도 큰 고통이지만 부부관계 및 이성관계에 심각한 곤란을 초래하는데, 성행위에서만이 아니라 상대 남성과의 전반적인 관계에서 곤란을 겪을 수 있다. 불감증은 여성에게 드문 증상이 아니다. 성기능 문제로 병원 등의 치료기관을 방문하는 여성의 반수 이상이 불감증 증상을 호소한다. 불감증은 성욕 자체를 느끼지 못하는 성욕장애와 성적 욕망이나 흥분은 느끼지만 막상 실제 성관계에서 극치감을 느끼지 못하는 절정감장애가 포함되는데, 세 가지 하위유형으로 분류할 수 있다. 첫째, 일차적 유형은 성적 극치감에 전혀 도달한 적이 없는 여성이다. 둘째, 이차적 유형은 과거 성적 극치감 경험이 있지만 현재는 그렇지 못한 여성이다. 셋째, 상황적 유형은 자위 등의 특정 상태에서만 성적 극치감을 경험할 수 있는 여성이다. 이 같은 증상이 있는 여성은 성적 만족에 따른 주관적 느낌을 거의 갖지 못하거나 전혀 갖지 못하는 경우도 있다. 그 때문에 성교 시의 고통, 성적 관계 회피, 불완전한 결혼생활과 같은 문제를 일으킨다. 불감증의 원인으

로는 가장 먼저 성행위에 대한 죄책감이나 두려움, 성행위 시의 불안 및 긴장, 성적 상대에 대한 적개심이나 경쟁심, 성 관련 지식의 부족, 성욕에 관한 의사소통 부족, 심한 스트레스, 잦은 통증이나 극치감 경험 실패로 인한 부담감 등 심리적 요인을 들 수 있다. 또한 양육환경이나 어린 시절 금욕적 주변환경, 아동기 성적 학대 경험 등이 영향을 미칠 수도 있다. 심리적 요인 외에 폐경기로 인한 여성호르몬 감소, 당뇨나 위축성 질염 등 신체질환, 항고혈압제나 항히스타민제와 같이 질의 원활한 분비감소와 관련이 있는 약물복용, 항우울제 복용, 알파 아드레날린 작용제의 영향, 신경손상 등 물리적 원인도 있다. 이러한 원인들이 복합적으로 작용해서 불감증을 일으킬 수도 있는 것이다. 불감증의 치료는 단계적으로 실시한다. 일단 강압적이지 않은 상황에서 파트너가 외음부 자극을 반복하면서 감각집중훈련을 초기에 시행한다. 여성이 성적 상대자와의 관계에서 따스함과 안전함을 느낄 수 있으면 쾌감에 대한 의사소통을 진행하고, 접촉을 지속한다. 이러한 과정이 단계에 따라서 원활하게 진행되면, 여성 상위 체위로 성교를 시도한다. 갑자기 성급한 성교를 진행하는 것보다는 이따금 휴식을 취하면서 성적 유희를 수반하여 쾌감을 느낄 수 있는 여유를 갖는다. 서서히 흥분단계가 고조되면 성적 극치감을 느낄 확률이 큰 측면 체위 등으로 넘어가면서 성행위를 연장해 나가도록 한다. 이때 분노 등 심리적 원인 감소나 대인관계 신장과 같은 치료를 동반하여 성적 훈련을 함께 하는 공동치료가 효과적이다.

불교
[佛教, buddhism]

고통과 번뇌에서 벗어나 해탈함으로써 부처가 되고자 하는 종교. 동양상담

기원전 5세기경 인도에서 활동한 고타마 싯다르타(Gotama Siddhartha)가 시조로서 부처가 되는 것을 목적으로 하는 종교의 총칭이다. 불교라는 단어 자체는 중국에서 유교와 도교와의 논쟁과정에서 생겨났다. 일신교나 다신교와 같이 신을 정면에서 모시는 신앙이 아니고, 개개의 인간과 법 등이 대치하는 형식으로 수행을 하는 불교에서는 신과 인간과의 관계가 아니라 인간과 인간과의 관계가 중시된다. 석가는 대기설법(對機說法), 즉 상대방의 종교적 능력(機: 작용 활동)을 좋게 보고, 그것에 대응하는 설법을 했다고 한다. 이 점에서 불교는 상담을 중시하는 종교라고 할 수 있다. 그리고 수행자는 선지식(善知識: 좋은 충고를 해 주는 사람)과 정사(正師: 올바르게 지도해 주는 수행을 많이 한 사람)를 구할 필요가 있다. 인도의 대승불교(大乘佛教)와 중국의 선(禪: 인도불교의 교리가 복잡하게 되어 있는 것을 중국에서 불교를 받아들여 단순화한 중국식 불교)은 불교의 2대 혁신운동으로, 여기서는 반드시 스승과 제자와의 상담적 요소가 기반이 된다.

불교명상
[佛教冥想, Buddha meditation]

초월을 통해 열반에 이르는 불교의 수행법. 동양상담

불교 성전의 총칭인 삼장(三藏, Tipitaka) 중 『논장(論藏, Abhidhammapitaka)』의 제1권인 「법집론(法集論, Dhamma-sangani)」에 인간의 의식상태에 초점을 둔 불교명상을 기술하고 있으며, 이 책은 기원전 4세기 말에 완성되었다. 그리고 5세기경 인도의 학승인 붓다고사(Buddhagosha, 佛音)가 저술한 『청정도론(清淨道論, Visuddimagga)』은 불교명상을 이해하는 데 중요한 저서다. 이 책은 가장 심오한 명상상태를 얻기 위한 주의집중의 방법과 명상수련에 필요한 주위 상황과 명상에 임하는 태도 등을 기술하고 있다. 불교명상의 목적은 열반(涅槃, nirvana)에 이르는 것인데, 이는 가장 심오한 경지의 마음의 평정상태로서 집착대상이 없는 각성(objectless awareness) 상태이자 지각도 비지각도 아닌 상태 등으로 표현할 수 있다. 열반에 이르는 과정은 8단계로 구성되어 있으며, 이를 팔정도(八正道, atthangikamagga, eightfold way)라고 한다. 수련의 핵심은 삼독심(三毒心)이라 부르는 탐욕의 마음(탐, 貪), 성내는 마음(진, 瞋), 어리석은 생각(치, 痴)을 극복하고 나아가 애착, 혐오, 착각과 이기심 등 온갖 헛된 생각(망상, 妄想)을 끊어 버린다는 것이다. 불교명상은 여러 유파에 따라 수행하는 방법에 차이가 있다. 소승불교의 명상법은 오정심관(五停心觀)과 사념처관(四念處觀)을 강조한다. 오정심관은 주의집중식 명상을 주로 하며, 자신이 내쉬는 숨과 들이마시는 숨을 세는 훈련, 즉 수식관(數息觀)을 중시한다. 이 수련을 통해 주의집중이 잘 이루어지면 다음 단계로 사념처관을 수행한다. 사념처관은 위빠사나(vipasana)라고 불리는데, 이는 마음의 상처를 있는 그대로 바라보고 탐 · 진 · 치를 제거하여 구경열반(究竟涅槃)에 이르는 방법을 말한다. 사념처의 염처란 빨리어로 사띠 빠타나(sati-patthana)다. 여기서 사띠란 영어의 mindfulness로서 정처 또는 마음챙김이라는 뜻이고, 빠타나는 머묾이란 뜻이다. 즉, 사념처란 몸(身), 감각(受), 마음(心), 진리(法)라는 네 가지 대상에 고요하게 마음을 집중시킨다는 뜻이다. 델몬테(Delmonte)는 사념처 명상법을 정신분석학의 자유연상법과 유사한 것으로 보면서, 이 명상법은 무의식적 억압내용을 의식선상으로 떠오르게 함으로써 각성하에서 억압내용을 통찰할 수 있기 때문에 통찰적 명상(insight meditation)이라고 하였다. 선종은 선을 탐구하는 중국, 한국, 일본 등지의 동북아시아에서 성행하는 불교로서 동남아시아의 소승불교와 비교하여 대승불교라고도 한다. 선종의 육대 혜능은 "좌선이란 막힘이 없고, 걸림이 없어서 밖으로 일체 선악 경계에 심념이 일어나지 않음이 좌가 되고 안으로 자성이 동치 않음을 보는 것이 선이 된다."라고 하였다. 청화(淸華, 1989)에 따르면, 선의 방법에는 공안선(公案禪, 話頭禪), 묵조선(默照禪), 염불선(念佛禪) 등이 있다. 공안선은 화두를 참구하는 것이며, 묵조선은 화두 없이 조용히 앉아 있는 것을 말하고, 염불선은 염불을 하는 데 모든 의식을 집중하는 것이다. 집중 대상에 대한 의식 외에 자연 발생적으로 일어나는 각종 연상이나 감정(망상)은 억압하지 않고 조용히 지나가도록 관조한다. 즉, 일어나는 망상을 억누르려 할 것이 아니라 집중 대상에 보다 더 마음을 쓰는 것이다. 이렇게 걸어가면서(行), 서 있으면서(柱), 앉아 있으면서(坐), 누워 있으면서(臥) 한 가지 대상에 주의를 집중해 나가면(止) 마침내 정법(正法)을 깨닫게 되어(觀) '진정한 나(atman)'를 얻게 된다. 청화는 지와 관을 수행하는 지관을 명상수행 방법 가운데 가장 높은 수행법, 즉 마사지관(摩訶止觀)이라 하면서 부처의 실상 또는 마음의 실상을 관찰할 수 있다고 하여 실상관이라고도 하였다.

관련어 | 명상, 불교상담, 열반과 해탈

불교상담
[佛敎相談, buddhist counseling]

고통이나 욕망 때문에 무명에 빠진 내담자가 자신의 본성, 즉 불심을 찾아 해탈에 이르도록 전문적인 훈련을 받은 상담자가 도와주는 심리적 조력활동. 동양상담

불교나 상담은 모두 살아 있는 인간 마음의 문제에 대응하려고 한다. 불교는 인간 존재의 핵심에 근접하여 진실한 자아를 초월하고자 하는 실천적 활동이다. 이러한 의미에서 불교상담은 공통의 기반에 서 있다고 볼 수 있는 불교와 상담이 적극적으로 서로 협력하고 교류하여 새로운 상담의 흐름을 창조하기 위해 노력한다. 현재 불교상담은 두 방향에서 서서히 구체적인 모습을 나타내고 있다. 하나는 서양의 심리학이나 심리치료와의 만남을 통해 자신의 전통적 실천성을 재인식하기 시작한 동양, 특히

한국적 불교상담이다. 다른 하나는 불교를 비롯한 동양의 행법(行法)과 접촉하여 생성 발전해 온 초월 심리학(transpersonal psychology)적 접근의 상담이다. 서양적 자아와 불교적 무아(無我)의 올바른 관련 혹은 통합된 도(道)를 실천과 이론의 양면에서 적극적으로 전개해 가는 것이 불교상담의 향후 주요 과제가 될 것이다. 기본적으로는 깨달음이라는 자기초월(self-transcendence)로 유도하는 상담인 동시에 불교적 인간관에서 자기실현과 자기치료를 도와주는 이중구조를 가진 상담이라고 할 수 있다.

불균형
[不均衡, imbalance]

한 체계 안에서 특정 구성원(혹은 한 집단)이 책임감, 영향력, 그리고 자원을 더 적게 혹은 더 많이 이용할 수 있는 상태. 내면가족체계치료

하나의 체계를 이루고 있는 하위 구성원들은 상호작용 속에서 조화와 균형을 이루고 있을 때 가장 안정적인 상태를 유지한다. 그러나 어떤 자극이나 변화 때문에 균형과 조화가 깨질 수 있는데 이 상태를 불균형이라고 한다. 불균형의 상태가 되면 체계를 이루고 있는 하위부분들은 책임감, 영향력, 자원의 이용이 제한되거나 넘쳐 버린다. 예를 들어, 가족이 그들의 문화의 영향으로 가부장적 부담을 가질 때 남성은 여성에 비해 좀 더 많은 영향력과 힘을 갖는다.

불륜
[不倫, infidelity]

결혼한 남녀가 자신의 배우자 이외의 다른 사람과 정서적이고 육체적 관계를 갖는 것. 이마고치료

이마고치료에서는 불륜을 부부 사이가 안정적이고 열정적이지 않을 때 발생하는 부정적이고 파괴적인 부부관계로부터의 탈출구 중 하나로 본다. 대개의 사람들은 불륜의 시작을 아주 우연히 일어난 것으로 본다. 하지만 이는 결혼관계에서 채워지지 않은 욕구가 있기 때문에 발생한다. 왜냐하면 안전하고 열정적인 부부관계에서는 불륜이 일어나지 않기 때문이다. 불륜은 에너지와 연결되어 있다. 결혼한 부부가 상대방에게 에너지를 쏟지 않고 다른 곳에 에너지를 쏟는다면 이는 부부 사이에 긍정적인 에너지가 흐르지 않는다는 표시다. 한 사람이 불륜에 빠지면 상대 배우자도 대상이 일이든 사람이든 다른 곳에 에너지를 집중하게 된다. 이처럼 불륜은 에너지의 흐름을 보여 주는 것이기 때문에 치료사는 불륜의 옳고 그름을 판단하기보다는 에너지가 흐르는 방향에 대해 질문해야 한다. 왜냐하면 부부관계에 열정이 없다면 현재 그 관계 속에 별다른 문제가 드러나지 않더라도 에너지를 배출할 다른 구실을 찾아 불륜을 저지를 수도 있기 때문이다. 이마고 부부치료에서는 불륜을 네 가지 유형으로 나누어 발달단계와 함께 설명하고 있다.

능력-불륜관계 유형 [能力-不倫關係類型, ability-infidelity type] 결혼생활이 실패했거나 무기력하다고 느끼는 사람들이 이를 보상하고자 하는 것인데 경쟁형과 조종형의 관계 유형에서 주로 관찰된다. 경쟁형은 경쟁적인 느낌을 강화하기 위해서 혹은 행복하지 않은 결혼생활에서의 실패감을 보상받기 위해서 불륜에 빠져들 수 있다. 이들은 경쟁적인 경향을 띠고 다른 사람의 아내처럼 정복할 수 있는 누군가에게 마음이 끌린다. 예를 들면, 남자가 자신의 외모나 경제적인 부분에 부족함을 느끼면 그럼에도 불구하고 자신이 승리자임을 보여 주기 위해 자랑할 수 있는 누군가와 관계를 가진다. 조종형은 결혼생활에서의 무기력함과 무능력함에 대한 보상으로 불륜에 빠지는 경향이 있다. 이들은 자신에게 교훈과 도움을 주는 사람에게 취약하여 단호하고 지지적인 방법으로 자신에게 행동하는 사람에

ㅂ

게 끌리는 경향이 있다. 예를 들면, 자녀가 모두 성장하고 뒤늦게 취업을 한 주부가 자신의 업무 향상에 도움을 준 상사와 불륜에 빠지는 경우다.

애착적-불륜관계 유형 [愛着的-不倫關係類型, attachment-infidelity type] 부부관계에서 생기는 갈등과 긴장 상황을 회피하여 다른 관계나 사물과 애착 관계를 형성함으로써 만족을 얻고자 하는 것이다. 회피형과 밀착형의 관계 유형에서 볼 수 있다. 회피형은 기본적으로 인간에게 버림받는 경험을 하지 않으면서 인간의 기본욕구인 애착의 욕구를 채우길 원한다. 따라서 사람보다는 인터넷이나 취미활동과 같은 생명이 없는 사물에 애착을 형성할 가능성이 높다. 때로는 성적인 접촉은 제공되지만 책임을 지거나 관계를 지속하지 않아도 되는 매춘부와 관계를 맺을 가능성이 있다. 밀착형은 기본적으로 충분한 관심과 따뜻함을 제공해 줄 수 있는 모든 사람에게 빠진다. 때로는 회피형의 초연함에 빠져들기도 한다. 밀착형은 항상 누군가와 함께 있기를 원하고, 때로는 함께 있을 수 없는 사람과 불륜관계를 통해 애착을 형성하여 매달린다. 그 때문에 상처를 입고 버림을 당하기도 한다. 그래서 밀착형은 여러 명의 애인을 두는 경향이 있고 다양한 형태의 회피자와 만나고 배반당하면서 그들을 비난하고 반응하며 살아간다.

정체성-불륜관계 유형 [正體性-不倫關係類型, identity-infidelity type] 부부관계에서 배우자를 통제하지 못하거나 자신을 시시한 배우자로 취급하는 데 대한 반응으로 나타난다. 경직형과 산만형의 관계 유형에서 볼 수 있다. 경직형은 자신이 아내를 통제하지 못하거나 아내가 자신을 더 이상 의존하지 않을 때 자신의 존재 가치를 느끼지 못한다. 이때 경직형은 자신에게 의존할, 자신의 도움과 충고를 필요로 하는 사람에게 빠져드는 경향이 있다. 하지만 시간이 지나면서 항상 자신의 주장대로 하려는 이들의 욕구는 채워지지 못하고 관계가 끝날 가능성이 있다. 산만형은 결혼생활이나 부부관계에서 자신의 존재감이 채워지지 않을 때 불륜에 빠질 수 있다. 이들은 상대방으로부터 아름답다, 지혜롭다, 강하다는 소리를 듣고 싶어 하고 이로 인해 성적인 관계를 맺기도 한다. 하지만 이는 성적인 욕구 때문이라기보다는 존재감 때문인 것으로 보인다.

탐험-불륜관계 유형 [探險-不倫關係類型, exploration-infidelity type] 부부관계에서 자신의 욕구충족이 좌절되는 경험이 반복될 때 이를 다른 관계나 대상에게서 채우기를 원하는 것이다. 융합형과 격리형의 관계 유형에서 주로 볼 수 있다. 융합형은 자신에게 관심을 가져 주고 알아 주는 사람과의 관계에 취약하다. 이것이 원인이 되어 불륜에 빠지는데, 만약 남편이 항상 부재중인 아내는 자신의 애착욕구를 채우기 위해 불륜에 빠져들 수 있다. 하지만 불륜의 상대가 자신의 욕구를 충분히 채워주지 못한다고 생각되면 자신이 무시당했다고 생각하면서 남편의 부재로 받은 상처를 반복적으로 경험하게 된다. 격리형은 자신의 공간과 시간을 원한다. 그럼에도 자신의 애착욕구를 채우고 싶어 하기에 격리형은 자신에게 아무것도 요구하지 않는 상대와 짧은 만남의 불륜에 빠질 수 있다. 이들은 상대가 책임이나 미래에 대한 얘기를 꺼내면 그 관계를 정리하고 다른 사람을 찾는다.

불면증
[不眠症, insomnia]

잠들거나 잠을 유지하는 데 어려움을 보이는 상태.

이상심리

처음에 잠들기가 힘들며, 잠을 자는 동안에 몇 번씩 깨어나서 오랫동안 잠을 유지하지 못하고, 잠을 자도 편안하지 않고 원기가 회복되지 않는 상태를 호소한다. 이러한 수면은 주의력과 집중력을 감퇴시키고 피로감과 권태감이 증가하여 의욕이 없으며 잠을 자지 못하는 것에 대한 좌절과 고통을 느낀다. 이러한 증상을 느끼는 사람들은 대부분 쉽게 잠을 깨는 과거경험이 있으며, 건강에 대한 지나친 염려증이 있는 경우가 있다. 이 같은 증상 때문에 학업이나 직장생활에 문제가 생기고 집중력의 저하로 생산적 효율성이 떨어진다. 이를 극복하기 위해 일반적으로 알코올, 카페인, 수면제, 항불안제 등의 약물을 사용하는데, 때로는 물질남용이나 물질의존으로 진행되기도 한다. 이 증상은 연령이 증가할수록 더 높은 비율로 발병하며, 여성이 남성보다 더 많이 보고된다. 이 증상의 원인이 물질이나 다른 정신장애가 아닌 경우 DSM-5의 진단범주에 따르면 불면장애(insomnia disorder)라 명명하고 있다.

불법 약물 사용에 대한 제한 환경
[不法藥物使用 – 制限環境, limit setting on use of illicit drugs]

불법 약물 사용과 관련된 문제를 치료하기 위해서 치료과정 중 사용할 수 있는 약물의 제한수준을 정해 놓는 것. 중독상담

약물중독에 대한 치료과정이 진행되는 가운데 제한 환경의 규제에 따라 미리 정한 수준의 약물 이상을 사용하면 치료 프로그램에서 퇴장시키거나 점진적인 제약을 가하는 등 제재를 한다.

관련어 약물치료

불변처방
[不變處方, invariant prescription]

역기능적인 가족게임을 중단시키기 위해 기존의 구조화된 가족연합을 깨트리는 기법. 전략적 가족치료

불변처방은 팔라촐리(Palazzoli)와 그의 동료들(1989)이 정신분열증과 거식증 가족의 역기능적인 가족연합을 깨트림으로써 변화를 시도하는 기법으로 고안되었다. 즉, 역기능적으로 연합되어 있던 가족구성원 중 일부분의 동맹을 의도적으로 강화하여 기존에 구조화되어 있던 연합의 형태를 깨트리는 것이다. 이들은 역기능적인 가족의 상호작용을 관찰해 보면, 그들의 문제적 증상을 계속해서 강화시키는 '게임'이 존재한다는 것을 발견하였다. 따라서 이러한 역기능적인 게임의 구조를 깨트리는 처방을 함으로써 가족구조를 혼란에 빠트리고, 계속적으로 반복되던 가족게임을 중단하게 만드는 효과가 있다. 예를 들면, 정신분열증이나 거식증의 문제를 가지고 있는 가족과 상담치료를 진행하다가 자녀가 참석하지 않은 회기에서 부부에게 해당 회기에 나누었던 내용을 자녀에게 비밀로 부칠 것을 주문한다. 또한 회기가 끝나고 부부에게 비밀데이트를 하도록 한 다음, 이를 다른 가족에게 말하지 않도록 한다. 그리고 이러한 일들을 수행했을 때 다른 가족의 반응이 어떠했는지 관찰하여 그들의 언어적, 비언어적 반응을 기록하도록 한다. 이를 통하여 부부는 둘만의 비밀을 소유하게 되고 이전과는 다른 방식으로 연합이 이루어지는 것이다. 결과적으로 기존에 구조화되고 정형화된 가족의 역기능적인 연합의 구조가 깨져서 가족의 역기능적인 게임이 중단되는 효과가 있다. 이 같은 불변처방에 대한 보편적인 단계는 다음과 같이 정리할 수 있다. 첫째, 부부관계에서 역기능적인 연합의 구조가 지속된다. 둘째, 부부의 역기능적인 연합에 자녀도 함께 끌어들인다. 셋째, 가족게임에 합류한 자녀는 상대적으로 약한 쪽의 부모 편을 들어 강한 쪽의 부모를 통제하는 방식의 상호작용을 함으로써 오히려 역기능적인 증상을 계속해서 강화시키는 가족게임을 지속하게 된다. 넷째, 상대적으로 약한 쪽의 부모는 자녀와 연합하기보다는 강한 쪽 부모의 편을 드는 불변처방을 따른다. 다섯째, 약한 쪽 부모와 연합 구조를 형성하던 자녀는 이 연합이 깨졌다는 것을 느끼고 기

존의 정형화된 방식과는 다른 형태의 상호작용을 부모와 하게 된다. 여섯째, 결과적으로 역기능적인 가족게임이 중단되고, 문제증상이 안정되는 효과가 나타난다.

관련어 | 가족게임

불수의 운동형
[不隨意運動型, athetoid cerebral palsy]

무의식적으로 한 목적을 위해 둘 이상의 근육계를 쓸 수 없어 움직임이 증가하고 쓰기와 근육이 느려지는 것. 특수아상담

아동이 움직이거나 잠자거나 휴식을 취할 때는 과장되어 나타나며, 이것이 자발적으로 움직이기 시작했을 때는 몇몇의 근육을 긴장시키게 된다. 최초의 반사들은 연속적이고, 강직 반사와 모로 반사는 불균형적으로 대부분의 장애를 동반한다. 얼굴의 움직임은 혀와 입술이 안으로 들어가고, 호흡조절에 대부분 이상을 보이며 말하는 근육들이 영향을 받는다. 지능은 보통 정상 아동과 같거나 좋은 편이고, 청각장애는 거의 없다. 불수의 운동형의 뇌손상은 비경직성 뇌성마비 구조와 뇌의 조절 부위에 있는 세포에 영향을 주고, 기본 신경 부위의 자세와 움직임의 조절을 돕는다. 무정위 운동은 기저핵의 과정에 문제가 있는 것으로 신생아기에 심한 황달을 앓은 아이 중에 나타나거나 중추신경 손상이 원인으로 운동선택이 어렵다. 주로 대뇌 핵에 손상이 있을 때 나타나며, 운동형태에 따라 여러 종류가 있다. 어떤 아기는 생후 12개월 이상 3세까지도 이상운동이 나타나지 않을 수 있다. 휴식 중에도 느리게 불수의 운동이 나타나는데, 특히 손목과 손가락에서 심하다. 의도적으로 움직이면 뒤틀리고 이어진 한 그룹의 근육이 통제할 수 없이 수축된다. 이는 거의 계속적으로 나타나 움직이게 되지만 수면 시간에는 정지한다. 이 형태의 뇌성마비 아동 중에 비긴장성 불수의 운동형은 비틀린 움직임이 주로 나타나지만 근육의 긴장은 없다. 따라서 사지, 목, 몸통이 때때로 회전형태이거나 뒤틀린 위치에 있다. 그리고 제자리로 돌아오는 형태와 춤추는 듯한 형태가 있다. 긴장형 불수의 운동은 근육이 긴장되고 뒤틀리는 현상은 일어나지 않지만, 긴장이 되면 근육은 연해지고 부드러워지며 경직형에서는 뻣뻣해진다. 이들 특징은 저긴장에서 과다긴장까지 근육 긴장도의 변화가 심하다. 운동의 수의적 조절이 힘든데, 느리고 불수의 경련으로 움직이며 뒤트는 운동, 근육의 통제할 수 없는 수축으로 일정한 조절이 거의 안 된다. 따라서 움직임을 자율적으로 통제하지 못하며 예측할 수 없다. 특히 손가락과 손목 근육에 가장 많이 일어나며 손으로 글을 쓰는 것이 어렵고 그와 유사한 동작의 협응이 거의 불가능하다. 또한 기저핵의 두뇌 중심부에 장애가 생긴다. 심부건(예, 고무망치로 무릎을 두드리면 다리가 튀어 올라오는 신경근육 증상) 반사는 정상이고 지능은 많이 떨어지지 않지만 언어장애가 나타난다. 이들 특징을 요약하면, 첫째, 얼굴표정 짓는 것과 먹고 말하는 동작에 큰 어려움이 있다. 부분적으로 머리가 뒤로 젖혀진 상태에 있지만 예측할 수 없이 머리가 좌우로 돌려지고 혀가 나오고 침을 흘린다. 둘째, 시각에 따른 집중이 어렵다. 머리 가누기가 어렵기 때문에 시각으로 물체를 따라가며 보는 것이 힘들다. 셋째, 감정의 기복이 심하고 다소 불안하며 미성숙하다. 경직형보다 두려움이 없고 흥분을 하기 쉽다. 긴장하거나 움직이면 증세가 더욱 심해지고 잘 때는 나타나지 않는다. 근육이 짧아지거나 관절변형은 드문 편이다.

관련어 | 뇌성마비

불안
[不安, anxiety]

억압했던 감정, 기억, 욕망, 경험의 내용이 의식표면으로 떠오를 때 생기는 두려움. 정신분석학

일반적으로 다가올 위험을 경고하는 신호로서, 어떤 신체적인 감각에 의해 동반되는 정서적으로 불쾌한 상태를 의미한다. 불안은 정신분석의 핵심 개념으로서 개인으로 하여금 어떤 행위를 하도록 동기화시키는 긴장상태를 뜻한다. 정신분석 초기 이론에서는, 불안을 신경증의 핵심으로 여기고 참을 수 없는 욕동과 그와 연관된 생각들이 불안을 유발한다고 보았다. 리비도가 정상적인 성적 행위를 통해 표출되지 못할 때 불안으로 변화된다고 보았다. 이것을 불안의 일차 이론 혹은 독성이론(toxic theory)이라고 한다. 그러나 구조모형이 정립된 이후 프로이트(S. Freud)의 불안에 대한 이론도 변화되었다. 불안의 이차 이론은 불안이 갈등의 결과로 생기며, 자아의 방어를 요청하는 일종의 신호라고 설명하였다. 원초아와 초자아가 자아에게 위험이 임박했음을 알리는 신호불안이며, 자아로 하여금 적절한 반응양식을 탐색하도록 요구하는 일종의 경고다. 통제할 수 없을 정도의 불안은 자아를 위협하는데, 이때 자아가 합리적이고 직접적인 방법으로 불안을 감소시키거나 제거할 수 없는 경우에는 비현실적인 방법에 해당되는 방어기제에 의존하게 된다. 방어는 원초아와 자아 사이에 절충이 이루어지도록 한다. 그 결과 증상이 나타나는데, 이러한 증상은 위장된 형태로 원초아의 소망을 충족시키는 절충형성의 결과물이다. 불안에는 현실적 불안, 신경증적 불안, 도덕적 불안의 세 가지 유형이 있다. 세 유형의 불안은 모두 개인에게 불쾌한 정서적 경험이라는 점에서 공통점이 있지만 각자 고유한 특징을 가지고 있다. 현실적 불안은 불안을 유발하는 원인이 개인의 외부에 존재한다. 반면에 신경증적 불안과 도덕적 불안은 그 원인이 개인의 내부에 존재하며, 이들 불안은 적절한 조치를 취하지 않으면 자아가 붕괴될 때까지 위험이 증가할 것임을 자아에게 통보하는 기능을 한다. 한편, 개인이 다룰 수 있는 것보다 더 큰 특정 자극에서 비롯된 에너지가 유입될 때 발생하는 불안을 심리외상적 불안(traumatic anxiety)이라고 한다. 갈등모형을 포함하는 욕동이론에서는 정신병리의 일차적인 정서를 불안이라고 본다. 불안 이외의 다른 모든 정서는 불안이 수정되거나 전치 혹은 대체된 것이다. 심리외상적 불안의 예는 성장하는 유아가 배가 고프거나 아플 때 느끼는 불안이다. 자아가 아직 미성숙하기 때문에 이러한 반사적 형태의 불안을 느끼게 된다. 이와 관련되어, 위험스러운 발달 혹은 정신적 충격발생을 예견할 때 나타나는 긴장, 즉 어떤 신호로 유발되는 불안을 신호불안(signal anxiety)이라고 한다. 유아가 반사적 형태의 불안, 즉 심리 외상적 불안의 시기를 지나면 그 후 자아의 기억능력이 생기고, 따라서 정신적 충격과 불안을 유발하는 사건들과 주변상황을 서로 연결 지을 수 있게 된다. 유아는 어머니가 없을 때 배가 고파지고 개가 짖으면 공포가 밀려온다는 것을 인식한다. 어린 자아는 어머니로부터 분리되는 것 혹은 개의 존재와 불안감을 연합시키면서 신호불안을 느끼는 능력이 발달된다. 유아는 개의 존재 혹은 어머니의 부재에 대해 본래부터 지니고 있던 심리 외상적 경험이 없더라도 그러한 신호로 작동하는 사건을 곧 다가올 불안과 연합시킨다. 프로이트에 따르면, 신호불안은 방어기제를 촉발하고 신경증 수준에 이르게 할 수도 있다.

관련어 | 방어기제

불안검사
[不安檢査, anxiety test]

불안의 정도를 측정하기 위한 검사. 심리검사

심리검사 질문지 형식이나 체크리스트 형식으로

ㅂ

불안의 정도를 측정하는 도구를 일컫는다. 특성으로서의 불안을 측정하는 특성불안검사, 상태로서의 불안을 측정하는 상태불안 척도가 있다. 불안을 측정하는 도구에는 테일러(J. Taylor)의 MAS 불안척도, 커텔과 셰이어(R. Cattel & I. Scheier)의 CAS 불안측정검사, 스필버거(C. Spielberger)의 상태특성 불안척도, 저커맨(M. Zuckerman)의 감정형용사 체크리스트 등이 있다.

관련어 | 불안성격, 불안장애

불안성격
[不安性格, anxious personality]

긴장감, 초조감 등을 강하게 내포하고 있는 개인의 독특한 면. 이상심리

스필버거(C. Spielberger)는 불안을 정서적 과정으로 이해하여 개인의 성격 특질로 설명하고 있다. 그에 의하면 불안성격은 상태불안과 특성불안으로 구분할 수 있다. 자아의 형성이 미숙하다든지, 비뚤어지고 편향이 있기 때문에 욕구불만과 갈등에 대한 내성이 약하고 쉽게 적응장애를 일으킬 수 있다.

상태불안 [狀態不安, state anxiety] 불안을 일으키는 특별한 대상이나 상황, 예견되는 실패 등에 대한 위협으로 긴장감, 초조감 등을 느끼는 상태다. 이는 주관적이며 긴장이나 염려가 의식적으로 지각된 감정이면서 자율신경계통의 변화를 가져온다. 상태불안의 한 예로는 시험불안을 들 수 있다. 시간이 경과하거나 위협적인 상황이 지나가면 불안도 점차 줄어든다. 객관적인 위험과는 관계없이 개인이 주관적으로 위협적이라고 지각하면 불안수준이 높아지지만 객관적 상황이 아무리 위협적이라 해도 주관적으로 위협이라고 지각하지 않으면 불안수준은 낮아진다. 어떤 상황이나 자극이 위협적인 것이냐 그렇지 않은 것이냐에 대한 평가는 개인의 능력, 경험, 특성불안 수준, 객관적인 위협의 정도 등에 따라 달라진다. 상태불안은 과거경험에서 위협적인 것으로 평가된 자극상황에서 발생하며, 상태불안의 반응빈도는 개인에게 준 위협의 양에 비례한다. 그리고 상태불안의 지속 여부는 위협적 자극의 지속성과 유사한 자극이나 상황의 출현에 달려 있다. 이러한 불안을 해소하기 위해 개인은 방어기제를 사용할 수도 있다.

특성불안 [特性不安, trait anxiety] 불안을 일으키는 특별한 대상이나 사건과 상황이 없는데도 불구하고 지속적으로 불안감을 보이며, 자신의 행동에 대해 확신을 갖지 못하는 상태다. 이는 막연하지만 지속적으로 느끼는 불안으로 비교적 변화하지 않는 개인의 성격적 특성이 될 수 있고 개인차를 나타낸다. 불안은 위험에 대한 신호로서 긴장을 일으키고 그것을 해소하기 위해 행동을 한다. 심리적 방어가 감소하고 통제력을 잃으면 불안이 더욱 증가하고 신체적인 과정은 덜 분화되어 더욱더 혼란함을 느낀다. 이는 학습에 의해 형성되어 성장하면서 자극 여부와 상관없이 지속적으로 유지되어 성격 특성으로 굳어진 것이다. 특성불안 수준이 높은 사람은 많은 상황에서 위험이나 위협을 지각하며 위협적인 상황에 놓이면 더 강한 상태불안을 경험한다.

불안장애
[不安障礙, anxiety disorders]

긴장, 초조함, 두려움, 걱정 등을 과도하게 느껴 심리적 고통이 따르고 현실적 적응이 심각하게 손상된 상태. 이상심리

증상은 신경과민, 긴장감, 피로감, 잦은 소변, 빠른 맥박, 현기증, 호흡곤란, 땀, 손발 떨림, 걱정, 근심, 불면증, 주의집중 곤란, 경계심 등이다. 일반적으로 위험하거나 위협적인 상황에서는 긴장하고 조심스러워지고 두려운 느낌이 들다가 이러한 상황에

서 벗어나면 긴장이 완화되고 안도하게 되는데, 이처럼 위험하거나 위협적인 상황에서 불안을 느끼는 것은 자연스러운 것이다. 그러나 대상이나 상황이 주는 위험 또는 위협이 없거나 대상이나 상황이 주는 위험 또는 위협보다 더 과도하게 느끼고 오랫동안 불안을 느낀다면 불안장애로 진단할 수 있다. 정신역동적 접근에서는 불안을 신경증(neurosis)이라는 개념으로 설명하고 있고, DSM-II에서도 이 이론에 근거하여 신경증으로 명명하였다. 이후 DSM-IV에 따르면, 불안장애는 범불안장애(generalized anxiety disorder), 공포증(phobia), 공황장애(panic disorder), 강박장애(obsessive-compulsive disorder), 외상 후 스트레스 장애(posttraumatic disorder), 급성 스트레스 장애(acute stress disorder)로 구분하고 있다. DSM-5에서는 이전부터 논란이 되어 온 강박장애와 외상 후 스트레스 장애를 불안장애의 하위요인에서 제외시켜서 독립된 질병체계로 소개하고 있으며, 유아기 · 아동기 · 청소년기에 보통 처음 진단되는 장애로 분류되었던 분리불안장애와 선택적 함구증을 새롭게 불안장애에 포함시켰다. 결론적으로 DSM-5에서는 불안장애에 분리불안장애, 선택적 함구증, 특정공포증, 사회불안장애(사회공포증), 공황장애, 광장공포증, 범불안장애가 포함되었다. 불안장애증상을 완화하거나 감소시키기 위해 정신분석적 접근은 불안을 일으키는 무의식적 동기와 원인에 대해 통찰을 하도록 도움을 준다. 행동주의적 접근은 학습원리를 적용하여 불안반응을 강화한 외부자극이나 조건 등을 수정하여 불안반응을 감소시키는 것을 강조한다. 이때 사용하는 기법으로 노출 치료(exposure therapy), 체계적 둔감(systematic desensitization), 내폭치료(implosion therapy), 실제 상황 노출법(in vivo therapy), 모방훈련(modeling) 등이 있다. 인지주의적 접근은 개인의 생각이나 사고방식이 불안을 촉발시키는 것으로 보고 바람직한 행동을 위한 사고방식이나 인지양식을 갖도록 해 준다. 이를 위한 기법에는 인지재구성(cognitive reconstruction), 사고중지(thought stopping), 인지적 암송(cognitive rehearsal) 등이 있다. 최근에는 인지주의와 행동주의를 통합한 인지행동적 접근이 활성화되어 있다. 생리학적 접근에서는 항불안제, 항우울제와 같은 약물을 처방하여 불안을 완화시키고자 한다.

관련어 | 공황장애, 급성 스트레스 장애, 내폭치료, 사고중지, 외상 후 스트레스 장애, 인지재구성, 체계적 둔감, 항불안제, 항우울제

불이
[不二, non-duality]

상태 분별이 없고 절대 차별 없는 세계. 동양상담

부처님이 깨친 마음자리, 곧 도(道)를 말하는데, 대립을 떠난 경지를 나타낸다. 불이에 대한 설명은 『유마경(維摩經)』에 나온다. 유마거사를 병문안 간 부처님의 제자들이 불이의 뜻에 대해 서로 토론하게 되었다. 이 토론에 참가한 제자가 무려 32명이었는데 마지막에 문수가 이것을 정리하였다. "불이란 말로 설할 수도 없고 나타낼 것도 없고 인식할 것도 없어서 일체 문답을 떠난 절대 평등의 경지다."라고 설하였다. 그러나 여기서 문수는 불이란 사유와 언어를 초월한 것이어서 말할 수 없는 것이라 설하면서 그 자신도 그것을 말하고 있는 잘못을 저지르고 있다. 그래서 문수는 최후로 유마에게 물었다. 그러자 유마는 오직 침묵한 채 한 마디 말도 하지 않았다. 즉, 유마는 침묵으로 불이의 세계를 나타낸 것이다.

불편함
[不便-, dis-ease]

충분히 기능하지 못하고 거북하면서 조화롭지 않은 상태. 게슈탈트

대부분의 사람이 질병(disease)은 의학적이고 심

리학적인 전문가에게 상담해야 하는 병(illness)이라고 생각한다. 이들은 인간이 본래 건강하고 자기 조절력이 있는 존재라고 믿고 있으며 게슈탈트 치료자들은 인간이 완전히 기능하지 못하는 상태에 대해 편하지 않거나 조화롭지 않은 상태의 과정을 강조하기 위해서 '불편함(dis-ease)'이라는 용어를 사용한다. 게슈탈트 치료에서 행동 · 접촉 · 선택 · 진정성 등이 건강함을 나타낸다면, 정체 · 저항 · 경직 · 통제 등은 불안과 같이 '불편한' 상태를 의미한다. 사람들이 '불편'해지면 자신을 둘러싼 외부환경과 심리적이고 신체적으로 건강한 관계를 맺지 못하고, 전인으로서의 자기 자신을 경험하지 못하게 된다. 따라서 알아차림의 주기가 편안하고 자연스럽고 효율적으로 이루어지지 못한다. 불편함이란 게슈탈트의 형성과정에서 방해를 받거나 어느 하나 이상의 단계에 장애가 있음을 의미한다고 볼 수 있다. 이에 치료작업은 자아실현의 과정을 막는 장애와 장벽, 방해물 제거를 촉진하는 것이다.

관련어 | 미해결 과제

불평자
[不平者, complainants]

드세이저(de Shazer)가 분류한 치료자와 내담자 사이의 관계 유형 중 하나로, 내담자와 치료자가 함께 문제해결의 목표나 불평을 찾아내기는 하지만 이를 성취하기 위한 구체적인 방법을 구조화하지 못하는 관계. 해결중심상담

불평자의 관계유형 속에서 치료자와 내담자는 문제해결의 목표에 관해서는 아주 구체적이고 세부적으로 묘사할 수 있는 특징을 가지고 있다. 그러나 문제를 해결하고 변화를 가져오기 위해서는 다른 사람이 변화해야만 이룰 수 있는 것이라고 믿는 경우가 많다. 즉, 문제의 원인과 해결책을 분리해서 생각하는 것이다. 예를 들어, 알코올중독자가 자신이 술을 과도하게 마시는 것이 자신의 삶을 망치는 원인이기는 하지만 부인의 부정적인 행동이 변화되어야만 술을 과도하게 마시는 행동을 줄일 수 있다고 믿는 것이다. 이러한 유형의 관계 속에서 치료자는 내담자에게 자신의 삶이 지금보다 좀 더 긍정적인 방향으로 바뀔 수 있다는 것을 인식시키는 데 노력을 기울여야 한다. 즉, 내담자 스스로 자신이 도움이 필요하다는 것을 인식할 수 있도록 치료자는 중간 정도의 도움을 주면서 기다려야 한다. 자칫 치료자가 문제해결을 위한 변화를 자극하거나 내담자가 문제를 가지고 있다는 태도를 보이면, 내담자는 저항적으로 되기가 쉽다. 따라서 내담자 스스로 자신의 문제와 그 변화의 필요성을 인식할 수 있도록 서서히, 그리고 자연스럽게 이끌어야 한다.

관련어 | 고객, 방문자, 비자발적 내담자

불평형
[不平衡, disequilibrium]

주변환경에서 들어온 정보와 인지적 스키마 간의 정신적 균형을 추구하는 인지적 균형이 깨진 상태. 인지치료

불평형은 자신의 사고방식으로는 문제해결이나 상황이해가 불가능하다는 사실을 인식할 때 발생하는 현상이다. 인지체계의 여러 요소는 균형을 이루고 있으며, 동화와 조절의 두 과정을 통해 끊임없이 인지체계와 외부세계는 균형상태를 향해 나아간다. 반면에 불평형 또는 인지적 갈등상태는 인지구조가 내놓는 해결책의 불균형, 부조화, 불확실성을 암시한다. 피아제(Piaget)는 모든 유기체는 자기 자신과 환경 사이에 조화로운 관계를 만들고자 하는 생득적 경향성을 가지고 있다고 전제하였다. 즉, 유기체의 모든 측면은 최적의 순응을 이루는 쪽으로 연결되어 있다. 평형은 지적 성장을 촉진하는 동기적 요인이다. 아동이 외부환경과 상호작용할 때 기존의 도식(schema)으로 해결될 수 없는 새로운 사태에 직면하면 조절이 일어나야 한다. 그러나 조절이 이루어지는 과정은 인지적 긴장과 갈등을 일으키며

유기체를 불평형 상태에 처하도록 한다. 인지적 불평형 상태는 유기체가 평형상태를 회복하고자 노력하게 만들며, 그 결과 기존의 도식이 수정되고 인지적 성장이 이루어지면서 인간의 사고가 변화하고 발달해 간다.

브레인스토밍
[-, brainstorming]

자유로운 토론을 통해 다양한 사고를 자극하여 사고의 연쇄반응을 이끌어 내고 독창적인 아이디어를 찾아내는 집단적 사고 창출법. 인지행동치료

1941년 미국의 한 광고 대리점에서 처음 시작된 회의방식으로서, 소집단의 효과를 살리고 끊임없는 아이디어의 연쇄반응을 불러일으키므로 창의성이 발휘되기 쉽고, 개인이나 소수의 독단적인 의사결정을 예방할 수 있다는 장점이 있다. 이러한 장점을 살리기 위해서는 다음의 기본 가정을 염두에 두고 시행해야 한다. 첫째, 평가의 금지 및 보류다. 자신의 의견이나 타인의 의견에 대하여 일체의 판단이나 비판을 의도적으로 금지한다. 아이디어를 내는 동안에는 어떠한 경우에도 평가를 해서는 안 되며 아이디어가 모두 나올 때까지 평가를 보류해야 한다. 둘째, 자유분방한 사고다. 어떤 생각이든 자유롭게 표현해야 하고 또 어떤 생각이든 거침없이 받아들여야 한다. 셋째, 양산이다. 아이디어의 질보다는 양에 관심을 가지고 많은 아이디어를 내고자 노력한다. 넷째, 결합과 개선이다. 다른 사람들이 내놓은 아이디어를 결합하거나 개선하여 제3의 아이디어를 내보도록 노력한다. 자유분방하고 다소 엉뚱하기까지 한 의견도 수집해야 하며, 이러한 의견을 토대로 아이디어를 전개시키는 것이 중요하다(강진령, 2008).

브레즐튼 신생아행동평정척도
[-新生兒行動評定尺度, Brazelton Neonatal Behavioral Assessment Scale, NBAS]

출생 후 2개월 이내 영아의 행동을 평가하는 발달검사. 심리검사

출생 후 2개월 이내의 영아의 행동을 평가하기 위해 브레즐튼 등(1973)이 고안한 척도다. 브레즐튼은 영아는 유능하고 복잡하게 조직된 존재로서 환경과 상호작용하는 능력과 외부환경의 자극을 선택적으로 다루는 능력이 있으므로 환경과 상호작용하는 동안 행동을 의사소통의 수단으로 사용한다고 하였다. 이런 믿음에 근거하여 그는 영아의 행동 영역을 측정함으로써 영아의 행동조직기술과 수행을 촉진하는 상호작용능력을 사정하는 척도를 개발하였고, 나아가 영아와 부모의 상호작용에서 부모가 중심이 되는 교육 프로그램과 영아의 개별화된 발달을 계획하는 데 활용하였다. 이 척도는 출생 후 3일에 최초로 실시하고, 실시 후 2~3일 이내에 반드시 반복측정한다. 척도의 하위영역은 습관화(habituation), 지향성(orientation), 운동(motor), 상태범위(range of state), 상태조절(regulation of state), 자율신경계(autonomic nervous system)의 6개 영역에서 27개 행동반응영역과 18개의 반사기능영역으로 구성되어 있다. 습관화에는 불빛, 딸랑이, 종, 침 자극에 대한 반응감소가 있으며, 지향성에는 사물에 초점 맞추기, 사물 따라가기, 사람 얼굴에 초점 맞추기, 사람 얼굴 따라가기, 소리자극에 반응하기, 사람 목소리에 반응하기, 사람 얼굴과 목소리에 동시 반응하기 등이 있다. 운동에는 잡고 일어나기, 방어운동, 주의력 정도, 근육긴장, 운동 신속성, 활동성이 있고, 상태범위에는 흥분도, 불안정성, 상태 가변성이 있으며, 상태조절에는 매달리기, 달래면 울음 그치기, 흥분 가라앉히기, 손가락 빨기, 떨림, 놀람, 피부반응이 있다. 자율신경계에는 진전, 놀람, 피부색

의 변화가 있다. 출생 직후 신생아는 자율신경계, 반사, 조절 능력, 자극에 대한 상호작용 능력의 네 가지 기능적 영역이 있으며, 제시된 순서대로 통합되고 이 같은 영역을 잘 통합하는 것이 이 시기 영아의 중요한 과업이다.

브로드만 영역
[-領域, brodmann area]

대뇌피질을 기능적으로 나눈 영역. 뇌 과학

독일의 신경학자인 코비니안 브로드만(Korbinian Brodmann)이 뇌 세포의 특징적인 구조와 배열에 따라 52개의 기능적인 영역으로 나누어 정의한 것을 말한다.

브로드만 영역 25
[-領域三十五, brodmann area 25]

대뇌피질의 브로드만 영역 중 변연 연합영역의 하나. 뇌 과학

기분, 사고, 정서에 관여하는 몇몇 뇌 영역을 연결하며, 우울증 환자의 경우 과잉 활성화되어 있다.

관련어 대뇌피질, 브로드만 영역

브로카 실어증
[-失語症, Broca's aphasia]

브로카 영역의 손상으로 초래되는 행동 증후군. 특수아상담

브로카 실어증의 핵심 증상은 말을 유창하게 하지 못함에도 불구하고 언어이해와 발성기제가 정상적인 것이다. 그러나 브로카 실어증상은 환자에 따라 상당히 큰 차이를 보인다. 어떤 환자는 말을 유창하게 산출하는 데 어려움을 보이지만(자주 대명사, 접속사, 전치사, 관사 등의 기능어를 생략한다), 느리더라도 이해할 수 있을 정도의 문장을 구사할 수 있다. 또 어떤 환자는 매우 심각한 실어증상을 보이면서 단지 몇 개의 단어만 말할 수 있고, 이조차 발음하는 것이 매우 힘들어 보인다. 브로카 실어증 환자에게서 관찰되는 언어 문제는 구두-얼굴 움직임의 장애 때문은 아니다. 심각한 브로카 실어증을 앓는 환자에게 촛불을 불어 보게 하거나 목소리를 가다듬는 것을 요구하면 제대로 수행한다. 이들은 일반적인 인지기능의 장애를 보이지 않는다. 즉, 비언어 과제(예를 들어, 계산, 심상 회전, 얼굴 인식)를 정상적으로 수행하며, 언어지시를 이해하거나 수행하는 능력을 가지고 있다. 그러나 언어 지시를 이해할 수 있다고 해도 이 지시를 복창하는 것은 손상되어 있다. 불행하게도 브로카 실어증에서 자주 관찰되는 실문법증은 말의 산출에만 국한되지 않는다. 브로카 실어증 환자들은 말의 이해에도 장애가 있는 것이 관찰되는데, 이는 명사 혹은 동사 의미에 대한 이해 부족이 아니라 기능어의 이해 손상에서 초래하는 것으로 보인다. 따라서 실문법증을 가지고 있는 브로카 실어증 환자들은 문법적으로 복잡한 문장, 즉 문장의 의미가 단어의 순서 혹은 기능어의 의미에 달려 있는 문장을 이해하는 데 어려움을 보이기도 한다. 브로카 실어증을 초래하는 병변은 대개 브로드만 영역 44번과 45번에 위치하지만 병변의 깊이는 아직까지 논란이 되고 있다. 어떤 사람들은 피질 병변만으로도 브로카 실어증이 나타난다고 주장하는 반면, 어떤 사람들은 피질하 조직까지 손상되어야 브로카 실어증이 발병한다고 주장한다. 또한 어떤 사람들은 브로카 영역이 단순히 말의 순서에 관여하는 것 이상의 기능을 가지고 있다고 주장한다. 브로카 실어증 환자들이 비언어적인 계획과 제의 수행에서도 어려움을 보이기 때문에 어떤 사람들은 이 영역이 근본적으로 순차적 정신활동에 관여한다고 주장하는데(Bartl-Storck & Müller, 1999), 이 기

능은 언어의 산출과 계획 모두에 필요하다.

관련어 | 베르니케 실어증

브로카 영역
[-領域, Broca's area]

대뇌 중 언어표현에 관여하는 영역. 뇌 과학

프랑스의 외과의사이자 신경 해부학자인 폴 피에르 브로카(Paul Pierre Broca)가 입을 움직여 소리는 냈지만 말은 하지 못한 환자의 사후 뇌를 조사하여 밝힌 영역으로, 이야기를 하거나 글을 쓰는 행위를 지배하는 부위다. 대뇌의 좌반구 전두엽에 위치하며, 이 영역이 손상되면 말을 힘들게 하거나 아예 말을 하지 못하는 등 언어 표현 능력이 상당히 저하된다.

관련어 | 대뇌

브리징
[-, bridging]

영화와 내담자의 현실에 다리를 놓는 기법. 영화치료

브리징은 영화치료에서 사용하는 기법으로, 영화와 내담자의 현실을 연결해 주는 것이다. 영화를 치료에 활용할 때 어떤 경우에는 내담자가 영화를 방패 삼아 자신의 이야기를 피할 수도 있고, 영화와 자신의 현실 사이에 어떤 공통점도 없다고 이야기할 수도 있다. 또 영화를 충분히 활용하지 못한 채 영화관람 따로, 상담 따로 끝을 맺는 경우도 있고, 영화의 치료적 가치에 대한 치료자의 기본 가정과 매우 다른 해석을 하면서 영화 보기를 거부할 수도 있다. 이때 치료자는 순조롭게 내담자의 현실 쪽으로 영화와 현실을 연결시킬 수 있도록 브리징 기술을 발휘해야 한다. 브리징은 순방향 브리징과 역방향 브리징으로 나뉜다. 순방향 브리징은 내담자가 영화를 방패 삼아서 영화 이야기만 하고 자신의 삶에 대한 정보는 거의 밝히지 않을 때 영화와 삶을 이어 주는 것이다. 또한 내담자가 특정 영화에 자신의 욕망이나 갈등 등을 투사했음에도 그것이 삶과 연결되지 않고 그냥 지나쳐 버릴 때도 사용할 수 있다. 이때 치료자는 내담자가 상담장면에서 영화 이야기만 하고 있다는 사실을 깨우치도록 하고, 영화에서 보고 느낀 부분을 현실에서 어떻게 경험했는지 탐색하고 알아차리게 한다. 역방향 브리징은 내담자가 영화를 보았음에도 자신의 일상에 대한 이야기만 계속할 때나 영화 이야기를 하지만 별다른 통찰력 없이 단순한 이야기만 늘어놓을 때 내담자를 영화 속으로 들여보내 영화치료의 효과를 상승시키고자 하는 것이다. 역방향 브리징은 내담자의 감정을 더욱 증폭시키고 내담자가 어떤 주제에 대해, 누구에게, 왜 자신을 투사하는지 알아볼 수 있다는 점에서 상담에 유용한 정보를 줄 수 있다. 브리징이 잘 되지 않을 경우 영화와 상담이 각각 병렬적으로 진행되어 상담에서 영화를 사용하는 이유가 불분명해진다. 치료자가 브리징 시기를 놓치거나 내담자가 영화에 투사를 했음에도 이를 잘 모르고 지나쳐 브리징에 실패할 수도 있다. 또는 내담자가 자신의 삶과는 전혀 엉뚱한 이야기를 한다든지, 영화 자체를 완전히 다르게 해석했다든지, 내담자의 투사가 너무 강렬하여 특정 주인공에 대해 과도한 감정표현을 하면서 마음의 문을 닫는 등의 여러 상황에서도 실패할 수 있다.

블라우의 진로상담의 사회학적 이론
[-進路相談-社會學的理論, Blau's socialogy theory for career counseling]

개인이 속한 사회문화적 환경이 개인의 행동에 영향을 미친다는 사회학적 입장에서 진로선택을 설명하는 이론. 진로상담

대표적인 이론가에는 블라우(1956), 홀링스헤드

ㅂ

(Hollingshead, 1949), 밀러와 폼(Miller & Form, 1951) 등이 있다. 이 이론은 개인을 둘러싸고 있는 사회적 · 문화적 · 경제적 요인 등이 진로발달과 선택에 가장 큰 영향을 미친다는 것을 강조하였다. 사회적 요인은 크게 가정, 학교, 지역사회로 구분할 수 있으며, 가정요인에는 가정의 사회경제적 지위, 부모의 직업, 부모의 수입, 부모의 교육 정도, 주거지역, 주거양식, 종교적 배경, 가족규모, 부모의 기대, 형제의 영향, 출생순위, 가정의 가치관, 가정에 대한 개인의 태도 등이 있다. 학교요인에는 교사와의 관계, 또래와의 관계, 교사의 영향, 또래의 영향, 학교의 가치관 등이 있다. 지역사회 요인에는 지역사회가 주로 행하는 일, 지역사회의 목적 및 가치관, 지역사회 내에서 특수한 경험을 할 수 있는 기회, 지역사회의 경제조건, 지역사회의 기술변화 등이 있다. 이 같은 요인 중에서 특히 부모가 진로선택에 가장 큰 영향을 미친다. 이러한 요인들의 영향은 공간과 시간에 따라 다르게 나타난다. 공간에 따라서는 가정, 학교, 지역사회, 국가, 사회계층 등 각 요인별로 진로선택에 미치는 영향이 다르고, 시간에 따라서는 각 요인의 영향력이 달라진다. 부모의 영향력을 예로 들면, 고등학교 시기에는 어머니, 대학교 시기에는 아버지의 영향력이 크다. 또한 베이비붐 세대나 대공황과 같은 시대적 사건은 진로선택에 중요한 영향을 미친다. 이 이론에 근거한 진로상담에서는 상담자가 개인을 둘러싸고 있는 특정 환경요인이 개인에게 어떤 영향을 미치는지를 면밀히 파악하여 상담에 임할 것을 강조한다. 왜냐하면 동일한 요인이라 하더라도 각 개인에게 미치는 영향은 각각 다를 수 있기 때문이다. 이런 점에서 상담자는 앞에서 설명한 여러 가지 사회적 요인을 고려하여 내담자에게 특정 직업에 가치를 두도록 영향력을 미치는 압력집단, 그리고 다양한 역할수행에 대한 개인의 지각과 그 개인에 대한 타인의 지각이 일치하는 정도를 주의 깊게 살펴보는 것이 필요하다. 한편, 이러한 견해에 비추어 밀러와 폼(1971)은 진로생애의 단계를 준비단계(preparatory stage), 시작단계(initial stage), 시행단계(trial stage), 안정단계(stable stage), 은퇴단계(retirement stage)로 제시하였다. 준비단계는 일에 대한 방향이 정해지는 시기이고, 시작단계는 형식적 교육이나 아르바이트를 통한 일에 대한 경험을 하는 시기다. 시행단계는 취업을 하지만 만족스러운 직업을 가질 때까지 여러 번의 변화를 시도하는 시기다. 안정단계는 직업세계와 지역사회에서 안정을 확립하는 시기다. 은퇴단계는 지금까지 해 오던 일에서 물러나거나 다른 활동을 추구하는 시기다. 이 이론은 개인이 통제할 수 없는 요인들을 강조했다는 데서 개인이 스스로 직업을 선택하고자 하는 재량권이 약한 한계를 지니고 있다.

관련어 | 진로발달이론

블래키 그림검사
[– 檢査, blaky pictures]

개들로 구성된 가족만화를 이용한 투사적 그림검사. 미술치료

정서장애 아동을 검사하기 위한 것으로서, 개들이 주인공인 만화를 그리고 이야기를 구성하도록 한 다음 그것을 분석하여 정서적 어려움을 파악한다.

출처: http://cafe.daum.net/arttherapycj

블랙박스 은유
[-隱喩, black box metaphor]

가족의 복잡한 심리체계와 상호작용을 이해하는 데 노력을 기울이기보다는 관찰 가능한 의사소통 유형이나 행동의 패턴 등에 집중해야 한다는 것을 블랙박스를 들어 설명한 것. 가족치료 일반

블랙박스 은유는 가족의 체계를 기계적 사고로 보는 입장을 설명한 것이다. 즉, 컴퓨터는 현대에 들어와 계속해서 발전을 거듭한 탓에 작용 메커니즘을 이해하기가 매우 어려워졌다. 따라서 그 복잡한 내부를 이해하려고 애쓰는 것보다는 그 장치가 보여 주는 입력과 출력만 이해하고 관심을 보이는 것이 더 편리하다는 것이다. 이와 같이 가족의 상호작용과 심리체계도 너무나 복잡하고 다양해서, 이러한 것을 모두 이해하고 변화를 시도한다는 것은 매우 어려운 일이라고 보았다. 따라서 복잡한 가족의 심리내적인 문제를 연구하기보다는 가족체계의 표면에 드러나는 상호작용이나 행동 등에 관심을 집중하고, 동기와 의도에 대한 추측은 배제해야 한다고 보았다. 이러한 입장은 체계론적 접근의 가족치료에 많은 영향을 미쳤다.

블로스의 적응체계이론
[-適應體系理論, Blos's theory of adaptation system]

블로스(1979)가 프로이트(Freud)의 정신분석학적 이론에 근거한 성적 변화와 관련시켜 청년기의 자아발달 양상을 이론화한 적응체계이론. 아동청소년상담

블로스는 프로이트의 정신분석학적 이론에 근거하여 성적 변화를 설명하면서, 청년기는 부모에 대한 오이디푸스적 집착에서 벗어나서 부모로부터 독립하는 심리적 이유를 거치며 2차 개체화 과정이 이루어지는 시기라고 하였다. 그는 이 과정에서 오는 갈등을 극복하고 독립적 자아를 형성하여 외부환경에 대한 적응체계를 확립해 나가는 과정을 여섯 단계로 구분하였다. 1단계는 잠재기로서 사춘기의 강한 성적 충동을 대처하는 자아의 적응체계가 발달하는 시기다. 2단계 청년 전기는 급격하게 증가된 성적 욕구에 대한 놀라움, 두려움, 흥분, 관심 등의 강한 감정을 드러내고 정서적으로 불안정하며 공격적 욕구가 표출되어 부모의 통제에 반항하며 청년기 비행이 나타나는 시기다. 3단계 청년 초기는 지금까지 억눌렸던 성적 욕구를 표출할 수 있는 구체적인 대상을 찾는 시기로, 그 대상은 주로 텔레비전 스타, 운동선수, 가수 등이다. 4단계 청년 중기는 정서적으로 불안정하고 우울하며 혼돈스럽지만 성적 표출대상이 현실적이고 실재적인 또래 이성으로 옮겨지고 자신의 관심을 솔직하게 표출함으로써 성적 혼돈과 갈등이 통합된다. 이 시기의 청년은 자아의 기능이 크게 강화되어 성인의 지시를 수용하는 등의 성숙된 모습을 보인다. 5단계 청년 후기는 성적 혼돈과 갈등을 극복하려는 통합된 자아의 강화로 내적 위기와 갈등이 해소되고 사회적 역할과 정체성을 확립한 성격 공고화 단계다. 이런 안정성을 기반으로 이 시기의 자아는 성취하고자 하는 목표를 지향하는 내재적 자아이상과 보다 현실적이고 합리적인 외재적 자아이상 간의 균형을 유지해야 한다. 6단계 청년 이후기는 청년기에서 성인기로 이행하는 과도기로서 성적 혼돈과 갈등을 겪으면서 형성된 자아의 적응체계는 보다 더 안정되고 더욱더 발달해 나가며 성숙한 대처능력과 갈등해결과정을 통해 인격과 자아존중감이 형성된다.

관련어 | 정신분석, 청소년기

비가역성
[非可逆性, irreversibility]

피아제(Piaget)의 인지발달이론에서 전조작기의 특징으로, 사물의 이치를 한 면으로만 이해하고 역으로는 이해하지 못하는 현상. 인지치료

가역성은 정신적으로 특정 행동을 원상태로 돌리

ㅂ

거나 무효로 하는 능력이다. 이와 반대로 비가역성은 사물의 이치를 한 면으로만 이해할 뿐 역으로는 이해하지 못하는 것이다. 피아제는 인지발달이론에서 보존개념에 근거를 제시하는 개념으로 가역성을 설명하면서, 사물을 다양한 측면에서 이해하고 이를 뒤집어 해석할 수도 있는 것이라고 하였다. 직관적 단계에 있는 아동은 액체보존문제를 푸는 과정에서 높이와 너비 두 측면에 동시에 집중할 수 없다. 높이 또는 너비 중 한 측면에만 집중하며, 그 단일한 측면을 바탕으로 결론을 내린다. 예를 들면, 같은 양이 다른 형태로 변해도 양에는 변화가 없다는 사실 혹은 납작한 진흙 공이 다시 원래의 둥근 공으로 바뀔 수 있다는 사실을 이해하지 못하는 것이다. 성인이 되어서는 극심한 스트레스 상황에 처하거나 불안증상에 시달리면 정신적 비가역적 상황을 경험하기도 한다. 이러한 상황을 체험하면 융통성을 잃고 전체적인 상황을 이해하는 데 어려움을 겪을 수 있다. 또한 위급한 상황이나 만성적인 불안상태에서 환경이 요구하는 것에 대해 효율적으로 반응할 수 없게 되고, 인지적으로 매우 협소하면서 비합리적인 결정을 내리게 된다. 대표적인 예로는 인지적 터널비전(mental tunnel vision)이 있다.

비강투여
[鼻腔投與, intranasal administration]

약물 사용자들이 약물을 인체에 투여하는 방법의 하나로, 분말형태의 약물을 코로 흡입하는 것. 중독상담

비강투여의 방법은 주로 코담배나 코카인을 복용할 때 쓰인다. 콧속으로 들어간 약물은 코의 점막을 통해 혈류로 곧바로 흘러 들어가기 때문에 효과가 매우 빠르게 나타나지만, 그만큼 부작용도 심각하다.

관련어 | 니코틴, 코카인

비계대화
[飛階對話, scaffolding conversations]

효과적인 비계작업을 위해 상담자와 내담자 사이에서 이루어지는 대화. 이야기치료

내담자는 주로 자신의 삶에 부정적인 영향을 미치고 있는 문제적 이야기를 가지고 상담현장에 찾아온다. 대부분의 문제적 이야기는 내담자에게 아주 친숙하고 스스로 잘 알고 있다고 인식하는 특징이 있다. 내담자는 자신의 문제에 많은 관심을 가지고 있으며 어느 정도의 구조화된 해석과 의미를 문제적 이야기에 부여하고 있는데, 이것을 지배적 이야기(dominant story)라고도 한다. 이렇게 익숙한 문제 이야기인 지배적 이야기의 영향으로 내담자는 자신의 삶과 그 속의 여러 사건과 관계 속에서 비슷한 평가를 내리기가 쉬워진다. 이처럼 의미부여가 된 평가들은 내담자의 삶에서 흔히 발견되는, 익숙한 것이 되어 버려서 그로부터 정체성을 규정하는 것은 더욱 쉽다. 하지만 인간의 삶 속에는 흔히 보이지 않지만 암시적인(absent but implicit) 사건이 분명히 존재하며, 그러한 사건들이 새롭게 주목되고 의미가 부여될 때 지배적 이야기의 재구조화(reconstruction)가 일어나서 새로운 이야기인, 다시 말해 대안적 이야기(alternative story)의 구성이 가능해진다. 비계대화는 내담자의 삶에서 일어나는 이처럼 익숙한 패턴의 평가에서 벗어나, 또 다른 변화인 대안적 이야기로의 이동을 위한 발판을 마련하는 것이다. 즉, 내담자의 지배적 이야기로 가득 찬 삶 속에서 보이지 않지만 암시적인, 그래서 새로운 의미의 부여가 가능한 사건들을 찾아 이야기의 재구조화가 가능하도록 내담자를 도와주는, 바로 지배적 이야기와 대안적 이야기 사이를 연결해 주는 다리(bridge) 역할을 하여 그 이동이 원활해지도록 하는 과정이다. 이러한 이동을 또 다른 말로 '개인 대행(personal agency)을 발견하는 과정'이라고도 한다. 자신의 삶을 새롭게 변화시킬 수 있는 능

력, 즉 개인 대행이 본인에게 있음을 깨닫고, 그러한 인식을 의도적으로 강화해 대안적 이야기 안에서 내담자가 살아갈 수 있도록 도와주는 것이 비계대화의 목표다.

관련어 | 개인 대행, 대안적 이야기, 보이지 않지만 암시적인, 비계작업, 지배적 이야기

비계대화 지도 [飛階對話地圖, scaffolding conversations map]

내담자가 대안적 이야기로 쉽게 이동하도록 도와주는 비계작업 과정을 5개의 과정으로 분류하여 도식화한 것. 이야기치료

비계대화 지도는 비고츠키(Vygotsky, 1986)의 영향을 받아 이야기치료의 창설자인 화이트(White, 2007)가 구성하였다. 이 지도의 5단계는 모두 내담자의 익숙한 인식, 즉 구조화된 지배적 이야기(dominant story)로부터 멀어져서 대안적 이야기(alternative story)로의 이동을 도와주는 과정인 '거리두기 과업(distancing tasks)'이라는 용어를 사용하여 단계적으로 설명하고 있다. 첫째는 낮은 단계의 거리두기(low-level distancing tasks)로서, 내담자의 삶에서 실제 경험한 친숙한 사건에 대한 의미부여 패턴인 지배적 이야기로부터 첫 발걸음을 떼는 단계다. 여기서는 내담자의 삶에서 주목하지 않았던 익숙하지 않은 사건에 의미를 부여하여 주목하도록 질문을 한다. 물론 익숙하지 않은 사건들은 지배적 이야기의 부정적인 영향력을 상쇄할 만하고 긍정적인 영향력을 가져올 수 있는 것이어야 한다. 둘째는 거리두기의 중급 단계(medium-level distancing tasks)로서, 의미를 부여하기 시작한 익숙하지 않은 사건의 예를 더 많이 찾아내어 그들 간의 연관성을 찾는 단계다. 또한 이러한 사건들과 익숙한 사건들과의 차이점 및 유사성에 대해서도 이야기를 나눌 수 있다. 셋째는 거리두기의 중상급 단계(medium-high-level distancing tasks)로서, 연관성을 찾아낸 익숙하지 않은 사건들에 대해서 반영과 평가를 하여 의미를 부여하는 단계다. 넷째는 거리두기의 상급 단계(high-level distancing tasks)로서, 여기서는 이제까지 연결고리를 만들고 평가를 내린 익숙하지 않은 사건들을 내담자의 특정한 삶의 환경과 여러 관계 속에서 조명해 보는 단계다. 이 과정에서 내담자가 익숙하지 않은 사건들에 대해 의미를 부여하고 정체성을 깨닫게 된다. 다섯째는 거리두기의 최상급 단계(very high-level distancing tasks)로서, 여기서는 이제까지의 단계를 통해 정체성을 형성한 익숙하지 않은 사건들이 내담자의 삶에서 새로운 의미와 가능성을 열어 보다 긍정적인 영향력을 미칠 미래에 대해 이야기하는 단계다. 이때 내담자가 새로운 의미를 가진 이러한 이야기들의 가능성과 미래의 삶에 미칠 수 있는 긍정적인 영향력에 대해 상상해 보고, 서술할 수 있도록 도와준다.

관련어 | 보이지 않지만 암시적인, 비계대화, 비계작업

비계작업 [飛階作業, scaffolding]

이야기치료에서 내담자의 삶에서 부정적인 영향을 미치고 있던 문제적 이야기와 그 부정적인 영향을 감소시킬 수 있는, 혹은 그 부정적인 영향력 아래에 있지 않는 독특한 결과(unique outcomes)와의 차이를 메우기 위해 내담자를 격려하는 것. 이야기치료

비계라는 것은 건축현장에서 인부들이 건물을 신축하거나 보수를 할 때, 높은 곳에서 쉽게 작업할 수 있도록 설치한 발판 등을 일컫는다. 이야기치료에서 사용하는 비계작업은 건축현장에서 비계의 쓰임과 목적이 같다. 즉, 이야기치료 과정에서 내담자가 독특한 결과들의 보다 긍정적인 영향력 아래에서 자신의 삶의 이야기를 재구조화하는 작업을 돕는 과정이 비계작업이다. 이야기치료과정의 초기에는 발견된 독특한 결과들의 정체성과 내담자가 가지고 온 문제적 이야기의 정체성 사이에 어느 정도 공간

(gap)이 있기 마련이다. 이러한 공간을 메우고, 보다 안정적이고 풍성한 재저작 대화(re-authoring conversations)로 내담자를 이끌기 위해 질문하는 과정을 거치면서 대안적 이야기(alternative story)를 좀 더 풍성하게 서술하도록 해 주는 것이 비계대화다. 따라서 이야기치료 과정에서 재저작 대화는 바로 비계작업을 통해서 보다 풍성하게 이야기하는 것이 가능해지고, 내담자의 실제 삶에서 영향력을 발휘하면서 그 정체성을 확립하는 발판을 마련한다. 이러한 비계대화는 행동의 조망(landscape of action)과 정체성의 조망(landscape of identity)으로 구성된 이중조망(dual landscape)이라는 틀 안에서 질문을 하게 되며, 이러한 구조는 재저작 대화의 지도(re-authoring conversations map)를 통해서 잘 드러난다.

관련어 | 이중조망, 재저작 대화, 재저작 대화의 지도

비공식적 집단
[非公式的集團, informal group]

공적 집단의 내부에서 자연 발생적으로 형성되며 공식으로는 규정될 수 없는 모임. 기업 및 산업상담

사람들은 어떤 사회 환경에서도 항상 마음을 터놓고 대화를 할 수 있는 인간관계를 원한다. 예를 들면, 직장에서 일을 할 때도 동료와의 사적인 대화를 즐기는 것이 좋은 것이며, 그 속에서 생겨난 교류는 여러 가지 형태로 일 이외의 개인적인 관계로 나아간다. 이렇게 해서 형성된 사적인 관계는 공적인 규제에 의하여 결정적이고 조직적인 관계에서는 충족될 수 없는 심리적인 만족을 개인에게 준다. 이 같은 비공식적 집단은 공식적 집단(formal group)에 대립되는 개념으로, 메이오, 뢰슬리스버거와 딕슨(Mayo, Roethlisberger, & Dickson) 등은 산업조직에서 작업효율에 큰 영향을 준다는 점을 연구로 밝혔다. 호손실험(Hawthorne experiment) 이후로는 근로자의 자발적인 헌신을 유도하는 집단적 작업을 계승하는 기능이 주목을 받았다.

관련어 | 호손효과

비교생략
[比較省略, comparative deletion]

상대적인 비교를 하면서 비교대상을 구체적으로 밝히지 않는 최면화법. 최면치료

최면치료 대화기법으로, 최면치료과정에서 치료자가 내담자에게 막연하고 추상적으로 비교하는 표현의 문장을 사용하여 최면을 유도한다. 예를 들어, 무엇에 비해서라는 구체적 비교대상 없이 "보다 더 이완된 상태가 될 수 있습니다." "더 받아들여집니다."라는 표현을 사용하는 것이다. 이러한 문장을 사용하여 내담자를 좀 더 깊은 최면상태로 유도할 수 있다.

비교인간행동학
[比較人間行動學, human ethology]

인간의 모든 행동을 비교 연구하는 학문. 기타

인간행동의 기원과 진화에 대한 연구결과가 급속하게 축적되면서 이에 더해 인류학, 신경과학, 촘스키(Chomsky)의 언어학, 피아제(Piaget)의 인지심리학 등의 영향을 받아 성립된 비교행동학의 조류다. 예를 들면, 같은 연령의 유아가 동일한 상황에서 보이는 정서적 반응을 비교하는 것, 한국인과 서구인의 표정, 태도, 생활습관 등에서 나타나는 차이점과 공통점을 비교하는 것, 아동과 성인의 생활에 나타나는 편견의 정도를 비교하는 것 등이다. 이는 상담에서도 중요한 문제로 대두되며, 핵심 지식과 단서를 제공해 준다.

비교종교학
[比較宗教學, comparative religion]

세계 종교의 주제와 신화, 의식, 개념 간의 차이나 유사점을 분석하는 종교연구의 한 분야. 분석심리학

비교종교학은 여러 종교가 한 사회 안에 공존하는 현상이 증가하면서 종교들의 만남을 통해 시작되었다. 비교종교학에서는 비교의 범주, 관점, 분석을 통한 종교연구가 이루어져야 한다고 주장한다. 범주를 통하여 세계를 보고, 이론을 성립시키고, 개념을 설명하기 위해서는 비교방법이 수반되어야 한다는 것이다. 비교종교학에서는 비교의 유형을 민족지학적 · 백과사전적 · 형태론적 · 진화론적으로 나누어 설명하기도 한다. 비교종교학 분야에서는 세계의 종교에 대해 일반적으로 아랍권 종교, 인도 종교, 도(道) 종교로 나누고 있으며, 신화나 휴머니즘에 대한 연구도 하고 있다. 국내의 대학에도 비교종교학 과정이 개설되어 있으며, 외국의 대학에도 종교 간의 비교연구는 활발하게 이루어지고 있다. 한편, 비교종교학과 종교학의 비교를 혼동해서는 안 된다.

비구조내재화
[非構造內在化, non-structuring internalization]

새로운 심리구조를 형성하는 것이 아니라 전체 자기의 속성이 변화되는 것을 설명하는 대상관계이론의 한 개념. 대상관계이론

루벤스(R. Rubens)는 비구조내재화라는 개념을 사용하여 페어베언(W. Fairbairn)의 내적 심리구조 개념을 보완하고자 하였다. 페어베언에 따르면, 심리 내면에는 3개의 서로 다른 부분 대상과 각각 쌍을 이루는 세 부분의 자아, 즉 리비도적 자아, 반리비도적 자아, 그리고 중심자아로 구성된 내적 심리구조가 형성된다. 이때 루벤스는 리비도적 자아와 반리비도적 자아는 구조내재화에 따라 내적 심리구조로 형성되고, 중심자아는 비구조내재화를 통해 내적 심리구조로 속성만 변한다고 보았다. 먼저, 유아는 불쾌한 나쁜 대상에 대한 경험을 내재화한다. 이와 같은 나쁜 대상에 대한 경험의 내재화 과정이 반복되면 리비도적 자아와 반리비도적 자아는 본래의 자기로부터 분리되어 억압되고 내적 심리구조로 새롭게 형성된다. 자기의 일부가 분리되어 억압되고 이것이 새로운 심리구조를 형성하기 때문에 이를 구조내재화라고 한다. 여기서 비록 나쁜 경험을 제공하기는 하지만 유아에게 부모는 결코 외면할 수 없는 존재이며 동시에 전체 자기로 통합하기에는 너무 고통스러운 존재다. 따라서 자기와 분리하되 존재 안으로 억압하여 내재화한다. 한편, 좋은 대상 경험은 자연스럽게 전체 자기에 직접 통합된다. 비구조 내재화의 핵심은 억압이나 분리와 무관하다는 것이다. 특히 자기의 일부가 분리되어 새로운 내적 심리구조를 형성하는 것이 아니라, 만족스러운 대상 경험은 그 자체로 전체 자기의 속성을 점차 변화시킨다. 비구조내재화를 통해 좋은 경험들이 학습되고, 기억되고, 조직화되고, 통합되어 나간다.

관련어 | 리비도적 자아, 반리비도적 자아

비구체적 동사
[非具體的動詞, unspecified verb]

막연하거나 추상적인 동사를 사용하는 문형. NLP 최면치료

메타 모형과 밀턴모형의 한 유형으로, 생략 혹은 삭제에 해당하는 문형이다. 형용사나 부사가 동사를 구체화하지 않거나 동사 자체의 의미가 분명하지 않게 표현하는 것을 말한다. 즉, 어떤 동사가 구체적으로 무슨 행동을 뜻하는지, 또는 그 행동의 과정이 어떠한지의 설명이 생략되거나 삭제되어 막연

ㅂ

하게 표현되는 문형이다. 예를 들어 "나는 버림받았다."라고 하면, 구체적으로 어떻게 또는 어떤 식으로 버림을 받았는지 설명이 없으므로 이때 '버림받았다'는 비구체적 동사라고 할 수 있다.

관련어 | 메타 모형, 밀턴모형

비구체적 명사
[非具體的名詞, unspecified noun]

NLP에서 메타모형과 밀턴모형의 한 종류로서 생략/삭제에 해당하는 문형. NLP 최면치료

누구 또는 무엇에 대한 구체적인 설명이 없는 막연하고 추상적인 명사를 말한다. 예를 들어, "미움을 버리십시요."라는 표현에서는 어떤 미움, 무엇 또는 누구에 대한 미움을 말하는 것인지에 대한 설명이 없기 때문에 비구체적 명사라고 할 수 있다.

관련어 | 메타모형, 밀턴모형, 비구체적 동사, 생략

비구체적인 말
[非具體的 -, empty words, nonspecific words]

최면치료자가 내담자의 자연스러운 트랜스를 유도하기 위해 사용하는, 별 의미가 없거나 막연하고 추상적인 표현. 최면치료

에릭슨(Erickson)이 즐겨 사용한 트랜스 유도법으로, 내담자의 자의적 해석과 자유로운 상상을 촉진하여 자연스럽게 트랜스 경험을 유도할 수 있다. 치료자가 사용한 분명하게 이해하기 어려운 표현은 내담자가 이를 파악하기 위해 자신의 내적 자원을 동원하거나 주관에 따라 해석할 여지를 줌으로써 자연스럽게 트랜스를 유도한다. 예를 들어, "당신은 지금 상상의 세계로 날아갑니다. 당신은 편안한 마음으로 어느 먼 곳으로 가고 있습니다. 당신은 보고 싶은 것을 마음껏 보고, 듣고 싶은 어떤 소리도 들을 수 있습니다. 얼마나 갔는지 알 수 없지만 당신의 발걸음이 계속되는 동안 피곤해지기도 하고 나른해지기도 합니다. 나른함을 느끼면서 눈이 무거워지고 감고 싶어집니다. 몸은 점차 더 깊은 이완 속으로 들어갑니다."라는 암시를 통해, 내담자 자신의 상상을 따라가다가 자연스럽게 트랜스로 빠져들게 할 수 있다. 이렇듯 비구체적인 말은 최면경험의 개별화, 치료의 개별화에 도움이 되는 간접적이고 인간중심적인 에릭슨 최면에 부합하는 전략이다. 별 의미가 없고 구체성이나 책임성도 없는 정치적인 수사와 비슷해서 '정치적인 말(political words)'이라고도 한다.

관련어 | 에릭슨 최면, 최면, 트랜스

비난과 추적
[非難 - 追跡, blame and tracking]

정서중심부부치료에서 불화상태의 부부가 보이는 전형적인 두 가지 유형. 정서중심부부치료

정서중심부부치료의 전제가 되는 애착이론의 관점에서 보면 비난형 추적자의 행동은 취약성에 대한 반응으로, 반응적 접촉을 얻고 관계유지를 위해서 벽을 쌓고 있는 배우자를 끌어내기 위한 시도로 해석할 수 있으며, 애착적 항의로 이해할 수 있다. 즉, 애착대상인 배우자가 매우 중요하기 때문에 보이는 반응이라고 재구성할 수 있다. 정서중심부부치료에서는 분노를 애착을 얻기 위한 항의로, 위축을 두려움으로, 고리를 적 혹은 문제로 보고 있다. 따라서 위축과 방어적인 반응을 무관심이나 냉담함으로 보는 것이 아니라 애착대상인 배우자를 매우 중요한 사람으로 생각하여 애착 불안정을 극복하려는 것으로 재구성한다. 이와 같은 부부갈등의 상황에서 상대 배우자를 비난하고 화를 내는 형태의 반

응을 보이는 추적형 배우자는 초심자 시기의 부부상담자에게는 다루기 어려운 대상이 된다.

관련어 | 부정적 상호작용 고리, 재구성

비네시몽 지능검사
[-知能檢査, Binet-Simon Intelligence Test]

최초의 지능검사로서, 비네(Binet)와 시몽(Simon)이 학령기 아동의 지적 능력을 평가하기 위해 개발한 지능검사. 심리검사

1905년 프랑스 정부의 지원을 받아 비네와 시몽이 개발한 최초의 지능검사다. 판단력, 추리력, 주의집중력을 측정하기 위한 문항들로 구성되어 있으며, 총점은 연령척도(age scale)인 정신연령(mental age)으로 점수화하였다. 표준화 과정에서 선별된 특정 연령집단 아동 중 3분의 2에서 4분의 3이 정답을 맞힌 문항을 모아 검사문항을 만들고, 이 검사문항을 맞힌 경우 검사문항이 속한 연령을 부여한 것이 정신연령이다. 예를 들어, 한 아동이 8세 아동의 3분의 2에서 4분의 3이 정답을 맞힌 문항들로 구성된 검사문항을 맞혔다면, 실제 생물학적 나이와 상관없이 8세라는 정신연령이 부여된다. 즉, 생물학적 나이가 5세인 아동이 8세 검사문항을 맞히면 정신연령이 8세가 되고, 생물학적 나이가 10세인 아동이 자기 연령대 검사문항을 맞히지 못하고 8세 검사문항까지만 맞혔다면 그도 정신연령이 8세가 되는 것이다. 이 경우에 생물학적 나이가 5세인 아동은 똑똑한 아이가 되고, 10세인 아동은 지적 능력이 두 살 처지는 아이가 된다. 1916년에는 미국의 스탠퍼드대학교의 터먼(Terman) 교수가 비네시몽 지능검사를 번역하여 스탠퍼드비네(Stanford-Binet) 지능검사를 만들어 널리 알렸다. 스탠퍼드비네 지능검사에서는 정신연령의 문제점을 보완하여 지능지수(intelligence quotient)라는 개념을 처음 사용하였다. 우리나라에서는 전용신이 번역하여 만든 고대-비네 검사가 사용되었다.

관련어 | 지능검사, 지능발달

비대칭
[非對稱, asymmetry]

한 사람이 다른 사람의 돌봄에 대해서 그 사람에게 같은 방식으로 돌봄을 갚을 수 없는 관계. 가족치료 일반

대표적인 비대칭 관계는 부모와 자녀의 관계라 할 수 있다. 부모는 자녀를 낳아 기르며 한 사람의 완전한 성인이 되기까지 돌봄을 아끼지 않는다. 그렇지만 자녀는 부모의 돌봄을 갚을 수 없는 비대칭의 관계에 있다. 다만, 자신이 결혼하여 낳은 자신의 자녀에게 부모로부터 받은 돌봄을 실천하여 또 다른 비대칭의 관계에서 이전과는 반대로 수여자의 역할을 감당하는 것이다. 이처럼 부모와 자녀 사이는 일방적 돌봄의 관계가 형성되고 이렇게 형성된 관계는 다음 세대에 반복된다. 즉, 돌봄은 부모에게서 자녀에게로 흐르고 그 자녀는 그다음 세대의 자녀에게 부모의 역할을 함으로써 비대칭의 관계가 순환적으로 반복된다.

비동등집단설계 [非同等集團設計, nonequivalent groups designs]

실험처치의 효과를 확인하기 위하여 실험집단과 통제집단을 사용하되, 실험 전에 무선배치나 그 외의 인위적 선발과정을 통해서 두 집단 간의 동질성을 확보하지 못한 연구설계법. 연구방법

비동등집단설계는 쉽게 해석되고 역사와 성숙 및 탈락과 같은 내적 타당도의 위협요인을 잘 설명해 주기 때문에 시계열 설계보다 더 자주 이용된다. 이 설계는 연구자가 무선배정을 사용하지 않아 처치집단들이 동질적이라고 가정할 수 없을 때 이용된다. 연구자는 두 집단을 이용하여 관찰이나 평가를 하지만 그 사이에 한 집단에만 처치를 한다. 예를 들어, 한 연구자가 외도가 결혼관계의 질에 미치는 효과에 대해 연구하고자 하였다. 연구자는 불륜행동을 하게 한 다음 그것이 결혼관계의 질에 미치는 효과를 평가하기 위해서 결혼한 사람들을 무작위로 선정하지 않을 것이다. 이렇게 하면 연구자가 인과적인 결론을 도출할 수는 있지만 윤리적이지 않기 때문이다. 대신 연구자는 외도경험의 정도에 따라 각 개인들을 집단에 배정하여 두 집단 간의 결혼관계의 질을 비교하게 될 것이다. 이러한 예는 외도가 결혼관계의 질에 영향을 미칠 수도 있고, 또한 결혼관계의 질이 외도에 영향을 미칠 수도 있기 때문에 인과적인 결론을 내리는 것이 얼마나 어려운 것인가를 잘 보여 주고 있다. 따라서 어떤 변인이 다른 변인에 영향을 미쳤는지 확인하기가 어렵고, 또한 결혼관계의 질에 영향을 줄 수 있는 측정되거나 통제되지 않은 다른 변인들이 있을 수 있다. 통제집단을 사용하는 비동등집단설계를 도식화하면 다음과 같다. 여기서 ○는 관찰 혹은 평가이고, X는 처치 혹은 개입을 말한다.

○	X	○
○		○

비록 참가자들이 무선배정되지 않는다 할지라도 어떤 비동등집단설계에서는 실제로 참가자에게 서로 다른 처치를 받게 하기도 한다. 이런 방법에서는 비동등 집단설계의 내적 타당도를 높이기 위해서 2개의 공통적인 연구기법이 사용된다. 하나는 대등(counterbalancing) 설계법인데, 이것은 연구자가 두 집단에게 모두 처치를 하지만 처치순서를 다르게 하는 것이다. 세 가지 처치를 하는 대등설계의 예를 도식화하면 다음과 같다.

A집단	X_1	○	X_2	○	X_3
B집단	X_2	○	X_3	○	X_1
C집단	X_3	○	X_1	○	X_2

실험집단과 통제집단을 동등화하기 위한 또 다른 기법은 일치(matching) 설계법인데, 이것은 실험집단과 통제집단의 참가자들을 가급적 같은 성격이 되도록 하는 것이다. 이러한 일치 설계법으로 널리 사용되는 것이 코호트 설계(cohort designs)다. 코호트는 형식적 또는 비형식적 방식을 통해서 서로 시간적으로 따르고 있기 때문에 성격이 비슷한 것으로 추정되고 있는 피험자들의 집단이다. 코호트 설계는 연구자가 두 집단이 실제로 처치과정을 제외하고는 유사한 환경을 공유하고 있다는 것을 개념적·경험적으로 주장할 수 있을 때 강화된다. 코호트 설계는 일반적으로 다른 형태의 비동등집단설계보다 더 강하다. 왜냐하면 참가자들이 연구가 시작되기 전에 여러 가지 면에서, 특히 인구 통계적 특성에서 비슷하기 때문이다. 코호트 설계에서 두 집단 간의 차이는 시간상 다른 시점에서 평가될 뿐 같은 시점에서 평가되지 않는다. 예를 들어, 연구자는 청소년 폭력 예방 프로그램의 수행이 마칠 즈음에 실험집단에게 사후검사를 실시한다. 만약 그 프로그램이 6개월 걸린다면 프로그램 수행이 끝나는 무렵 프로그램의 같은 시점에서 평가되었던 다른 통제집단을 평가하여 비교하게 된다. 코호트 설계는 참가자들이 무선배정되지 않고, 두 관찰 혹은 평가

사이에 시간의 경과에 따른 문제가 작용될 수 있다는 단점이 있다(ACA, 2009).

관련어 | 준실험설계

비디오 녹화
[- 錄畵, video recording]

상담자와 내담자 사이에 진행된 상담과정을 비디오 장치로 기록하는 방법. 상담 수퍼비전

저렴한 비용과 사용의 편리성 때문에 음성녹음을 상담기록의 방법으로 가장 많이 사용하지만, 비디오테이프를 통해 상담의 실제 현장을 녹화하는 것은 수퍼비전에서 여전히 중요한 역할을 차지한다. 비디오 녹화는 음성녹음에서 담지 못하는 미소, 끄덕임, 눈 돌림, 손동작, 부드러운 인상, 불안한 몸짓, 부끄러운 표정 등의 정보를 담고 있기 때문이다. 이처럼 풍부한 자료를 충분하게 사용하기 위해서 골드버그(Goldberg, 1985)는 수퍼비전에서 후기에 비디오테이프의 사용을 제안하였다. 비디오테이프를 사용하여 상담과정을 녹화하기 위해서는 보다 전문적인 기술이 요구되며, 이를 위해 고안된 특별한 시설이 있어야 한다. 또한 비디오를 촬영하려면 사전에 내담자의 동의를 반드시 얻어야 한다.

관련어 | 과정노트, 대인관계과정회상, 사례노트, 음성녹음, 자기보고, 축어록

비디오 수퍼비전
[- , video supervision]

수퍼비전 중 상담내용을 동영상 재생으로 현장감 있게 보여 줄 수 있는 방법. 수퍼비전

수퍼비전 회기에 상담현장에 대한 보고방법 중 구두로 서술하는 경우와 축어록으로 제출하는 경우, 그리고 음성녹음이나 비디오테이프 또는 CD를 제출하는 경우가 있다. 이 중 음성과 화면을 같이 볼 수 있는 비디오테이프 혹은 DVD, USB 파일 등의 형태가 상담현장을 생생하게 전달해 주는 가장 좋은 방법이다. 더글러스(Douglas)는 비디오 수퍼비전에서 구체적인 목표를 정하여 초점을 가질 것을 제안하였다. 구체적인 목표를 제시하면 수퍼바이지의 불안을 줄일 수 있기 때문이다. 상담현장 화면을 수퍼바이저에게 보여 주는 것은 자신의 모든 실수를 적나라하게 노출하는 것이어서 수치심을 느낄 수 있다(Liddle, Breulin, & Scwartz, 1988). 이러한 측면에 대하여 수퍼바이저의 고려가 필요하며, 적절하고 명확한 초점을 가질 수 있도록 도와주는 것은 수퍼바이지의 수치감을 줄일 수 있는 방법이 된다. 또한 비디오 수퍼비전은 상담상황의 전개에 따른 수퍼바이지의 내적인 역동과 연결시켜 준다. 다시 말해 상담내용이 아니라 상담진행 과정에 대한 수퍼바이지의 반응과 느낌에 관하여 심층적으로 살펴볼 수 있도록 한다. 수퍼비전 현장에서 지금 이 테이프 부분을 보는 느낌과 현장에서의 느낌이 어떻게 다른지, 어떤 요인이 그렇게 다르게 느끼도록 만드는지 살펴볼 필요가 있다. 코멘트를 하는 과정에서는 변화될 수 있는 부분에 집중해야 한다. 말의 빠르기나 어조, 높낮이 등 고칠 수 없는 부분을 지적하는 것보다는 학습을 통해서 더 발전할 수 있는 부분에 집중하는 것이 효과적이다.

관련어 | 수퍼비전

비디오 투사
[- 投射, video projection]

소규모 표본일 경우에 프레스맨(Pressman)이 개발한 기법으로, 자기애(自己愛) 가족에게서 양육된 내담자에게 특유의 슬픈 경험에 입각한 억압된 감정을 인식하고 명명하는 것을 지원하는 방법. 가족치료 일반

의학, 상담영역, 실험통계에서 많이 사용된다. 이 기법의 사용목적은 내담자가 감정적 색채가 짙은

과거의 사건을 어느 정도 거리를 유지하면서 이야기하는 것을 촉진하기 위해서다. 내담자에게 큰 스크린을 상상하도록 지시한다. 스크린상에 전개된 것은 괴로워서 이야기하지 못하고 생각만 하고 있는 사건이다. 내담자에게 제3자 입장에서 그 사건을 묘사하도록 한다. 예를 들면, 수면장애로 고통받는 중년 여성에게 "잠자고 있는 여자를 주인공으로 해서 영화를 만들어 보세요."라든가 "당신이 침실에서 자고 있는 정경을 떠올려 주세요."라고 유도한다. 이 같은 비디오 투사법에서는 내담자가 슬픈 경험과 거리를 유지할 수 있도록 배려하는 것이 중요하다. 그렇게 함으로써 내담자는 중요한 경험을 차단하지 않고 정경 이미지로 이야기를 계속할 수 있다. 이 기법은 성적 학대나 외상 후 스트레스 장애를 경험한 사람의 억압된 감정을 해방시켜 주는 수단으로 자주 사용되고 있다.

비디오테이프 플레이백
[-, videotape playback]

회기의 내용을 비디오테이프에 녹화하고 그것을 재생하여 자신의 행동을 관찰하도록 하는 것. 가족치료 일반

이 기법은 가족이 직면하고 있는 여러 가지 문제에 이용할 수 있다. 스크린에 재생된 행동을 검토하는 것은 가족체계를 유지하는 개인의 역할이나 가정 내에서 무엇이 살아 있는지 명확하게 하는 데 도움이 된다. 비디오테이프에 재생된 것을 부정하기는 어려우며, 회기에 참가한 사람은 직면하지 않을 수 없기 때문이다. 치료자는 가족에게 비디오 촬영이 계획되어 있음을 알리고, 비디오 촬영이 치료과정에 유효하다는 것, 또 녹화된 비디오테이프는 가족의 동의 없이 다른 사람이 볼 수 없다는 것, 가족의 상호관계 속에서 행동을 관찰하는 것이 중요하다는 점을 강조한다. 비디오테이프는 그 회기에서 재생하거나 다음 회기에 재생한다. 재생된 비디오를 본 다음, 치료자는 가족과 함께 상황별로 이야기를 나누고, 그 상황에서 발생한 것을 해석하고 분석한다.

비모수 통계
[非母數統計, non-parametric statistics]

소규모 표본일 경우에 모수치에 대한 가정이나 추정을 전제로 하지 않고 모집단의 형태에 관계없이 주어진 자료에서 직접 확률을 계산하여 통계적 검증을 하는 분석법. 통계분석

의학, 상담영역, 실험 통계에서 많이 사용된다. 분포에 구애받지 않는 분포자유검증이라고도 알려져 있는 비모수 검증은 연구에서 관심을 갖고 있는 모집단의 점수분포에 대해서 거의 가정을 하지 않는 통계적 절차에 속한다. 특히 비모수 검증은 종속변인이 정상분포여야 한다는 것을 요구하지 않고, 모집단의 점수가 대칭형 종형곡선에 따라 속해 있어야 한다는 가정도 하지 않는다. 비모수검증은 명명자료나 서열자료에 사용하며, 또한 동간자료나 비율자료가 정상분포가 아닐 때 사용한다. 비모수 절차의 지지자들은 상담연구에서 비모수 절차를 사용하는 것에 관하여 몇 가지 주장을 하고 있다. 첫째, 비모수검증은 점수가 어떻게 분포가 되든 타당성을 가지고 있다는 것이다. 둘째, 비모수검증이 원점수가 아닌 등위에 기초하고 있기 때문에 일부 극단적 점수로 말미암아 결론이 왜곡될 위험성이 제거된다는 것이다. 끝으로, 상담연구자들은 리커트형 척도에 근거한 점수와 같은 서열자료를 가지고 비모수검증을 사용할 때가 많다는 것이다. 비모수검증은 얻어진 자료가 독립적인가 혹은 상관되어 있는가, 그리고 사용한 척도가 명명척도인가 혹은 서열척도인가에 따라서 적합한 여러 가지 방법이 적용된다. 독립표집에서 명명척도를 사용하는 방법에는 χ^2검증(chi-square test)과 중앙치 검증(median test), 그리고 서열척도를 사용하는 방법에는 Mann-Whitney U검증과 Kruskal-Wallis 검증

이 포함된다. 또한 상관표집에서 명명척도를 사용하는 방법에는 McNemar 검증과 부호검증(sign test), 그리고 서열척도를 사용하는 방법에는 Wilcoxon 부호순위검증과 Friedman 순위검증이 있다. 독립표집이란 조사변인의 한 유목에 속한 대상자가 다른 유목에 속한 대상자에게 영향을 주지 않고 표집된 것을 말한다. 예를 들어, 표집과정에서 성별, 학년별, 지역별과 같은 변인에서 유목의 사례들이 서로 상관없이 표집되는 경우다. 반면, 상관표집은 반복(repeated) 혹은 짝지어(paired) 표집된 것을 말한다. χ^2검증은 연구의 모든 변인이 인종, 직업선택, 치료 유형과 같은 범주적(명명적)인 연구를 위해 설계된 절차다. χ^2검증을 이용하여 집단 간 차이가 있는지 검증하기 위해서는 각 표본이 모집단에서 추출되어야 하고, 종속변인이 질적 변인 혹은 범주변인이어야 하며, 각 범주의 응답이 독립적이면서 측정된 결과는 사례수나 빈도여야 한다는 기본가정이 충족되어야 한다. 빈도는 기대빈도와 관찰빈도 두 종류로 나누어지며, 변인의 유목에 따라서 포함되는 기대빈도와 관찰빈도의 차이에 대한 검증이 바로 χ^2검증이다. χ^2검증에는 표본 분포가 모집단에서 기대되는 분포와 어느 정도 일치하는지 알아보는 적합도 검증, 2개의 범주형 변인에 의해 K×L의 교차분석표를 만들어 그들 간 독립성과 관련성을 알아보는 독립성 검증, 그리고 단일 변량 혹은 둘 이상 여러 개의 변량들 간에 차이가 있는지 알아보는 동변량성 검증이 있다. χ^2검증은 결혼한 지 6개월 된 사람들 중에 개인상담, 집단상담, 혹은 부부상담을 받은 후 상담의 효과가 있었던 사람들의 백분율에 유의미한 차이가 있는지 알아보기 위해 사용될 수 있다. χ^2은 또한 두 변인 간의 유의미한 관계가 있는지를 검증하고, 정신건강 상담사의 성별과 그들의 고용형태(개인 개업 혹은 기관/병원)의 선택에 대한 선호도 간의 관계와 같은 연구문제에 답하기 위해 사용될 수도 있다. 중앙치 검증은 두 집단의 점수가 함께 섞인 자료에서 중앙치를 정하고, 그 중앙치를 중심으로 두 집단 각각의 점수 분포가 같은지 혹은 다른지를 검증하는 절차다. 영가설은 두 집단이 동일한 중앙치를 갖는 전집에서 추출된 것이라고 가정한다. 이 검증을 위해서 두 집단의 자료를 함께 섞은 중앙치(combined median)가 이용되고, 이 중앙치를 중심으로 해서 각 집단의 자료가 위 혹은 아래에 어느 정도 위치하는지를 파악한다. 만약 두 집단 사이에 차이가 없다면, 두 집단의 점수들은 중앙치를 중심으로 균등하게 나뉠 것이다. 그러나 차이가 있다면, 그 집단은 중앙치를 중심으로 위 혹은 아래에 치우쳐 나뉠 것이다. Mann-Whitney U검증은 2개의 서로 다른 개인집단에서 나온 점수순위의 합을 비교하는 절차다. 이 검증은 두 독립표집이 동일한 모집단에서 얻어진 것인지를 알아보는 데 아주 적절한 방법으로, 이를 사용하기 위해서는 두 집단을 측정한 척도가 적어도 서열척도여야만 한다. Mann-Whitney U검증은 독립표본 t검증과 유사하여 2개의 서로 다른 집단 간 유의미한 차이가 있는지를 알 수 있다. 예를 들어, 연구자가 종속변인을 서열방식(예컨대, 고등학교 졸업, 전문대학 졸업, 4년제 대학 졸업, 대학원 졸업)으로 정의한 초등학교 6학년과 중학교 3학년 학생의 교육적 열망수준에서 차이가 있는지를 조사하고자 한다면 t검증은 분석에 적합하지 않다. 이런 상황에서 Mann-Whitney U검증이 학년수준에 따라 교육적 열망수준 간의 유의미한 차이가 있는지 알아보는 데 필요하다. Kruskal-Wallis 검증은 독립변인에 서로 다른 참여자의 3개 이상 집단이 있는 상황으로, Mann-Whitney U검증을 확장한 것이다. 따라서 Kruskal-Wallis 검증은 일원변량분석(one-way ANOVA)과 유사한 비모수검증이지만 변량분석(F검증)에 관한 가정이 충족되지 않을 때 일원변량분석의 대안으로 사용한다. Kruskal-Wallis 검증을 이용하기 위해서는 분포상에 있는 전체 자료가 하나로 합쳐지고, 모두가 순위에 따라서 일렬로 세워져야 한다. 결국 Kruskal-Wallis 검증은 비교집단들 간의 어딘가에 순위의 합에서 유의한 차이가 있는지 알아보기 위해 사용하는 절차다. 앞에서 언급한 예에서 초등학교 6학년부터 중학교 3학년까지의 모든 학년 학생을 포함하는 것으로 확장된 Kruskal-Wallis 검증은 학년이 교육적 열망에 미치는 전반적 영향이 있는지에 대한 정보를 제공한다. 만약 유의미한 영향이 있다고 한다면, Mann-Whitney U검증을 특정 학년의 쌍들이 서로 차이가 있는지를 밝히는 데 사용할 수 있다. McNemar 검증은 상관집단에서 얻어진 명명척도 자료를 χ^2분포로 설명하는 방법으로, 특히 실험처치 전과 후에 얻어진 집단을 가지고 결과를 산출한다. 부호검증은 사전 혹은 사후 검증에서 변화에 따라 + 혹은 - 기호를 사용하여 어떤 처치의 전과 후의 차이를 비교하는 절차다. Wilcoxon 부호순위 검증은 모집단을 가정하기 어렵거나 자료가 연속적 서열변인이나 순위로 제시된 경우에 이용하는 절차로 Wilcoxon t 검증이라고도 한다. 앞에서 설명한 부호검증은 두 점수의 차이에 대해서 크거나 작은 정도에는 관심을 보이지 않고, 다만 차이가 있는가 혹은 없는가를 보며, 차이가 있다면 부적(-)인가 정적(+)인가를 확인하는 것에 불과하였다. 그러나 Wilcoxon 부호순위 검증은 두 점수의 차이를 확인하고, 부호에 관계없이 차이들의 서열을 정하며, 각 서열은 +와 -값에 따라서 합산된다. 자존감 프로그램이 괴롭힘 예방에 효과가 있는지 알아보고자 하는 전문상담교사가 학생들에게 프로그램 사전 및 사후에 얼마나 자신감을 가지고 괴롭힘에 반응했는지 순위를 매겨 보도록 할 수 있다. Wilcoxon 부호순위 검증은 평균적으로 학생들의 자신감 순위에서 유의미한 차이가 있었는지를 드러내 준다. 그리고 Friedman 순위검증은 반복측정 혹은 배합점수를 가지고 사용하기 위해 설계된 것이라는 점에서 Wilcoxon 부호순위 검증과 유사하지만, 비교집단이 둘 이상 있을 때 사용할 수 있다. 앞의 예에서 전문상담교사는 학생들의 자신감 순위 매기기를 6개월 후에 측정해서 자존감 프로그램의 장기적 효과를 살펴볼 수도 있다. 이 경우, Friedman 순위검증은 사전-사후-추후의 세 시기 중 어디에서 유의미한 변화가 있었는지를 확인하기 위해 사용할 수 있다.

관련어 | 모수통계

비밀보호
[秘密保護, confidentiality]

내담자의 사생활이 보호되고 불법적인 정보유출을 피할 수 있는 권리를 최대한 존중해야 할 상담자의 윤리적 의무.

상담윤리 집단상담

비밀보호는 인간의 기본 권리에 해당되며, 이는 개인의 사생활보호와 관련이 깊다. 국내의 한국상담심리학회와 한국상담학회는 상담자 윤리강령에서 내담자의 사생활과 비밀보호, 기록, 비밀보호의 한계, 정보의 보호에 관한 조항을 구체적으로 제시하여 내담자의 사생활과 비밀보호의 권리를 존중하고자 하였다. 사생활과 비밀보호는 개인의 고유한 권한이므로 상담과정에서 드러난 내담자의 사생활과 비밀보호는 최대한 존중되어야 한다. 상담초기에 비밀보호에 대하여 상담자는 내담자 또는 법적 대리인과 약속해야 하며, 비밀보호의 한계를 알려주고 상담자 이외의 주변인에게도 내담자의 사생활과 비밀을 보호해야 한다. 이런 비밀보호는 법률, 규제 또는 제도적 절차가 뒤따를 때 합법적으로 유용하고, 이를 위해서는 반드시 기록으로 남겨야 한다. 상담자는 상담과정 내용의 녹음이나 기록에 대하여 내담자의 동의를 구해야 하며, 이 같은 기록물에 관한 보존, 비밀보호는 상담자가 책임을 져야 한다. 또한 상담자가 소속된 기관이나 단체는 상담 관련 기록이나 보관에 대한 내부규정을 작성하여 관리해야 하고, 상담자는 죽음, 능력상실, 자격박탈 등의 경우에도 비밀유지가 가능하도록 계획해야 한다. 비밀보호에도 예외와 한계가 있는데, 내담자가 기록물에 관한 열람이나 복사를 요구할 경우에 내담자가 오해하거나 해가 되지 않는다면 그 요구를 수용하고 다른 내담자의 사적인 정보는 제외시킨 후 열람시킨다. 내담자의 직접적인 동의가 있을 경우에는 제삼자나 기관 등에 알려 줄 수 있으며, 법원이 내담자의 허락 없이 정보의 유출을 요구할 경우에는 내담자와의 관계를 손상시킬 수 있으므로 정보를 요구하지 말 것을 법원에 요청한다. 그러나 최소한의 정보공개에서는 내담자의 기본적인 정보만 알리는 것은 가능하고, 공개에 앞서 내담자에게 고지해야 한다. 내담자의 동의 없이 정보를 공개하는 경우는 내담자의 생명이나 사회의 안전을 위협할 때, 감염성이 있는 치명적인 질병이 있다는 확실한 정보가 있을 때, 법원의 명령이 있을 때다. 질병이 있을 때는 정보를 공개하기 전 내담자에게 질병의 공개 여부, 공개 의도 등에 대하여 먼저 확인을 한다. 법원의 요청이 있을 때는 상담자는 정보를 유출하기 전에 법원에 대해 그러한 유출이 내담자나 상담관계에 해가 될 수 있기 때문에 공개를 원하지 않는다는 것을 알리는 절차를 밟아야 한다. 또한 정보를 공개하더라도 꼭 필요한 최소한의 정보만 공개해야 하며, 가능한 한 상담자는 정보가 공개되기 전 내담자에게 그 사실을 알려야 한다. 내담자에 관한 정보를 교육 및 연구의 목적으로 사용할 때는 내담자에게 사전동의를 얻어야 하며, 내담자의 기본 사항이나 정보가 유출되지 않도록 해야 한다. 인간의 생활과 사건은 복잡하고 매우 다양하며 상담장면에서도 비밀보호에 관한 사항에 많은 예외와 한계가 있으므로 이에 관한 내용은 상담 시작 전에 내담자에게 알려 주어야 한다. 비밀보호의 한계에 관한 타당성에 의구심이 생기면 동료 전문가나 수퍼바이저에게 자문을 구하여 내담자의 사생활과 비밀이 최대한 존중되도록 해야 한다.

비병리화
[非病理化, depathologizing]

사회적 · 문화적 가치의 영향으로 병리적이고 역기능적으로 간주되었던 문제를 바라보는 부정적인 시각을 배제하는 것. 기타 가족치료

문화민감가족치료에서 내담자에게 힘을 북돋아 주고, 가족 내에 있는 비난과 무기력의 환경을 제거하며, 문제를 일으키던 문화적 요인과 사회정치적 환경을 확인시키는 것을 말한다. 이러한 과정을 통하여 무의식적으로 가족 문제에 대한 부정적인 신념을 형성하는 데 영향을 준 다양한 요인을 인식하고, 그 부정적인 영향력에서 벗어나는 데 도움을 줄 수 있다. 비병리화를 위해서는 추수토론의 방법을 많이 사용하는데, 이것은 학대에 저항하여 거대환경을 변화시키도록 가족구성원에게 힘을 주는 과정으로 진행된다.

비분석적 그림 인터뷰
[非分析的 -, nonanalytic drawing interview]

표현예술치료과정에서 표현된 작품에 관해 해석이나 판단을 금지하면서 내담자의 자각(알아차림) 반응을 촉진하는 반영적 질문을 사용한 대화. 무용동작치료

인본주의 심리학과 실존적 현상주의 심리학을 배경으로 하는 핼프린 표현예술치료에서 핼프린(D. Halprin, 2003)은 내담자가 그린 그림을 이용하여 대화를 하는 반영적 질문들을 연구하였다. 이후 타말파 연구소의 교수진이었던 니센바움(Nisenbaum, 2011)은 그 반영질문들을 좀 더 구체적으로 연구하였다. 비분석적 그림 인터뷰 과정에서는 내담자중심의 인본주의 기법인 공감과 반영 및 심미적 반응을 하게 되는데, 그 예는 다음과 같다. "그림을 그리는 경험은 어떤 것들인가?" "그림과 관련된 사건들은 무엇인가?" "그림들에서 나온 이미지(그림을 그

린 후에 찾은 이미지를 포함하여)와 의미는 무엇인가?" "그림과 관련된 느낌은 무엇인가?" 등이다. 또한 그림에서 보이는 것들에 대해 물을 때는, 그림의 형태, 움직임, 색채, 텍스처(texture) 및 공간과의 관계에 대해 질문할 수 있다. 그리고 그림의 이름이나 제목을 붙일 때는 "만약 그림 전체 또는 그림에 이름을 붙인다면 무엇이 될까?"라고 물어볼 수도 있다. 또는 내담자가 그림을 설명하는 것이 아니라, 그림이 직접 말하도록 안내하기 위해 "만약 그림의 색, 형태, 이미지 등 그림의 한 부분이 말을 한다면 무엇이라고 할까?"라고 물을 수도 있다. 또한 "그림이 말하는 것과 지금의 당신 삶과의 관련성은 무엇인가?" "그림 중 당신에게 가장 끌리는 것은?" "당신에게 가장 익숙한 것은?" "당신에게 새롭거나 놀라운 것은?" "그림에서 빠트리고 못 그린 것이 있다면?" "이 그림 탐색에서 당신이 초점을 두고 싶은 것은 무엇인가?" 등을 묻기도 한다. 이와 같은 비분석적 그림작업을 통해서 그다음 동작표현 매체로 옮겨 가는 작업을 위해서는 다음과 같은 질문이 가능하다. "그림의 색, 형태, 텍스처 및 상징이 어떻게 움직이길 원하는지 상상해 보세요." "이것들 중 하나를 움직임으로 탐색해서 시작해 보고 그 움직임이 당신을 어디로 데려가는지 알아보자." "이것을 신체자세로 취해 보고 그 자세를 움직임으로 발전시켜 보자." "이 움직임, 느낌, 이미지에 머물러 보자." "지금 가장 감동적이거나 당신과 접촉된 것이 무엇인가?" "(동작을 종결하려 할 때) 1분간 이 동작을 끝내기 위한 탐색 동작을 해 보자. 그리고 동작을 정지할 장소로 이 동작을 가져가 보자. 마지막에 취할 신체자세를 탐색해 보자."

비사회적 행동
[非社會的行動, asocial behavior]

사회적 환경 또는 다른 사람과의 상호작용을 피하려고 하는 행동. 이상심리

문제행동으로 보는 경향이 있지만 긍정적으로 보자면 은둔과 금욕행동으로서 종교적으로 바람직한 행동일 수 있으며 자신이 속한 사회의 지배적 통념들에 동의하지 않는다는 것을 표현하는 하나의 방법으로 볼 수도 있다. 고립, 극단적인 내성적 태도, 소심, 겁냄, 수줍어함, 틀어박혀 생각함, 무기력, 말이 없음, 백일몽, 퇴행 등의 행동이 비사회적 행동에 해당한다. 이것은 루티트(C. Louttit)가 특수아동을 임상적으로 분류한 것 중에서 수용적 후퇴행동들을 말한다. 그에 의하면 비사회적 행동은 다음 네 가지 유형으로 구분할 수 있다. 첫째, 넓은 의미에서 신경증으로 나타나는 비사회적 행동이다. 즉, 열등감, 자신감 결핍, 도피현상, 자벌(自罰) 경향, 틀어박혀 생각함, 질투, 공포, 겁이 많음 등이 나타나서 사회적 접촉을 피하는 행동을 하는 것이다. 대부분의 경우 의존 경향이 강하고 조건화가 고정되기 쉬우며 갈등을 내재시키는 경향이 있다. 둘째, 좁은 의미로 아동 분열병이나 소아기 우울증과 같이 정신병, 자폐성장애, 발달지체, 뇌장애 등의 증상으로서 자폐증을 중심으로 한 비사회적 행동을 보이는 경우다. 자폐증 증상이 나타나는 경우에는 극도의 자폐적 고립에 의한 대인관계장애, 정체성 유지에 대한 강박적 요구로 환경변화를 극단적으로 싫어하는 행동, 이와 비슷한 유형의 행동반복이 비사회적 행동으로 인정된다. 아동 분열병 증상이 나타나는 경우에는 특유의 자폐적 사고, 감정, 행동에 의한 비사회적 행동이 인정된다. 셋째, 신체적 질환이나 지체부자유아처럼 신체적 장애로 사회적 훈련이나 가정교육을 충분히 받지 못하여 비사회적 행동을 보이는 경우다. 넷째, 기타 능력에 관계된 것으로 학업 부진, 자살, 방랑 등을 비사회적 행동으로 보는 경우도

있다. 이러한 비사회적 행동은 보이는 아동의 특성은 다음과 같다. 첫째, 자신이 뒤처지고 있다거나 결함이 있다고 여기는 열등감(feeling of inferiority)이다. 이러한 열등감이 행동으로 나타나서 비사회성을 보이는 경우가 많다. 이때는 아동이 바라고 있는 것과 현실과의 차이를 줄이고, 올바른 이해와 현실장면에서 회피와 보상을 적당히 사용하여 자신감을 얻도록 해 준다. 둘째, 애정의 대상을 다른 데 빼앗김으로써 일어나는 슬픔, 두려움, 노여움 등이 복합된 질투(jealousy)다. 셋째, 심인성 함묵증(psychogenous mutism)이다. 완전히 입을 열지 않는 경우는 적고 집에서는 곧잘 이야기하지만 학교에서는 한마디도 하지 않는 선택적 함묵(selective mutism)이 많다. 즉, 장소나 시간, 상태에 따라 다르다. 지적으로 약간 낮은 아이, 신체적으로 허약한 아이, 질병으로 사회성 발달이 지체된 아이에게서 많이 보이고, 이러한 증상은 부모의 양육태도에 문제가 있는 경우가 많으며, 친구가 적고 유아 때 정신적 외상을 경험한 아이에게서 많이 나타난다. 이런 경우에는 심리치료나 가족치료가 도움이 될 수 있다. 넷째, 등교거부(school refusal)다. 최근 증가하고 있는 등교거부도 비사회적 행동의 하나로 중요하다. 특히 등교하지 않는 것이 장기적이거나 자폐적 시기에 이르면 집에서도 자기 방에 틀어박히거나 가족과도 말하지 않고, 일상생활이 혼란하여 정신분열병과 혼돈되는 경우도 있다. 이 같은 비사회적 행동을 효과적으로 다루기 위해서는 예방 조치, 조기 발견, 확실한 진단이 있어야 한다. 예방 조치를 보면, 내용이 광범위하고 복잡하며 예방 원칙은 없지만 갈등 방지를 위해 생활 속에서 자아가 통합되도록 하고 욕구들이 균형을 유지하도록 하며 자기실현(self-actualization)을 위한 노력이 필요하다. 그리고 각 문제행동을 조기에 발견하는 것은 효과적인 치료에서 매우 중요한 경우가 많다. 또한 효과적인 치료를 위해서는 올바르고 확실한 진단이 필요하다. 진단과 치료는 일관성이 있어야 하고, 심리적 검사와 신체적 검사를 동시에 실시하는 것이 좋다. 비사회적 행동을 위한 중재방법에는 심리치료, 치료교육, 부모상담이 있으며, 신체적 장애가 명확한 경우에는 의학적 치료가 필요하다. 이러한 중재와 함께 주위 사람들의 이해와 수용도 중요하다.

관련어 | 품행장애

비선형적 사고
[非線型的思考, nonlinear thinking]

전체는 부분의 합 이상으로서, 부분들은 전체가 없으면 더 이상 부분이 아니고 부분들의 정체성은 전체와의 연관에 의해 규정되며 전체가 없으면 부분도 없다는 생각. 인지치료

비선형적 사고에서는 부분들을 안다고, 그리고 그 부분들의 결합방식을 안다고 해서 전체를 아는 것은 아니라고 본다. 통시적으로 보면 비선형적 사고에서는 과거와 현재는 질적으로 다르고, 현재와 미래도 질적으로 다를 것이라고 본다. 과거가 쌓여 현재에 이르게 되므로 과거의 경험으로 현재를 살펴볼 수 있지만, 과거와 같은 일이 반복되리라는 보장은 없다. 시간은 항상 새로운 것을 창조하고, 낡은 것을 소멸시킨다. 시간은 새로운 변화 발생의 매개체이자 산파다. 사물은 변화하고 새로운 사물로 변화하든지 새로운 사물을 발현시킨다. 안정 속에서의 변화가 아니라 변화 속에서 안정이 있다. 반면, 선형적 사고에 따르면, 부분 속에 전체나 다른 부분에 대한 모든 정보가 주어져 있으므로 찰나 속에 과거, 현재, 미래의 모든 정보가 담겨 있다. 비선형적 사고에는 정보가 이미 주어져 있는 것이 아니라 새로운 상황이나 문제가 그 해결에 새로운 정보를 요구하고, 해결과정에서 새로운 정보를 창출하기도 하며, 문제나 사물에서 기존에는 없던 새로운 정보가 창조되기도 한다. 그것은 현재나 미래의 문제를 해결할 최초의 방향을 제시

해 준다. 즉, 시행착오가 문제해결의 본질적인 방법이다.

비수술적 뇌자극 [非手術的腦刺戟, nonoperative brain stimulation]

뇌 질환 치료에 수술 요법을 사용하지 않고 두피를 국소적으로 자극하는 방법을 사용하는 것. 뇌 과학

뇌졸중 또는 사고로 인한 뇌 손상 등의 질환이나 이에 따른 후유증을 치료하는 데 두피를 통해 자기장이나 전류를 뇌에 전달하여 치료하는 방법으로, 경두개 자기자극법과 경두개 직류자극법 등이 있다. 고혈압 또는 저혈압이 조절되지 않거나 인공 심박기를 사용하는 등의 심각한 심장 질환이 있는 경우, 정신과적 질환이 있는 경우, 두개 내 금속물을 삽입한 시술을 받은 적이 있는 경우 등은 치료법 적용에 제한이 있을 수 있다.

경두개 자기자극법 [經頭蓋磁氣刺戟法, transcranial magnetic stimulation: TMS] 전도 전자기 코일로 발생시킨 자기장으로 뇌의 특정 부위를 자극하여 신경세포를 활성화시키는 비수술적 뇌자극의 한 방법이다. 머리 가까이에 전도 전자기 코일로 강력한 자기장을 발생시키면 이 자기장이 두개골을 통과하면서 경두개 피질의 신경세포를 자극한다. 이때 자기장의 빠르기에 따라 대뇌피질의 활성도를 높이거나 낮게 할 수 있는데, 예를 들어 우울증과 같이 대뇌피질의 활성도가 낮은 경우는 고빈도 자극을 이용하고 불안증이나 조증과 같이 활성도가 너무 높은 경우는 저빈도 자극을 이용하여 활성도를 조절하는 것이다. 주로 우울증 치료에 많이 이용되어 왔고, 그 외에도 다양한 정신-신경계 질환을 가진 환자에게 치료용으로 쓰인다.

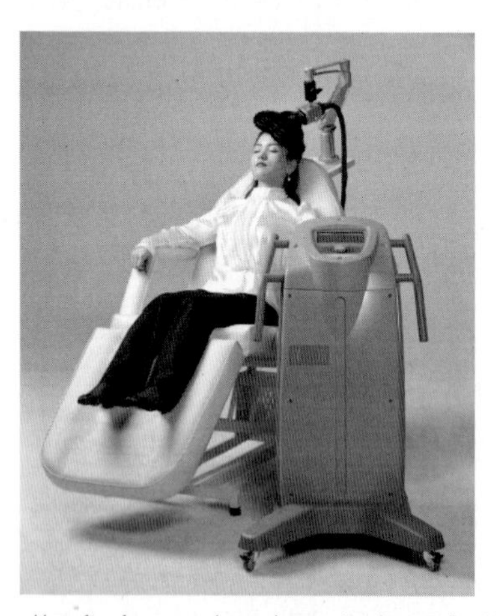

출처: http://media.daum.net/press/newsview?newsid=20100117124910086

경두개 직류자극법 [經頭蓋直流刺戟法, transcranial direct current stimulation: tDCS] 머리에 전극을 붙여 약한 전류로 대뇌피질의 신경세포를 자극하는 비수술적 뇌자극의 한 방법이다. 뇌 손상에 따른 후유장애 회복을 위한 비침습적 뇌자극의 하나인데, 전기자극을 통해 뇌신경의 활성상태를 조절함으로써 뇌 기능 향상을 돕는다. 미 공공과학도서관 온라인 학술지 『PloS One』에 게재된 리처드 치(Richard Chi)와 앨런 스나이더(Alan Snyder)의 논문에 따르면, 뇌에 전기자극을 받은 그룹이 난제에 대한 답을 말한 비율이 아무것도 받지 않은 그룹보다 3배 정도 높게 나와 뇌 손상 치료 외에 뇌 기능 향상을 위해 활용하는 방안에 대한 관심도 높아지고 있다.

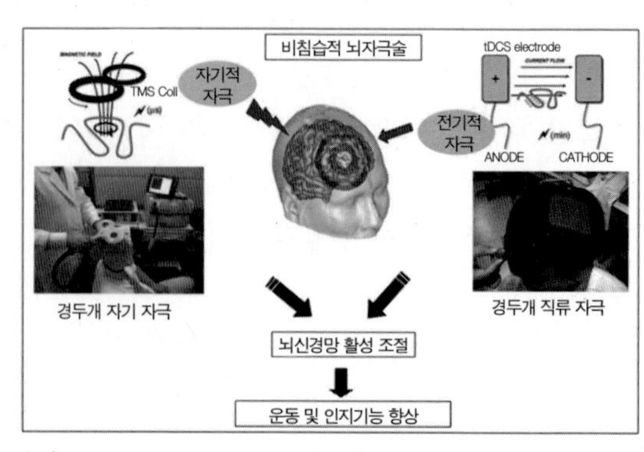

출처: http://www.readersnews.com/sub_read.html?uid=25307

비스텍의 일곱 가지 원칙
[-原則, Biestek's seven principles]

내담자의 기본 욕구를 파악하여 그 욕구에 기초하여 내담자를 지원하는 전 과정에서 사회복지사의 효율적인 진행에 근간이 되는 기본 원리. 사회복지상담

비스텍(F. P. Biestek)은 1957년에 사회복지의 치료적 기능을 강화하기 위하여 사회복지사가 지켜야 할 원칙을 일곱 가지로 제시하였다. 이는 초기면접, 조사연구, 진단, 치료적 개입 등의 전 과정에서 사회복지사가 지녀야 하는 기본적이고 전문적인 태도와 인간관을 형성하는 데 도움을 준다. 이 원칙을 살펴보면, 첫째, 개별화(individualization)로서 모든 내담자는 각 개인마다 고유한 감정, 사고, 행동, 독특한 생활양식, 경험 등을 지니고 있으므로 각기 존중되어야 할 권리가 있다는 것이다. 둘째, 의도적인 감정표출(purposive expression of feeling)로서 내담자가 자신의 감정을 솔직하고 자유롭게 표현할 수 있도록 격려하는 것을 말한다. 이를 위해서 사회복지사는 내담자에게 기꺼이 도움을 준다는 믿음을 갖도록 만들어 편안한 환경을 조성하는 것이 필요하다. 셋째, 통제된 정서적 관여(controlled emotional response)로서 사회복지사가 내담자의 반응에 민감성을 가지고 내담자의 감정과 반응의 의미를 이해하여 의도적이고 적절하게 반응하는 것을 말한다. 넷째, 수용(acceptance)으로서 내담자를 있는 그대로 받아들이는 것을 말한다. 다섯째, 무비판적 태도(nonjudgemental attitudes)로서 내담자가 가지고 있는 문제의 원인이 내담자의 개인 내적, 외적 요인이라 하더라도 그 문제의 책임이 내담자에게 있다고 가치판단을 내리지 않으며 내담자의 행동이나 반응에 대하여 편견이나 선입견을 가지지 말아야 한다는 것을 말한다. 여섯째, 내담자의 자기결정(client's self-determination)으로서 모든 사람은 자기 스스로 결정할 권리를 지니고 있다는 것을 인정하고 내담자의 실수나 한계보다는 내담자의 강점이나 능력을 강조하는 것을 말한다. 즉, 내담자는 자신의 문제를 스스로 해결할 수 있는 능력을 지니고 있으므로 여러 가지 다양한 대안을 가지고 있다. 문제해결에 대한 책임은 전적으로 내담자에게 있다는 것을 강조한다. 일곱째, 비밀보호(confidentiality)이며, 이는 내담자의 기본적인 권리라 할 수 있다. 따라서 내담자에 관한 정보나 상담내용을 내담자의 허락 없이 공개하지 않아야 한다. 이 원칙은 사회복지관계를 전문적 원조관계로 체계화함으로써 사회복지 실천이론의 기초에 큰 영향을 주었다.

관련어 | 비밀보호, 수용, 자기결정

ㅂ

비실험적 연구
[非實驗的硏究, non-experimental research]

연구자가 관심을 갖고 있는 사건이나 현상에 대하여 어떤 조작이나 통제를 가하지 않고 자연적인 상황에서 그것을 자세하고 정확하게 관찰하거나 기술하는 연구 형태. 연구방법

비실험적 연구는 자연스럽게 발생하는 변인들에 대해서 자세하게 관찰, 기술, 기록하는 것이 포함된다. 어떤 중재의 실행 없이 변인들을 기술하는데, 실험적 연구와는 달리 비실험적 연구는 연구자가 독립변인을 직접적으로 조작하지 않고 참가자의 무선배정을 포함하지 않아, 독립변인과 종속변인 간의 인과관계를 도출할 수 있는 가능성이 줄어든다. 비실험적 연구는 실험적 연구보다 인과적 평가(즉, 내적 타당도)의 가능성은 약하지만, 여러 변인(우울, 불안, 결혼 만족도 등)이 조작되지 않는다는 윤리적 장점 때문에 사회과학연구에서 자주 사용한다. 비실험적 설계는 연구자의 목적에 따라서 양적일 수도 있고 질적일 수도 있지만, 대개 양적 연구와 많이 관련되어 있다. 비실험적 양적 연구의 네 가지 주요 유형은 기술적 연구(descriptive research), 상관연구(correlational research), 인과비교연구(causal-comparative research), 조사연구(survey research)다. 기술적 연구는 연구대상이 되는 어떤 현상의 특

징이나 진행과정 또는 관계를 조사 · 분석하여 그 결과를 비교 · 해석하고 사실대로 기술하는 연구다. 기술적 연구의 특징은 연구대상을 객관적으로 관찰하고 분석할 뿐 연구자가 변인을 조작하거나 조건을 통제하지 않는다는 점이다. 기술적 연구를 위한 자료는 대부분 질문지나 면접을 사용하여 수집하는 경우가 많고, 빈도, 백분율, 평균과 같은 기본적인 기술통계를 평가하기 위해서 사용한다. 예를 들어, 연구자가 밀실공포증 환자가 체계적 둔감법 치료 이후 얼마나 많은 공황발작을 겪는가에 관심이 있다고 하자. 이는 관찰된 사건의 빈도를 평가하기 때문에 기술적 연구의 예가 될 수 있다. 상관연구는 어떤 사건이나 현상에 내재되어 있는 여러 변인의 규칙적인 관계를 규명하는 데 초점을 둔다. 상관이란 어떤 사건과 사건, 또는 현상과 현상 사이에 나타나는 특정한 관계를 말한다. 두 변인이 서로 관련 있게 변화할 때 그들 간에는 상관이 있다고 말한다. 상관의 정도는 상관계수로 표시하는데, 두 변인을 측정했을 때 한 변인의 변화에 따라 그에 대응하는 다른 변인이 어떻게 변화하느냐의 관계를 표시해 주는 통계치다. 예를 들어, 대학 신입생의 우울수준과 성적 평균점수 간의 관계를 탐색하는 것은 상관연구에 해당한다. 인과비교연구는 개인들로 구성된 집단 간에 어떤 특성이나 상태에서 차이가 발생하는 원인이나 이유를 밝히고자 하는 연구다. 이때 집단 간의 차이를 초래한 변인은 시간적 또는 윤리적 이유로 조작할 수 없다. 결과(종속변인)와 그것의 원인(독립변인)으로 추측되는 것은 이미 발생한 후이고, 따라서 회상을 하여 과거로 거슬러 올라가 연구를 수행하기 때문에 소급 연구(ex post facto research)라고도 부른다. 자녀의 출생 이후 부모의 결혼만족도 수준을 평가하는 것은 인과비교연구의 예라 할 수 있다. 참가자들이 아이를 갖는 것은 연구자가 할당(조작)할 수 없으므로 인과비교연구는 자녀의 출생 후 결혼 만족도를 평가하는 데 적절한 것이다. 조사연구는 무엇이 존재하고 있는가를 파악하여 사실대로 기술하고 해석하는 연구다. 그리고 어떤 사건이나 현상에 관련된 여러 변인 간의 관계를 파악하고 분류 · 분석하는 것도 조사연구의 주요 기능이다. 조사연구에서 자료를 수집할 때는 질문지, 면접, 전화, 우편, 인터넷을 이용한 조사방법을 많이 사용한다. 자폐증 지원 집단모임에 참석한 자폐아 부모들의 슬픔 수준이 어느 정도인지 설문지나 면접을 통하여 알아보는 것이 조사연구의 예다.

관련어 | 기술적 연구, 조사연구, 질적 연구

비언어성 학습장애 [非言語性學習障礙, nonverbal learning disabilities]

언어능력에는 강점을 보이지만 공간지각능력, 운동능력, 사회성 기술과 같은 비언어적 능력에서 결함을 보이는 것.

특수아상담

개인 내적 원인으로 평생 발달적 학습(듣기, 말하기, 주의집중, 지각, 기억, 문제해결 등)이나 학업적 학습(읽기, 쓰기, 수학 등) 영역 중 하나 이상에서 심각한 어려움을 겪는 것을 학습장애라고 한다. 학습장애는 발현시점에 따라 발달적 학습장애와 학업적 학습장애로 나뉘는데, 여기에서 분류되지 않는 학습장애는 기타에 해당되는 비언어성 학습장애로 분류된다. 전통적으로 학습장애는 말하기, 듣기, 쓰기, 읽기, 그리고 셈하기 등 언어와 수학 영역의 학습문제와 관련하여 주로 거론되었다. 미국장애인교육법의 학습장애에 관한 정의도 사회적 기술에 관한 사항을 포함하고 있지 않다. 하지만 최근에는 학습장애의 하위유형으로 공간지각이나 사회적 관계 형성과 관련이 깊은 비언어성 학습장애에 대한 관심이 높아지고 있다. 비언어성 학습장애 아동의 핵심적인 문제는, 전체는 부분의 합이라는 것과 부분이 모이면 어떠한 전체를 이룬다는 것을 이해하는 데 어려움을 겪는다는 점이다. 사회적 기술 측면에서 보면 대인관계에서는 타인의 얼굴표정, 몸짓, 목소리의 톤, 시선, 단어의 선택 등을 종합적으로 판단하여 현재 상대방이 무엇을 원하고, 어떤 감정상태이며, 무엇을 생각하고 있는지에 관한 판단을 내린다. 하지만 비언어성 학습장애가 있는 아동은 이러한 정보를 종합하여 합리적인 판단을 내리는 능력이 부족하다. 이들은 대인관계에서 타인이 무엇을 원하고, 어떤 감정상태이며, 무엇을 생각하고 있는지에 대해 잘 알지 못하거나 고려하지 못하며 원만한 관계를 형성해 나가는 데 어려움이 있다.

관련어 발달적 학습장애, 학업적 학습장애

비언어성검사
[非言語性檢査, nonverbal test]

학령 전 아동이나 언어장애가 있는 사람에게 실시하는 언어사용을 필요로 하지 않는 검사. 심리검사

검사문항을 그림이나 도형을 이용하여 구성한 것으로, 도형이나 그림, 특정 자료를 제시하고 기호나 동작으로 반응하도록 만든 검사다. 피험자가 언어나 문자에 익숙하지 않은 학령 전 아동이나 언어장애가 있는 경우에 적합한 검사지만, 지능검사의 하위요인 중 미로찾기와 같이 비언어적 능력 그 자체의 측정에 초점을 두는 경우도 있다.

비언어적 의사소통
[非言語的意思疏通, nonverbal communication]

언어를 제외한 신체언어 등, 즉 자세, 몸짓, 의상, 인상, 표정 등으로 상호작용하는 방식. 개인상담 사이버상담

비언어적 의사소통은 언어나 문자가 아니라 동작, 접촉, 준 언어, 장식품 등을 사용하여 언어적 내용을 전달하는 것이다. 언어적 표현으로 자신의 생각이나 감정을 표현하는 것에 한계가 있고, 특히 감정을 충분히 전달하지 못할 때 비언어적 의사소통이 도움이 된다. 비언어적 의사소통은 의사소통의 주요 수단으로서 의사전달이 가능하고, 표현의 강도에 따라 전달의미의 정도를 확인할 수 있으며, 상황에 따라 해석이 달라지고 그 의미가 결정된다. 또한 비언어적 의사소통은 신뢰도가 높은 의사소통 수단으로 인식되는데, 왜냐하면 사회나 집단에서 통용되는 규칙을 따르기 때문이다. 비언어적 의사소통의 요소로는 신체언어, 공간적 행위, 준언어, 신체적 외양 등이 있다. 신체언어는 대인간 상호작용에 나타나는 몸의 동작을 말하는 것으로 여기에는 몸짓, 자세, 눈 맞추기, 고개 끄덕이기, 악수, 미소 등이 있으며, 특히 얼굴은 감정을 표현하는 최고의 비언어적 의사소통 도구다. 공간적 행위는 사람들이 일상생활에서의 육체적 접촉에서 공간적 거리를 어떻게 유지하고 어떤 의미를 부여하는가와 사무실, 건물, 도시의 공간배열에 어떤 의미를 부여하는가에 관한 것이다. 준언어(para-language)는 공식적 언어가 아니라 사람이 내는 여러 가지 소리를 말한다. 이는 말하는 사람의 개성과 감정뿐만 아니라 듣는 사람의 이해나 설득에도 영향을 미쳐 상대방의 능력과 사회성을 인지할 수 있다. 신체적 외양은 대인간 의사소통에 나타나는 중요한 비언어적 요소로서 신체적 매력, 두발, 의상 등이 해당된다. 상담은 언어적 및 비언어적 의사소통으로 행동의 변화를 꾀하는 인간관계인 만큼, 비언어적 의사소통은 내담자의 이야기를 보다 잘 이해하게 해 주고, 상담자의 성실하고 진지한 태도를 표현하는 데 보조적 역할도 한다.

관련어 신체언어

비언어적 단서 [非言語的端緖, nonverbal cues]
비언어적 단서는 몸짓, 손짓, 표정, 시선, 자세, 미소 등의 신체언어와 사람의 외적 모습 등 비언어적 의사소통의 수단이 되는 것이다. 비언어적 행동은 언어적 행동보다 더 정직하고 덜 조작된다고 보며, 이

ㅂ

것은 대인관계에서 50% 이상을 차지하는 것으로 알려져 있다.

비언어적 일치시키기
[非言語的一致-, nonverbal matching]

내담자의 비언어적 특성에 일치시켜 트랜스 상태를 유도하는 최면기법. 최면치료

에릭슨 최면의 트랜스 유도법 중 환기법의 일종으로, 내담자의 비언어적 특성, 예를 들어 목소리의 빠르기나 높낮이, 몸의 움직임과 자세, 호흡 속도 등을 관찰하여 그에 일치시키는 것이다. NPL에서 거울에 비치는 모습에 일치시키는 거울반응(mirroring)과 서로 다른 신체부위를 사용하여 일치시키는 교차거울반응(cross-mirroring) 기법에도 반영되어 있다. 예를 들어, 내담자가 오른손으로 연필을 만지작거리면, 치료자는 왼손으로 자신의 턱을 계속 만지는 식으로 따라한다. 이를 통해 라포를 형성하거나 자연스럽게 트랜스 유도로 이끌 수 있다. 내담자가 손을 들어 머리를 만질 때 치료자도 자신의 머리를 만지면서 행동을 일치시키거나, 내담자가 큰 소리로 말할 때 치료자도 함께 큰 소리로 말하기도 한다.

관련어 거울반응하기, 교차거울반응하기, 에릭슨 최면, 트랜스

비이상주의
[非理想主義, non-utopianism]

이상향적 존재를 성취할 수 없다는 사실을 받아들이는 것. 합리정서행동치료

성숙한 사람은 자신이 이상향에 도달하는 것은 불가능한 일이며, 자신이 원하는 모든 것을 가질 수도 없고, 자신이 원하지 않는 모든 것을 피할 수도 없다는 사실을 받아들인다. 정신적 건강을 위해 끊임없이 노력하는 것은 있을 수 있는 일이지만 완전한 정신건강은 일종의 허상임을 알고 있다. 상담의 경우 내담자가 아무리 노력해도 원하는 모든 것을 얻거나 싫어하는 모든 것을 피할 수 없다는 사실을 받아들이도록 도움을 주는 것이다. 비록 좌절감이나 절망감과 같은 부적절한 정서가 어리석거나 자기 파괴적인 것이라 할지라도 이것을 완전히 피할 수는 없으며, 우리가 할 수 있는 최선의 방법은 이 같은 부적절한 정서가 나타나는 빈도를 줄이고 강도를 약하게 하며, 그 기간을 단축하는 것뿐이라는 사실을 내담자가 분명히 알도록 하는 것이다.

비자발적 내담자
[非自發的內談者, involuntary client]

자발적 동기가 아닌 다른 외부적인 조건에 강요받아 상담심리치료를 받는 내담자. 해결중심상담

대부분의 상담은 내담자가 상담의 필요성을 느껴 자신의 문제를 해결하기 위해 자발적으로 찾는다는 것을 전제로 하여 시작한다. 그러나 상담자가 특정 학생을 도와주고 싶어 그 학생을 불러서 상담하는 호출상담이나, 부모나 교사가 의뢰하여 상담이 시작되는 위탁상담이 있다. 호출상담이나 위탁상담의 대상자는 청소년이나 아동인 경우가 많다. 이외에도 다양한 외부압력이나 조건 때문에 상담현장을 찾는 내담자를 비자발적 내담자라고 부른다. 이들은 자신의 자발적인 의도로 상담현장에 온 것이 아니기 때문에 상담을 받는 것에 불만이 있거나 상담을 통해 도움을 받으려는 동기가 형성되어 있지 않다는 특징이 있다. 이런 상태의 내담자는 상담에 대한 마음의 준비와 긍정적인 변화에 대한 기대가 없기 때문에 상담에 대해 저항적인 경우가 많고, 결과적으로 상담에 진전이 없거나 느릴 수밖에 없다. 그러므로 상담자는 상담을 시작하기에 앞서 내담자의 동기수준을 확인하는 것이 필요하다. 즉, 내담자가

원하는 것이 무엇인지 탐색하고, 비자발적 내담자들이 상담에 임할 수 있도록 동기화시키는 것이 중요하다. 해결중심적 가족치료에서는 상담에 대한 동기수준에 따라 내담자를 방문자, 불평자, 고객의 세 가지 유형으로 나누고, 각 유형에 따른 상담의 방향과 상호작용에 대해 설명하고 있다.

관련어 | 고객, 방문자, 불평자, 해결중심 단기치료

비전 캠프
[-, vision camp]

2003년 육군 본부 군종실에서 개발한, 자살 염려자와 복무 부적응자를 대상으로 한 집단상담 프로그램. 군상담

비전 캠프는 군 생활에 적응하지 못하는 복무부적응병사나 자살이 염려되는 병사들 중에서 일정한 심의 절차를 거쳐 대상자를 선발하고, 3박 4일 동안 진행하는 집단상담 프로그램이다. 이 프로그램의 목적은 건강한 자아상 회복과 왜곡된 인식체계의 전환, 그리고 문제해결능력을 증진시켜 정상적으로 맡은 바 복무에 적응하도록 도우며 자살사고를 미연에 방지하는 것이다. 프로그램 내용은 복무부적응병사를 위한 사단급용과 자살 우려자를 위한 군단급용으로 구분된다. 전자는 분노조절, EGO-OK GRAM, 그대를 축복해요 등의 내용으로, 후자는 난 너를 믿어, MBTI, 나를 사랑해요 등의 내용으로 구성되어 있다.

관련어 | 복무부적응병사

비정형 정신병
[非定型精神病, atypical psychosis]

정신분열병과 조울증의 증상을 모두 나타내지만 원인이 명확하지 않은 정신질환. 이상심리

독일, 일본, 한국에서는 신체적 원인이 불명확해서 어떤 소인이 관여하고 있다고 보아 내인성 정신병이라 하고, 영미권에서는 분열 정동 정신병(schizoaffective psychosis)이라고 한다. 이 병의 특징은 급격하게 발병하고 조울증처럼 기분의 격심한 변화에 가벼운 의식의 혼란, 정신분열증같이 망상, 환각 상태가 나타난다. 증상은 비교적 단기간에 치료되지만, 되풀이해서 재발하는 경향이 있으며, 정신분열병처럼 인격의 붕괴를 초래하는 경우는 없기 때문에 사회 적응이 가능하다. 정신적 갈등과 환경변화에 따른 심신의 피로, 월경 등의 영향을 받는 경우가 있으므로 주변의 가까운 이들의 부단한 배려가 재발방지를 위해 중요하다.

관련어 | 정신분열병, 조울증

ㅂ

비정형적 성욕도착증
[非定型的性慾倒錯症, atypical paraphilia]

이상(異常)의 범주에 속하지 않는 특이한 성적 행위를 통칭하는 말. 성상담

비정형적 성욕도착증은 이상의 범주에는 속하지 않지만 분명히 일탈된 성행위를 말한다. 불특정인에게 전화를 해서 음란한 말이나 소리를 내는 전화외설증, 혼잡한 지하철 등에서 이성과의 피부 접촉과 마찰을 하는 마찰 성욕도착증, 동물을 대상으로 성행위를 하거나 그러한 공상을 좋아하는 동물애증, 불결한 물질을 매개로 하여 성적 흥분을 하는 불결애증, 시체를 대상으로 성적 흥분을 느끼거나 성행위를 하는 시체 성애증, 관장으로 성적 쾌감을 느끼는 관장 성애증 등이 이에 속한다. 이외에도 신체의 한정된 어느 부분에만 전적으로 의존하는 성행위나 유기용매 또는 본드 등을 사용해서 의도적으로 산소결핍을 유도하여 환각상태의 성적 쾌감을 추구하는 것도 비정형적 성욕도착증으로 볼 수 있다.

비즈니스 웃음코칭
[-, laughter coaching in business]

웃음을 매개로 하여 기업 임직원을 대상으로 직장 내 여러 가지 비즈니스 문제를 다루는 웃음코칭의 한 유형. 웃음치료

비즈니스 웃음코칭은 직장 내에서 발생하는 대인관계, 목표관리, 경력관리, 동기부여, 문제해결, 조직문화, 리더십 등의 문제를 다룬다. 웃음코칭이 비즈니스와 접목되기 전까지 이러한 조직 내 문제들은 대개 외부 전문코치가 기업을 방문하여 코칭 교육 및 서비스를 제공해 왔다. 비즈니스 웃음코칭이 기업 내에 직접 도입되면서, 이러한 문제들을 임직원이 직접 해결할 수 있게 되었다. 비즈니스 웃음코칭은 펀 경영을 통해서 상사나 부하직원 양자 모두에게 동기를 부여하고, 능력을 개발하여 생산성 향상을 도모하고, 결과적으로 조직의 종합적 성과를 신장시키는 것을 주목적으로 한다. 이는 코치와 코칭을 받는 사람 간의 종속적 관계에서 형성되는 것이 아니라, 수평적이면서 협력적 관계를 구축하여 지속적인 의사소통을 진행하는 과정이라 할 수 있다. 웃음코칭을 통해서 바람직하지 못한 행동은 개선하고, 바람직한 행동은 지속적으로 발전시켜 나가도록 한다. 비즈니스 웃음코칭은 다른 일반 전문적 코칭의 목적을 기본으로 하여, 고정관념을 깨트리고 친밀도, 창의력, 사회성을 양성하고, 직장 내 경쟁 및 업무 스트레스에 따른 긴장감을 해소하며, 나아가 산업재해까지 예방할 수 있기 때문에 생산성 향상에 직접적인 영향을 미친다고 할 수 있다.

관련어 | 펀 경영

비즈니스 저널
[-, business journal]

시간과 업무효율을 최대화하도록 도와주는 저널쓰기. 문학치료(글쓰기치료)

직장 내에서 업무효율 및 자기계발 등을 목적으로 행하는 글쓰기를 통칭하여 비즈니스 저널이라 한다. 10~15분의 글쓰기는 업무에서 발생하는 감정적, 현실적 문제(반복되는 실수, 사업선택, 확장이나 성장에 대한 두려움, 업무에서 만나는 사람들과의 관계 등에서 야기되는 다양한 문제들)를 해결하는 데 도움을 준다. 저널 기법 중에서 스프링보드(springboard), 클러스터 기법(clustering), 백가지 목록 등을 활용한다.

비지시적 상담
[非指示的相談, non-directive counseling]

미국의 심리학자 로저스(Rogers)가 제창한 상담이론과 실천의 대표적 입장의 하나로서, 진단보다는 상담자와 내담자 간의 관계를 중요시하며 내담자에게 상담과정진행에 대한 주도권을 상당 부분 부여하는 상담 접근법. 인간중심상담

현재는 인간중심상담으로 불리고 있다. 우리나라 상담계는 로저주의(Rogerian)계, 프로이트(Freud)와 그 후계자들에 의한 정신분석계, 행동치료계, 인본주의 심리학을 배경으로 한 교류분석(TA) 게슈탈트 치료 및 인지치료의 네 가지로 대별된다고 할 수 있다. 이 중 교육계는 특히 로저스를 중심으로 한 로저주의계가 가장 강하다고 본다. 로저스의 상담은 실천과 연구의 전개에 따라 강조하는 바를 바꾸어 가고, 그것에 맞는 몇 가지 명칭을 갖고 있다. 비지시적 상담은 전개의 초기(1940년대)에 붙여진 것으로, 오로지 기법 중심에 따른 이론체계였다. 이 경우는 상담이 내담자가 나타낸 감정을 내담자의 방법에 따라 느끼고 있는 것을 전하는 것이 원조적 관계를 촉진한다고 해서 그것을 위한 여러 기법을

강조하고 총괄한 것이다. 초기에 비지시적 상담이론은 새교육에서 주장하는 학생 중심의 교육, 또는 아동 중심의 교육과 철학적 바탕을 함께한다는 점에서 이상적인 모형이었다. 다시 말해, 새교육장면에서는 교사 중심의 교육이 아니라 학생 중심의 교육이 강조되는 것과 같이 생활지도와 상담의 장면에서는 상담자 중심의 상담이 아니라 내담자중심의 상담이 더 바람직하다는 논리가 성립되었다. 즉, 학생에게 학습능력이 있음을 전제하듯이, 내담자를 자기 문제를 해결해 나갈 수 있는 자율적 능력을 가진 존재로 보는 것은 설득력이 있었다. 우리나라에서 비지시적 상담은 1960년대 초반부터 생활지도와 상담영역뿐만 아니라 중고등학교 교육현장에서 영향력을 미치기 시작하였다.

관련어 | 지시적 상담

비춰주기
[–, disquisition]

정서중심부부치료에서 갈등과 불화를 경험하고 있는 부부와 비슷한 이야기를 들려주는 것. 정서중심부부치료

정서중심부부치료에서 치료자는 갈등과 불화 속에 있는 부부에게 관련되거나 유사한 다른 이야기를 들려줌으로써 자신들의 부정적 상호작용에 대해 객관적이고 명료하게 볼 수 있도록 도와주어 새로운 변화의 계기를 마련하기도 한다. 비춰주기를 통하여 부부가 자신들의 부정적 상호작용을 살펴보는 작업은 자기 문제에 직면할 때 발생 가능한 정서적 부담을 줄여 주는 장점이 있다. 비춰주기에 사용되는 이야기는 일반적으로 다음의 요소가 포함되어야 한다. 첫째, 내담자 부부의 이야기와 비슷한 내용이어야 한다. 둘째, 부부의 중요한 반응이 은유적으로 표현되고 추측한 내재된 감정이 이야기에 포함되어야 한다. 셋째, 내재된 감정에 반응하는 부부의 태도, 행동반응 방식과 관련이 있는 이야기여야 한다. 이와 같은 비춰주기는 다음의 세 가지 경우에 해당할 때 사용할 수 있다. 첫째, 내담자가 자신의 경험으로 받아들이지 못하는 경험에 개입하도록 할 때, 둘째, 부부간에 발생한 부정적 경험이 내담자 부부만의 문제가 아니라는 것을 생각하게 할 필요가 있을 때, 셋째, 상대 배우자가 취하는 새로운 정서반응과 행동을 비난하는 배우자의 부정적 반응이 변화과정 중에 일어날 수 있는 보편적인 현상임을 이해시킬 필요가 있을 때다.

비탄과정
[悲嘆過程, grief process]

중요한 대상을 상실하거나 그러한 대상에 관한 표상을 상실해서 슬픔을 느끼는 과정. 대상관계이론

프로이트(S. Freud)는 『Mourning and Melancholia(애도와 멜랑콜리아)』를 통해 우울증에 대한 이해를 확장시켰다. 프로이트가 사용한 용어 'Trauer'는 영어의 'grief(비탄)' 혹은 'mourning(애도)'으로 번역될 수 있다. 비탄은 중요한 대상을 상실하거나 이상과 같은 추상적인 개념을 상실한 데 대한 생리적 · 심리적 반응으로서, 특정하게 사랑하는 대상의 상실에 해당하는 사별과는 구분되는 개념이다. 오히려 사별은 비탄의 하위개념으로 볼 수 있다. 상실의 대상이 반드시 사람에게만 국한되는 것은 아니다. 예를 들어, 자유 혹은 이상에 대한 신념과 같은 추상적 실체에 대한 표상을 상실할 때도 슬픔과 비탄이 유발될 수 있다. 그 외 마음을 쏟았던 무생물이나 안정감의 원천이었던 어떤 것의 상실도 비탄을 수반할 수 있다. 비탄은 외부세계에 대한 관심 감소, 추억에 대한 집착, 슬픔 혹은 회환에 젖는 행동, 수면장애 등의 증상이 수반된다. 상실의 의미는 무의식에 숨겨져 있을 수 있지만, 상실에 대한 자각 정서는 전적으로 의식적이다. 예를 들어, 직장을 잃은 사람은 직장이 세상을 살아가는 에너지를 제공

하는 것 혹은 주변 사람의 인정을 받을 수 있는 잠재적인 자원을 뜻하는 것임을 즉각적으로 인식하지 못할 수 있다. 그는 의식적으로 슬픈 감정을 자각하고 그 슬픔과 직업상실을 서로 연결한다. 일련의 비탄과정 단계를 거치면서 자아의 상실은 점차 치유되고 정신적 평정을 회복한다. 비탄과정이 성공적일 때는 자아가 강화되지만 비탄과정이 방해받으면 자아는 정신병리적 상태에 빠진다.

관련어 | 애도과정

비표준화검사
[非標準化檢査, non-standardized tests]

심리검사에서의 평가종류 중 하나로서 표준화되지 않은 검사의 총칭. 심리검사

표준화검사와 비표준화검사의 두 가지로 구분하는 평가종류 중 하나로, 대표적인 비표준화검사에는 관찰법, 질문지법, 면접법, 평정법, 투사법, 사회성 측정법, 사례연구법, 자서전법, 누가 기록법 등이 있다. 특정 문제에 대해 집중적으로 평가할 수 있으며, 중재를 계획하거나 평가하는 데 유용하다. 표준화검사에 비해 신뢰도와 타당도가 떨어지지만 적은 비용으로 짧은 시간에 정보를 수집할 수 있다는 장점이 있다.

비합리적 도식
[非合理的圖式, irrational schema]

부정적인 내용들로 구성된 인지도식. 합리정서행동치료

비합리적 도식은 부정적인 자동적 사고를 활성화하는 역할을 하고 인지적 오류를 발생시킨다. 세상을 살아가는 과정에서 삶에 대한 이해의 틀을 형성한 것이 삶의 인지도식인데, 이것은 아주 어린 시절부터 시작해서 삶을 살아가는 동안에 형성되는 하나의 체계화된 덩어리다. 이때 개인의 인지도식의 내용이 당위적인 경우를 역기능적인 인지도식이라고 부르며, 이것은 부정적인 심리적 문제를 초래하는 근원적인 역할을 한다.

비합리적 사고
[非合理的思考, irrational thinking]

합리정서행동치료

⇨ '비합리적 신념' 참조.

비합리적 신념
[非合理的信念, irrational beliefs]

일상생활에서 겪는 구체적인 사건들에 대해 합리적이지 못한 방식으로 받아들여 자기패배적인 결과를 가져오는 신념들. 합리정서행동치료

합리정서행동치료자의 창시자인 엘리스(Ellis)는 각자의 목표가 무엇이든 그 목표달성에 방해가 되는 생각은 비합리적 신념이며, 비합리적 신념의 핵심에는 인간문제의 근원이 되는 당위적 사고가 자리 잡고 있다고 보았다. 비합리적 신념의 특징은 현실적이지 못하고 자신을 더욱 방해하며 있는 그대로의 자신을 받아들이기를 거부하게 한다는 점이다. 또한 다른 사람과의 관계에서 만족을 주지 못하며 친밀한 관계를 유지하는 것을 방해한다. 또한 유익하고 생산적인 일에 즐겁게 종사하는 것을 막고 중요한 일에 열중하지 못하게 한다. 비합리적 생각은 자기독백(self-talking), 자기언어화(self-verbalization), 자기진술(self-statement) 등에 의해 더욱 내면화, 신념화된다. 대표적인 특징으로는, 첫째, '반드시 ~해야 한다.'와 같은 당위적 사고, 둘째, '~하면 큰일이다.'와 같은 지나친 과장, 셋째, '~한 것은 가치가 없다.'와 같은 자신과 타인의 비하, 넷째, 욕

구가 좌절되는 상황을 견디지 못하고 불행감을 느끼는 등, 느끼지 못하는 좌절에 대한 인내심 부족 등이 있다. 정서장애의 원인이 되는 비합리적 신념과 이에 상응하는 합리적 신념은 다음과 같다.

	비합리적 신념(iB)	합리적 신념(rB)
1	중요한 타인 모두에게 사랑받고 인정받는 것은 절대적으로 필요하다.	모든 이의 사랑과 인정을 받으면 좋겠지만 타인을 사랑하고 인정하는 것이 오히려 바람직하고 생산적이다.
2	가치 있는 사람으로 인정받으려면 반드시 유능하고 모든 영역에서 완벽하게 일을 성취해야 한다.	자신이 인간적인 한계가 있고 실수도 하는 불완전한 존재라는 것을 받아들이는 것이 좋다.
3	사악하고 나쁜 사람은 반드시 비난받고 처벌을 받아야 한다.	비윤리적으로 행동하는 사람을 비난하고 처벌하기보다 행동변화를 돕는 것이 좋다.
4	일이 뜻대로 되지 않는 것은 끔찍하고 무서운 파멸이다.	일이 뜻대로 되면 좋겠지만 원하는 대로 되지 않는다고 해서 끔찍할 것까지는 없다.
5	불행은 외적 환경 때문에 생기므로 개인은 통제력이 없다.	불행은 주로 내부에서 생기고, 외부에서 일어난 사건에 대한 인식변화는 얼마든지 가능하다.
6	위험하거나 두려운 일에 대해 항상 걱정하는 것은 당연하다.	걱정한다고 해서 일이 없어지는 것은 아니므로 오히려 일 처리에 최선을 다하고, 여의치 않다면 받아들이는 것이 좋다.
7	인생역경이나 책임의 회피가 직면보다 더 쉽고 현명한 일이다.	역경이나 책임의 회피는 궁극적으로 더욱 어려운 방법이다.
8	누구나 다른 사람에게 의지해야 하고 의지할 만한 누군가가 반드시 있어야 한다.	도와줄 사람을 찾기보다 다른 사람들과 친밀하게 지내고 자신을 믿고 의지하는 것이 바람직하다.
9	현재의 행동은 과거의 경험이나 사건에 따라 결정되며, 그 영향에서 벗어날 수 없다.	과거에 대한 지각과 영향에 대한 해석의 재평가로 과거의 영향을 극복할 수 있다.
10	타인의 문제는 걱정스럽고 혼란스러울 수밖에 없다.	다른 사람이 어려움을 겪을 때 도울 수 있으면 좋지만, 반드시 도와야 하거나 돕지 못한다고 큰일이 나는 것은 아니다.
11	모든 문제에는 항상 완전한 해결책이 있어서 이를 발견하지 못하면 파멸이다.	세상은 불확실한 세계이므로 삶을 즐기기 위해서는 보장이 없더라도 스스로 결정하고 위험을 무릅쓰는 것이 낫다.
12	세상은 반드시 공평해야 하며 정의는 반드시 승리해야 한다.	세상에는 불공평한 경우가 발생하는데, 불만보다는 시정하려는 노력이 더 낫다.
13	나는 항상 고통 없이 편안해야 한다.	고통 없이 얻을 수 있는 것은 없다. 좋아하지 않아도 불편을 참아 내고 견딜 수 있다.
14	나는 미쳐 가고 있는지도 모른다. 그러나 미쳐서는 안 된다. 왜냐하면 그것을 견딜 수 없기 때문이다.	정서적 곤궁은 즐거운 일은 아니지만 참을 수는 있다.

이후 엘리스는 상담경험을 통해 세 가지 비합리적 신념을 추가하였다.

ㅂ

비합리적 신념 테스트
[非合理的信念 -, irrational belief assesment]

합리정서행동치료의 이론에 근거하여 개인의 비합리적 신념 정도를 평가하는 검사. 심리검사

합리적-정서적-행동적 치료자가 연구를 목적으로 비합리성의 정도를 측정하기 위하여 고안한 질문지법을 말한다. 예를 들면, "사람으로서 당신의 평판은 어느 정도 중요합니까?"라고 하는 질문에 평정척도에 따라 답하도록 하는 것이다. 대표적으로 존스 비합리적 신념 검사(Jones Irrational Beliefs

Test)가 있다. 이는 엘리스(Ellis)가 제시한 열 가지 신념에 대하여 합리성과 비합리성을 평가하는 유명한 자기보고검사로, 존스(Jones)가 개발하고 우즈(Woods)가 표준화를 추진하였다. 질문항목은 비합리적 신념에 각 10개씩 총 100항목으로 구성되어 있다. 검사는 오지 선다형이며 내담자의 비합리적 신념을 빠르게 발견해 내고 자기이해의 자료로 이용할 수 있다는 점에서 가치가 있다.

관련어 | 비합리적 신념, 엘리스

비합산의 원칙
[非合算－原則, non-summation principle]

전체는 부분들의 합이 아닐 뿐더러 그보다 더 커지거나 혹은 더 작아질 수도 있기 때문에 전체는 부분들로 환원되지 않는다는 개념. 가족치료 일반

가족치료 등에서 인간을 이해하는 중요한 원칙 중 하나다. 분석적인 방법을 사용하여 인간이 가지고 있는 요소들을 분해한 뒤 다시 합치면 그 사람이 원래의 모습으로 돌아간다거나, 혹은 가족구성원 개개인을 산술적으로 합친 모습이 그 가족의 본래 모습이라고 볼 수는 없기 때문이다. 예를 들어, 한 사람이 어떤 가족구성원 개개인을 이해했다고 하더라도 그 가족을 올바로 이해했다고 인정할 수는 없는데, 가족이라는 개념은 가족구성원 간의 상호작용과 그 관계를 통하여 형성되는 다양한 요소를 내포하고 있기 때문이다. 가족 상호 간에 맺고 있는 관계의 방식과 질, 그리고 종류에 따라서 가족구성원마다 천태만상을 띤다. 따라서 가족치료에서는 가족구성원 개개인을 이해하는 합산의 원칙만으로는 가족을 올바르게 이해할 수 없고, 비합산의 원칙이 적용되는 것을 기본으로 삼는다.

관련어 | 합산의 원칙

비행
[非行, juvenile delinquency]

잘못되거나 그릇된 행위로서, 주로 소년비행, 청소년비행을 가리키는 것. 교정상담

비행은 일반적으로 청소년이 저지르는 잘못된 행위를 말한다. 성인과 달리 과거의 객관적 범죄행위뿐 아니라 장래에 죄를 범할 가능성을 내포하고 있다. 이는 법률을 위반한 의미에서의 비행보다는 반사회적 행위에 초점을 둔다. 즉, 미성년자로서 지켜야 할 규칙을 위반하는 행위, 부모에 대한 불복종, 상습적인 학교 결석, 가출, 음주, 성행위 등을 말한다. 소년이란 말에는 소녀도 포함되며, 우리나라에서는 '소년법'으로 19세 미만이라고 규정하고(소년법 제2조), 여러 외국에서는 연령에 다소 차이가 있다. 넓은 뜻으로 '나쁜 일'을 한 아이의 행동을 뜻하는 비행은, 법률적으로 보면 「소년법」 제4조제1항에 따라 죄를 범한 소년, 형벌 법령에 저촉되는 행위를 한 10세 이상 14세 미만인 소년, 앞으로 형벌 법령에 저촉되는 행위를 할 우려가 있는 10세 이상인 소년의 행위를 말하고 이들을 비행소년이라고 부른다. 실태는 통계적인 면과 사례의 두 가지 측면에서 알 수 있다. Weiner(1982)는 심리적인 문제로 인하여 행하여지는 일탈행동을 심리적 비행(psychological delinquency)이라 이름하고, 비행자의 심리적인 특성에 따라 비행의 종류를 성격적 비행(personalitic delinquency), 신경증적 비행(neurotic delinquency), 정신병적 비행(psychotic delinquency) 등으로 구분하였다. 원인, 대응에 대해서는 비행행동을 어떻게 보는가의 입장에 따라 차이가 있다. 예를 들면, 문제행동으로 보는가, 메시지 혹은 사인으로 보는가에 따라 대응은 달라진다. 예방에 대해서도 마찬가지다. 적어도 본인이나 가족에게만 그 원인을 구하는 일이 있어서는 안 될 것이며, 사회 문제의 일환으로 사회적 책임을 지고 대책을 강구해야 한다.

사회적 비행 [社會的非行, social delinquency] 사회문화적으로 용인된 목표와 방법에 따라 행동하는 집단에서는 자신의 자아존중감과 소속감을 얻지 못하여 사회문화적으로 허용되지 않는 행동을 추구하는 새로운 하위집단을 구성하여 일탈행동을 하는 경우를 말한다. 이렇듯 비행집단 내에서 자존감과 소속감을 얻기 위해 행해지는 사회적 비행은 적응적인 행동양식이라고 볼 수 있다. 그러나 비행 하위집단에서 통용되는 행동방식은 일반적인 사회문화적 상황에 통용되지 않고 편파적인 행동이 대부분이므로 장기적인 측면에서는 부적응적인 행동양식이라고 할 수 있다. 사회적 비행자들은 대부분 유아기에 건강한 양육환경에서 성장했지만 초 · 중등학교를 거치면서 부모의 적절한 훈육과 지도를 받지 못하고 반사회적 경향이 있는 또래의 영향을 받아 비행문화를 접한 경우가 많다. 그러므로 사회적 비행자들은 심리적인 문제가 비교적 적거나 없고, 정상적으로 대인관계를 형성하며 판단능력이나 자기조절능력을 갖추고 있다.

성격적 비행 [性格的非行, personalitic delinquency] 자신의 아주 사소한 권리나 감정을 다치지 않기 위하여 타인의 권리나 감정을 무자비하게 짓밟으면서도 전혀 죄책감을 느끼지 않고 행하는 반사회적 성격구조에서 비롯되는 일탈행동이다. 이들은 만족지연 능력, 타인관점 조망능력, 자아통제능력, 장기적 계획성, 공감능력 등이 부족하고, 공격적 행동과 쾌락 추구적인 충동성이 강한 경향이 있다. 이 같은 행동은 영유아기 및 청소년기의 부적절한 양육방식, 비일관적인 양육태도, 주양육자로부터의 거절 또는 방임 등이 원인이 되어 타인을 공감하는 능력과 배려심 등을 형성하지 못하여 나타난다.

신경증적 비행 [神經症的非行, neurotic delinquency] 자신의 욕구를 정상적인 방식으로 충족시킬 수 없는 경우에 그 욕구를 표현하는 방식으로 행하게 되는 일탈행동을 말한다. 이 비행은 타인에게 인정받고 애정과 관심을 받고 싶은 욕구가 좌절될 때, 자신의 요구가 무시될 때, 주변 사람에게 직접 말하기 두렵거나 당혹스러운 문제를 경험할 때 자신의 욕구를 충족하기 위하여 급작스럽고 단독으로 행해지는 특징이 있다. 그러므로 이 경우의 비행은 다른 사람의 이목을 집중시킬 수 있는 행동을 저지르게 된다. 이들은 대부분 안정된 가정환경에서 성장했지만 일시적 혹은 장기적으로 가족상황이 바뀌어 이전에 받았던 관심과 애정을 더 이상 받지 못하는 상황에서 비행을 나타낸다. 이 비행은 긴장감, 분노, 좌절감과 밀접한 관련이 있어 이러한 감정들이 해소되는 즉시 비행행동이 감소하는 경향이 있지만 초기에 발견하지 못하고 장기화되면 비행 자체가 문제를 가중시켜 사회적 비행이나 성격적 비행이 될 가능성이 있다.

잠재비행 [潛在非行, latent delinquency] 실제로 비행사건이 발생하였지만 공식기록으로 남는 등 표면화되지 않았거나, 구체적인 비행행동은 저지르지 않았지만 비행사건이 발생할 가능성이 있는 것을 말한다.

정신병적 비행 [精神病的非行, psychotic delinquency] 기질적 비행으로 일컬어지기도 하는데, 정신분열병과 같은 질병이나 뇌 손상 등의 기질적 이상으로 저지르는 일탈행동을 말한다. 뇌 손상으로 보여 주는 일탈행위들은 비행이 습관화된 경우에도 나타나는 특징이므로 비행의 원인과 유형 파악에 신중을 기해야 한다.

비행문화감염
[非行文化感染, acculturation in delinquency]

비행원인을 정서적 부적응으로 설명하는 프로이트(S. Freud)의 정신분석 관점이나 힐리(Healy)의 역동 심층심리학 관점과 달리, 집단사회심리학 관점에서 설명하기 위해서 서덜랜드(Sutherland)와 크레시(Cressy)가 사용한 용어. 교정상담

서덜랜드와 크레시는 비행이 문화적 감염에 의한 것이라고 파악하였다. 인간은 집단에서 생활하고 집단의 규범을 따른다. 따라서 인간은 자신이 속한 집단이 가진 비행문화를 학습하여 비행을 저지르게 된다는 것이다. 반사회적 문화가 강한 집단에 얼마만큼 깊게 관련되었는가에 따라 한 개인이 보이는 비행의 정도도 달라진다는 관점이다.

빅 트라우마
[－, big trauma]

전쟁, 천재지변과 같이 개인의 삶에 극적인 영향을 주는 경험. 기타 가족치료

트라우마에는 두 가지 종류가 있다. 첫째는 빅 트라우마이고, 둘째는 스몰 트라우마다. 빅 트라우마는 불의의 사고, 가족 상실, 성폭행, 전쟁, 천재지변 등 일상을 넘어서는 커다란 사건으로 개인의 삶에 극적인 영향을 미치는 경험을 말한다. 여기서 빅(big)의 의미는 단순히 개인의 삶에서 경험하는 큰 사건을 말하는 것이 아니며 일상적인 삶에서 자주 경험하는 것이 아니라는 뜻이다. 빅 트라우마의 경험은 개인에게 악몽, 플래시백, 공포, 불안, 사회 부적응, 외상 후 스트레스 증상을 일으킬 수 있다.

관련어 | 스몰 트라우마, 외상

빈 둥지 증후군
[－症候群, empty nest syndrome]

자녀는 성장하면서 독립적으로 바뀌고, 남편은 바깥일에 몰두하는 시기에 있는 중년의 주부에게 발생하는 심리적 상실 상태. 가족치료 일반

부부와 자녀로 구성되는 핵가족의 경우, 자녀가 성장하여 부모의 손을 떠나게 되는 빈 둥지 시기가 되면 부부 두 사람만의 가족으로 되돌아간다. 그래서 육아나 교육에 전념해 왔던 부모, 특히 어머니는 자신만 남겨진다는 생각에 사로잡혀 가족생활이나 인생에 허무감을 느끼기 쉽다. 바로 이때의 어머니는 갱년기 장애에 의한 심신의 불안정 상태와 겹쳐서 소위 중년의 위기가 나타날 수 있다. 한편, 남편은 일에 열중하는 시기여서 집을 비우는 경우가 많으며, 아내에 대한 배려가 부족하여 아내의 호소라든가 고민에도 그다지 귀를 기울이지 않기 때문에 아내의 불만은 한층 커진다. 그 결과 아내의 심신의 불안정이 점차 확대된다. 인생의 후회나 공허감, 기분의 침체나 억울한 감정, 두통이나 멀미 혹은 두근거림 등의 신체증상이 나타나기도 한다. 또한 이러한 마음의 공허감을 메우기 위해 알코올 등에 의존하거나 한가한 틈을 타서 도박 등에 빠져들기도 한다. 이 같은 부모로서의 역할을 상실한 데서 오는 심신의 부적응 상태를 빈 둥지 증후군이라고 한다. 이 용어를 최초로 사용한 사람은 미국의 성 과학자 킨제이(A. Kinsey)로 알려져 있다. 이러한 상황의 막다른 처지에서 빠져나오기 위해서는 자아정체성을 확립하고, 배우자와의 관계를 다시 생각해 볼 필요가 있다. 융(Jung)은 이 위기를 극복하기 위해 '재혼의 의식'이 필요하다고 하였다. 또한 어떠한 형태로든 사회와의 유대를 회복하여 자신을 표현할 수 있는 장을 형성하는 것이 필요하다. 예를 들면, 시간제 근무, 자원봉사활동, 문화센터 등에서의 학습이나 대학 또는 대학원에의 진학을 시도해 볼 수 있다.

관련어 | 가족생활주기

빈 의자 기법
[-椅子技法, empty chair, auxiliary chair]

자신 혹은 타인과의 관계를 지금-여기에서 다루기 위해 빈 의자를 사용하는 기법. 게슈탈트 사이코드라마

사이코드라마의 이론가 모레노(Moreno)가 창안하고 게슈탈트 이론가 펄스(Perls)가 발전시킨 사이코드라마의 한 기법으로서, 보조 의자 기법으로도 불린다. 이것은 내담자들이 빈 의자를 두고 마치 사람이 그곳에 앉아 있는 것처럼 가정한 다음, 의자들이 놓인 곳 사이에서 둘 이상의 역할을 하면서 내담자의 자기와 다른 중요한 인물들이 토의를 하는 듯 연출한다. 역할극의 형식으로 된 이 기법은 자기에 대한 탐색에 초점을 맞추고 내담자의 자기적응을 위해서 활용한다. 모든 행동치료에서 사용되는 기법의 하나이며, 사이코드라마에서는 흔히 개인의 감정이나 심상을 불러일으키기 위한 준비작업으로 활용된다. 빈 의자에 앉히는 대상은 자기 내면의 여러 부분을 인격화하여 만들 수도 있고, 원형이나 꿈과 같은 상상이나 가상 속에서 도출해 낸 인물이 될 수도 있으며, 정서나 증상을 인격화하여 만들 수도 있고, 실제 인물이 될 수도 있다. 빈 의자 기법은 무생물이나 꿈의 상징, 주인공의 주관적 세계에 있는 중요한 비언어적 단서 등 실제 인물이 연기하기 어려운 것들을 표현하는 데 매우 효과적이다. 의자는 보통 원형이나 반원형으로 둘러앉은 사람들의 안쪽 혹은 가까이에 둔다. 연출자는 주인공에게 정서적으로 중요한 인물이 빈 의자에 앉아 있는 것을 상상하도록 한 다음, 그가 실재하는 것처럼 극을 전개시킨다. 주인공은 의자에 앉아 있다고 상상하는 인물과 자신이 일으키는 사건을 설명하기 위해서 독백, 방백, 대화, 역할바꾸기 등의 방법을 사용하기도 한다. 빈 의자 기법을 통하여 주인공은 타인이나 자신의 또 다른 모습을 만날 수 있고, 빈 의자를 매개로 역할바꾸기를 통해 동시에 나와 타인이 되어 볼 수도 있다. 따라서 이것은 한편의 모노드라마라고 할 수 있다.

빈 의자 기법은 주로 다음과 같은 상황에서 사용한다. 즉, 내담자 혹은 주인공이 문제의 답을 외부에서 찾기보다는 자신의 내면에서 찾고자 할 때, 연출자가 판단하기에 상대방 역을 지정하여 역할연기를 할 필요가 없을 때, 그리고 내담자 혹은 주인공 스스로 상대방의 입장을 잘 피력할 수 있을 때 사용한다. 이와 같은 빈 의자 기법은 주인공이 가지고 있는 문제를 보다 빨리 파악할 수 있다는 장점이 있다. 따라서 사이코드라마의 전체 회기에서 사용할 수 있는데, 특히 시작단계가 좋다. 빈 의자 기법을 통해 극을 시작하는 것은 주인공이 다루고자 하는 문제를 좀 더 구체적으로 파악할 수 있기 때문이다. 그리고 빈 의자 기법에서 주인공이 빈 의자를 향해 이야기할 때, 연출자는 주인공 옆에서 주인공이 하는 말을 진지하게 듣고, 도와주려는 의도가 있다는 것을 전달하는 것이 중요하며, 적절하게 시간을 배분하는 것도 중요하다. 내담자의 분리와 통합을 위해 개인 및 집단상담에서 효율적으로 사용될 수 있다.

관련어 | 사이코드라마, 역할연기, 주인공

마무리 빈 의자 기법 [-椅子技法, closure empty chair, final empty chair] 관객들로 하여금 짧은 장면에 참여하여 드라마의 등장인물을 만나게 하거나 자기 삶 속의 인물을 만나게 하는 것을 말한다. 빈 의자 기법에서 파생된 기법으로 사이코드라마의 나누기 단계에서 사용한다. 이는 사이코드라마의 마무리 단계에서 수행하는데, 관객의 카타르시스를 위한 것이다. 느낌 나누기 과정에서 관객들은 앞의 중요 역할을 한 인물과 유사한 자기 삶 속의 인물에 대해 반응을 하기도 한다. 여기서 관객들은 분노나 슬픔, 용서나 화해의 감정을 재연할 수 있고, 빈 의자로 대신했던 그 사람과 역할교대를 할 수도 또는 하지 않을 수도 있다.

빈약한 결론
[貧弱 - 結論, thin conclusions]

이야기치료에서 사용하는 개념으로, 인간의 삶에서 일어나는 사건들에 대한 빈약한 서술의 결과로 형성되는 인간의 정체성 혹은 삶의 사건에 대한 주의 깊지 못한 결론. 이야기치료

개인의 삶에서의 사건에 대해 다양한 각도의 해석과 사회문화적인 요소와의 상호관계 속에서, 주고받는 영향력에 대한 주의 깊은 이해가 배제된 빈약한 서술을 하는 것은 때때로 개인의 정체성에 대해 빈약한 결론을 내리게 하고, 이러한 빈약한 결론은 개인의 삶에 여러 가지 부정적인 영향을 미친다. 예를 들어, 맞벌이 가정에서 자라는 공격적 성향이 강한 아이에 대해서 이야기할 때 다른 여러 가지 요소에 대해 주의 깊게 고려하지 않고 드러나 있는 사건만을 통해서 빈약한 서술을 한다면, 그 아이는 늘 집에 부모가 없어서 통제받지 않고 자라서 그렇다는 빈약한 결론을 내리기 쉽다. 이 같은 빈약한 결론은 '부모의 엄격한 통제가 필요한 아이'로 그 아이의 정체성을 쉽게 규정해 버리고, 부정적으로 형성된 정체성은 그 아이의 삶에서, 그리고 부모나 주위 사람들과의 관계 속에서도 계속해서 부정적인 영향을 미치게 된다. 또한 빈약한 결론하에서는 그 아이를 돕기 위한 방법으로 '부모 혹은 다른 사람으로부터의 엄격한 통제' 외에는 생각할 수 없도록 만들어 버리는 결과를 낳는다. 문제상황에 대해서 한 번 빈약한 결론이 내려지면, 계속해서 이 빈약한 결론을 지지하는 새로운 사건을 쉽게 모으고, 이렇게 수집된 사건들은 빈약한 결론의 부정적인 영향력을 더욱 크게 만드는 경향이 있다.

관련어 | 빈약한 서술, 이야기치료

빈약한 서술
[貧弱 - 敍述, thin description]

이야기치료에서 사용하는 개념으로, 인간의 삶에서 경험하는 수많은 사건에 대해서 이야기할 때, 그 사건과 관련된 사람들이 부여하는 의미 있는 해석과 다양한 사회문화적 영향력에 대한 이해를 배제하는 서술 형태. 이야기치료

빈약한 서술은 경험된 사건과는 관련이 없는 외부 사람이나 집단의 시각인 '관찰자'의 시각으로 해당 사건에 대해 이야기할 때 주로 나타난다. 또한 삶의 어떤 사건이 가지는 부정적인 영향력에 강하게 사로잡혀서 또 다른 의미 부여의 가능성이나 주위의 다양한 사회문화적인 요소들과의 상호관계를 고려하지 않은 채 이야기를 할 때도 나타날 수 있다. 이러한 형태의 서술에서는 인간 삶의 복잡성과 모호성을 충분히 담을 수 있는 공간을 허락하지 않은 채 경험한 사건을 제한된 시각에서 몇 가지 요소만으로 나열한다. 또한 빈약한 서술을 하는 과정에서는 삶의 사건에 부여된 특별한 의미와 그 사건과 연관된 사회문화적인 관계 속에서 주고받는 영향력에 대해 깊이 성찰할 수 없다. 예를 들어, "우리 아이는 항상 주의가 산만하여 공부하는 데 집중을 잘 못한다."라고 걱정하는 어머니가 있다. 이 어머니는 자신의 아이가 '공부에 집중하지 못하는 것'에 대해 다른 여러 가지 가능한 요소를 주의 깊게 고려해 보지 않고, 아이의 문제가 주의가 산만한 것에 기인한다는 빈약한 서술을 하는 것으로 결론을 내렸다. 이 같은 빈약한 서술은 아이의 문제행동을 개선하기 위해 '주의집중력을 키우는 것' 외에는 다른 방법을 생각하지 못하도록 모두의 생각을 고정시키는 결과를 낳는다. 하지만 아이의 문제적 성향을 좀 더 주의 깊게 살펴본다거나 아이가 맺고 있는 다양한 사회문화적인 요소와의 상호관계를 면밀히 관찰해 보면, '공부에 집중하지 못하는 것'이 공부 외에 다른 것에 좀 더 특별한 재능이 있다거나, 공부의 내용이 아이에게 너무 쉽거나 어려워서 흥미를 잃은 경우일 수도 있다. 혹은 공부를 하는 도중에 그 아이가

공부하는 것을 방해하는 다른 친구나 가족이 있을 수도 있다. 이와 같이 삶에서 일어나는 사건에는 한 가지 방향의 의미나 해석만 존재하는 것이 아니라, 다양한 의미와 그에 따른 해석이 존재할 가능성이 있는 것이다. 하지만 빈약한 서술을 하는 것은 경험된 사건에 다양한 의미와 해석을 부여할 가능성을 제한하고, 그 사건과 연관된 다양한 사회문화적 요소들과의 상호관계에 대하여 깊이 생각하지 못하도록 만든다.

관련어 | 이야기, 이야기치료, 풍부한 서술

빈약한 추론
[貧弱 - 推論, poor detective work]

증거가 불충분한 상황에서 확고한 결론을 내리는 인지적 사고 오류 중 하나. 부부상담

대인관계에서 빈약한 추론에 근거하여 사고하는 것은, 거의 존재하지 않거나 충분히 확인되지 않은 증거를 바탕으로 하는 것이기 때문에 잘못된 결론에 이르게 만드는 경향이 있다. 특히 부부관계에서 벌이지는 다양한 사건에서 이러한 빈약한 추론의 형태가 종종 일어나며, 이러한 추론은 발생 가능한 일을 예상하여 다양한 대처를 하는 데 도움을 주기보다는 서로에 대한 이해가 충분하다고 믿는 경향 때문에 서로에 대한 오해를 증가시키고 결과적으로 갈등을 심화시키는 요인으로 작용한다. 예를 들어, 어느 아내는 남편이 종종 집에 늦게 들어오는 것에 대해 바람이 났다고 쉽게 추론을 해 버린다. 그러고는 빈약한 추론에 근거해서 늦게 들어오는 것에 대해 남편에게 묻지도 않고 자신이 내린 결론에 대한 확신을 바탕으로 남편을 추궁한다. 이러한 아내의 태도에 대해 남편이 설명을 하다가 아내가 자신의 말을 수긍하지 않아 더 이상 대답을 회피해 버리면, 아내는 남편이 죄책감을 느꼈기 때문이라고 해석하고는 자신의 결론이 옳다는 확신을 더욱 강하게 하는 현상이 일어난다. 이와 같은 빈약한 추론은 인간관계를 소원하게 만들고 갈등을 심화시키는 상호작용의 악순환으로 이끈다.

빗속의 사람
[-, person in the rain: PITR]

빗속에 서 있는 사람을 그리게 하여 자아 강도와 스트레스 대처능력의 수준을 확인하는 투사적 그림검사. 미술치료

에이브럼스와 암친(Abrams & Amchin)이 인물화 검사를 변형하여 인물화에 비가 내리는 장면을 추가하여, 개발한 투사검사다. 아동을 대상으로 한 아동용 빗속의 사람도 있다. 오스터와 굴드(Oster & Gould, 1987)는 『Using drawings in assessment and therapy: a guide for mental health professionals』에서, 빗속의 사람이 자아의 힘을 결정하는 진단도구로 가치가 있으며, 스트레스의 평가와 대처자원의 적절성을 확인할 수 있다는 것을 임상사례를 통하여 검증하였다. 빗속의 사람검사의 목표는 현재 겪고 있는 스트레스 정도와 대처능력을 파악하는 것이다. 준비물은 A4 용지, HB나 4B 연필, 지우개이고, 실시방법은 다음과 같다. 먼저, 다음과 같은 지시문에 따라 그림을 그리도록 한다. "비가 내리고 있습니다. 빗속에 있는 사람을 그려 주세요. 만화의 졸라맨이나 막대기 같은 사람이 아니라 완전한 사람을 그려 주세요." 내담자의 질문에 대해서는 "자유롭게 원하는 대로 그리면 됩니다."라고 답하고, 그림의 형태, 크기, 위치, 방법 등에 관한 어떤 단서도 주지 않는다. 그림을 완성한 뒤, 그림을 그린 순서, 그림 속의 인물은 누구인가, 그 인물이 무엇을 하고 있는가를 물어본 다음 기록한다. 그 후 그림과 관련하여 대화를 한다. 질문은 정해진 내용이나 원칙이 있는 것이 아니라 인물화의 내용을 참고하여 내담자의 수준에 맞추어 적절하게 하는 것이 좋다. 그림의 해석은 사람 · 비 · 구름 · 웅덩이 · 번개 · 비

ㅂ

의 질, 스트레스에 대한 대처자원 등에 초점을 맞춘다. 비 · 구름 · 웅덩이 · 번개 등은 스트레스를 나타내며, 우산 · 비옷 · 보호물 · 장화 · 얼굴표정 · 인물의 크기와 위치 등은 스트레스 대처자원으로 해석할 수 있다. 빗속의 사람이 스트레스의 측정과 대처능력을 파악하려는 기법인 만큼, 상담자는 상담과정에서 그림을 보며 내담자가 현재 겪고 있는 스트레스에 대하여, 그리고 내담자가 활용할 수 있는 대처자원이 무엇인지, 그것이 문제해결에 얼마나 도움이 되는지 등에 관하여 탐색하고 이야기를 나눈다.

출처: 정현희(2007). 실제 적용 중심의 미술치료. 서울: 학지사.

빙산 탐색
[氷山探索, search of iceberg]

개인의 경험에 대한 내적 과정을 빙산이라는 은유로 표현하고, 그 구성요소에 대한 구체적이고 세밀한 탐색을 바탕으로 내담자의 긍정적인 변화를 일으키는 방법. 경험적 가족치료

사티어(Satir)가 개인의 내적 경험을 이끌어 내기 위해 비유적으로 사용하였다. 사티어는 인간이 표출하는 행동은 감정, 지각, 기대, 열망, 자아 등의 요인이 복합적으로 작용하여 이루어진 것이라 보고, 이 생각을 빙산 모델로 표현하였다. 눈에 보이는 빙산이 빙산의 전체가 아닌 것처럼 인간이 겉으로 보이는 행동은 사실 수면 위에 드러난 빙산에 불과하다고 보았다. 이러한 인간의 내적 경험의 빙산을 모두 3개의 수준으로 나누어 설명하였다. 수면 위에 나타나는 부분인 행동(behavior)과 대처양식(coping stances)을 1차 수준으로, 수면 아래의 부분인 감정(feelings), 감정에 대한 감정(feelings about feelings), 지각(perceptions), 기대(expectations), 열망(yearnings)으로 구성되는 부분을 2차 수준으로, 그 아래의 자기(self)를 3차 수준으로 보았다. 사티어는 일반적으로 치료자가 내담자를 대할 때 수면 위의 부분만 보기 쉽지만, 대부분의 경험이 수면 아래에서 이루어지므로 치료자는 표면적 수준뿐 아니라 2차와 3차 수준의 경험을 탐색하여 이를 표면화하는 것이 중요하다고 설명하였다. 즉, 사티어 모델에서는 빙산의 수면 아래를 탐색하여 부적응적인 내담자의 경험을 표면화하고 변형시킴으로써 2차 수준의 변화와 3차 수준의 변화를 꾀하는 것이 목표다. 사티어는 빙산은 아래 수준으로 내려갈수록 더 중요한 것으로 보았다. 사티어는 치료과정에서 이 빙산을 활용하여 내담자의 감정, 지각, 열망에 대해 질문하고, 내담자에게 진정으로 중요한 것이 무엇인지 알아내고자 하였다. 예를 들어, 행동에 대한 탐색을 할 경우에는 "무엇을 해 보셨나요?" "어떻게 하시죠?"를, 감정에 대한 탐색을 할 경우에는 "어떻게 느끼세요?" "그런 감정에 대해 어떻게 느끼시죠?"와 같은 방식으로 각각 지각, 기대, 열망, 자기에 대한 질문을 하여 다양하고 깊이 있는 탐색을 한다. 내담자의 변화를 시도하고 치료과정을 진행하는 데 사티어 모델은 가족구성원 간의 상호관계적 역동과 개인의 심리 내적 역동과정을 활용하도록 권장한다. 즉, 빙산 탐색 기법을 이용하여 개인의 심리 내적 역동 외에도 가족구성원 상호 간 관계역동을 파악하고 자신과 다른 사람에 대한 감정과 지각, 기대, 열망을 인정하고 수용하면, 감정이 변하고 반응행동도 다르게 나타난다는 것이다. 그 결과 개인이 맺는 다양한 관계가 기능적으로 변하고 성장한다고 보았다. 빙산 탐색 기법을 활용하는 과정에서 내담자가 죄책감을 갖거나 상처를 받거나 저항을 보일

수 있는데, 이때 치료자는 내담자의 감정을 진심으로 공감하면서 내담자의 성장에 방해가 되는 것은 과감히 버리고 성장에 도움이 되는 내담자의 긍정적인 자원을 활용하도록 지지하고 격려해 주어야 한다.

관련어 | 개인의 빙산 은유

빙의
[憑依, possession]

영혼이나 강력한 힘 혹은 절대적 신의 영향으로 전혀 다른 새로운 인격이 나타나 평소 그 사람의 행동과는 판이하게 다른 행동을 일으키는 질병. 분석심리학

빙의는 형체가 없는 무엇에 의하여 스스로 자신을 지탱할 수 없어 다른 사람에게 기대어 의지하고자 하는 것, 어떤 강한 힘에 지배되어 자신의 생각과 의지대로 행동하지 못하고 타(他)의 힘에 조종되어 비정상적으로 움직이는 현상, 예기치 않은 뜻밖의 현상이나 형체(공동묘지나 상엿집, 시체 등)를 목격하였을 때 일시에 음습한 기운, 즉 음기(陰氣)나 귀기(鬼氣)가 엄습하여 온몸에 전율을 느끼면서 등골이 오싹해지거나 간담이 서늘해지고 머리가 쭈뼛해지며 사지에 힘이 쭉 빠지고 온몸이 오그라들며 다리가 후들거려 꼼짝달싹 못하고 귀에서는 이상한 소리가 들리면서 헛것을 보고 헛소리를 내는 등의 이상현상을 가리킨다. 융(C. G. Jung)의 분석심리학에서 빙의란 무의식적 내용이나 콤플렉스와 의식의 동일시를 설명하는 데 사용되는 용어다. 빙의의 일반적인 형태는 그림자 또는 양가성적 콤플렉스인 아니마와 아니무스다. 예를 들어, 그림자에 의해 행동을 취하는 남성은 항상 자신만의 밝은 면에만 서 있고, 그로 인해 자신만의 올가미에 항상 발목을 붙잡힌다. 그는 가능할 때마다 다른 사람에게 적개적 인상을 주는 것을 선호한다. 빙의는 아니마와 아니무스가 다른 양상으로 나타나기 때문에 야기되기도 한다. 사람은 빙의상태에서 그들의 매력과 가치를 잃어버린다. 빙의상태에서 아니마는 쉽게 변화하고, 변덕스러워지고, 조절이 안 되고, 감정적이고, 때때로 귀신의 직관력을 갖고, 무정하고, 심술 궂고, 진실성이 사라지고, 성적으로 무분별해지고, 이중 얼굴을 지니고, 수수께끼 인물이 된다. 아니무스는 완고해지고, 원칙을 되풀이하고, 법에 의존하고, 독단적이고, 이론적이고, 논쟁적이고, 오만해지고, 폭군적인 성향을 띤다. 이렇듯 양쪽은 열등한 상태에 놓이게 된다. 아니마는 열등한 사람들에게 자신이 포위당하고, 아니무스는 열등한 사고에 의해 자신을 두게 된다. 이러한 빙의는 세상으로부터 거부당할 때 유지되기도 한다.

관련어 | 그림자, 아니마, 아니무스, 콤플렉스

빙의치료
[憑依治療, spirit releasement therapy]

영적 장애를 치료하기 위해 최면상태에서 전생 퇴행으로 떠올린 자신이 아닌 다른 존재의 기억을 활용하여 치료를 시도하는 최면기법. 최면치료

미국 치과의사 출신인 볼드윈(Baldwin) 박사가 개발한 것으로, 최면-전생 퇴행작업 중 영접 간섭을 받는다는 것을 임상경험을 통해 결론을 얻었고, 이것을 종교적인 퇴마(exorcism)와 같은 차원에서 치료하며 개척하게 된 새로운 분야다. 볼드윈은 치과치료에 최면을 활용하기 시작한 뒤 최면전문가가 되었고, 특히 전생 치료 전문가가 되었다. 그는 정도의 차이는 있지만 병이나 고통의 원인이 영적인 영향에 기인하기도 한다고 보았다. 일반 정신과적 치료나 심리치료 및 상담에서 진단되지 않고 해결되지 않은 많은 병을 치료하는 데 효과를 보기도 하였다. 종교적 퇴마의 경우 영적인 존재를 악마로 규정하고 의식의 차원에서 처리하지만, 볼드윈은 이에 동의하지 않고 빙의 현상을 임상적으로 다루어

박사논문 「Diagnosis and Treatment of the Spirit Possession Syndrome」을 저술하였다. 이는 『Spirit Releasement Therapy: A Technique Manual』로 출판되어 최초의 빙의치료 전문서적이 되었다. 그는 부인 주디스(Judith)와 함께 인간관계센터(Center for Human Relations)를 설립하여 이 분야의 전문적인 교육과 훈련, 보급을 하였고, 전문학회인 빙의치료학회(Association for Spirit Releasement Therapies)를 조직하여 미국뿐만 아니라 국제적 차원에서 빙의치료 워크숍을 운영하고 있다.

관련어 | 최면

빨대 탑
[-, straw tower]

빨대를 이용한 상호치료기법으로, 가족구성원들의 역할과 상호작용을 스스로 인식하도록 하는 것. 가족치료 일반

펙먼(Peckman, 1984)이 개발한 것으로서, 초기 상호치료활동그룹의 실습에 이용되었다. 실습재료는 보통 빨대와 보호테이프를 이용하지만, 그 외에도 나무나 퍼즐 등을 사용할 수 있다. 실습과정은 다음과 같다. 먼저, 치료자는 빨대와 보호 테이프를 준비하여 가족에게 준 뒤 가족이 협력하여 10~15분 내에 독창적인 디자인과 내구력이 있어 운반할 수 있는 빨대 탑을 만들어 세우도록 지시한다. 그리고 처음 5분간은 말없이 작업하도록 한다. 이 과제의 수행에서 가족구성원들은 평소 가정에서 맡고 있는 역할과 동일한 역할을 한다. 그런 만큼 치료자는 가족의 협력이 필요한 상황에서 가족구성원들이 어떻게 행동하는지를 직접 관찰할 수 있으며, 가족체계에서 리더십을 비롯한 장애, 지지, 동맹, 고립, 경계, 독단 및 기타 사회적 역동을 파악할 수 있다. 8~15분 정도 관찰한 다음에는 치료자가 가족에게 개입하여 코치를 할 수 있으며, 하위체계와 동맹하거나 그들이 진행하고 있는 것의 의미를 설명해 줄 수 있다. 실습이 끝난 뒤, 치료자는 가족구성원이 다른 가족구성원에게서 알아차린 자신의 입장을 검토하거나 다른 가족구성원에 대해 이해한 것을 공유하도록 실습 중에 일어난 일을 이야기하도록 한다. 체험에 대한 이야기가 끝난 뒤에는 치료자가 가족에게 이전보다 더 만족할 수 있는 방법으로 다시 한 번 작업을 하도록 권해도 좋다. 또 이 실습에서 제시하는 소재로 나무를 쌓거나 퍼즐 등을 하는 것도 가능하다.

뿔효과
[-效果, horn effect]

하나의 단점으로 모든 것을 부정적으로 평가하는 것. 원어 그대로 혼 효과라고도 함. 기타

뿔효과는 후광효과와 상반되는 개념으로, 도깨비 뿔처럼 못난 것 한 가지만 보고 그 사람의 전부를 나쁘게 평가하는 것이다. 예를 들어, 예쁘지 않다는 것이 뿔 역할을 하여 그 사람의 성격이나 직무능력까지 모두 나쁘게 평가해 버린다. 당사자는 얼굴이 예쁘지 않아도 얼마든지 일을 잘하고 성격이 좋은 사람이 많은데도 불구하고 특정 한 가지 때문에 억울한 평가를 받았다는 것을 생각하면 억울함은 물론 나아가 산다는 것 자체에 대해 회의를 품을 수도 있다. 따라서 자신이 생각하기에 좋지 않고 다른 사람들에게 나쁘게 보일 수 있는 것들은 가급적 가리고 숨기려고 할 것이다. 이처럼 뿔효과는 인간관계마저 부정적으로 만들고, 또한 삶을 부정적으로 만드는 현상을 설명한다.

사건
[事件, event]

인간 삶에서 시간의 연속성과 공간의 제한성 안에서 실제적으로 일어나 경험되는 수많은 일. 이야기치료

일반적으로 사건은 실제로 일어난 일들의 연관이고 주어진 시간과 장소에서 일어나는 것이지만, 내담자가 사건을 이야기할 때 사건은 내담자의 지각과 해석에 따라 다르게 구상되고 다른 의미가 부여된다.

관련어 | 구상, 이야기, 이야기치료

사고 – 감정 – 행동모델
[思考 – 感情 – 行動 –, thinking-feeling-acting model: TFA]

인간의 기본 기능을 사고, 감정, 행동의 세 가지로 보고, 이 세 가지의 상호작용을 평가하여 내담자의 강점과 한계를 파악하고 이에 따라 상담의 기법과 과정을 설계해야 한다는 통합상담의 한 접근법. 통합치료

데이비드 허친스(David Hutchins)가 개발한 모델로 사고, 감정, 행동의 상호관계 속에서 내담자의 강점을 파악하며, 이것을 이용하여 변화하고자 하는 목표를 설정할 수 있다고 보았다. 이 모델은 3단계로 발전한 것으로 알려져 있다. 초기에는 상담자가 내담자의 특성을 파악하는 데 사용하도록 고안되었으며, 다음 발전시기에는 상담자가 내담자의 특성이 사고, 인지, 행동 중 어디에 초점이 있는지 파악하고, 이러한 특성에 조율하는 방법으로 상담자-내담자 관계 형성을 효율적으로 하는데 활용되

는 것으로 발전하였다. 마지막 시기에는 이 모든 초점과 함께 내담자가 인지-정서-행동을 바람직하게 통합하도록 돕는 목적을 포함하는 방향으로 발전하였다. 이 모델은 통합적 상담, 상담자와 교사 교육, 부부관계 교육을 위한 집단상담, 내담자와 학생 등의 개인이해 등에 활용되어 왔다. TFA 모델은 인간 행동의 인지, 정서, 행동 영역의 통합에, 특정 문제 영역에서 사고, 감정, 행동 영역이 어떻게 상호작용하는지를 사정하는 데, 내담자의 강점과 약점을 상담에 활용하는 절차와 기법을 고안하는 데 유용한 것으로 알려졌다.

사고
[思考, thinking]

융(C. G. Jung)이 제안한 인간이 세상을 살아가면서 갖게 되는 네 가지 삶의 기능의 하나로, 관념적이며 지적인 기능. 분석심리학

심리적 기제로 사용하는 다른 세 가지 기능은 감정, 감각, 직관이다. 사고는 자신이 지각한 것을 해석하는 정신과정으로, 감정과 같이 판단행위가 필요한 이성적 기능에 속한다. 사고를 통해 사람은 둘 이상의 관념 사이의 연관성에 대해 판단할 수 있다. 이러한 사고의 반대극은 감정이다. 만약 사고가 주기능이라면, 감정은 자동적으로 열등기능이 된다. 사고기능에 기반을 둔 태도를 전반적으로 많이 보이는 사람을 사고형이라고 부른다. 사고형은 자신만의 원리를 가지고 있고, 모든 것을 논리적으로 분석한다. 감정형에 비해 상대적으로 냉정하고 감정적으로 행동하지 않는다. 자신의 지식에 따라 평가하고, 옳고 그른 것의 명백한 기준을 가지고 있다. 논쟁을 포기하는 것을 좋아하지 않으며, 감정에 대해 이야기하는 것을 어려워한다. 이러한 사고는 우리의 무의식적인 원천에서 주어지는 내향적 사고와 감관을 통한 지각으로 전달되는 객관적 사항을 바탕으로 해석하는 외향적 사고로 나뉜다.

관련어 | 감정, 내향적 사고형, 외향적 사고형

사고비약
[思考飛躍, flight of ideas]

여러 가지 생각이 아주 빠르게 잇따라 떠오르거나 연상작용이 매우 빨라서 생각이 일정한 방향을 잡지 못하는 사고장애 상태. 인지치료

관념분일(觀念奔逸), 또는 빗나가는 사고(tangentiality)라고도 한다. 계속해서 한 생각에서 다른 생각으로 연상이 빨리 진행되어 목적에 도달하지 못하는 것으로, 가속된 내적 욕구와 주의산만 때문에 발생하며 조증에서 흔히 볼 수 있다. 결론에 도달하지 못하거나 엉뚱한 결론에 도달하기도 한다. 단편적인 연결성은 있지만 전체적인 논리성은 결여되어 있다.

관련어 | 사고

사고장요법
[思考場療法, thought field therapy: TFT]

감정적 고통을 유발하는 문제에 생각의 파장을 맞춘 뒤 두 손가락으로 일정한 순서에 따라 경락을 두드려 정체되고 응축된 에너지를 풀어 주는 심리치료법. 뇌 과학

심리학 박사 로저 캘러헌(Roger Callahan)이 개발한 것으로, 사고를 에너지 파장으로 보고 부정적 사고파장의 부조화를 풀어 주는 원리다. 약 5분 정도의 짧은 자가시술로 공포증, 중독, 불안, 스트레스, 강박증 등의 감정을 치유할 수 있다. 20년의 임상실험과 연구를 통해 최적의 경락점과 두드리는 순서를 정립하였다.

사고중지
[思考中止, thought stopping]

인지행동치료에서 부정적인 사고과정을 중단하고 좀 더 긍정적이고 적응적인 사고로 대체하기 위해 '중지(stop)!'라고 외쳐서 그 생각을 멈추는 기법. 인지행동치료

사고중지는 공포증이나 공황장애와 같은 불안장애가 있는 내담자에게 유용하다고 알려져 있다. 사고중지 절차는 다음과 같다. 첫째, 역기능적 사고과정이 일어나고 있다는 것을 인식한다. 둘째, 생각을 중단하기 위해 '자기-지시(self-command)'를 내린다('멈춰!' '그만둬!' 등). 셋째, 스스로를 강화하기 위해 시각적 심상을 떠올린다(멈춤 표지판, 빨간 신호등 등). 넷째, 멈춤 표지판의 심상에서 즐거운 혹은 이완시키는 장면의 심상으로 옮겨 간다. 유쾌한 사람의 얼굴, 휴가 때의 기억, 혹은 어떤 사건이나 그림과 같은 심상을 마음속에 그려 본다. 긍정적인 심상은 그 심상과 관련이 있는 시간, 날씨, 소리와 같은 세부사항을 추가함으로써 확장될 수 있다. 상담자는 회기에서 내담자에게 먼저 걱정스러운 생각을 떠올리게 한 다음, 사고중지 전략을 시행해 보도록 하면서 예행연습을 해야 한다. 내담자에게 자신의 경험에 대한 피드백을 물어본 다음 필요한 경우 절차를 조정한다. 예를 들어, 긍정적 심상을 만들거나 유지하기 어렵다면 다른 장면을 선택하거나, 그 심상이 좀 더 생생해지도록 수정할 수 있다. 수정된 계획은 과제로 내 주기 전에 회기과정안에서 미리 해 보아야 한다(Wright et al., 2009).

사고표집
[思考標集, thought sampling]

연구나 상담을 위해서 생각, 느낌, 심상 등 의식의 흐름을 기록지에 수집하고 정리하는 일. 인지행동치료

상담에서 내담자의 사고표집은 내담자가 자신의 문제를 바로 들여다보고 비추어 봄으로써 문제를 보다 명료화하는 방법이다. 내담자가 본인의 문제를 보다 객관적인 방법으로 들여다봄으로써 과학적 사고와 관찰된 결과를 올바른 방법으로 해석, 발전시켜 나갈 수 있도록 한다. 이때 공감형성, 진실성, 긍정적 관심은 내담자가 자신의 문제를 스스로 더욱 인식하여 문제를 좀 더 명료화하고 자신감을 갖고 해결할 수 있도록 해 준다. 이를 위해 상담자는 적절한 개입과 기술, 방법으로 내담자를 도와야 하며 끊임없는 노력과 수퍼바이저와의 교류로써 상담의 완성도를 높여야 한다. 사후 사고표집은 다른 내담자의 문제해결에 도움을 주며, 상담자의 자질을 향상시키는 결과를 낳는다.

ㅅ

사과
[四果, four fruits]

팔정도를 알고 수행하면 인격구조에 중요한 변화를 가져오게 하는데 이러한 종교적 체험의 네 가지 과정. 동양상담

팔정도를 수행하면 다음과 같은 네 가지 단계를 거쳐 해탈에 이르게 된다. 첫째는 예류(預流) 단계로 세 가지 번뇌에서 벗어나 범속한 일반 생활에서 성스러운 생활에 들어간 사람을 가리킨다. 둘째는 일래(一來) 단계로 세 가지 번뇌뿐 아니라 탐하고 성내고 어리석음을 벗어나면 다시 이 세상에 한 번 더 태어나 마지막 괴로움을 벗어나는 단계다. 셋째는 불환(不還) 단계로 다섯 가지 번뇌를 모두 끊으면 다시는 이 세상에 오지 않고 천상에서 열반에 드는 것을 말한다. 넷째는 아라한(阿羅漢) 단계로 일체의 번뇌를 끊고 현재의 법에서 그대로 해탈의 경지에 이른 사람을 말한다.

관련어 | 팔정도

사과나무에서 사과를 따는 사람
[沙果 – 沙果 –, person picking an apple from a tree: PPAT]

내담자의 문제해결방식을 이해하기 위해 사과를 따는 사람을 그리게 하는 투사적 그림검사. 미술치료

갠트와 태본(Gantt & Tabone)이 『The formal elements art therapy scale』에서 소개한 검사다. 이 연구는 『정신장애의 진단 및 통계편람(DSM)』에 근거한 특정 진단정보와 미술에 나타난 특성의 관련성을 알아보기 위해 시작되었다. 이 같은 입장에서 갠트와 태본(1987)은 정신분열증 환자, 양극성장애, 주요 우울증 환자, 지적장애인 등 5천여 명의 환자에게서 그림을 받아 재료와 지시어를 표준화하였다. 이 검사의 특징은 내담자의 임상적 상태와 치료에 대한 반응을 진단하는 데 유효하며, 아동부터 성인에 이르기까지 다양한 연령층에 폭넓게 적용할 수 있다는 점이다. 또한 그림에 동작성을 포함하고 있고, 내담자의 문제해결방식을 파악할 수 있어서 보다 풍부한 진단적 정보를 제공해 준다는 점이다. 준비물은 8절지와 12색 크레파스, 색연필 등이고, 실시시간은 제한이 없다. 실시방법은 다음과 같다.

출처: http://cafe.daum.net/katci

먼저, "사과나무에서 사과를 따는 사람을 그려 보세요."라고 지시한다. 채점을 하는 데에는 형식적 구성요소 척도를 사용한다.

형식적 구성요소 척도 [形式的構成要素尺度, formal elements art therapy scale: FEATS] 갠트와 태본이 개발한 사과나무에서 사과를 따는 사람 검사를 채점하기 위한 기준이다. 이는 다음과 같은 목적으로 제작되었다. 첫째, 미술의 비상징적 측면의 이해와 검사를 위한 방법을 제공한다. 둘째, 그림의 구조적 특징이 개인의 임상적 상태와 DSM 범주에 기초한 정신과적 진단에 필요한 정보를 제공한다. 즉, 임상적 상태에서의 변화, 성숙에 따른 아동 그림의 변화, 둘 이상의 집단에서의 차이를 확인할 수 있다. 이 척도는 사정과정에서 자주 간과될 수 있는 것으로 내담자가 어떻게 그리는가에 중점을 두고 있다는 특징이 있다. 그리고 정신과적 증상에 관한 회화적 특성을 상징적 내용이 아닌 형식적 특성에서 밝힌 것이다. 이 척도는 포괄적이고 일반적인 미술적 요소들에 근거를 두고 있기 때문에 반복적 시행, 집단 간 특성 비교, 시간의 흐름에 따른 변화의 측정이 용이하다. 14개의 형식척도와 13개의 내용척도로 구성된 이 척도의 점수는 0~5점 리커트식이며, 필요한 경우에는 점수를 더 세분화할 수 있지만 높은 점수가 반드시 좋은 것은 아니다. 형식척도에는 채색의 정도 및 적절성, 내적 에너지, 공간, 통합, 논리성, 사실성, 문제해결능력, 발달단계, 대상의 세부묘사와 주변환경, 선의 질, 사람, 기울기, 반복성이 포함된다. 내용척도에는 그림의 방향, 전체 그림에 사용된 색의 수, 사람, 사람에 사용된 색, 사람의 성별, 사람의 실제적 에너지, 사람의 얼굴 방향, 나이, 옷, 사과나무, 사과나무의 색, 주변환경의 묘사, 그 밖의 특징들이 포함된다.

사기
[士氣, morale]

집단구성원이 집단목표의 달성에 적극적으로 의의를 인정하고, 그 달성을 위해 협력해 가는 정서적 상태. 기업 및 산업상담

사기는 공동의 의식을 토대로 한 협력상태를 말하는데, 화이트(White)는 "개인이 지적, 도덕적 만족감을 가지고 자신이 스스로 선택한 일에 대하여 자부심을 느끼면서 그 일에 자발적으로 참여하여 몰입하려는 심리적 상태"라고 정의하였다. 사기는 어떤 일에 대한 개인적 의욕으로 파악하는 경우도 있지만 대개의 경우 학급이나 직장 혹은 기타 스포츠 집단과 같은 팀이나 조직에서의 집단적 근무의욕으로, 공동의 목표나 조직의 생산성이나 작업능률을 향상시키는 주요한 요인으로 간주되고 있다. 사기라는 말은 원래 군대에서 곧잘 사용되었지만 호손연구 이후 뢰슬리스버거(Roethlisberger) 등의 실험에서 시작되면서 심리학 연구에 등장하였다. 이 실험은 작업과 작업성과에 영향을 미치는 요소를 밝히기 위해 1년 동안 여성 근로자 집단의 근무시간, 임금, 휴식기간, 조직, 감독 및 상담 정도에 따른 변화를 측정하였다. 결과는 임금이나 근무시간과 같은 물리적 요인보다 인간관계와 같은 사회심리적 요인이 작업성과에 더 큰 영향을 주는 것으로 드러났다. 즉, 집단에서의 작업에는 성원 간의 관계가 친밀한 만큼 각자 작업의욕이 강해지고 생산성도 향상되었다. 이 연구가 계기가 되어 산업분야에서는 인간관계와 개개인의 사기문제가 중요시되었다. 사기에 관한 연구는 개인에게 초점을 맞춘 경우와 집단역동에 주목하는 것이 있는데, 개인이 지니고 있는 상처의 정도에 따라 차이는 있지만 개인과 집단은 사기를 앙양하는 데 상호 관련되어 있다. 즉, 집단에 대한 귀속의식이 강하고 인간관계를 긍정적·수용적으로 받아들이면서 집단목표에 찬동하며 집단활동을 자아실현에 맞는 것이라고 인지하는 사람은 사기가 높고, 그러한 성원이 많으면 많을수록 집단 전체의 사기도 높아진다고 하고 있다. 소시오그램(sociogram)을 사용한 연구에서는 사기가 높은 집단에서는 지도자에게 자발적인 선택권이 집중해 있지만 사기가 낮은 집단에서는 지도자에게 거부적 선택권이 집중하여 성원 간에도 하위그룹별로 분열된다. 사기를 증진시키기 위해서 개인적으로는 정서적 안정, 성취감, 인정, 소속감, 경제적 만족, 자기표현, 자기존중, 자기발전 등이 필요하며 집단적으로는 집단목표에 대한 신뢰감, 지도자에 대한 신뢰감, 집단구성원에 대한 신뢰감, 집단의 능률에 대한 신뢰감, 작업조건 등이 필요하다.

관련어 | 호손효과

ㅅ

사디즘
[–, sadism]

성적 상대자에게 고통을 줌으로써 자신의 성적 욕망을 채우고자 하는 성행위. 성상담

가학성 변태성욕(加虐性變態性慾), 가학증(加虐症), 음란가학성(淫亂加虐性), 가학성애(加虐性愛) 등으로 불리기도 하는 사디즘은 성적 상대자를 학대하여 고통을 줌으로써 자신을 성적으로 흥분시키는 공상, 성적 충동 및 행동을 반복하는 상태를 말하는 것으로 성도착의 일종이다. 성적 상대자에게 가하는 고통이란 수치감 및 모욕을 주는 정신적인 것을 비롯해서 신체적·심리적 고통을 모두 포함한다. DSM-IV에 따르면, 최소 6개월 이상 지속적으로 상대방에게 현저한 고통을 주며, 사회적·직업적 영역 및 일상생활에 곤란을 야기할 때 진단된다. 사디즘이라는 용어는 18세기 프랑스 프로방스 지방에서 명성을 누리던 귀족가문의 사드 후작(Marquis de Sade)의 이름에서 비롯되었다. 사드는 부친이 사망한 뒤 재산과 작위를 물려받고 방탕한 생활을 하면서 자신의 쾌락을 위해 여러 성적 실험을 자행하였다. 그중에서 이른바 부활절 사건은 프랑스 전역을

경악케 하였다. 이 사건은 자신과 성관계를 가졌던 매춘부를 채찍으로 때리고 칼로 몸에 상처를 내고, 끓는 밀랍까지 붓는 상상할 수 없는 폭행을 가한 일이었다. 이후에도 그는 계속해서 매춘부들과 변태적 성관계를 맺었고, 급기야 정신병원에 갇히기도 하였다. 이러한 생활 중에 사드는 연극 및 소설 작품을 남기기도 하였다. 그의 작품들은 상상할 수조차 없는 가학적이고 폭력적인 묘사로 넘쳐났고, 그의 사생활과 이 같은 작품들로 인해 사드 사후 사디즘이라는 신조어까지 나타난 것이다. 이 용어는 사드 사후 한 세기 후에 사전에도 실렸고, 독일 성의학자 크라프트에빙(Kraft-Ebing)이 1898년에 가학성 변태성욕을 지칭하여 사용하면서 대중에게 알려졌다. 사디즘은 좁은 의미로는 이상성욕(異常性慾), 넓은 의미로는 파괴적 공격행동 및 잔혹행위까지 포함한다. 협의의 입장에서 볼 때 이는 성 기호 이상이 된다. 정신분석에서는 항문기 고착을 원인으로 보기도 한다. 현대의 가족심리학에서는 친밀한 관계를 갖는 것의 이면에서는 어느 정도 보편적·가학적 및 피가학적 관계가 있다고 보기도 한다. 특히 공상에서의 학대는 어느 정도까지는 정상적인 자극 추구로 보기도 한다. 교류분석가 카프만(Karpman)은 박해자, 희생자, 구원자의 역할이 역전적으로 전환될 때 쾌감이 수반된 자극을 얻을 수 있기 때문에 사람들은 끊임없는 심리게임을 이어 간다는 가설을 내세우고 드라마 삼각형 모델을 제시하였다. 성장 과정에서의 성적 금기, 주변의 소외와 잔혹한 대접을 받은 것 등이 자기 힘을 보증하기 위해 약한 대상을 잔혹하게 취급하여 만족을 얻고자 하는 사디즘의 원인이 되기도 한다. 사디즘은 상대방에게 고통을 받는 것으로 성적 쾌감을 얻는 마조히즘의 상대 개념이다. 상담장면에서 사디즘 경향이 있는 내담자를 만나면, 그 내담자는 억압되어 있던 적대감 및 콤플렉스가 의식화되어 상담자에게 짓궂게 굴거나 공격적인 언동을 하는 경우가 흔하다. 이때 상담자의 마음에 동요가 일어날 수 있지만, 상담자로서 이러한 심리기제를 잘 이해하고 내담자를 수용할 수 있는 자세를 취해야 한다. 가족구성원 간에 발생하는 가학성을 방치하는 경우는 가족 내 폭력으로 진행되거나 내향적으로 전환되어 자책, 우울, 자살 등으로 발전할 가능성이 있기 때문에 주의가 필요하다.

관련어 | 마조히즘, 성도착, 성적 가학증

사랑
[-, love]

하나님이 기독교인의 삶 전체를 통해 실천하기를 요구하는 덕목. 목회상담

주님을 사랑하고 이웃을 사랑하는 것이 주님이 기독교인에게 요구하는 핵심적인 내용이다. 사랑에 대해 성경에서는 "사랑은 여기 있으니 우리가 하나님을 사랑한 것이 아니요, 하나님이 우리를 사랑하사 우리 죄를 속하기 위하여 화목 제물로 그 아들을 보내셨음이라. 사랑하는 자들아 하나님이 이같이 우리를 사랑하셨은즉 우리도 서로 사랑하는 것이 마땅하도다."(요한일서 4:10-11, 개역개정)라고 서술하고 있다. 주님을 사랑하고 이웃을 사랑하는 것은 바로 주님이 인간을 사랑한 모범을 따라 행하는 것을 뜻한다. 성경에서는 계속해서 따뜻하고, 돕고, 용서하는 주님의 사랑에 대해 기술하고 있다. 주님은 기독교인은 포도밭의 농부처럼, 양을 돌보는 목자처럼 돌보고 사랑한다(이사야 5:1-7, 요한복음 10:11-16)고 표현하였다. 주님의 사랑을 지칭한 사랑(love)이라는 단어는 'αgαρē'에서 유래된 것으로, 정확한 뜻은 전해 오지 않지만 성경에서 이 단어를 사용한 예를 통해 의미를 짐작해 볼 수 있다. 성경에서는 주님의 인간에 대한 사랑, 부모의 자녀를 향한 사랑 등에 'αgαρē'라는 단어를 사용하고 있다. 권면적 상담을 주장한 제이 애덤스(Jay Adams)는 사랑은 하나님과 사람 사이의 관계 및 사람과 사람 사이의 관계를 더욱 견고히 하는 역할을 하기 때문

에 온전한 사랑을 실천하고 있는 사람은 상담이 필요 없다고 보았다. 따라서 사랑이란 모든 기독교인 상담자가 마주하고 있는 전체 삶의 문제를 해결하는 궁극적인 해답이라고 말하였다.

관련어 권면적 상담, 기독교상담, 목회상담

사랑의 날
[-, love days]

부부가 서로 바라는 행동의 빈도를 증가시키는 것을 돕는 기법. 기타 가족치료

바이스(Weiss)와 그의 동료들은 부부에게 사랑의 날을 정해 이날은 한 명이 상대방을 즐겁게 해 주는 행동을 두 배로 하도록 하였다. 이는 부부로 하여금 상대방이 원하는 것이 무엇인지 생각해 보고 그것을 실행할 때 무슨 일이 일어나는지 볼 수 있도록 해 준다.

사랑의 삼각이론
[-三角理論, triangular theory of love]

사랑이 친밀감, 열정, 헌신의 세 가지 요소로 구성되어 있다고 보는 이론. 부부상담

1986년 심리학자인 스턴버그(Sternberg)가 제안한 사랑에 대한 가설이다. 그는 사랑이 주요한 세 가지 요소로 이루어져 있으며 각 요소를 꼭짓점으로 하는 하나의 삼각형을 만들 수 있다고 보았다. 그가 제안한 세 요소는 친밀감, 열정, 헌신인데 이 세 요소가 나타내는 삼각형의 변이 같을 때 완전한 사랑이 된다고 하였다. 친밀감은 사랑하는 관계에서 나타나는 가깝고, 연결되어 있고, 결합되어 있다는 느낌을 말한다. 흔히 사랑하는 사이에서 느끼는 따뜻한 감정의 체험이다. 열정은 사랑하는 관계에서 낭만적 감정이 일어나거나, 신체적 매력을 느끼게 하거나, 성적인 몰입을 하게 만드는 등의 역할을 하는 것을 말한다. 대부분의 관계에서 성적인 욕구가 열정의 주요 부분을 차지하지만 타인에 대한 지배욕구, 친애욕구, 자아실현의 욕구 등도 열정을 불러일으키는 데 기여한다. 마지막으로 헌신은 사랑의 인지적 요소로서 두 가지로 구성되어 있다. 하나는 단기적인 것으로 어떤 사람을 사랑하겠다고 결심하는 것이며, 다른 하나는 장기적인 것으로 그 사랑을 지속시키겠다고 결심하는 것이다. 이 세 가지 요소의 결합으로 여덟 가지 사랑이 만들어지는데 친밀감만 있는 경우를 좋아함으로, 열정만 있는 경우를 도취성 사랑으로, 헌신만 있는 경우를 공허한 사랑으로, 친밀감과 열정의 결합을 낭만적 사랑으로, 친밀감과 헌신의 결합을 우애적 사랑으로, 열정과 헌신의 결합을 얼빠진 사랑으로 부른다. 완전한 사랑은 친밀감, 헌신, 열정이 모두 결합된 사랑이다.

사례개념화
[事例槪念化, case conceptualization]

내담자의 특징적 행동, 정서, 사고에 이론적인 지식을 적용하여 내담자 문제의 성격과 원인에 대해 상담자가 잠정적인 가설적 설명과 이에 기초한 상담목표 및 전략을 수립하는 일. 상담 수퍼비전 인지행동치료

사례개념화는 상담자가 내담자와 함께 작업을 해 나가기 위한 일종의 안내지도(road map)다. 이는 진단과 증상, 아동기 경험 및 다른 발달적 요인들, 상황 및 대인관계 문제, 생물학적 · 유전학적 · 의학적 요인, 강점, 전형적인 자동적 사고 · 정서 · 행동 패턴, 기본 스키마라는 7개의 주요 영역으로부터의 정보를 통합하여 이루어진다. 이러한 사례개념화는 상담신청서, 접수면접, 행동관찰, 심리검사, 자기보고식 질문지 등을 통해 얻은 객관적인 정보들과 한두 회기의 상담에서 상담자가 파악한 내담자의 심리, 대인관계, 행동 및 정서문제의 원인, 촉발요인, 유지요인 등에 관한 기술적, 처방적 가설이다. 상담

초기에 사례개념화는 단순한 개요나 초안으로 시작하지만, 상담과정에서 관찰한 내용과 세부사항을 계속 추가해 나간다. 상담자는 사례개념화가 정확한 것인지 판단하기 위해 자신의 가설들과 그에 따른 개입방법을 점검할 수 있다. 인지행동치료의 중·후반부에 가면 사례개념화는 상담을 이끄는 일관성 있고 효과적인 계획으로 자리 잡는다.

사례관리진단
[事例管理診斷, casework diagnosis]

사례연구를 통해 수집한 다양한 자료를 종합, 분석하여 사회치료를 위한 계획을 세우는 것으로서, 사회진단, 심리사회적 진단, 사전평가라고도 함. 상담 수퍼비전

정신분석의 영향을 받은 진단주의에 따르면, 사례작업의 과정은 일반적으로 접수(intake), 연구(study), 사례관리진단, 사회치료(social treatment)로 구분된다. 여기서 사례관리진단이란 사례작업관계를 기반으로 사례연구에서 수집한 여러 가지 자료를 취사선택하여 원인을 종합적으로 진단하고 사회치료를 위한 계획을 수립하는 단계를 말한다. '문제는 무엇인가(what)?' '문제의 원인은 무엇인가(why)?' '어떻게 하면 좋은가(how)?' '이 문제를 해결하기 위해 전문가와 내담자는 어떤 수단을 취할 수 있는가?' 등에 대해 가설을 세우는데, 이는 내담자가 문제를 해결하도록 도움을 주는 데 유용한 작업가설(作業假說)이 된다.

사례노트
[事例 -, case notes]

수퍼비전의 개입뿐만 아니라 상담회기와 관련된 모든 정보를 포함하는 기록. 상담 수퍼비전

보다 개인적이고 자기성찰적인 과정노트(process notes)와는 달리 사례노트는 치료적이고 지도적이며 법적인 기록이다. 수퍼비전의 과정에서 수퍼바이저가 개입한 때와 방법, 그리고 지시사항을 기록하며 그에 따른 수련생의 반영과 대처 등을 적어서 다른 방법과 함께 수퍼비전 개입에 활용할 수도 있다.

관련어 | 과정노트, 음성녹음, 자기보고

사례발표
[事例發表, case conference]

수퍼비전이나 상담의 새로운 기법 혹은 영역의 확장을 목적으로 상담자와 내담자 간의 실제 상담사례를 집단에서 발표, 논의하는 활동. 상담 수퍼비전

사례발표는 상담전문가들에게 특정 사례를 제시하여, 실제 상담사례의 진단, 치료, 치료경과 등 여러 측면을 검토하고 조언을 받아 보다 좋은 대안을 발견하는 데 목적을 둔다. 사례발표자는 한 사례 혹은 여러 사례에 대해 진단소견, 치료방침, 치료과정과 관련하여 구체적으로 보고하고, 그 사례발표자의 발표내용에 근거하여 지도감독자나 교수, 사례발표 참가자들이 토론을 하면서 이론적 문제와 실제적 방법을 모색한다. 이러한 사례발표는 의사, 상담전문가, 임상심리전문가, 임상사회복지사 수련생에게 중요한 작업이다. 사례발표를 통해 훈련되어 있지 않은 다양한 문제와 해결과정에 대해서 배울 수 있는 기회가 되기 때문이다. 사람은 누구나 다른 사람과 공통되는 측면을 가지고 있지만 각각 다양한 개별성도 가지고 있다. 따라서 사례발표를 통해 다양한 사람의 의견을 들어 봄으로써 해당 사례에 대해 다수의 전문가로부터 의견을 들을 수 있고, 자신이 미처 파악하지 못했던 문제점이나 다른 관점을 발견할 수 있다는 장점이 있는 것이다. 사례발표를 할 때 가장 중요한 것은 내담자의 개인 신상정보에 대한 비밀보장과 상담에서 이루어진 모든 요소에 대해 존중하는 태도를 갖는 것이다. 그러므로 이러한 원칙들을 사례발표에 참여하는 모든 구성원이 지켜야 한다. 먼슨(Munson, 1983)은 사례발표를 위한

지침과 그 과정을 다음과 같이 제시하였다. 첫째, 수퍼바이저가 사례를 먼저 발표해야 한다. 둘째, 상담수련생은 사례를 발표하기 위한 준비 시간을 갖는다. 셋째, 발표는 서면이나 시청각 자료를 기초로 해야 한다. 넷째, 발표는 대답할 수 있는 질문을 중심으로 해야 한다. 다섯째, 발표는 조직화되어 있고 초점이 있어야 한다. 여섯째, 발표는 내담자의 역동에서 상담수련생의 역동으로 진행되어야 한다. 그는 또한 수퍼바이저들이 사례발표를 할 때 피해야 할 원칙을 제안하였는데, 짧은 회기 중에 여러 사례를 발표하고, 상황을 고려한 특정 문제만 발표하고, 한 사례에서 추가적인 문제들을 발표하고, 토론 중 상담자와의 역동이 사례에서 오는 역동보다 먼저 오는 것, 그리고 상담자의 능력 밖의 개입을 기대하는 것 등은 피해야 한다고 지적하였다.

관련어 | 사례관리진단, 사례노트

사례연구
[事例硏究, case study]

특정한 개인이나 집단 또는 기관을 대상으로 필요한 각종 자료를 여러 가지 방법으로 수집하고, 이러한 자료를 기초로 하여 연구대상이 가지고 있는 문제나 특성을 심층적 · 종합적으로 조사 · 분석하고 진단 · 기술하는 질적 연구방법의 하나.

연구방법

사례연구는 다수의 자료를 통계적으로 분석하면서 일반적 경향을 밝히려는 연구와는 달리 한 대상에 관한 여러 변인을 동시에 심층적으로 연구한다는 특징을 가진다. 즉, 사례연구의 목적은 어떤 일반적 원리나 보편적인 사실을 발견하는 데 있기보다는 사례에 관련된 구체적 사실을 밝히고 그 사례의 모든 측면을 철저하게 분석하는 데 있다. 사례연구는 개인, 집단, 사건, 과정을 포함한 유계체계(bounded system) 또는 사례(case)를 탐색하는 바탕이 되며, 기술적이거나 설명적이다. 흔히 기초를 이루는 원리를 발견하기 위한 인과관계를 탐색하는 데 사용하며, 상담과 심리치료 장면에서는 내담자의 심리적 장애의 발달사를 추적하거나 문제의 진단이나 치료방안을 세우는 자료를 수집하기 위해 주로 사용한다. 분석심리학에서는 환자에게 과거경험에 대하여 회상해 보도록 하여 현재의 신경증을 설명할 수 있는 발달과정 패턴을 확인하고 생애사를 재구성하도록 요구하기도 한다. 학교교육 장면에서는 부적응 행동을 나타내는 학생, 문제성을 지닌 학생을 대상으로 생활지도를 효과적으로 하기 위하여 사례연구를 많이 한다. 사례연구를 통하여 학생들의 부적응 행동이나 문제행동을 보다 정확하게 이해하고 그 문제의 내용과 원인을 진단하여 적절한 교육대책을 세우며, 문제의 교정 및 치료를 위한 방안을 모색한다. 사례연구는 개인이나 집단 또는 기관을 하나의 단위로 택하여 그 대상을 깊이 있게 조사하여 다양한 변인이 어떻게 작용하는지 그 과정을 심층적으로 분석하고(개별성 · 특수성), 사례의 특정한 한 단면만을 조사하고 분석하는 것이 아니라 그 사례의 신체적 · 심리적 · 환경적인 모든 요인을 조사한다. 이러한 요인을 토대로 그 사례가 당면한 문제를 포괄적으로 고찰하며(총체성), 면접 · 관찰 · 실험 · 검사 · 자서전 등 어떠한 방법이든 해당 사례의 이해나 문제의 해결에 도움을 준다고 생각되는 것이면 모두 이용하고, 또한 해당 사례 주변의 유용한 정보원을 최대한 활용하는(다각성) 특징을 갖고 있다. 사례연구는 연구자가 탐구하고자 하는 문제의 유형에 따라 탐색적(exploratory) · 설명적(explanatory) · 기술적(descriptive) 사례연구로 구분할 수 있다(Stake, 1995). 연구문제의 초점이 주로 '내용(what)'에 있다면 탐색적 사례연구가 적절할 것이다. 예를 들어, 학교장면에서 검사결과에 영향을 미치는 요인이 무엇인지 조사한다거나 임상장면에서 약물남용에 영향을 미치는 요인이 무엇인지 평가하고자 하는 경우 탐색적 사례연구를 수행한다. 어떤 현상이나 사건 혹은 과정을 설명하고자 하는 이론을 수립하거나 연구문제의 초점이 '방법(how)'과 '이유(why)'에 있다면 설명적 사례연

ㅅ

구가 적절하다. 예를 들어, 아동이 심하게 비디오 게임을 하는 것이 어떻게 행동문제를 유발하고 신체활동의 감소를 가져오는지 조사한다거나 사회 경제적 지위가 낮은 학령기 아동이 왜 평균 이하의 학업성취도 수행을 보이는지 조사하는 경우 설명적 사례연구를 수행한다. 그리고 기술적 사례연구는 연구자가 일련의 사건, 사람, 혹은 현상을 시간의 경과에 따라 중요한 특성을 추적하여 기술하는 것이다. 예를 들어, 외상 후 스트레스 장애를 가진 전쟁 참전 군인들을 계속 추적하여 조사한다거나 외상의 장기적 효과를 관찰하는 것은 기술적 사례연구에 해당한다. 사례연구를 하려면 연구자는 먼저 어떤 문제를 다룰 것인지 명확히 인식하고 결정해야 한다. 다음 단계는 연구주제로 결정한 문제에 대하여 다각적 접근을 시도한다. 사례연구에서는 다각적인 접근의 원리에 따라 자료를 수집하기 시작한다. 자료 수집은 보통 각종 심리검사, 면접, 누가 기록이나 생육사, 학교생활 기록부, 자기보고서, 일기, 관찰기록, 신체검사기록으로 대개 연구대상자의 가정환경, 아동기의 성장과정, 교우관계, 적성, 학업성적, 흥미, 건강상태, 대인관계 및 사회적 활동상황, 장래 계획, 희망 등 여러 가지 사실을 파악할 수 있다. 그 다음으로 연구자는 수집된 자료를 바탕으로 사례연구의 대상이 지닌 문제의 원인이 무엇인지 종합적으로 진단하고 분석한다. 이때 정확하고 타당한 진단을 하려면 연구목적의 타당성, 자료 및 증거 수집 방법의 타당성과 신뢰성을 면밀하게 검토해야 하며, 표면적인 문제보다 속에 숨겨져 있는 본래의 문제를 찾아내고 원인을 밝히고자 노력해야 한다. 문제의 원인을 밝히고 나면 연구자는 문제를 해결하기 위한 대책이나 치료방법을 검토해 보고, 실제로 적용해 보면서 변화과정을 계속 관찰한다. 이 같은 과정이 끝나면 적용된 문제해결방법이 어떤 결과를 가져왔는지 효과를 평가하고, 필요하다면 추후지도를 계속한다. 사례연구는 특정 대상을 여러 측면에서 심층적이고 종합적으로 연구하기 때문에 보다 풍부하고 의미 있는 자료를 얻을 수 있고, 그에 따라 문제해결을 위한 지도와 상담의 기초를 제공해 주는 장점이 있다. 반면에, 특수한 사례에 관한 것이므로 연구결과를 일반화할 수 없고, 연구자의 주관적 견해에 따라 연구방향이 좌우될 가능성이 크며, 자료의 신뢰성을 검증하기 어렵다는 한계가 있다.

관련어 | 분석심리학, 질적 연구

사물명상기법
[事物冥想技法, object meditation technique]

사이코드라마의 준비단계에서 사용하는 기법으로, 사물을 있는 그대로 긍정적으로 바라보는 활동. 사이코드라마

실시방법은 다음과 같다. 집단원들이 평소 애용하거나 다양한 용도의 물건을 두고 잠시 그 물건에 대하여 명상을 한 다음, 돌아가면서 긍정적인 느낌을 말한다. 이 기법은 평소 익숙해 있어서 당연하게 생각하고 고마움을 느끼지 못했던 사물에 대하여 고마움을 표현하도록 하는 것이다.

사성제
[四聖諦, four noble truth]

인간의 괴로움[苦], 괴로움의 근원[集], 괴로움의 소멸[滅], 그리고 괴로움을 소멸시키는 방법[道]에 대한 부처의 가르침. 동양상담

인간에게 왜 삶과 죽음이라는 괴로움이 발생하며 또 어떻게 하면 이것이 사라질 수 있는가를 설명하는 교설 중에 이 사성제가 등장한다. 제(諦)라는 말은 'satya'가 어원으로 사실, 진실, 진리 등을 나타낸다. 그것은 인간세계에 나타나고 있는 네 가지 즉, 고집멸도(苦集滅道)를 말하는데, 여기서 괴로움은 태어나고, 늙고, 병들고, 죽고, 미움을 만나고, 사랑

과 헤어지고, 구하는 바를 얻지 못하는 것 등을 말한다. 이 모든 것은 무명(無明)에서 시작된 것으로 이렇게 시작된 생, 노, 병, 사를 명백히 직시해야 한다는 것이다. 이러한 괴로움들이 서로 연결되어 하나의 모임을 형성하는데, 이것이 괴로움의 집(集)이라는 성제를 이룬다. 이는 모두 오온(五蘊)에서 생겨난 것이라 할 수 있는데, 이 괴로움의 모임을 멸하는 과정을 밟아야 한다. 멸은 생사의 괴로움이 무명에서 나온 것이 분명하다면 무명의 멸진을 통해 우리는 그 괴로움을 근본적으로 극복할 수 있다는 것이다. 그다음 인간은 이 괴로움의 멸에 이르기 위해서 어떤 길을 찾아야 하는데 그것이 여덟 가지 바른 길, 즉 팔정도(八正道)라고 설명하고 있다.

관련어 연기, 오온, 팔정도

사용자 친근성
[使用者親近性, user-friendliness]

사용자의 편리성을 도모하기 위해 사용자 입장에서 서비스를 제공하는 것. 사이버상담

서버 컴퓨터에서 특정 프로그램이나 정보를 제작할 때 내담자 컴퓨터의 사양을 적극 고려하여 내담자의 입장에서 가장 사용하기 쉽게 맞추어 제작한다는 의미로 사용된다. 즉, 컴퓨터에 관한 자세한 지식이 없는 일반 사용자가 좀 더 쉽게 컴퓨터를 이용할 수 있도록 해 준다.

사월병
[四月病, april disease]

대학생활의 부적응 상태. 이상심리

4월 신입생 증후군(April freshmen's syndrome)이라고도 한다. 대학교 진학을 위해 시험준비를 하면서 사회심리적으로 강한 스트레스를 받았다가 대학 신입생이 되면서 이러한 스트레스에서 급격히 해방되어 새로운 대학생활에 힘들게 적응하려고 하는 때 나타나는 부적응 상태를 말한다. 주로 4월에 나타나서 4월병이라 했지만, 최근에는 여름방학 후에 나타나는 경우가 많아 9월병이라는 말을 사용하는 경우도 있다. 주로 보이는 특징으로 학업의욕이나 기억력이 현저하게 감퇴하고, 몸이 나른해져 쉽게 피로해지며, 자기혐오나 자기상실에 빠지고, 생활리듬이 깨져 몸 상태도 나빠지는 지경에 이르는 것 등이다. 일시적인 경우도 있지만 장기적으로 나타나는 경우도 있다. 삶의 보람이나 학생생활의 목표를 확실하게 갖고 있거나, 자립하고자 하는 욕구가 강하거나, 학과 활동이나 동아리 활동을 통하여 친한 친구를 많이 사귀는 학생들은 4월병을 극복하는 속도가 빠르다. 이와 비슷한 현상을 보이는 심리적 현상으로 짐 부리기 우울증, 이사 우울증 등이 있다.

사이버 미망인
[-未亡人, cyber widow]

인터넷 중독에 빠진 남편의 아내를 부르는 말. 중독상담

사이버 미망인은 인터넷이나 게임에 중독된 습성을 가진 남편으로부터 관심을 받지 못하는 여성을 지칭하는 말이다. 남편의 인터넷과 관련된 중독 문제 때문에 사이버 미망인은 남편과의 관계가 망가져 버린다. 하지만 중독자 당사자인 남편은 이러한 부정적인 부부관계에 대해서 별로 지각하고 있지 않은 것이 특징이다.

관련어 인터넷 게임중독, 인터넷 중독장애

사이버 성폭력
[-性暴力, cyber sexual violence]

인터넷과 같은 사이버 공간에서 상대방의 동의를 구하지 않고 원하지 않는 문자나 영상 표현을 이용하여 성적 메시지 전달, 성적 대화 요청, 성 문제 관련 개인 신상 정보 게시 등으로 불쾌감 및 위협감을 느끼게 하는 행위. 성상담

사이버 성폭력은 사이버 공간에서 특정인 혹은 불특정 다수를 대상으로 해서 성적인 문제로 괴롭힘을 행하는 것을 통칭한다. 즉, 상대방이 원하지 않는 성적 언어 표현 및 이미지 등으로 불쾌감이나 위압감을 느끼게 하는 행위를 말한다. 사이버 성폭력은 인터넷이라는 특수성을 기반으로 하기 때문에 시간, 공간에 비교적 제약을 받지 않는다. 가정, 직장 등 어디든 온라인 환경이 갖추어진 곳이라면 때와 장소에 상관없이 발생할 수 있으며 형태도 매우 다양하다. 사이버 성폭력이 주로 일어나는 공간은 인터넷 게시판, 대화방, 이메일 등이다. 그 형태가 너무 다양하여 유형을 나누기는 힘들지만, 대개 사이버 성희롱, 사이버 스토킹, 사이버 명예 훼손, 사이버 음란물 유통 등으로 대별할 수 있다. 사이버 성폭력은 오프라인상의 2차 범행을 유발할 수 있고, 아동 및 청소년의 보호가 힘들다. 사이버 성폭력을 예방하기 위해서는 비밀번호나 개인 신상정보 등 개인 정보관리를 신중히 해야 한다. 혹시 사이버 성폭력 가해자를 만나게 되면 증거 화면을 저장해 둔 채 경고를 하고 신고를 하는 것이 좋다. 우리나라는 「성폭력 범죄의 처벌 및 피해자 보호 등에 관한 법률」 「형법」 「정보통신망 이용촉진 및 정보보호 등에 관한 법률」 등으로 사이버 성폭력 처벌에 관한 법적인 근거를 마련해 두고 있다. 피해자는 일반 성폭력과 마찬가지로 여성의 비율이 더 높고 가해자는 남성의 비율이 더 높다. 한 온라인 설문조사를 통한 연구에 따르면, 남성의 사이버 성폭력 피해 경험은 27.9%이고, 여성은 51.8%였다. 미국에서 보고된 사례를 보면 피해자는 여성이 84%, 가해자는 남성이 64%였다. 인터넷을 통한 의사교류가 기하급수적으로 확산되면서 이 같은 피해사례는 급속하게 증가하고 있다.

사이버 팸
[-, cyber-fam]

인터넷 동호회나 채팅 사이트를 중심으로 사이버 공간에서 실제 가족과 같은 형태로 만들어진 긴밀한 관계. 가족치료 일반

인터넷을 이용한 온라인 공간에서 많은 시간을 보내는 사람들이 나이 차와 성별 등에 따라 서로를 아빠, 엄마, 삼촌, 아들, 딸 등으로 부르면서 밀착된 가상의 가족관계를 형성하는 형태다. 하지만 사이버 팸은 실제 책임감과 의무를 가지고 있는 가족관계와는 달리 윤리적으로 해이해지기 쉽기 때문에 외도를 하거나 이혼을 하는 등의 행위가 아무런 망설임 없이 행해지기도 한다. 최근에는 단순히 사이버 공간에서만 가족을 형성하고 상호작용하는 관계를 넘어서서, 사이버 팸을 형성한 집단 가출 청소년들이 실제로 동거를 하거나 실제의 공간에서 만나 다양한 상호작용을 함으로써 원조교제나 청소년 탈선의 원인을 제공하기도 한다.

사이버네틱 통제
[-統制, cybernetic control]

가족치료에서 단순 피드백보다 한 단계 높은 수준의 체제활동. 전략적 가족치료

체제에 들어온 정보는 어떻게든지 그 체제에 영향을 미친다. 이 경우 체제는 들어온 정보를 체제가 가지고 있는 규칙들에 비추어서 정보를 탐색하고 이에 따라 반응하게 되는데, 우선적으로 체제를 유지하려는 측면에 반응하는 것을 체제의 항상성(homeostasis)이라고 한다. 체제는 항상성을 유지하기 위해 일정한 범위에서 변화를 시도하는데, 이를 항상성의 범위라고 한다. 예를 들어, 겨울에 실

내 난방 온도를 23도에서 26도 사이에 맞추어 놓을 경우 난방기는 이 범위 안에서 자율적으로 온도를 조절하는데, 이것이 바로 항상성의 범위다. 이와 같이 사이버네틱 통제의 개념은 외부에서 정보가 들어오면 이를 체제의 변화규칙 또는 메타 규칙체제에 접수해서 정보를 분석하는 것이다. 이때 들어온 정보가 체제의 변화범위, 즉 항상성의 범위 내에 존재할 경우 체제는 이 정보를 받아들이고, 항상성의 범위를 넘어서면 환경으로 다시 내보낸다. 예를 들어, 어느 가정의 통금시간이 밤 10시인 경우 만일 자녀가 밤 12시에 집에 들어오겠다고 말한다면 부모는 이것을 허용할지 하지 않을지 서로 의논하고 결정해야 한다. 이 경우, 항상성의 원리로 보면 부모는 자녀를 설득해서 10시에 들어오도록 해야 하는 것이다. 항상성의 원리가 단순 피드백과 다른 것은 자체의 체제를 검토한다는 점에서 상위수준의 행동이라는 것이다. 만일 앞의 예를 단순 피드백으로 처리할 경우, 부모는 별도의 검토과정 없이 바로 자녀를 야단치는 행동을 보인다.

관련어 | 단순 피드백

사이버네틱스
[-, cybernetics]

특정 체제 내에서의 피드백 통제방법을 설명하는 이론으로, 체제가 일정하게 유지되거나 변화하도록 조정하는 현상을 설명함. 전략적 가족치료

가족치료 혹은 체제이론에서 중요한 기본 이론 중 하나다. 사이버네틱스의 어원은 그리스어의 'kybernetes'인데, 배의 키를 조정하는 것을 의미한다. 사이버네틱스는 일차적 사이버네틱스와 이차적 사이버네틱스가 있다. 일차적 사이버네틱스는 체제를 순환적 인과관계와 피드백으로 설명하는 것이고, 이차적 사이버네틱스는 다양한 피드백 수준을 가정하고 유기체의 자율성이나 자기조직능력을 강조한다. 사이버네틱스 이론을 창시한 위너(N. Wiener)는 사이버네틱스를 의사소통과 제어(制御)의 과학으로 정의하였다. 이 개념을 가족치료에 도입한 사람은 베이트슨(G. Bateson), 잭슨(G. Jackson), 헤일리(J. Haley), 위크랜드(J. Weakland) 등으로, 인간의 행동은 체제를 유지하기 위해 규칙을 따르며 체제의 평형상태는 정적 피드백과 부적 피드백에 의해 일어난다고 설명하였다. 기존의 심리상담이론이 직선적 인과관계에 근거하여 심리적 고통 혹은 증상의 원인을 명확히 하고 제거하여 증상(결과)을 호전시키는 접근이라면, 사이버네틱스 이론은 순환적 인과관계와 피드백에 근거한다. 사이버네틱스와 가장 비슷한 예는 온도조절장치(thermostat)다. 전열기구 등에 부착되어 있는 자동온도조절장치는 온도가 일정치 이상 올라가면 스위치가 꺼지고 일정 온도 이하로 내려가면 다시 켜져서 온도가 일정한 범위를 넘어가지 않도록 작용한다. 사이버네틱스를 설명하는 데에는 항상성과 피드백의 개념이 사용되는데, 항상성(homeostasis)이란 균형상태 혹은 안정상태를 유지하려는 경향을 말하고, 이러한 항상성을 유지하기 위해 피드백이 작동한다.

관련어 | 사이버네틱 통제

사이버상담
[-相談, cyber counseling]

사이버 공간에서 이루어지는 상담. 사이버상담

사이버는 사이버네틱스(cybernetics)의 약어인데, 사이버네틱스는 조종과 통제라는 어원을 가지고 있지만 현대사회의 기계화 및 전체화 경향과 결합되어 통신기술과 정보처리기술을 두 축으로 하는 정보교환에 초점을 두고 있다. 또한 사이버는 '가상의'라는 뜻을 가진 용어로서 실제로 세상에 존재하는 것이 아니라, 인간이 상상 속에서 가짜로 만들었다는 내용을 함축하고 있다. 컴퓨터 공학이 발전한 결과 사이버 세계가 형성되면서 상담이 컴퓨터를 통

해 이루어져 새로운 분야인 PC 통신 상담 또는 사이버상담이 가능해졌다. 사이버상담은 도움이 필요한 사람, 즉 내담자의 문제를 해결하고 생각, 감정, 행동 측면의 인간적 성장을 위해 사이버 공간에서 수행되는 만남을 의미한다. 그러므로 전통적 상담과 목적은 동일하지만 목적을 이루기 위해 사용하는 매체가 달라 여타 대면상담이나 전화상담과는 방법상 차이가 있다. 사이버상담은 컴퓨터 통신이 단순한 정보교환이나 의사소통의 수준을 넘어서서 인간의 내면세계까지 다루게 된 결과, 내담자의 문제를 해결하고 성장촉진을 돕는 과정까지 담당하게 된 결과로 가능해졌다. 사이버상담은 현재 학계나 현장에서 합의가 이루어진 확정적인 용어는 아니다. 예를 들어, 사이버상담은 PC 통신 상담, 컴퓨터 매개 통신 상담, 온라인상담, 웹 상담과 같은, 혹은 유사한 의미로 사용되고 있다(은선경, 1998; 임은미, 박승민, 김지은, 서진숙, 1998; 김정희, 이재창, 1998; 문성원, 1998). 즉, PC 통신 상담은 PC 통신을 이용한 상담을 의미한다는 점에서 사이버상담, 컴퓨터 매개 통신을 활용한 상담과 거의 동일한 의미로 사용되고 있다. 온라인상담은 전화나 팩스를 활용한 상담을 포함할 수 있으므로 사이버상담으로 통칭하기에는 한계가 있다. 웹 상담은 인터넷을 통한 상담이라는 의미가 있기 때문에 사이버상담보다는 좀 더 좁은 범위의 개념이다. 따라서 사이버상담은 상담활동을 현대 정보화사회의 산물인 인터넷 공간에서 행하는 것으로서, 사이버상담의 특징 및 효과를 살펴보면 다음과 같다. 첫째, 각종 제한에서 자유로운 편의성이 있다. 사이버 공간에서 상담이 이루어지기 때문에 지리적 제한 없이 도서나 벽지에 있는 사람들도 원한다면 인터넷을 통해 전 세계적으로 자신이 원하는 전문상담자를 찾아서 원하는 시간에 상담을 받을 수 있다. 둘째, 익명성과 다중 정체성의 특징이 있다. 사이버상담자와 내담자는 원한다면 자신의 실명을 사용하지 않고서도 상담을 진행할 수 있다. 셋째, 경제적이고 효율적이다. 넷째, 문자 중심의 의사소통이라는 특징이 있다. 다섯째, 대면상담에 비해 심리적으로 더 편안할 수 있다. 사이버상담은 상담자와 얼굴을 마주 대하거나 직접 말을 주고받아야 하는 부담 없이 문자만 사용하여 의사소통을 하는 과정에서 자신의 감정이나 어려움을 더 솔직히 표현할 수 있으며, 따라서 상담의 효과를 높일 수 있다. 여섯째, 사이버상담은 탈억제 작용이 강하다. 익명성이 보장되기 때문에 감정의 조절이나 표현이 덜 통제되는 경향이 있다. 일곱째, 내담자의 주도성이 더 발휘된다. 사이버상담은 상담자와 내담자의 평등한 관계와 자발성 속에서 내담자는 상담관계에서 보다 많은 통제력과 주도성을 갖게 된다. 여덟째, 친밀성과 협동성이 크게 발휘된다. 아홉째, 인간관계 형성 및 단절의 융통성이 있다. 사이버 공간에서는 대면상황에서보다 인간관계를 맺거나 종결하는 일이 훨씬 더 쉽고 간단하다. 열째, 기록의 저장, 유통, 가공이 쉽다. 사이버상담 내용은 상담을 하는 동안 몇 개의 키를 입력하여 쉽게 저장할 수 있고, 따로 축어록을 만들기 위해 시간과 노력을 들이지 않아도 저장한 내용 자체가 문서화되어 남는다. 상담사례를 모아서 데이터베이스화하여 많은 사람들이 상담사례 검색 및 조회를 통해 직접 상담을 받지 않고서도 간접적으로 자신의 문제에 대한 해결을 도모해 볼 수 있다. 사이버상담은 인터넷 상담, 사이버 테라피(cybertherapy), e-테라피(e-therapy) 등과도 동의어로 사용된다.

사이버섹스
[-, cyber sex]

원거리에 있는 둘 이상의 개인이 컴퓨터 네트워크를 통하여 서로 육체적 접촉을 하지 않은 상태의 가상공간에서 성적 경험을 묘사하는 메시지를 주고받는 온라인상 성관계로, 컴퓨터 섹스, 인터넷 섹스, 네트섹스(netsex), 머드섹스(mudsex), 타이니 섹스(TinySex) 등으로도 불림. 성상담

원래 성관계라 함은 두 개체가 서로 육체적으로

만나 상호 접촉행위로 이루어지는 결합이지만, 사이버섹스는 전화 섹스와 마찬가지로 서로의 직접적인 육체적 접촉 없이 이루어지는 가상공간 속 가식적 성관계라 할 수 있다. 사이버섹스를 하는 사람들은 자신이 실제 성관계를 갖는 것 같은 성적 역할놀이의 형태를 취한다. 자신의 행위를 묘사하고 그에 따른 상대방의 반응을 통해서 자신의 성적 느낌과 환상을 자극하면서 가상의 성관계를 경험한다. 이는 자위행위와 연결되는 경우가 많다. 사이버섹스는 실제 연인관계에서도 가능한데, 직장이나 다른 여건 때문에 지리적으로 떨어져 지내야 하는 연인의 경우 사이버섹스로 서로의 사랑을 나누기도 한다. 하지만 인터넷 공간이라는 특징 때문에 전혀 일면식도 없는 타인과의 관계도 가능하다. 사이버섹스는 비교적 공간이나 시간의 제약 없이, 다른 사람 몰래 혼자 고립된 상황에서, 자신의 신분이나 실제 모습을 드러내지 않은 채, 큰 비용을 들이지 않고, 환상을 통한 더 큰 성적 흥분을 추구할 수 있다는 특징 때문에 전혀 모르는 사람들과도 관계가 가능한 것이다. 사이버섹스는 주로 인터넷 채팅 공간이나 인스턴트 메신저를 통해서 이루어진다. 또 멀티 유저 소프트웨어 환경 내 아바타를 사용해서 이루어지기도 하여 머드섹스나 네트섹스라고도 한다. 1990년대 초부터 인터넷의 보급이 시작되면서 급속히 확산되어 인터넷 접속자는 수억 명에 이르고 있다. 우리나라도 인구 반수가 훨씬 넘는 사람들이 인터넷을 사용하고 있으며, 이는 사이버섹스 관련 행위의 급속한 확산과도 연결된다. 현재 섹스 관련 웹사이트는 20만 개가 넘는 것으로 추산되고 있으며, 매일 200여 개의 섹스 관련 웹사이트가 신설되고 있는 추세다. 사이버섹스는 인터넷이라는 특수성 때문에 중독성이나 실제 성관계의 불가능화, 일상생활 복귀 곤란, 청소년 접근 용이성, 환상과 현실을 구분하지 못함, 사이버 성폭력 등의 부작용을 초래할 수 있다.

관련어 | 사이버 성폭력

사이버섹스중독
[-中毒, cyber-sexual addiction]

사이버 포르노를 보거나 채팅을 통한 사이버섹스를 병적으로 즐기며, 이러한 행위를 스스로 조절할 수 없는 상태. 중독상담

사이버섹스 중독 환자는 사이버상의 섹스에 집착함으로써 다른 사람과의 실제적인 성 접촉으로 얻어지는 감정적이고 행위적인 교류 등이 무시되며, 이로 인해 인간관계가 망가지거나 가족관계가 파괴된다. 또한 이러한 문제들이 직장과 사회생활로 확대되는 결과를 낳는다.

관련어 | 성중독, 중독, 행동중독

사이코드라마
[-, psychodrama]

개인의 갈등상황을 연기로 표현하여 문제의 심리적 차원을 탐구하고 다루는 활동. 사이코드라마

1936년 모레노(J. L. Moreno)가 제안한 기법으로서 인간의 심리를 탐색하기 위한 대인 집단 접근법이다. 이 기법은 자신의 갈등상황을 단순히 말로 설명하는 것이 아니라 연기로 표현함으로써 자신이 갖고 있는 문제의 심리적 차원을 탐구한다. 자신의 현실, 좌절당한 상황, 소망 등 자신이 직면하고 있는 문제를 연기로 표현하는 과정을 통해 내재된 자신의 감정, 무의식적 충동 등을 깨닫게 되고, 현재 문제와 관련된 환상이나 기억을 찾아낸다. 이렇게 함으로써 현재 문제를 해결하기 위한 여러 가지 대안을 모색하고, 보다 건강한 방식으로 적응해 나간다. 이 기법의 요소는 주인공(protagonist), 연출자(director), 보조자아(auxiliary ego), 관객(audience), 무대(stage)이며, 이러한 요소들로 전개되는 줄거리가 없는 즉흥극(卽興劇)으로 진행된다. 사이코드라마에서 개인은 자신의 갈등에 관한 정서적인 문제를 해결하기 위해 연기를 한다는 점에서 주인공 중심적이다.

극은 주인공의 삶을 중심으로 주인공의 과거, 현재, 미래를 이동하면서 삶의 여러 측면을 탐색하게 된다. 모레노는 사이코드라마가 드라마 기법을 이용하여 '진실'을 탐구하는 과학이라고 하였다. 이는 언어에 의한 정신의 탐구가 아니라 집단적 접근을 통한 몸과 행위에 따른 인간과 인간정신 및 삶의 탐구로서, 자발성과 창조성의 철학을 바탕으로 한 우리 삶의 실천적 학문이라고 할 수 있다. 사이코드라마는 정신분석의 영향을 받았지만, 그와는 달리 쌍방향의 관계성을 가지는 방법을 이용한다. 다시 말해, 사이코드라마는 지금-여기에서 일어나고 있는 인간관계의 상호작용을 중시하는 집단 심리치료법이다. 사이코드라마의 특성은, 첫째, 인지적 · 언어적 차원뿐만 아니라 신체동작에 따른 행동차원까지 포함하는 인간의 모든 차원을 이용하고 있다. 둘째, 자신의 생각이나 느낌을 행위화하려는 무의식적인 욕구를 충족시켜 준다. 셋째, 인간의 개인성뿐만 아니라 사회성과 집단성을 강조하면서 사회 내의 여러 역할에 중점을 두고 있어 대인 갈등을 쉽게 다룰 수 있다. 넷째, 구체적이고 현실적인 참여의 측면에 중점을 둔다. 즉, 사이코드라마는 내담자가 보조자아의 도움을 받아 현실의 구체적인 상황을 현실 밖의 무대 위에서 지금-여기의 상태로 연기를 한다. 다시 말해, 현실 밖에서 현실적이고 구체적인 상황을 경험하게 되는 것이다. 사이코드라마는 정신건강의 예방적 · 치료적 효과를 갖는 극으로서 준비단계(warming up), 행위화 단계(acting), 나누기 단계(sharing)로 진행된다. 모레노는 사이코드라마를 창시하면서 프로이트의 영향을 받았고, 그런 만큼 사이코드라마의 실제에서는 정신분석적 관점에서의 해석과 지시가 적지 않았다. 그러나 모레노가 죽은 뒤 그의 후계자이자 아내가 사이코드라마를 실천적으로 연구함으로써 사이코드라마는 개인의 심리문제의 해결부터 사회문제해결까지 광범위하게 적용하는 방법으로 발전하였다. 이와 같이 개인의 문제가 아니라 집단의 문제를 주제로 하는 사이코드라마는 소시오드라마(sociodrama)라고 불린다. 오늘날 사이코드라마는 전 세계 각국에서 다양하게 변형 · 시행되고 있다. 특히 1990년대에 들어와 그 활동이 더욱 활발해졌고, 1993년 3월 이스라엘의 예루살렘에서는 처음으로 국제 사이코드라마 대회가 개최되었다. 그러나 아직은 인터넷을 통한 국제교류가 중심을 이루고 있을 뿐, 뚜렷한 국제 간 교류 · 협력은 미미한 상태다. 사이코드라마학회는 미국(1942)을 비롯하여 캐나다(1965), 호주(1971), 터키(1980), 멕시코(1983), 영국(1984), 스위스(1985), 이스라엘(1986), 헝가리(1988), 불가리아(1990), 코스타리카(1993), 스페인(1993), 그리스(1995), 일본(1995) 등에서 설립되었다. 한국의 경우에는 1969년에 명칭이 소개된 이래, 1973년 이화여대 정신과 병동에서 의료용 각본(오영진 작)에 의한 4편의 사이코드라마 공연이 행해졌다. 그리고 같은 해 수도국군병원에서의 사이코드라마 실습과 1975년에 국립정신병원에서 환자들에게 실시하면서, 사이코드라마는 정신과 병원에서 하나의 정신치료기법으로 시행되기 시작하였다. 특히 국내에서는 1970년대 후반부터 1990년대 초반까지 약 15년간 교도소, 소년원, 시 · 도 청소년상담실, 대학의 학생생활연구소를 중심으로 사이코드라마가 활용되기 시작하였다. 사이코드라마는 정신치료뿐만 아니라 교육, 간호, 복지, 교정, 산업체 등의 영역에서 널리 적용되고 있다.

관련어 | 역할연기, 워밍업, 주인공, 행위

사이코드라마에서의 극대화
[-極大化, maximization in psychodrama]

사이코드라마의 기법으로서, 역설적인 방식으로 저항과 반작용을 극대화하는 것. 사이코드라마

주지화 성향이 강한 주인공에게 지적인 대화만 시키거나, 과장된 연기를 하는 주인공에게 더욱 과장된 행동을 시키는 것을 예로 들 수 있다. 이 기법

은 주인공에게 저항행동을 극대화하여 행동하게 함으로써, 주인공이 자신의 연기에 대한 책임감을 깨닫도록 하는 데 목적이 있다. 그리고 이것은 변화에 대한 동기를 부여한다.

관련어 | 저항, 주지화

사이코드라마에서의 막힘 현상 [-現象, blocking in psychodrama]

사이코드라마에서 드라마가 원활하게 진행되지 않는 상태.
사이코드라마

사이코드라마의 창시자인 모레노(Moreno, 1953)는 원활하게 진행되지 않는 현상을 막힘이라고 하였으며, 다른 말로 저항이라고도 부른다. 저항은 자발성이 가지고 있는 하나의 기능으로서 자발성이 줄거나 상실되면서 생기는 것이다. 사이코드라마에서의 저항은, 주인공이 몰입하여 워밍업이 되고 자발적이 되는 것을 역행하여 안전해지려는 반응으로 주인공이 새로운 상황에 부적절하게 반응하는 방법이다. 즉, 낮은 자발성 때문에 문제에 창조적으로 융통성 있게 대처하지 못한다는 의미다. 모레노는 인간의 불안은 자발성의 상실에서 초래되며, 자발성의 상실이란 지금-여기서 살지 못하는 무능력이라고 했듯이, 사이코드라마에서 주인공이 불안 때문에 저항하는 경우란 지금-여기에서의 내·외적 압박에 적절한 반응을 찾지 못해서라고 볼 수 있다. 다시 말해, 주인공이 현실을 벗어나서 사이코드라마라고 하는 새로운 경험세계에 자발적으로 참여했음에도 불구하고 사이코드라마적 방식과 진행에 자신을 맡기지 못하고 과거의 자신에게 매달려 있는 현상이 곧 저항이다. 사이코드라마에서 저항하는 주인공은 행동하는 것이 어렵다. 막힘 현상은 자발성의 과잉, 왜곡, 감소, 소실을 의미하며, 이는 자발성의 상태에 따라 겉돎(going round), 맴돎(spinning round), 안돎(ceasing), 멈춤(stopping)의 현상으로 구분된다. 일반상담에서 사용되는 저항(resistance)이라는 용어와 동일한 의미로 볼 수 있다.

관련어 | 저항

겉돎 [-, going round] 사이코드라마에서 자발성이 과잉, 반복, 억제, 감소되는 현상을 말하는 겉돎은 두 물체가 서로 섞이지 않고 분리되거나 사람이 서로 잘 어울리지 않는 것을 의미한다. 즉, 사이코드라마의 자발적인 진행과 달리 충분히 자발적이지 못하고 과정 속에 깊이 스며들지 못한 채 겉도는 현상을 말한다. 일반적으로 저항이라는 용어에 해당되는 대부분의 현상을 가리킨다. 겉돎현상은 자발성의 상태에 따라 빗나감, 더나감, 덜나감으로 구분된다. 겉돎현상의 첫 번째 형태로 빗나감은 자발성에 대한 이해가 부족하거나 자발성이 왜곡된 경우다. 이것은 무엇이든 잘하고자 하고 스스로 잘하고 있다는 '잘해'와 도대체 지금 이곳에서 무엇을 하고 있는지에 대한 혼돈을 말하는 '뭐해'로 나뉜다. '잘해'는 진지하지 못한, 열정이 빠진, 앞뒤가 걸맞지 않는 자발성의 왜곡현상이다. 겉핥기식으로, 마치 원맨쇼를 보는 듯한 쇼맨십이 강하다. 무엇인가 잘하고 있고 막힘이 없어 보이는데 막혀 있는 느낌을 준다. 자기노출이 피상적이며 잘하고 있는 것 같은 '잘해'는 행위화 단계 초반에 쉽게 드러난다. '뭐해'는 현실과 사이코드라마를 혼동하고 있는 것처럼 보인다. 한마디로 사이코드라마를 잘못 이해하고 있는 경우다. 자발성이 들락날락하며, 행위도 없고 감정도 없다. 때로는 사이코드라마 자체에 반발한다. 이렇게 해서 무슨 소용이 있느냐고 묻는다. 한마디로 왜 주인공이 되었는지, 무엇을 하고자 나왔는지 모르는 것처럼 보인다. '뭐해'는 행위화 단계 중반 정도에서 확연히 드러난다. 겉돎현상의 두 번째 형태로 더나감은 자발성의 과잉이나 보존적인 반복현상을 말한다. 앞의 빗나감보다 훨씬 강하고 진지하게 열성적으로 놀이하는 것처럼 보이지만 감정의 과잉상태, 자발성이 과도해진 '다해'와 한 가지 주제나 사건에만 매달리는 '또해'의 현상을 나타낸다. '다해'는 연출자의 말 한마디에도 매우 높은 자발적인 반응을 보인다. 그러나 감정이 너무 앞서 있어서 행위가 없고 초점이 없다. 자발성의 과잉 상태인 것이다. 상황이 어떻게 돌아가는지조차 모를 정도로 열심히 성심성의껏 반응하지만 지나친 들뜸이다. 왜냐하면 자신의 진실에서 멀어지는 빗나감이며 겉돎이기 때문이다. '또해'는 자신이 원하는 주제, 자신이 선택한 문제 이상으로 나아가려고 하지 않는 것이다. 닫혀 있는 것으로 자발성이 오직 한곳에 머물고 떠나지 않는다. 열려 있지가 않으며, 자발성의 고착이자 반복이라 할 수 있다. 흐르는가 싶은 순간 이내 다시 제자리로 돌아온다. 모든 과정과 현상을 자신의 통제하에 두고 있다. 그리고 자신이 선택한 주제에 대해서는 최선을 다한다. '다해'와 '또해'는 행위화 단계 중반을 넘어서야 알 수 있을 만큼, 이러한 막힘현상은 발견하고 극복하기가 쉽지 않다. 겉돎현상의 마지막 형태로 덜나감은 자발성이 억제되거나 감소된 현상을 말한다. 이 현상은 쉽게 자신의 자발성을 풀어 놓지 않는, 소극적이고 자연적인 것으로, 진행이 더디고 앞으로 나아가지 못한다. 이것은 다시 어느 정도는 의도적인 '안해', 어떤 두려움으로 인하여 자발성이 감소된 상태인 '못해', 자발성이 감소된 것은 아니지만 그 힘이 충분하지 못한 '약해'로 나뉜다. '안해'는 자신의 자발성을 의도적으로 철저하게 억제하는, 하더라도 나 자신이 그것을 수긍할 수 있어야 하겠다는 태도다. 표현은 매우 우회적이며 설명적이고 말 중심적이다. 돌다리도 두들겨 보는 자세다. 결코 오는 것 없이 가지 않으려는 완벽주의자처럼 보인다. '안해'는 첫 인터뷰, 과정의 초반에 드러난다. '못해'는 가장 흔한 겉돎현상이자 막힘현상이다. 자발성의 감소상태로 웃으면서 회피하고 타인의식이 강하고 부끄러워하며 열심히 하려고 하지만 자발성이 받쳐 주지 못하고 자주 진행이 어려움에 빠진다. 자기 자신도 그것을 알고 답답해하지만 못 해낸다. '약해'는 자발성도 있고 하고자 하는 의지와 열정도 있지만 에너지가 충분히 뒷받침되지 못하는 것이다. 수동적이고 순종적인 태도이며 행위가 약하고 섬세하다. 자발적인 의지만큼 힘을 쓰지 못한다. 이러한 겉돎현상은 처음 시작단계에서 볼 수 있다. 요컨대 겉돎현상은 사이코드라마의 진행양상에 따라 빗나감과 더나감 및 덜나감으로 세분되며, 이는 한 가지 현상으로 나타나는 것이 아니라 개별 현상이 섞여서 나타나거나 강도를 달리해서 나타난다.

맴돎 [-, spinning round] 사이코드라마에서의 자발성이 텔레(전이)에 의해 영향을 받은 상태를 말한다. 사이코드라마의 과정에서 흔히 일어날 수 있는 예기치 못하게 발생하는 막힘현상으로, 매우 짧은 순간에 진행과정이나 주인공이 더 이상 나아가지 못하고 멈추거나 제자리를 맴돌듯 혼돈된 상태다. 이 현상은 순간적인 자발성이 상실된 상태, 다시 말해 제로상태의 자발성 현상이다. 주인공의 무의식적 텔레, 즉 전이현상에서 기인하는데, 주인공은 연출자, 보조자아, 집단원 등 모든 참여자에 대해서 텔레를 갖고 있으며, 그것을 어느 정도 통제하면서 자신의 드라마를 진행한다. 그러나 주인공은 어느 한 순간 연출자의 표정이나 말 한마디, 보조자아나 집단의 반응으로 강렬한 텔레상태에 빠지게 되고, 바로 직전까지와는 전혀 다른 반응을 보인다. 누군가에 대한 텔레감정이 솟구쳐 올라온 것이다. 그래서 잠시 혼돈이 초래된다. 때로는 멍한 상태에 빠져들기도 한다. 자발성은 제로이며, 이것이 바로 맴돎 현상이다. 이는 전 과정에 걸쳐서 언제 어느 때 드러날지 모른다. 마지막 나누기 과정에서도 특히 민감하게 드러나며, 안색이 변할 정도로 강렬하게 표현되기도 한다. 연출자를 간섭하고 명령하는 아버지로 착각해서 의외의 반응을 보이기도 한다. 이 경우는 자발성 제로의 상태라기보다는 일탈된 자발성이라고 불러야 할 것이다. 텔레에 의한 맴돎 현상은 반드시 극복되어야 한다.

멈춤 [-, stopping] 사이코드라마에서 주인공이 실제로 사이코드라마의 진행을 멈추는 것으로 자의적인 자발성의 중단을 의미하는데, 연출자에 대한 주인공의 불신으로 나타나는 현상이다. 멈춤은 주인공이 연출자에게 레드카드를 내미는 것이다. 주인공이 연출자에게 나는 더 이상 당신과 함께 사이코드라마를 못 하겠다는 의사표시다. 연출자가 자신만 알고 있는 주인공에 대한 정보를 임의로 노출하는 경우, 무리하게 주인공의 저항을 해체하려고 하거나 주인공을 비난하는 경우, 신뢰를 완전히 상실한 경우가 해당된다. 반대로 주인공의 경우는 갑자기 몸이 아프거나 다쳤을 때, 이유를 알 수 없는 퇴장, 거절, 과정 자체에 대한 분노폭발이 해당한다. 때로는 집단이나 보조자아에 의해서도 멈춤현상이 일어나기도 한다. 화가 나거나 지루해서 또는 시간 약속 때문에 떠나 버리는 집단원, 자신의 문제를 주인공에게 무책임하게 퍼부어 대는 보조자아, 주인공이나 관객 또는 연출자를 비난하는 보조자아의 경우가 그러하다. 이는 일종의 사이코드라마적 위기이며 연출자가 진심으로 마음을 열고 사태를 수습해야 할 순간이다.

안돎 [-, ceasing] 드라마의 진행이 멈춘 상태로서 거의 무의식적이고 자발성이 완전히 소실된 상태이며, 맴돎이나 겉돎보다 더 순식간에 확연하게 드러난다. 주인공 스스로도 자신이 왜 갑자기 멈추어 섰는지 알지 못한다. 표정이 바뀌고 넋이 나간 사람처럼 보이는데, 더 이상 진행하는 것이 무리일 만큼 그 상태는 잠시 동안의 휴식이 필요하다. 조금 지난 뒤에 물어보면 대개의 경우 '모르겠다, 아무것도 생각나지 않는다, 멍하다' 등으로 반응한다. 소위 무의식적 요소의 침입이다. 기존의 외적 환경, 치료자, 치료과정에 대한 저항이 아니라 자신의 스스로에 대한 방어다. 이 현상은 거의 본능적이고 비자발적인 것으로서 두려움, 불안일 수도 있고, 멍한 백지 상태일 수도 있다. 이 상태는 사이코드라마에서 오히려 매우 긍정적으로 수용되며, 나아가 자주 나타나기를 손꼽아 기다릴 만큼 중요한 순간이기도 하다. 왜냐하면 그 속에 보다 강력한 진실이 들어 있을 수 있기 때문이다. 따라서 안돎현상은 현상학적으로 막힘현상의 하나지만 실제 사이코드라마 과정에서는 모든 진행과정이 이 순간을 위해 존재했다고 할 만큼 아주 중요한 순간이라고 할 수 있다. 진정한 만남과 열림을 기다리고 있는 지금 이 순간의 사건이며 현상이기 때문이다.

사이코드라마에서의 시범 보이기
[-示範-, modeling in psychodrama]

사이코드라마의 기법으로, 다른 사람이 주인공을 하면 그 상황을 어떻게 다룰지 먼저 보여 주는 것을 말한다.

사이코드라마

사이코드라마의 행동연습에서 주인공이 어떻게 해야 할지 모르는 상황이 될 때 유용한 기법으로서, 주인공과 연출자는 관찰자가 되고 다른 사람이 그 장면에서의 주인공 역할을 대신한다. 이 기법은 주인공이 그 장면을 연기하는 데 한 가지 방법만 옳다는 생각을 없애도록 해 주고, 관찰한 여러 가지 방법 중 몇몇 요소를 선택할 수 있게 하기 위한 것이다. 또한 집단원들이 장면에 들어와 연기하는 가운데 연기에 대한 스트레스를 함께함으로써 주인공에게 경험을 공유한다는 좋은 의도를 그대로 전달할 수 있다는 장점이 있다. 요컨대 시범 보이기는 연기라는 것이 정답이 없는 만큼, 주인공 혼자 잘못했다고 생각하기보다는 집단원들이 문제를 공유함으로써 집단의 응집력을 높일 수 있는 것이다.

관련어 | 모델링, 주인공

사이코드라마에서의 역할 거리
[-役割距離, role distance in psychodrama]

자신의 역할을 객관화하여 평가하고 분석하며, 나아가 행위도해를 통하여 다시 한 번 객관화하는 것. 사이코드라마

역할 거리는 역할이론에서 중요한 개념의 하나다. 역할 거리는 구체적으로 지필묵을 이용한 다양한 역할도해와 사회도해(sociogram)로 표현되는데, 때로는 이 역할도해를 거치지 않고 직접 행위도해로 들어갈 수도 있다. 역할거리는 자신의 이중자아를 등장시켜 복합적인 여러 가지 역할관계에서 다양한 거리를 두고 탐구하는 것이다. 특히 사이코드라마에서 역할거리는 중요하게 작용하는데, 그 예로 거울기법과 역할교대를 들 수 있다. 거울기법은 다른 사람에게 자신의 역할을 맡긴 다음 일정한 거리를 확보한 채 자신을 보는 것이고, 역할교대는 다른 사람의 입장에서 자신을 보는 것이다. 따라서 사이코드라마에서는 역할거리의 작용을 통하여 자신의 역할에 갇혀 있는 좁은 시야에서 벗어나 보다 넓은 시각으로 자신을 확장시킬 수 있다.

사이코드라마에서의 중립화
[-中立化, neutralization in psychodrama]

사이코드라마에서 저항을 다루는 기법 중 하나. 사이코드라마

사이코드라마에서 중립화는 일종의 조작적 전략(manipulative strategy)을 말한다. 이것은 저항의 본질을 탐색하기보다는 참여자로 하여금 드라마 형식에 익숙해지도록 하고, 다양한 기법을 사용하여 감정이입을 유도하며, 행동화하게 만드는 것을 말한다. 이를테면 긴장을 해서 드라마 진행을 거부하는 주인공에게 장면전환이나 다른 기법을 사용하여 긴장을 완화시키고 저항을 줄이는 것이다.

사이코드라마에서의 집단
[-集團, group in psychodrama]

흔히 관객이라고 불리며, 잠재적 주인공이자 보조자아들의 집합체. 사이코드라마

사이코드라마에서 집단은 연극에서의 관객처럼 객석의 관람자가 아니라 잠재적 주인공이자 보조자아다. 왜냐하면 사이코드라마에서는 자신의 워밍업 정도에 따라 참여한 사람은 누구나 주인공이 될 수 있을 뿐만 아니라 보조자아가 될 수 있기 때문이다. 이 같은 집단을 구성할 때는 연령이나 성별이 동일한 사람들보다 다양한 유형의 사람들로 구성하는 것이 바람직하다. 집단이 다양한 인생단계나 성격을 가진 사람들로 구성될 때, 여러 가지 역할과 다양한 차원의 나누기가 가능한 것이다. 집단의 규모는 최소 4~5명부터 최대 100명에 이를 정도로 다양한데, 대개 10~20명 정도가 적당한 인원인 것으로 알려져 있다. 집단의 규모가 적당히 작으면 모든 집단원이 참여할 수 있어서 집단 응집력이 생기기 쉬운 반면, 규모가 너무 작거나 규모가 커서 100명 이상이 되는 경우에는 집단 응집력이 형성되기가 어려울 수 있다.

관련어 | 관객

사이코드라마에서의 카타르시스
[-, catharsis in psychodrama]

사이코드라마의 핵심적 개념으로 불안과 긴장을 완화하고 갈등을 해결하며 감정의 해방과 통합을 경험하고, 과거 삶의 재현을 통하여 지금-여기에서의 진정한 삶을 경험하는 것. 사이코드라마

사이코드라마의 창시자인 모레노(Moreno)가 사용한 것으로, 원래 카타르시스는 고대 그리스어 katharos에서 유래하였다. 이는 정신의 죄를 씻어 냄으로써 영혼을 다시 태어나게 한다는 어원적 의미가 있다. 그 후 카타르시스는 도덕적 의미로서의 순

화(purification), 종교적 의미로서의 정화(lustration) 또는 속죄(expiation), 의학적 의미로서의 배설(purgation) 등으로 때로는 복합적인 의미로 사용되었다. 이를테면 카타르시스는 피타고라스학파에서는 의술을 통한 육체의 정화라는 의미로, 히포크라테스는 고통스러운 요소의 제거라는 의미로, 아리스토텔레스는 배설을 위주로 하는 의학적 치료술과 유사한 정서적 요법의 의미로 사용하였다. 모레노(1940)는 그러한 의미의 카타르시스 개념을 사이코드라마에 도입하여 그 개념을 확대하였다. 그는 카타르시스를 관객의 능동적인 참여, 심리적 해방을 위한 주인공의 역할, 그리고 연출자의 치료자의 역할에 따라 생겨나는 것으로 보았으며, 정서의 이완과 경감, 과거로부터의 해방과 현재 삶의 직면에 이르기까지 우리 삶의 모든 영역에 적용되는 것으로 보았다. 또한 사이코드라마에서의 카타르시스를 두 유형, 즉 육체적 카타르시스와 정신적 카타르시스로 구분하였다. 전자는 강렬한 감정을 신체적인 표현으로 발산시키는 것이고, 후자는 잊힌 기억을 재발견하고 표현하는 것이다. 이와 같이 모레노에게 카타르시스의 개념은 정서적 해방 이상을 의미하며, 미지의 상황에 대처하는 원동력인 자발성의 각성과 관계가 있었다. 사이코드라마에서 주인공은 무대 위에서 자신의 과거문제를 행동으로 표현하게 되는데, 여기서 표현되는 과거의 고통은 현실처럼 생생하고 괴로울지라도 그것은 실제 상황이 아니기 때문에, 주인공에게는 안전한 느낌을 준다. 주인공은 안전한 무대에서 비난이나 분석 내지 평가를 두려워하지 않고 자신의 감정을 적절한 방법으로 방출하며, 이러한 감정의 방출과 이완을 시작으로 감정의 통합이라는 단계를 거쳐 홀가분한 상태가 된다.

관련어 | 자발성, 주인공

사이코음악
[- 音樂, psychomusic]

사이코드라마에 음악을 접목시킨 접근법. 사이코드라마

모레노(Moreno)는 사이코드라마에서 음악의 지대한 영향력을 인식하고, 음악교육을 받지 않은 일반인에게도 음악의 창조성을 제공하기 위하여 두 유형의 사이코음악을 제시하였다. 첫 번째 유형의 사이코음악은 악기 없이 목소리나 신체를 리드미컬하게 표현하는 것이다. 이를테면 연출자가 리듬에 맞추어 움직이면서 짧은 멜로디를 만들어 집단에서 부른다. 모레노는 악기연주에 필요한 일정 수준의 음악적 기술이 음악적 자발성에 장애가 된다는 입장에서 이 유형을 제시하였다. 두 번째 유형의 사이코음악은 악기를 사용하여 자유롭게 표현하는 것을 말한다.

관련어 | 사이코드라마

사이코패스 체크리스트
[- , Psychopathy Checklist-Rivised: PCL-R]

재소자와 범죄 피의자를 대상으로 정신병질 및 성격장애의 유무를 평가하는 검사. 심리검사

법정현장에서 정신병질을 평가하기 위하여 하라(Hara)와 그의 동료(1980)가 개발한 PCL(the Psychopathy Checklist)에서 타당성이 떨어지는 두 문항을 삭제한 개정판으로 조은경과 이수정(2008)이 우리나라 실정에 맞게 번안 및 표준화하였다. 이는 성인 남성을 대상으로 실시하는 개별 검사다. 동서양을 막론하고 정신병질이 주목을 받는 이유는 정신병질적 성격 특성이 범죄의 발생과 중요한 연관성을 가지기 때문이다. 원래 PCL-R은 재범을 예측하기 위하여 제작된 것은 아니다. 그러나 여러 연구를 통하여 사이코패스의 기본적 본성인 냉담함, 충

동성, 죄책감 · 후회 · 공감의 부족, 무책임성 등이 재범과 관련이 있다는 점을 바탕으로 사이코패스 성향을 판단하는 데 활용된다. 총 20개 문항으로 이루어져 있으며, 훈련을 받은 전문가와의 면담, 범죄 관련 모든 기록, 관련인과의 면담과 부가 정보수집 등의 방법을 사용하여 각 문항을 채점하도록 한다. PCL-R의 하위척도는 2개의 요인점수와 4개의 단면점수로 구성된다. 요인 1은 대인관계/정서성, 요인 2는 사회적 일탈을 측정한다. 또 단면점수의 경우 제1단면은 대인관계(입심 좋은/피상적 매력, 과도한 자존감, 병적인 거짓말, 남을 잘 속임/조종함), 제2단면은 정서성(후회 혹은 죄책감 결여, 얕은 감정, 냉담/공감능력의 결여, 자신의 행동에 대한 책임감을 못 느낌), 제3단면은 생활양식(자극 욕구/쉽게 지루해함, 기생적인 생활방식, 현실적이고 장기적인 목표의 부재, 충동성, 무책임성), 제4단면은 반사회성(행동 통제력의 부족, 어릴 때 문제행동, 청소년비행, 조건부 가석방 혹은 유예의 취소, 다양한 범죄력)을 측정한다. 각 문항은 0~2점 범위에서 채점되는데, 이때 0점은 '아니다', 1점은 '아마도 어떤 면에서', 2점은 '그렇다'의 의미를 가진다. 총점은 0~40점이다. 30점 이상은 사이코패스 집단, 20~30점은 중간 집단, 20점 이하는 사이코패스가 아닌 집단으로 평가할 수 있다. PCL-R의 하위척도로 구성되는 4개의 단면점수에 대한 신뢰도 크론바흐 알파는 각각 .79, .82, .78, .65이며, 요인 1과 요인 2의 내적 합치도는 각각 .84와 .81로 나타났다.

관련어 | 반사회적 인격장애

사이프러스
[- , Cypress]

방부성, 항경련, 수렴, 탈취, 이뇨, 지혈, 간 강화, 발한, 정맥울혈 제거, 강장효과가 있는 나무로서, 남유럽이 원산지이며 북아프리카, 남아프리카로 퍼져 프랑스, 스페인, 모로코 등에서도 재배. 향기치료

사이프러스 나무는 25~45미터까지 자라는 사철 푸른 침엽수로, 둥근 회갈색의 솔방울 모양의 열매가 맺힌다. 사이프러스 오일은 지나친 부담을 받는 신경계를 강화하고 안정을 회복하는 데 도움이 된다. 또한 사이프러스는 훌륭한 정맥 울혈 제거제로 유명하여 정맥류, 부종, 치질 치료에 사용하고, 생리조절제로서 통증을 동반하는 생리기간을 줄이는 데도 사용할 수 있으며, 폐경기에 일어나는 심각한 안면홍조에도 사용한다. 또한 사이프러스 오일은 급성 및 만성 기관지염과 백일해 관리를 위한 기침 치료제로 효과적이다.

사자심상
[獅子心像, the lion]

심상척도 중 하나로, 외적 자극요인으로 억압된 내담자의 분노나 공격적 행위에 관한 원인을 파악하여 분석할 수 있는 심상척도. 심상치료

사자심상은 내담자의 공격성, 공포감, 반항심, 분노감 등과 그러한 부정적 정서의 원인을 규명하는 심상척도다. 이 심상에서는 평소 자신감 결여, 억압된 감정, 불만족스러운 자아상, 좌절 및 분노와 같은 부정적 정서, 내담자의 무력감 등을 파악할 수 있다. 따라서 그 원인이 될 수 있는 정신적 충격, 외상, 공포경험 등을 다룰 수 있다. 사자심상은 내담자에게 사자를 떠올려 보라는 제안으로 시작되는데, 이 과정에서 내담자마다 사자가 사는 곳, 사자의 자세 · 모습 · 움직임, 사자 뒤에 펼쳐지는 배경 등을 다르게 드러낸다. 이로써 평소 내담자의 공격적인 성향의 본질을 파악할 수 있고, 공격성과 같은 부정적 정서를 발현할 때 내담자가 그에 대처하는 양식도 함께 보여 준다.

관련어 | 심상척도

사적 논리
[私的論理, private logic]

자신의 목표를 추구하는 데 도움이 되는 개인의 인지구조로, 개인을 안내하는 개인적 진리(personal truths)를 말함. 개인심리학

사람들의 모든 행동에는 이루고자 하는 목표가 있는데, 그 목표를 형성하는 데 영향을 미치는 신념이 사적 논리다. 사람들은 스스로 선택한 목표에 따라 자신의 생활을 평가하고 해석한다. 개인은 목표를 추구하는 데 자신의 독특한 인지능력과 감정을 사용한다. 사적 논리는 목표를 추구하는 데 도움이 되는 개인의 인지구조로서 기본적 오류와 관련이 있다. 기본적 오류가 자기패배적 측면을 일컫는 반면에 사적 논리는 개인적 상식을 말한다. 여기서 개인적 상식은 지역사회에서 공유하는 가치, 지식, 규칙 등의 상식(common sense)과 일치하지 않는 경우가 있다. 예를 들면, "나는 이번 설에 연하장을 한 장도 받지 못했어. 이제 아무도 나에게 관심을 갖지 않아."라는 진술은 사적 논리일 수는 있지만 일반 논리로는 이해되지 않는다. 이와 같이 사적 논리는 실제로 논리적이지도 상식적이지도 않을 수 있다. 그러나 개인은 자신의 이러한 신념의 논리에 따라 행동의 목표를 형성하고, 그에 따라 실제적인 행동을 결정한다. 그리고 행동은 그 동기가 되는 신념이 변하지 않는 한 반복성을 유도하고, 그런 행동이 익숙해지면 개인의 독특한 행동유형이 된다.

관련어 | 기본적 오류

사전동의
[事前同意, informed consent]

내담자가 상담과정에서 경험하게 될 활동, 위험성, 각종 필요한 정보의 공개 등에 관한 사항을 알려 준 다음 동의한다는 서명을 문서에 받는 것. 상담 수퍼비전

사전동의란 원래 의학적 과정에서 환자에게 자신이 받을 치료의 위험성에 대해서 미리 정보를 제공하고 알리는 것을 뜻한다. 사전동의의 원칙은 점점 다른 건강의료서비스 제공자에게 확대되어 정신건강 분야의 종사자인 상담자에게도 해당되는 원칙이 되었다. 상담분야에서의 사전동의는 내담자와의 사전동의와 수퍼비전에 관한 사전동의, 그리고 수련생과의 사전동의로 구분할 수 있는데, 내담자와의 사전동의는 내담자가 상담이 시작되기 전에 과정을 이야기 듣고 그 한계에 대해 충분히 이해하여 이에 대한 동의를 하는 것을 의미한다. 또한 수퍼비전에 관한 사전동의는 내담자가 자신의 상담과정 중에 수퍼비전이 포함될 수 있다는 사실을 미리 알고 있어야 하며, 이로 인한 영향에 대해서도 충분히 이해하고, 이러한 것들에 동의를 하는 것을 의미한다.

그리고 수련생과의 사전동의는 수련생이 수퍼바이저로부터 수퍼비전을 받을 때, 그들의 성장이나 훈련의 성공조건, 해야 할 책임과 의무, 수퍼바이저의 책임이 무엇인지 명확하게 알고 있어야 하는 것을 의미한다.

사정
[査定, assessment]

누적된 자료에 근거하여 내담자 기능의 건전성과 내담자의 강점 혹은 약점 특성을 진술한 결과 보고를 평가하는 과정. 심리측정

상담에서 사정은 내담자의 특성에 대한 정보를 얻기 위해서 행하는 전문적인 검토, 선발, 검사나 평가도구의 실시, 면담, 행동관찰, 진단과 처치 및 상담결과에 관한 의사결정 등이 포함된다. 사정은 내담자의 약점이나 문제점뿐만 아니라 강점과 가능성에 초점을 둔다. 또한 분류, 선발, 배치, 진단, 중재에 관한 의사결정을 하는 데 자료를 수집하기 위해서도 이용한다. 사정과 관련된 개념에는 측정(measurement), 평가(evaluation), 해석(interpretation) 등이 있다. 상담에서 측정은 내담자의 구체적인 특성이나 그 특성을 드러내는 행동표출을 명확하게 정의하는 과정이다. 즉, 측정은 구체적인 장면이나 상황에서 내담자의 강점, 정상성 혹은 결함을 명확하게 드러내는 데 주된 목적이 있다. 평가는 측정의 결과에 기초하여 가치판단을 하거나 의사결정을 하는 과정이다. 즉, 평가는 내담자의 성장과 적응, 성취도 혹은 중재의 효과를 측정하여 변화를 알아보는 것으로 사정을 하기 위해 고안된다. 해석은 내담자에게서 얻은 결과를 대표적인 표본이나 전문 상담자의 판단(이전의 경험, 이론, 통계모형에 기초한 준거)과 비교함으로써 행동자료의 의미나 유용성을 진술하는 행위다. 사정은 내담자에 대한 정보를 수집하여 그의 신체적, 심리적, 사회적 특성을 추론하고 예측하기 위해 사용하는 일련의 과정을 총칭하는 보다 포괄적인 의미를 가진 용어다. 에이킨(Aiken, 1989)에 따르면, 개인이 가지고 있는 특성의 질적, 양적 수준을 풍부한 자료를 이용하여 다각적이고 객관적으로 추정(estimating), 감식(appraising), 평가(evaluating)하는 것이 사정이다. 따라서 사정을 할 때는 관찰법, 면접법, 조사법으로 수집한 자료와 함께 각종 누가 기록과 심리검사결과 등을 모두 활용한다. 'assess'는 본래 제2차 세계 대전 당시 미국 국방부의 특전사령부(OSS)에서 첩보요원을 선발할 때 처음으로 사용한 용어다. OSS는 사람들이 무엇에 대해서 알고 있는 지식과 그것을 실제로 행하는 행동 간에는 현저한 차이가 있다는 사실에 주목하고 첩보요원을 선발할 때 지원자별로 각종 누가 기록, 신체검사, 심리검사, 면접조사를 비롯하여 여러 가지 실제 상황검사(real-life situation test)로 수집한 모든 자료를 7~8명의 심리학자와 정신과 의사가 공동으로 4~5일간 검토, 평정하는 일련의 작업을 거쳤다. 이를 바로 사정이라고 하였다. 요컨대, 상담에서 사정은 내담자의 특성을 이해하는 데 필요한 각종 정보를 수집하고 그것을 활용하는 과정으로 검사, 면접, 관찰, 혹은 다른 도구들을 이용하여 시행한다.

관련어 | 심리검사

사지마비
[四肢麻痺, quadriplegia]

척추신경이 손상을 받아서 신경증세가 발생하여 양쪽 팔과 다리의 움직임이 약하거나 전혀 못 움직이는 상태. 특수아상담

목에서부터 허리까지 있는 척추뼈 속에는 척수라는 신경이 있다. 어떤 원인으로 척추뼈가 골절되거나 뼈가 어긋나면 척수가 손상을 받는다. 뼈에는 이상 없지만 척수신경이 손상을 받는 경우도 있다. 척수신경이 손상되면 손상된 아랫부분이 마비되며, 이는 영구적인 장애를 초래한다. 그 원인으로 교통

사고, 추락사고가 가장 많은 비중을 차지한다. 그 병태생리는 1차 손상과 2차 손상으로 구분할 수 있다. 1차 손상은 사고 당시 척수에 직접 가해지는 힘에 의한 손상으로, 사고의 정도에 비례하여 발생한다. 약한 손상이라도 환자의 척추에 이미 퇴행성질환 등이 존재할 경우에는 척수손상이 심해질 수 있다. 2차 손상은 1차적 물리적 손상 후에 시간이 경과하면서 송산된 척수신경 내에서 생화학적 변화가 일어나면서 발생한다. 그 증세는 마비의 정도에 따라 완전마비와 불완전마비로 구분한다. 완전마비는 손상부위 아랫부분의 운동 및 감각기능이 완전히 소실된 상태를 말하는데, 이 경우에는 증세의 호전을 기대하기 힘들다. 불완전마비는 손상부위 아랫부분의 운동 및 감각기능이 약간이라도 남아 있는 상태를 말한다. 사지마비는 몸통, 양쪽 팔, 양쪽 다리가 마비되는 현상으로, 척수의 경추 4번에서 경추 7번 부위에 손상을 입힐 때 나타난다. 사지마비는 뇌성마비의 60%를 차지하며, 뇌성마비 분류 중 장애 유형별 분류가 아닌 장애영역으로 분류된다. 사지마비가 있는 뇌성마비 장애자들은 무정위 운동 증상을 보인다. 사지마비로 인해 욕창, 폐렴이 많이 발생하고 신부전과 같은 합병증이 초래될 수도 있다.

관련어 | 뇌성마비

사진치료
[寫眞治療, phototherapy]

사진촬영이나 현상, 인화 등의 사진 창작활동을 매개하여 내담자의 심리적 장애를 경감시키고, 심리적 성장과 치료적 변화를 가능하게 하는 상담접근. 미술치료

사진을 처음으로 투사적 기법으로 심리치료에 적용한 것은 스티글리츠(Stieglitz, 1929)의 『equivalent』 시리즈의 구름 사진을 들 수 있다. 이 사진은 사물을 사실적으로 표현하지 않고 주관적 경험을 표현하는 가능성을 보여 주었다. 즉, 사진으로 객관

[재연 치료]

출처: Spence, J. (1983). *The healing role of the arts: A european perspective*. Rockefeller Foundation, NYC.

적 현실에 은유적 상징성을 불어넣어 인간의 내면을 시각화함으로써 스스로를 자각할 수 있으므로 치료적 효과가 있다고 할 수 있다. 이후 마틴과 스펜스(Martin & Spence, 1983)가 재연 치료(reenactment phototherapy)라는 사진치료를 발전시켰는데, 심리치료를 위해서 재연적 표상이 중요하다는 것을 인식하고 통증이나 자신의 모습을 사진으로 찍어 자신을 이해하도록 하였다. 사진치료의 장점은 다음과 같다. 첫째, 사진치료는 진단과 치료를 동시에 할 수 있다. 즉, 사진치료는 사진을 창작하는 과정에서 치료자가 내담자의 문제를 진단할 수 있을 뿐만 아니라 내담자 스스로 자신의 문제를 파악하여 치료가 가능해진다. 둘째, 사진은 쉽게 접할 수 있고 부담을 적게 주는 매체다. 사진은 스냅사진, 잡지, 광고사진 등 주변에서 쉽게 접할 수 있기 때문에 내담자에게 친숙하고, 셔터를 누르는 것으로 작품을 완성할 수 있으므로 다른 매체를 이용하는 것보다 상대적으로 창작활동에 대한 부담이 적다. 셋째, 사진은 자아가 미분화된 내담자에게 자기 성취감을 준다. 사진을 찍는다는 것은 카메라를 다루는 일이고, 이 일은 자아가 미분화된 내담자들에게는 하나의 커다란 도전이 될 수 있다. 카메라를 다루기 위한 새로운 기술의 습득과 그 활용은 자아

가 미분화된 내담자에게 자기성취감을 느끼게 해 준다. 넷째, 사진은 내담자와의 관계를 보다 쉽게 형성하도록 해 준다. 사진은 대체로 친숙한 대중매체라서 사진을 통하여 치료자와 내담자의 관계를 보다 쉽게 형성할 수 있다. 또한 사진 창작활동을 통하여 내담자의 시선을 밖으로 향하게 할 수 있고, 나아가 내담자에게 사회의 구성원으로 자리매김할 수 있는 기회를 준다. 이런 점에서 사진치료는 특히 관계에 초점을 둔 상담에서 유용하다. 다섯째, 내담자는 사진을 통하여 자신의 사고와 감정을 시각적으로 확인할 수 있다. 사진은 시각적 상징의 형태로 사고와 감정을 담아내기 때문에, 사진에 나타난 미술적 표상은 보다 분명한 언어로 우리의 사고 및 감정과 의사소통하게 되는 것이다. 실시방법은 다음과 같다. 먼저, 사진을 응시하며 생각하는 시간을 가진 다음 다양한 계기로 창조적인 행위를 시작한다. 집단원이나 치료자와 이야기를 주고받든가, 다른 사람들의 이야기를 들은 뒤 사진을 다시 보고 사진과 상호작용하게 한 다음 재구성된 정서로 작업을 시작할 수 있다. 이때는 새로운 형식으로 통합된 이야기를 구성할 수 있으며, 또 다른 사진들을 추가하여 상상력을 펼칠 수 있다. 사진치료의 초기단계에서는 주로 기존 사진을 이용하여 치료자나 다른 집단원과 함께 여러 가지 기억, 감정, 사고 등을 이야기하면서 사진작업에 대한 동기를 갖는다. 이 단계에서 이용되는 사진은 내담자가 들어가 있는 것으로, 자신의 내면의 정서가 많이 읽히는 사진, 자신의 신념이 표현된 사진, 자신의 태도가 분명한 사진 등을 선택한다. 그리고 치료의 종결단계에서는 사진을 직접 촬영하는 경우가 많다. 이러한 작업을 통하여 내담자는 내면에 잠재되어 표현되지 않았던 자신의 모습을 발견하게 된다. 이와 같은 사진치료에는 다섯 가지 기법, 즉 사진 선택하기, 다른 사람이 사진 찍어 주기, 초상화 만들기, 가족앨범이나 전기모음사진 이용하기, 사진투사기법 이용하기가 있다. 각각의 기법은 상호보완적으로 사용되며, 다른 유형의 미술치료 매체와 결합하여 사용할 수도 있다. 다섯 가지 기법의 특징은 다음과 같다. 첫째, 사진 선택하기에는 내담자가 직접 사진기를 이용하여 사진을 찍는 방법과 잡지, 그림엽서, 인터넷 영상, 디지털 작업 이미지 등에서 사진을 고르는 방법이 있다. 자신의 작업을 위하여 여러 장의 사진 중에서 사진을 고르는 일은 삶의 여정에서 무엇인가를 판단하고 결정해야 하는 것과 같은 상황이며, 그 선택에 따라 내담자의 역동은 달라진다. 둘째, 다른 사람이 사진 찍어 주기는 누군가가 내담자의 사진을 찍어 주는 것이다. 그러나 사진에서 어디에 있을지, 그리고 조명의 종류나 내용 등은 내담자가 결정한다. 타인에게 찍힌 자신의 모습은 제삼자의 눈을 통해서 바라보는 것만큼의 거리를 가질 수 있다. 내담자의 살아 있는 신체가 사진기를 통하여 물체적인 성향은 사라지고 정신적인 시각으로 전환되면서 신체를 순간 멈추게 하는 경험을 한다. 내담자는 다른 사람에 의해서 보인 자신, 그리고 그 순간은 자신의 삶만이 갖는 전설을 만들어 내는 상상력을 발휘할 수 있다. 셋째, 초상화 만들기는 초상화만 찍는 방법이다. 자신을 있는 그대로 또는 은유적으로 볼 수 있어서 아주 다양한 경우의 창조적 이미지를 만들어 내면서 잠재해 있는 자신의 모든 가능성을 찾아낼 수 있다. 아주 가까운 거리에서 근접해서 찍은 접사(close-up)법을 이용하여 초상화를 찍는 방법은 내담자를 이상적으로 표현해 내거나 초상화를 만들되 얼굴의 주름이 그대로 드러나고 피부를 가까이에서 느낄 수 있어서 자신을 적절한 거리를 두고 살필 수 있도록 해 준다. 특히 접사법은 사진에 시선을 고정시키는 힘을 가지고 있다. 접사 사진을 바라보는 내담자는 환상적인 느낌을 가져 자신의 초상화를 바라보면서도 다른 사람을 보는 것처럼 혼돈을 경험하기도 하고, 혹은 새로운 시간과 공간을 경험한다. 마치 더 이상 자신의 안도 아니고 자신 밖의 상황이 아닌 다른 곳에서 자신을 잃어버리는 것으로 은유적인 상황의 정서를 가지고 자신을 재표현할 수 있는 기회를 갖는다. 넷째, 가족앨범이나 전기모음사진 이용하기는 가족이나 다른 사람의 탄생 사진부터 일대기를 볼 수 있는 사진앨범을 사용하는 방법이다. 벽면, 화면, 컴퓨터 화면, 가족 웹사이트 등에 사진을 배열하면서 내담자 자신의 삶을 연장하여 이야기를 꾸며 볼 수 있도록 한다. 자신의 삶을 약간 다른 매체와 방법을 통하여 거리를 두고 다시 재구성하고, 자신의 삶의 뒤 배경으로 존재하는 다른 가족을 미술치료요소로 확대하여 내담자의 발달에 도움을 주는 것이다. 그러나 자기 주변과 주변인으로 시선을 확대하기 전에, 먼저 현재 자신이 있는 장소, 자기 방의 물건에서부터 조금씩 영역을 확대해 가면서 자기 주변에 주의를 기울이는 사진을 찍거나 살펴본다. 다섯째, 사진투사기법 이용하기는 창조적인 초점으로 제작된 것이면 어떤 사진이든지 기본적으로 사용이 가능하다. 제작과정에서 사진의 초점이나 계획의 초점을 살피는 것으로도 치료적인 시도가 시작될 수 있다. 내담자가 사진을 현상해서 보고 지각하며 자신만의 초점을 찾아 투사한 자기 내면의 지도를 제작하고, 자신의 길을 찾아가도록 새로운 사진을 제작하는 것이다. 사진과 자기 삶의 초점 사이에서 자신만의 초점으로 새로운 방향을 결정하고, 자신의 자리를 결정하며 존재와 현상 사이의 답을 찾아 나갈 수 있게 된다.

사티어의 변화 모델
[-變化-, Satir change model]

사티어가 치료적 접근을 통해 개인이 긍정적이고 건강한 변화가 일어나는 일련의 과정을 도식화하여 설명한 모델.

경험적 가족치료

사티어는 자신의 치료적 접근에서 내담자의 긍정적인 변화가 일어나는 치료적 과정에 공통적인 단계가 있음을 확인하고, 이를 7단계로 분류하여 설명하였다. 사티어의 경험적 가족치료의 목적은 내담자의 자아존중감을 높이고, 긍정적인 변화에 대한 선택권을 스스로 찾도록 하며, 자기 · 타인 · 상황과의 상호작용을 기능적이면서 일치되도록 하는 데

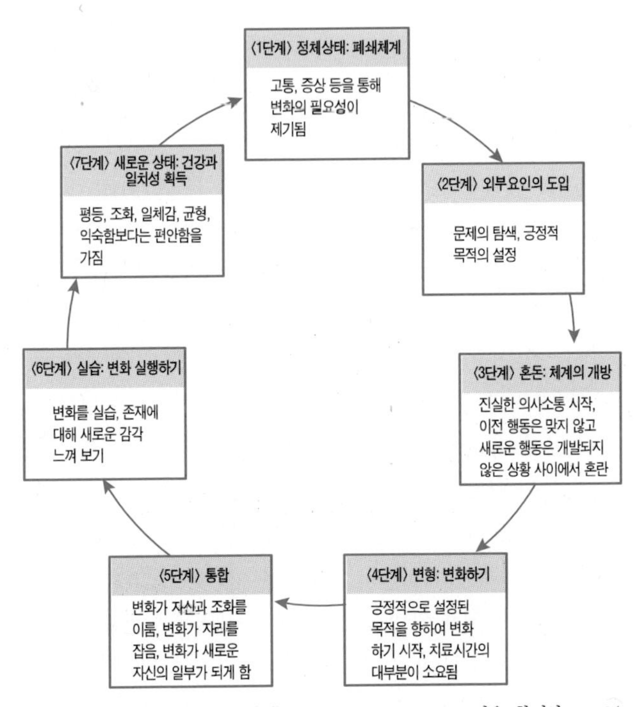

출처: 정문자, 정혜정, 이선혜, 전영주(2007). 가족치료의 이해. 서울: 학지사. p. 184.

도움을 주는 것이다. 이 목표를 달성하기 위해 치료 과정에서 거쳐야 할 일반적인 단계가 사티어의 변화 모델인데 정체상태, 외부요인의 도입, 혼돈, 변형, 통합, 실습, 새로운 상태의 7단계로 설명하였다. 이는 치료과정에서 단계적으로 일어나고 종결되는 것이 아니라, 계속적이고 순환적으로 반복되어 나타나 개인이 보다 건강하고 긍정적인 삶을 영위하는 과정을 보여 준다.

관련어 | 개인의 빙산 은유, 내적 경험, 빙산 탐색

정체상태 [停滯狀態, status quo] 가족체계의 패턴과 신념이 당연하게 자리 잡은 상태로 변화의 필요성이 제기되는 단계다. 정체상태는 가족구성원들의 반응유형과 신념 등이 구조화되고 강화되어서 항상성의 상태를 유지하고 있는 것이다. 가족의 이러한 항상성 유지상태는 그 가족이 가족문제에 대항해서 잘 기능하고 있는 상태거나, 역기능적으로 대처하고 있는 상태를 의미한다. 가족구성원들이 문제에 대해서 역기능적인 대처를 하고 있음에도 불구하고 그 항상성을 계속 유지할 수 있는 것은, 이미 역기능적인 대처가 반복적으로 지속되어 구성원 모두가 익숙해져 있고 당연한 것으로 받아들여 하나의 역기능적인 가족체계로 자리를 잡았기 때문이다. 하지만 가족구성원 중 일부는 변화를 원하고 있는 상태일 수도 있다. 이러한 일부의 자각은 변화의 동기가 된다.

외부요인의 도입 [外部要因-導入, introducing a foreign element] 가족의 내부 혹은 외부에서 정체상태를 유지하는 요인이 아닌 다른 요소가 개입되어 항상성 상태를 흔들어 놓는 단계다. 가족의 내부나 외부에서 기존의 항상성을 유지하는 데 방해가 되는 요인이 개입하는 것이다. 개입의 형태가 어떤 것이든, 그것은 가족이 기존에 대처해 왔던 방식으로 반응하지 못하고, 거부하거나 무시 혹은 혼란을 일으키는 요소로 작용을 한다. 하지만 이 같은 외부요인의 개입은 역설적이게도 가족구성원들에게 변화에 대한 소망과 동기를 증가시키는 효과가 있다. 사티어는 이러한 점을 치료과정에서 활용하여 다양한 방법으로 가족의 역기능적으로 구조화된 체계를 자극하고 변화의 동기를 이끌어 낸다. 이때 가족구성원 중 한두 사람이 변화를 위한 도움을 요청하게 되는데, 치료사는 이 요청을 수용하고 희망과 신뢰를 주는 관계 속에서 다양하고 주의 깊은 탐색과정을 통해 가족이 긍정적인 변화를 이루는 데 방해가 되는 장애물이 무엇인지 파악해야 한다.

혼돈 [混沌, chaos] 가족구조에 외부요인이 개입하여 충분히 그 효과가 발휘되어 가족구성원들이 혼란스러워하고 불편함을 겪는 단계다. 외부요소들이 가족체계 안에서 역할을 효과적으로 수행하면, 가족구성원들은 혼란과 불편함을 느낀다. 그리고 구성원들은 이 혼란 속에서 이전과는 다른 새로운 방식으로 자극에 반응하게 되고, 새로운 패턴의 반응은 기존의 구조화된 역기능적인 가족의 기능 체계를 재구조화할 수 있는 가능성과 희망이 된다.

변형 [變形, transformation] 외부요인의 개입으로 혼란스러웠던 가족체계가 긍정적인 변화의 목적을 향하여 바뀌는 단계다. 혼란의 단계에 있던 가족구성원들은 치료과정이 진행됨에 따라 점차 안정을 되찾고, 긍정적인 방향으로 변화가 일어난다. 이 시기에는 가족구성원들이 심리적으로 안정되며, 자아에 대한 깊은 인식과 탐색을 통해 부정적인 경험을 강점과 자원으로 변화시킬 수 있다. 변형의 단계는 치료과정에서 가장 많은 부분을 차지한다.

통합 [統合, integration] 변형의 과정을 거쳐 이룩한 가족의 변화가 조화를 이루어 가족체계의 일부분이 되는 단계다. 이 단계에서는 가족체계의 새로운 변화를 완전히 받아들이고, 그에 익숙해져서 새로운 가능성을 개발하여 잠재적인 자원을 사용하

고, 부분들을 통합하며, 과거와 현재의 기대를 재평가하는 과정이 일어난다.

실습 [實習, practice] 변화와 통합의 단계를 지나며 이룩한 새로운 반응패턴을 실제 가족경험에서 연습하는 단계다. 가족의 역기능적인 반응체계가 긍정적으로 변화하고, 새로운 반응패턴이 익숙해지면, 이를 실제의 가족경험에서 실천하고 연습하는 과정이 필요하다. 새롭게 습득된 가족체계의 변화는 마치 어린아이의 상태와 같이 매우 흥미롭고 새로운 희망으로 가득 차 있다. 하지만 여전히 모호하고, 성장을 위해 더 많은 시간이 필요하다. 따라서 가족구성원들은 새로운 체계를 계속해서 실제 경험으로 연습함으로써 보다 성숙되고 효과적인 변화를 만들 수 있다.

새로운 상태 [－狀態, new status quo] 가족체계의 긍정적인 변화가 가족 안에서 조화와 일치감, 균형을 이루고, 충분히 기능적으로 작용하여 또 다른 새로운 발전을 모색하는 단계다. 이 단계에서는 가족의 긍정적인 체계변화가 완전하게 이루어지고, 또 다른 변화를 이루어 성장하기 위해 새로운 순환적 단계로 진입한다.

사회교환이론
[社會交換理論, Social Exchange Theory]

사회적 상호작용을 행위자 간에 가지 있는 물질적 · 비물질적 보상을 주고받는 교환과정으로 이해하는 이론.

가족치료 일반 　부부상담

보수에는 금전, 재물, 서비스 등의 물질적인 것과 사랑, 승인, 정보 등의 심리적인 것이 있다. 이들 주고받기의 일반적인 원리를 기술하는 것이 사회적 교환이론이다. 모스(M. Mauss), 레비스트로스(C. Levi-strauss) 등의 인류학자, 호만스(G. C. Homans)와 브라우(P. M. Brau), 에머슨(R. N. Emerson) 등의 사회학자가 이론의 기초를 구축하였다. 호만스와 브라우는 형태주의 심리학과 공리주의 경제학, 기능주의 인류학 등에 이론적 뿌리를 두고 이 이론을 체계화하였다. 이들에 의하면 어떤 사람이 상대방에게 호의를 베풀면 상대 역시 그에 상응하는 보답을 상대에게 해야 한다는 호혜성의 원리가 사회질서를 유지하는 기반이 된다. 그러면서 각자는 최소한의 비용으로 최대한의 보상을 추구할 것을 기대한다. 사회교환이론의 기본적 가정 중 하나는 사람들은 어떤 행위를 선택할 때 그에 따른 비용과 보상을 계산하여 이 둘이 어느 정도 균형이 이루어진다고 결론이 나면 실제 행동으로 옮긴다는 것이다. 호만스는 사회적 교환과정을 보수, 벌, 강화라는 행동주의 심리학의 개념으로 설명한다. 예를 들면, 사람은 보수를 받을 행위를 반복하기 쉬운데, 이때 보수는 지나치게 주어지면 가치가 내려간다. 기대된 보수를 얻지 못하거나 예상외의 벌을 받을 때에는 분노하고, 기대 이상의 수를 받거나 예상한 벌을 받지 않을 때에는 기뻐한다. 호만스는 이것을 기초로 지위, 권력, 규범, 역할 등의 사회적 현상이 어떻게 생기는지를 설명한다. 이런 사회교환이론으로 배우자 선택과정을 설명하면 다음과 같다. 첫째, 사람은 결혼을 통해 보상과 치러야 할 비용을 계산한다. 즉, 독신으로 지내는 것보다 현재 사귀는 사람과 결혼하는 것이 이득이라는 계산이 나와야 결혼을 결심하게 된다. 둘째, 결혼을 결심한 후 자신의 주변에 있는, 혹은 소개받을 수 있는 여러 사람 중에서 자신에게 최대한 만족을 줄 수 있는 사람, 즉 배우자를 고른다. 전형적으로 이런 관계는 데이트가 상당히 진전된 상태에서 이루어진다. 셋째, 현재 사귀고 있는 사람이 미래에 사귈 수도 있는 사람과 비교해서 더 낫다는 판단이 될 때 그 사람을 배우자로 선택하게 된다는 것이다. 또 다른 연구로 티보와 켈리(J. W. Thibaut & H. H. Kelley, 1959)는 행동주의 상담자들의 관심을 개인에서 가족관계로 이동하도록 영향을 주었다. 이들의 관점에 의하면 성공적인 결

ㅅ

혼생활을 하는 부부는 서로에게 보상은 최대로, 비용은 최소화하는 노력을 성공적으로 기울이고 있지만 불만족한 결혼생활을 하는 부부는 결혼생활에 자신이 지불하는 비용에 비해 자신이 보상을 덜 받고 있다고 생각하고 자신을 보호하기 위해 상대에게 보상이 되는 노력을 할 여유가 없다. 결과적으로 가치가 적은 것만 배우자에게 주거나 부정적 강화와 벌을 줌으로써 비용을 최소화하려고 한다. 티보와 켈리는 행동교환을 반복하다 보면 상호성의 규칙이 생기기 때문에 그 자극이 혐오적이든 긍정적이든 상대방이 반응을 하도록 유도한다고 보았다. 사회적 교환이론은 행동주의 상담자들의 가족상담과 부부상담 분야 외에도 경쟁, 협력, 원조, 동조, 리더십 등의 영역에서 중요한 연구를 만들어 내는 모태가 되었다.

사회구성주의
[社會構成主義, social-constructionism]

사회적 환경과의 상호작용으로 발전하는 인간의 인지발달과 영향력을 강조한 사상. 철학상담

1970년대에 이르러 지식은 외부세계를 중심으로 형성된다는 객관주의 내지는 표상주의가 부정되고, 인간 자신이 경험하는 주관적 상황에서 형성된다는 구성주의적 입장이 강하게 대두하였다. 이 같은 구성주의적 관점은 인간 지식의 성립이 인간이 객관세계를 반영하는 데서 성립하는 것이 아니라 인간 자신이 주관적으로 활동하여 구성하는 데서 성립하는 것으로 본다. 가령 인지적 구성주의자인 글라서스펠트(Glasersfeld)는 "어떤 사람이 무엇에 대해서 안다고 하는 것은 단순히 그 자신이 구성해 놓은 인식의 구조를 알 뿐"이라고 한 근대 비코(Vico)의 이론을 수용하여 지식은 개인의 경험에 의해 자기중심적으로 구성되는 것으로 보았다. 그는 인식 주체가 자신의 개념과 사고로 현재 자신이 경험한 것을 주관적으로 구성하여 지식이 성립하는 것으로 본 것이다. 그러나 이 입장은 사회적 상호작용이 인식에 미치는 영향을 간과했다는 비판을 받게 되었다. 바로 이 상황에서 발생한 이론이 사회구성주의다. 사회구성주의의 대표적 인물인 비고츠키(Vygotsky)는 인간의 인지적 발달과 기능은 사회적 상호작용이 내면화된 것으로 파악하였다. 그에 따르면 인간은 기본적으로 사회적 환경과 상호작용하면서 발달하는 존재로서, 개인의 인지발달에는 사회적이고 문화적인 요인이 많은 영향을 미치는 것으로 파악하였다. 이는 지식구성의 토대를 개인 경험에 두었던 기존의 구성주의의 편협함을 지적하고, 지식을 사회적 맥락 속에서 파악하려는 지식 사회학과 밀접하게 연관되어 있는 것이다. 사회구성주의는 인간의 인식이 외부에 실재하는 객관세계의 반영 내지는 표상이라는 논리 실증주의와는 달리 인식 주체가 구성한다고 본 점에서 구성주의 전통을 이어받고 있지만, 구성의 과정이 개인 차원이 아니라 사회문화적 맥락에서 성립된다고 함으로써 구성주의와는 차이를 보이고 있다. 이 같은 구성주의적 입장은 인식이 경험 이전에 인식 주체의 선험적 형식, 즉 공간과 시간이라는 감성 형식과 12개 범주라는 지성형식에 의해서 구성되는 것으로 보는 칸트적인 선가험적(transzendental) 인식론과는 구별된다. 사회구성주의는 한 개인이 일정한 사회와 문화 속에서 영향을 받으면서 인식이 형성된다고 보는데, 개인의 인식상황은 그가 처해 있는 사회문화적 상황과 밀접하게 연관되어 있다.

사회극
[社會劇, sociodrama]

여러 명의 개인이 함께 각자 역할을 맡아서 사회적 카타르시스를 목적으로 집단 간의 관계와 집단적 이데올로기를 다루는 즉흥극. 사이코드라마

원어 그대로 소시오드라마라고도 부른다. 사이코드라마를 창시한 모레노(Moreno)가 사이코드라마

의 기법을 적용하여 사회적 관심을 다루기 위해 발전시킨 것이다. 소시오드라마에서 집단은 사이코드라마에서의 개인과 일치하기 때문에 집단의 문제를 다루기 위하여 전체로서의 집단이 무대에 올라간다. 또 소시오드라마적 접근에는 각 개인을 모두 역할연기자로 간주하는 인식이 바탕에 있다. 이를테면, 감독이 관객에게 회사에서의 불만에 대해 말하자, 상사와 노동조건 등에 대한 불만이 터져 나온다. 몇 사람의 관객에게 물어보니 상사의 불공평에 대한 의견이 많이 나온다. 그래서 다수결로 상사의 불공평에 대한 역할연기를 행한다. 여기서 사이코드라마라면 불공평함을 당한 개인의 심리를 대상으로 하여 개인의 카타르시스를 겨냥하고 관객은 주인공의 심리를 투사한다. 그러나 소시오드라마에서는 불공평함을 당한 피험자도 무대에 올라가도록 하여 발언을 시킨다. 참여자 전원의 카타르시스를 겨냥하는 것이다. 이와 같은 소시오드라마는 교정상담에서도 활용할 수 있으며, 그 예로 비행소년 등 사회적 인지와 행동이 부족한 사람들을 대상으로 사회성의 촉진을 겨냥하여 시행되는 것을 들 수 있다.

관련어 | 카타르시스의 원리

사회기능이론
[社會機能理論, social functional theory]

유머를 사회적 매개체로 보는 입장의 유머이론. 웃음치료

사회기능이론이란 콩트(A. Comte), 스펜서(H. Spencer) 등이 기반을 마련하고, 뒤르켕(E. Durkheim), 말리놉스키(B. Malinowski) 등이 발전시킨 다음, 파슨스(T. Parsons)가 체계적으로 수립한 기능이론을 유머이론에 접목시킨 입장을 말한다. 기능이론은 사회를 상호 유기적으로 관련된 부분들이 각각의 기능을 수행하여 전체를 형성하는 통합체로 보는 이론으로, 균형, 합의, 질서, 안정 등을 중시한다. 이에 입각하여 유머를 생각하면, 유머를 주고받을 때나 함께 즐길 수 있는 동반자가 있을 때 유머는 상호 관련성에 의한 하나의 유기적 전체를 만드는 매개체가 된다. 초기 유머의 역할은 억압된 충동 제거 수단으로 보는 경우가 일반적이었고, 문화인류학적으로는 어릿광대 놀이 등의 놀이를 통해 일상에서는 금기사항이었던 것을 위반하고 사회 전체 구성원의 묵인하에 그것을 순간적으로 즐기면서 느끼게 되는 자유로움을 발현시키는 것이었다. 이 또한 사회기능이론에 입각하여 유머를 인식한 것이라 볼 수 있다. 이와 같이 유머의 사회적 가치는 집단적 카타르시스의 촉진제로 인정되고, 주로 성적이거나 공격적 충동을 제한하는 사회적 역할을 담당하는 수단이었다고 본다.

사회기술훈련
[社會技術訓鍊, social skill training: SST]

행동주의학파의 사회학습이론에 근거를 두고 사회생활을 하는 데 기본적으로 요구되는 기술을 가르치는 훈련. 인지행동치료

사회기술훈련은 대인관계 문제의 원인을 무의식의 갈등이나 인격장애 또는 질병의 원인 자체보다 사회기술의 부족으로 보고, 기술을 습득하면 문제가 해결될 것이라는 가정에서 이루어진다. 사회기술이란 사회생활을 행하는 데 기본적으로 요구되는 기술로서, 대인관계에서 자신의 긍정적이고 부정적인 감정을 언어적·비언어적으로 전달하는 능력이다. 이러한 사회기술이 결핍되면 사람들은 외로움, 우울, 결혼관계의 역기능, 부모-자녀 문제, 가족의 해체, 고용문제, 다양한 정신건강문제와 같은 일상을 힘들게 하는 어려움을 겪는다. 사회기술훈련의 근거가 되는 기본으로는, 사회적 상호작용에서 행동의 효과성이 가장 중요한 요인이다. 사회기술훈련의 목적은, 훈련을 통해 문제가 된 행동을 수정하면 자존감이 향상되고 타인이 자신에게 호의적으로 반응할 가능성이 커진다는 데 있다. 또 다른 목적으

로는 사회기술훈련이 일상의 사회적 상황에서 효율적으로 기능하는 개인의 능력을 향상시킨다는 것이다. 연습기술로는 신체언어 부분과 음성언어 부분이 있다. 신체언어 부분의 경우 시선 맞추기, 쓸데없는 손짓이나 몸동작의 수정 등이며, 음성언어 부분의 경우는 대화의 방법을 연습하는 것이다. 개인상담보다는 소집단 훈련방법을 주로 활용하는 사회기술훈련은 자신의 감정과 욕구를 상대방에게 정확히 전달하여 대인관계에서 어떤 목표를 성취할 수 있도록 도움을 주는 행동이며, 타인의 감정과 욕구에 대하여 보다 효과적으로 반응하는 방법을 습득하도록 해 준다.

사회복지
[社會福祉, social welfare]

개인과 가족에게서 생기는 생활에서의 곤란과 장애를 사회적 노력과 대책에 의해 해결하거나 경감시키는 활동.

사회복지상담

사회복지의 개념에는 '보다 나은 생활의 지향'이라는 의미와 '사회복지의 제도와 활동의 실체'라는 의미가 포함되어 있다. 다시 말해, 사회복지는 사회복지의 이념으로부터 제도를 포함하는 광범위한 개념이다. 우리나라의 「헌법」 제34조에는 사회복지의 개념이 다음과 같이 명시되어 있다. 첫째, 모든 국민은 인간다운 생활을 할 권리를 가진다. 둘째, 국가는 사회보장·사회복지의 증진에 노력할 의무를 진다. 셋째, 국가는 여자의 복지와 권익의 향상을 위하여 노력하여야 한다. 넷째, 국가는 노인과 청소년의 복지향상을 위한 정책을 실시할 의무를 진다. 다섯째, 신체장애자 및 질병·노령 기타의 사유로 생활능력이 없는 국민은 법률이 정하는 바에 의하여 국가의 보호를 받는다. 여섯째, 국가는 재해를 예방하고 그 위험으로부터 국민을 보호하기 위하여 노력하여야 한다. 이를 근거로, 사회복지는 사회복지의 이념, 정책, 활동의 총칭을 의미한다. 협의의 사회복지는 사회보장의 일부로서 특정한 보호를 필요로 하는 사람들을 대상으로 여러 가지 사회적 서비스를 제공하는 것이다. 반면에 광의의 사회복지는 다수의 국민을 대상으로 사회생활의 유지와 증진을 목표로 하는 사회정책을 말한다. 그러나 이러한 사회복지의 개념이 지금은 사회사업(social work)이라는 실천적 활동과 달리, 사회생활에서의 복지의 실현과 유지 및 향상을 지향하는 이념의 구체화된 정책이나 제도의 체계로 간주되고 있다. 이는 사회복지의 개념이 보다 풍요한 사회생활의 회복과 실현을 위한 제도적 개념으로 변화되고 있음을 말해 준다.

관련어 | 사회복지상담

개발적 사회복지 [開發的社會福祉, developmental social welfare] 개발도상국에서 종합적인 개발 계획 중에 제시된 사회복지의 기능으로서 경제개발에 긍정적인 효과를 가져 올 수 있는 사회적 개입을 발굴하여 실행하는 일이다. 오늘날에는 개발도상국뿐만 아니라 선진제국에서도 이 개발적 사회복지의 개념이 중요하게 다루어지고 있다. 즉, 기존의 사회자원을 이용하는 것만으로는 개인, 집단 및 지역사회의 기본적 욕구를 충족할 수 없는 경우가 발생한다. 이때 개인, 집단 및 지역사회의 사회관계 능력의 가능성을 개발하여 사회제도나 시책을 구성하고 경제개발을 실현하는 것이다. 즉, 사회발전을 위한 계획을 수립하거나 입안을 구성하는 과정에서 지역주민을 참여시켜 주민의 생활적 요구를 반영한다. 개발적 사회복지에서는 주민을 지역사회의 주체자로 인정하여 사회적 시책을 실현하도록 주민을 지원하고 각 분야의 전문가를 원조한다. 이러한 견해는 개인을 단순한 빈민으로 간주하여 필요한 물품이나 보조금을 배분하는 '주는 복지'가 아니라 개인의 잠재력을 인정하여 각 개인이 기능적이고 자립적이며 창의적인 인간이 되도록 지원하는 필요성을 강조하는 것이다.

사회복지사
[社會福祉士, social worker]

사회복지사업의 지식과 기술을 이용하여 내담자에게 사회복지적 서비스를 제공하는 전문가. 사회복지상담

구체적으로 말하면 사회복지사업가는 사례(개인) 관리, 집단관리, 지역사회조직, 지역원조 등의 방법으로 훈련된 정신건강의 전문가다. 이들은 의료적, 법률적, 경제적 혹은 사회적 문제를 안고 있는 개인과 가정에 사회적 서비스와 상담을 제공한다. 사회복지사는 주로 대학에서 사회복지학을 전공하여 시 · 도 기관의 사회과, 아동상담소, 보건소, 병원, 가정 법원 등 사회복지기관에서 근무한다. 자신의 분야나 자주 사용하는 사회복지의 방법에 따라 사회복지 사무관, 주사, 사례관리자(caseworker), 의료복지사, 생활상담원, 보호관찰관 등으로 불리고 있다.

관련어 사회복지, 사회복지상담

사회복지상담
[社會福祉相談, social welfare counseling]

사회복지사의 자격을 지니고 가족치료나 집단상담과 같은 분야에서 전문적인 훈련을 받아 개입하거나 사회복지기관, 병원, 교도소, 학교, 중독치료센터 등의 상담기관에서 이루어지는 조력활동. 사회복지상담

사회복지사는 개인의 복지를 위하여 개인의 특성뿐만 아니라 그가 속한 주변환경을 포함한 사례관리에 중점을 둔다. 사회복지사가 사례를 관리하기 위해서는 내담자를 만나 그들의 이야기를 경청하고 이해하고 수용하는 등의 태도와 원만한 의사소통을 위하여 심리상담적 기법의 대화기술을 가져야 한다. 또한 사회복지사는 내담자와 환경과의 상호작용을 파악하여 내담자가 자신의 문제를 확인하고 이해하여 현실적 해결 방안을 찾도록 도와주고 정서적 고통을 해소하고 긍정적 대인관계를 형성하는데 도움을 준다. 그리고 내담자가 자신의 환경에 효율적으로 적응하도록 지역사회에 관한 정보 및 법률적 자원에 대한 지식과 정보를 제공하고 사회적 기술을 획득하도록 지원하기도 한다. 이들은 내담자의 요구와 특성에 적절하고 효율적으로 대처하여 더 나은 복지체계와 지역사회기관과의 네트워크를 형성하여 내담자를 지원하는 책임과 사명감을 지니고 있다. 사회복지사가 좀 더 전문적이고 상위적인 위치에서 내담자를 관리하기 위해서는 적극적인 경청, 수용, 의사소통기술과 같은 상담기술과 전략을 활용할 수 있으며, 개인의 특성을 고려하여 고유한 욕구를 충족시킬 수 있는 역량이 요구된다. 전문적 역량을 지닌 사회복지사는 내담자의 미묘한 비언어적 단서와 주제를 민감하게 알아차리고 적절하게 반응할 수 있으며 최신 정보를 심층적으로 이해하고 분석하여 적용한다. 그리고 내담자에게 초점을 맞추어 개입하며 내담자의 문제해결을 위하여 우선적으로 내담자의 역량이 강화되어야 한다는 점을 지각하고 있다. 또 스스로를 통제할 수 있는 능력이 있다. 이러한 역량은 대부분 상담자가 지니고 있어야 하는 능력과 태도다. 따라서 사회복지실천을 위한 업무와 기술을 향상시키기 위하여 상담기술과 전략을 간과해서는 안 된다. 사회복지사에게 요구되는 기본적인 상담기술은 적극적 경청, 무비판적 수용, 공감적 이해, 주의 기울이기, 부연 설명하기, 반영하기, 요약하기, 확인하기, 질문 변경하기, 최소한의 자극 주기, 즉시성, 직면하기, 목표 설정하기, 문제해결 기술, 신체언어 이해하기, 무가치적 반응, 긴장이완, 피드백 하기 등이 있다. 사회복지상담의 형태는 복지사와 내담자의 일대일 개인상담, 복지사와 가족 또는 전체와 이루어지는 개인 대 전체 상담, 전체 대 조직 간의 상담이 있다. 사회복지상담의 과정은 먼저 신청, 내담자 면담, 내담자 사정, 서비스 실시(개입), 종결, 사후관리 등으로 진행된다. 신청은 전화 또는 방문접수로 이루어지며 내담자의 기본 정보를 확인한다. 내담자 면담에서는 내담자

의 개인정보와 욕구를 확인하고 내담자의 문제해결 능력과 변화를 위한 자원을 탐색한다. 이를 위하여 해결중심기법, 동기화 면담, 인본주의, 인지주의적 상담기법 등을 적용한다. 내담자 사정은 내담자의 사회적 상황에 대한 정보를 수집하여 적절한 계획을 세우는 데 필요한 것을 확인하는 일이다. 사정은 먼저 정보를 수집하고 사실과 느낌에 대하여 조사하며 균형을 유지하고 체계적으로 진술하여 목표수행을 위한 전략을 구상하는 절차로 이루어진다. 이 과정에서 사회복지사는 기본 상담기술, 의사소통기술, 내담자의 위기와 욕구 파악, 자원목록 작성, 목표설정전략 등을 사용한다. 사정을 거치면 사회복지사는 광범위한 영역에서 내담자의 요구를 충족시키기 위한 활동을 한다. 이때 사회복지사는 문제해결전략과 대인관계기술 등의 상담적 기법을 활용한다. 사회복지사의 활동으로 내담자의 목표가 달성되면 내담자와 사회복지사 간의 관계가 종결되며 종결하는 과정 또한 상담에서와 같이 중요하다. 종결이 내담자에게 미치는 영향을 고려하여 달성한 목표에 대하여 충분히 재검토하고 내담자의 느낌과 생각을 확인한 뒤 목표달성에 대한 긍정적 피드백을 제시한다. 이와 같이 달성한 목표와 종결에 대하여 내담자와 충분히 의견을 나누고 종결의식을 가짐으로써 사회복지사와 내담자는 활동에 대한 성공경험을 하여 자기효능감을 획득할 수 있다.

관련어 | 사회복지, 사회복지사, 사회사업

사회사업
[社會事業, social work]

사회복지의 실천 체계로, 생존권 보장으로 전개되는 사회복지제도에 의한 전문적 원조활동의 총체. 사회복지상담

사회복지는 풍요한 사회생활의 회복과 증진의 구체적인 정책이자 제도이며, 복지국가는 복지정책이나 제도가 충실하게 정비되어 있는 국가체제다. 그러나 복지 정책이나 제도의 충실함은 풍요한 사회생활의 필요조건이지만, 그것이 복지생활의 실현, 즉 복지생활의 보장을 의미하지는 않는다. 따라서 제도로서의 사회복지를 시행하기 위한 전문적 행위인 사회사업이 불가결하다. 제도로서의 사회복지는 이념을 실현하기 위한 구체적인 정책적 틀로서의 하드복지(hard welfare)라고 할 수 있으며, 그런 만큼 제도 자체가 자동적으로 내담자를 발견하고 필요한 기능을 수행하는 것은 아니다. 제도는 목적을 실현하기 위한 전문적 활동에 적용될 때 원래의 기능이 발휘되며, 전문가에 의한 원조활동으로서의 기능을 담당하는 것이 소프트복지(soft welfare)로서의 사회사업이다. 사회복지와 사회사업은 단지 구조와 기능으로 양분되는 관계가 아니라, 구조와 기능을 전제로 하여 존재한다. 여기서의 기능은 구조에 입각하여 작용하는 것이며, 그 주된 고유의 특성이 구조와 기능이라는 의미다. 따라서 사회사업이란 내담자 고유의 생활상황을 기점으로 보다 풍요한 사회생활의 회복과 실현을 목표로 삼아 제도로서의 사회복지서비스를 제공한다. 사회복지는 한편으로는 내담자 스스로 과제를 해결하려는 노력을 도와주는 활동이고, 다른 한편으로는 변동하는 사회에 대응하는 사회복지의 유지와 그 조건의 개선향상을 목표로 하는 전문적 실천행동체계의 과정이다. 다시 말해, 사회사업은 직접적인 원조와 그것을 피드백하는 간접적인 원조로 이루어지는 실천활동의 과정이다. 오늘날 풍요한 국민생활을 배경으로 사회복지가 전환기를 맞이하고 있다. 그것은 전문작업으로서의 사회사업의 중요성이 강조되고 있는 것이기도 하다. 경제가 선진화되고 개인주의가 발달한 미국 등에서는 사회사업이 보다 강조되고 있으며, 개발도상국 등에서는 사회복지가 보다 강조되는 것이 실정이다. 사회사업의 방법에는 사례관리(case work), 집단관리(group work), 지역사회조직(community organization), 조사방법론 등이 있다.

관련어 | 사회복지, 사회복지상담, 사회복지사

사회성 추론
[社會性推論, sociality corollary]

켈리(G. Kelly)가 제시한 11개의 정교한 추론의 하나로, 어떤 사람이 다른 사람의 구성개념과정을 구성개념할 수 있는 정도까지 그 사람은 다른 사람이 관여하고 있는 사회적 과정에서의 역할을 수행할 수 있다는 것. 개인적 구성개념이론

타인의 역할을 시연할 수 있다는 것은 그 사람의 구성개념체계가 지니고 있는 심리적 과정을 이해할 수 있다는 뜻이다. 사회적 관계에서 타인을 이해하고 그 사람의 역할을 수행하는 것은 어떤 문화적 배경에서도 중요한 의미를 지닌다. 인간관계나 사회적 활동은 다른 사람의 구성개념체계를 바르게 파악했을 때 원활해진다. 다른 사람의 욕구, 기대, 가치, 상상 등을 제대로 이해해야만 인간은 다른 사람과의 관계에서 필요한 다양한 역할을 제대로 수행할 수 있는 것이다. 이러한 켈리의 관점에 따르면, 인간의 상호이해는 서로 상대방의 구성개념체계를 이해하는 것이다. 이런 의미에서 상담관계란 단순히 말을 주고받는 것이 아니다. 상담자가 내담자의 구성개념체계를 이해하여 내담자에게 적절한 사회적 역할을 수행함으로써 그 내담자가 적절한 역할을 상담자와의 관계에서 수행하도록 도와주는 것을 뜻한다. 즉, 내담자의 구성개념체계를 변화시키는 과정이 다름 아닌 상담이다. 사회성에 관한 켈리의 관점을 츄디와 로밋베이트(Tschudi & Rommetveit, 1982)는 두 가지로 해석하였다(박성수, 1984). 하나는, 타인의 구성개념 과정을 구성개념하는 범위에서 그 사람은 생존력 있는 사회적 활동에 참여할 수 있다는 것이고, 다른 하나는, 타인의 구성개념과정이 그가 사건을 예기(豫期)하는 방식에 따라 심리적으로 어떻게 결정되는지를 이해하는 범위에서 인간은 생존력 있는 사회적 활동에 참여할 수 있다는 것이다.

관련어 개인적 구성개념, 구성개념, 구성개념체계

사회성 측정 행렬표
[社會性測定行列表, sociometric matrix]

사회성 측정의 결과를 분석하는 방법 중 하나. 심리검사

1946년에 포사이스(Forsyth)와 카츠(Katz)가 처음으로 사용한 방법인데, 행을 i, 열을 j로 나타내고 각 개수마다 n×n의 행렬을 작성하는 것으로 행은 선택하는 쪽, 열은 선택받는 쪽을 나타낸다. 이렇게 셀은 n×n의 개수로 이루어지고 각 셀은 A12로 표기한다. 이때 A12란 첫 번째 행, 두 번째 열의 셀을 나타낸다. 이 결과 분석방법의 장점을 살펴보면 다음과 같다. 첫째, 모든 내용을 한눈에 볼 수 있고 평정자가 달라도 같은 결과를 얻을 수 있으므로 반복검증이 가능하다. 둘째, 선택의 수에 상관없이 실시할 수 있고 1개의 행렬에 긍정, 부정, 무반응 등을 기록할 수 있다. 셋째, 결과를 행렬로 기록함으로써 양적 분석을 손쉽게 할 수 있다. 한편, 모레노(Moreno)는, 사회성 측정은 소시오그램에 의한 분석이 우선되어야 하며 행렬표 작성은 소시오그램의 보완적 수단으로 사용하는 것이 바람직하다고 하였다. 그 이유는 소시오그램에서 연쇄형으로 나타나는 아동의 움직임을 행렬표로 분석하기에는 부적합하고, 결속집단이나 아동 전체 집단의 무리구조를 한눈에 파악하기 어렵기 때문이다.

Sociometric matrix 예시

	경	영	기	예	란	수	+합	-합	0합	
경*		+		+		-	2	1	2	
영*	+			+		-	2	1	2	
기*					+	+	2	0	3	
예*	+	+	+		+	-	4	1	0	star
란*			+				1	0	4	소외
수*	-	-	-	-	-		0	5	0	배척

경*-영*, 경*-예*, 예*-영*: 상호선택

사회성 측정법
[社會性測定法, sociometry method]

집단 내에서 개인의 선택, 선호도를 분석하는 방법. 심리검사

1934년 모레노(J. Moreno)가 개발한 방법으로, 집단 내에서 개인 간 수용이나 배척관계, 대인관계 유형, 집단의 상호작용 구조와 형태 및 상태, 사회적 관계, 영향력의 방향, 의사소통의 방향, 집단 내 개인의 위치 등을 발견, 설명, 평가할 수 있다. 이 측정법에서 많은 선택을 받은 사람은 인기형(star), 선택이 없는 사람은 고립형(isolated), 선택을 거의 받지 못한 사람은 소외형(neglectee), 부정적 선택만 받은 사람은 배척아(rejectee), 서로가 서로를 선택한 사람은 상호적 선택형(mutual choice), 자신은 선택을 했지만 상대방은 선택하지 않은 사람은 일방적 선택형(one-way choice), 큰 집단 내에서 3명이나 그 이상으로 서로를 선택했지만 그 이외의 집단원에게는 선택을 받지 않은 집단을 파벌(clique), 2개 이상의 하위집단 사이에 선택이 거의 없는 경우를 분열(cleavage)이라고 한다. 이 방법은 새로운 집단을 조직하거나, 기존의 집단구조를 재구성하고자 하거나, 사회적 적응을 하는 데 도움이 필요한 사람을 찾아내고 그 원인을 확인하고 한 집단의 응집력과 집단 내 수평적 · 수직적 대인관계를 분석하는 데 적용할 수 있다. 학교장면에서는 학생들의 사회적 적응, 대인관계, 학급 및 분단 편성, 약소 집단의 사회적 통합 및 규제, 교과학습 및 훈육과 같이 사회적 관계가 중심이 되는 학교문제나 교실문제를 개선하는 데 적용할 수 있다. 이러한 측면에서 사회성 측정법을 수용성 조사 또는 교우관계 조사법이라고도 한다. 사회성을 측정하는 방법은 동료지명법(peer nomination method), 동료평정법(peer rooster and rating method), 평판검사(reputation test), 쌍 비교법(paired comparison measures) 등이 있으며, 사회성 측정결과를 분석하는 방법에는 소시오그램(sociogram), 사회성 측정 행렬표(sociometric matrix), 방향 그래프(directed graph), 사회성 측정지수(sociometric index)가 있다.

사회성숙도검사
[社會成熟度檢査, social maturity scale]

사회적 능력, 적응행동을 평가 혹은 측정하는 검사.
심리검사 특수아상담

1935년에 돌(Doll)이 개발한 검사로, 우리나라에서는 1985년에 김승국과 김옥기가 한국판으로 표준화하였고 대상은 출생 시부터 성인기까지의 개인이다. 1935년 4월에 바인랜드 사회성숙척도(Vineland Social Maturity Scale)란 이름의 사회성숙도검사를 처음으로 구성, 발표한 후 예비적인 요약판 실시요강을 발표하였다. 1936년에는 최초의 표준화된 개정보고서를 내놓았고, 1947년에는 3판을, 1953년에는 보다 완전한 실시요강과 실험적인 연구논문을 발표하였다. 1964년에는 4판을, 그리고 1965년에는 5판을 내놓았다. 이 검사를 통하여 개인의 자조, 이동, 작업, 의사소통, 자기관리, 사회화 등의 변인으로 구성되는 사회적 능력, 즉 적응행동을 평가 혹은 측정할 수 있다. 다시 말해서 개인의 성장 또는 변화를 측정하고 개인차를 측정하는 도구로 사용할 수 있으며, 부적응자, 불안정자, 정신병자, 전간자와 같은 정상이 아닌 사람의 발달변량이나 특별한 처지, 즉 치료 및 훈련 후의 향상을 측정하고, 지적장애, 악화, 성장 및 퇴보율 또는 단계에 관한 임상적 연구에서 발달사를 고찰하기 위해 사용한다. 또한 사회적으로 무력한 지적장애와 사회적으로 무력하지 않은 지적장애를 구별하기 위해서도 사용하고, 생활지도와 아동 훈련의 기초자료를 수집하며 환경, 문화적인 수준 및 지각, 청각, 지체장애와 같은 장애의 영향을 평가하기 위해서도 사용한다. 이 검사는 출생 시점부터 성인기까지의 개인이 개인적 및 사회적 충분 가능한 상태를 사정하는 데 사용할 수 있다. 검사는 3개의 번안(면접판 조사서, 면접판

확충서, 교실용)이 있는데, 조사서는 약 20~60분이 소요되고, 확충서는 약 60~90분이 소요되며, 교실용은 약 20분이 소요된다. 그리고 자조(self help: SH), 이동(locomotion: L), 작업(occupation: O), 의사소통(communication: C), 자기관리(self-direction: SD), 사회화(socialization: S)의 적응행동의 표본이 된다고 할 수 있는 117문항으로 구성되어 있다. 각 문항은 평균 곤란도 순으로 배열되어 있으며, 117문항에 대하여 피검자에 관한 정확한 정보를 얻기 위해 피검자를 잘 아는 부모와의 면접으로 질문을 실시한다. 만일 부모가 없을 경우에는 피검자를 잘 아는 피검자의 형이나 누나 또는 친척, 후견인과의 면접을 실시한다. 검사는 일정한 문항부터 질문을 시작하는데, 3개 문항이 계속해서 '+' 또는 '+F'로 표시될 때까지 낮은 번호 쪽으로 내려가면서 질문한다. 그러나 피검자가 지적장애 아동일 경우에는 5개 문항이 계속해서 '+' 또는 '+F'로 표시될 때까지 같은 방법으로 질문한다. 한편, 높은 문항 쪽으로 질문을 하다가 3개 문항이 계속해서 '-'로 표시되면 검사를 끝낸다. 피검자가 정상아가 아니라 지적장애아일 경우에는 5개 문항이 계속해서 '-'로 표시될 때 검사를 끝낸다. 실시할 때의 유의점으로는 피면접자의 대답이 믿기 어려운 경우에는 피검자를 직접 만나서 그의 행동을 관찰해 보고 판단하는 것이 좋다. 면접을 할 때에는 피면접자가 자발적인 진술을 할 수 있도록 호의적인 태도를 취해야 한다. 생활연령이 5세 이하인 정상 아동과 정신 연령이 5세 이하인 지적장애 아동이 피검자일 경우에는 그로 하여금 정보 제공자로서 실제 행동을 보이도록 해도 된다. 이 경우에도 피검자와의 라포 성립 정도를 고려해서 주의 깊게 검토해야 한다. 검사를 할 때에는 피검자의 연령, 교육 정도, 일반 능력, 장애 등을 비롯한 기타 신상자료와 부모의 직업 및 교육 정도를 먼저 알아보는 것이 좋다. 정보 제공자에게 문항에 따른 질문을 할 때에는 언제나 1번 문항부터 시작하고, 피검자의 연령, 능력 등 일반 정보를 참작하여 예상되는 최고 점수보다 훨씬 아래 문항부터 시작해야 한다. 질문은 한 번에 한 문항씩 해야 하지만 검사지의 문항 배열순에 따라 기계적으로 하기보다는 일정 범위 내의 문항을 유목별로 하는 것이 판단하기가 좋다. 또한 유목별 문항의 순서는 바꾸는 것이 가능하고, 필요한 경우에는 추가질문을 해도 된다. 그러나 유도질문을 해서는 안 된다. 문항의 판단이나 검사지의 기록은 검사자가 직접 하며, 정보 제공자에게 시킬 수 없다. 사회성숙도검사용지 제1면에는 성명, 성별, 생년월일과 같은 일반적인 기재사항이 있다. 이를 기록한 다음 검사용지 제2면부터 제6면까지에는 117문항이 곤란도 순으로 배열되어 있는데 각 문항에 대한 답은 영문약자와 문항번호 사이에 있는 점선 위에 적고, '+' '+F' '+NO' '±' 또는 '-'로 표시한다. 각 기호에 대한 기준은 다음과 같다. '+'는 부당한 강요나 인위적인 유인이 없어도 각 항목이 지시하는 본질적인 행동을 습관적으로 수행할 경우 또는 현재는 습관적으로 하고 있지 않지만 하려고만 하면 쉽게 수행할 수 있을 경우 표시한다. '+F'는 검사를 할 때에는 특별한 제약으로 각 항목이 지시하는 행동을 성공적으로 수행하지 못했지만 평상시에는 성공적으로 수행하는 경우 표시한다. '+NO'는 지금까지는 기회의 부족으로 각 항목이 지시하는 행동을 수행하지 못했지만 기회가 부여된다면 곧 성공적으로 수행 또는 습득할 수 있을 경우 표시한다. '±'는 각 항목이 지시하는 행동을 가끔 하기는 하지만 그 행동이 불안정할 경우, 즉 과도적 상태이거나 발현 중인 상태에 있을 경우 표시한다. '-'는 각 항목이 지시하는 행동을 전혀 수행하지 못할 경우, 부당한 강요나 유인이 있을 때에만 수행할 경우, 과거에는 성공적으로 수행했지만 현재는 노쇠나 비교적 항구적인 정신적 또는 신체적 장애로 수행하지 못할 경우 표시한다. 점수는 '+'와 '+F'는 1점으로 채점한다. '+NO'는 '+'와 '+' 사이에 있을 경우, '+F'와 '+F' 사이에 있을 경우, '+'와 '+F' 사이에 있을 경우,

'+NO'와 '+' 또는 '+F' 사이에 있을 경우에는 1점으로 채점하고, '-'와 '-' 사이에 있을 경우에는 0점으로 채점하며, 그 밖의 경우에는 0.5점으로 채점한다. 그리고 '±'는 0.5점으로 채점하고, '-'는 0점으로 채점한다. 채점한 점수는 기본점과 가산점을 합산하여 총점을 구하는데, 기본점은 계속적인 '+' 또는 '+F'의 최종 문항번호다. 가산점은 기본점 이외의 문항별 점수를 합산한 점수다. 이 점수를 이용하여 사회연령은 검사지 부록의 '사회연령 환산표'를 이용하여 산정한다. '사회연령 환산표'에는 총점과 총점에 해당하는 사회연령(SA)이 적혀 있다. 따라서 사회연령을 구하려면 총점의 숫자를 '사회연령 환산표'의 총점 칸에서 찾아낸 다음 오른편에 있는 사회연령의 숫자를 보면 된다. 또한 사회지수(SQ)는 사회연령을 만 생활연령(CA)으로 나눈 다음, 100을 곱하면 된다.

사회인지
[社會認知, social cognition]

대인관계나 사회생활에 적응하는 데 도움이 되는 사회적 행동을 결정하는 내재적 과정. 발달심리

인간은 자신이 소속된 사회에서 자신과 타인을 인식하고 자신과 타인으로 구성된 사회집단이나 조직체계를 이해하면서 사회적 행동 또는 사회성을 형성해 나간다. 이 같은 사회성을 형성해 나가기 위해서 자신이 처한 상황이나 다른 사람의 표정, 행동, 감정 등을 이해하고 추론하여 행동을 결정하는 능력이 필요한데, 이를 사회인지라고 하며 이를 구성하는 요소에는 자기인식, 자아개념, 자존감, 자기효능감, 자아인지, 성취동기, 정체성, 타인지각, 정서이해능력, 행동원인 추론능력 등이 있다. 또한 사회인지와 관련하여 아동의 경험, 내재적 상태, 행동 간의 관계를 이해하는 아동의 사고체계를 마음이론(theory of mind)이라고 한다. 이 개념은 아동의 사회인지 영역의 중요한 연구주제로 부각되고 있다. 플라벨 등(Flavell, Miller, & Miller, 1993)은 사회인지의 표상을 제시하면서 사회인지의 대상은 자기, 타인 또는 사회적 관계이고, 사회인지의 범주는 자신과 타인에 관한 지식, 자신과 타인과의 사회적 관계, 사회조직과 제도에 관한 지식이 포함된다고 하였다. 즉, 사회인지는 자신의 감정, 정서, 의도, 성격, 욕구, 신념, 행동의 원인 등에 관한 개인 내적 특성을 이해하는 것뿐만 아니라 이타성, 공격성, 우정 등의 개인 간 특성과 자신이 속한 사회적 집단에서 강요하는 정의, 인습, 도덕성, 그리고 자신이 속한 집단과 조직 내 상호관계에 대한 생각, 이해, 판단, 개념화 등의 전 과정을 포함한다. 사회인지가 사회적 행동으로 표출되는 과정을 닷지(Dodge, 1986)는 정보처리 모형에 근거하여 5단계로 설명하였다. 첫째, 다른 사람의 표정, 행동, 처한 상황 등에 대하여 주의를 기울여 그와 관련된 정보들을 부호화하고, 둘째, 이를 내적으로 표상하여, 셋째, 상황이나 대상에 맞게 적절한 반응을 탐색하고, 넷째, 탐색한 반응을 평가하여 가장 적절한 반응을 선택하며, 다섯째, 선택한 반응을 실제 행동반응으로 실행한다.

관련어 마음이론, 사회인지이론

사회인지이론
[社會認知理論, social cognitive theory]

반두라(Bandura)가 1977년에 제시한 것으로, 인간의 지식 습득에는 개인의 인지, 행동, 경험, 그리고 주위 환경이 상호작용하면서 영향을 미친다는 이론. 인지치료

사회인지이론은 조작적 조건화, 사회학습이론, 인지심리학의 영역을 합친 종합적인 이론이라 할 수 있다. 사회인지이론의 뿌리는 밀러와 달러드(Miller & Dollard, 1941)가 제시한 사회학습이론(social learning theory)에 있다. 이는 새로운 행동을 학습하는 데 욕구(drives), 계기(cues), 반응(responses), 보상(rewards)의 네 가지 요인을 제시

하면서, 특정 행동을 학습하고자 하는 동기가 생기려면 그 특정 행동은 명확한 관찰을 통해서 학습된다는 것이다. 사회학습이론은 캐나다의 심리학자 반두라(Bandura, 1969, 1977)가 확장시켰는데, 그는 행동주의 이론이 인간의 행동을 지나치게 결정론적이고 기계론적으로 본다고 비판하면서 인간행동을 관찰학습과 대리경험을 통해 설명하였다. 그는 학습에 대한 전통적인 행동주의적 관점은 비교적 정확하지만 불완전하고 학습에 대한 부분적인 설명을 해 줄 뿐이며, 상황적인 측면, 즉 개인의 행동에 영향을 줄 수 있는 환경에 대한 인지적 표상이 간과되어 있다고 보았다. 이에 대해 사회인지이론은 환경적 사건과 사고, 동기와 같은 개인적 요인들이 상호작용한다는 '상호결정론(reciprocal determinism)'을 제시하고 있다. 개인은 강화가 기대되는 환경 속 사건에 주의를 기울이고 강화가 되지 않는 일은 무시하는 경향이 있기 때문에 개인의 행동에는 인지과정과 외부환경이 상호작용하여 영향을 미친다는 것이다. 특히 개인의 인지적 요인뿐만 아니라 개인이 속한 환경(개인의 행태에 영향을 줄 수 있는 객관적인 상황), 개인을 둘러싼 타인(가족 구성원, 친구, 직장 동료, 학급 친구)과의 관계가 행동변화에 결정적인 영향을 끼친다. 그리고 특정 행동을 수행하는 능력에 대한 개인의 자신감의 정도를 의미하는 자기효능감도 행동에 영향을 주는 중요한 변화 기제 중 하나로 보았다.

사회적 거리척도
[社會的距離尺度, social distance scale]

사회적 거리를 알아보는 심리척도. 심리검사

1925년에 보가더스(Bogardus)가 처음으로 개발하였다. 사회적 거리란 어떤 개인이 다른 개인이나 다른 집단, 다른 민족 등에 대해서 갖는 심리적인 가까움이나 친밀함의 정도를 말한다. 다른 집단에 대한 호의나 수용, 거부의 태도를 나타내는 개념으로 생각할 수 있다. 보가더스가 작성한 태도척도인 이것은 특히 인종적 편견이나 민족적 편견의 관념에서 다른 민족이나 다른 국민과의 사이의 사회적 거리를 수량적으로 측정하고자 한다. 사회적 거리척도는 어떤 민족이나 특정 집단에 소속하는 사람을 상정하게 하고 그 사람에 대한 사회적 거리를 '배우자가 되는 것을 받아들인다.' '같은 직장의 동료가 되는 것을 받아들인다.' '자신의 나라를 방문하는 것조차 거부한다.' 등 구체적인 상황을 제시한 일곱 가지 항목에서 하나를 선택하게 하는 것으로 측정한다. 사회적 거리는 비대칭적인 경우도 있는데, 이것을 사회적 거리차라고 한다. 사회적 거리척도는 사회심리학에서 태도를 측정하려고 하는 태도척도의 최초의 시도라고 불린다. 그러나 사회적 거리척도나 태도척도로서는 각각 구체적인 척도항목 간의 거리나 강도가 일정하지는 않은 점, 인종적 태도나 인종적 편견을 일차원적으로 태도의 척도로 파악해도 좋다는 등의 제약도 가지고 있다.

사회적 관심
[社會的關心, social interest]

엘리스(Ellis)가 제시한 합리정서행동치료(REBT)의 궁극적 목적인 정신건강의 기준에 포함되는 개념으로, 타인에 대한 관심과 타인의 관심에 대한 관심을 의미함.

합리정서행동치료

사회적 관심이 있는 사람들은 합리적 가치와 태도를 보이고, 타인의 보편적인 사회적 미덕에 기여하려고 한다. 인간은 군집성에 대한 성향을 가지고 있기 때문에 완전히 혼자 존재하기는 힘들다. 사람들은 사회집단 속에서 다른 사람과 함께 효과적으로 살아가는 데 흥미를 보인다. 만일 사회집단 내에서 만족하고자 한다면 가까운 사람에 대해 보다 신중히 행동해야 하고, 도덕적으로 행동하지 않거나 다른 사람의 권리를 보호하려는 노력을 하지 않는

ㅅ

다면 현실적으로 안정된 삶을 살 수 없다. 엘리스와 드라이든(Ellis & Dryden, 1997)은 대부분의 사람은 사회집단과 공동체 안에서 살아가므로 공동체 내의 다른 구성원에게 도의적으로 행동하고, 그들의 권리를 보호하며, 사회의 복리를 위해 노력을 경주하고, 그 공동체가 유지되도록 애쓰는 것이 합리적이고 스스로에게도 도움이 된다고 강조하였다.

관련어 | 정신건강기준

사회적 관심
[社會的關心, social interest]

공동체감을 추구하며 사회적 상황에 반응하는 타고난 성향. 개인심리학

아들러의 관점에 의하면 사회적 관심은 개인이 인간사회의 한 부분이라는 인식, 사회적 세계를 다루는 개인의 태도를 말한다. 아들러는 사회적 관심은 일체감이나 공감과 유사하다고 보아 사회적 관심을 "다른 사람의 눈으로 보고, 다른 사람의 귀로 듣고, 다른 사람의 가슴으로 느끼는 것"이라고 했다. 아들러(Adler)는 인간이 사회적 존재로 살아가면서 풀어야 할 삶의 과제를 해결할 수 있는 동기를 사회적 관심이 제공해 준다고 하였다. 사회적 관심을 가져야 개인은 자신의 정체성을 확신하고 소속된 사회집단과 일체감을 느낄 수 있다. 또한 열등 콤플렉스와 우월 콤플렉스에서 벗어난 건강한 생활양식을 발전시키기 위해서는 사회적 관심을 확장시켜야 한다. 아들러에 의하면(Kaplan, 1991) 신경증, 정신병, 범죄, 알코올, 문제 아동, 자살 등의 모든 문제는 이들이 사회적 관심이 부족하기 때문이라고 설명하였다. 사회적 관심의 표현은 개인의 심리적 건강의 표현이며, 개인의 행동이 사회적 관심의 표현으로 특징지어질 때 집단은 유익함을 제공받는다. 이와는 달리, 사회적 관심의 표현이 적다는 것은 집단의 정신건강의 부재를 드러내고 있는 것이다. 사회적 관심은 타인의 안녕에 대한 개인의 헌신을 기본으로 하는 정신건강을 설명해 준다. 반면에 신경증이란 사회적 관심이나 유익한 행동에 대한 관심이 없이 오로지 자기중심적인 우월성을 추구하고자 하는 것이라고 보고 있다. 아들러는 신경증을 높은 열등감을 없애기 위해 개인적인 안전을 추구하고자 노력하는 과정에서 생겨나는 '자기고양' '개인적인 지력' '힘' '즐거움을 얻는 것' '개인적인 우월감' 등을 추구하는 것으로 간주하였다. 이와 같이 신경증이 있는 사람은 자기 소유와 힘, 영향력 등을 증가시키려고 하고 다른 사람을 깍아내리고 속이고자 애쓰는 사람이라 할 수 있다. 따라서 사회적 관심은 이타주의, 사회적 행동, 대인 상호 간의 접촉에 대한 요구 등의 구성개념을 지니게 된다.

관련어 | 공동체감

사회적 연령
[社會的年齡, social age]

사회제도와 법률, 관습, 문화 등 사람들에게 할 수 있는 것과 없는 것을 연령에 따라 구분 짓기도 하는데, 이때 기준이 되는 연수. 중노년상담

생의 단계에 따라 구분지은 사회적 연령을 예로 들면, 학교 입학 연령, 음주 허용 법적 연령, 투표 참여 연령, 군 입대 연령, 결혼 적령기, 은퇴 적정 연령 등이 있다. 출생 연대에 따라 연령집단을 구분하기도 하는데, 미국의 1930년대 출생자들을 대공황 세대, 우리나라의 1950~1960년대에 태어난 사람들을 베이비붐 세대라고 한다. 시대적 상황에 따라 연령집단을 구분하는 방법으로는 대표적인 것이 X세대다. X세대는 캐나다의 소설가 더글러스 쿠플랜드(Douglas Coupland)가 1991년에 출간한 소설에서 시작된 것으로, 이들은 부모가 맞벌이를 하거나 대부분 이혼이나 별거한 부모 밑에서 자랐으며, 냉소적이고 비관적인 경향을 보인다. 사회공통적인 문제보다는 개인의 삶에 대하여 더 관심을 가지고 정

부나 거대기업을 신뢰하지 않는다. 이와 달리 우리나라에서는 신세대라는 말로 통용되면서, 이해하기 힘든 사고방식과 행동양식을 가진 채 탈권위주의적이고 자유로운 개성을 지닌 특성을 보였다. 이에 반하여 보수적이고 기득권을 지닌 나이 든 집단을 기성세대라고 칭한다. 직업집단에서도 연령별로 집단을 구분하는데, 연령이 높은 집단을 보수파, 신입집단을 개혁파라고 부른다. 이러한 연령의 구분은 신체적, 심리생리학적 정의와 관련되어 있으며 연령의 발달적, 사회적 정의도 많은 부분 혼합되어 있다. 그리고 연령과 노화에 관한 사회적 정의가 매우 다양하기 때문에 주제와 정의를 올바르게 연결하기 위해서는 개방적이고 심사숙고하는 태도를 가져야 한다.

관련어 | 연령

사회적 제재
[社會的制裁, sanction]

사회규범이 유효하게 기능하도록 사회의 질서를 유지하는 사회 통제수단. 사회복지상담

일탈이나 범죄 등을 방지하여 사회의 질서를 유지하는 사회통제의 수단으로서 불가결한 것이다. 사회적 제재에는 동조를 확보하기 위한 정의 제재와 일탈을 방지하기 위한 부의 제재가 있으며, 사전에는 장려 혹은 금지, 사후에는 보상 또는 징벌이라는 형태로 발동된다. 제재의 종류는 사람들의 자아감정에 막연하게 호소하는 눈빛과 같은 정형이 없는 압력부터 말을 활용한 비난 혹은 칭찬과 같은 명시적인 압력, 나아가 지위와 금전과 같은 경제사회적 강제, 행동과 신체와 같은 물리적 강제에 이르기까지 여러 가지 형태를 취하고 있다. 사회적 제재의 근거가 관습인 경우에는 도덕적 비난이나 집단적 절교라는 비공식적으로 확산된 제재를 행사하기 쉬우며, 법인 경우에는 강제적이고 형식적인 특정화된 제재가 행해진다. 사회규범은 사회적 제재를 통하여 사회구조에 제도화되어 사회제도가 된다.

관련어 | 부의 제재, 사회규범, 사회통제, 정의 제재

사회적 지능
[社會的知能, social intelligence]

일상생활에서 자기 및 타인의 감정과 사고행동을 이해하고, 그러한 이해의 바탕 위에서 적절하게 행동할 수 있는 능력. 발달심리

사회적 지능에 대한 학문적 논의는 손다이크(Thorndike)가 사람의 지능을 추상적 지능, 기계적 지능, 사회적 지능으로 분류한 데서 비롯하였다. 손다이크는 사회적 지능을 타인의 행동을 이해하는 능력, 사회적 단서를 다루는 능력, 인간관계에서 현명하게 행동하는 능력으로 규정하였다. 다시 말해, 그는 타인에 대한 인지적인 평가와 타인과의 행위 중심의 조화를 사회적 지능으로 규정한 것이다. 이후 사회적 지능은 타인의 일시적인 기분이나 성격의 특성을 통찰하는 능력과 더불어 타인과의 생활 속에서 잘 어울려 지내는 능력, 사회생활에서의 사회적인 기술, 사회적인 문제에 대한 지식, 집단 내 구성원으로부터의 자극에 대한 민감성을 포함하는 것으로 그 의미가 확대되었다. 존스(Jones, 1995)는 호른과 커텔(Horn & Cattell, 1966)의 학업지능 2요인 이론을 사회적 지능에 적용하여 확장된 지능의 개념으로서 결정적 사회지능(crystallized social intelligence)과 유동적 사회지능(fluid social intelligence)으로 구분하였다. 전자는 타인과의 관련성과 사물의 소유관계 등 사회적인 관계를 이해하고 기본적인 사회규칙과 예절 등 사회규범에 대한 인식인 사회적 인식을 하위 구성요인으로 포함한다. 이와 달리 후자는 사람, 상황, 에피소드 유형에 대한 사회적 지식과 정보, 즉 결정적 사회지능을 유연하게 활용하고 표현하여 새로운 사회에 사건을 해석, 이해, 적용하는 능력을 의미하며, 사회적 민감성, 사회적 표현성, 사

회적 유연성의 3개 하위 구성요인을 포함한다. 말로(Marlowe, 1986)는 사회지능과 인지적 사회지능으로 구분하였다. 그에 따르면 사회지능은 사회적 흥미, 사회적 자기효능감, 감정이입기술, 사회적 수행기술로 구성된다. 그리고 인지적 사회지능은 친사회적 태도, 사회적 기술, 공감기술, 정서성, 사회적 불안으로 구성된다. 리고(Riggo, 1991)는 사회적 지능을 비언어적 요소인 정서적 영역과 언어적 요소인 사회적 영역으로 구분하였다. 정서적 영역은 정서적 표현성, 정서적 민감성, 정서적 통제이고, 사회적 영역은 사회적 표현성, 사회적 민감성, 사회적 통제로 구성된다. 실브라, 마르티누센과 달(Silvra, Martinussen, & Dahl, 2001)은 사회적 지능을 사회적 정보처리, 사회적 기술, 사회적 인식의 세 가지 요소로 보았다. 사회적 정보처리는 타인의 행동과 기분을 이해하고 예측할 수 있는 능력이며, 사회적 기술은 새로운 사회상황에서 적응할 수 있는 능력, 사회적 인식은 사회적 상황이나 사건에 대한 인식이나 느낌을 말한다.

관련어 | 대인관계 지능, 지능

사회정서적 학습 프로그램
[社會情緒的學習-, social and emotion learning program: SEL]

정서지능계발을 위해 설계된 프로그램. 정서 중심 치료

정서연구가들은 정서지능에 포함된 대부분의 기술은 교육을 통하여 향상될 수 있다는 사실을 토대로 여러 이론적 관점에서 정서지능을 향상시키기 위한 프로그램을 개발해 왔다. 이를 통하여 학생들의 사회정서적 학습을 위한 체계적 · 포괄적인 교육을 실시해 왔다. 이러한 SEL과 같은 용어는 일련의 상세화된 결과를 포함하는 프로그램에 대한 일반적 이론 틀이 되었다. 이것은 학생들이 사회성과 정서에 대한 교육, 활동 혹은 발달 노력 등을 통해서 획득하는 지식, 기술, 능력 등에 관한 것이다. 사회적 기술 훈련, 인지-행동수정, 자기조절 및 다양한 양식의 프로그램을 포함하여 정서능력을 가르치기 위해 설계된 프로그램의 다양한 스펙트럼이 현재 사용되고 있다. 정서 학습에 대한 관심은 골맨(Goleman)의 『Emotional Intelligence』으로 크게 자극되었으며, 이후 엘리아스(Elias) 등이 집필한 『Promoting Social and Emotional Learning』로 점점 고조되었다. 캘리포니아의 누에바(Nueva) 학교는 정서 교양 프로그램을 시작한 첫 번째 학교이며, 이후 다양한 프로그램이 개발되고 있다. 대표적인 정서지능 프로그램으로는 누에바학습센터의 자기학 교육과정, 호킨스(Hawkins)의 사회성 개발 프로젝트, 란티에리(Lantieri)의 창의적 갈등해결 프로그램 등이 있다. 이 같은 프로그램의 목적은 대부분 일상생활 속에서 아동의 인지, 정서, 사회성, 신체 발달이 조화롭게 이루어지는 것이다. 사회정서적 능력은 복잡할 뿐만 아니라 다중적인 개념인데, 그것은 사람마다 상이하면서 중요한 발달과업 등을 해결하기 위해 정서와 인지, 행동을 통합해야 하는 복잡한 과정이다. 그러므로 사회정서적 능력을 촉진하기 위해서는 아동 개개인뿐만 아니라 주변의 중요 인물들과 복합적인 환경에 초점을 맞춘 개입전략이 필요하다. SEL 프로그램들은 인지적 · 정서적 · 행동적인 능력 모두에 중점을 두고 있으며, 자신과 타인에 대한 인식, 긍정적인 태도와 가치, 책임 있는 의사결정, 의사소통 능력, 사회적 기술의 다섯 가지 범주로 구성되어 있다.

사회학습이론
[社會學習理論, social learning theory]

사람의 행동은 다른 사람의 행동이나 주어진 상황을 관찰하고 모방하는 정신적 처리과정을 통해 학습된다는 이론. 인지치료

사회학습은 '대리학습(vicarious learning)'이라고

도 하는데, 사회학습이론은 개인의 행동은 그 행동이 학습된 배후조건을 고려할 때 가장 잘 이해할 수 있고, 이는 사람들이 다른 사람이나 어떤 사건을 통해 새로운 행동을 배울 수 있다는 가정을 하고 있다. 직접적인 강화나 벌이 없어도 단순히 다른 사람의 행동을 관찰함으로써 학습이 일어날 수 있다고 설명하며, 강화가 반드시 필요한 것은 아니라고 보았다. 반두라(Bandura, 1977)는 이것을 관찰학습(observational learning)으로 정의하고, 관찰학습에 모방의 범주까지 포함시켰다. 관찰학습에는 관찰한 모델의 행동을 모방하는 모방학습뿐 아니라, 어떤 상황을 관찰했지만 모방은 하지 않은 학습까지 포함된다. 따라서 사회학습이론에서는 밖으로 드러나는 인간의 외현적인 행동에만 초점을 맞추는 행동주의 강화학습이론과 달리, 학습을 하는 데 인간의 내면에서 일어나는 인지적 과정을 더 중요시한다. 관찰학습을 통해 형성된 정보는 자기효율성이라는 강화를 통해 필요성이 있을 때 행동으로 옮겨지는데, 효율적으로 관찰에서 행동에 이르기 위해서 다음과 같은 4가지 조건이 필요하다. 첫째는 집중(attention)이다. 관찰을 통한 학습이 이루어지기 위해서는 행동이나 상황이 관찰자의 주의를 끌어야 한다. 둘째는 파지(retention)다. 관찰을 통해 학습한 정보를 기억하는 것이다. 학습한 정보가 내적으로 보유·강화되기 위해서는 부호화, 심상, 인지적 조직화, 상징적 시연 등이 필요하다. 셋째는 재생(reproduction)다. 저장된 기억을 재생하는 것으로, 학습한 내용과 관찰자의 행동이 일치하도록 자기 수정이 이루어진다. 넷째는 동기화(motivation)다. 학습한 내용대로 행동에 옮기기 전에 기대감을 갖게 만드는 과정이며, 동기화를 촉진하는 요인으로는 외적강화, 대리강화, 자기강화 등이 있다. 이처럼 관찰학습을 중시하는 반두라의 사회학습이론은 대중매체 효과연구에도 많은 영향을 주었다. 특히 텔레비전 폭력물과 아동의 행동을 다룬 연구에 이론적 근거가 되었다.

사회화 이론
[社會化理論, theories of socialization]

사회성 발달 및 사회화 과정에 관련된 제반 개념을 구성하고 있는 이론. 발달심리

개인이 타인과 접촉하려는 사회적 욕구 혹은 성향을 사회성(sociability)이라고 한다. 사회적 욕구 및 성향은 성장발달에 따라 점차 대인관계를 확대하고 심화함으로써, 또한 사회적 환경에 적응할 수 있는 행동양식과 습관을 획득함으로써 충족된다. 이때 개인이 소속된 사회집단 안에서 어울려 살아갈 수 있도록 행동, 가치관, 지식 등을 습득하는 과정이 바로 사회화다. 사회화 과정은 사회 안에서 개인이 사회의 규범에 따라 행동하면서 그 문화에 동화되고 전통을 유지하며 사회적 상황에 적응하여 사회 집단의 일원으로 발달해 가는 과정이다. 전통적으로, 가족은 개인의 사회화를 담당하는 가장 중요한 사회기관이다. 그러나 현대사회에서는 가족뿐만 아니라 대중매체, 교육기관, 또래집단, 직업집단, 이익 집단 등 다양한 기관이 개인의 사회화 과정에 영향을 미친다. 사회화 이론에서는 주로 사회성 발달과정, 애착, 친사회적 행동, 공격성, 성역할 등의 개념을 다룬다. 미국의 사회학자 쿨리(C. Cooley)는 개인의 자아는 다른 사람과의 상호작용을 통해 형성된다고 주장하였다. 사회화 과정을 통해 다른 사람이 자기 자신을 어떻게 인식하는가에 따라 자아가 형성된다는 것이다. 예를 들어, 학생이 교사로부터 유능하다는 칭찬을 들으면 그 학생은 자신이 우수하다고 생각하면서 교사의 기대에 부응하여 우수한 학생처럼 행동한다. 실제 경험과 타인의 인식에 대한 상상에 의존하여 자아가 형성된다는 전제하에서 정신은 사회적이며 사회는 정신의 구조물이다. 한편, 사회화를 통한 개인의 자아형성이론을 정립한 미드(G. Mead)는 자아의 차원을 두 가지로 구분하였다. 타인의 태도와 의견을 중요시하면서 이에 수동적으로 작용하는 자아의 한 부분을 '미(Me)'라

고 하고, 창조적이고 능동적으로 작용하는 자아의 한 부분을 '아이(I)'라고 하였다. 사회집단의 규범이 엄격할 때에는 사회구성원들의 'Me'가 자아를 구성하여 개인의 개성과 독창성이 최소화된다.

산 심상
[山心像, the mountain]

심상척도 중 하나로, 초원심상에서 연결되는 경우가 많으며 내담자의 마음 전반을 나타내고, 내담자의 정신세계 및 역동적 에너지 내용을 분석하기 위한 심상척도. 심상치료

산 심상은 초원심상 다음 단계로 이어지는 심상 중 하나로, 긍정적인 마음을 키워 나가기 위해 응용되기도 한다. 산 심상은 내담자가 무의식적으로 바라는 포부나 야망, 장래목표, 성취욕망과 같은 자기계발 욕구를 드러낸다. 여기서는 두 가지 방식으로 체험을 유도하는데, 첫째는 산에 집중해서 산을 관찰하고 묘사하도록 하는 방법이고, 둘째는 산에 오르도록 인도하는 방법이다. 산 심상 체험에서는 산 정상까지 오르는 방법, 산 정상에서 아래를 내려다보며 자연풍경을 관찰하는 방법, 산 정상에서 산을 내려오는 방법 등으로 이끌어 준다. 이렇게 산에 오르고, 정상에서 조망을 하고, 하산을 하는 등의 방법으로 내담자를 이끌면서 산으로 가는 길을 찾거나, 꼭대기에서의 풍경을 묘사하거나, 산 자체를 묘사해 보도록 하면서 체험하도록 한다. 산 아래 풍경을 바라보는 것을 특히 파노라마 심상이라고도 한다. 산 심상체험에서 분석의 대상이 되는 것은 산의 높이, 산 정상에서 보는 풍경, 등산 중 발생하는 사건 등 모든 과정과 장면이 된다. 예를 들어, 암벽이나 절벽에 절망적으로 매달려 있는 내용의 심상체험은 자존심이나 자아가치가 높은 내담자가 인생의 좌절을 느낄 때 체험하는 심상 내용이다. 산 정상에서 하늘을 바라보는 심상은 자신의 이상적인 정신세계에 대한 상징적인 모습이며, 산의 뒷면에 보이는 자연풍경은 내담자의 과거경험에 대한 모습이다. 산의 왼쪽 측면의 자연풍경은 현재 자신의 상징적 모습이며, 오른쪽 측면의 자연풍경은 부정적 심리나 불안한 심리상태를 표현한 것이다. 산 위쪽 하늘은 자신의 의식과 정신세계의 수준을 드러낸 것이다. 또 산의 높이는 자존감, 자긍심, 자아정체감, 내적 가치감 등 자아에 대해 내담자 스스로의 가치와 관련된 개념이라고 분석할 수 있다. 아동이나 청소년은 산 심상으로 형제간 경쟁의식, 부모-자녀관계에서 비롯되는 문제 등을 보여 주기도 한다. 아동의 경우에는 산 심상이 학교적응 문제, 학습능력 문제, 의욕상실, 자신감 결핍, 부정적 마음, 정신 발달단계 과정에서 경험하는 퇴행, 욕구불만, 공포, 불안, 학우 및 형제에 대한 공격성, 이기주의, 비정상적인 사고방식 등을 반영하기도 한다. 또한 수능이나 고시를 앞둔 수험생의 경우에는 자신의 목표수준과 관련된 마음상태가 반영되어 나타날 수 있다. 예를 들어, 진학목표를 달성하기 위하여 노력하는 입시생은 매우 높은 산 심상으로 자신의 마음을 표현할 수 있는데, 높은 장래목표는 상대적으로 많은 스트레스와 정신적 부담감을 주기 때문에 매우 높고 아찔한 산의 심상을 떠올린다. 이와 같이 산 심상은 포부, 열망, 경쟁심, 기대감, 자신감, 스트레스 상태 등에 대한 정보를 제공하는 중요한 척도다.

관련어 | 심상척도

산림치유
[山林治癒, forest therapy]

숲이라는 환경을 이용하여 심신의 건강을 증진시키는 활동으로, 숲 치유라고도 함. 원예치료

산림치유는 수목을 매개체로 하여 심신의 질환을 예방하고 치료하는 것을 목적으로 하는 치유방법이다. 숲의 환경을 이용하여 심신의 건강증진을 목적으로 하는 모든 활동이 포함된다. 이는 고대로부터 이어져 온 방법이지만 스파테라피(spa therapy, 입

욕치료)가 의학적으로 인정받기 시작한 1927년에서야 과학적으로 효과가 증명되어 인정을 받기 시작했다. 산림치유는 단순히 수목을 매개로 하는 것뿐만 아니라, 숲의 냄새, 숲에서 나는 소리, 숲에서 생산되는 산소, 빛, 숲에서 나는 부산물을 이용한 음식물, 허브 등 숲의 모든 환경을 총체적으로 활용한다. 이를 세분하면, 삼림욕과 같은 숲속 레크리에이션 활동, 숲의 수목 및 임산물을 활용하는 작업요법, 숲속을 걸으면서 진행되는 상담 및 집단활동, 숲의 지형 및 자연환경을 그대로 이용하는 재활치료 등으로 나눌 수 있다. 즉, 숲이라는 환경에서 일어나는 휴양활동, 상담, 숲에 대한 해설 등의 프로그램이 모두 산림치유에 속한다. 자연보호의 선구자였던 존 뮤어(John Muir)의 "우주로 가는 가장 확실한 길은 야생의 숲을 통하는 것이다(The clearest way into the Universe is through a forest wilderness)."라는 말을 전제로 하여, 인간이 지니고 있었던 자연의 성품을 회복하는 것이 이 치유의 목적이다. 이 같은 산림치유는 신체이완 및 심신의 건강에 효과가 있다는 것이 최근 몇 년 동안 일본에서 과학적으로 증명되면서, 스트레스에 관한 의료처방에도 활용되고 있다. 일본의 연구에 따르면 숲의 경치를 눈으로 즐기고, 개울이 흐르는 소리를 듣고, 햇빛을 느끼면서 숲을 걷는 것이 진정효과를 낸다고 하였다. 산림치유는 건강에 문제가 없는 사람들도 신체를 강화하고 피로와 스트레스를 줄이는 데 활용할 수 있고, 또한 심신의 질환치료에도 직접적인 영향을 미친다. 특히 천식, 만성 기관지염과 같은 호흡기 계통 질환, 고혈압, 신경증, 불면증과 같은 정신질환에 효과적이다. 연구에 따르면 하루 20분 이상 숲을 보면서 살 수 있는 환경에 있는 사람들이 도시환경에서 숲을 보지 못하고 사는 사람들보다 스트레스 호르몬이라 일컬어지는 타액 코르티솔의 분비가 13.4%나 적게 일어난다고 한다. 이러한 보고에 따라 산림치유가 스트레스를 감소시키고 감정 기복을 완화해 주며 심장박동 및 혈압을 안정시키는 것이 입증되고 있다. 이외에 재활치료에도 효과가 있고, 인체의 생리 및 감각에 정적 자극을 주어 심신의 안정 및 생리적 반응의 활성화 등을 일으켜 불안 및 우울을 해소하는 데도 효과가 있다. 게다가 삼림욕은 면역체계를 강화시킨다는 보고도 있다. 일본 의과대학의 산림의학 교수 이칭(Li Qing)은 숲에서의 활동시간이 암세포를 없애 주는 면역체계 구성요소인 자연살해세포(natural killer cell: NK cell)의 활동을 증대시키는 데 영향을 미치는지 연구하였다. 그 결과, 효과가 있음이 입증되어 일본에서는 산림치유가 의학적으로도 인정을 받게 되었고, 산림치유에 관한 연구가 급속하게 확산되었다. 산림치유는 숲의 위치에 따라 치유의 숲, 자연 휴양림 등을 포함하는 숲 환경, 도시림, 마을 숲을 포함하는 숲 환경, 일상 속의 숲 환경 등의 공간에서 이루어지며, 주로 숲길 걷기, 숲길 가볍게 뛰기, 숲에서 운동하기 등으로 행해진다.

산만한 경계선
[散漫-境界線, diffused boundary]

가족관계에서 가족구성원들이 정서적으로 밀착되어 각각 자신의 역할이 무엇인지 혼돈되고, 또한 서로 지나치게 감정적으로 개입되고 얽혀 있는 관계로 구성원들 사이의 경계선이 불분명한 상태. 가족치료 일반

모호한 경계선이라고도 한다. 산만한 경계선상의 가족관계는 서로 적절한 거리를 유지하지 못하기 때문에 가족구성원들 사이에 기능적인 관계가 형성되지 않는다. 예를 들어, 산만(모호)한 경계를 가진 가족은 각 구성원들에게 가족과 함께하는 일치감을 지나치게 강조함으로써 가족 안에서 개인적인 시간을 갖거나 또는 자신만의 개인영역이 허용되지 않고 서로 밀착된 관계(enmeshed relationship)를 형성한다. 이들은 상호 지나친 관심과 간섭, 그리고 지지를 보이며 개인의 개별성과 독립성을 인정하지 않는다. 따라서 구성원 개개인의 정체성 확립 및 자율성 확보가 용이하지 않아 개인이 하나의 독립된

개체로서의 발달적 욕구를 충족하지 못하는 결과를 낳는다. 또한 문제가 생겨도 독자적으로 문제를 해결해 볼 상황이 없기 때문에 스스로 발전할 수 있는 기회를 놓쳐 버린다.

산소결핍증
[酸素缺乏症, anoxia]

여러 가지 원인으로 산소가 충분히 공급되지 않아 산소 부족이 발생한 상태. 발달심리

주요 증상으로는 폐나 순환기의 질환, 빈혈, 빈맥, 호흡 촉박 등이 있고, 심각한 경우에는 정신장애, 더 나아가 영구적인 뇌의 신경학적 손상이나 사망을 야기한다. 신생아 중 약 1%에서 발병한다. 원인은 태아의 머리가 위에 있어 발이나 엉덩이부터 나오는 둔위자세(breech position)로 놓여 있거나 미성숙한 태반에서 성장한 경우, 모에게 투여된 진정제가 태반 장벽을 통과하여 호흡을 방해하거나 출산 시 신생아가 점액을 삼킨 경우, 태아는 Rh+이고 모는 Rh-여서 출산 시 모의 태반이 약하여 모의 Rh- 혈액이 태아의 Rh+에 노출되어 Rh 항체가 산소공급을 방해하는 경우에 발생한다. 또한 출산한 후에도 이러한 증상이 발생할 수 있으며 호흡이 3, 4분 이상 지체되는 경우에도 발생할 수 있다.

관련어 | 신생아

산업상담
[産業相談, industrial counseling]

근로자의 작업수행을 저해하는 정서적 문제를 해결해 줌으로써 생산성 증진을 목적으로 하는 제도 혹은 직장 내 원만한 인간관계와 노사협조체제를 확립하기 위해 기업체 내외에서 실시하는 전문적인 상담활동. 기업 및 산업상담

기업체 내부에 있을 수 있는 개인적 부적응을 예방하거나 감소시키기 위해 상담서비스를 제공하는 것으로, 기본적인 인간의 가치를 높이고 한 인간으로서 종업원의 가치를 인정해 주는 조직으로 이끌기 위한 제도적 장치라 할 수 있다. 산업상담의 의의는 기업 경영이나 관리를 통해 종업원의 생산인적 측면과 생활인적 측면에서 일어나는 제반 문제를 다루는 데 있다. 우리나라의 산업상담은 해방 후 라인이나 기숙사 사감 차원의 준상담에서 출발하였다. 1962년 이후 산업화의 진전과 더불어 '근로기준법' 등 노동관계법을 중심으로 한 노동상담의 수요가 증가하고, 1972년 이래 공장의 새마을운동의 일환으로 고충상담이 보급되었으며, 1981년부터는 고충상담이 '노사협의회법'의 제정으로 산업장면에서의 상담이 제도화되었다. 특히 1987년 민주화 이후 노동상담(준산업상담)이 유행하였고, 1990년 이후 근로자의 심리적 갈등문제에 대한 초기적 산업상담 프로그램이 보급되면서 현재는 산업상담 자원을 두는 기업이 나타나고 있다. 산업상담은 시대의 추이와 더불어 역할과 성격이 바뀌어 가고 있지만 오늘날에는 심신의 스트레스에 대한 스트레스 상담이 큰 문제로 되어 있기 때문에 산업상담자도 정신건강(mental health)에 적극적으로 대처하는 것이 요구되고 있다. 상담실에서 취급하는 사례는 여러 가지가 있지만 최근 특징으로는 테크노스트레스 증후군, 출근거부, 중고 연령자의 인생설계, 단신 부임이나 전근에 따른 문제, 대부지급 등 금전문제, 이혼 등 가족관계 고민 등으로 다양하게 나타난다. 한 기업의 사례를 보면 내담자의 주된 호소는 직장(40%), 이성(20%), 가족(19%), 경제(9%), 심리(5%), 건강(3%), 법률(3%) 등이었지만, 상담원의 진단에 의한 객관적인 문제는 가족(59%), 심리(11%), 직장(9%), 이성(9%), 경제(5%), 건강(4%), 법률(3%) 등으로 59%가 가족문제였다. 산업상담은 상담실의 상담자만이 아닌 제일선 관리 감독자(line-counselor)도 일익을 담당하고 있기 때문에 상담 마인드(counseling mind)를 갖고 부하직원의 지도에 임하려는 교육훈련을 게을리하지 않는 것이 중요하다. 개인주의의

보급속도와 신세대의 유입 정도에 비례하여 산업상담 수요는 늘어날 것으로 보이며, 산업상담원 제도의 법제화가 과제로 남아 있다.

산업심리학
[産業心理學, industrial psychology]

심리학의 응용분야 중 하나로, 산업에서 여러 문제를 심리학적으로 연구하는 학문. 기업 및 산업상담

산업심리학의 정의에 대해서는 학자들마다 여러 의견이 있지만 작업상황에서의 인간행동에 대한 연구가 가장 포괄적인 설명이라 할 수 있다. 초창기 연구의 주제는 종업원의 선발, 배치, 교육훈련, 인사고과와 같은 인간의 개인차를 다루는 인사심리학이 주된 분야였다. 그러다가 1940~1950년대를 거치면서 작업동기, 직무만족, 리더십, 의사소통, 조직몰입 등 조직 내 인간행동에 대한 관심과 중요성이 크게 부각되었다. 오늘날에는 인사관리 내지 직장적응의 문제로서 동기(motivation), 직무만족, 직장의 인간관계, 리더십, 스트레스 관리 등이 다루어지고 있다. 특히 최근에는 전근이나 단신 부임에 관계되는 문제 혹은 중고령자의 의욕문제 등이 중시되고 있다. 안전이나 작업환경도 중요한 주제로 인간공학적인 접근방법이 주목을 끌고 있다. 나아가 마케팅 분야에서 행해지는 조사, 측정도 제3차 산업이 산업계에 차지하는 비중이 높아짐에 따라 중요한 연구과제가 되었다. 산업심리학의 분야로는 인사심리와 조직행동 외에 공학심리학, 직업 및 경력 상담, 조직개발, 노사관계, 그리고 소비자심리학 등이 있다. 우리나라 산업심리학의 역사는 구한말까지 거슬러 올라가지만 해방 후 특히 1960년대 초 산업화 이후 중요한 문제로 등장하였고, 최근에는 산업조직심리학회가 발족하여 사회의 요청에 따라 활동하고 있다.

산업정신의학
[産業精神醫學, industrial psychiatry]

정보화사회를 살고 있는 직업인의 정신건강을 연구하고 치료하는 학문. 기업 및 산업상담

제3차 산업혁명이라고 불릴 만큼 탈공업화, 서비스 산업의 발달, 사무자동화 등의 정보화시대에 있다. 이런 시대를 살아가는 직업인의 정신건강은 위협을 받고 있다. 건강염려증과 같은 정신생리적 질환이나 우울증이 다발하고 시력장애와 같은 사무자동화 질환이 테크노스트레스(technostress)라는 말과 더불어 일반화되고 있다. 이제 의료담당의 보건복지부는 물론이고 고용노동부도 신경을 쓰지 않을 수 없게 되었다. 이것이 직장에서의 정신의학 혹은 정신위생을 요구하는 현대적 상황이다. 종전에 직장에서 노동위생은 결핵 퇴치, 직장환경 개선이나 정비, 그리고 안전사고의 방지가 중심 과제였다. 그렇게 함으로써 생산성을 향상시키고 노동자의 생활안정을 도모하고자 하였다. 현재에도 기본 이념은 변함이 없다. 직장의 담당자가 이러한 문제를 해결해 가는 과정에서 가장 취급하기 어렵고 최후까지 남아 있는 문제가 정신의학, 정신위생 문제다. 산업정신의학에서는 종래 정신의학에서 취급하고 있던 정신장애 일반도 중요한 대상이 되지만 직장배치나 인간관계, 사회복귀 문제 등 종래 정신의학에서 제외되었던 문제도 취급한다. 즉, 질환성도 없애면서 사례성에 의해 많은 분야를 취급하는 영역으로 해야 할 것이다. 여기서 '질환성'이란 질병이 있기 때문에 문제가 된다는 것이며 '사례성'이란 질병은 중심이 아니고 문제행동 혹은 부적응 행동이 있기 때문에 문제가 되는 경우를 말한다. 질환에는 정신분열증, 조울증, 전간, 뇌파 이상, 신경증, 지적장애, 건강염려증과 같은 정신생리적 질환, 신체장애, 내과적 질환에 의한 정신장애, 알코올 의존, 약물 의존 등이 있다. 사례성의 경우는 직장 부적응자, 태업, 꾀병, 심신피로, 직장조직이나 조합 문제, 직장의 인

원 구성이나 배치상 문제, 전근 · 승격에 따른 문제, 대인관계 문제, 기술혁신에 따른 문제, 사고다발 경향 문제 혹은 중금속을 취급하거나 근육노동에 따른 직업병 문제 등이 있다. 기업인과 근로자의 신체적 건강관리 측면에서는 내과의사를 비롯하여 이비인후과, 안과 의사 등이 기업이나 공장의 의무실에 상근 혹은 촉탁으로 근무하는 경우가 일반적이며, 정신과 의사는 자문체제(consultation system)를 갖고 있고 실질적으로 근로자의 정신건강은 심리상담 전문가 또는 임상심리학자가 담당하고 있다. 그들은 정신의학의 기초지식과 직장에서의 정신상황을 잘 이해하고, 그곳에서의 인간성에 대해 숙지해야 한다. 이를 위한 산업정신의학적 측면에서 필요한 훈련과 경험은 다음과 같다. 우선 근로자의 진단 및 평가를 위하여 증상학적 진단법, 역동적 진단법, 상황적 진단법, 신경학적 검사에 입각한 진단법, 심리학적 검사법, 인간공학적 검사 및 조사, 산업심리학적 조사, 산업사회학적 조사 등이 있다. 그리고 그들의 문제를 해결하고 생산성을 높이기 위한 심리치료 및 상담, 위기개입, 약물치료, 정신치료, 산업정신위생교육, 재활 등이 있다. 재활에는 복직대책이라든가 예후의 관리에 대해서 현장과 밀접한 지도가 필요하다. 또한 산재의 인정과 보상문제 등에 대한 처리인데, 이는 다른 담당자와의 팀워크와 더불어 전문가로서의 판단이 요구되는 것으로 산업정신의학의 특이한 부문이라고 할 수 있다.

살포
[撒布, interspersal]

최면유도나 암시를 주기 위하여 특정 단어나 구를 문장 여러 곳에 흩트리거나 반복하고 비언어적인 방법으로 그것을 강조하는 것. 최면치료

에릭슨 최면에서 주요한 기법으로, 내담자의 무의식이 내담자 자신만의 방식으로 살포의 내용을 활용하도록 암시를 주는 방법이다. 예를 들어, "나는 당신이 트랜스에 들어갈 수 있다고 의식적으로 믿고 있는지 알지 못합니다. 나는 당신이 진정으로 얼마나 깊이 트랜스에 들어갈 수 있을지도 모릅니다. 그리고 당신이 얼마나 빨리 트랜스에 들어갈 수 있는지 당신 스스로 정말로 알고 있는지에 대해서도 잘 모릅니다."라는 암시문에는 '트랜스에 들어갈 수 있다.'라는 표현이 곳곳에 산재해 있어 내담자에게 강조되고 있다. 이 방법은 두 가지 과정으로 이루어지는데, 첫째는 치료자가 내담자의 호소문제에 적절하고 의미 있는 내용을 의식적 차원에 이야기하고, 둘째는 가능성, 잠재성, 해결, 인간중심적 결과를 위한 간접암시를 무의식적 차원에 심는다. 이때 치료자는 목소리 크기를 조절하거나 손짓과 몸짓을 활용하는 등 비언어적인 동작을 사용하면 효과가 커지는데, 이 같은 비언어적 방법은 내담자가 알아차리지 못한다.

관련어 에릭슨 최면, 최면

삶의 과제
[-課題, life task]

사람이 살면서 직면하게 되는 기본적인 도전과 책무. 개인심리학

삶의 과제와 관련하여 아들러는 모든 인간은 3개의 인연을 가지고 있고, 이와 관련하여 세 가지 삶의 과제를 지니게 된다고 하였다(Adler, 1966). 3개의 인연이란, 첫째는 약한 육체를 지닌 인간이 지구라는 환경과 관계하고 있다는 사실이고, 둘째는 자신의 약함과 불완전성, 그리고 한계성 등에 따른 다른 사람과 맺는 인연이며, 셋째는 인류의 생명을 지속한다는 점에서 두 이성의 만남, 즉 다른 성과의 인연을 말한다. 3개의 인연은 세 가지 삶의 과제, 즉 직업, 우정(사회), 이성교제 및 결혼의 과제를 제시한다. 모삭(Mosak)과 드라이커스(Dreikurs)는 아들러가 암시한 네 번째와 다섯 번째 과제를 확인했는데,

네 번째 과제는 우주, 신과 유사한 개념에 대한 반응으로 인간의 영적인 자기(self)를 다루는 것이다. 다섯 번째 과제는 주체로서의 자기(I)와 객체로서의 자기(me)에 성공적으로 대처하는 것과 관련된다. 아들러는 한 사람이 성공적으로 다른 사람과 지내고, 일을 하고, 이성과 만족스러운 관계를 형성하는 범위는 개인의 전반적인 성격과 성숙도를 드러내는 지표라고 믿었다.

삶의 기술
[-技術, life skills]

일상에서 필요한 업무와 도전을 다루는 데 요구되는 개인의 행동적 태도와 능력. 중독상담

문제해결, 의사소통, 계획 짜기와 같이 대인관계 속에서, 혹은 개인의 효율적인 삶에서 필요한 능력과 기술을 말한다. 예를 들어, 타인과의 관계 형성에서 필요한 의사소통능력, 사회성, 리더십, 팀워크와 자신에 대한 조절능력, 자기존중감, 자신감 등이 대표적인 생활기술이라 할 수 있다. 이는 더 나은 삶을 형성하는 데 필요한 기술들이며, 다양한 방법의 훈련과 연습을 통해 향상될 수 있다.

관련어 | 생활기술훈련

삶의 본능
[-本能, life instinct]

삶을 유지하고 향상시키려는 무의식적 충동에 관련된 본능. 정신분석학

프로이트(S. Freud)는 원초아의 충동을 크게 두 가지 범주로 분류하여 삶의 본능과 죽음의 본능으로 구분하였다. 삶의 본능을 에로스(eros)라고 하는데, 개인의 생명을 유지시키고 자신과 타인을 사랑하게 만들며 종족 보존과 번창을 가능하게 한다. 그러나 이들 본능은 종종 비합리적이고 무의식적인 특징을 지닌다. 삶의 본능 중에서도 개인의 성격발달에 가장 큰 영향을 미치는 것은 성적 본능이며 이것에 내재하는 정신에너지를 리비도라고 한다. 프로이트는 초기 자신의 이론에서 리비도를 성적 에너지를 지칭하는 용어로 사용하였다. 그러나 이후에는 즐거움, 쾌락, 만족을 추구하는 모든 활동을 삶의 본능이라는 개념에 포함시키고 리비도를 이러한 모든 삶의 본능적 에너지를 일컫는 개념으로 확장하였다. 삶의 본능은 굶주림, 갈증, 배설, 성욕과 같이 유기체가 생존하는 데 필요한 기본적인 것이며 개인과 인류의 생존에 기여하며 성장, 발달, 창조성을 추구한다. 또한 죽음의 본능과 동등하며 대립하는 힘이다. 그러나 프로이트는 생명이 없는 상태가 생명이 있는 상태를 항상 이기기 때문에 죽음의 본능이 우세하다고 보았다.

관련어 | 본능, 죽음의 본능

삶의 예술
[-藝術, Lebenskunst]

삶의 예술적, 철학적 근거에 대하여 실천적 적용과 활용을 시도하는 철학의 실천활동 가운데 하나. 철학상담

철학적 삶의 예술의 중심 인물인 슈미트(Schmid)는 니체(Nietzsche)와 푸코(Foucault)의 철학에서 삶의 예술의 근거를 찾았다. 슈미트는 철학적 삶의 예술이라는 영역이 20세기의 심리학, 심리치료나 정신분석을 대체할 것이라고 보았다. 그는 삶의 예술철학이 마음의 병을 처리하는 기존의 심리치료를 대체하는 철학의 실천적 역할을 할 수 있다고 본 것이다. 자기 자신을 돌보는 것을 자기 자신을 자각하고 발전시키는 성찰적 삶의 기술로 간주한 슈미트는 개인의 삶의 행복이나 자기 자신의 의미체험을 중요시하며, 자기 자신의 감정에 대한 깨어 있는 의식적 관계 맺음이 자기강화(Selbstmaechtigkeit)로 이끌 수 있다고 보았다. 또한 그는 사회적 위치가

개인의 행복을 보장해 주는 것이 아니며, 각 개인의 내・외부의 균형 잡힌 삶을 만들 수 있다고 보면서 삶의 균형을 강조하였다. 슈미트는 좋은 삶, 아름다운 삶, 자기 자신과 친구 되기, 균형의 예술, 삶의 충족, 행복, 생태학적 삶의 예술 등에 관한 다양한 주제의 책을 쓰며 삶의 예술철학을 전개하였다. 이와 같은 철학적 삶의 예술은 아헨바흐(Achenbach)의 철학 실천과는 다른 또 하나의 실천철학이라 할 수 있다. 아헨바흐가 철학적 대화를 통하여 구체적인 문제를 생산적으로 해결하려는 방법을 시도하고 있는 반면, 슈미트는 철학적 대화의 방법으로 영혼을 관리하고 자기인식과 자기배려의 기술을 통하여 삶의 예술과 치유의 실천방법을 추구하였다. 이와 같은 슈미트의 삶의 예술철학은 현대 철학적 심리치료나 임상 치료에 많은 영향을 미쳤다.

관련어 | 철학실천, 철학카페

삶의 지혜
[-智慧, Lebensweisheit]

지혜로운 인간의 삶을 위해 대중적으로 접근한 철학적 활동 가운데 하나. 철학상담

철학의 실천으로서의 삶의 지혜 활동은 라디오나 텔레비전 등의 대중매체, 듣는 책 등을 통하여 대중에게 접근하는 입장이다. 대표적 인물로 철학자이자 대중 작가인 프레히트(Precht)는 '나는 누구인가?' '감정이란 무엇인가?' '기억이란 무엇인가?' 등과 같은 매우 평범한 일상의 물음을 쉬운 철학적 언어로 설명하며, 대중에게 쉽게 접하고 읽을 수 있는 철학을 전하였다. 프레히트의 물음과 철학적 논의는 철학적 고전과 사상가의 지혜를 활용하여 일반 대중이 철학을 쉽게 접하면서 자신의 삶의 태도나 입장을 점검하고, 삶의 지혜를 찾는 계기를 마련해 주는 것이다. 또한 조머(Sommer)는 세계관, 물신, 정서, 자기 신격화, 자기 헌신, 행복 등의 개념을 스토아적 사유로 분석하여 삶의 지혜에 이르는, 다시 말해 영혼의 안정에 도달하는 길을 제시하고 있다. 게다가 라인하르트(Reinhard)는 의미, 행복, 불안, 자유, 삶/죽음, 사랑, 선/악, 우정, 불만족 등 다양한 실존적 주제를 언급하면서 스스로 생각하기(Selberdenken), 충일한 삶, 무의미로부터 해방된 삶을 얻기 위한 철학적 처방을 제시하였다. 이와 같이 삶의 지혜 활동은 특정 주제에 관한 자신의 철학적 입장을 정리하거나 전통적 철학텍스트에 있는 철학적 단편이나 문구 등을 특정 주제와 연관시켜 발췌하고 정리하여 책, 라디오, 인터넷, 듣는 책, 비디오 등으로 만들어 영혼의 안정이나 충일된 삶의 형성, 삶의 지혜에 관하여 대중과 소통하는 활동이다.

관련어 | 철학실천

삶이라는 클럽
[-, club of life]

인간의 삶을 하나의 '클럽'이라고 생각하는 은유적 표현. 이야기치료

이야기치료에서 회원재구성대화를 할 때 적용하는 인간 삶에 대한 은유적인 표현이다. 여기서는 인간 개개인의 삶이 각각 독립적으로 존재하는 것이 아니라 다른 사람들의 삶과 여러 가지 형태로 관계를 맺어 영향력을 주고받고 있는 사회적이고 관계적인 것이라고 이해한다. 따라서 여러 사람의 다양한 삶이 연결되어 '삶이라는 클럽'을 이루고, 그 속에서 각각의 개인은 다른 사람들과의 관계를 형성하며 삶을 살아간다고 설명한다. 결국, 내담자 개인의 삶 또한 이 클럽의 한 구성원임을 인식하도록 하고, 그 구성원으로서의 정체성과 의미에 대해 생각하도록 한다.

관련어 | 이야기치료, 회원재구성대화

삼각관계
[三角關係, triangular relationship]

미술치료에서 미술치료사, 내담자, 미술작업 혹은 미술작품이 맺는 관계. 미술치료

미술치료에서 작용하는 이러한 삼각관계는 치료 과정에서 일반 상담에서의 치료자와 내담자라는 양자관계보다 더 안정적일 수 있는 동시에 더 어려울 수도 있다. 그러나 삼각관계는 내담자가 돌아간 후에도 미술치료사가 시간에 구애되지 않고 치료사와 미술작품이라는 또 다른 양자관계를 연장하여 문제를 다룰 수 있다는 장점이 있다.

삼각화
[三角化, triangulation]

질적 연구의 타당성과 신뢰성을 높이기 위하여 동일 현상에 대한 연구에서 다양한 대상, 관점, 방법, 자료를 활용하는 기법. 연구방법

삼각화 방법은 원래 삼각형의 한 변의 길이와 그 양끝 각을 알면 다른 두 변의 길이와 그 사이의 각도를 계산해 낼 수 있는 점을 측량에 응용한 삼각측량법을 뜻한다. 질적 연구에서는 신뢰도와 타당도를 높이기 위한 한 가지 전략으로 삼각화 방법을 사용한다. 이는 방법을 달리할 경우에도 동일한 결과가 재현되는지 확인해 보는 일종의 교차타당화(cross validation) 방법이라고 할 수 있다. 삼각화 방법에는 자료 삼각화(동일 자료를 얻는 데 여러 대상, 시간, 공간이 관여됨), 연구자 삼각화(동일 문제나 대상을 연구하는 데 여러 연구자가 관여함), 이론 삼각화(동일 현상을 해석하는 데 여러 이론이 관여됨), 방법 삼각화(동일 정보를 수집하는 데 여러 방법이 관여됨) 등이 있다.

관련어 | 질적 연구

삼각화
[三角化, triangulation]

가족 내 불안과 긴장을 해소하기 위해 3인 체계의 정서적 역동을 형성하는 과정. 삼각관계화라고도 함. 가족상담

삼각관계를 맺는 가장 중요한 이유는 불안 때문이다. 보웬(M. Bowen)은 삼각관계가 가장 기본적인 안정적 관계체계라고 하였다. 2인 관계의 경우 친밀하고 평온하면 안정적 상태를 유지할 수 있지만, 관계가 불안정해지면 두 사람 사이에 불안이 증가하고 따라서 긴장을 해소하기 위해 삼각관계를 맺고자 한다. 2인 관계에서 불안이 심해지면 상대방이 가해 오는 압력 때문에 정서적 거리를 두려고 한다. 그러나 두 사람 관계에서 해결하기 어려운 문제에 직면하면, 결국 제3자에게로 정서적 관계를 확대하여 삼각화를 시도한다. 삼각화를 통해 두 사람 간에 확산되어 있는 불안을 감소시키고자 한다. 제3자가 개입하면 두 사람 사이의 불안이 세 사람에게로 분산되기 때문에 각자가 느끼는 불안의 정도가 약해질 수 있다. 가족장면에서의 일반적인 삼각관계 유형은 한 명의 부모가 자녀와 공모하여 다른 한 명의 부모를 소외시키는 형태다. 예를 들어, 남편과의 갈등관계 때문에 불안한 아내는 자녀 중 한 명에게 관심을 쏟고 밀착하게 된다. 아내는 자녀와 시간을 보냄으로써 배려하지 않는 남편에게 집착할 필요가 없어지지만, 그 결과 남편과 아내가 공동의 관심사를 함께 발달시켜 나갈 기회와 가능성이 그만큼 감소하고 자녀의 자아분화를 방해하게 된다. 대부분의 가족문제는 세 사람이 관련된 경우가 많기 때문에 두 사람만을 대상으로 치료했을 때에는 그 효과가 제한적일 수밖에 없다. 아내에게 양육방법을 훈련시키더라도 아내가 남편과의 정서적 거리감 때문에 자녀에게 지나치게 관여한다면 궁극적으로 문제를 해결할 수 없다. 가족의 융합 정도가 높을수록, 즉 가족구성원의 분화수준이 낮을수록 삼각화 노력은 더욱 강해진다. 반면, 가족구성원의 분화수준이

높을수록 삼각화하지 않고서도 긴장을 다루고 불안을 해소해 나갈 수 있다. 예를 들어, 형제가 다툴 때 어머니가 화를 내지 않고 어느 편도 들지 않으면서 양쪽 자녀 모두에게 공정한 태도로 대화를 나눈다면 형제간의 고조된 갈등은 가라앉게 된다. 가족 내 삼각화의 가능성은 가족구성원의 미분화에 의해 높아진다. 문제해결을 위해 삼각화에 의존하는 것은 특정 가족구성원의 미분화를 지속시킨다. 제3자의 개입이 일시적이거나 갈등해소에 도움이 되는 경우에는 삼각관계가 고착되지 않는다. 그러나 제3자가 지속적으로 관여할 경우 삼각관계는 역기능적으로 고착된다. 체계론적 가족상담이론에서 주요하게 언급되며 이와같은 가족상담 접근에서 중시되어 다뤄지고 있다.

관련어 체계적 가족치료

삼법인
[三法印, three dharma seals]

불교 초기 경전에 나타난 불교의 원리. 동양상담

"일체는 무상한 것이고 일체는 괴로운 것이고 일체는 무아인 것이다."라고 이야기되는 현상을 불교의 세 가지 법인(法印)이라고 말한다. 일체가 무상한 것은 중생들이 이 세계에 살면서 자신의 재산과 권력, 명예, 그리고 생명이 영원한 것이라고 생각하지만 그것이 덧없음을 일깨워 주고 있는 것이다. 즉, 중생들의 잘못된 생각을 깨우치기 위한 것이다. 그다음 모든 것이 괴로움이라는 것은 무상한 것이 곧 괴로움이 되기 때문이다. 즐거움이라는 것도 영원히 머무는 것이 아니라 곧 사라져 버리는 서글픔을 안겨 주고, 사랑하는 사람과 헤어지고 구하는 바를 얻지 못해 괴로워하는 것이다. 그 무엇이든 항구불변의 존재는 없다. 이 세계를 구성하고 있는 사대요소가 이미 무상한 것이므로 끊임없이 변하고 분산되는 것이다. "세상에 생하고 늙고 병들고 죽는 것은 괴로움이다. 미운 것과 만나고, 사랑하는 것과 헤어지고, 구하는 바를 얻지 못하는 것은 괴로움이다."라는 것이다. 마지막은 일체무아(一切無我) 설이다. 석가모니 부처는 제자들과 다음과 같은 대화를 나누었다. "색은 무상한가, 아닌가?" "무상합니다." "무상한 것은 괴로움인가, 아닌가?" "괴로움입니다." "무상하고 괴로운 것이라면 그에 대해 이것이 변하지 않는 나요, 나의 실체라고 말할 수 있을까, 없을까?" "말할 수 없습니다." "수, 상, 행, 식 또한 그러하다." 따라서 우리가 '나'라고 하는 것들[六根, 四大, 五取蘊]은 이렇게 내가 아니고[非我], 나의 것이 아니다. 변하지 않고 항상 할 수 있는 나의 실체는 없다. 그럼에도 불구하고 우리 범부들은 그러한 것을 나의 실체로 집착하고 그 같은 아집 때문에 대립, 분열 등의 괴로움에 빠진다. 그래서 참다운 나를 찾아야 한다. 나 아닌 것을 나로 착각하고 있다면 참다운 나를 발견할 수 없는 것이다.

삼원지능이론
[三元知能理論, triarchic theory of intelligence]

전통적 지능 개념에서 개인, 행동, 상황적 요소를 모두 포함한 실제적 지능이론으로, 지능을 분석적 능력, 창의적 능력, 실제적 능력의 세 측면의 상호 의존적인 과정의 집합으로 본 스턴버그(Sternberg)의 지능이론. 학습상담

지능의 삼위일체이론이라고도 하는 이 이론의 세 가지 측면 각각은 지능의 상이한 하위이론을 나타내며 상호 의존적이다. 첫째, 요소하위이론(componential subtheory)은 지적 수행의 기저를 이루는 기본적 정보과정, 즉 구성요소를 다룬다. 여기에는 메타요소(metacomponent), 수행요소(performance component), 지식습득요소(knowledge-acquisition component)의 세 종류가 있다. 메타요소란 어떤 일을 계획하거나 특정 업무를 수행하는 데 점검하고 과제를 평가하고 해결할 때 정신적·신체적으로 우리가 행하는 것을 조정하는 고등제어기능이 포함된

다. 수행요소란 메타요소를 실행하고 문제를 해결하는 실행과정, 즉 과제를 입력하고 관계를 추리하고 가능한 해결전략을 비교하는 것이다. 지식습득요소란 메타요소와 수행요소에 대해 어떻게 해야 하는지 학습하는 것과 관련된다(이해경, 이양, 용홍출, 2005). 요소하위이론은 지능에 깔려 있는 잠재적인 정신기제의 옛 정보와 비교하는 과정으로 개인이 각 과제에 적용하는 정신기제는 다를 수 있지만 지능에 깔려 있는 잠재적인 정신기제의 종류는 모든 개인과 사회문화적 환경에 걸쳐 동일하게 간주된다는 점에서 보편적이다. 이 이론은 정보처리이론과 밀접한 관계에 있으며, 스턴버그의 인지이론을 더욱 발전시킨 것으로 볼 수 있다. 이 세 가지는 회사에서 관리자, 피훈련자, 노동자와 비슷하다. 예를 들어, 논문을 쓰는 문제에 직면한 학생의 경우, 메타요소(관리자)는 주제를 결정하고, 논문을 계획하고, 논문을 작성하는 진행과정을 점검한다. 지식습득요소(피훈련자)는 자료를 수집하여 관련 아이디어로 결합한다. 또 수행요소(노동자)는 실제 쓰기를 행한다. 세 요소는 최종 결과물을 산출하기 위해 함께 작용하는 것이다(문선모, 2005). 둘째, 경험적 하위이론(experiential subtheory)은 지능이 경험과 관계있음을 시사한다. 지적 행동에는 새로운 경험을 효과적으로 다루는 능력과 문제를 효율적으로 해결하는 능력이 포함되는데, 이는 새로운 경험을 과거경험과 관련지어서 효율적으로 사용할 수 있는 형태를 만들어 내는 것을 의미한다. 즉, 통찰력이 필요하며 선택적 부호화, 선택적 결합, 선택적 비교의 세 가지로 구성된다. 선택적 부호화는 사고나 문제해결 과정에서 적절한 정보에 주의를 기울이는 능력이다. 선택적 결합은 최초에 서로 관련 없는 요소들을 연관시켜 새로운 것을 창출하는 능력이다. 선택적 비교는 기존의 것들을 새로운 각도에서 보고 새로운 것을 유추해 내는 능력이다. 새로운 이론을 개발하는 학자, 전문적 경영인, 창의적인 과학자, 예술가 등 많은 분야에서 탁월한 능력을 보이는 사람들은 경험적 능력이 우수한 사람이라고 볼 수 있다. 셋째, 맥락적 하위이론(contextual subtheory)은 지능을 우리가 살고 있는 일상의 맥락이나 환경과 관련짓는 능력으로 이해한다. 지적인 사람은 목표를 달성하기 위해 환경에 적응하고, 환경을 변화시키고, 또는 필요한 경우 환경 중에서 새로운 선택을 한다. 이 능력은 전통적인 지능검사의 IQ나 학업성취와는 무관한 능력으로 학교교육을 통해 이루어지는 것이 아니다. 맥락적 능력은 실용적 지능으로 각광받고 있으며 일상에서의 문제해결능력, 실제적인 적응능력, 사회적 유능감 등이 포함된다. 적응의 의미는, 첫째, 기존의 환경에 잘 적응하는 것, 둘째, 기존 환경의 형성, 즉 필요에 맞게 현재의 환경을 자신이 변화시키는 것, 셋째, 새로운 환경의 선택, 즉 현재의 환경을 평가하여 새롭고 보다 나은 환경을 선택하는 것이다. 스턴버그의 지능이론은 기존의 지능이론에서 학업성취지능을 지나치게 강조한 반면에 학생 개개인이 처한 사회문화적 맥락, 창의적 사고, 문제해결능력을 포함한 지능에 대한 새로운 관점을 제안하고 있다는 점에서 의미가 있다. 그의 이론은 가드너(Gardner)의 다중지능이론과 함께 교육심리학적 관점에서 새로운 이론으로 주목받고 있다(이해경, 이양, 용홍출, 2005). 스턴버그(1996)는 삼원지능이론을 확장하여 '성공지능(successful intelligence: SQ)' 개념을 제안하였다(여광응 외, 2004). 성공지능이론은 전형적으로 지능과 학업적 능력의 테스트로 측정받는 것보다 능력의 범위가 훨씬 넓다. 성공지능은 기존의 검사들이 기억과 분석 능력을 우선으로, 또는 전적으로 평가하는 것과 달리 분석적 · 창의적 · 실제적 능력을 종합적으로 포함한다. 분석 능력은 분석하고, 비교대조하고, 평가하고, 비평하고, 판단하는 능력으로서, 이는 학교와 그 이후의 삶에 매우 중요한 능력이지만 단지 기억하고 개념을 분석하는 것만으로 이 세상을 성공적으로 살아가는 데는 한계가 있다. 이에 따라 스턴버그는 분석능력 외에 창의적 사고와 실제적 사고를 추가한 것이다. 창의적 능력은 무언가 새로운 것을 고안해 내고 발견하며 상상하고 가정하는 것이고, 실제적 능력은 이론을 현실로, 추상적인 생각을 실제적인 성과물로 만들어 내는 실행, 적용, 활용 능력이다. 스턴버그는 성공을 위해서는 이 세 가지 능력의 조화가 필요함을 강조하였다(임정훈, 한기순, 이지연, 2008).

삼중 취약성 이론
[三重脆弱性理論, triple vulnerability theory]

만성적 불안이 발달하는 데는 세 가지 조건이 갖추어져야 한다는, 바로우(Barlow)가 제안한 이론. 정서중심치료

바로우는 미래의 위험에 대해 자신이 통제할 수 없다는 개인의 느낌을 불안이라고 간주하였다. 그러나 만성적이지 않은 불안은 병리적인 불안이라 할 수 없다. 그가 제안한 삼중 취약성 이론에서는 만성적 불안이 발달하는 데는 다음의 세 가지 조건을 모두 갖추어야 한다고 가정하였다. 첫째는 생물학적 혹은 유전적 취약성으로, 만성적 불안행동에서 나타나는 변이 중 30~50%는 유전적 요인에 그 원인이 있다고 하였다. 현재로서는 그러한 유전자가 밝혀지지 않았지만 그러한 유전자가 존재할 가능성은 매우 높다. 둘째는 심리적 취약성으로, 통제도 예측도 할 수 없는 위험한 사건에도 대처를 잘하는 사람이 있는 반면, 그렇지 못한 사람이 있다는 사실을 기초로 삼고 있다. 초기의 양육방식은 아동의 일반적인 통제능력에 영향을 미치는 것으로 나타났다. 셋째는 자극 구체적 취약성이다. 이것은 아동 중에는 특정 대상이나 사건, 특히 체성감각(somatic sensation)을 아주 위험한 것이라고 학습한다는 사실을 바탕으로 하고 있다. 그러한 대상이나 사건이 그 사람이 갖는 두려움의 핵심이 되는 경향이 있다.

삼중 X염색체 증후군
[三重-染色體症候群, triple-X syndrome]

정상적인 여성 염색체 쌍인 XX에 여성 성염색체가 하나 더 있는 XXX 구조를 가진 사람들에게서 나타나는 증상. 특수아상담

정상인일 경우 46개의 염색체 중 마지막 2개가 성염색체로 X와 Y라 부른다. 여성일 경우 X염색체가 46, XX, 그리고 남성일 경우 X와 Y를 가지게 되어 46, XY가 된다. 그러나 삼중 X염색체 증후군은 여성의 성염색체가 하나 더 있어서 47개인 47, XXX가 된다. 그래서 삼중 X염색체 증후군은 3개의 염색체 증후군(trisomy X syndrome) 또는 47XXX라고도 하며, 추가적인 X염색체가 여성의 세포에서 존재하게 된다. 삼중 X염색체 증후군을 가진 여성은 일반 여성에 비해 키가 큰 편이지만 그 외에 뚜렷한 외모적 특징은 나타나지 않고, 성적(性的) 발달도 정상적이면서 임신도 가능하다. 그러나 유아기 때는 학습장애의 위험이 증가하며 구음이나 언어의 습득, 앉거나 걷는 운동기능발달이 늦고, 약한 근육긴장에 감정과 행동의 장애 등이 나타난다. 대개의 X는 유전적 요인으로 오지 않고 생식세포인 난자와 정자의 염색체 형성과정에서 무작위로 일어난다. 일명 비분리(nondisjunction)라는 세포분열의 이상으로 비정상적인 염색체의 증가가 오게 된다. 비분리의 결과로 X염색체의 추가적 복제가 신생아의 유전적 특징으로 자리 잡으면서 모든 세포가 추가적인 X염색체를 갖는다.

관련어 | 다운증후군, 클라인펠터 증후군, 터너 증후군

삼차과정
[三次過程, tertiary process]

아리에티(Arieti, 1976)가 명명한 용어로, 미술작품의 창조과정을 말하는 것으로서 인간의 본능과 현실을 통합하는 단계. 미술치료

일차과정(primary process)과 이차과정(secondary

process)의 특정한 조합(combination)을 말한다. 일차과정은 프로이트(Freud)가 말한 무의식적 세계로서 꿈으로 상징화될 수 있고 의식적으로 알지 못하며 정신병으로 나타나기도 한다. 이차과정은 의식적이고 현실적인 세계를 말한다. 이 두 과정이 통합되고 조합되어 창조과정이 나타나는데, 이 경우를 삼차과정이라 한다. 삼차과정은 내용에서는 추동이나 욕동을 포함하는 일차과정이 나타나고, 형식에서는 자아의 지배를 받는 이차과정이 나타나는 활동이다. 말하자면, 미술작품에 형태를 부여하고 조직화하는 능력은 결코 추동의 산물이 아니라 잘 조절되고 통제되는 힘이라고 할 수 있다.

삼학
[三學, threefold training]

불교를 수행하며 도를 깨닫기 위해 반드시 지켜 나가야 할 가장 기본적인 세 가지 방법. 동양상담

깨달음을 얻기 위해 지키는 세 가지 방법은 계(戒), 정(定), 혜(慧)다. 계는 말과 언어, 행위와 동작에 나쁜 짓을 금하는 것이고, 정은 마음과 몸을 고요하게 하여 마음을 한없이 닦아 나가는 것이며, 혜는 어리석은 마음과 번뇌를 없애고 도를 향하는 끝없는 마음을 나타낸다.

관련어 | 삼법인

상관
[相關, correlation]

사건과 사건 또는 현상과 현상 사이에 나타나는 특정한 관계. 연구방법

두 변인이 서로 관련 있게 변화할 때 그들 간에는 상관이 있다고 말한다. 이러한 두 변인은 정적(正的) 혹은 부적(負的)이라는 두 가지 유형의 관계를 공유할 수 있다. 이 관계의 양 극단은 두 변인 간의 방향(direction)을 나타내며 +1.00에서 -1.00의 범위를 가지고, 변인들 간의 관계범위는 두 변인이 공유하는 강도(strength)를 나타낸다. 정적 상관은 하나의 변인값이 증가(혹은 감소)하면 다른 변인값 역시 선형적으로 증가(혹은 감소)하는 경우다. 반대로 부적 상관은 하나의 변인값이 증가(혹은 감소)하면 다른 변인값이 선형적으로 감소(혹은 증가)하는 경우다. 변인 간의 관계는 산포도(scatterplot 혹은 scattergram)를 이용하여 추정할 수 있다. 산포도는 두 변인 간의 관계를 시각적으로 표현한 것으로서, 도표의 가로축과 세로축에 x변인과 y변인을 설정하고 각각의 x값에 해당되는 y값을 도표상에 점으로 표시하여 x와 y의 상관 정도를 추정하는 2차원 형태의 도표다. 흔히 상관도표라고 하며 점들의 집락이나 분산 정도를 보고 두 변인 x와 y의 관련성을 알 수 있다. 상관에는 두 변인 간의 관계를 알아보는 단순상관뿐만 아니라 한 변인이 2개 이상의 다른 변인의 조합과 어떤 관련을 맺고 있는지 알아보는 중다상관이 있다. 이에 더해 상관에는 정준상관(canonical correlation)과 부분상관(partial correlation)이 있다. 정준상관은 둘 이상의 독립변인과 둘 이상의 종속변인 간의 동시적인 상관관계를 말하며, 집단변인상관이라고도 한다. 이는 하나의 종속변인과 둘 이상의 독립변인 간의 선형함수관계인 회귀분석(regression analysis)을 일반화한 형태인데, 독립변인뿐만 아니라 종속변인에도 가중치를 주어 독립변인들의 선형변환 합과 종속변인들의 선형변환 합의 단순상관이 최대가 되도록 가중치를 결정한다. 이때 얻어지는 두 합의 피어슨 상관계수가 정준상관계수이고, 독립변인의 가중치와 종속변인의 가중치는 정준상관계수들로서 회귀계수처럼 정준상관에 대한 공헌의 정도로 해석된다. 예를 들어, 상담자는 두 도구 간에 공유된 공통 요인을 알아보기 위해 미네소타 다면적 인성검사-2 (MMPI-2)와 밀리언 임상적 다축 검사-III(MCMI-III)의 하위척도들 간의 관계를 조사하면서 정준상관을 이용할 수 있다.

부분상관은 3개 이상의 변인이 상호 상관을 가질 때 그중에서 두 변인만의 고유한 관계를 측정하기 위한 상관으로서 편상관이라고도 한다. 부분상관은 회귀분석에서 회귀계수의 추정에 사용되므로 중다회귀분석에서의 회귀계수는 부분회귀계수 또는 편회귀계수라고도 한다.

관련어 | 상관계수, 회귀분석

상관계수
[相關係數, correlation coefficient]

두 변인을 측정했을 때 한 변인의 변화에 따라 그에 대응하는 다른 변인이 어떻게 변화하느냐의 관계를 표시해 주는 통계치로, 상관의 정도를 일종의 지수로 표시한 값. 통계분석

상관의 정도는 상관계수로 표시한다. 일반적으로 γ로 표시되는 피어슨(Pearson)의 적률상관계수(Pearson product-moment correlation coefficient)는 둘 이상의 변인이 일련의 점수들 간의 선형관계를 나타내는 통계치다. 변인 X와 변인 Y 간의 상관계수는 γ_{xy}로 표시하는데, 그 값은 +1.00부터 0을 거쳐 -1.00 사이의 어떤 값을 취한다. 만약 X와 Y의 상관계수가 1.00이라면 두 변인은 완전히 일대일로 대응하면서 변화한다는 뜻이다. 상관계수가 0으로 나타나는 것은 두 변인이 서로 완전히 독립되어 있다는 것, 즉 아무 상관이 없음을 의미한다. 하나의 상관계수는 변인들 간 관계의 방향과 크기에 관한 정보를 준다. 변인들 간 관계의 방향은 상관계수값 앞에 붙은 양수와 음수 기호(+와 -)로 결정된다. 상관계수가 양수로 나타나면 두 변인 간에 정적 상관이 있다고 하는데, 이것은 하나의 변인값이 증가(감소)하면 다른 변인의 값도 증가(감소)하는 관계를 말한다. 반면에 상관계수가 음수인 것은 부적 상관이라 하는데, 이것은 하나의 변인값이 증가(감소)할 때 다른 변인의 값은 오히려 감소(증가)하는 관계를 말하며 역상관이라고도 한다. 상관계수는 대개 변량에 의한 해석을 한다. 즉, 상관계수를 제곱하면 한 변인의 변량이 나머지 다른 변인의 변량을 어느 정도 설명할 수 있는지를 나타낸다. γ^2을 결정계수(coefficient of determination)라고 하며, 여기에 100을 곱하면 백분율로 해석할 수 있다. 예컨대, $\gamma_{xy}=.60$이라면 X에 의해서 Y의 전체 변량 중 36%를 설명하거나 예언할 수 있다고 본다. 말을 바꾸어 Y변인에 의해서 설명되는 X의 변량은 36%라고 해석할 수도 있다. 상관계수는 절댓값이 크면 클수록 그만큼 상관의 정도가 큰 것을 의미한다. 예를 들어, 2개의 상관계수 $\gamma_{xy}=-.75$와 $\gamma_{xy}=+.25$ 중에서 어느 것이 더 상관 정도가 높은지 묻는다면 절댓값이 큰 $\gamma_{xy}=-.75$가 더 높다는 말이다. 이 같은 상관계수는 공통 요인을 발견하려는 연구나 예언적인 연구에서 많이 사용한다. 상관관계가 높다는 것은 두 변인 간에 공통 요인이 많고 공변관계가 그만큼 높다는 것을 의미하기 때문에, 상관계수가 높게 나올수록 정확한 예언을 할 수 있다. 그런데 적률상관계수를 계산하기 위해서는 자료가 일정한 조건을 갖추어야 한다. 즉, X와 Y의 두 변인이 모두 연속적이어야 하며, 동간척도나 비율척도로 측정되어야 한다. 그리고 이들 변인 간의 상관이 직선적이며 동변량성을 가정할 수 있어야 한다는 것, 다시 말해 두 변인의 변산 정도가 비슷해야 한다는 조건을 만족해야 한다. 상관계수를 해석할 때 유의해야 할 점은, 상관계수는 인과관계를 의미하지 않는다는 것이다. 상관은 두 변인이 왜 관련되어 있는지 설명하지 않기 때문에 두 변인 간의 상관이 있다고 해서 그것을 인과관계로 해석하는 오류를 범하지 말아야 한다. 연구자들은 상관계수의 방향과 크기뿐만 아니라 상관계수의 유의수준(significance level)에도 주의를 기울여야 한다. 유의수준은 결과로 나온 각 상관계수에 맞추어 계산하며 두 변인 간에 관찰된 신뢰성과 일관성에 대한 좋은 측정단위다. 유의수준을 해석할 때 표본에서 모은 자료의 규모를 고려하는 것이 중요하다. 상관연구에서는 두 변인 간의 관계를 알아보는 단순상관뿐만 아니라 한 변인이 2개 이상

의 다른 변인과 조합하여 어떤 관련을 맺고 있는지를 알아보는 다중상관의 문제도 취급한다. 중다상관계수는 종속변인과 중다독립변인 간 관계의 값을 나타낸다. 중다상관계수는 상관계수의 값과 동일하지만 독립변인의 혼합을 나타낸다. 중다상관계수는 R^2으로 표현하며, 이는 독립변인의 조합으로 설명되는 종속변인의 변량의 비율을 말한다. 상관계수에는 여러 종류가 있다. 즉, 상관계수는 주어진 자료의 특성과 변인의 측정수준 여하에 따라 계산하는 방식이 다양하고 적용범위도 다르다. 그러므로 상관연구를 할 때는 주어진 자료의 특성과 변인의 측정수준에 알맞은 상관계수를 선택해서 사용해야 한다. 피어슨의 적률상관계수는 가장 흔히 보고되는 상관계수지만 특정 상황에 보다 적절한 피어슨의 적률상관계수의 변형이 존재한다. 변형계수 중 하나가 스피어만(Spearman)의 등위상관계수(Spearman rank correlation coefficient)로, 대개 γ_s로 표시한다. 두 변인이 등위로 표시된 서열 변인인 경우에 등위 상관계수를 산출하며 사례수가 많지 않은 경우 적용한다. 또 다른 변형계수는 양류상관계수(point-biserial correlation coefficient)로, 대개 γ_{pb}로 표시한다. 이것은 한 변인이 연속적 변인이고 다른 변인은 질적으로 구분되는 두 유목으로 나뉜 자료에서 상관관계를 알아볼 때 이용한다. 보통 적률상관계수와 비슷한 것이 파이계수(phi coefficient)인데, 대개 Φ로 표시한다. 이것은 두 변인이 모두 질적으로 양분되는 경우에 적용하는 상관계수로서 양류상관계수의 개념을 연장시킨 것이라고 할 수 있다. 한편, 피어슨의 적률상관계수의 특별한 경우로 간주되지는 않지만 상관연구에서 사용되는 다른 관련 상관계수들이 있다. 이 중 하나가 유관계수(coefficient of contingency)인데, 대개 C로 표시하며 두 변인을 나눈 유목의 수가 각각 2개 이상인 경우에 적용하는 방법이다. 또 다른 관련 측정치로 양분상관계수(biserial correlation coefficient)는 대개 γ_b로 표시한다. 양분상관계수는 두 변인 중 어느 한 변인이 2개의 유목으로 양분되었지만 그 변인이 측정하고 있는 본래의 특성이 연속적일 때 적용한다. 즉, 원래는 측정치가 연속적으로 분포되어 있으나 이를 인위적으로 양분할 경우, 예컨대 성공-실패 또는 합격-불합격 등으로 2개의 유목으로 구분할 때 양분상관계수를 산출한다. 마지막으로 사분상관계수(tetrachoric correlation coefficient)가 있는데, 이것은 두 변인이 본래 연속적 변인으로서 정상분포를 이루고 있지만 인위적으로 두 변인을 각각 양분했을 때 적용하며 보통 γ_{tet}로 표시한다. 지금까지 설명한 상관계수의 유형은 모두 자료가 선형적(직선적) 특징을 지닐 때 이용한다. 하지만 비선형 관계가 발견될 때도 있는데, 이런 경우 두 변인 간의 관계를 평가하려면 별개의 상관계수 측정이 필요하다. 이때 사용하는 것이 에타계수(eta coefficient)로, 보통 η로 표시한다. 두 변인이 선형적인 관계를 맺고 있지 않을 때 선형적 관계를 가정하는 피어슨의 적률상관계수를 계산하면 본래 존재하는 상관의 정도를 과소평가하게 되므로 이때는 에타계수를 산출한다.

관련어 | 상관

상담 데이터베이스
[相談-, counseling database]

상담한 사례나 상담 관련 정보를 인터넷 사이트상에 모아 놓은 것. 사이버상담

인터넷 이용자는 한 서버에 존재하는 데이터베이스를 활용할 수도 있고, 접근 가능하다면 다양한 서버의 상담자료를 검색하여 활용할 수도 있다. 인터넷 이용자는 상담자이건 내담자이건 여러 문제의 사례에 접근할 수 있으므로 풍부하고 다양한 자료를 활용하여 질 높은 상담을 형성할 수 있다. 미국에서는 1980년대 초반부터 상담-진로지도 정보체계(counseling and guidance information system: CGIS)를 구축하여 데이터베이스를 활용한 진로상

ㅅ

담을 실시함으로써 내담자들이 문제 유형별로 쉽게 원하는 정보를 찾아 도움을 받도록 하였다. 국내에서도 한국청소년상담원, 카운피아 등의 상담 포털 사이트가 비교적 방대한 상담사례 데이터베이스를 구축하고 있으며, 많은 상담 사이트에서 크고 작은 상담 데이터베이스를 운영하고 있다.

상담 전 변화에 관한 질문
[相談前變化 – 質問, pre–session question]

내담자가 첫 회기를 위해 상담실에 찾아오기 전 이미 긍정적인 변화가 시작되었다는 것을 인지할 수 있도록 도와주는 질문기법. 해결중심상담

상담 전 변화에 관한 질문은 내담자의 삶에서 변화란 한순간에 일어나거나 중단되는 것이 아니라 계속해서 일어난다는 가정을 바탕으로 한다. 일반적으로 내담자가 상담을 받으려는 순간은 문제가 매우 심각하여 도움을 받지 않으면 안 되겠다는 결심이 섰을 때다. 그런데 이러한 결정을 하고 상담을 받으러 간다는 사실만으로도 내담자는 자신의 문제해결에 대해 좀 더 진지하게 고민하고, 자신의 삶을 긍정적으로 변화시키려는 노력이 이미 시작되었다는 것을 뜻한다. 상담 전 변화에 관한 질문은 내담자가 상담현장에 오기 전에 이미 성취한 이러한 긍정적인 변화에 관해서 구체적이고 세세하게 질문함으로써 내담자가 이를 자각하도록 한다. 내담자가 이러한 자각을 하는 것은 상담자의 전적인 도움 없이도 내담자 스스로 자신의 삶에 긍정적인 변화를 이룰 만한 능력이 이미 있다는 것을 인식하는 계기가 된다. 또한 상담회기 전의 변화를 내담자 스스로 인정하는 것을 시작으로 상담자는 내담자가 이미 시작된 변화를 계속 확장시켜 나감으로써 문제해결에 매우 중요한 단서, 즉 해결책 구축을 위한 전략, 신념, 가치, 기술 등에 관한 명확한 단서를 발견하는 계기가 된다.

상담계획
[相談計劃, counseling plan]

내담자에 대한 사례이해를 바탕으로 상담목표, 상담개입전략, 상담기법 등에 관하여 구성하는 것. 개인상담

내담자의 호소문제의 특성, 내담자의 강점, 내담자의 지지체계, 상담자의 이론적 배경 등을 고려하여 상담목표를 설정하고, 이를 수행하기 위한 행동전략, 수단, 시간, 공간, 절차 및 지침, 상담기법과 같은 상담전략을 수립하는 과정이 상담계획이다. 이는 상담의 방향과 지침을 제공하여 상담의 전 과정을 조직할 수 있고 상담목표를 수행할 수 있다. 또한 상담 평가 및 조정의 기본 골격이며, 상담자의 전문성을 향상시키고 경험적 자료를 축적하는 데 도움이 되는 중요한 과업이라 할 수 있다. 상담계획은 상담서비스의 질을 유지시키고 사례관리에 매우 중요한 절차다. 이 상담계획을 효율적으로 구성하기 위해서는 전문성, 개별성, 역동성 및 융통성, 실용성 등을 고려해야 한다. 첫째, 전문성은 인간에 대한 광범위한 지식, 문제, 원인, 해결방법에 대한 전문적 지식, 상담과정의 역동성에 대한 전문적 지식을 바탕으로 구성해야 한다. 여기서 전문적 지식이란 객관적으로 검증되고 조직화되어 있는 경험적 지식을 말한다. 둘째, 개별성은 내담자의 호소문제의 특성, 강점, 환경적 요인 등을 고려하여 각각의 내담자에게 적합하게 구성해야 한다. 셋째, 역동성 및 융통성은 상담을 진행하는 과정에서 상황의 역동적 변화에 따라 상담계획을 점검하여 융통성 있게 조절해야 한다는 것이다. 넷째, 실용성은 상담계획을 구성하는 과정이나 상담계획의 실행이 쉽고 간단하여 실제적으로 적용 가능한 것이어야 한다. 상담계획은 크게 상담목표수립과 상담전략 선택으로 구성된다.

관련어 | 사례개념화, 상담목표, 상담전략

상담공간
[相談空間, counseling space]

상담이 이루어지는 곳으로서, 상담과 관련된 시설 및 도구 등이 놓여 있는 장소. 개인상담

상담하는 공간은 상담자와 내담자의 심리적 상태에 영향을 미치기 때문에 상담공간을 어떻게 구성하는 것이 적합한지 고려해야 한다. 개인상담에 적합한 물리적 환경은 9.9~16.5제곱미터 정도로 3~5명이 앉을 수 있는 공간이 적당하다. 개인상담실 입구에는 '상담중'이라는 푯말을 준비해 둔다. 다른 장소의 소리가 들리지 않도록 방음이 잘 되고 비교적 조용한 곳이 적합하다. 그러나 내담자의 특성에 맞게 상담실 이외의 장소, 즉 길거리, 공원, 가정, 산책길, 놀이터 등의 장소에서도 이루어질 수 있으며, 이때는 다른 사람의 방해가 없도록 유념해야 한다. 상담공간은 깨끗하고 정리정돈이 잘 되어 안정감을 줄 수 있어야 한다. 조명은 수은등보다는 크롬등이나 백열등을 사용하고 빛의 밝기는 조금 약한 것이 좋다. 벽면의 색상은 어두운 계열보다는 밝은 계열과 파스텔 계열의 색상이 보다 안정감을 준다. 내담자가 앉는 의자는 비교적 부드러움이 느껴지는 의자가 좋으며 실내온도는 20도 정도가 쾌적함을 느끼게 해 준다. 또한 내담자의 생활환경에서 벗어난 상담공간이 내담자의 변화에 도움이 된다. 이는 내담자의 생활공간은 내담자의 자아 강도를 약하게 하고, 새로운 변화의 시도, 자기 노출 및 탐색 등에 어려움을 주기 때문이다. 그러나 종결시점에는 내담자의 일상생활 공간이나 그와 유사한 곳에서 상담을 하는 것이 상담결과의 일반화에 도움이 된다. 상담공간에 준비해야 할 도구나 기자재로는 문패, 의자, 탁자, 시계, 필기구, 휴지, 거울, 인터폰, 방음시설, 녹음 및 녹화시설, 냉난방, 조명시설 등이 있다. 그리고 상담의 대상이나 상담적 접근방법에 따라 필요한 기자재나 도구들이 있다. 예를 들면, 음악치료일 경우에는 악기가 준비되어야 하며, 미술치료는 미술재료나 놀이도구가 준비되어야 한다. 정신분석적 접근에서는 누워서 자유연상을 할 수 있는 긴 의자 같은 것이 필요하다. 그리고 내담자의 접수, 상담과정, 심리평가 등을 위하여 상담신청서, 접수면접질문지, 접수면접기록지, 상담기록지 등의 면접기록양식, 또한 MMPI, MBTI, 문장완성검사, 개인용 지능검사 등의 심리검사도구도 준비해 두어야 한다. 이와 같은 상담공간뿐만 아니라 내담자가 기다리는 동안 있을 대기실과 물품들을 준비해 두어야 한다. 예를 들면, 신문, 잡지, 도서, 정신건강과 관련된 자료, 음료, 휴지, 상담기관 홍보자료, 상담원들의 교육적 배경 및 자격 안내자료 등을 비치한다.

상담관계
[相談關係, counseling relationship]

상담을 효율적으로 진행하기 위해 상담자와 내담자 간에 형성하는 바람직한 관계. 개인상담

상담관계는 내담자가 자신의 문제를 솔직하게 표현하고 상담자의 도움으로 내담자가 스스로 자신의 문제를 효과적으로 해결할 수 있도록 도와준다. 이 관계는 상담의 초기단계에서 형성되어야 한다. 상담관계는 상담자와 내담자의 신체언어와 음성언어가 서로에게 끊임없이 영향을 주는 역동적 관계에 있으며, 이러한 관계의 질은 효과적이고 의미 있는 상담으로 이끌 수 있다. 상담 초기에 내담자는 상담에 대한 지식이 부족하여 대부분 수동적이고 의존적 태도를 보이는데, 비자발적 참여자들은 좀 더 심하다. 이러한 내담자들을 상담에 능동적으로 참여하도록 하기 위하여 상담자는 내담자가 편안하고 자유롭게 자기노출을 할 수 있는 분위기를 만들어 주어야 한다. 따라서 상담자는 공감적 이해, 무조건적인 긍정적 존중, 진실한 태도를 지녀야 한다. 상담자의 비언어적 태도도 중요한데, 상담자는 내담자와 약 50cm 정도의 친밀한 거리에 앉아 내담자를 바라보고 개방적

인 자세를 취하면서 내담자를 향해 몸을 기울인다. 그러면서 내담자와 적절한 시선접촉을 시도하며, 편안하고 이완된 자세를 취한다. 이때 내담자가 상담에 적극적으로 참여할 수 있는 동기를 부여하는 것도 상담관계 형성과정의 과업이다. 한편, 보딘(Bordin)은 상담관계 형성과정에서 이러한 정서적 유대와 함께 상담목표 합의, 과제 합의 등도 함께 이루어져야 한다고 보았다. 상담목표 설정, 목표를 수행하기 위한 활동 선택, 과제 합의 등은 상담자와 내담자가 함께 협의해야 하며 상담방향, 상담자와 내담자의 역할 및 규범 등 상담을 진행하는 과정에 필요한 조건에 대하여 설명하는 상담구조화 과정도 상담관계 형성과정에서 이루어져야 한다.

관련어 공감적 이해, 상담구조화, 상담목표, 작업동맹

상담구조화
[相談構造化, counseling structualization]

상담을 진행해 나가는 데 필요한 구조적 형태를 상담자가 주도적으로 만들어 가는 작업. 개인상담

상담에서 상담자와 내담자의 관계, 상담자와 내담자의 역할, 내담자의 권리, 상담실제, 상담윤리 등에 관한 정보를 상담자가 주도적으로 내담자에게 알려 주는 활동이 상담구조화다. 이 같은 활동에 대하여 내담자가 이해할 수 있도록 충분히 설명한 다음 내담자의 이해 정도를 확인해야 하므로 상담의 첫 회기에 상담구조화를 위한 시간을 충분히 배분해야 한다. 상담구조화의 내용에는 크게 상담관계, 상담실제, 상담에서의 윤리적 고려사항 등을 들 수 있다. 먼저 상담관계의 구조화는 상담방향 및 상담목표 설정, 상담 절차 및 방법, 상담자와 내담자의 역할과 규범 등에 대하여 설명한다. 상담과정에서 내담자는 자기 스스로 문제해결능력을 키워야 하며, 상담자는 이를 위해 내담자를 조력하는 역할임을 알려 준다. 그리고 내담자의 행동양식 변화가 문제해결의 실마리가 된다는 것을 강조한다. 상담자는 자신이 받은 교육경력, 훈련과정을 밝혀 전문가로서의 신뢰감을 형성하는 데 도움이 되도록 한다. 상담실제에 대한 구조화는 상담시간, 상담장소, 상담료, 상담빈도, 총 상담횟수, 연락방법, 상담시간 엄수 및 취소 등에 대한 정보를 설명하고 이해하도록 한다. 개인상담은 일주일에 1회, 50분이 보통이지만 내담자의 문제심각도, 상담목표의 특성 등에 따라 바뀔 수 있다. 상담시간 엄수를 강조하고 예약 없이 오는 일이 없도록 하며 상담료의 지불방식 등도 알려 준다. 상담 관련 윤리적 내용은 비밀보장, 이중관계 금지, 내담자의 알권리 보장 등에 대한 전문가로서 지켜야 할 내용들을 포함한다. 상담구조화를 실시하는 방법에는 크게 명시적 구조화와 암시적 구조화가 있다. 명시적 구조화는 상담 진행과 관련된 내용을 내담자에게 언어적으로 명확하게 설명한 다음 내담자와 협의를 거쳐 상담의 구조적 형태를 만들어 가는 것이다. 암시적 구조화는 언어적으로 설명하지 않고 이면적이고 암시적으로 구조화하는 방식이다. 전반적으로 상담을 효율적으로 진행하기 위해서는 상담구조화에서 다음과 같은 내용이 고려되어야 한다. 첫째, 구조화는 상담자와 내담자가 상호 협력해 나갈 것을 전제로 하는 것이므로 구조화는 타협해야 하는 것이지 강요되어서는 안 된다. 둘째, 구조화는 벌을 주는 형식으로 주어져서는 안 되며 특정 한계를 제시할 경우에는 더욱더 조심해야 한다. 셋째, 구조화를 하는 이유를 내담자에게 설명해야 한다. 넷째, 내담자의 준비도와 상담관계의 흐름 등을 고려하여 구조화 시기를 정한다. 다섯째, 지나치게 경직된 구조화는 상담자와 내담자를 제한시켜 오히려 내담자가 좌절하거나 저항할 수 있다. 여섯째, 불필요하고 목적이 없는 규칙은 오히려 내담자의 활동을 억제한다. 일곱째, 내담자의 인지, 정서, 행동적 특성을 고려해야 한다. 여덟째, 상담관계를 원활하게 하는 목적으로서 치료적 능력이 있는 것은 아니다. 아홉째, 상담의 초기 단

계에서 한 번으로 끝나는 것이 아니라 지속적으로 반복해서 상담 전 과정에서 상담을 재구조화해 나간다. 이는 내담자의 바람직하지 않은 행동을 제한하고 새로운 행동을 요구하는 것과 관련이 있기 때문에 긴장과 갈등을 유발한다. 이러한 감정은 상담이 진행되는 동안 자연스러운 현상이며, 이런 감정이 일어나더라도 재구조화 시기를 놓쳐서는 안 된다.

관련어 비밀보호, 상담빈도, 이중관계

명시적 구조화 [明示的構造化, express structuralization] 상담과정에서 상담자가 내담자에게 상담의 구조에 대하여 명확하게 언어로 설명하여 이해하도록 하며, 내담자의 협력을 이끌어 나가는 것을 말한다. 내담자에게 언어로서 상담방향, 상담목표, 상담절차, 상담기법, 상담자와 내담자의 역할 및 규범을 분명하게 설명한 다음 내담자가 그 내용을 어떻게 이해했는지 확인해야 한다. 내담자는 나름대로 상담에 대한 기대와 예상을 하고 있기 때문에 현실적인 상담의 구조와 다를 수 있다. 따라서 내담자의 이해 정도를 확인하여 추가적인 설명이 필요할 때는 재구조화를 실시한 후에 내담자의 협력을 이끌어 낸다.

암시적 구조화 [暗示的構造化, implied structuralization] 상담과정에서 상담자가 내담자에게 상담의 구조에 대하여 언어로 설명하지 않고 다른 이면적인 방식으로 상담을 구조화해 나가는 방식이다. 암시적 구조화는 상담의 전 과정에서 이루어지는 상담자의 모든 개입행동을 통해 이루어진다. 상담의 초기단계에서 암시적 구조화는 내담자와 상담자의 상담관계를 형성하는 데 중요한 역할을 한다. 상담자의 모든 행동이 암시적 구조화이므로 상담자는 원칙을 가지고 자신의 행동을 살피면서 신중하게 개입해야 한다.

상담기간
[相談期間, counseling period]

상담의 시작부터 끝날 때까지의 시기. 개인상담

상담기간은 내담자의 특성, 호소문제 유형, 상담 접근방법, 상황적 여건에 따라 달라진다. 내담자가 현재 경험하고 있는 문제라면 비교적 짧은 기간의 상담이 필요하지만 기질적 문제나 병리적 문제를 동반한다면 상대적으로 상담기간은 좀 더 늘어날 것이다. 또한 내담자의 자아기능수준에 따라서도 달라진다. 예를 들면, 만성적 어려움을 지니고 자아기능 수준이 낮다면 상담기간이 길어지고, 자아기능 수준이 높고 단순한 문제라면 상담기간은 줄어든다. 상담이론 중에서 행동주의적 접근은 비교적 단기간에 이루어지며, 정신분석적 접근은 비교적 오랜 기간 진행될 것이다.

관련어 상담빈도, 상담회기

상담면접평정양식
[相談面接評定樣式, counseling interview rating form: CIRF]

미시적 상담과 이에 영향을 주는 기술 등을 평정하는 양식. 상담 수퍼비전

러셀 차핀과 아이비(Russell-Chapin & Ivey, 2004)가 개발한 것으로, 상담면접의 5단계에서 사용되는 미시적 상담기술을 평가하는 양식이다. 상담면접의 5단계는 도입, 탐색, 행동, 문제해결, 마무리인데, CIRF는 각 단계마다 나타나는 기술이나 과제 등을 총 43개의 항목으로 분류하여 이를 다시 6개의 영역으로 나누어 평정한다. 여기서 6개의 영역은 도입, 탐색, 행동, 문제해결, 마무리, 전문성이다. 각각의 영역에는 세부적인 상담기술 및 과업이 포함되어 있다. 마지막에는 서술식 평가를 하는 '강점'과 '개선영역'이 있어 총 45항목으로 구성되어 있다. 수퍼

ㅅ

바이저는 음성녹음테이프나 비디오테이프 혹은 라이브 수퍼비전을 하면서 CIRF를 작성하고 특정 상담기술이 사용된 횟수를 기록한다. 또한 각 상담기술의 숙련도를 표시하기 위해 점수를 부여하는데, 상담자가 사용한 상담기술이 내담자에게 아무런 효과를 나타내지 못했다면 1점을 주고, 긍정적인 효과가 나타났다면 2점, 상담기술을 적용하는 데 마치 내담자를 교육하듯이 했다면 3점을 준다. 이렇게 점수를 매긴 다음 그 점수를 모두 합하여 총점을 계산하는데, 52점 이상이고 상담기술의 목록에서 'X' 표시가 되어 있는 필수항목들이 모두 숙련범위, 즉 모두 2점씩 획득하였을 때 A등급이 된다. 46~51점은 B, 41~45점은 C등급이 된다. CIRF는 이처럼 객관적으로 상담자의 기술사용과 숙련 정도를 평가하기 때문에 평가도구의 역할과 동시에 교육적 도구로 활용된다. 또한 수퍼바이저의 개인적인 조언보다 상처를 덜 받게 되므로 수퍼바이저와의 활동뿐만 아니라 동료들 간의 평가 혹은 자가평가도구로도 사용된다.

CIRF 양식(일부)

영역 및 항목	빈도	인상적인 상담자 반응	기술 숙련도
A. 도입/라포 형성			
1. 인사			
2. 역할 정의/기대			
3. 행정적 과제			
4. 시작하기			
B. 탐색단계/문제정의 미시적 기술			
1. 공감/라포			
2. 존중			
3. 비언어적 일치			
4. 가벼운 격려			
5. 바꾸어 말하기(재진술)			
6. 따라 하기/이끌기			
7. 언어 따라가기			
8. 감정반영			
9. 의미반영			
10. 명료화			
11. 개방질문			
12. 요약			
13. 행동묘사			
14. 적절한 폐쇄질문			

관련어 | 미시적 상담 수퍼비전 모델

상담목표
[相談目標, counseling goal]

내담자가 상담을 통해 성취하고자 하는 결과. 개인상담

상담을 효과적으로 이끌기 위해서는 상담목표를 설정해야 한다. 상담목표를 설정하는 이유는, 첫째, 내담자가 호소하는 문제와 관련된 상황이나 행동을 탐색하거나 조정하도록 돕는다. 둘째, 내담자가 상담에 적극적으로 참여하도록 돕는다. 셋째, 상담의 전략이나 기법을 선정하는 데 중요하다. 넷째, 상담의 진행과정을 알 수 있고 상담의 종결을 결정짓는 데 중요하다. 다섯째, 상담자와 내담자에게 상담의 방향을 제시해 준다. 상담목표에는 여러 가지 유형이 있다. 먼저 내담자의 관점에서 바라본 목표는 일차적 목표, 이차적 목표로 구분할 수 있다. 일차적 목표는 내담자가 호소하는 문제에 초점을 두고 일상생활의 적응력을 향상시키는 것이다. 예를 들면, 우울함을 호소하는 내담자의 목표는 우울함을 경감시키는 것이 상담목표가 되고, 친구와의 갈등이 있다면 갈등해소가 목표가 되며, 나아가 효과적인 대인관계를 형성하는 데 도움을 준다. 따라서 일차적 목표는 내담자가 지니고 있는 증상의 감소 또는 제거, 문제해결이라 할 수 있다. 이차적 목표는 내담자가 지니고 있는 무한한 가능성과 잠재력을 발휘

할 수 있도록 성격을 재구조화하여 인간적으로 발달하고 성숙해지는 데 도움을 주는 것이며, 때로는 성장 촉진적 목표라고도 이야기한다. 한편, 상담목표를 상담의 과정적 측면에서 보아 궁극적 목표, 결과목표, 과정목표, 세부목표의 네 가지로 구분할 수 있다. 궁극적 목표는 상담자가 궁극적으로 지향하는 방향, 즉 상담방향을 말한다. 결과목표는 상담이 종결되었을 때 성취한 구체적인 결과물을 말한다. 과정목표는 결과목표를 성취해 나가기 위해 각 회기나 단계에서 수행하는 회기별 목표를 말한다. 세부목표는 특정한 상황에서 상담자의 즉각적인 개입행동을 통해 곧바로 성취되는 즉각적이고 구체적인 목표를 말한다. 상담목표는 상담의 방향을 제시하고 상담의 전 과정을 조직화할 수 있어서 상담과정의 혼란을 감소시킬 수 있다. 또한 상담목표는 목표행동, 목표행동을 수행하는 상황적 조건, 성취 여부를 평가할 수 있는 빈도, 강도, 기간 등의 수락기준으로 기술한다. 상담목표의 가장 이상적인 형태는 결과목표로 기술하는 것인데, 이에 따라 성취될 수 있는 일반적인 상담목표를 살펴보면 다음과 같다. 첫째, 내담자가 호소하는 증상이나 갈등이 감소되고 바람직한 대안행동이 형성되거나 증가한다. 둘째, 불안, 위협, 흥분, 좌절, 우울, 분노, 조급, 충동, 억압 등의 부정적 정서를 감소시켜 정서적 안정을 추구한다. 셋째, 자신을 있는 그대로 이해하고 수용하며 인지, 정서, 행동 간의 일치성을 향상시키고 자신의 경험들을 통합한다. 넷째, 자기 관점에서 벗어나 상대방이나 제삼자의 객관적인 관점에서 현상을 바라보는 공간조망능력, 과거 · 미래 · 현재 등의 시점에서 바라보는 시간조망능력, 결점의 자원화, 동기의 긍정적 해석과 같은 가치조망능력의 향상이다. 다섯째, 긍정적 경험에 대하여 주의를 기울이고 경험하려는 경향이 증가한다. 여섯째, 자각이 향상되어 억압이나 부정으로 왜곡되었던 경험들을 알아차리고 설명행동이 증가한다. 일곱째, 내적 욕구나 충동, 감정에 지배되지 않은 채 현상을 바라본다. 여덟째, 의식적이고 상황에 적합한 반응과 개인적 · 사회적 욕구에 순응하는 반응 행동이 증가한다. 아홉째, 자기 및 환경에 대한 신뢰감이 증가하여 성장 지향적 행동을 추구한다. 열째, 상황적 조건에 따라 자신의 욕구성취를 지연하거나 승화한다. 이외에도 자기관리, 의사소통, 친사회적 행동에 대한 동기와 행동이 증가하고 신체적 기능이 활성화된다.

관련어 | 상담계획, 상담전략

상담목표수립 [相談目標樹立, counseling goals planning] 내담자가 상담을 통해 성취하고자 하는 결과를 선정하고 세우는 것을 말한다. 상담목표는 상담의 초기과정에서 상담자와 내담자가 협의하여 설정하며, 상담의 전 과정에서 수정되고 보완될 수 있다. 상담목표를 설정하는 과정은 성장 지향적 욕구탐색, 성취탐색, 상담목표 설정의 3단계로 이루어진다. 성장 지향적 욕구탐색단계에서는 내담자가 호소하는 문제 속에는 좀 더 나아지려는 욕구가 포함되어 있으므로 성장 지향적 욕구를 찾아내어 명료화해야 한다. 다음으로 상담목표를 설정하기 위해서는 상담목표가 성취된 상태를 그려 보는 것이 치료적으로 크게 도움이 되기 때문에 상담목표가 성취된 상태를 탐색한다. 이 과정을 거쳐 상담목표를 설정하고 다음과 같은 점을 고려해야 한다. 첫째, 목표는 구체적이고 명확해야 하는데, 동작동사 또는 행위동사를 사용하여 기술한다. 둘째, 목표는 결과형으로 서술한다. 셋째, 목표는 현실적으로 실천 가능한 것으로 정한다. 넷째, 목표는 긍정적으로 기술한다. 다섯째, 목표를 수행하는 상황적 조건을 제시한다. 상황적 조건은 공간, 시간, 행동수행, 외부 상황적 여건 등을 말하며 구체적으로 기술한다. 예를 들면, 학교에서 '1시간마다 책을 읽으면서 ~' '~와 만날 때' '~가 없을 때' 등으로 기술할 수 있다. 여섯째, 상황조건은 결과형으로 타당하게 기술한다. 예를 들면, '자신이 하고 싶은 말 한 가지 이상을 할 수 있다.'가 목표행동이라면 상황적 조건은 '반 친구가 놀릴 때 ~'가 타당할 것이다. 하지만 '거울을 볼 때 ~' '공부할 때 ~'와 같은 상황적 조건은 타당하지 않다. 일곱째, 목표행동의 성취 여부를 확인하기 위하여 수락기간과 수락수치를 포함하는 수락기준을 기술한다. 이때 내담자의 동기, 능력, 목표의 난이도 등을 고려하여 선정하며 내담자의 동기나 능력이 낮은 경우, 난이도가 높은 경우에는 수락기준을 낮춘다. 수락기준은 기간, 수량, 빈도 등으로 표현한다. 예를 들면, '6개월 동안 가출하지 않는다.' '하루에 30분 동화책 읽기' '한 번 이상' '열 번 중 여섯 번 이상' 등으로 기술한다.

상담빈도

[相談頻度, counseling frequency]

일정한 기간에 상담이 이루어지는 횟수. 개인상담

상담빈도는 내담자의 호소문제유형, 내담자의 연령이나 특성, 상담 접근방법에 따라 다르게 구성한다. 아동은 주 1~3회, 성인은 주 1~2회 정도가 적합하다. 호소문제 유형에 따라서도 달라지는데, 자살과 같은 위기문제일 경우에는 2~3시간씩 집중적으로 하거나 매일 또는 격일로 상담빈도를 정할 수 있다. 진로문제와 같이 일상생활에 적응하는 데 큰 어려움을 주지 않는 호소문제는 격주 1회로 구성하기도 한다. 한편, 상담의 진행과정에 따라서 상담빈도를 다르게 구성할 수 있는데, 예를 들면 초기나 중기에는 주 1~2회 실시하다가 종결시기에는 격주 1회 또는 월 1회로 진행할 수 있다.

관련어 | 상담기간, 상담회기

상담신청

[相談申請, counseling request]

상담을 받고자 하는 내담자 자신 혹은 그의 주변인이 전화나 인터넷 등의 매체, 문서 또는 내방하여 공식적으로 상담을 접수하는 과정. 개인상담

상담신청과정은 상담기관의 특성, 상담자의 이론적 배경, 내담자 특성과 문제유형에 따라 달라질 수 있으나 일반적으로 상담안내, 내담자 맞이하기, 상담신청서 작성 및 접수, 면접의뢰 등의 4단계를 거친다. 첫째, 상담안내단계는 내담자에게 상담에 대하여 안내하고 내담자가 궁금해하는 것을 설명해주는 활동을 주로 한다. 이 단계에서 내담자에게 안내해야 될 내용은 상담자, 상담기관, 상담서비스의 내용, 상담료, 상담실 위치 등이며 상담실을 직접 방문했을 경우에는 필요한 상담서비스를 받을 수 있도록 안내하는 과정도 포함된다. 이 같은 상담에 대하여 내담자가 이해하도록 안내하기 위해서 먼저 해야 할 일은 내담자가 경험한 심리적 상태를 이해하는 것이다. 주의할 것은 상담신청 접수자는 상담신청과 관련된 업무만 해야 하며 내담자의 상담이나 치료와 관련된 조치를 내려서는 안 된다. 그리고 접수자의 역할을 내담자에게 분명하게 알려야 한다. 자칫하면 내담자는 접수자를 상담자로 잘못 인식하여 자신의 문제를 장황하게 늘어놓을 가능성이 있다. 둘째, 내담자 맞이하기 단계에서 접수자의 태도는 상담의 첫인상으로 남아 상담진행을 결정하는 데 영향을 미친다. 접수자는 가벼운 목례나 악수, 미소나 눈짓으로 하는 인사, 가벼운 인사말, 직접적인 자기소개 등으로 내담자를 맞이한다. 이때 접수자의 비언어적 태도와 행동은 내담자에게 상담에 대한 초기 인상으로 남는다. 즉, 정확한 발음과 표현, 깨끗하고 단정한 옷차림, 신체적 청결, 미소나 적절한 시선 맞추기 등은 내담자에게 긍정적인 인상을 주지만 지나친 화장, 시선 회피, 권위적인 태도, 거만한 표정, 팔짱끼기, 주머니에 손 넣고 이야

기하기 등의 태도는 부정적인 인상을 준다. 또한 접수자는 내담자를 위하는 마음을 행동으로 직접 표현하는 정서적 배려를 해야 한다. 정서적 배려에는 안내하기, 사적 공간 확보하기, 편의 제공하기 등이 있다. 안내는 내담자가 상담을 신청하거나 상담을 하기 위해 취해야 하는 행동이나 기타 필요한 사항을 설명하고 안내하는 것이다. 즉, 대기실, 일정 시간 기다리기, 읽을 신문이나 잡지, 상담실 자료, 음료, 화장실 및 기타 이용시설 등을 안내한다. 사적 공간 확보는 내담자의 개인적인 정보가 다른 사람들에게 알려지지 않도록 하며 접수자와 만날 수 있는 공간 배치나 절차를 구성하는 것 등이다. 편의제공은 내담자가 기다리는 동안 읽을 잡지나 신문, 상담과 관련된 자료, 음료 그리고 기타 필요한 물품 등을 준비해 두는 것이다. 셋째, 상담신청서 작성 및 접수 단계에서는 상담신청서를 작성하는 방법을 설명해 주고 필요한 경우 신청서 작성을 도와주는 조력자 역할을 접수자가 한다. 내담자가 상담신청서 작성을 마치면 빠진 부분을 확인하고 접수자는 최종적으로 접수 일자, 접수자 이름, 내담자의 행동반응이나 조치사항을 작성하여 기록하고 상담신청서를 접수한다. 넷째, 면접 의뢰단계에는 상담신청 접수과정을 끝낸 다음 작성된 상담신청서를 첨부하여 접수면접자 또는 상담자에게 내담자를 의뢰한다. 될 수 있는 한 신청과정이 끝난 후 바로 접수면접이나 본 상담이 이어지도록 시간을 구성한다. 갑작스럽게 내담자가 내방한 경우에는 접수면접자나 상담자 그리고 내담자와 협의하여 심리검사를 실시하여 상담시간을 효율적으로 관리하는 것이 필요하다. 이렇게 진행되는 상담신청 접수과정은 보통 10~15분 정도 진행되는데, 예기치 못한 일이 발생하는 경우가 있다. 이때 고려해야 할 사항은 다음과 같다. 첫째, 내담자가 신청서 작성을 거부할 경우에는 먼저 그 이유를 확인하여 적절한 조치를 취해야 한다. 충분한 설명을 했음에도 불구하고 여전히 작성을 거부하면 강요는 하지 않는다. 둘째, 신청 접수자에게 상담을 받으려고 하면 접수자 자신의 역할을 분명하게 설명해 주어야 한다. 셋째, 위기문제를 지닌 내담자가 내방한 경우 접수자는 먼저 내담자를 위기에서 보호한 후에 곧바로 위기개입 전문가에게 의뢰하거나 관련 기관에 연락해서 내담자가 도움을 받도록 요청해야 한다.

관련어 | 비밀보호

상담신청서 [相談申請書, counseling request sheet] 상담을 의뢰하기 전에 공식적으로 상담을 접수하는 과정에서 내담자가 작성하는 기록지를 말한다. 상담신청서에는 내담자 이름, 성별, 주소, 전화번호, 생년월일, 상담을 받게 된 경위, 상담을 받고 싶은 영역, 구체적으로 상담을 받고 싶은 내용, 상담 및 검사의 경험 유무, 상담 가능 시간, 조치사항 등의 내용이 포함된다. 신청서는 내담자가 직접 작성할 수도 있고 내담자가 쓰는 것이 힘든 경우에는 내담자의 동의를 구하여 신청 접수자가 대신 작성해도 무방하다. 만약 내담자가 비밀보장 등의 이유로 작성을 거부하면 비밀보장에 대하여 충분히 설명을 하여 이해시켜야 한다. 또 다른 이유로 작성을 하지 않으려고 한다면 그 이유를 확인하여 적절한 조치를 한다. 충분한 설명을 한 후에 내담자가 원하지 않는다고 해도 신청서 작성을 강요해서는 안 된다.

상담심리사
[相談心理師, counseling psychologist]

사단법인 한국상담심리학회에서 인정하는 자격을 취득한 사람. 상담윤리

한국상담심리학회는 상담심리사에 대한 사회의 점증하는 수요에 부응하여 다양한 상담현장에서 직무를 수행할 수 있는 전문지식과 기술을 갖춘 상담심리사의 양성과 배출, 대학 및 대학원의 상담교육

ㅅ

과정을 보완하여 현장적용능력을 갖춘 상담심리사 양성, 상담심리사로서 요구되는 일정 수준 이상의 상담 수련과정을 거치도록 함으로써 상담자의 자질 향상, 국내외 상담분야에서 널리 인정받고 통용될 수 있는 자격제도를 운영함으로써 상담심리사의 사회적 지위 보장 및 향상, 상담기관이나 상담 수요자에게 자격을 갖춘 상담자를 선택할 수 있는 객관적 판단근거의 제공 등에 기여하고자 상담심리사 자격제도를 운영하고 있다. 이 같은 목적에 따라 상담심리사 자격규정을 제정하고 상담심리사의 역할, 자격규정, 자격검정기준, 자격증 발급, 자격등록, 보수교육, 상담심리사 자격의 제한 등에 관하여 구체적으로 명시하고 있다. 상담심리사에는 상담심리사 1급인 상담심리전문가와 상담심리사 2급인 상담심리사의 두 가지 등급이 있다. 상담심리사의 기본 업무는 개인 또는 집단의 심리적 성숙과 사회적 적응능력 향상을 위한 조력 및 지도, 심리적 부적응을 겪는 개인 또는 집단에 대한 심리평가 및 상담, 지역사회 상담교육, 사회병리적 문제에 대한 예방활동 및 재난 후유증에 대한 심리상담, 기업체 내의 인간관계 자문 및 심리교육, 상담 및 심리치료에 관한 연구 등이 있다. 이에 더하여 상담심리사 1급은 상담실 책임 운영, 상담심리사의 교육지도와 자문, 상담전문가 수련내용 평가인준 및 자격추천 등의 역할이 주어진다. 이러한 역할을 수행하기 위해서는 상담심리사 자격을 취득해야 하며, 이와 관련된 내용은 상담심리사 자격검정규칙에 명시해 두고 있다. 검정규칙에는 상담심리사의 자격검정방법, 검정 회수 및 장소, 자격시험의 시험과목, 자격시험 응시자격, 자격심사청구, 자격심사 합격기준 등에 대하여 구체적으로 설명하고 있다. 규칙을 살펴보면, 상담심리사의 자격취득은 자격시험 전 과목 합격, 자격심사 청구, 자격심사 통과, 자격취득의 절차를 거치며 1급과 2급이 동일하다. 상담심리사 1급 자격시험에 응시할 수 있는 사람은 한국상담심리학회 정회원 자격취득 후 1년 이상 경과된 자로서, 첫째, 상담 관련 분야의 박사학위를 취득한 다음 본 학회가 인정하는 수련감독자의 감독하에 1년 이상의 상담경력을 가진 자, 둘째, 상담 관련 분야의 석사학위를 취득한 다음 또는 상담 비관련 분야 석사학위 취득자로서 상담 관련 분야 박사과정에 입학한 다음 본 학회가 인정하는 수련감독자의 감독하에 3년 이상의 상담경력을 가진 자, 셋째, 상담심리사 2급 자격증을 취득한 다음 본 학회가 인정하는 수련감독자의 감독하에 4년 이상의 상담경력을 가진 자, 넷째, 박사학위 소지자로서 자격관리위원회의 심의를 거쳐 상담심리사 1급의 자격 수준에 상응하는 것으로 인정할 수 있는 외국의 상담 및 심리치료 분야의 전문가 자격증을 취득한 다음 본 학회 정회원으로서 국내에서 1년 이상의 상담 경력을 가진 자다. 상담심리사 2급 자격시험에 응시할 수 있는 사람은 본 학회 준회원 이상 자격취득 후 1년 이상 경과된 자로서, 상담 관련 분야의 석사 과정에 재학 중이거나 그 이상의 학력을 소지하고 본 학회가 인정하는 수련감독자의 감독하에 1년 이상의 상담경력을 가진 자, 상담 관련 분야의 학사 학위를 취득하고 본 학회가 인정하는 수련감독자의 감독하에 2년 이상의 상담경력을 가진 자, 학사 학위를 취득하고 본 학회가 인정하는 수련감독자의 감독하에 3년 이상의 상담경력을 가진 자, 자격관리위원회의 심의를 거쳐 상담심리사 2급의 자격 수준에 상응하는 것으로 인정할 수 있는 외국의 상담 및 심리치료 분야의 자격증을 취득한 다음 본 학회 준회원으로서 국내에서 1년 이상의 상담경력을 가진 자 중 각 항에 속하는 자다. 상담심리사 1급 시험과목은 상담 및 심리치료이론, 집단상담 및 가족치료, 심리 진단 및 평가, 성격심리 및 정신병리, 심리통계 및 연구방법론이며, 상담심리사 2급 시험 과목은 상담 심리학, 발달심리학, 이상심리학, 학습심리학, 심리검사 등으로 급수별 각각 5과목이다. 자격시험의 모든 과목에서 합격을 하면 자격심사 청구를 위한 최소 수련내용을 한국상담심리학회에서 제작한 상담심리사 수련수첩에 기록하여 자격심사를 청구할 수 있다. 그 내용은 수련과정 시행세칙에 구체적으로 명시되어 있는데, 수련기관, 수련기간, 수련받는 자, 수련감독자, 주수련감독자(자격심사 추천 자격자), 수련과정 및 내용 등이다. 이와 관련한 내용은 한국상담심리학회 홈페이지(www.krcpa.or.kr)에 자세하게 기술되어 있다.

관련어 전문상담사, 한국상담심리학회, 한국상담학회

상담의 결과보고책무 [相談-結果報告責務, accountability in counseling]

상담자와 내담자의 관계에서 객관적 자료를 통해 상담서비스에 대한 효과를 공식화하거나 밝히는 것. 상담윤리

'accountability'는 흔히 책임성, 책무성 등으로 통용되어 'responsibility'와 혼돈되기도 하지만 'accountability'는 'responsibility'의 하위개념이다. 상담에서 책임(responsibility)은 상담활동이나 행위에 대한 권한과 통제능력, 옳고 그름을 판단하는 합리성, 신뢰성, 일관성이 있는 능력을 가진 것을 뜻하며 책무(accountability)는 상담활동에 대하여 해명, 보고, 설명, 이유 등을 제기하여 외부의 판단에 순응하는 것을 뜻한다. 따라서 상담에서 책무는 상담자가 내담자, 수련생, 부모, 교사, 감독관, 행정관, 다른 상담자, 기관, 자금원, 그리고 공동체 회원 등 이해 관계자에게 자신이 사용한 중재나 절차, 방법의 유효성과 효율성에 대한 평가정보를 제공하고 책임을 지는 것을 말한다. 활동결과에 대한 보고의 책무는 행정이나 경영 분야뿐만 아니라 다양한 사회적 또는 교육 프로그램에서 수십 년 동안 강조되어 왔으며, 최근에는 상담의 전문적인 연구에서 가장 강조되는 과제 중 하나다. 상담을 지원하는 공공기관이나 조직이 확대되면서 상담중재의 유효성을 분명하게 증명하도록 하고 있다. 관리 의료(managed care) 제도에서는 상담치료과정에 대한 가승인과 서비스에 대한 대가를 받기 위해서 상담자가 치료과정과 유효성을 측정하고 기록할 수 있어야 한다고 요구하고 있다. 이에 미국학교상담자협회(ASCA, 2005)에서는 학교상담자 국가모형(American School Counselor Association National Model)을 제시하여 상담의 결과보고책무를 체계화하였다. 또한 상담 및 관련 교육 프로그램인증협회(The Council for Accreditation of Counseling and Related Educational Program, 2009)의 상담자 교육기준에도 포함되도록 하였다. 최근에는 상담자 역할의 전문화가 강조되어 검사결과 보고에 대한 책무는 개인적 · 지역적 · 국가적 수준에서 필수가 되었다. 상담의 효율성을 측정하기 위해서 전문상담자는 내담자가 호소하는 증상의 감소, 내담자 행동의 변화, 의학적 등급화, 내담자 자기평가, 만족목록작성 등 내담자의 변화를 강조하는 결과평가를 사용할 수 있다. 이를 위해서 개인상담사례를 평가하고, 또한 상담 프로그램들이 학교나 지역의 요구를 어떻게 충족시키고 있으며 어떻게 프로그램 결과를 공유하고, 어떻게 서비스 향상을 가져오는지 등에 대한 프로그램 평가를 사용하여 보고할 수도 있다. 그리고 외부 이해 관계자, 동료 상담자, 감독관에게도 정규적인 평가항목으로 상담자 자신을 평가하도록 요청하여 이 책무를 이행할 수 있다.

건강보험이동성과 결과보고책무활동 [健康保險移動性-結果報告責務活動, health insurance portability and accountability act, HIPAA] 건강관리산업과 보호건강정보에서 표준화와 효율을 촉진하고자 한 1996년 미국 연방의 법률이다. 이는 상담자 및 기타 정신건강전문가를 포함한 공급자라면 누구라도 HIPAA 요구사항을 준수해야 하며, 감추어진 거래와 관련하여 전자양식에 따라 보건의료 정보를 제출해야 한다.

ㅅ

결과보고책무다리상담 프로그램 평가모형 [結果報告責務 - 相談 - 評價模型, Accountability Bridge Counseling Program Evaluation Model] 전문상담자가 상담서비스를 계획, 실행, 평가하기 위한 틀이다. 이 모형은 코커, 아스트라모비치와 호스킨스(Coker, Astramovich, & Hoskins, 2006)가 제안한 것으로서, 프로그램 계획(program planning), 프로그램 실행(program implementation), 프로그램 검토 및 수정(program monitoring refinement), 결과평가(outcomes assessment), 결과전달(communicate results), 투자자의 피드백(feedback from stakeholders), 전략수립(strategic planning), 요구사정(needs assessment), 서비스 목표(service objectives)로 구성되어 있다. 이 중에서 프로그램 계획, 실행, 검토 및 수정, 결과평가는 상담 프로그램 평가과정(counseling program evaluation cycle)에 속하며, 투자자의 피드백, 전략수립, 요구평가, 서비스 목표는 상담상황 평가과정(counseling context evaluation cycle)에 포함된다. 결과보고책무 다리는 상담 프로그램과 상담서비스의 상황을 연결하는 것으로서 투자자에게 결과자료와 프로그램 결과를 의사소통하는 과정을 말한다. 즉, 프로그램을 지원하는 기관이나 관리자에게 프로그램의 효율성에 대한 정보를 제공하는 것이다. 이 평가모형인 결과보고책무다리를 통하여 순환되는데, 즉 상담자는 먼저 요구평가를 완료하고 서비스를 계획하고 개발하기 위한 목표를 정한다. 예비시험과 사후시험, 성취지표, 관찰 가능한 자료와 같은 결과분석 항목 또한 정한다. 다음으로 상담자는 실제 서비스와 프로그램을 제공하기 시작하고, 조정을 위해서 예비 자료와 피드백 자료를 활용한다. 결과분석 단계에서는 최종 자료가 수집되고 분석되어서 서비스와 프로그램을 평가한다. 일단 결과에 자료가 분석되면 상담자는 내담자나 프로그램의 성공을 위해서 투자한 핵심 이해 관계자에게 프로그램 결과를 설명한다. 그리고 상담상황 평가과정이 시작된다. 전문상담자는 수집된 자료와 더불어 이해관계자에게 피드백 자료를 받아 미래의 전략적 중재계획에 활용한다. 결과보고책무는 전문상담자의 진행형인 책임으로서, 경험적 연구와 효과조사의 활용을 통해서 상담자는 더 효율적인 중재를 계획할 수 있고, 다른 사람에게 끼친 상담자의 영향을 증명할 수 있다.

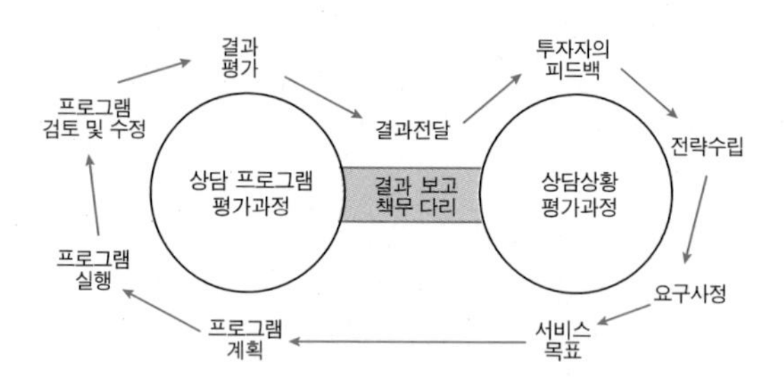

결과보고책무다리상담 프로그램 평가모형

상담자 소진
[相談者消盡, counselor's burnout]

다른 사람을 도와주는 자로서 상담자의 신체적 · 정서적 · 지적 · 영적 고갈상태. 상담윤리

상담자가 내담자와의 관계에서 경계가 없음, 돈과 성공에 대한 지나친 집착, 자신의 능력으로 치료할 수 없는 내담자를 상담하는 것과 같은 비효율적 대처능력, 알코올이나 약물남용, 동료애가 없음, 개인적 · 직업적 고립, 지나친 과민반응, 정서적 혼돈, 강박적인 직무태도, 급격한 행동변화, 주변인의 피드백 무시, 자신의 욕구를 자각하지 못함 등의 현상을 보인다면 이는 소진상태라 할 수 있다. 이 같은 증상을 보이는 이유로 내담자 요인, 재정적 요인, 직무요인으로 나누어 볼 수 있다. 내담자 요인으로는 상담자가 내담자에 대한 강한 책임감 때문에 내담자의 스트레스를 자신의 스트레스로 경험하는 경우가 있다. 이렇게 상담자에게 스트레스를 주는 내담자의 행동은 자살하고 싶다는 표현, 상담자를 향한

분노표현, 매우 심한 우울이나 불안의 표현, 공격성과 적대감 표현, 냉담하거나 동기부족, 내담자에 의한 조기종결 등이 있으며, 이 중에서 가장 큰 스트레스를 주는 요인은 자살하고 싶다는 표현이다. 재정적 요인으로는 상담소 운영 등의 경영상 어려움이나 불규칙한 수입으로 인한 경제적 불안정이 있다. 직무요인으로는 직업에 대한 갈등, 시간 압박, 과도한 책임감, 과중한 직무, 불규칙한 치료건수, 직장 동료와의 갈등 등이다. 소진상태를 예방하려면 상담자는 먼저 자신의 행동이나 태도를 스스로 관찰하고 평가해 보아야 한다. 이를 위해 베닝필드(Benningfield, 1994)는 상담자의 자기평가질문을 제시하였다. 즉, 내 인생이 만족스럽고 보람이 있는가? 신체적, 정서적으로 자신을 돌보고 있는가? 다른 동료와 수퍼바이저에게 자신의 직무 수행이나 의사결정에 대해 알리거나 자신의 실수를 인정하고 공개할 수 있는가? 자신의 직무수행은 일관적인가? 내담자와 직업적 관계 이상의 관계를 원하고 상상한 적이 있는가? 등이다. 또한 상담자는 동료나 수퍼바이저에게 조언이나 자문, 심리치료 등을 받으면서 문제를 다루는 것이 유용하다. 이와 관련하여 미국상담학회(ACA, 2005)는 상담자의 소진이나 장애에 대한 윤리규정을 제시하였다. 즉, "상담자는 자신에게 신체적, 정신적 혹은 정서적 문제의 징후가 나타나는지 유의하고, 그것이 내담자나 타인에게 해가 될 가능성이 있다면 전문적 서비스 제공을 중지해야 한다. 그런 문제가 직무수행에 장해가 될 정도라면 전문적 지원을 받도록 하고, 필요하다면 안전하게 직무를 수행할 수 있을 때까지 직무수행을 제한하거나 잠정적으로 중단할 수도 있고 완전히 종결할 수도 있다(C.2.g.)."

관련어 상담자 자기보호

상담자 윤리강령
[相談者倫理綱領, ethical code of counselor]

내담자의 개인적인 성장과 사회공익에 기여하는 데 최선을 다하기 위하여 전문적인 상담자로서 마땅히 지켜야 할 도리나 규범에 대한 지침. 상담윤리

1944년에 서티치(A. Sutich)가 심리학자의 의무와 권리에 대하여 기술한 이래 점차 관심이 높아져 미국심리학회(APA)에서는 윤리강령 설정을 위한 위원회가 1947년에 발족되어 1952년에 초안이 발표되고 수정을 거쳐 1955년에 결정되었다. 미국심리학회(APA)에서는 영역별로 세분화하여 윤리지침을 마련해 놓았다. 1993년 민족, 언어, 문화가 다른 사람들에 대한 심리서비스 제공자를 위한 지침과 2000년에 동성애자 및 양성애자 내담자를 위한 지침을, 2003년에는 다문화 교육, 연수, 연구, 상담 및 조직 변화를 위한 지침을 선보였으며, 윤리강령은 시대의 변화에 따라 수정 · 보완되고 있다. 이처럼 심리학 전체에 관한 윤리강령을 바탕으로 상담자로 하여금 자기조절의 기틀을 제공하고 정부의 법규와 간섭에서 벗어나 자율성을 확보하며 의사결정의 윤리적 기준을 제시하여 내담자와 상담자를 함께 보호하고자 윤리강령을 제정 · 공포하는 노력을 기울여 왔다. 미국심리학회의 심리학자 윤리강령은 일반 원칙과 윤리 기준으로 크게 두 가지로 구분하여 제시하고 있다. 일반 원칙으로는 A. 전문능력, B. 진실성, C. 전문적 및 과학적 책임, D. 개인의 권리와 품위의 존중, E. 타인 복지에 대한 관심, F. 사회적 책임이며, 윤리기준으로는 1. 일반적 기준, 2. 평가 · 사정 · 개입, 3. 광고 및 기타 공적 진술, 4. 치료, 5. 사생활 및 비밀보호, 6. 교수 · 수련 감독 · 연구 · 출판, 7. 법정 관련 행위, 8. 윤리적 문제의 해결에 대하여 제시하고 있다. 이에 상담자와 관련된 윤리강령으로는 미국상담학회(ACA), 미국학교상담자학회(ASCA), 미국부부 및 가족치료학회(AAMFT), 집단작업전문가협회(ASGW) 등에서 제정 · 공포하

여 시행되고 있다. 미국상담학회의 윤리강령 및 상담 규준은 A. 상담관계, B. 비밀보장, C. 전문적 책임, D. 타 전문인과의 관계, E. 평가 · 진단과 해석, F. 교수 · 훈련과 수퍼비전, G. 연구와 출판, H. 윤리적 문제의 해결에 대한 내용으로 약 20여 쪽에 이른다. 상담자의 품행과 판단에 지침역할을 하는 윤리강령으로는 각 상담 관련 학회가 제정한 윤리기준이 있다. 우리나라는 한국카운슬러협회(KCA)가 1979년에 '상담자 윤리강령'을 제정 · 시행한 것을 시작으로 한국상담학회(2002)와 한국상담심리학회(2003)가 상담자 윤리강령을 제정 · 공포하였고, 한국청소년상담원에서는 청소년상담자 윤리강령을 제정하여 공포하였다. 한국카운슬러협회는 일반원칙과 개별원칙으로 구분하여 윤리강령을 제시하였다. 일반원칙은 내담자의 성장과 사회공익에 헌신하는 상담자의 자세를 기술하고, 개별원칙은 사회관계, 전문적 태도, 개인정보의 보호, 내담자의 복지, 카운슬링 관계, 타 전문직과의 관계를 제시하고 있다. 한국상담학회의 윤리강령은 사회관계, 전문적 태도, 정보의 보호, 내담자의 복지, 상담관계, 상담연구, 심리검사, 타 전문직과의 관계, 윤리문제해결로 구성되어 있다. 한국상담심리학회의 윤리강령은 전문가로서의 태도, 사회적 책임, 인간 권리와 존엄성에 대한 존중, 상담관계, 정보의 보호, 상담연구, 심리검사, 윤리문제 해결 등으로 구성되어 있다. 청소년상담자 윤리강령은 목적, 청소년상담사로서의 전문적 자세, 비밀보장, 수퍼비전과 심리검사, 지역사회 참여 및 제도 개선에 대한 책임, 상담기관 설립 및 운영, 연구 및 출판, 청소년상담사 윤리위원회의 여덟 가지로 구성되어 있다.

상담자 자기보호
[相談者自己保護, counselors self-care]

상담자가 위험이나 곤란함으로부터 자신을 스스로 안전하게 지키거나 보살피는 일. 상담윤리

상담자가 자기 자신을 보호하는 일은 전문가로서의 중요한 윤리적 의무다. 이는 상담자가 내담자에게 더 나은 서비스를 제공하기 위해 끊임없이 해야 할 일생의 과업이다. 자기보호를 위해 상담자는 자신의 욕구에 주의를 기울이고 그것을 존중하는 법을 배워야 한다. 자기인식, 자기검토, 친구, 배우자, 스승, 동료의 지원, 가치관, 일 외에도 가족과 친구를 위해 시간을 낼 수 있는 균형 잡힌 생활이 자기보호를 가능하게 한다. 또한 자신의 한계를 인식하고 자신을 계속 충전해야 한다. 자신의 자원이 고갈되었음을 알리는 신호를 자각하고, 자신의 직무수행과 손실에 관한 피드백을 받기 위해 전문가가 된 이후에도 수퍼비전과 동료자문집단에 참여해야 한다. 이와 관련하여 미국여성주의심리치료학회(FTI, 2000)는 다음과 같이 윤리규정을 제시하고 있다. 즉, "여성주의 심리치료사는 일상생활에서 자기보호를 위한 활동을 해야 한다. 직업 때문에 생길 수 있는 스트레스뿐만 아니라 개인적인 욕구와 취약성을 자각해야 한다. 여성주의 심리치료사는 상담자와 내담자 모두의 건강을 위해 양자 사이에 적절한 경계를 그을 수 있는 능력을 배양하도록 한다. 또한 스스로 힘을 돋우는 적절한 방법으로 자기 성장을 도모해야 한다(IV.E.)."

관련어 | 상담자 소진

상담자 직업윤리
[相談者職業倫理, ethical standards of counselors]

상담자가 상담활동 중에 갖는 도덕적 가치관. 상담윤리

직업인으로서 마땅히 지켜야 하는 도덕적 가치관을 말하는 직업윤리는 일정한 사회규범이 내면화됨으로써 직업에 종사하는 사람들의 의식 속에 내재화된 윤리다. 이는 일반윤리의 하나의 특수한 적용이며, 직업이 갖는 본래적인 기능이나 목적을 충분히 달성하도록 촉진하는 직업행위의 사회적 공인규범이다. 직업이 갖는 본래적 기능과 목적을 충분히 달성할 수 있도록 하는 직업행위는 긍정적인 가치를 갖지만 그렇지 못한 직업행위는 부정적인 가치를 갖게 된다. 직업활동에 대한 이러한 평가가 사회적 공인을 받을 경우 직업윤리가 생성된다고 본다. 이에 상담자 역시 가져야 할 직업윤리가 있다. 레스트(Rest, 1983, 1994)는 사람들이 어떻게 윤리적인 결정을 내리는가에 관한 연구를 수행하면서 도덕적 행위가 전제되어야 할 때 필요한 네 가지 구성요소, 즉 도덕적 민감성, 도덕적 추론, 도덕적 동기, 도덕적 품성을 제시하였다. 도덕적 민감성은 타인의 복지에 이로운 상황을 인지하는 과정이며, 도덕적 추론은 도덕적 차원이 포함되는 것으로서 인식된 상황에 대해 대안을 통한 사고과정을 말하며, 도덕적 동기는 여러 대안을 평가한 뒤 가장 도덕적인 선택을 하고 그대로 실행하는 것이다. 마지막 도덕적 품성은 도덕적 행동의 측면, 즉 실제로 도덕적 행위를 실천하는 것을 말한다.

관련어 | 상담자 윤리강령

상담자(코치) 중심의 코칭
[相談者中心-, counsellor(coach)-centered coaching]

코칭에서 상담자(코치)가 주가 되어 내담자(훈련생)를 훈련시키는 것. 생애기술치료

상담자는 내담자가 좀 더 효과적으로 의사소통하고, 행동하고, 생각하는 것을 훈련시키는 인생코칭을 할 때, 내담자가 자신의 문제에 대해서 스스로 책임감을 가질 수 있도록 지지해 주는 것이 중요하다. 이때 상담자 중심의 코칭이라고 하면 이러한 상담자와 코칭을 받는 내담자 사이의 관계에서 지양해야 할 형태의 특성을 말한다. 상담자 중심의 코칭을 설명할 때는 주로 '주전자와 컵'의 비유를 드는데, 이는 상담자가 지식과 기술의 주전자를 들어 내담자의 컵에 부어 주고 내담자는 그냥 컵을 들고 있는 것과 같이 자신의 배움에 대해서 아주 적은 책임의식만 가진 채 받기만 하는 관계를 의미하는 것이다. 이 관계에서 상담자는 모든 것을 조절하고 적용하는 위치에 있으며, 주로 내담자에게 "이번에는 이것을 하고, 다음에는 저것을 하고, 또 그다음에는……." 같은 방식으로 대하는 등 모든 결정의 주도권을 가지고 있다. 내담자에게 단순히 충고를 한다거나 나아가야 할 방향을 지시하는 것은 내담자가 자신의 삶의 질을 향상시키는 것이 상담자라는 과도한 생각을 하게 되어, 결국 성공적이지 못한 코칭으로 이어진다.

관련어 | 내담자(훈련생)중심의 코칭, 인생코칭

상담전략
[相談戰略, counseling strategy]

상담을 이끌어 가기 위해 적용할 수 있는 모든 방법이나 기술. 개인상담

상담전략도 경제적 원리에 따라 구성하여 적은

투자로 최대의 효과를 얻는 것이 효율적이다. 상담 전략은 변화대상, 변화수단, 시간, 공간, 절차 및 지침으로 구성한다. 먼저 변화대상을 구성하는데, 이는 개인차와 구체화 정도, 내담자의 문제유형에 따라 달라진다. 이러한 내담자의 문제유형은 상담자의 이론적 배경에 따라 다르게 구성될 수 있다. 변화대상은 통제가 가능한 단위까지 세분화하고 구체화하여 구성한다. 둘째, 상담자가 변화대상을 바꾸는 데 사용하는 주된 방법인 변화수단을 구성한다. 변화수단은 일반적이거나 애매한 것이 아니라 구체적이고 명확해야 하며, 각 상담이론의 상담기법이 곧 변화수단이라 할 수 있다. 변화수단을 선택하여 실시한 다음 대상의 변화에 도움이 되지 않으면 다른 변화 수단을 융통성 있게 탐색해야 한다. 셋째, 상담시간을 구성한다. 상담시간 구성에는 한 회기당 시간, 상담빈도, 상담기간 등을 선정한다. 넷째, 상담장소, 면접형태, 상담 시설 및 도구 등을 구성한다. 다섯째, 실제 상담과정이 진행되는 절차와 상담개입의 원칙 등을 요약하여 지침서를 구성한다.

관련어 | 상담계획, 상담기간, 상담목표, 상담빈도, 상담회기

상담집단
[相談集團, counseling group]

토의집단, 과업집단, 교육집단, 치료집단과 대비되어 사용되는 개념으로서 공통 주제보다는 집단구성원 개인에게, 내용보다는 집단의 과정에 초점을 두는 집단. 집단상담

상담집단은 형식적인 결의나 목표, 내려져야 하는 결론 같은 것이 없다는 점에서 가족 집단처럼 일차적 · 비형식적 · 정서적 집단의 성격을 띤다. 따라서 상담집단이 효과가 있었다면 어떤 과제를 해결하여 목적을 달성했기 때문이 아니라 집단구성원 상호 간에 친밀감, 안전감, 신뢰감을 발전시킬 수 있는 방향으로 집단과정이 발달했기 때문이다. 상담집단은 대개 5~20명 정도의 소규모이며, 비교적 덜 구조화되어 있다. 상담자의 역할은 참가자가 자신의 가족, 대인관계, 자아개념, 개인적 · 사회적 · 교육적 문제와 관련된 내용을 편안하게 나눌 수 있는 분위기를 만들어 내는 것이다. 상담집단에서의 주제는 정의적이고 개인적인 것인데, 각 참가자는 원하는 행동변화와 관련된 발달적이고 대인관계상의 문제를 개인적인 주제로 다룰 수 있다. 상담집단에서 각 개인의 감정과 사고는 주관적인 견지에서 그때그때 모두가 의미 있는 것으로 수용되기 때문에 상반되는 의견이 허용될 뿐만 아니라 장려되므로 한층 높은 차원에서의 통일성을 이룰 수 있다. 상담집단은 형식이 필요 없고 집단구성원의 자발적인 참여에 강조점을 둔다. 상담집단에서는 개인의 감정표현을 격려 · 조장하며 '나'와 '너'의 상호관계에 역점을 둔다. 즉, 감정과 정서, 창의성과 상상력, 인간이해 및 인간관계와 관련되는 정의적 영역에 더욱 치중하는 것이다. 상담집단에서는 집단구성원이 감정과 사고를 솔직하게 언어로 표현하도록 만들어 준다. 따라서 집단구성원은 고정된 역할놀이를 하기보다는 순간순간의 내적인 변화에 따라 자유롭게 자신을 그대로 표현하며 행동한다. 상담집단에서 지도자는 형식상 정해진 역할은 전혀 없으며, 자신의 언행을 통하여 집단의 분위기를 촉진적인 것으로 조성하는 것이 가장 중요하다.

상담회기
[相談回期, counseling session]

상담자와 내담자가 함께 내담자의 변화를 위한 활동을 하는 최소 단위. 개인상담

상담회기는 내담자의 연령이나 특성, 호소문제의 유형, 상담 접근방법에 따라 다양하게 적용한다. 일반적으로 한 회기는 50분 내외로 정해지고 진행되고 있지만 대상이나 상담발달단계, 사안에 따라

다르다. 내담자가 아동이라면 30분 정도가 적당하고, 성인이라면 50분이 적합하다. 첫 회기는 검사를 실시하지 않으면 50분보다 더 길어지는 편이다. 접근방법에 따라서도 회기시간이 달라지는데, 최면요법일 경우에는 90~180분 정도로 활용되고 있다.

관련어 | 상담기간, 상담빈도

상대적 영향력 질문
[相對的影響力質問, relative influence questions]

이야기치료에서 내담자가 호소하는 문제적 이야기의 역사와 그 영향력을 탐색하는 데 사용하는 질문의 형태. 이야기치료

상대적 영향력 질문은 내담자의 구조화된 문제가 드러나고 이것이 내담자로부터 분리되고 난 후(문제의 외재화), 그 문제가 시작되어 내담자의 삶에 영향을 미쳐 왔던 '문제의 역사(history of the problem)'를 탐색하는 것에서 시작한다. 이 과정에서는 문제가 내담자의 삶에 언제부터 영향을 미치기 시작했고, 또 각 시기별로 영향력의 강도가 어떻게 차이가 있었는지를 물어보면서 문제적 이야기가 내담자의 삶에 어떻게 영향을 미쳐 왔는지를 탐색한다. 상대적 영향력 질문을 하기 위해서 치료자는 내담자의 문제를 그냥 단순히 '그 문제'라고 부르거나, 문제의 외재화 과정을 통해 부여된 특별한 이름이나 묘사된 특징을 사용해 언급할 수 있다. 이러한 문제의 역사에 대해 탐색하는 상대적 영향력 질문을 통해, 내담자의 문제는 인생의 시간적 흐름 속에 존재하며 그 흐름 속에서 그 문제가 항상 있었던 것이 아니라 영향을 미치기 시작했던 시작점을 인식할 수 있다. 또한 문제가 삶에 보다 강력한 영향을 미칠 때가 있었고, 상대적으로 약한 영향을 미칠 때가 있었음을 인식하여 그러한 변화를 일으키는 여러 가지 요인을 생각해 볼 수 있다. 이 같은 인식을 통해 내담자는 삶에서 문제와의 관계를 재정립할 수 있다.

관련어 | 문제에 이름 붙이기, 문제의 역사 탐색, 문제의 외재화

상동행동
[常同行動, stereotyped behavior]

같은 동작을 일정 기간 반복하는 것. 특수아상담

상동행동은 지속적이고 반복적인 행동으로 몸을 앞뒤로 흔드는 행동, 손을 계속 움직이는 행동, 의미 없이 소리를 반복하는 행동 등 종류와 형태가 다양하다. 자폐성 아동 및 발달장애 아동은 정상 아동과 쉽게 구별될 정도의 잦은 빈도로 눈에 띄는 반복적인 행동을 보인다. 특별한 상황에서 발생하기도 하고 일정한 간격을 두고 반복적으로 나타나기도 한다. 예를 들면, 의자에 앉아 장시간 상체를 전후로 크게 흔들거나, 손을 되풀이해서 상하로 흔들거나, 방 안에서 쉬지 않고 왕복하는 등의 동일 행위를 주위의 상황에 상관없이 계속적으로 행하는 것이다. 이러한 반복적인 행동 외에 같은 말을 되풀이하는 경우도 있다. 상동행동은 그것을 수행하는 개인의 입장에서는 특별한 기능이 있다고 평가되기도 하지만 타인은 그 목적을 알기 어려운 경우가 많다(국립특수교육원, 2009). 상동행동의 정의에서 강조하는 것은, 첫째, 이러한 행동은 리듬이 있으면서 반복적으로 일어나고, 둘째, 아무 목적이나 기능적 의미가 없으며, 셋째, 환경적 자극으로 일어나는 것이 아니라 자발적 성질을 갖는다는 것이다. 이처럼 상동행동이란 신체의 어떤 부위의 움직임이나 행동을 기능적인 목적 없이 계속적으로 같은 동작이나 행동을 하는 것이라 할 수 있다. 상동행동은 환경에 대한 반응을 방해하고, 학습을 방해하며, 사회적 통합에 방해가 되기 때문에 교정해야 할 문제행동으로 지적되고 있다. 상동행동의 원인에 대한 이론은 매

우 다양하지만 각각의 이론은 모든 상동행동을 설명해 주지 못하고 하나의 부분적인 원인에 관한 설명만 가능하다. 지금까지 제기된 이론들은 기질설, 발달가설, 자기자극조절설, 사회적 강화설, 상동행동에 의한 감각자극설 등이 있다(이소현, 1999). 상동행동의 치료전략으로는 감각소거법, 차별강화, 과다교정법, 놀이활동 등이 있는데 구체적으로 살펴보면 다음과 같다. 첫째, 감각소거법은 상동행동의 원인에 대해 한마디로 말할 수는 없지만 아동의 행동이 상동행동을 함으로써 얻어지는 감각자극 때문에 발생하는 것이라면 후속적으로 얻어지는 감각자극을 제거함으로써 자기자극행동을 감소시킬 수 있다는 것이다. 즉, 행동함으로써 생겨나는 청각, 시각, 촉각의 후속자극을 없애 버림으로써 자기자극행동의 발생을 줄인다. 자기가 좋아하는 소리를 듣기 위해 물건을 바닥에 두드리는 경우, 바닥에 카펫을 깔아 소리가 나지 않게 하여 즐기던 소리를 들을 수 없게 하면 그 행동을 그만둔다는 것이다. 둘째, 차별강화는 문제행동이 아닌 다른 행동을 강화하는 것으로 상동행동이 아닌 다른 행동을 하고 있을 때 집중적으로 칭찬, 토큰, 음식물 등의 강화제를 제공하는 것이다. 여기에는 타행동 차별강화, 상반행동차별강화가 있다. 셋째, 과다교정법은 상동행동을 지도할 때 사용하는 것 중 벌의 형태를 이용한 것으로 필요한 학습활동을 반복해서 연습시키는 것이다. 이는 상황회복과 정적 연습의 두 가지를 포함한다. 상황회복은 어떤 행동으로 인해 환경에 일어난 변화를 예전의 모습대로 아동에게 그대로 해 놓도록 하는 것이고, 정적 연습은 부적절한 행동을 보였을 때 그에 상응하는 적절하고도 정확한 행동을 연습시키는 것이다. 예를 들면, 몸을 앞뒤로 흔드는 행동을 수정하기 위해서는 상체를 의자의 등받이에 고정시키고, 신체적으로 몸을 흔드는 행동을 할 수 없도록 막아 주는 동시에 의자에 적절하게 앉아 있는 태도를 연습시킨다. 넷째, 놀이활동은 아동이 특별히 할 것이 없어 무료하기 때문에 상동행동을 하는 경우에는 우선 아동에게 맞는 장남감이나 놀 수 있는 것들을 충분히 제공해 준 다음 아동과 함께 놀아 주고 아동에게 관심 깊은 배려를 해 주며, 아동이 아직 습득하지 못한 행동이라면 행동 형성법이나 행동연쇄법 등을 사용해서 놀이기술이나 바람직한 행동을 가르쳐 주는 것이다. 눈앞에서 손을 올려 손을 흔드는 아동은 두 손으로 장난감을 갖고 노는 연습을 함으로써 좀 더 바람직하고 기능적인 행동을 배울 수 있다.

관련어 | 상동증적 운동장애

상반행동차별강화
[相反行動差別强化, differential reinforcement of incompatible behavior: DRI]

표적행동을 제거하고자 할 때 이에 상반되는 구체적인 행동을 명시하고 상반행동에 대한 강화를 하여 표적행동을 소거하는 것. 행동치료

행동주의 상담에서 적용되는 차별강화의 일종으로, DRI는 상반되는 행동을 구체적으로 명시한다는 점에서, 표적 행동과 상반되는 행동을 구체적으로 선정하지 않고 가정만 하는 타행동 차별강화(DRO)와는 차이를 보인다.

관련어 | 대안행동차별강화, 저반응비율 차별강화, 타행동 차별강화

상보교류
[相補交流, complementary transaction]

교류분석

⇨ '대화분석' 참조.

상보성 원리
[相補性原理, complementarity principle]

대인관계에서 자신의 개인적인 특성을 보완해 줄 수 있는 성질이 있는 사람에게 호감을 갖는다는 것. 학교상담

1927년 물리학자 닐스 보어(Niels Bohr)가 빛의 입자와 파동의 이중성을 설명하기 위해 제안한 양자 역학적(quantum mechanical) 원리다. 그에 따르면 빛은 입자와 파동의 성질을 동시에 가지고 있는데, 두 성질은 상보적이면서 동시에 상호 배타적인 기능을 한다. 즉, 빛이 미세한 에너지로 작용할 경우에는 입자로 활동하며 그렇지 않을 경우에는 전자기파인 파동으로 남아 있다. 이러한 원리는 물리적 현상뿐만 아니라 생리적, 사회적, 심리적 현상 등에 광범위하게 적용되고 있다. 이를테면, 우리의 일상생활에는 서로 대립하는 관점이 동시에 존재하는데, 두 관점은 상호 보완적으로 작용한다. 예를 들면, 의존성이 있는 사람이 독립적인 행동을 하는 사람에게 호감을 갖고, 집단의 리더가 권력욕구가 약한 직원을 더 좋아하는 경향을 말한다. 상보성 원리는 학교에서의 교우관계, 가정의 부부관계와 부모자녀관계 등 다양한 대인관계에서 작용하고 있다.

상상
[想像, imagination]

과거 경험한 것이나 습득한 지적 자료에 기반을 두고 현재 눈앞에 없는 것을 머릿속으로 떠올리고 생각하는 과정에서 재구성하여 심적인 상, 즉 새로운 심상(imagery)을 만들어 내는 정신활동. 심상치료

상상은 한마디로 심상을 만드는 활동이다. 현재 시각을 비롯한 몸의 감각으로 인식되고 있지 않은 상이나 느낌을 형성하는 능력인 것이다. 상상은 인간이 자신이 체험한 경험의 의미와 지적 이해를 생산할 수 있는 원동력이며, 학습과정에 필요한 핵심 요소다. 시공의 제한이 거의 없는 상태에서 일어나는 정신활동이기 때문에 주관적 색채가 강하며, 단순히 환기되는 기억의 재생과는 의미가 다르다. 또한 상상의 기반이 되는 사상 및 현실 존재 사이에 일정한 거리가 있음을 상상하는 주체가 인식하고 있다는 점, 과거경험에 뿌리를 둔 소재를 단서로 일정한 타당성과 논리적 구조를 가진다는 점 등에서 망상이나 환상과도 다르다. 그러나 아직 외계(外界)와 주체(主體)의 분화가 완전하지 않은 아동의 경우에는 구별이 명확하지 않은 상상도 많이 일어난다. 현실경험과 실제 생활 과제와의 연관성이 있고, 그에 깊이를 더한 것을 상상이라고 볼 때는 현실에서 동떨어진 공상(空想, fantasy)과도 구분하는데, 명확한 경계를 찾기는 힘들다. 상상에서 비롯되는 풍부한 사고적 경험은 유아 및 아동기 정신발달에 매우 중요한 역할을 할 뿐만 아니라 과학적 사고 및 예술 창작에도 필수불가결한 능력이다. 하지만 사소한 사실을 증폭시켜 확대된 의미로 받아들이거나 현실에서 너무 멀리 떨어져 공상과 구분하기 힘든 차원까지 나아가다 보면 신경증적 경향을 띨 수도 있고, 상상이 현실도피수단으로 왜곡된 현상이 될 수 있다.

관련어 | 심상

상상적 현실
[想像的現實, imaginal reality]

무용동작치료에서 일상적이고 습관적인 세상살이와 다른 시공간적 구조 안에서, 내담자가 일상생활에서 겪는 고통을 경감시킬 목적으로 변화 촉진자나 상담자와 함께 상상을 통해 체험하는 대안적 세상경험. 무용동작치료

내담자는 일상적 현실 속에서 개인적 고통, 개인적 무능력, 상황적 제약 등을 경험한다. 이 상황에서 상상을 활용하여 대안적 세상경험을 하는데, 여기서 내담자는 일상적이고 습관적인 세상경험 속에 있지 않고 일상적 현실에 초점을 맞추지도 않는다. 상상적 현실 속에서의 대화를 통해 경험의 거리두

기를 조절할 수 있으므로, 치료의 마지막 과정에서는 상상적 현실과 일상적 현실이 상호작용하도록 도와주어 효과적으로 일상적 현실로 돌아올 수 있도록 해야 한다.

관련어 대안적 세상경험

상승정지증후군
[上昇停止症候群, meta-pause syndrome]

중년기 이후 남성이 주로 겪는 스트레스 증상. 중노년상담

학술적으로 정착된 용어는 아니며 흔히 남성의 갱년기 증상이라 칭한다. 청년기 이후에 남성은 한 조직의 일원(organization man) 혹은 회사 인간으로 열심히 노력을 거듭한 결과 점차 직장에서 지위가 상승하고 수입이 늘어나면서 가정생활도 안정된다. 이렇게 만족스러운 인생을 보내 온 남성이 중년기 이후에 어떤 좌절경험으로 위기를 느끼게 된다. 예를 들면, 출세가도에서 갑자기 한직으로 배치되거나 신체적 건강에 위협을 느끼거나 가정불화 또는 가족붕괴 등으로 일종의 상승정지체험에 의하여 상승전망이 보이지 않고 내리막길 인생밖에 없다는 생각을 하게 되는 경우 여러 가지 심신의 부조화 조짐을 나타내는 것이다. 중년기 이후에 일반적으로 나타나는 심신적인 위기로 볼 수 있지만, 중년기에 꼭 필요한 가치전환의 계기가 될 수도 있다. 외현적이고 사회적인 것을 중시하는 입장에서 점차 내면적인 풍요를 구하는 방향으로 가치관의 전환을 도모함으로써 이러한 위기에서 벗어나 보다 충실하고 의미 있는 삶을 영위할 수 있을 것이다.

관련어 은퇴, 중년기증후군, 테크노스트레스

상실
[喪失, loss]

어떤 것이 아주 없어지거나 사라지는 것이며, 어떤 사람과 관계가 끊어지거나 헤어지는 것. 위기상담

인간은 일생 다른 사람이나 사건과 관련하여 많은 상실감을 느끼게 된다. 상실감은 우리에게 슬픔과 고통을 안겨 주어 일상생활에 큰 영향을 미친다. 우리가 살아가는 동안 겪게 되는 상실을 좀 더 세분화하면 죽음에 의한 상실, 물질적 상실, 인간관계의 상실, 심적 상실, 역할과 조직의 상실, 일반적 상실 등으로 구분할 수 있다. 물질적 상실은 자신이나 가족이 중요하게 여기고 의미를 부여한 물건들을 잃어버리는 것이다. 자신이 애정을 쏟은 만큼 고통과 슬픔이 따르게 된다. 관계적 상실은 죽음, 이사, 이혼, 직업전환, 개인적인 관계의 변화 때문에 정서적으로나 신체적으로 더 이상 관계를 지속할 수 없는 것이다. 이 중에서 죽음에 의한 관계상실은 무엇보다도 가장 큰 슬픔과 고통을 안겨 준다. 이 같은 고통스러운 반응은 상실의 고통을 극복하고 생명력 있게 살아가기 위한 정상적이고 건강한 반응이라 할 수 있다. 이상의 물질적 상실과 관계적 상실은 유아기부터 경험한다. 심적 상실은 자기 자신의 가능성에 대한 상실, 미래를 위한 계획의 포기, 희망의 소멸 등 개인의 능력이나 자신감, 소망 등을 상실하는 것이다. 이는 개인 내적인 상실이라 하더라도 외부사건이나 관계경험에서 비롯된다. 이런 경험은 사춘기에 접어들면서 현실적 자각이 활발하게 이루어지면서 겪기 시작하여 성인기에 이를수록 더 많아진다. 그러나 심리적 상실이 반드시 자신의 기대나 현실적 수준의 차이에서만 오는 것은 아니다. 중요한 임무를 달성하거나 자신이 원하던 것을 얻고 난 이후에 상실감을 느낄 수도 있다. 예를 들면, 어려운 상황에서 공부하여 박사학위를 받은 뒤 공허감과 허탈감을 경험하는 경우가 있다. 기능적 상실은 신체적 또는 신경생리적 기능을 잃어버리는 것

이다. 이는 선천적 기능상실, 교통사고나 산업재해 등의 외부사고에 따른 상실, 그리고 나이가 들어가면서 나타나는 노화현상의 결과다. 역할상실은 사회적 역할이나 조직사회에서의 역할상실을 말하며 이는 은퇴, 명퇴 등으로 나타나고, 자신뿐만 아니라 가족에게도 부정적인 영향을 미치면서 우울증을 동반하기도 한다. 조직의 상실은 가정이나 사회조직 안에서 그물망처럼 연결되어 있는 조직망의 체계상실을 뜻한다. 예를 들면, 한 50대 여성의 가정에서 자녀는 공부를 위하여 외국에 나가 있고 남편은 다른 도시에서 근무함으로써 가족 간 관계가 소원해지고 지금까지 해 왔던 역할이 없어져 가정이라는 조직이 제 역할을 하지 못하는 상태가 된 경우에 이 여성의 이러한 상실은 심리적 고통, 신체적 · 인지적 · 행동적 증상으로 나타날 수 있다. 심리적 고통으로는 무력감, 집중의 어려움, 불안, 죄의식, 분노, 불신감, 과민함, 무감각, 위축, 기억장애 등이 있다. 신체적 증상으로는 두통과 피로, 한숨 또는 숨가쁨, 불면, 식욕상실 또는 과식, 구강건조, 안절부절못함, 심한 발한, 변비 또는 설사, 어지럼, 성적 장애, 가슴이 답답한 흉부긴장 등이 있다. 인지적 증상으로는 잃은(혹은 떠나간) 사람에 대한 집착, 환각, 환상, 사고혼란 등이 있으며, 행동적 증상으로는 원망, 방황, 사회적 퇴행, 의식이 없는 행동, 불안정한 행동, 고인의 유품(사별로 인한 상실의 경우)에 대한 집착 등이 있다. 라이트(Wright, 1993)는 상실이 충격단계, 퇴행적 혼란단계, 회복단계, 화해단계를 거쳐 극복된다고 주장하였다. 먼저 갑작스럽게 가족을 상실하게 되면 충격 때문에 사고 능력의 감퇴, 호흡곤란, 실수, 때로는 잘해 주지 못한 것에 대한 죄책감을 느낀다. 충격을 받은 뒤 퇴행적 혼란단계에 이르고 이때 심신이 지쳐 피로감과 우울증으로 모든 것에 대하여 부정적인 생각에 사로잡힌다. 한편으로는 이러한 감정에서 벗어나 편안한 느낌을 갖기 위해 충격적인 사건들을 강하게 거부하거나 때로는 부끄럽게 여겨 타인과의 관계를 단절해 버리려고 한다. 이 과정에서 내성적인 사람들은 자신의 감정을 표현하지 않으며 외향적인 사람들은 울부짖거나 통곡, 분노, 하소연 등의 행동을 보인다. 이 같은 행동들은 감정의 정화작용으로 볼 수 있으므로 그대로 수용해 주는 것이 도움이 된다. 회복단계는 상실에 대하여 현실적으로 수용하여 자신을 발견해 나가는 과정으로서 비교적 안정적인 언어로 긍정적 변화를 추구하고자 한다. 이 시기에는 누군가와 가까워지려고 하기 때문에 주변에 긍정적으로 지지하고 이해해 주는 사람이 있는가에 따라 회복기간이 단축될 수도 있고 연장될 수도 있다. 화해단계는 현실적 적응력이 강화되는 시기다. 자신의 소망이나 목표를 자연스럽게 표현하며 새로운 것에 대하여 반응하고 의심과 자기연민에서 벗어난다.

관련어 | 애도상담, 죽음

상위인지
[上位認知, metacognition]

자신의 인지활동에 대한 인지 혹은 자신이 무엇을 알고 무엇을 모르는지 아는 것에 대한 인지. 인지치료

상위인지는 자신의 사고과정에 대한 인지 또는 인지적 작용의 모든 양상을 그 대상으로 하거나 그러한 양상을 조정하는 지식 또는 인지활동을 말한다. 메타(meta)란 '어떤 활동이나 행위의 뒤에 따라오는 활동 또는 행위'를 의미한다. 이는 문제해결상황에서 인지의 주체가 자신의 인지능력과 인지활동을 조절할 수 있는 능력으로 나타나고, 자기 사고에 대한 비판적 사고를 할 수 있는 능력이다. 따라서 상위인지능력이 발달한 사람은 자신을 어느 정도 객관적으로 볼 수 있는 능력이 있다. 자신을 제3자의 입장에서 볼 수 있으면 자신의 판단에 편견이 존재하는지 혹은 잘못된 사실을 이야기하는지 냉정하게 분석할 수 있고, 자신의 입장도 제대로 인식할 수 있기 때문이다. 이와 같은 상위인지는 서술적 지식

과 조건적 지식으로 구성되어 있으며, 얼마나 잘, 그리고 빨리 학습하는가로 결정된다. 문제를 해결할 때 생각뿐만 아니라 생각에 대해 사고하는 것, 그리고 과제, 전략, 문제해결과정에 대해 사고하는 것이라고 보는 상위인지의 영역에는 인지에 대해 알고 있는 지식과 자신의 인지를 다루는 방법이 모두 포함된다.

상위정서
[上位情緒, meta emotion]

자신의 내적 정서상태에 대한 성찰적인 인식을 의미하는 것으로 정서지능의 초석이 되는 개념. 정서 중심 치료

상위정서는 자신의 정서상태에 대해 인식하는 것을 의미한다. 예를 들면, 사람이 누군가에게 화를 내고 있는 상태에서 자신이 화를 내고 있다는 사실에 대해 인식하는 것이다. 이처럼 자신의 정서상태를 인식할 수 있는 경우와 그렇지 못한 경우는 정서반응에서 상당한 차이를 보인다. 자신이 화를 내고 있다는 사실에 대한 인식을 가지고 있는 것만으로도 보다 자유롭게 정서반응을 표현할 수 있다. 이는 보다 상위단계의 정서지능을 갖는 데 기본이 된다.

상전
[上典, top dog]

무의식적 행동을 지배하는 2개의 자기 부분 중 하나. 게슈탈트

개인의 성격분열을 설명하기 위해 사용된 개념으로서, 펄스(Perls)는 개인의 무의식적 행동을 지배하는 2개의 자기 부분을 각각 상전과 하인(under dog)이라고 명명하였다. 상전은 프로이트(Freud)의 초자아개념에 해당하며 내사된 가치관이나 도덕적 명령들로서 권위적이고 지시적이다. 상전은 항상 하인에게 도덕적 명령을 내리며 하인의 게으르고 소극적인 특성을 질책하고 몰아붙인다. 상전은 완벽주의를 추구하며 하인이 도달할 수 없는 이상을 요구한다. 상전이 사랑하는 것은 삶이 아니라 자신의 이상 그 자체다. 하인이 이러한 이상에 도달하지 못하면 비난하지만, 정작 자신이 추구하는 이상의 내용이 무엇인지 스스로 미처 파악하지 못한다. 이상의 본질은 도저히 도달 불가능하며 이룰 수 없는 목표에 불과하고, 단지 하인을 다그치는 통제수단으로 활용된다. 상전은 하인을 징계하고 처벌하는 수단으로 이러한 이상을 사용한다. 반면, 하인은 억압되고 희생된 성격의 부분으로서, 늘 설교를 듣고 괴롭힘을 당하는 아이와도 같은 부분이다. 더 잘하겠다고 말하지만 행동은 여전히 꾸물거리고 태만함으로써 결국 상전과의 게임에서 승리한다. 표면적으로는 상전의 명령에 복종하는 척하지만 상전이 지속적으로 몰아붙이면 변명하거나 상황을 회피함으로써 상전과의 싸움에서 승리한다. 하인은 상전의 비난에 대해 분노를 느끼지만 이러한 부정적 감정을 표출하지 못하고 현상유지를 위해 반전시킨다. 이렇게 반전된 분노감은 짜증으로 나타난다. 유기체는 짜증을 외부로 투사하는데, 그로 인해 죄책감을 느낀다. 죄책감은 자신의 좌절된 분노감인데, 그것이 마치 외부에서 오는 것으로 왜곡하여 지각한다. 따라서 죄책감은 하인이 상전에 대한 승리의 대가로 지불하는 것이라고 할 수 있다. 이와 같이 개인의 성격역동은 상전과 하인으로 양분되어 서로 싸우고 통제하려고 한다. 그 결과 끝없는 갈등에 놓이게 되고 창조적인 에너지를 고갈시킨다. 유기체가 기대역할을 수행하는 것은 현실적으로 필요하지만, 그것을 완벽하게 수행하라고 요구하는 '내사'된 도덕적 명령들은 유기체의 존재를 부정하고 삶을 파괴하는 요소가 될 수 있다. 역할연기적인 삶을 사는 동안 진정한 자기 자신이 되지 못하고 타인의 기대와 도덕적 명령을 수행하게 된다. 이러한 삶은 내적 기쁨을 가져다주지 못하고 결국 내적인 불만과

부적응 상태를 초래한다. 유기체의 내부에서는 기대역할을 수행하라고 요구하는 부분인 상전과 이에 불만을 갖고 반항하며 회피적 태도를 보이는 부분인 하인으로 분열되어 서로 갈등하고 그 결과 심한 역기능적 상태에 빠진다. 펄스는 이러한 상태를 신경증적 자기고문게임(self-torture game)이라고 불렀다.

관련어 | 게슈탈트, 내사, 상전과 하인과의 대화, 투사

상전과 하인과의 대화
[上典 - 下人 - 對話, Dialogue with top dog and under dog]

내면의 통합되지 못한 부분들을 통합시키기 위한 게슈탈트 기법으로, 자아 부분과의 대화기법이라고도 함. 게슈탈트

내담자 마음속에 갈등하는 부분들, 내사로 인해 분열된 내담자의 내적 부분들, 또는 거부하고 부인해 왔던 성격의 일부분이 서로 대화를 하도록 하여 내담자의 내면을 통합할 수 있게 도와주는 방법이다. 치료목표 중 하나는 거부하고 부인해 왔던 성격의 일부 기능을 통합하고 수용하는 것이다. 지배와 피지배, 이 둘 간의 대립이 문제인데, 갈등하는 내부 부분들 간의 대화를 유도하여 합리적인 해결책을 낳을 수 있게 만들어 준다. 성장과정에서 주위환경이 개체의 양극성의 어느 한 측면을 비판적으로 보거나 매도할 때 그 측면을 부정하거나 억압하여 자신의 내부에서 소외시켜 버린다. 그렇게 되면 소외된 부분은 미성숙한 부분으로 남거나 억압되고, 외부로 투사되어 내적 혹은 대인 갈등을 초래할 수 있다. 게슈탈트 치료에서는 내담자들이 미성숙한 양극성을 개발하는 데 도움을 주거나, 억압하고 투사시킨 양극성의 측면을 다시 접촉하여 통합할 수 있도록 해 준다. 예를 들면, 내담자가 자신에게 고통을 준 친구를 응징할 것인가 용서할 것인가에 대해 고민할 때, 한 번은 응징하는 입장이 되어 이야기하고 또 한 번은 용서하는 입장에서 이야기를 한다. 이렇게 내면에서 혼란스러워하던 갈등이 외부로 표현되면 내담자는 자신의 문제를 명확하게 인식할 수 있고, 보다 합리적이고 바람직한 결정을 할 수 있게 된다. 이 기법은 내면에 존재하는 갈등을 억압하거나 무시하는 것은 진정한 해결책이 되지 않는다는 것을 명백하게 보여 주고, 내적 갈등을 외부로 드러내는 좋은 기법이다. 빈 의자 기법과 비슷하게 진행되는데, 인격분열의 한 형태로 상전과 하인의 싸움을 들 수 있다. 내면의 두 부분 간에 치열한 싸움이 일어나도록 해 주고 서로 대화해 보도록 촉구한다. 상전과 하인 외에도 인격의 여러 부분들 간에 대화를 시킬 수 있다. 예컨대 공격성 대 수동성, 얌전함 대 방종함, 남성성 대 여성성 등 소위 양극성의 측면 간에 대화를 할 기회를 만들어 준다. 때로는 왼손과 오른손, 상체와 하체, 혹은 꿈의 여러 부분 간에 대화를 시킬 수도 있다.

관련어 | 상전

상즉상입
[相卽相入, mutual interfusion or penetration]

화엄사상에서 우주의 삼라만상이 서로 대립하지 않고 융합해 작용하며 무한히 밀접한 관계를 유지하고 있다는 것. 동양상담

상즉상용(相卽相容)이라고도 하고 약칭해서 상입 혹은 상유(相由)라고도 한다. 한쪽이 공이면 다른 쪽은 반드시 유가 되는데, 그런 의미에서 어느 한 쪽이 동시에 유와 공을 지닐 수 없다. 즉, 양자가 서로 융합하고 일체가 되어 장애가 없는 것이다. 예컨대, 개체가 없으면 전체가 성립되지 않는다. 따라서 전체가 바로 개체다. 반대로 개체가 공, 전체가 유라면 개체가 바로 전체가 된다. 이런 관계를 상즉이라 한다. 상입이란 모든 현상은 연의 작용에 따라 존재하며 그 작용은 한쪽이 유력하면 다른 쪽은 무

력해서 동시에 어느 한쪽이 무력하면서 유력할 수 없기 때문에 양자가 서로 작용해서 대립하지 않고 화합하는 것이다. 그래서 전체가 바로 개체[多卽一]이고, 개체가 바로 전체[一卽多]가 된다. 이러한 관계를 상입이라 한다.

관련어 | 화엄사상

상징
[象徵, symbol]

융(C. G. Jung)의 이론에서 대표적인 개념의 하나로, 원형의 외적 표현이자 정신에너지의 변형체. 분석심리학

상징은 원형(archetype)의 외적 표현이다. 원형은 집단무의식 속에 깊이 묻혀 있어 개인은 그것을 모를 뿐 아니라 표현되지도 않는다. 따라서 원형은 상징을 통해서만 표현될 수 있다. 그러나 원형은 개인의 의식적인 행동에 끊임없이 영향을 미친다. 집단무의식에 대해 알려고 하면 상징, 꿈, 공상, 환상, 신화, 예술을 분석하고 해석해야 한다. 융에 따르면, 밤중의 꿈에 나타나는 것이든 한낮에 깨어 있는 생활에서 사용하는 것이든 상관없이 상징은 두 가지 목적에 유용하다. 상징은 만족되지 않는 본능적인 충동을 만족시키려는 시도를 나타내고 있다. 상징의 이 같은 측면은 상징을 충족되기를 바라는 욕구의 위장(僞裝)으로 본 프로이트(S. Freud)의 사고와 일치한다. 한낮의 생활에서 대부분 제지당하는 성적 욕구나 공격적 욕구로 꿈의 상징의 대부분을 설명할 수 있다. 융에 따르면, 상징은 위장 그 이상의 것이다. 상징은 원시적인 본능충동이 변형된 것이기도 하며, 본능적인 리비도를 문화적인 또는 정신적인 가치로 보내려고 한다. 문학이나 예술, 종교가 생물학적인 본능의 변형이라는 것은 잘 알려진 견해다. 예를 들어, 성에너지가 다른 곳으로 돌려져 예술의 한 형식인 무용이 되고, 공격에너지가 다른 곳으로 돌려져 운동경기가 된다. 그러나 융은 상징이나 상징적 행동은 본능에너지를 그 본래의 대상에서 대리대상(代理對象)으로 향하게 하는 수단에 그치는 것이 아니라고 주장하였다. 예를 들어, 무용은 성 활동의 단순한 대용품이 아니라 그 이상의 무엇이라는 것이다. 상징은 특히 원형을 표현하려는 시도지만, 그 결과는 언제나 불완전하다. 융은 인간의 역사는 보다 나은 상징, 다시 말하면 원형을 의식적으로 완전히 실현하는(즉, 개성화하는) 상징을 탐구해 온 것이라고 하였다. 결국 상징이란 정신의 표현이며 인간성의 모든 면의 투영이다. 상징은 종족적 및 개인적으로 획득되고 저장된 인류의 지혜를 표현하려고 할 뿐만 아니라 개인의 장래상태를 미리 결정하고 있는 발달의 여러 수준을 나타낼 수도 있다. 인간의 운명, 정신의 장래발전은 상징으로 그 자신에게 나타난다. 그러나 상징에 포함되어 있는 지식은 인간에게 직접 알려져 있지 않기 때문에 이 중요한 메시지를 발견하기 위해서는 확충법을 통해 상징을 해독해야 한다. 상징에는 본능이 인도하는 과거 지향적인 측면과 초월적인 인격의 궁극적 목표가 인도하는 미래 지향적인 측면이 있지만, 이는 동전의 양면과 같다. 과거 지향적 분석은 상징의 본능적 기반을 해명하고, 미래 지향적 분석은 완성, 조화, 순화 등 인류의 동경을 분명히 한다. 전자는 인과론적 · 환원적 분석이고, 후자는 목적론적 분석이다. 동전의 어느 면을 사용해도 상징을 분석하고 해석할 수 있지만, 상징의 완전한 해명을 위해서는 양자 모두 필요하다. 융은 상징은 넘쳐흐르는 본능적 충동과 욕구의 산물에 불과하다는 견해에 이끌려 상징의 미래 지향적인 측면이 무시되어 왔다고 보았다. 상징의 정신적 강도는 언제나 그 상징을 산출해 낸 원인의 가치보다 크다. 이것은 상징이 성립된 배후에는 추진력과 견인력 모두 있다는 의미다. 추진력은 본능에너지에서 오고, 견인력은 초월적인 목표에서 온다. 어느 한쪽만으로는 상징을 만들어 내지 못한다. 따라서 상징의 정신적 강도는 인과론적인 결정인(決定因)과 목적론적인 결정인의 총화이므로 인

과론적 요인 하나보다는 큰 것이다. 상징은 표현적(expressive)이고 인상적(impressive)인 성질을 가지고 있다. 상징은 심상의 내면 심리과정을 표현하며, 이 상징이 심상화될 때(즉, 회화적 물질 속에 표현될 때) 어떤 인상을 나타내는 것이다. 다시 말하면, 상징의 의미적 내용이 내면 심리과정에 영향을 끼쳐 정신에너지의 흐름을 진작시킨다. 그래서 상징은 심리과정에서 실제 에너지의 변형체다. 상징은 결코 의식적으로 만들어진 것은 아니며, 항상 계시(啓示)나 직관의 방법으로 무의식에서 생산된다. 상징은 또한 매우 다양한 내용을 나타낸다. 예를 들어, 태양의 궤도는 원시인에게 구체적이고 영원한 자연의 과정을 상징하는 반면, 현대인의 눈에는 자신의 내면세계에 있는 이와 유사하거나 동일한 규칙적인 어떤 과정을 나타내는 것으로 보일 수도 있다. 재생(再生)의 상징은 원시인의 입문의식, 초기 기독교인의 함축적인 세례(洗禮) 형식, 혹은 현대인의 꿈의 심상 가운데 어떤 형태를 취하든지 간에 심리적 변형에 대한 원형적인 관념을 나타낸다. 그러나 재생이 이루어지는 방법은 의식에서 역사적이고 개인적인 상황에 따라 변한다. 따라서 주어진 상황에서 그것이 가진 실제적인 의미를 확인하려면, 집단적인 면과 개인적인 면 모두에서 평가하고 해석해야 한다.

관련어 | 개성화, 원형, 확충법

상징계
[象徵界, symbolic]

언어 그 자체와 언어를 본떠 구조화된 상징체계라고 간주되는 문화의 모든 영역. 정신분석학

프랑스의 구조주의 철학자이며 정신분석학자인 라캉(J. Lacan)이 소개한 개념이다. 라캉의 초기 저서에서는 '상징적'이라고 하는 형용사 형태로 등장하였으며, 기호논리학이나 수리물리학의 방정식과 연관되었다. 그 후, 라캉은 내담자의 증상이 상징적 의미를 지닌다고 주장하였으며, 더 나아가 1950년에 접어들어 상징적이라는 용어를 인류학적 함의를 지닌 개념으로 확장하였다. 1953년부터 상징적이라는 용어를 명사형태로 사용하여 상징계를 의미하는 범주개념으로 보았다. 라캉에 따르면, 인간의 인식은 세 가지 차원, 즉 상상계, 상징계, 현실계로 구성된다. 세 영역은 개인의 성장과 더불어 점차 발달하며 성인기에 이르러 이 세 영역이 모두 기능하게 된다. 유아기 초기는 상상계에 속하며, 그 후 발달과 더불어 언어를 습득하면서 상징계로 접어든다. 상징계로의 진입은 프로이트(S. Freud)가 제시한 오이디푸스콤플렉스가 나타나는 시기와 동일하게 진행되는데, 아동은 언어구조의 매개로 오이디푸스콤플렉스를 경험한다. 아동의 의식세계가 상징계로 접어들면 점차 인간관계의 법칙에 복종하게 되며, 상징계의 개념에서 법의 힘은 언어와 명명(命名)이라는 행동을 통해 관계를 정립하는 힘이다. 라캉은 무의식이 언어체계처럼 구조화되어 있으며 언어와 유사한 기제로 기능한다고 주장하였다. 즉, 인간의 욕망과 무의식은 언어를 통해 나타난다고 보았다. 그는 상징계 개념의 상당 부분을 레비스트로스(Levi-Strauss)의 인류학적 개념에서 원용해 왔다. 사회는 친족관계와 선물교환을 규제하는 법칙에 의해 구조화되며, 이때 교환의 가장 기본적인 형태는 언어로 하는 의사소통이다. 사회 내의 법과 구조의 개념은 언어가 없이는 성립될 수 없으므로 상징계는 언어학적 영역이고 따라서 언어구조를 지닌 정신분석도 상징계와 관련된다. 언어는 상징계와 더불어 상상계와 현실계도 포함한다. 또한 상징계는 근본적으로 타자성의 영역이다. 무의식은 대타자의 담론이며 따라서 상징계에 속한다. 상징계는 오이디푸스콤플렉스의 욕망을 규제하는 법의 영역이기 때문에 자연의 상상계에 반대되는 문화적 영역이라고 볼 수 있다. 상상계는 이자구조인 반면, 주체 상호적 관계가 제3자인 대타자에 의해 중재되는 상징계는

삼자구조에 해당한다. 라캉은 정신분석이 상징계를 망각하고 인간의 모든 인식작용을 상상계로 환원시킨 점을 비판하면서 정신분석은 상상계를 넘어 상징계 차원에서 이루어져야 한다고 주장하였다.

상징놀이
[象徵-, symbolic play]

역할, 사물, 행동 및 언어의 가작화(假作化)가 이루어진 놀이로서, 사물이나 행동을 다른 사물이나 행동으로 상징화할 수 있는 능력. 놀이치료

가상(假像) 놀이, 가작(假作) 놀이라고도 부르는 상징놀이는 내적인 사고, 생각을 가상형태로 표현하는 놀이형태로서 눈에 보이지 않는 대상을 표상하거나 사물 또는 상황을 실제와 다르게 변형시켜 표상하는 놀이이다. 피아제(J. Piaget)에 따르면 상징놀이는 아동이 상상력으로 대상물을 상징화하는 것으로 나타난다. 이때의 상징은 아동의 개인적인 경험에 국한되는 한계가 있다. 상징놀이는 가상놀이, 상상놀이, 극놀이, 가작놀이 등과 비슷한 개념으로 사용되었다. 아동은 인지발달의 기초단계인 0~2세의 감각운동기에 물리적·감각적 경험을 통하여 사물을 인식한다. 그리고 성장과정에서 사물에 이름을 붙이는 시기를 상징기라고 하는데, 이 시기에 상징놀이나 언어 등을 통하여 자신의 의사를 표현한다. 상징놀이 발달단계는 언어발달단계와 밀접한 관계가 있다. 따라서 언어가 심각하게 지연된 아동은 상징놀이가 늦게 나타난다. 상징놀이는 실제의 자신이 아닌 다른 역할에 동일시하여 그렇게 동일시한 인물처럼 행동하는 역할의 가작화, 고정된 사물의 개념에서 탈피하여 한 가지 사물이 다른 사물로 대체되는 사물의 가작화, 그리고 행위대상이 자신에게서 다른 대상에게로 변화하는 행위대상의 변화라는 세 가지 요소가 포함된다.

상징적-체험적 가족치료
[象徵的體驗的家族治療, symbolic-experiential family therapy]

가족관계를 비유적, 상징적으로 해석하여 불안과 애정의 표현을 파악하면서 변화의 계기를 만드는 가족치료 접근방법. 기타 가족치료

가족치료의 개척자 중 한 사람인 정신과 의사 휘터커(Whitaker)가 개발한 가족치료방법이다. 그는 개인의 가치관, 신념, 욕구는 원가족에서 유아기의 상징적 체험, 다시 말해 비언어적·정서적 체험을 하며 만들어지고 내면화된 것으로서, 개인의 심리역동이나 가족역동은 다세대 가족관계에서 이해해야 한다고 주장하였다. 또 변화는 가족의 상호작용 속에서 상징적인 체험에 의한 학습과 자기평가에 따라 일어난다. 이 입장에서는 인간을 성장동기를 가지고 생물적, 심리적 성숙을 목표로 하는 생물적 존재로 파악하며, 성숙은 내적 자기애를 의식하는 상태로서 대인관계의 능력으로 표현된다고 본다. 성장에 대한 개인의 노력은 가족의 명령이나 욕구, 문화의 압력 등과 상호작용하며, 개인의 대인관계 능력의 향상에서 엿볼 수 있다. 이 입장에서 문제는 친밀한 관계에서 변화와 성장이 일어나지 않는 정체상태(plateau)를 가리키며, 증상이나 문제의 이면에는 다세대에 걸친 경직되고 만성적인 애정결여의 관계패턴과 불안이 있다. 그런 만큼 깊은 수준에서의 정서적 교류가 촉진되지 않고 중요한 욕구, 가치관, 신념에 대한 대화가 되지 않는다. 또한 서로의 자원이 활용되지 않고 그대로 머물러 있다. 따라서 치료의 목표는 정체를 초래하는 과거의 가치관이나 행동패턴에 속박되지 않고 부부나 가족이 자유롭게 새로운 방식이나 관계를 구축하는 것이다. 치료에서는 문제발생의 원인에 대한 탐색이나 교육이 아니라, 치료장면에서 지금-여기의 상호 교환과정 중 가족구성원의 자각이 중시된다. 치료자는 가족관계를 비유적, 상징적으로 해석하여 불안과 애정의 표현을 파악하면서 변화의 계기를 만든다. 스트레스

가 충만한 상황에서 문제해결에 도전하려는 가족에게는 농담이나 유머, 공상, 자유연상이 유효하고, 치료자가 도구가 되어 광기 어린 행동을 하며, 그 장면에서는 관계없는 것처럼 보이는 언어나 이미지를 사용하는 것이 도움이 된다. 자아가 작용하고 있을 때 그러한 언동은 퇴행과 같은 의미가 있으므로 통제나 회복이 가능해진다. 가족은 그 장면의 긍정적인 기운의 부분을 받아들이고 통제되는 상황에서의 미쳐도 좋을 모델을 보이게 된다. 그뿐만 아니라 여기서는 두 사람의 치료자에 의한 공동치료(co-therapy)가 강조되는데, 두 치료자의 존재와 움직임은 가족 간 친밀한 관계, 갈등의 해결, 자율성, 타협 등 정서적 과정의 모델이 되기 때문이다.

상징적 거리
[象徵的距離, symbolic distance]

사이코드라마의 기법으로, 주인공에게 자신의 실제 생활에서의 역할과 아주 다른 역할을 연기하도록 한 다음, 점차 자신의 역할을 맡기는 기법. 사이코드라마

해체된 가성이나 부적절한 가정의 아동에게 특히 유효한 기법으로, 이 아동들은 개인상담이나 치료를 통하여 밖으로 드러나는 행동이 개선되어도 가정에서의 생활을 염려하여 안정감을 주는 병원을 떠나는 것에 두려움을 느낀다. 이들에게 자신의 역할이 아닌 언니나 오빠의 역할을 맡기고 아동들이 각각의 상황에서 달리 행동한 것에 대한 이야기를 나누게 함으로써, 가정의 다른 상황에서의 생활이 가능하다는 점을 깨닫게 해 준다. 그 결과 가정에서 보호받는 상황을 기꺼이 받아들이게 된다. 여기서 연출자는 주인공이 추상적인 용어로 이야기를 할 경우, 그 개념을 각각의 성격을 가진 인물로 상징화하여 구체화할 수 있다. 그들, 사회, 다른 사람들, 제도, 젊은 사람들 등을 모두 보조자아를 이용하여 그려낼 수 있는 것이다. 이를테면 "이 여성이 제도입니다. 이제 그녀에게 이야기하십시오."라고 말하여, 주인공은 이 보조자아와 대면하고 역할바꾸기를 함으로써 주인공이 갈등을 느끼는 문제에 보다 민감하게 초점을 맞출 수 있다. 이야기책의 주인공을 활용하는 또 다른 예를 들어 보면 다음과 같다. 치료 중이던 한 남아와 여아가 있었는데 곧 있을 퇴원에 대해 둘 다 불안해하였다. 두 사람에게 헨젤과 그레텔 역(세상에 직면하는 남매)을 즉흥적으로 변화시켜 실연하도록 하였다. 이 연기를 하면서 두 사람은 좀 더 현실적인 미래투사장면을 만들어 낼 수 있었다.

관련어 | 미래투사 기법, 사이코드라마, 역할바꾸기

ㅅ

상징적 독자
[象徵的讀者, symbolic audiences]

실제의 독자나 관객이 아니라 글을 쓰는 사람 자신에게 중요하게 생각되는 인물 혹은 자신이 겪은 사건과 관련된 인물 등으로서, 자신의 글을 보여 주는 대상으로 상상하는 인물. 문학치료(글쓰기치료)

글쓰기는 독자를 어떻게 상정하느냐에 따라 달라진다. 페니베이커(James Pennebaker)는 이를 염두에 두고, 치료목적의 글쓰기가 오로지 참여자 자신만을 위한 글쓰기라는 데서 벗어나, 타인이 그 이야기를 들어 준다고 상상하며 글을 쓰는 방법을 창안하였다. 이는 동일한 경험에 관한 한 사람 이상의 상징적 독자나 관객에게 글을 쓰게 하는 방법으로, 상징적 독자를 자신이 겪은 사건과는 직접적 연관이 없는 인물로 정할 수도 있고, 자신에게 영향력을 미치는 권위 있는 인물로 정할 수도 있으며, 진심으로 마음을 나눌 수 있는 친밀한 관계에 있는 인물로 정할 수도 있다. 상징적 독자에 따라 글은 표현뿐만 아니라 전하고자 하는 내용, 사건에 대한 관점까지 달라질 수 있다. 가능한 한 서로 다른 입장으로 두 사람 이상의 상징적 독자를 정해 두고 여러 번 글을 쓰도록 한다. 이때 그 글은 관객을 의식하고 이야기하는 것이지만 결코 공개하지 않으며 오직 글을 쓰는 자신만 볼 수 있다. 상징적 가상의 관객으로

는 부모, 교사, 성직자, 판사, 직장상사, 존경하는 권위적 인물 등이 있다. 인물을 설정하고 자신이 경험한 감정적 사건이나 심리적 외상에 대해서 이야기한다. 그런 다음 같은 경험에 대하여 자신을 진심으로 신뢰하고 자신의 이야기를 진심으로 들어 주는 친구를 상상하면서 이야기를 써 보고, 또한 그 사건에 관계가 있고 그 사건에 대하여 자신과 견해를 달리하는 사람에게, 마지막으로 자기 자신에게 같은 사건을 이야기하는 식으로 글을 쓴다. 여러 인물에게 각각의 이해를 구하도록 글을 쓰다 보면, 동일한 경험에서도 발견하지 못했던 요소들을 찾을 수 있다. 글을 다 쓴 후에는 서로 다른 상징적 독자에게 쓴 글을 찬찬히 읽으면서 성찰한다. 이와 같은 상징적 가상독자를 전제로 한 쓰기과제는 다른 사람들이 자신의 개인적인 이야기 속에서 갖는 역할을 이해하는 데 효과가 있다. 각각의 이야기가 상징적 독자에 따라서 전혀 다른 글이 될 만큼 많이 바뀐다면, 실제로 글쓴이는 자신이 겪은 사건에 대해 심도 있게 이해하고 있지 못하다는 결론을 내릴 수 있다. 상징적 독자를 이용한 치료기법은 자신이 겪은 사건에 대한 객관적 거리를 유지할 수 있게 하고, 여러 입장에서의 관점을 가질 수 있게 한다.

관련어 | 관점바꾸기, 글쓰기치료

상징적 동등시
[象徵的同等視, symbolic equation]

주체가 대상이 지닌 상징적인 측면을 채택하여 그것을 마치 구체적이고 사실적으로 대상과 동일한 것처럼 간주하는 심리과정. 대상관계이론

클라인(M. Klein)이 제시한 발달단계 중 편집분열적 양태에서 나타나는 정신과정이다. 이 양태에서는 비탄이나 애도능력이 아직 발달하지 않았기 때문에 상실한 대상을 포기할 수도 없고, 또한 상징으로 대체할 수도 없다. 그러나 우울적 양태에서는 대상상실을 수용할 수 있다. 대상포기는 자기 내부에 대상을 재창조하려는 소망을 자극한다. 따라서 대상포기와 함께 대상에 대한 다양한 표상을 발달시키고, 이러한 표상 중 일부는 상징 또는 추상적 대체물이 된다. 원래 대상과 연결되었던 정서는 이 새로운 대체물에게로 전치되는데, 이때 대체물과 그것이 표상하는 대상은 서로 구별되므로 상징적 동등시의 특징인 혼란이 유발되지 않는다. 대상에 대한 다양한 내부표상은 대상의 상실을 부인하는 것이 아니라 오히려 상실경험을 극복하는 데 활용된다. 그러므로 상실 이후에는 창조적 보상작용을 통해 대체물을 자유롭게 활용함으로써 상실된 대상을 내면적으로 회복하게 된다. 이러한 과정은 창조성과 승화능력을 촉진하는 계기가 된다.

관련어 | 우울자리, 편집분열적 자리

상징적 실현
[象徵的實現, symbolic realization]

사이코드라마의 기법으로, 주인공이 처한 상황을 상징적으로 표현하는 것. 사이코드라마

이 기법을 실행하는 예로, 주인공이 어떤 문제에 대하여 중압감을 가질 경우 서너 명의 보조자아가 주인공의 등에 매달린다거나, 주인공이 소외감을 느끼고 답답해할 경우 보조자아들이 작은 원을 만들어 주인공이 통과하거나 탈출하도록 할 수 있다.

상징적 표상
[象徵的表象, symbolic representation]

잠재몽 내용의 추상적이고 복합적인 감정들이 단순하고 집약된 감각적 이미지로 드러난 것. 정신분석학

꿈작업에 속하는 개념으로서, 꿈꾸기와 꿈 형성은 압축, 치환, 상징적 표상 등에 의해 특징지어지는

일차적 정신과정을 사용하여 잠재몽 내용을 현재몽으로 전환시키는 꿈작업의 결과다. 꿈작업의 두 가지 요소는 사고를 감각적 상징과 이미지로 전환시키는 상징적 표상과 이렇게 표상화된 이미지를 이야기 형태로 만들어 내는 이차적 정교화다. 꿈속에 나타난 상징과 이미지가 지닌 무의식적인 의미는 상징적 표상에 대한 연상을 통해 파악해 낼 수 있다. 꿈으로 드러난 상징적 표상은 개인에게 구체적인 의미를 지닌 것도 있지만 보편적인 의미를 지닌 것도 있다. 예를 들어, 창문이 여성 성기의 입구를 상징하거나 배설물이 돈을 상징하는 것 등이다. 정신분석에서는 내담자의 꿈속에서 상징적 표상으로 표현된 사고나 대상을 과거 수용되지 못한 감정이나 갈등과 연관 있는 것으로 해석하며, 그러한 상징의 의미는 무의식 속에 억압된 것으로 본다. 상징의 가장 일반적인 주제는 신체부위와 기능, 가족구성원, 출생과 사망에 관련된 것들이다. 상징은 부분적인 욕구충족이나 상실한 대상의 회복을 보장하는 기능적인 역할을 하지만, 용납되기 어려운 것을 위장해서 표현하고 있다. 예를 들어, 딸만 넷을 둔 여성 내담자가 있는데, 남편은 아들을 낳을 때까지 계속해서 임신하기를 원하고 있다. 이 내담자는 최근에 작은 가방에 책을 가득히 집어넣은 뒤 닫으려고 하는데 잘 닫히지 않아서 당황스러운 꿈을 꾸었다. 이 꿈에서 가방은 여성의 자궁을 상징하는 표상이다. 더 이상 임신을 원하지 않는 내담자의 소망과 갈등을 드러내고 있다. 또 다른 여성 내담자는 기분전환을 하기 위해 쇼핑을 했으며 그날 밤 쇼핑센터를 배경으로 하는 꿈을 꾸었다. 꿈속에서 내담자는 쇼핑센터 안뜰에 서서 천장에 매달려 있는 모빌을 보고 즐거워하였다. 그 순간 그녀 옆에 서 있던 낯선 남자가 그녀 곁으로 점점 다가오더니 그녀를 밀어붙였다. 그러자 그녀는 그 남자를 향해 몸을 돌려 끌어안았다. 이튿날 치료실에서 이 내담자는 자신의 꿈에 대한 연상을 시작하였는데, 그녀는 쇼핑센터에서 본 모빌이 막내 아이가 어릴 때 사용했던 모빌을 떠올리게 한다고 하였다. 그리고 쇼핑센터 안뜰은 남편이 근무했던 직장을 연상하게 한다고 하였다. 이때 내담자가 그녀의 자녀들이 어렸을 적에 엄마로서 행복했던 그 시절로 되돌아가고 싶어 하는 소망이 내재되어 있는 것이라고 추정할 수 있다. 꿈속의 남자는 직장을 그만두고 그녀의 공간을 침해하기 시작하는 남편을 상징하며, 그를 끌어안는 행위는 남편에게로 향한 그녀 자신의 공격적 충동을 자아가 수용하기 곤란하기 때문에 애정행위로 위장되어 나타난 것이라고 해석할 수 있다. 프로이트(S. Freud)는 꿈의 상징성은 꿈을 해석하는 데 중요하다고 보았다. 꿈의 상징성을 잘 파악하면 내담자에게 직접 묻지 않고서도 흩어져 있는 꿈 내용의 의미를 이해할 수 있다고 하였다. 꿈의 상징에 대해서는 보편적 의미나 혹은 개별적인 상징적 의미를 이해하는 데 그쳐야 하며, 꿈 내용의 특정 부분만을 상징적으로 해석하는 것은 지양된다. 상징에 대해 단정적인 해석을 내린다거나 혹은 꿈의 전체 내용을 상징만으로 해석하고 의미를 부여하는 것은 부적절하다. 그러나 내담자의 꿈에 대한 연상이 충분하지 않거나 연상이 잘 되지 않을 경우, 자유연상을 통해 꿈의 상징에 관한 정보를 통합할 수 있다.

관련어 | 꿈작업

상징주의
[象徵主義, symbolism]

범시대적 사조로서의 상징주의는 상징적 표현양식 일반을 가리키지만, 특정 시대로서의 상징주의는 19세기 말 20세기 초 프랑스를 중심으로 상징파가 전개한 예술운동을 말함.

철학상담

『피가로(Figaro)』에 모레아스(Jean Moréas)가 「상징주의 선언(Manifeste du Symbolisme)」을 표방하면서 본격화되었다. 1886년 9월 18일 당시 상징파는 근대 계몽주의 이후 지속적으로 확장되어 온 객관주의, 과학주의, 이성주의, 도구주의 전반, 즉

ㅅ

고전주의에 대한 반동으로 일어난 낭만주의 사조를 새롭게 발전시키려고 하였다. 당시 상징파는 리얼리즘, 실증주의 및 과학주의와 결부된 자연주의, 객관적인 조형을 강조하는 고답파(高踏派)를 비판하였다. 이처럼 상징파를 통해 전개된 상징주의는 사실주의, 자연주의가 중시하는 외면적이고 객관적인 부분에 대해 반동의 형태를 보여 주었으며, 상징적 방법을 이용하여 형이상학적이고 신비적인 내용을 암시적으로 표현하려고 하였다. 상징주의에 포함되어 있는 '상징(symbol)'은 부호, 기호, 암호 등을 의미하는 그리스어 'symbolon'에서 유래했는데, 이것은 매개물과 매개가 암시하는 의미의 이중성과 관련된다. 이른바 상징은 일차적으로 사물로 된 매개체를 의미하며, 이차적으로는 이 매개체가 감각기관을 통해 암시하거나 환기시키는 관념이나 감정에 이르는 운동을 뜻한다. 이처럼 상징주의는 상징을 통해 이념에 감각적 옷을 입혀 이념을 이미지화한다. 상징주의에는 상징을 통해 도달한 관념이나 감정이 한 개인의 마음 안에 머무르게 되는 '개인적 상징주의'와 이를 넘어서서 초월적 이념을 암시하는 '초월적 상징주의'가 있다. 상징주의자로는 보들레르(Charles-Pierre Baudelaire), 베를렌(Paul Verlaine), 랭보(Arthur Rimbaud), 말라르메(Stéphane Mallarmé), 레니에(Henri de Régnier) 등이 있었다. 이 중 랭보는 환상적인 시적 언어를 발전시켰고, 베를렌은 섬세한 음악적 작업을 통하여 탈사실주의를 추구하였다. 말라르메는 순수언어에 의한 순수시 작업에 집중하였다. 이처럼 상징주의는 시에서 산문성을 탈각하고 순수시와 절대시를 추구하였으며, 현실을 넘어선 이념으로 향해 있다. 그러나 20세기 초반에 슈클로프스키(Viktor Šklovskij), 아이헨바움(Boris Eichenbaum), 티냐노프(Juri Tynjanov), 야콥슨(Roman Jakobson) 등 개념적 합리성을 추구하는 형식주의자의 비판을 받았고, 훗날 구조주의자에게는 엘리트주의, 주관주의라는 공격을 받았다.

상징화
[象徵化, symbolization]

어떤 대상이나 사상이 다른 대상이나 사상을 나타내는 데 사용되는 정신기제. 정신분석학

한 대상으로부터 그 대상을 나타내는 상징(symbol)으로 정서적 가치가 이동되는 현상이다. 하나의 정신적 표상이 다른 정신적 표상을 대신한다. 두 대상 간의 정확한 유사성에 의해서가 아니라 막연한 암시나 우발성에 의해 의미가 드러난다. 이때 원래의 대상은 금기시되는 특성을 지닌 경우가 많으며, 정서적 가치가 옮겨 가는 대상은 중립적인 경우가 대부분이다. 내담자의 증상은 억압된 충동이 상징화를 통해 드러난 것인데, 그 양태가 원래의 충동과는 다르게 위장되어 있다. 꿈의 내용도 상징화가 이루어진 경우로서, 예를 들어 자식을 낳을 수 없는 여성 내담자가 예쁜 꽃송이를 아기처럼 안고 행복해하는 꿈을 꾸었는데, 이 내담자는 어릴 때 자신의 아버지가 화단의 꽃을 보며 '내 애기들.'이라고 부르던 것을 연상하였다. 아기를 갖고 싶어 하는 내담자의 욕구가 꽃으로 상징화되어 꿈속에 나타난 것이라 할 수 있다.

관련어 꿈, 상징적 표상, 잠재몽, 현재몽

상태
[狀態, state]

사고, 느낌, 감정, 신체적 · 정신적 에너지의 총체. NLP

NLP에서는 특히 정서와 관련하여 행복한 상태, 긴장상태, 불안상태와 같은 상태를 말하는 경우가 많다. 예를 들어, 긴장상태에서는 이완상태와는 다른 신체적 · 생리적 · 심리적 상태를 경험하게 된다. 흔히 특정한 내부표상을 가지면 그러한 표상에 상응하는 상태를 경험하고, 그 상태에 따라서 그에 상

응하는 생리적 반응이나 행동이 표출된다. NLP에서 주요하게 언급되는 상태로는 크게 분리상태와 연합상태, 내면집중상태가 있다. 여기서 내면집중상태(downtime)는 내면의 생각과 느낌 쪽으로 주의가 집중된 가벼운 트랜스 상태를 말한다. 이와 상반된 상태는 외부집중상태다. 외부집중상태(uptime)는 관심과 감각의 초점이 외부사건이나 사태로 향해 있거나 집중되어 있는 상태를 말한다.

분리상태 [分離狀態, dissociated state] 경험으로부터 거리를 두고 바깥쪽에서 보거나 듣듯이 생각하고 느끼는 일종의 관조상태를 말한다. 3차적 입장을 취함으로써 초연하고 객관적인 관찰을 하는, '강 건너 불구경하는' 것과 같은 경우다. 정서적으로 충격적인 경험이나 부정적인 경험에 대해서는 분리상태를 유지하는 것이 좋다. 분리상태는 연합과 반대되는 경험이자 개념이다.

연합상태 [聯合狀態, associated state] 어떤 상황이나 사건을 직접적으로 경험하는 상상을 하고 시각적 · 청각적 · 신체 감각적 차원에서 그 경험을 느끼면서 몰입하는 상태를 말한다. 연합상태에서는 시각적으로 보고, 청각적으로 듣는 것을 상상하고, 신체감각적으로 느껴 보는 경험을 할 수 있다. 일종의 몰입상태라고도 할 수 있으며, 일차적 입장이 되는 것을 말하기도 한다. 분리상태의 반대개념으로서 특히 긍정적인 기억이나 경험을 회상하거나 앵커링을 할 때 연합상태를 유지하는 것이 필요하다.

상태파괴 [狀態破壞, break state] 특정한 정서상태에서 벗어나는 것을 상태파괴라고 하며, 상태바꾸기(changing state)라고도 부른다. 상태파괴를 위해서는 의도적으로 연합상태, 집중상태 또는 주의를 분산시키는 말이나 반응 혹은 행동을 하도록 한다. 예를 들어, 우울한 상태에 있는 사람에게 자신의 주소를 말하게 하거나 지난 주말에 있었던 일에 관하여 물어본다면 그는 질문에 대답하기 위하여 잠시라도 기존의 우울한 상태에서 벗어날 수 있다. 따라서 질문 자체가 우울한 상태를 파괴하고 벗어나게 하는 역할을 한다고 볼 수 있다. 특정한 상태에 빠져 있거나 몰입해 있는 사람에게 전혀 관련 없는 질문을 함으로써 그 특정한 상태를 파괴할 수 있는 것이다.

상호 이야기 나누기 기법
[相互 - 技法, The mutual storytelling technique]

아동이 지은 이야기를 듣고 상담자가 같은 등장인물을 이용하여 더 좋은 결말의 이야기로 바꾸어 들려주는 놀이치료기법.

놀이치료

상호 이야기 나누기 기법은 가드너(R. Gardner)가 치료방법으로 활용한 것으로서, 아동이 먼저 이야기를 하고 나면 상담자가 자신의 이야기를 하는데, 이때 아동의 이야기와 같은 등장인물을 이용하지만 더 나은 결말로 이야기를 하는 놀이치료기법이다. 이야기는 교훈이나 이야기 상황에서 유추할 수 있는 격언으로 끝을 맺는다. 대개 아동의 이야기는 투사이기 때문에 자신의 생활상황에서의 무언가를 반영한다. 따라서 아동의 이야기를 통하여 상담자는 아동의 정서나 상황에 대해 새로운 정보를 얻을 수 있다. 이 기법을 사용할 때는 아동과 아동의 생활에 대해 어느 정도 파악하고 있는 것이 중요하고, 아동의 이야기에서 주요 주제를 빨리 이해하는 것 또한 중요하므로 캠코더로 녹화하거나 녹음기를 사용하는 것이 필요하다. 상호 이야기 나누기의 과정은 다음과 같다. 첫째, 장면을 설정하는 단계로 인형이나 동물 세트를 가지고 이야기를 만들 수 있다. 둘째, 이야기하기의 규칙을 세우는 단계로 이야기는 새롭게 만들어져야 하고 시작(도입)과 줄거리(전개), 끝(종결)이 있어야 한다. 셋째, 이야기를 지어서 만드는 단계로 어느 인물이 아동을 나타내는

지, 전반적인 정서는 어떠한지, 주제와 상호작용 유형은 무엇인지, 문제해결과 갈등해결의 기본 전략은 무엇인지, 갈등해결에 보다 나은 방법은 있는지 등을 고려하여 좀 더 유용하고 적절한 방법으로 이야기를 다시 만든다. 넷째, 아동의 이야기와 동일한 등장인물과 배경을 사용하여 상담자가 이야기의 중간과 결말을 변화시켜 이야기를 만든다(retelling). 이때 갈등에 대해 보다 더 적절한 해결책을 제시하거나, 자아 · 세계 · 타인을 보는 대안적 방법을 제시하고, 타인과 좀 더 관계를 잘 형성하는 다양한 방식을 제시한다. 마지막으로 재이야기(the retold story) 단계로, 아동이 보다 더 교훈적이거나 주인공이 좋아지는 방향으로 이야기를 창안하도록 한다.

상호성
[相互性, reciprocity]

보상(rewardingness), 규칙(rules)과 함께 인간관계를 개발하고 강화하는 3개의 R 중 하나. 생애기술치료

상호성은 보상을 서로 주고받는 긍정적인 인간관계를 오래 지속시키는 중요한 요인 중의 하나다. 하지만 단순하게 주고받는 것에 집중하는 것은 오히려 긍정적인 인간관계의 형성을 방해할 수 있다. 따라서 인간관계 속에서 서로 상대방의 성장과 발전을 우선적으로 고려하는 주고받기가 이루어질 때, 긍정적인 인간관계가 형성되고 발전될 수 있다.

관련어 | 규칙, 보상

상호연결병리
[相互連結病理, interconnected pathology]

인간관계 혹은 가족관계 안에서 형성된 병리적 상호작용. 기타 가족치료

상호연결병리에서는, 첫째, 가족의 집단역동, 둘째, 개인의 가족에의 정신적 통합, 셋째, 개인의 내적 조직화와 그 발달의 세 가지 차원을 모두 분석하고 나서야 비로소 치료자가 완전한 임상 상(clinical features)을 파악할 수 있다고 설명한다. 이 같은 상호연결병리는 가족행동(넓게는 인간행동)을 의사소통-동물행동학적 패러다임으로 파악하는 사상이다. 옛날에는 병리적 부부의 관계를 가학피학성(sado-masochism)의 사고방식으로 개념화하였다. 즉, 자학적(masochistic)인 여성은 가학적(sadistic)인 남성과의 관계를 구하며, 그것을 유지한다는 것이다. 예를 들면, 알코올중독 부부인 경우 아내는 남편을 아들이라고 보고 진단하며 돌보아 줌으로써 남편을 한없이 아들의 위치에 머물도록 하려는 상호연결병리적 상황에 놓인 것이다. 남편이 음주를 시작하면 "중지하세요."라고 음주를 둘러싸고 남편과 쓸데없이 투쟁을 전개한다. 이러한 아내의 반응은 외부에서 보면 남편을 감싸기 위해 사회적으로 고립해 있다는 듯 보인다. 이 같은 아내들의 특징을 알코올중독 증후군이라고 부르기도 한다.

상호의존성
[相互依存性, interdependency]

개인과 개인, 체계와 체계가 서로 연결되어 있으며, 의존적인 상호작용을 하는 경향성. 가족치료 일반

내 인생의 목적을 추구하면서도 다른 중요한 타인들과 단절되지 않고 연결되어 있는 건강한 상태로 바람직한 의존성을 의미한다. 이는 공동의존 혹은 동반의존성(co-dependence)과는 구별되는 개념으로 의존의 긍정적인 의미에 초점을 두고 있다. 상호의존성은 가족 안에서 다른 사람의 삶의 단계와 서로 영향을 주고받는 가족체계의 이론으로 의존성과 독립성 사이에 있는 균형 잡힌 입장으로서, 분화와 관련이 있다. 가족구성원 간의 상호의존성이 너무 높으면 각 구성원의 독립적이고 자유로운

활동이 지나치게 제한되고, 상호의존성이 너무 낮으면 가족관계가 소원하고 가족 공동체로서의 연대의식이 희미해지는 등 역기능적인 상태가 발생한다. 따라서 가족의 체계가 적절한 연대감과 자율성을 가지기 위해서는 적정 수준의 상호의존성을 지니고 있어야 하며, 이렇게 하면 기능적인 가족체계를 유지할 수 있다. 상호 의존에 대립하는 개념으로는 상호 자립이나 상호 독립이 있다. 부모가 자녀를 보호하고, 자녀가 부모에게 의존한다는 세대를 달리하는 사람끼리의 의존-보호 관계는 시간이 지나면 자립으로 해소될 수 있다. 그렇지만 자립한 부모-자녀 사이에도 상호 의존이 기능한다. 다만 서로의 자립을 저해하지 않는 적절한 정도의 상호 의존이 요구된다. 더구나 같은 세대를 사는 부부 사이에는 적정 수준의 상호 자립과 상호 의존을 지속해 갈 필요가 있다. 얼마만큼의 자립과 의존이 바람직한지는 각자가 공동생활 속에서 느껴 가는 것이며, 또 각각의 인생 지향과 모순되지 않도록 상호 조정해야 한다.

관련어 | 공동의존

상호작용 문학치료
[相互作用文學治療, interactive biblio/poetry therapy]

참여자와 치료자 사이의 치료적 상호작용에 문학을 활용하는 것. 문학치료(시치료)

상호작용 문학치료라는 말은 현재 미국에서 문학치료라는 개념에 대한 최종 정의로 사용되고 있다. 문학치료란 영어로는 '포이트리테라피(Poetry Therapy, 시치료)' '비블리오테라피(Bibliotherapy, 독서치료)' '저널테라피(Journal Therapy, 저널치료)'를 모두 포함한 말로, 참여자와 치료자 사이의 치료적 상호작용을 위해 문학을 사용하는 것을 뜻한다(전미문학치료협회의 정의). 즉, 문학치료는 문학을 촉매로 참여자(내담자)와 훈련받은 문학치료사와의 대화를 통하여 이루어지는 상호작용으로, 참여자에게 문제에 접근하는 새로운 방법을 배우도록 하고, 또 다른 관점에서 그 문제를 생각할 수 있는 통찰력을 제공해 주어 궁극적으로는 올바른 자아 인식에 이르게 하는 과정이다(Hynes & Hynes-Berry). 이 과정에서 치료자(촉진자)는 참여자/집단의 성격과 치료목표에 따라 선별한 시, 소설, 저널, 영화, 다큐멘터리, 그 외 여러 형태의 문학을 촉매로 치료적 대화와 토론, 그리고 글쓰기를 사용하여 참여자를 이끌어 준다. 세계적으로 가장 오랜 전통과 권위를 가진 미국의 문학치료는 비영리 단체인 미국시치료협회(National Association for Poetry Therapy: NAPT)를 중심으로 연구되고 있다. 또한 미국 전역의 문학치료 관련 문학치료사 교육, 자격관리 등을 주관하는 유일한 통합기관인 전미문학치료협회(National Federation for Biblio/Poetry Therapy: NFBPT)를 창설하여 방만한 교육이나 자격증 수여에서의 문제점을 방지하고 있다. 전미문학치료협회가 문학치료의 정의에 포이트리테라피, 비블리오테라피라는 용어 외에 새롭게 저널테라피를 보다 적극적으로 포함시키고 있는 것은 그만큼 문학치료의 과정에서 내담자의 글쓰기, 특히 자유로운 표현적 글쓰기인 저널(일기)의 중요성이 입증되었음을 보여 준다. 포이트리테라피는 협의의 시치료가 아니라 상호작용 문학치료와 동일한 의미로 사용된다는 것도 명시하고 있다. 문학치료에서 말하는 '문학'은 여러 장르의 상상의 문학, 이야기, 신문 기사, 노랫말, 연극, 시, 영화, 비디오, 텔레비전 드라마, 일기 등 생각과 느낌을 이끌어 내기 위해 사용할 수 있는, 언어를 표현매체로 사용한 광의의 문학을 말한다. 문학은 치료를 위한 촉매 역할을 하며, 치료경험은 시/문학치료의 수련을 거친 전문가의 '촉진'을 통해 이루어진다. 문학치료에서 사용하는 문학은 예술적, 문학적 가치나 위대함이 아니라 깨달음과 자아 발견을 위한 도구로서의 가치에 중점을 두고 있다. 예술로서의 문학의 초점이 문학 자체에 있다면, 치료를 위한 문학은 참여자 개개인의 반응과 자기표현을 통한 성장에 초점이 있다(이봉희, 2008b). 문학치료의 발달과정에 대해 살펴보면, 아주 오래된 과거로 거슬러 올라갈 수 있다. 인간들은 아득한 옛날부터 피할 수 없는 내적, 외적 고통을 치유하고자 투쟁해 왔고, 그런 노력의 일환으로 사용된 것이 발라드, 노래, 시 같은 문학과 예술이었다. 치료를 뜻하는 테라피(therapy)라는 용어는 '춤과 노래, 시, 연극 등 표현 예술을 통하여 간호하고 병을 고치다'라는 의미의 그리스어 'therapeia'에서 나온 말이다. 이것은 고대로부터 문학이 갖는 치료의 기능을 보여 주고 있다. 의술과 예술이 서로 밀접한 관련이 있음은 신화 속 아폴로 신이 의신(醫神)이면서 동시에 시 · 예술의 신인 것을 보아도 알 수 있다. 테살리 지역의 의사 아스클레피우스는 아폴로의 아들로 알려지기도 했으며, 또한 신화에서 오세아누스는 프로메테우스에게 '말은 병든 마음을 치료해 주는 의사'라고 말하였다. 종교적 제의에서 무당이나 제사장들은 개인이나 부족의 건강과 안위를 위해서 시나 노래를 읊었다. 고대 이집트에서는 최대한 즉각적인 효과를 위해 파피루스에 글을 써서 그것을 물(액체)에 녹여 환자가 마시게 하기도 하였다. 기원전 1030년경에는 다윗이라는 소년의 시와 음악이 사울 왕 속의 '야수'를 잠재우기도 하였다. 역사적으로 기록된 최초의 문학치료사는 1세기 소라누스라는 로마 의사였다. 그는 조증 환자에게는 비극을, 우울증 환자에게는 희극을 처방했다고 전해진다. 미국의 경우 1751년 벤저민 프랭클린(Benjamin Franklin)이 세운 최초의 병원인 펜실베이니아 병원에서 정신질환 환자들에게 치료보조수단으로 책 읽기와 글쓰기를 사용하고, 그들의 글을 출판한 것이 최초의 치료기록으로 남아 있다. 미국 심리치료의 아버지라 불리는 벤저민 러시(Benjamin Rush)는 음악과 문학을 효과적인 보조수단으로 치료에 사용하였으며, 환자들이 쓴 시를 자신들이 만든 신문인 『일루미네이터(The Illuminator)』에 싣기도 하였다. 한편, 프로이트(Freud)는 '무의식의 세계를 발견한 사람은 내가 아니라 시인'이라고 했고, 아들러(Adler), 융(Jung), 아리에티(Arieti), 라이크(Reik)도 시인들이 과학자의 길을 열어 주었다고 말하여 모두 예술과 치료의 중요한 관계를 인정하였다. 사이코드라마(psychodrama)라는 용어를 만든 모레노(Moreno) 박사는 사이코포이트리(psychopoetry)라는 용어도 제안하였다. 1960년대에 들어와 집단 심리치료의 발달과 더불어 심리치료사들이 시치료를 함께 사용하기 시작하면서 점차 문학치료는 재활, 교육, 도서관학, 창조예술, 상담 등의 분야에서 전문가들에 의해 부흥하기 시작하였다(http://poetrytherapy.org 참조). 최근 20여 년간 정신의학 전문인들은, 첫째, 문학(시)의 환기작용, 둘째, 글쓰기의 힘이라는 문학의 치료적 효과를 확인해 주었다. 문학, 특히 시는 그것을 읽는 사람의 내면에서 연상작용을 일으키고 의식적, 무의식적 기억과 생각을 환기시켜 이끌어 내는 강력한 힘이 있다. 또한 연구결과 내담자가 다른 사람이 쓴 문학(시)에 대한 개인적 반응을 글로 쓰든, 자신만의 경험과 감정을 글로 쓰든 글쓰기는 놀라운 치료적 효과가 있다는 것이 밝혀졌다. 문학치료가 무엇인지는 용어의 변천과정과 함께 살펴볼 때 좀 더 명확하게 이해할 수 있다. 먼저 비블리오테라피는 문자 그대로 치료를 위해 책 · 문학(biblio)을 사용한다는 의미다. 비블리오테라피라는 말은 1916년 사무엘 크로더스(Samuel Crothers)가 처음 사용하였다. 일단의 학자들은 치료과정이 독서행위(reading) 자체에서 생겨난다고 보고 있다. 이것은 독자에게 책을 선정하고 권해 주는 도서관 사서의 전통적인 역할에서 비롯되었다. 1920년대 초, 정신과 환자의 치료를 도울 수 있는 책을 선택하여 권장하는 특별한 일의 가치를 깨달은 도서관 사서들은 그 특별한 일을 지칭하기 위해 비블리오테라피라는 용어를 사용하기 시작하였다. 캔사스의 메닝거 병원(Meninger Clinic)의 의사들은 병원 도서실의 사서와 긴밀히 협력하였는데, 이는 사서들이 환자들뿐 아니라 그들의 모습이 그려진 문학작품을 가장 잘 아는 사람이라고 보았기 때문이다. 사서들이 시행한 초기 비블리오테라피는 캔사스의 정신과 의사인 메닝거(Meninger) 박사의 『The Human Mind』와 같은 구체적 정보를 주는 책뿐 아니라 책의 주인공이 독자에게 본보기가 되거나 경고가 될 수 있는 가상의 소설을 사용하는 것이었다. 이후 수많은 사서, 상담사, 국어 교사, 사회복지사가 개개인의 정서적 성장이나 위기에 대한 통찰력을 가져다주는 데 도움이 된다고 생각하는 권장도서목록을 작성해 왔다. 사서들은 책을 처방하는 일에 비블리오테라피라는 말을 계속해서 사용했지만 당시 그들이 시행하는 비블리오테라피는 '처방된 책'과 환자(참여자)와의 직선적 관계로 오늘날의 상호작용 문학치료와는 다르게 치료자의 개입과 문학작품에 대한 환자의 개인적인 반응에 대한 계획된 토의가 포함되지 않았다. 1949년, 슈로데스(Shrodes)는 자신의 논문에서 독자 개인에게 '처방된 책'을 읽는 과정에서 치료가 이루어진다는 것을 논하면서, 중요한 것은 권장된 책 자체보다는 그 책을 독자가 어떻게 사용(해석)하는가에 있다고 명확히 주장했지만 여전히 많은 사람들이 책을 처방하는 것의 의미로 그녀의 논문을 인용하였다. 한편, 하인즈(Hynes)와 하인즈베리(Hynes-Berry)는 '책 처방'은 문학치료가 아니라 독서요법(reading bibliotherapy)이라고 구별하여 정의하였다(1994). 비블리오테라피라는 말이 '책을 통한 모든 종류의 자기계발 활동'을 뜻하는 포괄적인 용어는 아니라고 그들은 말하였다. 그것은 바로 '문학치료가 정확하게 어디에서 그 치료과정이 이루어지는 것인지에 대한 오해와 혼동에 기인하고 있다.'는 것이다(1986). 이 같은 구분이 독서행위가 치료효과가 없다고 말하는 것은 결코 아니다. 또한 교사나 사서, 상담사가 처방, 권장한 적합한 책이 성장과 치료에 필요한 감정적 반응을 일깨우는 경우도 많다는 점을 결코 부정하는 것도 아니다. 요점은 그 경우 치료과정이 일어난다면 그것은 문학(책)과 독자 간에 일어나는 것이지 문학치료의 경우처럼 문학치료사의 개입이나 의도된 토론과 인도에 의한 것은 아니라는 점을 구분하기 위한 것이라고 하인즈와 하인즈베리는 주장하였다. 오늘날과 같은 문학치료로서 비블리오테라피라는 말은 1960～1970년대에 널리 쓰였다. 둘째, 포이트리테라피라는 용어는 문학 중 특히 시의 은유(metaphor), 심상(imagery), 운율과 같은 시적인 요소가 갖는 치료적 효과에 관심을 가지면서 시작되었다. 1928년 뉴욕의 시인이자 약사이며 변호사인 그라이퍼(Greifer)는 심리치료사인 블란톤(Blanton) 박사와 함께 시의 교훈적인 메시지가 치료효과가 있음을 알리기 시작하였다. 그라이퍼는 시의 힘에 대한 믿음과 열정을 평생의 사업에 쏟은 시치료의 선구자로서, 시의 치료적 효과를 증명하기 위하여 1950년대 크리드모어 주립병원에서 '포엠테라피(poemtherapy)' 그룹을 시작하였다. 또 1959년에는 정신치료사인 리디(Leedy)와 스펙터(Spector)를 수퍼바이저로 하여 환자들을 대상으로 시치료 그룹을 이끌었으며, 이것이 오늘의 '포이트리테라피'의 시작이 되었다. 그의 사후 리디는 동료들과 함께 1969년에 시치료협회(APT)를 창단하였다. 이외에도 시치료는 미국 전역에서 시인, 심리학자, 상담사, 목회자, 의사, 간호사, 복지사 등의 참여로 연구와 교육, 실습을 통하여 더욱 확대되어 오늘의 NAPT의 기초를 다졌다. 여기서 주목할 점은 그라이퍼와 블란톤이 시치료라는 용어를 처음 사용할 때 그들은 정신적 질환자가 단순히 시를 읽는 행위만으로는 치료에 도움이 되지 않으며 치료자가 환자와의 의사소통에 시를 사용하여 그들이 반응하도록 도와주어야 한다는 것을 주장했다는 것이다. 즉, 포이트리테라피는 그 용어가 처음 사용될 때 이미 치료사의 촉진활동이 개입되어 내담자(환자)가 자신의 문제와 욕구를 탐구하도록 도와주는 것이라는 점에서 오늘날의 상호작용 문학치료와 같은 의미로 사용되었다(Hynes & Hynes-

Berry). 포이트리테라피라는 말은 NAPT의 창립 이후 오늘날 비블리오테라피보다 문학치료를 지칭하는 것으로 더 보편적인 용어가 되었다. 셋째, 상호작용 문학치료는 현재 문학치료를 일컫는 최종의 정의다. 즉, 문학치료는 치료자(상담자) 또는 촉진자(facilitator)와 내담자(환자, 참여자) 사이의 치료적 상호작용을 위해 문학작품을 촉매로 사용하는 것을 말한다. 다시 말해, 문학-치료자-내담자 간의 삼각형 상호작용이 문학치료다. 초대 NAPT 회장이었던 하인즈는 1974년 워싱턴 D.C.의 세인트 엘리자베스 병원에서 처음으로 공식적인 문학치료 교육 프로그램을 설립하였다. 그녀는 작가인 하인즈베리와 함께 1986년 『Biblio Therapy: Interactive Process, A Handbook』을 출판하여 상호작용으로서의 문학치료 개념을 확실히 해두었다(이 책은 1994년 'Biblio/Poetry Therapy: The Interactive Porcess, A Handbook'으로 poetry therapy라는 용어를 함께 넣어서 재출판되었다). 넷째, 저널테라피를 보면 저널이란 일기라고 번역되겠지만 기존의 일기(diary)와 달리 자아성장과 문제해결을 목적으로 개발한 성찰적 글쓰기 기법이다. 1960년대 뉴욕의 심리치료사인 프로고프(Progoff)가 환자들의 치료에 사용하면서 시작된 저널테라피는 글쓰기를 통한 심리치료수단으로 시작되었다. 그는 자신의 저널 기법인 '저널 워크숍(Journal Workshop)'을 통하여 저널테라피를 미국 전역에 보급시켰다. 그 후 NAPT의 회장을 역임한 상담사이자 작가인 애덤스(Adams)가 저널테라피를 대중화시켰다. 그 결과 1990년 이후 문학치료에 저널치료를 보다 적극적으로 도입하게 되었다. 문학치료는 크게 네 가지 단계로 이루어진다. 첫째, 인지단계(recognition)에서는 먼저 참여자가 문학작품에 반응하고 자신과 동일시하게 된다. 두 참여자의 반응 차이를 보면 어떤 것이 인지단계인지 알 수 있다. "아, 나 저 시 읽어 봤어. / 저 영화 작년에 봤어." "저 구절이 왠지 가슴에 와 닿아. / 저 주인공이 느낀 기분을 나도 알아." 둘째, 탐구단계(examination)에서는 문학치료사(또는 촉진자)의 도움(대화, 토론, 질문)으로 참여자는 문학작품에 대한 자신의 반응의 의미가 무엇인지 좀 더 구체적이고 상세하게 탐구한다. 여기서 문학치료사의 가이드로서의 역할이 중요한데, 인지 단계에서 자신도 모르게 찾아온 반응의 의미를 내담자 스스로 찾아가도록 도와주어야 한다. 셋째, 병치단계(juxtaposition)에서는 대조와 비교를 통한 상호작용의 과정으로 집단의 경우 다른 참여자, 또는 치료자(촉진자)와의 서로 다른 반응과 의견과 느낌, 탐구 등을 통하여 자신의 문제와 생각에 새로운 시각과 관점, 지혜, 그리고 선택의 기회를 얻는다. 넷째, 적용단계(application to self)에서는 문학치료사는 참여자를 격려하고 도와서 보다 더 깊은 자아이해와 인지적 차원에 이르도록 한다. 즉, 내담자가 자신과 문학, 또는 문학을 통한 성찰을 연결시켜 자신의 문제나 경험에 대해, 그리고 자기 자신에 대해 새로운 깨달음에 도달하게 하며, 이 새로운 깨달음을 현실에 적용할 수 있도록 하는 것이 문학치료의 궁극적인 목표다. 문학치료사는 참여자나 내담자가 이 네 가지 단계를 거쳐 가도록 치료회기를 유도하고 이끌어 주어야 한다. 물론 네 단계가 반드시 순서대로 나타나는 것은 아니며, 당장에 나타나지 않을 수도 있다. 특히 적용단계는 문학치료 모임에서는 이루어지지 않을 수도 있고 시간이 흐른 뒤에 나타나기도 한다.

관련어 | 독서치료, 시치료, 저널치료

상호작용적 가족치료 [相互作用的家族治療, interactionist family therapy]

가족구성원들 간에 주고받는 상호작용에 관심을 가지고 이를 변화시킴으로써 문제를 해결하고자 하는 접근방법.

기타 가족치료

가족치료에서 상호작용적 접근방법을 가리키는 것으로서, 체계 및 의사소통 모델이 그것이며 주로 과거의 관계나 동기부여와 같은 역동성을 취급하는 정신역동적 접근방법과는 대조적으로 상호작용적 장(field)이나 현재의 행동을 중시한다. 정신역동적 접근방법이 개인의 정신세계에 깊이 발을 들여놓는 데 반하여 상호작용적 접근방법은 현시점에서의 가족구성원 상호의 정서적 관계 혹은 행동패턴이나 계열에 주목하여 그 변화로써 문제를 해결하려고 한다. 영국 출신의 인류학자 베이트슨(Bateson)은 사이버네틱스와 의사소통공학의 사고방식을 토대로 메시지의 회로(발신자로부터 전달된 메시지가 집단이나 기계를 경유하는 것으로 변화하면서 사람에서 사람에게 전달되며, 다음으로는 소기의 목적지에 도달하여 그 결과가 반대로 발상지로 전달되는 과정)를 연구하여 의사소통을 근대생활의 사회적 매트릭스(모태)로 자리 잡게 하였다. 당시 설리번(Sullivan)이 정신의학계에 '대인(interpersonal)'이라는 새로운 관점을 가져다주었는데, 베이트슨은 대인 의사소통의 중요성에서 한 걸음 더 나아가서 인간의 의사소통을 정신의학 및 인간과학의 중심 개념으로 발전시켰다. 1952년 베이트슨은 미국 스탠퍼드대학교에서 대인 의사소통에 관한 프로젝트를 발족시켰다. 당시 동 대학교의 인류학부 연구원인 헤일리(Haley)는 위크랜드(Weakland)와 더불어 이 프로젝트에 참여하였다. 베이트슨과 헤일리는 사이버네틱스 이론을 본보기로 하여 의사소통의 두 가지 수준에 대한 사고방식을 발전시켰다. 헤일리는 내용과 관계, 베이트슨은 보고와 명령이라는 용어를 각각 사용하고 있었는데, 두 사람 모두 메시지는 내용 그 자체로 전해지는 디지털 정보와 비언어(특히 신체언어)에 의해서 동시에 전해지는 아날로그 정보(특히 정서)가 있다는 것, 아날로그 정보는 받는 사람의 명령으로 전해지며 그 알맹이는 메시지를 보내는 사람과 받는 사람의 관계방식에 따라 결정된다는 것을 주장하였다. 한편, 두 사람은 임상적 경험으로 팔로 알토 교회의 맨로파크 VA(퇴역군인) 병원에서 정신분열병 환자와 가족들을 면접하기 시작하였다. 그곳에서 헤일리는 정신분열병 환자의 의사소통에는 논리적 유형(logical type)을 식별하는 능력이 결여되어 있다는 것을 발견하였다. 이를 기초로 하여 베이트슨은 정신분열병의 징후와 원인을 설명하기 위한 이중구속 가설을 세웠다. 이 가설은 컨설턴트로서 VA 병원에 가 있던 정신과 의사 잭슨(Jackson)에게 전해졌고, 그의 가족 균형설(family home stasis)과 대조되면서 그 확실성이 확인되었다. 이렇게 하여 1958년에 베이트슨, 잭슨, 헤일리, 위크랜드의 연명으로 「Towards Theory of Schizophrenia」가 발표되었다. 이후 베이트슨 프로젝트가 종료된 1962년까지 헤일리 등은 이중구속에 관하여 70개 이상의 논문을 발표하였다. 1959년 잭슨은 팔로 알토의 MRI(mental research institute)를 설립했는데, 베이트슨 프로젝트의 종결을 기다려 헤일리와 위크랜드 및 나중에는 사티어(Satir)까지 참여하였다. 의사소통이 사회의 모태라는 견지에서 인간경험 중 가장 중요한 것으로 여겼다는 의미로 그들을 커뮤니케이션파라고 부르게 되었는데, MRI가 있던 지명을 따 팔로 알토파 또는 상호작용파로 부르는 경우도 있다. 이 같은 의사소통이론가들은 내적인 심리역동에 초점을 두는 대신 사람의 언어적, 비언어적 의사소통방법을 연구함으로써 가족체계에 대하여 배울 수 있다는 전제를 하고 있다. 따라서 이들은 가족구성원들의 개인적, 역사적 분석에 초점을 두지 않고 가족체계 안에서 관찰할 수 있는 현재의 상호작용(관계)에 초점을 둔다. 특히 의사소통 훈련은 결혼관계에서 갈등문제에 대하여 배우자에게 의사를 표현할 수 있는 능력을 고양시키는 것이 목적이다. 이들 가족치료 창시자들은 정신분열증 환자를 중심으로 가족치료와 관련된 많은 개념을 발견했는데, 그중 MRI 집단은 여러 학자의 연구로 의사소통 가족치료의 중요 개념, 이론적 틀, 치료기법 등을 제시하였다. 특히 MRI 집단의 의사소통이론가들은 메시지를 받아들이는 사람에게는 메시지가 단순한 메시지가 아니라는 것을 지적하였다. 즉, 사람들은 언어적 채널과 비언어적 채널 두 가지로 끊임없이 복합적인 메시지를 보내거나 받아들인다는 것이다. 이때 수신자는 말과 송신자의 음조 혹은 몸짓으로 표현되는 것 사이에 모순이 나타나면 혼란을 겪을 수 있다. 이중구속(double-bind) 메시지는 역설적 명령 중에서도 특히 파괴적인 것이다. 이는 특히 힘 있는 위치에 있는 사람이 수신자에게 역설적인 상황을 낳게 되는 논리적으로 일치하지 않는 모순되는 요구나 동시에 두 가지 수준의 메시지를 담고 있는 명령을 할 때 발생한다. MRI 집단은 의사소통과 체계개념에 기반을 두고, 내담자에게 나타나는 증상에 초점을 맞춘 단기치료적 접근법을 사용했는데, 치료목적은 내담자가 생활을 잘 해 나갈 수 있도록 최대한 빨리 그리고 효과적으로 내담자가 제시하는 불평을 해결하는 것이다. MRI 집단은 바츠라비크(Watzlawick)와 그의 동료들이 개발한 상호작용적 치료의 이론적 토대를 마련해 주었다. 이 접근법은 수많은 문제를 다루는 실제적인 치료모델이며, 내담자의 문제를 병리적 시각으로 설명하는 것을 지양하고 내담자의 불평과 변화를 위한 목표의 두 가지 측면에서 내담자중심의 치료방식을 사용하면서 두 가지의 상호 연결된 가정을 두고 있다. 우선 문제의 기원과 원인에 상관없이 만일 내담자와 내담자가 상호작용하는 사람들이 현재의 문제행동을 계속하면 내담자가 심리치료사에게 가지고 오는 문제는 끊임없이 유지된다는 것이다. 반면에 문제를 유지시키는 행동을 적절하게 변화시키거나 제거하면 그 문제의 성질이나 기원, 혹은 기간에 관계없이 그 문제는 해결되거나 사라진다는 것이다. 이 같은 측면에서 상호작용적 가족치료모델은 행동의 변화에 초점을 둔 모델이라 할 수 있다. MRI 집단은 문제를 둘러싸고 있는 상호작용 과정을 강조하고 일반적인 시각에서 모든 행동은 사회 체계 안에서 더 폭넓게 진행되는 의사소통의 교류로 설명할 수 있다고 보았다.

상호조력집단
[相互助力集團, mutual-help group]

구성원이 서로 도움을 주는 집단. 이상심리

자조집단(self-help group)으로 더 많이 알려져 있다. 예를 들면, 도박중독 자조집단, 약물중독자자조집단, 단주 모임 또는 알코올 자조집단, 과식자 자조집단 등이 있다.

관련어 도박중독자조모임, 알코올중독자 모임, 약물중독자자조집단, 자조모임

상황적 진술
[狀況的陳述, situational statement]

정신분석 놀이치료에서 사용하는 진술 중 하나로, 아동이 특정 정서나 행동을 야기하는 상황을 깨닫도록 해 주는 진술. 놀이치료

상황적 진술은 루이스(M. Lewis)가 분류한 정신분석적 놀이치료에서 놀이에 대한 해석을 진술하는 방법 중 하나다. 정신분석적 놀이치료에서 놀이에 대한 해석을 어떻게 하는가에 따라 아동 자신의 자각과 통찰에 영향을 준다. 루이스는 주의진술, 환언적 진술, 상황적 진술, 전이해석, 원인적 진술의 측면으로 설명하였다. 그중 상황적 진술은 어떤 상황에서 아동의 감정과 행동이 발생하는지를 알게 해주는 진술로, 아동이 자신의 정서나 행동을 일으키는 상황을 깨닫게 하는 것이 목표다. 예를 들면, 누군가가 자신이 하고 있는 일을 방해할 때마다 아동이 그 사람에게 화를 내고 때리려고 할 때 치료자는 "화가 날 때 때려 주고 싶구나."라고 진술함으로써 아동이 보여 주는 여러 행동이나 정서를 야기하는 상황을 깨닫도록 해 준다.

관련어 주의진술, 환언적 진술

새 둥지화
[-畵, bird's nest drawing: BND]

애착의 안정성을 진단하고 평가하기 위한 투사적 그림검사. 미술치료

카이저(Kaiser, 1996)가 개발한 검사로, 처음에는 가족구성원 사이의 정서적 거리를 파악하기 위한 것이었다. 그러나 최근에 애착척도와 새 둥지화를 결합하여 연구한 결과, 안정 애착과 불안정 애착이 잘 나타나는 것으로 밝혀졌다. 이로써 새 둥지화는 애착 안정성 진단도구로서의 잠재적 가치가 검증되었다. 이 검사를 실시하기 위한 시간제한은 없으며, 준비물은 8.5인치×11인치(Letter 용지) 크기의 흰색 종이(A4 용지도 무방함), 지우개, 연필, 8색의 가는 마커펜이나 색연필이다. 지시문은 "새 둥지를 그리세요."다. 그 외의 질문에 대해서는 "자유입니다."라고 대답하고, 그림에 대하여 어떤 단서도 주지 않는다. 새 둥지에 부모새와 아기새가 모두 있다면 높은 안정애착수준으로, 아기새만 있다면 낮은 안정애착수준으로, 알들만 있다면 매우 낮은 애착수준으로 해석한다.

새 둥지 만들기 [-, bird's nest sculpture: BNS] 찰흙으로 새 둥지를 만들게 하여 애착의 안정성을 진단하고 평가하기 위한 활동이다. 찰흙과 나뭇가지, 엉킨 실타래처럼 길쭉길쭉하고 헝클어진 모습을 한 소나무 겨우살이(spanish moss) 풀, 실타래, 포장용 충전재 등을 준비한다. 이 재료들을 자유롭게 선택하여 새 둥지를 만들도록 하며, 활동을 하는 동안 평가회기가 아닌 경우에는 재료를 바꾸어 자유롭게 구성할 수 있다.

새로운 비전 갖기
[-, have a new vision]

부부가 현재 자신들이 정말 원하는 새로운 비전을 갖도록 도와주는 것. 이마고치료

새로운 비전 갖기를 통해 부부는 공동의 관계 비전을 가질 수 있다. 예를 들면, 치료회기 중 한 배우자가 "우리가 나아지고 있는 건지 잘 모르겠어요."라고 말할 수 있다. 이때 이마고치료사는 그 사람에게 어떤 일이 일어나기 원하는지 구체적으로 물어보면서, "나에게 말하는 대신 서로에게 말해 보지 않겠어요?"라고 요청한다. 각자 자신이 원하는 목표에 대해 서로 나누고 서로 이해하고 인정하고 공감할 수 있을 때까지 역할을 바꾸어 더 많은 정보를 묻고 반영하도록 한다. 새로운 비전 갖기는 부부가 서로 합의할 수 있는 목표를 가지는 데 목적이 있는 것이 아니라, 서로가 원하는 것에 대해 이야기하고 그것을 반영하는 대화의 과정에 머물도록 하는 데 있다. 즉, 부부가 이러한 대화의 과정에 머물 수 있다면 공감적 유대를 경험하고, 결국 관계의 비전을 나누는 것까지 가능하기 때문이다. 따라서 만약 부부가 그들의 관계에 대해 서로 다른 꿈, 목표, 희망 또는 비전을 가지고 있다면 공동의 비전을 가질 때까지 충분히 대화의 과정에 머무는 것이 중요하다.

새로운 습관을 입음
[-習慣-, rehabituation]

내담자의 삶의 문제를 해결하기 위해서는 죄악된 옛 습관을 버리고 변화를 위한 새로운 습관을 형성해야 한다고 보는 권면적 상담에서 설명하는 문제해결의 방법. 목회상담

권면적 상담에서 추구하는 내담자의 변화는 인간 내면으로부터의 전적인 변화를 뜻하며, 그로 인해 모든 삶의 방식이 새롭게 변하는 것을 말한다. 이 변화에서 가장 중요한 것은 하나님의 방법으로 변화가 일어나야 한다는 것이다. 옛 습관인 죄악된 욕심

과 유혹은 버리고(dehabituation) 의와 거룩함의 특징을 지닌 새로운 습관을 습득할 때(rehabituation) 인간 삶의 문제가 해결된다고 보았다. 또한 새로운 습관으로 변화했다 해도 인간은 자꾸 옛날의 죄악된 모습으로 돌아가려는 본성이 있기 때문에 지속적인 훈련을 통해 새로운 습관이 삶에 자리 잡도록 노력해야 한다.

관련어 | 권면적 상담, 성경적 대안, 옛 습관을 벗어 버림

새행동창조기법
[-行動創造技法, new behavior generator]

NLP에서 미래에 원하는 새로운 행동, 앞으로 변화나 개선을 원하는 행동이 있을 때 상상 속에서 바라는 방식으로 행동하고 느끼는 과정을 반복함으로써 새로운 행동을 창조하는 것. NLP

바라는 변화를 위해서 꿈이나 비전을 구체적인 행동으로 옮기는 전략이다. 1970년 중반에 존 그라인더(John Grinder)가 개발한 기법으로, 단순하지만 강력한 기술로 자기 계발과 전문성 계발에 효과적으로 활용된다. 새행동창조기법의 7단계 과정을 살펴보면 다음과 같다. 1단계에서는 가지고 싶은 행동을 생각한 다음 '새로운 목표를 이미 성취하였다면 내가 좋아할까?' 하고 자신에게 질문을 던진다. 2단계에서는 마음의 문으로 미래에 자신이 하고 싶은 일을 하고 있는 영상을 그린다. 3단계에서는 시각화를 하도록 스스로 돕는다. 이때 유사한 성공적인 성취를 기억하거나 다른 사람을 모델링한다. 4단계에서는 자신이 만들었던 영상 속으로 개입하여 새로운 행동을 하는 자신 속으로 들어가 보고 듣고 느끼는 것을 경험한다. 5단계에서는 새로운 행동이 자신의 가치와 맞는지 환경을 점검한다. 이때 이전의 성공경험과 유사한 것인지 확인해 본다. 6단계에서는 느낌이 같지 않다면 영화감독이 되어 목표를 수정한다. 7단계에서는 새 행동을 사용하려는 미래의 특정 시기를 선택한 뒤 그 상황에서 자신이 수행하고 있는 것을 상상한다. 예를 들어, 자신의 상담자로서의 공감 방법을 개선하고 싶을 때 상상 속에서 자신이 원하는 방식으로 행동을 해 보는 것이다. 상담실에서 특정 내담자를 공감하는 자신을 지켜보거나 만약 이것이 어렵다면 역할모델이 그러한 행동을 하고 있는 것을 바라본다. 또 '공감하는 마음'이라는 영화를 제작하는 감독이 되었다는 상상 속에서 영화를 만들어 본다. 마음의 눈으로 그 영화가 전개되는 것을 지켜보면서 분리상태에서 귀를 기울여 본다. 그리고 사운드트랙을 편집하면서 자신이 영화감독일 뿐만 아니라 주연배우라고 상상해 본다. 자신과 관련된 다른 사람이 있다면 자신의 행동에 대한 그들의 반응에 주목한다. 자신이 완전히 만족할 때까지 원하는 장면을 만드는 과정을 감독하고 사운드트랙을 편집한다. 그러고 나서 앞에서 상상했던 이미지 속으로 들어가서 연합하여 자신이 그것을 실제로 하고 있는 것처럼 연기를 해 본다. 그렇게 하면서 역시 자신의 느낌과 주변 사람들의 반응에 세심하게 주의를 기울인다. 이 새로운 행동이 자신의 개인적 가치에 부합하면 자신의 것으로 받아들이고, 만약 느낌이 좋지 않다면 감독의 의자로 되돌아가서 영화를 원하는 방향으로 바꾼 다음, 다시 해당 장면 안으로 들어가 연합한다. 자신의 상상 속 연기에 만족한다면 이러한 행동을 자극하기 위해 이용되는 내적 신호나 외적 신호를 확인한다. 그 신호에 주목하면서 새로운 행동을 연기하고 이미지 예행연습을 한다. 이 같은 기술을 많이 연습할수록 더 빠르게 자신이 원하는 사람으로 변화된다.

색
[色, rùpa]

불교의 개념으로서 물질세계를 뜻함. 동양상담

불교에서는 인간이 현 세계와의 접촉에서 생기는 현상의 총칭을 색이라 말한다. 인간의 육체는 눈,

귀, 코, 혀, 몸으로 판단하는 다섯 가지 뿌리를 두고 있다. 이것은 오근(五根)이라 분류한다. 여기에서 근(根), 즉 기본이 되는 뿌리는 정신활동의 기관 또는 그것에서 연유하여 일어나는 근거의 바탕을 일컫는다. 다시 말해 감각기관을 말하는데 인간은 이 오근을 통하여 정신을 유발하고 객관세계의 모든 것을 접촉하여 감각하면서 살아간다. 그 접촉의 대상도 다섯 가지 경계, 즉 오경(五境)으로 분류한다. 경은 인식의 대상 또는 그 경계를 말하는데 빛깔, 소리, 냄새, 맛, 촉감 등 다섯 가지로 분류한다. 이와 같이 외부의 인식대상을 물질로 취급하여 이를 표색(表色)이라고 한다. 이에 반해 물질도 아니고 형상도 없는 정신적인 것이 있는데 이것을 무표색(無表色)이라고 한다. 즉, 육체에 의해 행동과 입을 통해 나타나는 표현은 표색이라 하고 그 행위가 드러나기 전 마음속에 들어 있는 마음의 움직임을 무표색이라 한다.

관련어 | 오온

색맹
[色盲, color blindness]

정상적인 사람의 눈으로 식별할 수 있는 색의 전부, 또는 일부분을 식별하지 못하는 선천적인 시감각의 비정상 상태, 시세포의 색소가 결핍된 상태를 말하는 사전적 의미 외에, 상담적 의미로 다양한 인종을 무시하는 것으로서 인종차별주의에 기인한 유색인종에 대한 차별을 뜻함. 다문화상담

피부색에 따른 유색인종을 향한 차별은 언어적 · 비언어적 · 시각적 · 행동적 영역에서 미묘하게 일어나며 대부분 자동적 · 무의식적으로 일어난다. 사람들은 의도적이거나 또는 비의도적으로 미묘한 차별을 할 수 있다. 색맹과 같은 미묘한 차별은 의도적이든 비의도적이든 단순하면서도 일상에서 일어나는 언어적 · 행동적 냉대라고 할 수 있으며, 공격성, 경멸, 부정적 · 인종적 모욕을 전달한다. 이러한 모욕은 잠재적 대상이 되는 사람이나 집단에게 심리적으로 불쾌감과 해를 줄 수 있다. 미묘한 차별은 미묘한 폭력, 미묘한 모욕, 미묘한 무시 등으로 나타날 수 있다. 미묘한 폭력은 차별적이고 편향된 감정을 내포하고 의도적으로 가하는 노골적인 언어적 · 비언어적 · 환경적 차별이라고 할 수 있다. 미묘한 모욕은 어떤 사람의 인종정체성에 대한 무례함이나 둔감함을 내포한 비의도적인 행동이나 언어적인 언급이라고 할 수 있다. 이와 같은 미묘한 모욕은 의식적으로 알아차릴 수 있는 수준은 아니지만 숨겨진 모욕적인 메시지를 내포하고 있는 것이 특징이다. 미묘한 무시는 언어적이거나 비언어적 언급으로서, 표적집단의 심리적 사고, 감정, 경험적 실재를 배제하거나, 부정하거나, 거부하는 것을 말한다. 이는 미묘한 모욕처럼 대개 비의도적이고 차별하는 사람의 의식 밖에 있는 경우가 많다. 이처럼 색맹은 상담에서 나타나는 인종차별의 하나로서 주로 백인이 다른 인종에 대해서 인정하지 않는다는 것이다. 상담실제에서의 예를 들면, 유색 인종 내담자가 직장에서 느끼는 소외감과 동료들에 의한 차별 등의 감정을 이야기하려고 할 때 상담자가 "제 생각에는 당신이 너무 편집증적인 것 같아요. 우리는 사람들의 차이보다는 유사성을 더 강조할 필요가 있어요." 라고 말하는 것이다. 이 말에 담긴 메시지는 사람들의 삶에서 인종적 · 문화적 측면은 별로 중요한 영향을 끼치지 않는다는 것이다. 또 다른 예로는, 유색 인종이 상담자에게 자신의 인종문제를 의논하려고 할 때 상담자가 다음과 같이 이야기한다. "나는 당신을 볼 때 유색인종으로 보지 않아요." 이 말에 담긴 메시지는, '너의 인종적 경험은 타당하지 않아.'라는 것이다. 또 다른 예로는, "당신을 볼 때 나는 피부색을 보지 않아요(유색인종의 인종적 · 민족적 경험을 부정하는 것)." "미국은 용광로(melting pot, 여러 인종과 문화가 뒤섞인 곳)다(주류 문화에 적응하고 동화되어야 한다는 것)." "오직 인간이라는 하나의 인종이 있을 뿐이다(인종적 · 문화적 존재로서의 개인이 부인되는 것)." 등이 있다.

색채상징검사
[色彩象徵檢査,
Color Symbolism Test: CST]

색의 상징을 활용하여 무의식적 동기를 파악하는 투사적 심리검사. 심리검사

정서장애 자체의 감별진단은 그다지 어렵지는 않지만 정서장애를 유발하는 심리역동을 파악하는 것은 쉬운 일이 아니다. 정서장애가 환경과 당사자 관계의 뒤틀림에서 생기는 것이라고 한다면 당사자의 성격을 이해하는 것이 필요하며, 그를 위한 면접, 관찰법과 더불어 성격검사를 시행하여 정보를 수집해야 한다. 그런데 피검자의 자기보고에 의뢰하는 검사로는 장애의 배후에 있는 무의식적인 동기 등은 파악할 수가 없다. 이때 투사법을 사용하는 것이다. 색채상징검사법은 1952년에 고보나이(小保內)와 마쓰오카(松岡)가 창시하여 그 후 5회의 개정을 거쳤다. 현재 집단, 개인 양용의 투사법 검사로 사용되고 있으며 현재 중학생용 이상에 대해 표준화가 이루어져 있다. 이 검사는 공포, 원한, 우정, 가정과 같은 41개 단어를 15초마다 하나씩 피검자에게 제시하고 그 단어에서 받은 느낌(affective meaning)을 색으로 표현하도록 한다. 이때 16종의 색채로 이루어진 1매의 색채표를 사전에 피검자에게 건네주고 그중에서 자극어별로 하나의 색을 고르게 하는 것이다. 이것을 반응색채라고 말한다. 각 반응색채의 의미 특성은 평가, 활동, 능력이라는 3가지 의미 요인별로 맞추어 고정되어 있어서, 그것에 의하여 피검자의 성격상을 파악할 수 있다. 이렇게 피검자의 내적 세계는 각 자극어에 대한 반응색채의 내용에서 파악하며, 그와 더불어 다음과 같은 면에서 진단할 수 있다. 첫째, 일탈 색채의 출현도이다. 각 자극어에 대하여 일반적으로 고르지 않는 드문 반응색채를 일탈색채라고 하며, 일탈의 정도에 따라서 5단계로 구분된다. 일탈도가 높은 일탈색채를 많이 고르면 그만큼 그 피검자의 이상점(異常点)은 높아지며 그 높이로 피검자의 성격을 병적인 비동조형, 비동조형, 균형형, 동조형, 동조과잉형의 다섯 가지 유형으로 나눈다. 이로써 피검자의 사회생활에 대한 적응성을 진단할 수 있다. 둘째, 남성 색채와 여성 색채의 출현도이다. 각 자극어별로 여자보다 남자가 유의하게 많이 고르는 색이 남성 색채, 그 반대가 여성 색채이며 그것은 이미 결정되어 있다. 이들 색을 고르는 빈도에 따라서 피검자의 특성과 성향을 진단할 수 있다. 셋째, 주반응색(predominant response color, PRC)의 내용이다. 피검자의 반응색채별로 합계 빈도수가 나오며 일정한 기준에 비추어서 그 피검자가 어떤 색을 상대적으로 많이 고르고 있는가가 결정된다. 이것이 곧 주반응색(PRC)이며, PRC는 피검자의 성격을 상징적으로 표현하는 것이라고 이해되어 그 내용을 조사하여 피검자의 성격 특성을 파악하는 것이다. 예를 들어 어떤 피검자의 PRC가 자주색이라면, 이 색의 의미 특성은 평가와 활동으로 마이너스, 능력으로 플러스 수치를 보인다. 평가는 외부세계를 어떻게 인지하고 평가하고 있는가, 활동에 활기가 있는 행동적인 인간인가 사색적인 인간인가 하는 것을 표시하며, 능력은 성격의 강약을 나타낸다. 따라서 자주색이 PRC인 사람의 성격은 '외부를 부정적으로 인지하고 정적이면서 비활동적이며 외유 내강형인 사람'이라는 것이다. 또 주반응색에 따라 파악한 성격 특성은 일탈색채로 파악한 성격 특성보다 소질적 규정성이 높다. 네 번째는 기타 반응경향인데, 무반응 수, 개인검사인 경우의 반응소요시간, 재검사인 경우 결과의 변동 상황 등을 통하여 피험자의 감수성, 정서 불안정성, 의지나 자애의 정도 등을 진단할 수 있다.

관련어 | 미술치료, 색채치료, 투사검사

색채치료
[色彩治療, color therapy]

색을 사용하여 건강을 증진하고 신체적, 정신적 장애를 치료하는 미술치료기법. 미술치료

색채치료는 직접적으로 질병을 치료하는 것이 아니라 색을 이용하여 신체의 자연적 치유능력을 강화시켜 신체적 · 정신적 · 영적 질병 등을 치료하는 것이라고 할 수 있다. 동 · 서양을 막론하고 색채치료의 역사는 매우 길다. 고대 이집트에서는 제사장이 빨간색, 노란색, 파란색 등이 사람의 신체적 · 정신적 · 영적 건강에 작용한다는 사실을 간파하여 색을 치료에 이용하였으며, 중국, 인도, 티베트 등에서도 오래전부터 색을 이용한 치료가 실시되었다. 그러나 눈에서 몸으로 연결되는 원리를 이용한 색채요법에 대한 실험은 피타고라스학파가 처음으로 실시하였다. 그들은 빛과 색의 응용에는 여러 가지 방법이 있고, 우리가 아는 범위에서는 색이 피부가 아닌 눈으로 수용되어 순차적으로 내분비선을 자극한다는 사실을 알아냈다. 그 후로 색에 대한 이해와 인식은 몇 천 년을 거쳐 수용되면서 그 폭을 넓혀 왔고, 색을 이용한 치료는 현재에도 서구 유럽 학자들이 활발하게 연구를 진행하고 있다. 1930년대 미국 색채치료의 선구자인 인도의 과학자 가디알리(Ghadiali)는, 특정한 색은 특정한 신체기관의 기능을 강화시킨다는 것, 다시 말해 특정한 질병을 특정한 색에 노출시키면 도움이 된다는 사실을 입증하였다. 그는 따뜻한 계열의 빨간색, 오렌지색, 노란색, 황록색을 성장촉진의 빛으로 간주하였고, 차가운 계열의 파란색, 청보라색, 청록색은 성장억제의 빛으로 간주하였다. 이와 같은 색채치료의 임상연구는 색채가 신체에 미치는 영향과 질병의 치유에 도움을 준다는 사실을 시사하고 있다. 이를테면 빨간색은 혈압을 높여 주지만, 빨간색의 에너지가 지나치게 많으면 자율신경을 자극하여 성격이 급해지고 얼굴이 붉어지며 고열이 생긴다. 푸른색은 혈압을 낮추고 감정을 억제시켜 차분하고 평화로움을 느끼게 하여 불면증이나 불안감을 해소시키고 자신감을 주지만, 푸른색의 에너지가 지나치게 많으면 몸이 처지고 저혈압이 되며, 손발이 찬 증상을 보이고 우울증이 생길 수도 있다. 녹색은 눈의 피로 회복과 긴장을 완화시켜 스트레스를 해소할 뿐만 아니라 에너지의 소비를 막아 준다. 이와 같이 색채치료는 색을 이용하여 손상된 신체기능을 정상적인 상태로 돌아가게 해 준다. 요컨대 색은 정신적, 생물학적, 생리학적 요인에 영향을 미칠 수 있다. 우리의 몸은 발산하는 색의 진동을 통하여 색의 에너지를 흡수하기 때문에, 건강한 몸과 정신은 물론 영을 유지하기 위한 모든 에너지를 색에서 얻을 수 있는 것이다.

관련어 | 색채상징검사

색채피라미드검사
[色彩-檢査, Color Pyramid Test]

색 카드를 이용한 투사적 심리검사. 심리검사

1946년에 피스터(M. Pfister)가 고안하고 1951년에 하이스(R. Heiss)와 힐트만(H. Hiltman)이 수정한 투사법이다. 재료는 적, 등(橙), 황, 녹, 청, 자, 다, 흑, 회, 백의 10색상, 명도를 달리하는 2.5제곱센티미터의 24종 색 카드를 만들고 피검자는 이 색 카드에서 자유롭게 15매를 선택하여 두꺼운 종이에 저변에서 정점으로 향하여 5, 4, 3, 2, 1배의 순으로 나란히 피라미드를 만든다. 처음 '아름다운 피라미드'를 3조 만들고, 다음으로 '추한 피라미드'를 3조 만든다. 검사결과는 ① 고른 색상, 단독색의 색질 ② 각 색채의 출현율(제1 색채도식) ③ 경과 구조화(반복의 양) ④ 피라미드의 형태(색 카드 배치와 조합) ⑤ 징표 ⑥ 색상빈도(제2 색채도식)에 따라 분석하고 피검자의 성격을 진단한다. 피스터는 피라

미드의 저변이 소질을, 중심층이 순간적인 심적 상태를, 정점이 원망을 나타낸다고 해석하였다. 또 하이스 등은 '아름다운 피라미드'가 성격의 전경(前景)을, '추한 피라미드'가 성격의 배경 또는 잠재면을 반영하고 있다고 주장하였다. 적용 예를 보면, 청색은 약한 조절기능과 자극의 내적 지배, 녹색은 불합리한 억제와 자극에 대한 과민성, 적색은 외향성과 자극에 대한 감수성, 황색은 활동성과 자기 현시성, 자색은 내향성과 내적 자극의 존재, 다색은 저항, 흑색은 은폐와 억제, 백색은 폭발 경향과 감정의 공허함, 회색은 감정의 폐쇄성을 각각 나타낸다는 것이 밝혀졌다. 또 피라미드 형태에 대해서는, 조정되고 있지 않은 융단모양(unausgewogene teppich)은 심적 불안정성, 조정된 구조형은 안정성을 보인다고 해석한다. 이 검사는 각종 정신장애자, 지적장애자, 비행자의 성격진단에 효과적이다.

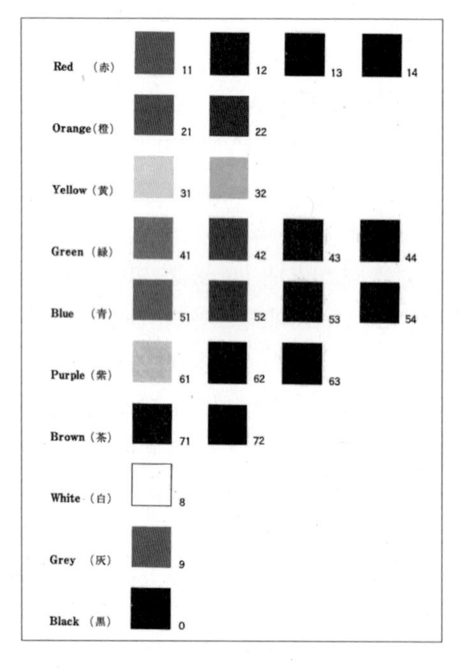

관련어 | 미술치료, 색채치료, 투사검사

샌들우드
[-, Sandalwood]

진정, 기능강화, 항염증, 소염, 방부성, 항경련, 수렴, 구풍(驅風), 점막, 염증 완화, 이뇨, 피부연화, 거담 등에 효과가 있는 나무로서, 인도, 스리랑카, 말레이시아, 인도네시아, 대만 등 아시아의 열대성 지역이 원산지. 향기치료

샌들우드는 사철 푸른 뿌리 기생(parastic) 나무로 9미터까지 자라고, 털이 난 잎과 작은 보라색 꽃이 핀다. 신경을 안정시키는 효과가 있어서 두통, 불면, 신경긴장과 같은 증상을 완화하는 데 사용한다. 샌들우드 오일은 정맥류와 부어오른 림프절과 같은 정맥과 림프절 울혈치료에 유용하고 호흡기관의 감염, 마른기침을 동반한 만성 기관지염에 효과적이다. 그리고 샌들우드 오일은 전통적으로 임질과 같은 생식, 비뇨기관 감염에 사용하며, 샌들우드의 진정작용은 점막회복을 돕고 감염 위험성을 최소화할 뿐 아니라 수분손실과 피부염증으로 인한 건성피부질환과 여드름 치료에도 효과가 있다.

샐리의 법칙
[-法則, Sally's law]

우연히 개인에게 유리한 일이 시간적으로 연속해서 일어난다고 보이는 현상으로, 머피의 법칙과 반대의 뜻. 인지치료

샐리의 법칙은 영화 '해리와 샐리(When Harry met Sally)'에서 주인공 샐리가 실수를 연발하는데도 결국 모든 일이 잘 풀려서 행복해진다는 이야기에서 유래하였다. 인과관계를 설명할 수 있는 근거는 없지만 주변환경에서 일어난 일들이 자신에게 긍정적으로 적용될 때 앞으로 일어날 일도 긍정적

일 것이라는 기대를 하게 되고, 이것이 일종의 자기 암시가 되어 결과적으로 행복한 결말을 맞이한다. 상반되는 용어로는 머피의 법칙이 있다.

관련어 | 머피의 법칙

생각말하기 기법
[–技法, think aloud technique]

아동에게 자기대화를 유도하고 문제상황에서 계획, 해결책 등을 말하도록 하는 기법. 놀이치료

생각말하기 기법은 인지문제를 해결하는 활동 중에 충동성, 과잉행동, 주의산만의 아동에게 자기대화를 하도록 요구하고, 더불어 사회적 문제상황에서 계획, 해결책, 결과를 말하도록 하는 언어중재기법이다. 아동의 인지 및 사회문제해결 능력을 높이려는 것으로서, 이 같은 접근의 구성요소가 되는 문제해결 접근법, 인지적 모델링, 자기교시 훈련활동을 한다. 생각말하기 기법은 1945년 덩커(Duncker)가 자신의 실험심리연구에서 처음으로 기술한 것으로 알려져 있다. 그 이후 생각말하기기법은 생각의 흐름을 학생과 교사, 내담자와 상담자가 함께, 더 분명히 이해하거나 개선하기 위한 목적으로 널리 사용되어 오고 있다.

생각하는 기술
[–技術, thinking skills]

다른 사람과 안정적인 관계를 형성하는 데 가장 큰 방해요소인 '성냄'을 통제하고 잘 표현하기 위한 기술의 하나. 생애기술치료

생애기술치료에서는 안정적인 인간관계의 형성을 위해서 크게 두 가지 인간관계 기술, 즉 생각하는 기술과 행동하는 기술이 필요하다고 본다. 이중 생각하는 기술이란 생각의 훈련을 통해서 화가 잘 나지 않게 하든지 혹은 화가 나는 감정을 표현하지 않거나 희석시켜 표현할 수 있도록 하는 것이다. 생각하는 기술의 방법으로는 자신의 화나는 감정에 책임지기, 실현 가능한 개인적인 규칙 세우기, 화가 나는 감정 다른 방식으로 이해하기, '진정하자!' 등의 혼잣말을 함으로써 마음 가라앉히기, 혹은 화가 나는 감정과 그에 따를 수 있는 행동, 그리고 그 결과 등을 상상하는 등의 시각화시키기 등이 있다.

관련어 | 인간관계 기술, 행동하는 기술

생각하지 않고 아는 것
[–, unthought known]

볼라스(Bollas)가 제안한 것으로, 생각을 하여 전달되는 것이 아니라 생각하지 않아도 알 수 있는 상태를 말하는 투사적 동일시와 유사한 개념. 미술치료

초기의 기억들이 재생되는 것을 말하는데, 볼라스는 이 개념을 미적 순간(aesthetic moment)으로 그림을 그리거나 시를 짓거나 음악을 연주하는 때 자극되는 것으로 보았다. 미적 순간이라는 것은 무엇인가에 깊이 몰입되어 있는 상태를 말하는데, 그러한 몰입의 순간에 나와 대상 간의 관계가 깊은 순간을 체험하게 된다. 이러한 상태는 유아가 주체와 객체를 구분하지 못하는 상태와 비슷하여, 생각하지 않고 알 수 있는 무엇인가를 체험하도록 해 준다. 이와 같이 생각하지 않고 알기 위하여 치료자는 내담자의 어떤 부분을 대신 느낌으로써 알아차릴 수 있어야 한다. 이는 내담자가 생각할 수 있는 사고의 힘이나 언어능력이 있기 이전에 경험한 것을 처리하는 방식이다. 언어는 사고를 매개하는 것이므로 언어를 사용하기 전의 연령대에서는 생각하는 힘이 극도로 미약하여 그저 감지하는 정도다. 그런데 초기의 기억들, 특히 유아가 어떻게 어머니를 경험하고 기억하는가에 대한 정보는 언어적으로 전달되는 것이 아니다. 이와 마찬가지로 내담자의 경우도 인지적 기억은 없다. 따라서 이 기억들은 비언어적이

거나 전언어적으로 전달된다. 결국 치료자가 임상 장면에서 내담자가 말로 표현하지 못한 갈등을 내담자와의 관계의 깊은 순간을 통하여 전달받아 느껴서 알게 됨을 말해 주는 것이다.

관련어 | 투사적 동일시

생각행진
[-行進, thought parade]

수용전념치료(ACT)에서 사용하는 마음챙김 기술훈련의 하나로서 어떤 사물이나 상황을 상상하는 것.
명상치료 수용전념치료

생각행진은 참여자들이 여러 장의 카드에 각각의 문장이 적힌 카드를 전달받은 다음 그 카드에 적힌 그대로 상상하도록 하며, 일정 시간이 지난 후에 또 다른 카드를 전달받고 카드에 적힌 그대로 상상하게 하는 훈련이다. 즉, '나는 사과다.' '나의 입은 크다.'와 같이 적힌 카드를 보고 그것을 상상하되, 떠오르는 생각에 흡수되거나 그대로 믿거나 행동하지 말고 그냥 떠오르거나 사라지는 생각들을 있는 그대로 관찰하는 것이다. 섭식장애자에게 이 훈련을 적용하면 자신의 행동과 인지를 비판단적이고 수용적인 태도로 바라보고 관찰하는 능력을 키울 수 있다.

관련어 | 수용전념치료

생리적 중독
[生理的中毒, intoxication]

협의의 중독개념을 의미하는 용어. 중독상담

특정한 물질이 중추신경계에 영향을 미쳐서 부적응적인 인지, 행동적 결과가 나타나는 것을 말한다. 생리적 중독을 흔히 좁은 의미의 '중독'이라고 표현한다.

생명의 전화
[生命-電話, life line]

생활하는 동안 곤란이나 위기에 직면했을 때 전화요청으로 전문가의 도움을 제공받을 수 있는 자원봉사활동.
위기상담

호주의 시드니 중앙감리교회 알란 워커(Alan Walker) 목사가 처음으로 구상하여 만들어졌다. 1963년 6월에 제1회 전화 카운슬러 훈련을 시작하여, 센터 빌딩을 완성하고 10명의 직원으로 활동에 들어갔다. 전화로 상담이 진행되기 때문에 익명성과 비밀이 보장되어, 특히 사람과 만나기를 싫어하는 정서장애자나 문제행동을 지닌 청소년에게 자기표현의 기회가 되는 가장 유효한 방법의 하나가 되었다. 우리나라에서 생명의 전화는 이영민 목사가 주창하였다. 1976년 9월 1일 정오 한국기독교회관에서 '도움은 전화처럼 가까운 곳에'라는 표어 아래 서울 생명의 전화가 개통되었는데, 이것이 한국 생명의 전화의 모체가 되었다. 이후 1977년에는 대구, 1979년에는 부산 등에 개설되어 내담자에게 도움을 주고 있다.

관련어 | 전화상담

생산적 성격 유형
[生産的性格類型, productive personality type]

자신과 타인을 있는 그대로 존중하고 주변환경을 왜곡하거나 자신을 감추려 하지 않는 특성. 성격심리

프롬(Fromm)이 제안한 성격유형의 하나로서, 이들은 자신의 정확한 지각능력으로 환경과 교류하고 주변을 이해하며 자신의 창의성을 발휘한다. 따라서 다른 사람들과 긍정적이고 바람직한 관계를 형성하여 풍요로운 생활을 영위해 나간다.

비생산 성격 유형 [非生産性格類型, unproductive personality type] 환경에 부적절한 방식으

로 관계하는 특성으로 이 성격 유형에 속하는 하위 유형에는 수용(acceptive), 착취(exploitative), 저장(hoarding), 시장(marketing) 지향이 있다. 수용 지향은 다른 사람에게 크게 의존하고 혼자서는 아무 일도 할 수 없다고 여기는 무력감을 느낀다. 즉, 사랑, 지식, 만족 등의 많은 부분을 다른 사람에게서 얻고자 한다. 착취 지향은 자신이 원하는 것을 여러 가지 책략을 통하여 다른 사람에게서 빼앗고자 한다. 다른 사람에게서 그냥 얻는 것에는 만족감을 느끼지 못하고 오로지 빼앗은 것에 더 큰 의미와 가치를 느낀다. 저장 지향은 자신이 저장하여 보관하는 것에서 안전감을 느끼므로 보호벽을 강하게 쌓아 놓고 외부인에게 내부를 보여 주지 않으려고 한다. 시장 지향은 개인의 내적 특성과 능력보다는 외부에 드러나는 능력과 모습을 더 가치 있게 여기는 성격이다. 이 성격은 현대 자본주의 사회의 특성이라 할 수 있으며, 개인의 특성을 외적으로 포장하여 상품화하는 것이 가장 중요하다. 이렇듯 비생산 성격 유형은 건강하고 긍정적이며 발전적인 인간관계를 형성하기가 어렵다.

생식가족
[生殖家族, family of procreation]

개인이 결혼을 함으로써 새롭게 형성하는 가족. 가족치료 일반

두 사람의 성인이 결혼을 통하여 만든 가족을 생식가족이라고 하며, 형성가족(形成家族)이라고도 한다. 개인은 일생을 살면서 일반적으로 2개의 가족 형태를 경험하고 구성하면서 살아간다. 첫 번째는 원가족으로, 개인이 출생하여 성장한 가족이다. 두 번째는 생식가족으로, 개인이 성장하여 배우자를 만나 새롭게 형성하는 가족이다.

관련어 | 원가족

생식기
[生殖期, genital stage]

잠재되었던 리비도가 다시 활성화되어 성적 욕구와 이성에 대한 관심이 증가하는 시기. 정신분석학

프로이트(S. Freud)가 설명한 심리성적 발달의 마지막 단계로서 사춘기 이후에 시작되어 성인기 내내 지속된다. 생식기 초기는 청소년기에 해당하므로 급격한 호르몬 변화와 신체적 성장이 나타나고 이전 심리성적 발달단계 중 잠재되었던 리비도가 다시 활성화된다. 근친상간에 따른 죄책감 없이 이성과 성숙한 감정교류를 할 수 있으며, 집단활동과 미래직업에 대한 계획을 수립하고, 결혼과 가족 부양을 위한 준비 등에 관심을 갖는다. 심리성적 발달단계에서 구강기, 항문기, 남근기는 아동이 리비도적 쾌감을 추구하고 자기도취적인 경향성을 표현하는 시기라고 한다면, 이에 비해 생식기는 다른 사람들과의 진정한 관계를 발달시켜 나가는 보다 현실 지향적이고 이타적인 사회화를 추구하는 시기다. 프로이트는 성적(性的)인 것과 성기적(性器的)인 것을 구분하여 구강기, 항문기, 남근기의 유아성욕은 성적이기는 하지만 성기적인 것은 아니라고 규정하였다. 그리고 사춘기 이후의 성욕을 본래의 어른의 성적(性的) 활동으로 보고 성기성욕(性器性慾)이라고 하였다. 심리성적 발달단계에서 이전 단계들에서는 심적 부착(cathexis)이 다분히 자애적(narcissistic)인 것이었으나 생식기 단계에서는 이와 같은 자애적 경향이 순수한 대상 선택(object-choice)으로 바뀐다. 사춘기 청소년은 강렬한 욕동 때문에 일시적으로 퇴행적인 모습을 나타낼 수도 있다. 이 시기의 청소년은 부모에게 의존하고 애착을 느꼈던 것에서 벗어나 궁극적으로 독립을 성취해야 한다.

관련어 | 구강기, 남근기, 심리성적 발달, 잠복기, 항문기

생애기술치료
[生涯技術治療, life skills therapy]

심리적인 장애나 심각한 감정적인 상실상태에 있는 사람들보다는, 삶에서 대면하는 여러 가지 문제를 해결하고자 하는 일반적인 사람들을 돕기 위한 접근방법. '생애기술상담' 혹은 '생애기술조력'이라고도 함. 생애기술치료

넬슨 존스(Nelson-Jones)가 1984년 『개인적 책임 상담 및 심리치료: 통합적 접근(Personal Responsibility Counselling and Therapy: An Integrative Approach)』을 통해 처음 제시한 접근방법이다. 대부분의 인간 행동은 후천적으로 학습된 것이라고 할 수 있는데, 생애기술치료는 보다 효과적인 인간의 삶을 위해 발전적인 방향으로 생애기술을 후천적으로 획득, 유지하도록 하는 교육적인 접근방법이다. 생애기술치료를 지지하고 있는 철학적 기초는 인본주의적 실존주의로, 인간의 가치와 발전 가능성을 위한 개인의 책임 있는 선택을 강조하며, 삶 속에서 마주치는 여러 가지 어려움 속에서도 스스로의 가치를 창조하려고 하는 존재로서의 인간을 중요시하면서 일상생활에서의 고민과 문제들을 생애기술훈련과 자기조력방법 등으로 해결하고자 한다. 따라서 생애기술치료에서는 인간이 보다 효과적이고 만족스럽게 살아가고, 그러한 인간으로서의 존재성을 확인하기 위해서는 문제해결을 위한 삶의 기술이 필요하다고 주장한다. 생애기술치료는 DASIE라고 부르는 5단계 모형에 따라서 진행되는데, 관계를 발달시키고 문제를 명료화하는 D(Develop, 발달) 단계, 기술적 용어로 문제를 진단하고 재진술하는 A (Assess, 진단) 단계, 목표를 진술하고 중재를 계획하는 S(State, 진술) 단계, 생애기술을 발달시키도록 중재하는 I(Intervene, 중재) 단계, 실제 생활에서의 적용을 강조하고 종결하는 E(Emphasize, 강조) 단계가 있다.

관련어 | DASIE 5단계 모형, 실존주의, 인본주의

생애진로발달
[生涯進路發達, life career development]

전 생애를 통하여 인간은 사회적 · 정서적 · 신체적 · 인지적 변화를 거치며 그에 따라 일이나 여가에 대한 능력, 태도, 동기, 가치관, 흥미 등도 함께 변화된다는 이론. 진로상담

각 개인의 진로발달이 전 생애에 걸쳐서 형성된다고 주장하는 대표적인 학자는 슈퍼(Super, 1957)를 들 수 있으며, 이외에 타이드만과 오하라(Tiedeman & O'Hara, 1963), 기스버스와 무어(Gysbers & Moore, 1987) 등이 있다. 슈퍼는 인간이 발달과정을 거치는 동안 각 발달단계에서 수행해야 할 진로발달 과제를 중심으로 성장기(growth stage), 탐색기(exploration stage), 확립기(establishment stage), 유지기(maintenance stage), 쇠퇴기(decline stage) 등의 발달단계를 제시하였다. 타이드만과 오하라는 에릭슨(Erikson)의 심리사회적 발달단계에 근거를 두고 인지발달의 과정 속에서 자아와 관련된 위기를 해결함으로써 진로의사결정이 발달된다고 강조하였다. 즉, 인간은 각 발달단계에서 심리적 위기를 해결해 나감으로써 상황적 자기(self-in-situation), 세속적 자기(self-in-world), 일 지향성(orientation of work)이 발달하여 자아정체감이 형성된다고 주장한 것이다. 그리고 발달과정은 예상기(anticipation)와 실행기(implementation)로 크게 구분하고 각 하위단계를 제시하여 설명하였다. 한편, 기스버스와 무어는 개인의 생애역할(life roles), 생애장면(life settings), 생애사건(life events) 등이 일생 서로 상호작용하고 통합되면서 개인의 능력과 진로를 발달시키는 것으로 보았다. 생애역할은 부모 · 며느리 · 가사 노동자 · 여가인 · 배우자 · 학생 · 교사 · 행정가 등을 말하고, 생애장면은 가정 · 학교 · 직장 · 놀이터 · 작업장 등이 포함되며, 생애사건은 출생 · 입학 · 졸업 · 시험 · 취업 · 결혼 · 이혼 · 은퇴 · 죽음 등을 말한다. 생애진로발달 진로상담은 내담자 스스로 자신의 삶을 창조할 수 있도록 진로를 확인하고 계획하는 능력을 향상시키는

데 목표를 두고 있다. 즉, 개인의 생애역할, 생애장면, 생애사건을 구체화하여 현실과 관련된 미래의 진로계획을 수립하고 목표를 수행하거나 진로문제를 해결하도록 돕는 것이다. 이를 위한 상담전략은 생애역할을 분석하고 이해하며 현재의 생애역할과 미래의 생애역할을 관련지우는 데 초점을 두고 생애 역할에 영향을 미치는 요인들을 평가하는 것이다. 이외에 진로계획이나 의사결정 등 생애진로발달에 미치는 요인으로는 성별, 민족적 기원, 종교, 인종, 사회경제적 지위 등이 있다. 진로상담에서 생애진로발달에 관한 탐색은 직업에 대한 가족의 생각, 감정 등을 이해하는 데 도움이 될 수 있으므로 직업과 가족의 관계를 이해하는 데 초기지침이 된다.

관련어 슈퍼의 진로발달이론, 진로발달, 타이드만과 오하라의 진로이론

생애진로사정 [生涯進路査正, life career assessment: LCA] 내담자가 자신의 생애경력개발과 그것에 관련될 수 있는 내적, 외적 역동에 어떤 수준으로 기능하는지에 초점을 맞춘 구조화된 인터뷰를 하는 질적 사정절차를 말한다. 이 기법은 진로상담의 하위단계 중 정보를 수집하는 단계에서 사용하는 구조화된 면접방법이다. 내담자의 세계관과 환경적 제약, 인종적 정체성 상태, 그리고 문화 순응 정도 등을 자연스럽고도 직접적으로 보여 주기 때문에 여러 문화와 인종적 배경을 가진 다양한 연령대의 내담자와 작업할 때, 여성이나 남성이 직면한 문제를 다룰 때, 장애문제를 다룰 때 유용하다. 회기는 탄력적이어서 구조화된 면접과정 전체를 20~30분 내에 마칠 수도 있고, 필요에 따라서 여러 회기에 걸쳐 보다 심층면접을 할 수도 있다. 이 기법의 목표는 내담자의 일에 대한 경험, 교육 및 훈련과정, 여가, 그리고 내담자가 일상생활을 어떻게 조직하는지 확인하는 것, 내담자의 강점과 약점 등에 대한 정보를 수집하여 내담자가 목표를 달성하도록 동기화하며 자기인식을 증가시키는 것이다.

생애회상
[生涯回想, life review]

나이가 들어 자신의 삶을 되돌아보면서 자기 생의 주제와 의미를 찾고, 인생을 이해하고 수용하는 일. 중노년상담

지금까지의 생애를 회상함으로써 절망감을 극복하고 자아를 통합할 수 있다. 요 몇 해 사이 죽어 가는 사람의 심리나 돌봄에 관한 연구가 추진되면서 다시 생각하게 된 것이 인생의 회상이다. 은퇴 후의 사람들이 자신의 역사를 정리하려고 하는 것은 인생의 의미부여가 마음의 건강에 도움이 되기 때문이다. 죽음에 직면한 사람이 장기간 만날 수 없는 부모, 형제 혹은 친구, 지인과 만나는 것은 자신의 생애에서 사건의 증인으로 만남으로써 죽음을 준비하는 데 도움이 된다. 한편 가족, 친족은 말기인 사람의 머리맡에서 생애회상을 지원한다. 지금은 상담자나 간호사가 그 임무를 떠맡고 있다. 회상에는 조작된 회상과 진짜 회상이 있다. 조작된 회상은 듣는 사람에게 자신의 모습을 매력적인 것으로 보이기 위해 꾸며 낸 것으로 회고적 환상이다. 진짜 회상이란 과거의 사건과 현재 사이에 있는 시간의 간격을 단축하는 작용을 하는 것이다. 회상된 사항과 현실과의 연속성은 상황변화에 대한 적응세력이다. 온화한 가족, 훌륭한 상담자와 생애회상면접으로 자신의 생활사를 회상하고, 생애에 걸친 연속성과 정체성을 통합할 수 있으면 지금의 있는 그대로의 자신을 수용할 수 있고 죽음의 여정에 대한 준비가 가능해진다.

생체리듬
[生體-, biorhythm]

생명 활동의 주기적 변동. 이상심리

체온, 호르몬 분비 등 생리적 반응이 규칙적인 주기가 있다는 것을 말하는 생체리듬은 작업능률이나

안전관리에서 활용된다. 인간은 주로 주간에 활동하는데, 이러한 주간활동에 따라 주기적으로 변화하는 리듬이 있다는 것이다. 생체리듬을 거스르는 심야작업을 계속하면 신체적, 정신적, 작업능력의 저하, 피로, 위장장애를 일으킬 수 있다. 생체리듬의 한 예로 여성의 월경주기를 들 수 있다. 생체리듬은 신체(physical) 리듬, 감정(sensitivity) 리듬, 지성(intellectual) 리듬으로 구분하기도 한다.

생체에너지기법
[生體-技法, bioenergetics]

라이히(Wilhelm Reich)의 이론을 발전시킨 로웬(Alexander Lowen)의 신체심리치료의 방법으로, 수직적 접지하기(vertical grounding) 및 걷기, 근육 늘이기, 그리고 깊은 호흡 등을 강조하여 내담자의 에너지 수준을 향상시키는 방법으로, 바이오에너제틱 치료(bioenergetics therapy)라고도 함. 무용동작치료

생체에너지기법은 정신분석자 라이히의 발상을 살려서 로웬이 제창한 치료법이다. 로웬은 목뒤, 가슴 윗부분, 어깨에 심한 통증을 느끼며 살아왔는데, 라이히에게 치료를 받은 이후 그의 제자가 되었고, 이를 계기로 생체에너지이론을 정립하게 되었다. 그는 중추신경체계에 따른 자아(ego)의 현실 숙달과 의식적 의지를 중시하는 자아심리학의 전통을 강조하였다. 생체에너지기법은 마음의 응어리가 근육의 응어리와 호흡의 정체로 나타난다고 보고, '성격'이란 '에너지' 및 '응어리(정체)'와 삼위일체를 이루고 있는 것이라고 설명하였다. 이 기법을 치료에 적용할 때는 말의 교환을 주로 하는 전통적인 치료법과는 대조적으로 몸을 조정하는 방법을 취한다. 예를 들어, 라이히의 오르곤(Orgone) 치료에서 내담자의 몸을 마룻바닥에 눕혀서 수평적 접지하기(horizontal grounding)를 통해 중력에 신체를 맡기고 무의식으로 퇴행시키는 대신에, 로웬은 내담자가 일어서서 발바닥을 직립/접지하는 능력을 주창하면서 걷고 움직여서 세상으로 나아가는 연습을 강조하였다.

관련어 | 오르곤 치료

생체의학론음악치료
[生體醫學論音樂治療, Biomedical Theory of Music Therapy]

테일러(Dale Taylor)가 주장한 창조에 관한 동기화 이론 중 하나로, 인간의 뇌 작동을 모든 음악치료개입의 목표기관으로 두는 이론. 음악치료

생체의학론에 바탕을 둔 음악치료는 테일러가 제창한 것으로, 음악이 관찰 가능하고 증명 가능하며 측정 및 예측이 가능한 방법으로 인간의 뇌에 영향을 주고 나아가 뇌 이외의 신체기관에까지 영향을 미치기 때문에 인간행동 변화를 도출할 수 있다는 이론을 바탕으로 만들어졌다. 테일러는, 음악치료는 인간의 뇌와 그 기능에 관한 것을 목표로 두는 기본적이고 핵심적인 의학이라는 입장을 취하고 있다. 음악은 본질적으로 인간의 다양한 행동을 결정하는 대뇌피질의 작용 및 기능에 직접적인 영향을 미친다. 따라서 음악치료는 대뇌피질 작용에 영향을 미쳐 특정 행동을 변화시키는 결과를 낳는다. 음악은 뇌신경 자극양식을 변화시키고 뇌 기능의 변화를 유도하여 새로운 기능에 따라 통제되는 특정 행동으로 대체하는 능력을 만들어 낼 수 있다. 테일러는 『Expressive Technique for Reversal of Suicidal Behavior』『Neuroanatomical Model Using Music for Remediation of Aphasic Disorders』『Control Reversal Therapy Technique for Treating and Removing Eating Disorders』와 같은 저서에서 생체의학론음악치료에 대한 실증들을 제시하였다. 대뇌변연계나 시상하부와 같은 신경해부학적 구조가 스트레스 관련 신경호르몬의 조절, 면역반응 조절 등을 관장하면서 동일한 구조가 음악을 창조하고 체험하는 과정을 함께 관장한다. 이 때문에 생체의학론음악치료가 가능한 것이다. 시상하부-뇌하수체-

부신-피질(hypothalamic-pituitary-adreno-cortical)로 이어지는 HPAC 체계는 신체기관이 스트레스 상황에 직면해서 효과적인 대처방안을 마련하지 못했을 때 작동되어 결국 우울, 불안, 동맥경화증, 면역억제, 기억능력저하 등에 영향을 미치는 코르티솔을 과다분비한다. 이에 반해 교감신경 부신수질계인 SAM(sympathoadrenomedullary system) 체계는 면역반응을 신장시켜 우울을 억제하고 신체기관이 스트레스 상황에 직면했을 때 효과적인 대처방안을 만들어 내는 능력을 확장시킨다. 이것이 바로 음악치료의 과정과 동일하며, 이러한 입장이 생체의학론음악치료다.

생태
[生態, ecology]

생물이 자연계에서 생활하고 있는 모습 혹은 생명체 간, 생명체와 환경 간의 상호관계와 상호의존성. NLP

생태개념은 하나의 모든 생명체는 서로 유기적인 관계를 맺고 있으며 환경과도 불가분의 관계가 있다는 점을 전제로 한다. 그래서 특정한 생물체의 멸종이나 그 생물체에게서 나타나는 심각한 변화는 그것 하나로 끝나지 않고 직접적으로 공생관계나 먹이사슬관계에 있는 다른 생물체나 주변환경, 그리고 보이지 않는 영역까지 영향을 미친다. NLP에서는 이러한 개념을 받아들여 특정 행동이나 증상의 변화를 시도할 때 그것이 미칠 생태적 영향을 고려한다. 이것을 생태점검(ecology check)이라고 하는데, NLP에서 변화의 긍정적인 효과를 극대화하고 그 변화로 인해 의도하지 않았던 문제가 파생할 가능성을 없애기 위하여 생태적 상호관계를 검토하고 점검하는 것이다. 모든 변화와 성과를 달성하기 위해서 반드시 거쳐야 하는 과정이다. 즉, 겉보기에는 특정한 변화가 바람직한 것 같지만 궁극적으로 그 변화 때문에 다른 부분에서 균열이 일어나거나 부정적인 결과가 초래된다면 그것은 다시 한 번 생각해 보아야 한다. 변화 자체를 포기하거나 다른 방식으로 변화를 시도하거나 또는 생태에 부정적인 영향을 미치지 않도록 하는 적절한 조치를 취하는 것이 필요하다. 예를 들어, 어떤 사람이 중독적인 흡연습관을 고치기 위해서 금연을 하고자 한다면 진정한 효과를 거두기 위해서는 담배를 끊었을 때 파생되는 부작용에 대해서 미리 생각해 두어야 한다. 즉, 지금까지 담배를 피우는 것이 긴장이나 불안을 해소하는 아주 유용한 수단이었다면 담배를 끊음으로써 문제가 나타날 수 있다고 볼 수 있다. 담배를 끊으면 결과적으로 불안, 긴장을 해소할 수 있는 수단을 상실하게 되어 금연을 통하여 얻을 수 있는 이점보다 불안, 긴장을 해소하지 못함으로써 초래되는 문제가 더 클 수 있기 때문에 오히려 심각한 문제에 빠질 수 있다. 결국 담배를 끊으려는 시도는 실패하거나 오히려 문제를 유발하게 되는 것이다. 따라서 모든 변화나 치료작업에서는 반드시 생태점검을 하는 것이 필요하다.

관련어 | 생태 체계적 상담

생태 체계적 사고
[生態體系的思考, ecosystemic thinking]

개인과 가족, 문화 등의 환경 간 상호 관련성에 초점을 맞추는 관점이나 사고. 생태학적 치료

생태 체계적 관점이라고도 부르는 생태 체계적 사고는 상호 관련되어 있으면서 여러 문제들이 겹겹이 쌓인 듯한 사례현상을 이해하는 하나의 방법이다. 이는 사례를 지나치게 단순화하거나 축소하는 것을 피하면서 문제의 복잡성을 정돈하고 이해하는 데 도움을 준다. 생태 체계적 사고는 다음과 같은 기본 가정을 갖는다. 첫째, 인간 체계 내의 상호 의존과 인간과 환경 간의 상호작용을 강조한다. 둘째, 체계는 끊임없는 변화 속에서 목표 지향적 적

ㅅ

응과정을 거치는 역동성을 지닌다. 생태학적 환경의 가장 안쪽부터 바깥쪽 방향으로 유기체, 미시체계, 중간체계, 외체계, 거시체계 순으로 배열되어 있으며 이 구조적 체계의 본질은 상호작용적이다. 유기체는 개인을 말하고, 미시체계는 유기체가 몸담고 있는 인접 환경이다. 미시체계의 속성도 시간이 경과함에 따라 인간의 성장과 함께 변화한다. 중간체계는 미시체계 간의 상호작용이다. 각각의 미시체계는 서로 뚜렷하게 구별되지만 동시에 다른 미시체계와 상호작용하며 연결되어 있다. 외체계는 유기체를 직접 포함하지 않는 환경구조들로서, 중간체계나 미시체계에 직접 영향을 미치지만 유기체에는 직접 영향을 미치지는 않는다. 거시체계는 앞의 모든 체계를 포함하는 것으로서, 특정 문화권의 일반적 신념, 가치관, 이데올로기를 말한다. 생태 체계적 사고에서는 독특한 문화적 · 역사적 맥락에서 인간과 환경을 단일체계로 바라볼 필요성이 있다고 명확하게 말하고 있다. 인간과 환경은 양쪽이 동시에 고려된 관점에서 완전히 이해될 수 있고, 각각은 독특한 맥락 안에서 서로에게 연속적으로 영향을 준다. 그러므로 생태 체계적 시각에서 나온 모든 개념은 환경 또는 개인을 독립적으로 간주하기보다는 개개의 인간과 환경의 관계가 긍정적인 관계인지, 부정적인 관계인지, 중립적인 관계인지를 밝히고 있다. 생태 체계론적 사고의 또 다른 측면은 단선적인 사고와는 현저한 차이가 있는 '생태 체계적인 사고'다. 단선적인 사고는 일부 단순한 현상만을 설명할 수 있다. '컵을 떨어트려 컵이 깨졌다.'처럼 단선적 사고는 단순한 인과관계로 현상을 이해하는 방식이다. 생태 체계적인 사고는 인간조력의 제반 영역에서 다루는 문제와 같은 복잡한 인간현상을 설명할 수 있는데, 일정한 시간 동안 서로를 형태지우고, 영향을 주며, 변화시키는 A와 B 사이의 상호작용을 조사한다.

생태 체계적 상담
[生態體系的相談, ecosystemic counseling]

일반체계이론, 자아심리학, 생태학 이론의 발달에 힘입어 도입된 것으로, 내담자가 환경과의 상호작용을 통하여 의미를 도출할 수 있도록 맥락체계에서 도움을 주며 좀 더 개선된 생태적 조화를 이루는 데 도움을 주는 상담. 생태학적 치료

생태상담이라고도 부르는데, 생태 체계적 상담의 기본이 되는 생태 체계적 관점은 생태학의 개념과 일반체계이론을 기반으로 파생된 것으로, '상황 속의 인간'에 관심을 두고 인간과 환경의 영향 사이의 상호작용을 강조해 왔다. 생태 체계적 상담의 특징을 살펴보면, 첫째, 다학문적이며 메타 이론적이다. 생태학적 조망에서는 인간행동을 이해하는 데 다양한 학문분야가 함께할 때 인간행동의 종합적 이해를 정교하게 할 수 있다고 보아 다학문의 가치를 인정한다. 인간행동은 생화학적 과정에서 사회역사적 조류에 이르기까지 아주 복잡한 여러 변인들로 이루어져 있기 때문에 메타 이론이라는 지도가 필요하다. 여기서 메타 이론이란 여러 이론에 적용될 수 있는 구성 개념과 과정을 하나로 통합한 것이다. 둘째, 생태 체계적 상담에서는 인간을 통합적 인격체로, 또한 생태계의 한 부분으로 본다. 따라서 단일한 해결접근보다 복합적인 상담관계 차원에 초점을 두고 개인이 속한 더 넓은 차원의 생태계와 그 영향에 대해 다양한 가능성을 고려한다. 셋째, 생태 체계적 상담은 상호작용적이며 맥락적이다. 따라서 생태상담에서는 한 개인이 주어진 시간과 맥락에서 차지하는 위치를 파악하고 주어진 맥락 안에서 위치를 점하는 작업과 이러한 맥락과 시간을 고려하여 내담자의 변화노력과 변화과정을 개념화해야 한다. 넷째, 생태 체계적 상담은 균형, 시너지, 즉흥성과 관련된 조화를 추구한다. 생태상담에서는 내담자에게는 도전과 지원 사이의 균형이 필요하며, 생태계의 여러 요소가 지속 가능하도록 서로 협동적으로 연계된 삶에서의 시너지가 필요하며, 또한 내 · 외적인 세계의 변화에 대해 자연스럽고도 즉흥

적인 반응을 할 필요가 있다. 생태 체계적 상담은 생태 체계적 관점에서 주요 개념을 도입함으로써 이전의 단선적이고 인과론적인 시각에서 통합적이고 전체적이며 역동적인 인간-환경 관계에 대한 시각으로의 전환점을 제공하였다. 따라서 기존의 상담과는 달리 환경의 여러 요소와 끊임없이 상호 교류하는 인간의 적응적이고 진화적인 견해를 제공해 주며, 인간과 환경 간의 상호 영향 변화관계를 잘 설명해 준다. 생태 체계적 상담에서는 문제를 정의할 때, 병리적 상태의 반영으로서가 아니라 주변의 사람, 사물, 장소, 조직, 관념, 정보, 가치 등을 포함하는 생태체계의 여러 요인들 간의 상호작용의 결과로 보아, 성격장애가 아닌 생활상의 문제로 정의한다. 문제의 원천을 보면, 첫째, 생활의 변천 문제(life transition)다. 개인적으로나 집단적으로 직면하게 되는 발달과정상의 변화에서 생기는 문제, 지위의 변동에 따른 역할변화의 문제, 그리고 갑작스러운 위기사건의 발생은 개인의 생활에 상당한 영향을 준다. 둘째, 내담자에 대한 환경의 부적절한 반응이다. 환경은 역동적이고 복잡한 성격을 지니고 있는데 이러한 환경이 과도한 압력을 가하고, 내담자에 대해 부적절한 반응을 할 때 환경이 문제의 원천이 된다. 셋째, 인간관계에서 의사소통의 부적응이 문제의 원천이 된다. 이와 같은 생태 체계적 상담의 특징은 사회적 환경과 관련된 생태적 변수로서의 사회적 관계망과 사회적 · 물리적 환경에서의 개인의 행동 특성을 용이하게 이해하도록 하는 시간 · 공간 개념이라는 점이다. 여러 가지 사정도구 중 생태 체계적 접근에 유용하게 활용할 수 있는 것으로는 생태도(eco-map)와 가계도(genogram)를 들 수 있다.

관련어 | 생태체계이론

생태도
[生態圖, ecomap]

가족과 가족의 생활공간 안에 있는 사람 및 기관 간의 연계를 그림으로 나타내는 방법. 가족치료 일반

1975년 하르트만(Hartman)이 개발한 것으로, 생태도를 통하여 가족의 주요 환경에서의 요구, 자원의 흐름, 가족에게 스트레스를 주는 것, 유용한 자원, 가족과 환경과의 관계 및 가족 내외의 역동 등에 관한 정보를 알 수 있다. 치료자가 내담자와 함께 생태도를 그릴 수도 있고 치료자가 질문방식의 인터뷰를 하면서 정보를 수집하여 그릴 수도 있다. 생태도를 그리는 순서는 다음과 같다. 첫째, 먼저 중앙에 원을 그리고 그 원 안에 내담자 가족의 가계도를 그린다. 둘째, 현재 함께 살고 있지 않은 가족원은 원 밖에 배치한다. 셋째, 내담자 가족에 영향을 주는 환경체계, 예를 들면 학교, 직장, 복지관 등은 원 밖의 주변에 배치한다. 넷째, 환경체계를 표시하는 원 안에 간단한 설명을 적어 넣는다. 다섯째, 내담자 가족체계와 모든 환경 체계 간의 상호 교류를 기호로 표시한다. 이때 상호 교류의 성격에 따라 건강한 관계, 보통 관계, 갈등 관계 등으로 기호를 구분한다.

생태상담
[生態相談, ecological counseling]

⇨ '생태 체계적 상담' 참조.

생태소외
[生態疏外, eco-alienation]

인간이 태어나면서부터 가지고 나온 땅의 근원을 알지 못하거나 부인하거나 또는 거절하는 것. 생태학적 치료

생태공포증이라고도 부르는 생태소외는 인간이 자연계 속에 있으며 인간 속에 자연계가 들어 있다는 관계성으로부터 인간을 분리해 버리는 것이다. 이러한 관계성의 단절은 인간의 총체적인 정신, 몸, 영의 유기체에 들어 있는 자연으로부터의 내적 소외와 보통 외부세계에서 경험하는 실제와 자연으로부터의 관계단절과 맥을 같이한다. 생태소외와 이 개념의 반대축에 있는 생태연대는 대인관계 소외와 대인관계 연대와도 관련된다. 오코너(T. O'Connor)는 친밀한 인간관계를 파괴하는 부인, 지배, 그리고 투사의 형태는 자연계를 위태롭게 하는 형태와 같다고 보았다. 프롬(E. Fromm)은 생태소외가 대부분 인간불안의 근본적인 원인이 된다고 하였다. 즉, 인간의 존재에서 근본적인 것은 인간 자신의 동물의 왕국에서 생겨났으며, 본성적인 적응과정을 거쳐 변화되어 왔다는 것이다. 인간은 자연을 초월하는 존재가 되기는 했지만, 결코 자연을 떠나지 못하였다. 인간은 여전히 자연의 한 부분이기 때문에 자연에서 일단 분리되면 자연으로 다시 되돌아갈 수가 없다. 이 같은 역점은 틸리히(P. Tillich)의 견해와 유사하다. 그의 견해에 따르면, 실존적 불안은 인간이 자연을 초월해 있다는 사실과 그러면서도 인간은 피할 수 없는 죽음이라는 현실 앞에서 자연을 벗어날 수 없다는 사실을 깨달으면서 발생한다. 생태요법에서는 이 같은 생태소외를 치유하기 위해서는 전인적 상담, 전인적 심리요법 등을 목표로 삼아야 한다고 보았다. 생태요법에서는 자연과 인간이 상호 양육해야 한다고 보는데, 이러한 과정에서 인간은 인간의 초월적 능력을 존중하게 되고 자연을 양육하는 일에도 참여하게 된다는 것이다. 생태소외의 반대인 생태연대는 양육하고 힘을 공급하며 생명을 향상시키는 자연과의 관계를 회복하고 즐겁게 누리는 것을 말한다. 이는 자아의 모든 요소가 서로 연결되어 있다는 것을 깨닫고, 이 요소들과 문화, 사회, 자연 등 외적인 세계가 상호 연결되어 있다는 것을 깨닫는 것에서 출발한다. 생태요법에서는 자연과의 내적 연대와 생물계의 생명 공동체와 갖는 외적 연대는 우리의 정체성과 삶의 다른 모든 요소의 질을 높여 준다고 본다.

관련어 | 생태요법

생태요법
[生態療法, eco-therapy]

자연이 가지고 있는 치유에너지를 인간의 성장과 치유에 적용한다는 생태학적 주기를 사용하는 요법. 생태학적 치료

녹색요법(Green therapy)이라고도 불린다. 클라인벨(H. Clinebell)이 주창한 것으로, 전인 건강이 인간을 포함한 모든 생태계의 안녕을 기반으로 해야 하며 인간의 파괴나 치유가 동시성을 가지고 있다는 점에 착안한 치유법이다. 즉, 인간의 성장과 치유는 자연과 건강한 상호 교감으로 이루어진다고 본 새로운 치유법이다. 생태요법은 생태가 가진 자원 가운데 본래의 모습을 스스로 회복하는 원리인 평형성을 상담의 원리로 본다. 자연뿐 아니라 인간에게도 평형성의 원리는 적용된다. 현대심리학에서는 인간을 신체적 · 심리적 · 영적인 세 가지 요소가 하나로 통합된 복합적 존재로 이해하게 되었는데 생태요법은 이러한 통찰과 관련된다. 그러므로 생태요법은 심리학적 기술, 생태생물학이나 생태 영성과 같은 학문뿐 아니라 생태애호학처럼 인간이 다른 동물들과 모든 생태계에 가지는 내재적, 유전적 관계성에 기초한 이론이다. 생태요법에서는 인간의 자연에 대한 착취나 자연에 대한 그릇된 태도가 인간 자신의 영적, 정신적 심성을 황폐화시키고 결과적으로 가치관의 혼란, 자아정체성의 결여 등

영적 장애와 심리적 스트레스를 유발하여 정신적, 육체적 질병을 가져온다고 보았다. 따라서 생태요법에서는 인간과 생태계의 내재적·유전적 관계성에 기반을 둔 자연이 가지고 있는 치유에너지를 인간의 성장과 치유에 적용하고자 한다. 이 같은 생태요법의 특징은 전인성, 생명성, 상호 관련성, 전지구성, 소외의 극복 등으로 정리할 수 있다. 키건(R. Kegan)은 클라인벨(Clinebell)의 생태요법과 맥을 같이하는 자연치료(natural therapy)를 통하여 자연은 가족, 동료집단, 일에서의 역할관계, 그리고 사랑관계를 위한 전문적 지혜의 기초적인 유사함을 제공한다고 하였다. 아이를 둘러싼 환경이나 여러 가지 문화적인 환경들은 사람에게 문화적 각인을 받아들이게 한다는 것이다. 키건의 자연치료는 생태요법이 자연생태에 국한된 반면, 문화와 같이 좀 더 폭넓게 확대되는 방향으로 새로운 지평을 연 또 다른 관점이라고 본다.

생태체계이론
[生態體系理論, ecosystem theory]

일반체계이론에 생태학적 관점을 결합한 이론. 생태학적 치료

생태체계이론은 전통적인 심리학의 한계를 극복하고 인간행동을 보다 효과적으로 설명하기 위해서 정립되어 지난 수십 년 동안 사회과학분야에서 적용되어 오는 핵심적인 이론 중 하나다. 인간의 생활과 같이 역동적으로 시시각각 변화하는 계속적인 과정을 파악하는 데 필요한 매우 중요한 관점인 생태체계적 관점은, 초기에 주로 자연생태계의 변화를 설명하는 이론적 체계로 정립되었으나 곧 심리사회적 현상을 설명하는 틀로 도입되었다. 생태체계이론의 핵심적인 개념으로는 체계, 개방체계, 폐쇄체계, 경계피드백, 적용성, 항상성, 순환성, 평형성 등이 있다. 생태체계이론은 다음과 같은 주요 특징을 갖고 있다. 첫째, 환경은 임의적인 이중성이 아닌 관계의 계속적인 상호 관련 과정으로 구성되는 복합적인 환경, 행동, 인간 전체를 의미한다. 둘째, 개인, 집단 및 환경 간의 상호 의존이 강조된다. 셋째, 체계론적 개념들은 생태학적인 전체 내에서 복합적인 여러 상호관계를 분석하는 데 활용된다. 넷째, 사정과 평가는 완전하고 자연 그대로인 유기체-환경 체계에 대한 사실적이고도 직접적인 관찰을 통하여 이루어져야 한다. 다섯째, 인간의 행동은 인간과 변화무쌍한 환경 간의 중개적인 상호 교류의 산물이다. 오늘날 이 이론은 체계의 측면에서 인간의 문제행동의 근원과 구조를 근본적으로 설명하려는 사회과학자들에 의해 널리 사용되고 있다. 브론펜브레너(Bronfenbrenner, 1979)의 경우는 인간발달을 분석하고 설명하는 가운데 체계론적 관점을 확대했다. 새로운 접근으로 생태학적 체계이론이라는 용어를 사용하였다. 생태체계이론을 한 개인에게 적용할 때 구체적으로 개입이 되는 네 가지 변인은 미시체계, 중간체계, 외체계, 거시체계로 나누어진다. 네 가지 변인이 인간의 발달에 직접적인 영향을 주는 것이다. 미시체계는 특정한 물리적, 물질적 특징들의 주어진 장면에서 발달하고 있는 개인이 시간과 더불어 경험하는 활동, 역할, 대인관계의 패턴 혹은 이것들을 설명하는 분석틀을 의미한다. 중간체계는 서로 연결된 미시체계들로 이루어진 체계로, 가정과 학교 같은 관계 속에 있는 상호작용하는 개인을 말한다. 가정과 학교(혹은 직장)의 관계, 가정과 동료 집단과의 관계가 대표적이다. 외체계는 중간체계가 확장된 것으로 성장하는 개체를 포함하지는 않지만 개체가 포함되어 있는 인접 환경을 둘러싸고 있기 때문에 그 안에서 일어나는 일에 영향을 줄 수밖에 없는 환경을 말한다. 이것은 각 개인에게 직접 영향을 주지는 않지만 가정을 통하여 간접적인 영향을 미칠 수 있는 것으로서, 지역사회 수준에서 기능하고 있는 사회의 주요 기관, 즉 직업세계, 이웃, 대중매체, 정부기관, 물품과 용역의 분배체계, 교통 및 통신 시설, 비형식적인 사회적 관계망

등을 예로 들 수 있다. 거시체계는 사회 경제와 정치적 체계, 대중매체와 같은 영향을 포함하는 거대한 체계다. 이것은 동일 문화권 내에 일반적으로 존재하는 환경으로 환경의 구조나 활동패턴을 구체적인 수준에서 설정하는 기능이 있다. 사회와 문화 이념, 가치, 법률, 규칙, 법칙과 같이 명백한 형태를 가진 것도 있지만, 대부분의 거시체계는 비형식적이고 묵시적인 것으로 사회구성원들의 정신세계 속에 내재된 관습과 일상생활 습관으로 표현되는 이데올로기를 말한다.

생활각본
[生活脚本, life script]

교류분석

⇨ '각본' 참조.

생활각본분석
[生活脚本分析, life script analysis]

교류분석

⇨ '각본분석' 참조.

생활기술훈련
[生活技術訓練, life skills training: LST]

청소년의 흡연 예방을 목적으로, 길버트 보트빈(Gilbert Botvin)이 개발한 훈련 프로그램. 중독상담

생활기술훈련 프로그램은 총 15회기로 운영이 되며, 또래와의 상호작용, 시범, 연습, 장기간의 숙제 등이 포함된다. 또한 영화, 연극, 시범, 역할연기, 그리고 초청 연사를 부르기도 한다. 이것은 원래 흡연 예방 프로그램으로 개발되었지만, 알코올과 마리화나 등 약물사용에 대한 문제와 같이 문제행동에도 초점을 맞추고 있다. 현재는 생활기술 기반 교육(Life skills-based education)의 일환으로 다양한 프로그램이 개발, 보급, 운영되는 추세에 있다.

관련어 삶의 기술, 중독

생활보호
[生活保護, relief aid]

병이나 사고 혹은 실업 등으로 수입이 감소하여 생활이 곤란한 사람에게 최저 생활을 보장하기 위해 최후의 안전망(last safety net)을 구축하려는 국가의 생활보장제도.
사회복지상담

「헌법」 제32조 제1항의 인간다운 생활을 할 권리 및 제32조 제3항의 생존권 보장의 이념에 입각해서 국가가 각종 생활 곤궁자에 대하여 곤궁의 정도에 따라서 인간다운 생활을 하는 최저한도의 생활(national minimum)을 보장하기 위해 필요한 보호와 자립을 지원하고자 하는 「국민기초생활 보장법」을 시행하고 있다. 「국민기초생활 보장법」 제1조에 따르면 생활이 어려운 사람에게 필요한 급여를 실시하여 이들의 최저 생활을 보장하고 자활을 돕는다고 명시되어 있다. 또한 제7조에 따르면 급여는 생계급여, 주거급여, 의료급여, 교육급여, 해산급여, 장제급여, 자활급여의 일곱 종류로 구분하여 지급한다.

생활양식
[生活樣式, life style]

한 개인이 살아가는 독특한 생활방식. 개인심리학

아들러(Adler)는 사람들이 자신에게 의미를 주는 삶의 목표를 달성하기 위해 각기 독특한 생활양식을 발달시킨다고 보았다. 생활양식은 개인이 어떻게 인생의 장애물을 극복하고 문제의 해결점을 찾아내며 어떤 방법으로 목표를 추구하는지에 대한

방식을 결정해 주는 무의식적인 신념체계라 할 수 있다. 좀 넓은 의미에서 보면, 생활양식은 신념체계뿐만 아니라 행동으로 나타나는 개인 특유의 살아가는 방식을 의미한다. 생활양식의 형성 기원은 각 개인이 지닌 열등감에 있다. 열등감은 개인심리학의 모든 병리적 문제를 해결하는 열쇠가 되는 개념이다. 인간은 누구나 열등한 존재로 태어나 그 열등성을 극복하기 위한 보상노력을 한다. 생활양식이란 각 개인이 지닌 특수한 열등감에 대한 보상으로 우월추구를 하는 과정에서 형성되는 것이다. 사람들은 모두 우월이라는 목표를 이루기 위해 노력하지만, 이 목표를 위해서 각자 다른 방법을 사용한다. 사람에 따라 힘으로, 지식으로, 예술적 재주나 신체적 재능 등으로 자신의 우월의 입지를 차지하려고 한다. 그래서 옐리와 자이글러(Hjelle & Ziegler, 1981)는 생활양식이 우월성 추구의 개념을 더 확장시키고 다듬은 아들러의 역동적 성격이론을 가장 잘 나타낸 개념이라고 평가하였다. 아들러에 따르면, 생활양식은 대부분 4~5세에 형성되어 이후로 거의 변하지 않는다. 나중에 새로운 형태로 나타나는 개인의 독특한 생활양식은 어릴 때 정착된 기본구조의 확대에 불과한 것이다. 개인의 독특한 생활양식은 생각하고 느끼며 행동하는 모든 것의 기반이 된다. 다시 말해, 형성된 생활양식은 외부세계에 대한 태도를 결정하고, 평생 기본적인 성격구조를 일관성 있게 유지시킨다. 생활양식이 개인이 창조하는 것이기는 하지만 환경을 바탕으로 사람들과의 관계에서 만들어진 것이고, 이것이 평생 개인의 삶을 이끄는 지침이 되기에 만들어진 상황을 전혀 무시할 수는 없다. 생활양식은 생육사(生育史), 특히 형제와의 대인관계, 초기 어린 시절의 기억, 꿈분석, 개인심리학적 질문양식, TAT 등의 성격검사를 활용하여 진단할 수 있다. 생활양식은 분할될 수 없는 하나의 시스템이라고 보는데, 편의상 자기개념("나는 ~이다."), 자기이상("나는 ~이어야 할 것이다."), 세계상("이 세상은 나에 대하여 ~이다.")의 세 가지로 구분하여 진단하는 경우가 많다. 개인의 행동이나 사고방식은 각자 독특한 양식이 있고, 이 양식을 이해함으로써 그 사람의 전체로서의 개성 혹은 개인으로서의 이해를 할 수 있다. 아들러는 생활양식을 처음에는 인생의 주요 과제로 제시한 직업과 사회 및 사랑과 관련시킨 다음, 이것을 일반적인 유형, 즉 사회적 관심과 활동수준으로 범주화하였다. 그에게서 사회적 관심(social interest)이란 자신이 속한 세상의 다른 사람들에 대한 공감을 의미하며, 이는 다른 사람의 이익보다는 사회 발전을 위하여 다른 사람과 협력하는 것을 말한다. 이것은 심리적 성숙의 주요 기준이 되며 이기적인 것과는 상반된다. 활동수준(degree of activity)은 인생 문제의 처리에서 개인이 보여 주는 에너지의 양을 말한다. 또한 이것은 사회적 관심과 결합되어 건설적 혹은 파괴적으로 사용된다(Sharf, 2000). 아들러는 사회적 관심과 활동수준에 따른 생활양식을 네 가지 유형, 즉 지배형, 기생형, 회피형, 사회적 유용형으로 구분했는데, 그 특징은 다음과 같다. 지배형(the ruling type)은 부모가 지배하고 통제하는 독재형으로, 자녀양육에서 나타나는 생활양식이다. 이 자녀들은 사회적 자각이나 관심이 부족한 반면, 활동성은 높은 편이다. 다른 사람을 배려하지 않고, 부주의하고, 공격적이다. 이 공격성은 경우에 따라서 자신을 향하기도 하여 알코올중독, 약물중독, 자살의 가능성도 품고 있다. 기생형(the getting type)은 자녀에 대한 부모의 과잉보호에서 나타나는 태도로, 이러한 유형의 아이들은 타인으로부터 모든 것을 얻고자 하는 의존적인 삶을 살아간다. 이들은 자신의 문제를 스스로 해결하려고 하지 않고 누군가에게 의존하여 기생의 관계를 유지하는 데 힘을 탕진한다. 회피형(the avoiding type)은 매사에 소극적이고 부정적이다. 이들은 사회적 관심과 활동성이 모두 떨어지는 유형으로, 삶의 문제를 아예 회피해 버림으로써 모든 실패의 두려움에서 벗어나려고 한다. 문제에 대한 의식도 없고, 사람들과의 관계에도 관심을 두지 않는다. 이상의 세 유형은 삶의 문제를 다룰 준비가 되어 있지 않고, 타인과 협력하는 능력이 부족하며, 생활양식과 실제 세계 사이에 괴리를 느껴 이로 인해 신경증 혹은 정신병 등 비정상적인 행동을 나타내기도 한다. 사회적 유용형(the socially useful type)은 사회적 관심과 활동성이 높다. 즉, 긍정적 태도를 가진 성숙한 사람으로서 심리적으로 건강한 사람의 표본이다. 이들은 삶의 과제에 적극적으로 대처하고, 자신의 삶의 문제를 잘 발달된 사회적 관심의 틀 안에서 다른 사람과 협동하여 해결하는 능력을 갖추고 있으며, 적절한 행동을 한다(Schultz, 1990). 여기서 사회적 관심은 높고 활동성이 낮은 유형은 이론적으로는 가능하지만 실제로는 존재할 수 없는 유형이라고 한다. 왜냐하면 사회적 관심이 높다는 것은 어느 정도 활동성이 있다는 것이기 때문이다. 개인의 창조적 자아와 독특성을 강조하는 아들러가 성격 유형론은 따로 만들지 않았지만, 그의 주요 개념 및 사회적 관심과 활동성의 높고 낮음이 조합되면 네 가지 생활양식 유형 또는 성격 유형이 형성된다. 아들러는 생활양식 유형론을 개발하기 전 몇 년 동안 자신의 생활양식 유형을 히포크라테스(Hippocrates)와 갈렌(Gallen)의 체액론과 연결하려는 노력을 했지만(노안영 외 역, 2001), 어느 유형도 한 사람의 생활양식을 정확하게 묘사할 수 없음을 발견하였다. 그는 각 개인의 독특성을 이해하는 것이 중요하다고 생각했 때문에 생활양식 유형론을 적극적으로 내세우지는 않았지만 생활양식 유형론이 인간의 행동을 이해하는 데 도움이 된다는 점은 인정하였다.

관련어 | 목적론, 성격 우선순위, 열등감

생활자세
[生活姿勢, life position]

교류분석(TA)에서 번(Berne)이 소개한 개념으로 어린 시절 각본을 형성할 때 갖게 되는 자신, 타인, 세상에 대해 지속되는 견해. 교류분석

인생태도, 기본자세, 실존적 자세, 또는 그냥 자세라고도 한다. 어린 시절 형성된 생활자세는 평생 지속될 수도 있다. 번은 이 같은 생활자세를 I'm OK, I'm not OK, You're OK, You're not OK의 네 가지로 소개하였다. 이들 생활자세를 조합하면 자신과 타인에 대한 다음과 같은 네 가지 진술로 나타난다. 첫째는 I'm OK, You're OK, 둘째는 I'm not OK, You're OK, 셋째는 I'm OK, You're not OK, 넷째는 I'm not OK, You're not OK다. 번은 초기 경험을 토대로 내린 결정을 합리화하기 위해 초기 아동기(3~7세경)에 생활자세를 확립한다고 생각하였다. 즉, 먼저 초기 결정을 한 다음 그 결정에 맞게 생활자세를 취한다는 것이다. 그러나 슈타이너(Steiner)는 생활자세를 먼저 취한다고 주장하였다. 그는 모든 어린이가 처음에는 I'm OK, You're OK 자세로 출발하지만 성장하면서 생활자세가 다시 형성된다고 보았다. I'm OK, You're OK 생활자세는 젖을 먹는 아기와 엄마 간의 편안하고 안락한 상호의존을 반영한다. 슈타이너는 이러한 자세를 에릭슨(Erickson)이 말한 '기본적 신뢰'와 동일시하였다. 그러나 엄마와 아기 사이에 상호의존성을 깨트리는 사건을 경험하면 생활자세가 변화된다. 아기가 평소 엄마에게 느꼈던 배려와 수용이 사라졌다고 지각할 수 있다. 이러한 경험을 한 아기는 자신이나 타인을 not-OK로 생각할 수 있으며, 에릭슨이 말한 '기본적 신뢰'에서 '기본적 불신'으로 전환한다. 생활자세는 자신과 타인에 대한 기본적 신념으로, 결정과 행동을 정당화하는 데 사용된다.

생활장면면접법
[生活場面面接法, life-space interview]

아동 · 청소년의 행동을 관리하고 학생의 행동양식을 변경하는 데 사용되는 교실상담 면접법. 아동청소년상담

생활장면면접법은 공격적인 아동의 교정을 연구한 임상심리학자 레들(F. Redl)이 1959년에 제창한 면접법이다. 레빈(Lewin)의 심리학에서는 생활공간이라고 번역되고 있지만, 그 의미와는 달리 단절되어 있는 것으로 생활장면이라고 부른다. 아동 보호상담자들이 개발한 것이지만 부모들 또한 사용할 수 있는 치료적 상호작용으로서, 위기문제가 발생했을 때 생활환경에 있는 아동들을 치료적인 방식으로 다루도록 해 준다. 아동으로 하여금 특정한 혼란을 다스리는 것을 돕고 일종의 정서적인 첫 도움을 제공하도록 고안된 생활장면 면접에는 '즉석에서 정서적인 첫 도움(emotional-first-aid-on-the-spot)'과 '생활사건의 임상적 개발(clinical exploitation of life events)'의 두 종류가 있다. 두 가지 모두 '지금-여기(here and now)'에서의 학생의 생활사건이나 경험에 반응한다.

생활지도-심리교육집단
[生活指導-心理教育集團, guidance psychoeducational group]

교육현장에서 필요에 의해 독창적으로 개발된 집단의 형태. 학교상담

생활지도-심리교육집단이 시작된 초기에는 정보를 전달하고 가치를 검토함으로써 개인과 사회의 무질서를 방지하는 것이 이 집단의 주요 기능이었다. 이후 보다 적극적, 성장과 발달 지향적으로 그 목적이 확대되었다. 생활지도-심리교육집단은 지식을 통하여 성장을 강조하는 것으로서 내용은 개인, 사회, 진로, 그리고 교육적 정보 등이지만 그 영역은 제한이 없다.

관련어 | 생활지도, 학교상담

생활지도
[生活指道, guidance]

개인이 자신의 능력, 흥미, 성격 특성을 이해하고 잠재력을 발휘하여 현명한 선택을 하며, 생활목표를 수행하고 사회의 도덕적 가치에 조화되면서 적응하여 원만하고 성숙한 자기 성장을 하는 데 도움을 주는 조직적이고 전문적인 활동. 학교상담

1908년 미국의 보스턴 시에 파슨스(Parsons)가 세운 직업보도국(Boston Vocational Bureau)에서 시작된 활동이다. 이곳은 청소년들에게 직업교육을 실시하고 직업상담 교사를 양성하는 기관이었다. 이듬해 파슨스는 『Choosing a Vocation』이라는 최초의 생활지도 교과서를 출간하였다. 이 책에서 그는 직업상담사의 역할, 직업상담 기법, 개인에 대한 조사기법, 산업분석, 조직분석 등의 주제를 다루면서 개인을 적성에 맞게 배치하고 직업적 적응을 돕기 위해서는 개인에 대한 충분한 이해(적성, 지능, 성격, 흥미 관심, 가치관 등), 직업에 대한 이해, 양자의 합리적 관련성의 발견 등이 필요하다고 하였다. 이 같은 관점에서 생활지도는 개인을 이해하기 위한 상담, 심리검사, 진로상담, 취업지도, 학생에 관한 기록의 작성과 보관, 학생에 관한 조사연구, 정보제공 등의 전문적 활동이 강조되고 있다. 이 활동은 1945년에 우리나라에 도입되었고, 생활지도로 명명하였다. 우리나라에서 생활지도는 학교교육에서 교과지도나 학업지도 이외의 모든 교육을 뜻한다. 즉, 학생을 이해하고자 하는 전문적 활동뿐만 아니라 행동습관, 청결과 위생, 예절 등 학생생활의 모든 영역을 다루므로 그 영역이 매우 넓다. 우리나라의 교육활동은 교과지도와 생활지도를 포함하고 있기 때문에 '생활지도' 또는 '상담과 생활지도'라는 과목은 교직자의 필수과목이다. 생활지도는 주로 교육장면에서 정상적인 대다수 학생을 대상으로 하는 교도활동이다. 다시 말해, 아동 및 청소년들이

성장과정에서 맞닥트리는 가정적, 교육적, 직업적, 신체적, 정서적, 성격적으로 다양한 문제들을 자기 힘으로 해결할 수 있도록 도움을 주는 제반 활동을 말한다. 생활지도는 문제 아동에 국한되는 것이 아니라 모든 학생을 대상으로 삼는다. 자기실현 혹은 자아실현이 생활지도의 궁극적 목표이고, 나아가 아동 및 청소년의 능력, 취미, 잠재성 등을 정확히 이해하면서 그들이 지적 · 정서적 · 신체적 면에서 조화롭고 전인적인 발달을 이루어 낼 수 있도록 도움을 주는 여러 활동까지 포함된다. 이와 관련하여 생활지도의 특성을 종합적으로 고찰하면 다음과 같다. 첫째, 생활지도는 학교라는 장에서 학생을 대상으로 실시한다. 둘째, 생활지도는 상담사나 교사가 담당한다. 셋째, 생활지도에서는 교육적인 사항을 논의한다. 넷째, 프로그램의 내용은 교과 과정에 포함되지 않는 각종 생활정보, 진로정보 등에 관한 것이다. 다섯째, 예방 중심, 심리교육 중심적이어야 한다. 여섯째, 직업지도, 직업알선 등의 직장활동도 취급해야 한다. 이러한 생활지도는 개성 존중, 자율성, 문제해결, 인격형성의 원리에 비추어 진행될 것을 강조한다. 따라서 교육장면에서 생활지도는 학생 개인의 총체적 발달을 강조하고 학생의 능력과 대처능력을 개발하도록 돕는 지시적 서비스를 스스로 선택하여 이용하는 것을 배우는 데 도움을 주려는 목적으로 행한다.

관련어 | 학교상담

샤머니즘
[-, shamanism]

원시종교의 한 형태로서 초자연적 존재를 통하여 점을 치거나 예언, 병의 치료, 제사, 죽은 자의 인도 등을 행하는 주술적이며 종교적인 활동. 동양상담

'shaman'은 퉁구스만주어로 '아는 사람'이라는 뜻으로서 흔히 무당, 무속인, 무술인 등으로 불리는데, 이러한 사람을 중심으로 이루어지는 종교의 한 형태가 샤머니즘이다. 무당이 자신의 뜻을 주문(呪文), 흥분제, 무용, 음악에 의해서 신내림(초혼, 招魂)이라고 신앙하는 초자연적인 것이 신들림하는 상태로 유도하여 초자연계(超自然界)와 직접적으로 교류하며 또 신의 뜻을 현시(現示)하는 것이 기본형이다. 전문 무당뿐만 아니라 일반인, 특히 여성이 제사 때 신이 내리는 예도 있다. 극북민족(極北民族), 아시아 제민족, 아프리카와 아메리카의 원주민에도 보이지만 현대에도 선조숭배와 결합해 가면서 많은 신흥종교의 대중적 기반으로서 존립해 있다.

서머힐 학교
[-學校, Summerhill School]

영국의 비형식적이고 자유로운 기숙학교. 학교상담

스코틀랜드 출신의 진보적 교육자인 닐(Neill)이 1921년에 설립한 기숙학교로, 영국의 레스터에 세워진 비형식적이고 자유로운 사립학교다. 서머힐에는 5~16세 아동의 과정, 다시 말해 유치원, 초등, 중 · 고등 과정이 있으며, 교사와 학생이 기숙사에서 공동생활을 하고 있다. 이 학교는 아이들을 학교에 맞추는 것이 아니라 아이들에게 맞는 학교를 만든다는 취지로 설립되었다. 그런 만큼 학교의 방침은 아이들에 대한 일체의 훈련, 명령, 지시나 도덕과 종교 교육을 철폐하고, 아이들의 자발적 활동을 존중하는 것이었다. 이를테면 수업의 출석 여부는 아이들의 자유의지에 맡겨지고, 학교의 모든 규칙도 교직원과 학생이 동등한 자격을 가진 전교회의에서 결정한다. 서머힐에서는 아이들에게 스스로 결정하도록 함으로써, 스스로 판단하고 책임 있게 행동하는 태도와 능력을 기르고자 하였다. 이와 같은 서머힐의 혁신성은 전 세계 초등교육에 영향을 미쳐 비형식적 학교(informal school), 자유학교(free school),

팀티칭(team teaching), 개방교실(open classroom) 등이 세워지게 되었다. 영산 성지고등학교나 간디학교 등 국내의 대안학교에도 커다란 영향을 미쳤다.

서버
[-, server]

디스크 장치, 파일, 인쇄기 등에 대한 접속 제어관리 소프트웨어를 운용하는 컴퓨터나 장치 또는 프로그램. 사이버상담

클라이언트와 대응되는 개념으로서, 클라이언트가 자료를 요청하는 컴퓨터라면 서버는 자료를 제공하는 컴퓨터를 말한다. 어떤 개인이 컴퓨터를 켜고 특정 사이트에 정보 제공을 요청했다면 그 개인의 컴퓨터는 클라이언트가 되고, 상대편 사이트의 정보가 들어 있는 컴퓨터는 서버가 된다.

서번트증후군
[-症候群, Savant syndrome]

자폐증 등의 광범위성 발달장애와 지적장애 등의 뇌 장애를 가진 사람 중 일부가 암기·계산·음악·미술·기계수리 등의 특정 분야에서 천재적인 재능을 보이는 현상. 특수아상담

서번트(savant)란 학자 또는 석학이라는 의미로, 서번트증후군을 보이는 사람을 백치 천재(idiot savant)라고도 부른다. 자폐증이나 지적장애 환자 2,000명 중 한 명꼴로 드물게 나타나는 현상으로, 여성보다 남성이 더 많다. 실제 인물 픽(K. Peek)을 소재로 한 영화 '레인맨(Rain Man)'을 통해서 많은 사람들에게 서번트증후군이 알려졌다. 픽은 미국의 우편번호부를 통째로 외우고, 몇 년 몇 월 며칠이 무슨 요일인지 순식간에 대답하며, 오늘은 그날로부터 며칠째인지 단 몇 초 만에 계산해 낸다. 또 1만여 권의 읽은 책 내용을 대부분 암기하고 있다고 한다. 이 같은 비범한 능력을 보여 주는 원인에 대하여 수많은 이론이 제시되었는데, 현재 가장 설득력 있는 것은 '좌뇌의 손상과 우뇌의 보상이론'이다. 출생 때 또는 어린 시절 입은 좌뇌의 손상, 특히 전두엽 근처의 손상이 역설적인 기능촉진을 불러일으켜 손상되지 않은 우뇌가 모든 역할을 하게 되면서 우뇌의 능력이 좌뇌를 보완하는 강력한 보상작용이 일어나고, 그것이 특정한 분야에서 천재적 능력으로 나타난다는 것이다. 실제 서번트증후군을 지닌 사람들 가운데에는 좌뇌가 손상된 사람이 상당히 많다. 평범하게 지내던 사람들도 뇌 질환과 뇌 손상을 입은 후 서번트증후군이 나타나는 경우가 있는데, 이들에게도 역시 좌뇌의 전면 측두엽 기능장애가 공통적으로 발견된다.

서법기능어
[敍法技能語, modal operator]

가능성과 필연성을 암시하는 표현. 최면치료

원래는 영어 문법용어인데, NLP와 최면치료에서는 메타 모형과 밀턴모형의 주요 언어패턴으로 '반드시 ~해야 한다.' '~할 수 있다.' '~할 수 없다.'와 같이 규칙이나 법칙을 암시하는 말을 의미한다. 서법기능어는 특히 조동사를 사용하는 말에 해당하기도 한다. 서법기능어에는 필수성의 서법기능어(modal operator of necessity)와 가능성의 서법기능어(modal operator of possibility)가 있다. 필수성의 서법기능어는 'should, must, have to' 등을 사용하여 '당신은 반드시 ~해야 한다.'와 같은 형식으로 표현한다. 또한 가능성의 서법기능어는 'can, will, may, be able to' 사용하여 '당신은 ~할 수 있다.'와 같은 형식으로 표현한다.

관련어 | 메타 모형, 밀턴모형

선게임
[線-, line game]

게슈탈트 미술치료의 한 기법으로서 '지금-여기'에서 게슈탈트를 만들고 감각을 일깨워 각성을 촉진하는 미술치료기법. 미술치료

샌프란시스코의 게슈탈트 학교에서 활동하는 톰슨 타우핀(Thompson-Taupin)이 게슈탈트 집단 미술치료에서 사용한 기법이다. 선게임은 벽에 큰 종이를 붙여 고정시키고 여러 가지 색의 크레용과 파스텔이 가득 담겨 있는 통을 들고 시작한다. 이것은 한 번에 한 사람씩 하는데, 한 사람이 종이에 다가서면 "한 가지 색의 크레용이나 파스텔을 골라 선이나 형태를 그리세요."라고 지시한다. 그런 다음 "이제 다른 색으로 다른 것을 그리세요."라고 지시한다. 그 후 자신이 그린 선이나 형태의 소리를 내거나 동작을 하도록 지시하고, 집단의 다른 사람들은 그의 동작을 따라하면서 그가 그린 선을 느껴 본다. 여기서 선택이 가능한데, 하나의 가능성은 두 가지 선이나 형태를 종합하여 게슈탈트를 만드는 것이다. 또 다른 가능성은 그린 사람에게 말하도록 하는 것으로서, 다음과 같은 예를 들 수 있다. "이제 집단에 있는 사람들을 활용하여 당신이 만든 선이 되게 한 다음 한편의 연극을 만들어 봅시다. 지금부터 몇 분 동안은 당신이 연극의 감독입니다. 물론 당신이 한 사람의 주인공이 될 수도 있습니다. 당신 뜻대로 가능합니다." 여기에는 집단의 모든 구성원이 참여하고, 구성원들은 선게임을 통하여 자신의 경험을 활성화할 수 있다.

관련어 | 게슈탈트 미술치료

선문답
[禪問答, zen dialogue]

수행의 진리를 깨닫기 위해 질문과 답으로 대화를 이끌어 나가는 것. 동양상담

이 대화는 깨친 스님과 깨친 스님 사이의 질문과 답이나, 깨친 스님과의 질문과 답을 통해 깨치지 못한 스님이 깨침을 얻고자 하는 것이다. 질문과 답은 논리적으로 깨칠 수 있거나 어떤 이치로 생각해서 알아낼 수 있는 것이 아니다. 어느 젊은 스님이 조주(趙州) 스님에게 물었다. "개에게도 불성이 있습니까?" 그러자 조주 스님이 없다고 대답하였다. 경전에서 이 세상 모든 미물까지 불성이 존재한다고 했으므로 인간과 가장 가까운 개가 능히 불성이 있을 것인데도 조주 스님은 없다고 하였다. 이것은 연역법이나 귀납법적인 이치를 뛰어넘은 것이다. 대답한 뜻이 오히려 질문보다 더 크게 우리를 미궁 속으로 몰아가고 있다. 오직 이것을 캄캄하게 의심하고 이 의심을 타파해야 하는 것이다. 그때 바로 깨달음을 얻을 수 있다. 이러한 과정을 거쳐 있거나 없거나가 아니라 있기도 하고 없기도 하며 있으면서 없고 없으면서 있는 무(無)의 진정한 의미를 깨우치게 되는 것이다.

선별
[選別, screening]

특정한 능력이나 자질을 갖춘 사람 또는 특별한 치료가 필요한 사람을 간편하고 신속하게 가려내는 절차. 심리측정

어떤 종류의 심리검사를 실시한 다음 그 결과를 보고 심리치료의 필요 여부나 장애의 유무를 판정할 수 있다. 이러한 기능은 심리검사의 선별기능에 해당한다. 이처럼 특별한 치료가 필요하거나 장애를 가지고 있는 사람을 '체로 치듯이' 아주 간편하고 신속하게 가려내는 절차를 선별이라 하고, 이 같은 목적으로 제작한 심리검사를 선별검사라고 한다.

상담에서 선별(스크리닝)에는 두 가지 의미가 있다. 하나는 잠재적 내담자가 자신이 치료에 적합한지 알아보기 위하여 상담에 들어가기 전에 인터뷰하는 과정이고, 다른 하나는 집단원을 선택하기 위한 과정이다. 선별은 간편한 방법으로 아주 신속하게 어떤 자질 혹은 문제를 가진 사람을 일단 대충 뽑는 것이기 때문에 이러한 선별검사로 분류한 결과에는 많은 오류 가능성이 있다. 따라서 선별검사의 결과를 가지고 어떤 의사결정을 내리기 전에 반드시 다른 도구를 이용하여 확인하는 추수검사(follow-up test)를 실시할 것이 권장되고 있다.

관련어 | 심리검사

선택방법
[選擇方法, option method]

자폐증 아들을 둔 카우프만(Kauffman) 부부가 설립한 미국 매사추세츠 주의 선택협회(Option Institute)에서 사용하고 있는 치료방법. 특수아상담

선택방법은 치료라기보다는 삶의 철학이라 할 수 있다. 이 방법의 수된 목적은 내담자가 가지고 있는 불행을 일으키는 신념체계를 발견해서 그것을 버리도록 도와줌으로써 내담자의 행복을 증진시키는 것이다. 자폐증에 대해서 선택방법은, 자폐 아동은 세상이 혼란스럽고 고통스럽다고 생각하기 때문에 세상을 차단하려 한다는 전제를 바탕으로 한다. 이 때문에 뇌가 사회적 상호작용기술을 발달시키는 데 필요한 자극이 부족하여 혼란이 더 증가하고, 따라서 고립되고자 하는 욕구가 강화를 받는다고 본다. 대부분 개입과정에서의 다양한 시도는 상호작용이 불쾌하다는 아동의 경험을 더 강하게 만들고, 이는 다시 아동을 더 위축시킨다는 것이다. 치료의 근거가 되는 핵심적인 원리는 사회적 상호작용을 즐겁게 만드는 일이며, 사람과 어울리는 것을 강박적이거나 의식적인 행동을 하는 것보다 더 매력적이게 만드는 것이다. 이 접근은 또한 수용의 중요성을 강조한다. 아동의 행동을 비정상적이거나 부적절한 것으로 판단하면 안 되고, 아동이 세상을 이해하거나 통제하는 과정에서 겪는 어려움에 대한 이해할 수 있는 반응이라고 보아야 한다는 것이다. 자폐 아동에게 접근하기 위해서는 아동이 즐겁다고 느끼는 행동(대개 아동의 강박적인 행동)에 성인도 즐겁게 참여할 준비가 되어 있어야 한다. 이 같은 방법으로 아동의 신념이 개발되고 나면 점차 다른 활동을 장려할 수 있다. 부모는 자신의 자녀가 주는 단서를 더 잘 알아차리고 이에 더 효과적으로 반응하는 것을 배운다.

ㅅ

선택의 착각
[選擇－錯覺, illusion of choice]

최면치료에서 내담자에게 여러 사항 중 선택하도록 하지만 어떤 선택을 하든지 특정 암시를 받아들일 수밖에 없도록 하는 기법. 최면치료

에릭슨 최면의 기초적인 원리의 하나로 외형적으로는 내담자에게 선택을 허용하지만 결국에는 치료자의 암시를 받아들이게 하는 방법이다. 예를 들어, "당신은 얕은 최면에 들어가고 싶은가요, 깊은 최면에 들어가고 싶은가요?" "당신은 지금 최면에 들어가고 싶은가요, 잠시 후에 최면에 들어가고 싶은가요?" "당신은 천천히 최면에 들어갈 수도 있고, 빨리 들어갈 수도 있습니다." 등의 암시문을 보면 내담자에게 선택을 허용하는 표현의 암시지만 어떤 선택을 하더라도 최면에 들어간다는 전제를 받아들이게 되는 것이다.

관련어 | 전제, 최면

선택이론
[選擇理論, choice theory]

글래서(W. Glasser)가 파워(W. Power)의 통제이론(control theory)을 토대로 발전시킨 현실치료의 기본 이론. 현실치료

글래서는 1998년에 출간한 『Choice theory: A new psychology of personal freedom(선택이론: 자유를 위한 새로운 심리학)』에서 인간은 자신이 하는 모든 것을 선택할 수 있다고 주장하였다. 이는 내부통제심리학에 해당한다. 그는 인간행동을 유발하고 선택하게 하는 원동력은 외적 자극이나 과거에 해소되지 않은 갈등이 아니라고 보았다. 인간의 동기와 행동은 보편적인 다섯 가지 기본욕구를 충족시키기 위한 시도에서 결정되고 선택된다고 하였다. 선택이론에서는 개인이 느끼는 불행과 심지어 정신병으로 여겨지는 행동까지 결국 그 개인이 선택한 결과라고 본다. 불행은 단지 개인에게 일어나는 것이 아니라 그 자신이 선택하는 것이다. '우울하게 된(being depressed)'이나 '화가 나게 된(being angry)' 대신에 '우울해하고 있는(depressing)'이나 '화를 내고 있는(angrying)' 사람이라는 표현이 더 적절하다. 현실치료적 관점에서 보면, 우울은 상황에 의한 수동적인 희생의 결과가 아니라 내담자 자신이 능동적으로 선택한 것으로 이해될 수 있다. 스스로 우울의 희생자이고 불행이 자신에게 일어난 것이라는 생각에 고착되어 있는 한 보다 나은 변화를 기대할 수 없다. 자신의 행동은 자신이 선택한 결과라는 현실적인 인식하에 행동할 때만이 행동을 변화시킬 수 있다. 외적 통제심리학을 내적 통제를 강조하는 선택이론으로 대체할 때, 좀 더 개인적 자유에 근거한 행동을 선택할 수 있다. 선택이론의 기본 원리는 열 가지로 요약할 수 있다. 첫째, 우리의 행동을 통제할 수 있는 유일한 사람은 우리 자신이다. 누구도 우리에게 우리가 원하지 않는 것을 하게 할 수 없다. 처벌이나 강요로 위협받을 때 수행능력은 오히려 감소한다. 자신의 행동을 통제할 수 있다는 것을 깨닫기 시작할 때, 개인적 자유를 새롭게 정의하며 훨씬 많은 자유를 가지고 있음을 깨닫게 된다. 둘째, 우리는 타인으로부터 모든 정보를 얻을 수 있다. 그러나 획득한 정보를 어떻게 활용할 것인가는 우리의 선택에 달려 있다. 셋째, 지속되는 모든 심리적 문제의 근원은 관계에 관한 것이다. 고통, 피로, 만성적 질병과 같은 많은 문제의 부분적 원인은 인간관계와 관련된 문제다. 넷째, 관계문제는 항상 현재 영위하는 삶의 일부분이다. 다섯째, 과거에 일어난 고통스러운 일이 현재 우리 자신에게 많은 영향을 미치고 있지만, 이러한 고통스러운 과거를 다시 들추어내는 것만으로는 현재 우리에게 필요한 것을 얻을 수 없다. 그것만으로는 현재의 중요한 관계를 향상시킬 수 없다. 여섯째, 행동은 기본욕구인 생존, 사랑과 소속, 힘, 자유, 즐거움에 의해 동기화된다. 일곱째, 각자의 좋은 세계 안에 있는 사진첩을 만족시킴으로써 기본욕구를 충족시킬 수 있다. 여덟째, 우리가 할 수 있는 모든 것은 결국 행동뿐이다. 전체적인 행동은 행동하기, 생각하기, 느끼기, 생리반응으로 구성된다. 아홉째, 모든 전 행동은 동사, 부정사, 동명사로 표현된다. 예를 들어, '나는 우울로 고통받고 있다.'를 '나는 우울하기를 선택하고 있다.'로, '나는 우울해졌다.'를 '나는 우울해하고 있다.'로 표현한다. 열째, 모든 전 행동은 선택될 수 있지만 우리가 직접적으로 통제할 수 있는 부분은 행동하기와 생각하기다. 행동하기와 생각하기를 선택함으로써 간접적으로 느끼기와 생리반응을 통제할 수 있다. 이와 같이 선택이론은 인간의 동기와 행동에 대한 이론으로서 선택의 자유를 강조한다. 인간의 모든 행동은 생득적으로 지니고 있는 다섯 가지 기본욕구를 충족하기 위한 선택에 해당한다. 즉, 인간은 생존, 사랑과 소속, 힘, 자유, 즐거움의 욕구를 충족하기 위해 행동하며 이러한 욕구충족은 다른 사람이 아닌 자기 자신의 행동을 변화시킴으로써만 가능하다. 따라서 현실치료에서는 내담자에게 스스로의 행동을 통제하고, 질적인 삶을 위한 선택을 할

수 있는 사유를 지니고 있음을 가르치며, 욕구충족을 위해 보다 책임 있고 올바른 행동을 선택하도록 조력한다.

선택적 동일시
[選擇的同一視, selective identification]

대상의 다양한 측면을 구분하고 선택적으로 흠모하는 대상을 닮아 가는 것. 대상관계이론

야콥슨(E. Jacobson)이 제시한 동일시 유형 중 하나다. 원초적 동일시 과정을 지나면 이제 모방능력이 발달하게 된다. 또한 대상으로부터 대상의 특성을 분리하여 인식할 수 있게 됨에 따라 완전한 융합을 통해 대상 자체가 되려고 하기보다는 흠모하는 대상을 닮아 가고자 한다. 일차적 동일시(primary identification) 과정을 지나면 개별화와 자아자율성의 점진적인 모습이 나타난다. 이제 대상이 지닌 다양한 측면을 구분하고 비교할 수 있는 능력을 갖추고, 미래라는 새로운 시간적 개념을 획득하며, 자기와 대상 간의 식별력이 생긴다. 이러한 자아기능의 발달과 신체적 성숙 덕분에 좋아하는 대상을 마술적으로 조절하려고 하지 않고 좀 더 현실적으로 상호작용할 수 있다. 또한 본능적 욕동으로부터 독립되어 선택적 동일시가 가능해진다. 좋아하는 대상의 다양한 측면을 더 잘 구분할 수 있게 되면서 대상에 대한 양가감정을 느낀다. 이러한 현상은 경쟁심과 공격성을 유발하는데, 이러한 과정을 통해 심리내적으로 대상과의 분리를 이룬다. 동시에 자아가 미래라는 시간의 범주를 자각할 수 있게 됨에 따라 현실의 자기이미지(realistic self image)와 소망하는 자기이미지(wishful self image)를 구분할 수 있게 된다. 존경하는 대상의 특성을 선택적으로 동일시하듯이 강력한 경쟁자들처럼 되고자 하는 욕구도 갖는다. 또한 남녀의 해부학적 차이를 인식하게 되면서 성별에 따라 가능한 것과 불가능한 것의 한계를 인식하고 자신이 성별집단의 일원임을 받아들여 성적 정체감을 형성한다.

관련어 | 원초적 동일시

선택적 제한 침해
[選擇的制限侵害, selectional restriction violation]

식물이나 무생물을 의인화하여 감정이나 생각이 있는 것처럼 설명함으로써 암시를 주는 최면기법. 최면치료

에릭슨 최면의 밀턴모형 최면화법의 하나로, 많은 은유가 그렇듯이 식물이나 무생물을 의인화하여 감정이나 생각을 가진 것으로 암시하는 기법이다. 예를 들어, "바람이 말을 합니다. 자기처럼 부드럽게 다른 사람을 감싸 주라고요."라는 암시는 다른 사람을 감싸 주라고 말하는 직접적인 지시보다 내담자의 저항을 줄일 수 있다. 내담자의 무의식은 이러한 은유를 이해하고 받아들이기 때문이다.

관련어 | 밀턴모형, 에릭슨 최면

선택적 주의
[選擇的注意, selective attention]

수많은 정보 중에서 지엽적인 것은 무시하고 중요한 정보를 선택하는 여과과정. 특수아상담

주의는 감각기억에 순간적으로 파지된 수많은 정보 중에서 특정 정보를 선택하는 인지과정이다. 주의의 가장 독특한 특징은 선택성이다. 이는 주의가 환경의 어떤 측면에는 집중하고 다른 측면을 무시하는 것을 가리킨다. 정보처리 이론의 핵심 가정은 정보처리능력이 한정되어 있다는 것이다. 인간은 정보처리능력의 한계 때문에 감각기억에 파지된 정보를 모두 처리할 수 없다. 감각기억에 파지된 수많은 정보를 모두 처리해야 한다면 정보처리체계는 과부하된 컴퓨터처럼 다운되고 말 것이다. 따라서

ㅅ

수많은 정보 중에서 부득이하게 특정 정보를 선택해야 한다. 선택적 주의집중은 기억(학습)의 출발점이다. 중요한 정보가 아무리 많이 존재하고 있고 감각기억의 용량이 아무리 크다고 하더라도 중요한 정보에 주의를 기울이지 않으면 아무것도 기억할 수 없다. 왜냐하면 외부에서 투입되는 정보는 극히 짧은 순간 감각기억에 머물다가 곧 사라지기 때문이다. 그러므로 교수-학습에서는 학습해야 할 정보에 대해 학습자의 주의를 끌 수 있는 방안을 마련해야 한다.

관련어 | 주의력결핍

선택적 추상화
[選擇的抽象化, selective abstraction]

상황이나 사건의 주된 내용은 무시하고 자신의 실수나 단점, 부정적인 이미지 등 사상의 특정 일부 정보에만 주의를 기울여 전체의 의미를 해석하고 결론을 내리는 오류. 인지행동치료

객관적인 근거 없이 어떤 일을 전체 맥락에서 보지 못하고 부정적인 세부사항만 선택해서 그것을 확대해석하여 전체를 부정적으로 인식하고, 다른 사람이 자신에 대해 부정적으로 생각할 것이라고 스스로 단정 짓고는 확신해 버리는 경우다. 다른 말로 '허구성 일치효과(false consensus effect)' '비약적 단정(jumping to conclusion)' 등으로도 부른다. 인지행동치료에서는, 인간은 스스로 자신에 대한 자각과 기능을 가지고 있어 문제나 장애를 해결할 수 있다고 보고, 개인의 문제는 잘못된 가정과 추측에서 오는 현실왜곡과 인지발달과정에서의 잘못된 학습과정에서 비롯되었다고 하였다. 예를 들어, 많은 사람들 앞에서 발표를 했을 때 대부분 긍정적인 반응을 했음에도 불구하고 한두 명의 부정적 반응에만 선택적으로 주의를 기울여 자신의 발표가 실패했다고 단정 짓는 것이다. 또 다른 예로, 사실은 직장의 업무를 충실히 하지 못해서 승진을 못한 것인데 상사가 자신을 미워해서 부정적으로 평가하여 승진을 하지 못했다고 단정 짓고는 그러한 착각을 확신하는 것이다.

선택적 함묵장애평정척도
[選擇的緘默障碍評定尺度, the selective mutism check list: SMCL]

아동의 선택적 함묵장애를 선별하는 검사. 심리검사

아동의 선택적 함묵장애를 선별하기 위해 조용태와 이근매가 개발한 선별검사로, 4~18세를 대상으로 한다. 검사는 총 42문항이며 1~3점으로 이루어진 척도이고, 평정자는 교사다. 선택적 함묵장애의 가능성은 3점 문항이 4개 이상, 2점 문항이 10개 이상, 1점 문항이 15개 이상의 세 가지 기준 가운데 하나라도 해당되는 경우다.

선택적 함묵증
[選擇的緘默症, selective mutism]

다른 상황에서는 말을 잘하다가도 말을 해야 하는 특정 사회적 상황(학교에서나 놀이 친구와 함께 있을 때 등)에서는 말을 하지 않는 증세. 특수아상담

선택적 함묵증 아동은 표준말로 의사표현을 하지 않고 몸짓, 고개 끄덕이기, 머리 흔들기, 몸 잡아당기기, 밀치기 등으로, 어떤 경우에는 단음절의 짧고 일정한 목소리로, 또 어떤 경우에는 변경된 목소리로 의사표현을 한다. 선택적 함묵증에 수반되는 특징으로는 심한 부끄러움, 사회적인 어려운 상황에 대한 두려움, 사회적 위축, 매달림, 강박적 특성, 거절증, 울화, 통제하거나 반항하는 행동이 있다. 또한 사회 및 학업 기능에 심한 손상이 초래되기도 하며, 또래에게 놀림을 당하고 희생양이 되는 경우가 흔하다. 일반적으로 이 같은 아동은 정상 언어 기술을 지니고 있지만 때로는 의사소통장애 또는 조음에 이상을 일으키는 의학적 상태가 수반되기도 한

다. 선택적 함묵증의 진단기준은 다음과 같다. 첫째, 다른 상황에서는 말을 할 수 있음에도 불구하고 특정한 사회적 상황에서는 지속적으로 말을 하지 못한다(예, 말하기가 요구되는 상황, 학교). 둘째, 장애가 학업, 직업 성취나 사회적 의사소통을 저해한다. 셋째, 장애의 기간이 적어도 1개월은 지속되어야 한다(입학 후 처음 1개월은 포함하지 않음). 넷째, 말하지 못하는 이유가 사회생활에서 요구되는 언어에 대한 지식이 없거나 불편한 관계에 기인해서는 안 된다. 다섯째, 장애가 의사소통장애(예, 말더듬)로 잘 설명할 수 없어야 하고 전반적 발달장애, 정신분열증, 다른 정신장애의 경과 중에 발생한 것이 아니어야 한다. 선택적 함묵증의 원인은 여러 가지가 있는데, 정신분석이론에서는 구강기의 지나친 억압의 결과로 의존성, 버림받지 않을까 하는 공포심과 관계가 있다. 일부 아동은 자율적 자아기능의 결함으로 표현언어나 인지기능장애가 나타나며, 이것이 원인이 된다. 주된 정신역동은 통제며, 관계되는 방어기제는 공격자와의 동일화, 퇴행 등으로서, 미성숙하고 자기애적인 특성을 보인다. 아동의 신체적 또는 성학대와 관계가 있다고 보는 입장에서는 외상성 함구증이라고도 부른다. 부모의 폭력, 특히 언어발달의 중요한 시기에 가해진 얼굴이나 입 주변의 외상과도 관계가 있다. 선택적 함묵증은 태어날 때의 성격상 특성과 관계가 깊다는 체질적 또는 기질적 요인이 있다. 어렸을 때의 지나친 수줍음 또는 가족 내에서의 지나친 수줍음 등을 원인의 일부로 보는 견해도 있고, 어머니와의 강한 정신적인 유대로 말미암아 어머니의 우울증, 부모의 과잉보호, 가족 간의 지나친 의존심, 사회적 고립, 가족 상호 간의 불신감 등이 원인으로 작용할 수 있다. 신경발달학적 요인으로 일부 집단에서는 지적장애와 관련되기도 하고, 일부 집단에서는 대화장애, 유뇨증, 유분증과 함께 나타날 수 있다거나, 뇌파검사의 이상 소견이 일부 아동에게서 발견된다는 것은 이러한 원인을 뒷받침해 준다고 할 수 있다. 한편, 사이먼(Simon) 등은 1997년에 18번 염색체의 이상 소견을 보고한 바 있다. 치료는 행동치료, 심리치료, 약물치료, 가족치료 등 아동의 상태에 따라서 여러 가지 방법을 적용할 수 있다. 치료자가 취해야 할 기본적인 태도는 아동 스스로 자신이 정상적으로 말을 할 수 있는 능력이 있다는 확신을 갖도록 도와주어야 하는 것이다. 초기 단계에서는 몸짓 등의 비언어성 대화를 하도록 이끌다가 한 단어로 대답하는 간단한 반응을 보이도록 유도하면서 점차 복잡한 문장으로 대화할 수 있도록 도와준다. 동반된 불안 또는 우울이 있는 경우에는 나이에 적절한 놀이치료 또는 정신치료로 도움을 주고, 부모-자녀관계, 특히 어머니와의 공생관계에 있는 경우에는 분리-개별화 과정에 도움을 주어야 한다. 언어의 발달에 장애가 있다고 판단되면 언어치료를 시행해야 한다. 약물치료로는 페넬진(phenelzine)이 시도된 바 있고, 최근에는 플루옥세틴(fluoxetine)이 효과가 있었다는 보고도 있다. 극심한 경우에는 입원치료가 필요하다.

관련어 | 의사소통장애

선택추론
[選擇推論, choice corollary]

켈리(G. Kelly)가 제시한 11개의 정교한 추론의 하나로, 사람은 자신의 구성개념체계의 확장과 정의를 위해서 더 큰 가능성을 예기하도록 하는 이분화된 구성개념 가운데서 대안적 구성개념을 스스로 선택한다는 것. 개인적 구성개념이론

사람은 구성개념을 선택해야 하는 경우가 생기면 이후의 사건을 예기(豫期)하는 데 가장 적합한 것으로 보이는 대안을 호의적으로 선택하며, 자신의 예기를 향상시킬 수 있는 방향의 구성개념을 선택한다. 다시 말하면, 예측 가능성을 높이고 확실성을 증가시키거나 이해의 폭을 넓힐 수 있는 쪽으로 구성개념을 선택한다는 것이다. 이런 점에서 보면, 사람들이 하는 모든 구성개념의 선택은 정련된 선택

이라고 할 수 있다.

관련어 | 개인적 구성개념, 구성개념, 구성개념체계

선행사건
[先行事件, activating event]

엘리스(Ellis)의 ABC 모델에서 A를 가리키며, 인간의 정서를 유발하는 어떤 사건, 현상 또는 행위. 합리정서행동치료

선행사건이란 시험의 불합격, 가족 및 직장 내에서의 다양한 갈등 등 정서를 유발하는 사건, 현상 또는 행위를 말한다. 합리정서행동치료(REBT)에서 치료과정 중에 사용하는 ABC 모델을 통한 선행사건의 탐색목표는 다음과 같다. 첫째, 문제의 선행사건은 이미 일어난 것이고 변하지 않는다. 둘째, 내담자들은 강한 부정적 정서를 일으킨 사건에 대해 상담자와 함께 이야기하고 싶어 한다. 셋째, 합리정서행동치료의 초점은 내담자의 비합리적인 생각에 있으므로 문제의 선행사건에 대해 지나치게 상세하게 묘사하는 것은 불필요하다. 넷째, 선행사건에 대한 내담자의 평가에 초점을 둔다. 그리고 선행사건 탐색에서 상담자가 고려해야 할 사항은 다음과 같다. 첫째, 객관적 사건으로서 사람들이 타당화할 수 있는 선행사건, 둘째, 주관적 사건으로서 사건에 대한 내담자의 지각, 일어난 사건에 대한 내담자의 주관적 기술, 셋째, 주관적 평가로서 내담자의 주관적 기술에 대한 내담자의 판단이 삽입된 평가다.

관련어 | ABC 이론

선호표상체계
[選好表象體系, preferred representational system]

외부의 정보를 받아들이고 해석할 때 자연스럽게 실행되는 표상체계. 최면치료

에릭슨 최면에서 라포 형성의 기본 원리 중 언어적 차원의 맞추기와 일치시키기를 위해 이해해야 하는 것으로, 세상을 인식할 때 시각 · 청각 · 촉각 · 후각 · 미각과 같은 오감 차원 중 선호하는 표상체계를 말한다. 사람들은 누구나 특정 표상체계에 기초한 술어적 표현을 많이 사용하는 경향이 있고, 11~12세가 되면 분명하게 선호하는 표상체계를 갖는다. 따라서 내담자의 술어를 관찰하여 그 유형을 파악하고 그에 맞추어 반응을 하면 라포 형성에 도움이 된다. 즉, 내담자가 선호하는 표상체계를 알고 그에 맞추어 대화를 나누어야 한다는 것이다. 예를 들어, "제가 보기에 인류의 미래는 암담합니다. 요즘 세상 돌아가는 모습을 보세요. 제대로 돌아가는 것같이 보이지 않잖아요."라고 시각적 술어를 사용하는 내담자에게, "당신이 말하는 모습이나 표정을 보니 정말로 그렇게 생각하는 것같이 보이네요."처럼 동일한 시각적 차원의 표현으로 대화를 나눌 수 있다. 이때 중요한 것은 내담자에 대한 예리하고 정확한 관찰이다. 따라서 철저하게 내담자의 입장에서 듣고 주로 사용하는 감각적 언어유형에 맞추는 인간중심적 기법이라 할 수 있다.

관련어 | 에릭슨 최면, 표상체계

선호하는 이야기
[選好-, preferred story]

인간 삶의 이야기들을 지지하고 있는 지배적 이야기의 영향력 아래 있지 않은 대안적 이야기 중에서 내담자가 보다 만족스러워하고, 행복한 미래의 삶에서 살기를 원하는 이야기. 이야기치료

이야기치료의 목표 중 하나는 선호하는 이야기를 찾아 강화시켜서 내담자가 보다 만족스러운 삶의 이야기를 재구성(reconstructing)할 수 있도록 도와주는 것이다. 이때 중요한 것은 내담자의 삶을 재구성할 수 있는 선호하는 이야기가 치료과정 중에 새롭게 만들어지거나 치료자가 창작한 이야기가 아니라, 내담자의 삶에 존재해 있었지만 인식하지 못하

고 숨겨져 있다가 새롭게 발견한 이야기(absent but implicit) 중에서 내담자 스스로 선택한 이야기라는 것이다. 내담자의 삶에는 다양한 이야기가 산재해 있다. 이러한 삶의 이야기 중에는 현재 강력한 영향력을 미치며 정체성을 형성하는 이야기가 있는 반면, 아직 의미를 부여받지 못하고 보이지 않는 이야기도 있다. 이렇게 다양한 삶의 이야기 중에서 그 영향력이 크거나 혹은 작거나 상관없이 내담자가 더 만족해하고, 미래의 희망찬 삶을 위한 의미를 부여하려고 하는 이야기가 바로 선호하는 이야기다. 선호하는 이야기는 이야기치료과정에서 대안적 이야기(alternative story)로 발전하는 출발점으로서의 역할을 할 수 있다.

관련어 감추어진 이야기, 강화, 대안적 이야기, 드러난 이야기, 이야기치료, 지배적 이야기

설단현상
[舌端現象, tip of the tongue phenomenon]

어떤 사실을 알고 있기는 하지만 혀끝에서 빙빙 돌기만 할 뿐 말로 표현되지 않는 현상. 인지치료

알고 있는 사실을 말하려고 할 때 갑자기 말문이 막히면서 무엇을 말하려고 했는지 정확하게 생각이 나지 않고, 혀끝에서 빙빙 맴돌면서 입 밖으로 표현되지 않는 경우를 뜻한다. 예를 들면, 면접시험 등에서 분명히 아는 내용인데 쉽게 답이 생각나지 않아 혀끝에서 맴도는 경우다. 알고는 있지만 순간적으로 발성이 되지 않아 말을 하지 못하는 것과는 다르다. 설단현상은 여러 정보가 복잡하게 얽혀 있어 기억을 떠올리지 못할 때, 심리적 압박이나 불안을 느낄 때, 무의식적으로 어떤 것을 떠올리지 않으려고 할 때 등 다양한 요인으로 인해 나타난다. 일종의 망각현상으로, 기억 속에 정보가 저장되어 있다 하더라도 저장방법이나 인출과정에 문제가 있어 외부로 표출하지 못하는 것이다. 인출(retrieval)은 장기기억에서 정보를 찾는 탐색과정이며, 부호화와 밀접하게 관련되어 있어서 부호화에 큰 영향을 받는다. 따라서 효과적으로 부호화되지 않으면 효과적으로 인출될 수 없다. 인출의 성공과 실패는 이용가능성과 접근성으로 설명된다. 저장된 정보는 장기기억의 어딘가에는 분명 존재하지만 그 정보를 인출할 수 있느냐는 정보에 어느 정도 접근할 수 있는가에 달려 있다. 설단현상은 장기기억에 존재하는 특정 정보에 대해 정확하게 접근할 수 없기 때문에 발생한다. 인출실패로 볼 수 있지만 저장된 정보에의 접근 가능성을 도와주는 인출단서가 있으면 회상이 가능하다. 즉, 주변에서 작은 단서라도 접하면 쉽게 기억이 나고 교정이 된다.

관련어 망각

설하투여
[舌下投與, sublingual administration]

약물사용자들이 약물을 인체에 투여하는 방법의 하나로, 씹는 담배나 코카인 잎을 일정 시간 씹거나 볼 안쪽의 점막에 붙여서 입의 점막을 통해 흡수되도록 하는 방법. 중독상담

설하투여로 몸의 얇은 점막을 통해 약물을 흡수하는 방법은 효과가 매우 빠르게 나타난다는 특징을 보인다. 하지만 점막에 염증을 일으키기 쉽다.

관련어 약물중독, 코카인

섬망
[譫妄, delirium]

일반적인 의학적 문제로 혹은 특정 물질이 인체로 투여되는 것 때문에 갑자기 정신이 혼미해지고 주변환경을 잘 파악하지 못하며 정서가 매우 불안정해지면서 착각이나 환각이 일어나는 등의 의식과 인지적 장애가 생기는 상태. 중독상담

섬망의 상태가 되면 갑자기 정신이 흐려지고 혼미해지면서 의식의 변화가 심하게 나타난다. 또한 주변환경을 잘 인식하지 못하고, 주변환경과 자신

과의 관계도 파악하지 못한다. 시간이나 장소, 사람을 제대로 식별하지 못하기도 한다. 혹은 자신의 의식상태가 이상하다는 것을 알아채고 당황하지만 이내 의식이 혼미해진다. 때로는 외부세계에 대한 공상으로 공포를 느끼기도 한다. 섬망은 고열(高熱), 중독, 감염 등의 의학적인 이유로 발생할 수도 있고, 약물이나 알코올 의존상태에 있는 중독자가 갑자기 사용을 중단하여 금단증상의 결과로 섬망이 나타나기도 한다. 일반적으로 섬망의 증세와 치매의 증상을 구분하기가 어려운데, 인지변화를 동반한 의식의 장애가 섬망의 독특한 특징이라 할 수 있다. 먼저, 의식의 장애는 환경을 잘 파악하지 못하는 양상으로 나타난다. 주의가 산만하고 적절하게 이동하지 못하기 때문에 다른 사람과 대화하는 것이 힘들어진다. 인지의 장애로 기억력 장애와 언어장애 등이 나타나는데, 가장 최근의 기억을 잃고 시간을 인지하지 못하면서 물건의 이름을 기억하지 못하거나 쓰는 능력이 소실될 수도 있다. 이러한 증상들은 단기간에 발생하고 하루 중에도 바뀌는 특성이 있다. 특히 치매와 섬망이 동반될 때는 지속기간이 더 길어진다. 물질중독성 섬망은 주로 알코올, 암페타민류의 약물, 대마, 코카인, 환각제, 흡입제, 아편류, 펜사이클리딘계 약물, 진정제, 수면제, 항불안제 등으로 유발할 수 있는데, 이러한 물질의 중독상태에서 발생하는 섬망은 특정 물질의 사용량이 감소하거나 중단되면 체액 속 해당 물질의 농도가 낮아지면서 발생한다.

관련어 알코올중독, 중독, 진전섬망, 환각

섭식장애
[攝食障礙, eating disorder]

신경성 식욕부진증, 신경성 폭식증, 이식증, 반추장애와 같이 음식섭취와 관련된 문제. 특수아상담

신경성 식욕부진증은 너무 뚱뚱해질지도 모른다는 병적인 공포나 지나치게 날씬하고자 하는 욕구가 너무 강한 것이 특징이다. 신경성 식욕부진증의 진단에 중요한 요소는 환자가 자신의 신체이미지를 왜곡하고 있다는 것이다. 또한 정상적인 몸무게의 유지를 거부하고, 다이어트를 해야 한다는 강박관념과 함께 엄청난 체중감소를 목표로 하여 단식을 하는 특징도 보인다. 이들은 지나친 운동으로 몸무게를 줄이기도 한다. 신경성 식욕부진증에 걸린 사람은 저혈압, 저체온, 비정상적인 심전도 등의 합병증을 겪는다. 신경성 거식증 치료에는 섭식과 영양에 대한 상담, 행동중재기법, 개별 · 집단 · 가족치료에 세로토닌 재흡수 차단제를 추가하여 포괄적인 치료를 행한다. 이러한 모든 방법에 대해서도 만족할 만한 치료효과가 나타나지 않고 오히려 정신증적 증상으로 복합적이 되면 자이프렉사, 세로켈, 리스페르달과 같은 항정신성 약물을 추가할 수도 있다. 신경성 폭식증은 많은 양의 음식을 먹고 반복해서 배설하고, 기분장애가 있으며, 신경 내분비가 비정상적인 것이 특징이다. 신경성 폭식증의 필수 증상은 폭식 후 체중 증가를 막기 위해 구토제를 사용하거나 다음 날 하루 또는 그 이상 금식을 하기도 하며, 과도하게 운동하거나 심지어 손가락을 넣어 구토를 유도하기도 한다. 폭식으로 인한 죄책감, 자기혐오, 우울증 등이 나타나는 것이 특징이다. 신경성 과식증에는 섭식과 영양에 대한 상담, 행동중재기법, 개별 · 집단 · 가족치료에 프로작을 추가하여 포괄적인 치료를 행한다. 반응이 불충분하면 다른 세로토닌 재흡수 차단제, 데사이럴, 웰부트린 등을 순차적으로 시도한다. 이식증은 적어도 1개월 이상 음식이 아닌 흙이나 쓰레기, 종이, 머리카락과 같은 비영양성 물질을 지속적으로 먹는 증상을 의미한다. 나이가 어릴수록 좀 더 빈번하게 목격되는 증상으로, 어른에게서는 거의 목격되지 않는다. 1~6세 아동은 10~32% 정도, 10세 이상 아동은 10% 정도의 출현율을 보이며, 특정 지역이나 문화권에서 좀 더 빈번하게 나타난다. 이식증의 치료에서 심리사회적

스트레스가 원인인 경우는 스트레스를 유발하는 심리사회적 환경요소를 정확하게 평가하고 가족상담, 행동치료, 환경치료 등을 적용해야 한다. 행동치료의 일환으로는 약한 전기자극이나 불쾌한 소리, 냄새 등을 이용한 혐오치료, 정적 · 부적 강화 기법, 행동조성법, 과잉교정방법 등이 적용된다. 납 중독과 같은 합병증이 있는 경우는 내과적인 치료가 필수적이며, 어떤 경우는 철분이나 아연 결핍을 치료하면 이식증이 없어지기도 한다. 반추장애는 정상적으로 섭취한 음식물을 반복적으로 위에서 입으로 역류시켜 씹은 뒤 다시 삼키는 행위를 되풀이하는 섭식장애다. 생후 3개월에서 1년 사이의 어린아이들에게서 주로 발견되며, 증상이 나타날 때마다 매우 신 레몬즙을 입 안에 짜 넣는 부적인 통제 시행이 효과적이다.

관련어 | 배설장애

성1)
[性, gender]

개인의 생물학적 여성과 남성의 구분인 섹스(sex)와는 달리 개인이 속한 문화 혹은 사회와 관련된 성적 자기정체성을 일컫는 말. 성상담

우리나라 말에서 섹스(sex)와 젠더(gender)는 구분 없이 성(性)으로 번역되고 있지만, 영어에서 두 용어는 의미가 다르다. 간단히 말하면 생물학적 성은 섹스이고, 사회적 의미의 성은 젠더다. 미국과 유럽연합을 비롯한 많은 나라에서 젠더라는 용어가 기존의 남녀 차별적 의미를 지닌 섹스라는 용어보다 대등한 남녀관계의 의미를 담고 있다고 하여 사회적 동등함의 실현을 위해 젠더를 더 일반화시켜야 한다고 주장한다. 젠더는 현재 생물학적 성에서부터 사회적 역할이나 성정체성 등을 포함하는 포괄적 용어로 정의되고 있고, 문법에서 남성, 여성, 중성 등의 구분을 위해서 사용되기도 한다. 1955년 성 과학자 머니(John Money)가 생물학적 성과 젠더 간의 술어적 구분을 처음 제시하면서 세상에 알려지게 되었다. 그전까지 젠더라는 용어는 문법범주 내에서만 사용되었다. 머니의 제안 이후 1970년대에 이르러 여성 인권에 관한 이론이 확산되면서 젠더라는 용어는 생물학적 성을 이르는 섹스와는 완전히 구분되어 사회적인 성의 구분을 나타내는 용어로 일반화되었다. 1993년에는 마침내 미국식품의약국(Food and Drug Administration)에서 젠더를 섹스를 대체하는 용어로 채택하였고, 1995년 9월 5일 북경 제4차 여성대회 정부기구회의에서 여성과 남성 구분에 섹스 대신 젠더를 사용하기로 결정되었다. 오늘날에는 세계보건기구(World Health Organization: WHO) 문서에도 사용되는 등 젠더가 섹스까지 완전히 아우르는 성의 최상위 범주로 인정되고 있으며, 심지어 사회적 성역할을 갖지 못하는 인간 외 동물의 생리학적 범주에서도 사용하고 있다.

관련어 | 성의식, 성정체성 장애

성2)
[性, sex]

암컷과 수컷 또는 남자와 여자로 구별되는 생물학적 구분. 발달심리

일반적으로 성이란 생물학적 성으로서 신체적으로 확연히 다른 특징에 따라 남성과 여성으로 구분하는 것이다. 즉, 성별을 말하는 것인데 남성의 생식기를 가졌는가 아니면 여성의 생식기를 가졌는가로 결정되는 성이다. 성을 나타내는 영어표현으로는 sex, gender, sexuality 등이 있다. sex의 어원은 라틴어의 Sexus다. Sexus란 말은 'seco'의 변형으로서 영어로는 cut(나누다, 자르다)의 뜻이다. 이렇듯 sex는 남성과 여성으로 나뉘는 신체적 구분을 뜻하므로 출생과 동시에 결정되는 반면, gender는 사회문화적 환경의 영향으로 형성된다. gender는 사회

적 · 심리적 성이라고도 하는데 각 개인이 속해 있는 사회나 문화에 따라 남성으로서 또는 여성으로서 어떻게 생각하고 행동하고 느끼는지를 포함하는 개념이다. 즉, 개인이 속한 사회문화에 따라 통용되는 남성다움 혹은 여성다움에 대한 심리적 감정이다. 한편, sexuality는 우리가 태어날 때 시작되어서 죽을 때 끝나는 일생의 과정으로 나타난다. sexuality는 생물학적 성뿐만 아니라 성행위, 남녀의 육체적 관계를 모두 포함하는 개념이다. 즉, 남녀관계에서 자신이 어떻게 행동해야 하는지, 사랑과 애정을 어떻게 표현해야 하는지, 자신의 몸에 관해서 어떻게 느끼는지, 어떤 사람에게 성적 매력을 느끼는지 등을 포함한다.

관련어 | 거세불안, 남근선망, 성의식, 성적 비행

성징 [性徵, sex characteristics] 남녀를 구별하는 해부학적, 생리적 특징으로서 성징은 크게 제1차 성징과 제2차 성징으로 구분한다. 제1차 성징은 출생 시부터 명확하게 나타나는 성기의 구조적 차이를 말하며, 제2차 성징은 사춘기에 나타나는 성적 특징이다. 제2차 성징은, 남성의 경우에는 골근의 발달에 따른 체형의 변화, 음모의 발생, 변성, 사정 등으로 나타나고, 여성의 경우에는 유방, 골반, 피하지방의 발달, 음모의 발생, 월경 등으로 나타난다. 프로이트(Freud)는 남근 우위의 입장에서 남성적 성격, 여성적 성격의 성립을 논하였다. 그러나 일반적으로 성징이 정서장애와의 관계에서 문제가 되는 것은 사춘기다. 사춘기에서의 제2차 성징의 출현은 이전에는 경험하지 못한 급격한 변화이기 때문에 불안이나 동요를 수반하기 쉽다. 특히 외모를 통하여 성숙의 정도나 남녀의 매력이 평가되는 경향이 있기 때문에, 이것은 중요한 영향을 미친다. 이 시기에는 신장과 체중이 증가하거나 감소하고 여드름이 많이 난다. 또 용모나 생식기의 크기 등 성적 성숙과 관련된 고민이나 열등감이 많이 나타난다. 그러나 이 시기에는 객관적으로 보면 문제가 없음에도 불구하고 이상이라고 믿는 사례가 많다. 따라서 성적 성숙은 정상적인 인간발달과정이라는 것, 이 시기에는 누구나 고민이나 열등감을 가지기 쉽다는 것, 발달의 개인차가 크다는 것, 사람에 대한 평가는 전반적인 인격을 통하여 행해진다는 것 등을 이해시켜야 한다.

성호르몬 [性-, sex hormone] 생식에 관련된 성적 특징과 기능을 발달시키고 유지하며 종족을 번식하고 유지하는 역할을 하는 척추동물의 내분비계 물질을 말한다. 성호르몬은 남성과 여성의 생식소에서 생식기의 성장, 발달을 촉진하여 3차 성징의 발현이나 생식행동을 일으키며 성적 반응을 유발하는데 남성호르몬과 여성호르몬이 있다. 남성호르몬을 총칭하여 안드로겐(androgen)이라고 하며, 이는 남성 생식계의 성장이나 발달에 영향을 준다. 그중 가장 영향력 있고 중요한 안드로겐은 테스토스테론(testosterone)이다. 그리고 여성의 난소에서 생성되는 대표적인 여성호르몬은 황체호르몬인 프로게스테론(progesterone)과 여포호르몬인 에스트로겐(estrogen)이다. 한편, 테스토스테론은 남성의 정소(精巢)에서 분비되고 테스토스테론의 기능을 도와주는 다른 안드로겐은 주로 부신피질에서 분비되며 아주 적은 양이다. 테스토스테론은 음경의 증대, 콧수염의 발생, 변성 등 2차 성징의 발현을 촉진한다. 또한 뼈의 성장, 근육섬유의 수와 두께 증가, 신장의 무게와 크기, 골조직의 단백질 증가, 적혈구 세포의 재생, 피부색소의 유지, 땀과 피지선의 활동 증가에 영향을 미친다. 이것이 결핍되면 이러한 신체발달에 부정적 영향을 미치며 정자의 수정능력이 사라져서 종족번식이 어려워진다. 이 남성호르몬은 남성에게만 있는 것이 아니라 여성의 혈장 속에서도 미량 발견된다. 여성호르몬은 여성의 난소에서 분비되며 자궁이나 유선(乳腺)의 발육, 월경 등 2차 성징의 발현을 촉진한다. 만약 이것이 제대로 분비되지 않으면 월경이 없어지고 임신이 불가능하다. 프

로게스테론은 주로 배란기 이후에 높은 농도로 생성되며, 임신을 하지 않는 경우에는 월경 2~3일 전까지 그 농도가 유지되다가 황체가 백색체로 변하면서 급격하게 양이 변한다. 발정호르몬이라고도 하는 에스트로겐은 난소, 부신피질, 고환, 태반계 등에서 생성되며 남성에게도 미량 분비된다. 여성의 에스트로겐은 난자의 성장에 관여하여 자궁 내막의 초기 비후에 영향을 주면서 파골세포의 형성을 억제한다. 즉, 월경주기, 여성 생식기 운동, 수정, 착상, 초기배의 영양공급에 맞는 환경조성 등에 관여한다. 난소의 여성호르몬은 사춘기 이후부터 폐경기 전까지 왕성하게 생성되다가, 폐경기 이후에는 거의 생성되지 않아 이때 여성호르몬의 대부분은 부신에서 생성되는 호르몬에 의존하게 된다. 난소에서 생성되는 여성호르몬도 하루의 주기가 있어 기상 후 가장 높은 수준을 유지하며, 하루 중 3~4회의 리듬을 유지한다. 하루에 일어나는 이러한 정상적인 리듬이 반복되면서 여성은 28일 혹은 31일, 35일 주기의 생리현상이 나타난다.

성가치체계
[性價値體系, sexual value system]

한 개인이 성관계에 관해서 지니고 있는 나름의 가치체계. 성상담

성가치체계란 성관계 시 내담자가 받아들일 수 있는 것과 원하는 것에 대해 나름의 가치를 세운 것을 뜻한다. 모든 사람은 저마다의 독특한 성적 가치체계를 가지고 있다. 따라서 특정 성행위가 자신의 성적 가치체계와 일치하지 않을 때 갈등이 일어날 수 있으며, 심지어는 죄의식이나 죄악감 등 부정적 정서를 초래하여 성적 상대자뿐만 아니라 대인관계에도 영향을 미칠 수 있다. 성상담에서 성가치체계에 대한 탐색은 필수적인 것이다. 만약 커플에서 성관계 시 받아들일 수 있는 것과 원하는 것에 큰 차이가 있다면 성생활이 원만할 수 없다. 따라서 치료과정 초기에 성가치체계에 대한 커플 간의 차이를 논의하고 조정하며 변화시키는 작업이 이루어져야 한다.

성격 우선순위
[性格優先順位, personality priority]

생활양식을 신속하게 파악하기 위해 개인심리학자가 사용하는 개념. 개인심리학

아들러(Adler)는 각 생활양식 유형에 따른 우선순위 네 가지, 즉 지배하기(ruling), 획득하기(getting), 회피하기(avoiding), 사회적 유용함(socially useful)을 제시하였다. 그는 생활양식 유형의 우선순위를 측정함으로써 내담자의 생활양식을 신속하게 확인할 수 있다고 생각하였다. 아들러는 이변이 없는 한 각각의 우선순위가 개인의 특징을 계속 만들어 가고, 그에 따라 개인의 독특성이나 생활양식이 결정된다고 하였다. 또한 모든 개인은 너무나 복잡해서 사람을 몇 가지의 기본적인 유형으로 분류할 수 없다고 하면서, 우선순위 개념은 사람을 범주화하는 데 사용하는 것이 아니라 개인의 단기목표와 장기목표를 이해하고, 그 사람의 핵심 욕구 및 신념을 파악하고 이해하는 데 사용할 수 있다고 하였다. 즉, 아들러의 생활양식 유형론은 개인의 독특성과 특수성을 간과하는 것이 아니라 개인을 좀 더 빠르고 전문적으로 이해하기 위한 도구로 사용한 것이다. 생활양식을 파악하는 지름길을 찾기 위해 아들러 상담자들은 성격 우선순위를 활용한다. 케피어(Kefir, 1972)는 아들러의 우선순위 개념을 성격 우선순위 개념으로 발전시켰다. 그는 모든 사람은 성격 우선순위라고 명명한 네 가지 이론적 구조—편안함, 기쁘게 하기, 통제, 우월—중 하나로 분류된다고 하였다. 성격 우선순위 이론에 따르면, 각각의 성격 우선순위는 개인이 소속감을 얻기 위해 자신이 취하는 고정된 목

ㅅ

적을 나타낸다. 거의 모든 사람이 네 가지 특징을 모두 가치 있게 여기지만 개인별로 좀 더 가치를 두는 것이 있다는 것이다. 즉, 모든 인간은 이미 주어진 성격 우선순위에 따라 자신의 특성을 연출하는 경향이 있다. 퓨(Pew, 1976)는 성격 우선순위 이론을 생활양식과 관련하여 확장시켰다. 그는 성격 우선순위는 생활양식 안에 들어 있는 신념을 가장 간결하게 진술하는 것으로 각 개인이 소속감을 찾는 데 가장 중요한 것이 무엇인지, 그리고 가장 긴급하게 회피하려는 것이 무엇인지를 알려 준다고 하였다. 즉, 개인의 성격 우선순위는 목표를 향한 움직임을 나타낼 뿐만 아니라 회피전략이나 위협에서 벗어나려는 움직임을 나타내고 있다는 것이다. 케피어는 편안 추구자는 스트레스를 피하고, 다른 사람을 기쁘게 하는 사람은 거부를 피하고, 통제자는 상황이나 타인에 의한 굴욕감을 갖는 것을 피하고, 우월추구자는 삶의 무의미감을 피한다고 주장하였다. 따라서 편안한 것이 최우선인 내담자는 자신의 상황에서 편안할 수 있는 상태를 만들어 내는 방법을 강구할 것이다. 편안함을 우선순위로 하는 내담자는 '단지 내가 편안할 수 있을 때에만 나는 진정으로 소속되어 있거나 다른 사람에게 필요한 사람이라는 느낌이다.'와 같은 잘못된 신념에 기반을 둘 수 있다. 내담자의 이 같은 신념에 따라 작동하는 회피기제는 '나에게 가장 나쁜 것은 스트레스다. 그러므로 나는 어떤 대가를 치르더라도 이것은 피해야 한다.'는 것일 수 있다. 스트레스는 정상 상태이기 때문에, 사람들은 내담자의 편안함의 우선순위가 어떻게 타인에 대한 사회적 관심을 표현하고 성장하려는 용기를 꺾을 수 있는지를 볼 수 있게 된다. 상담자들은 우선순위를 밝혀냄으로써 내담자의 잘못된 신념과 목표를 평가할 수 있고, 내담자에게 좀 더 합당한 대안을 고려할 수 있다. 브라운(Brown, 1976)은 내담자의 성격 우선순위를 밝힐 수 있는 구조화된 인터뷰 양식을 개발하여, 같은 우선순위를 가진 사람들의 성격 우선순위 인터뷰 답변에서 내용의 유사성을 검증해 보고, 개인의 어린 시절 회상이 성격 우선순위를 밝히는 데 사용될 수 있는지를 검증해 보고자 하였다. 그 결과 우선순위 인터뷰 반응에서 몇 가지 유사한 사항을 관찰했지만, 그녀의 인터뷰 기법을 사용하여 개인의 성격 우선순위를 밝히는 것이 초기 회상을 사용하여 개인의 성격 우선순위를 밝히는 것과 일치한다는 사실은 증명하지 못하였다. 랑겐펠트(Langenfeld, 1981)는 아들러의 상담이 차츰 대중화되고 상담 및 단기치료 분야에서 급성장하고 있을 때, 아들러 이론을 과학적으로 평가할 필요성을 강하게 느껴 아들러, 케피어, 코르시니(Corsini), 브라운, 서튼(Sutton), 퓨 등의 이론을 통합하여 성격 우선순위 척도를 개발하였다. 그 결과 케피어가 제시한 성격 우선순위에 대한 이론을 실증적으로 검증하였다. 랑겐펠트의 연구에서는 케피어의 이론에서 언급한 네 가지 성격 우선순위보다 한 가지가 더 많은 다섯 가지 요인, 즉 기쁘게 하기, 뛰어나기, 성취하기, 회피하기, 분리하기 요인을 발견하였다. 이 연구결과는 성격 우선순위 개념을 지지해 주면서, 또한 성격 우선순위 이론을 수정하고 확장시키도록 하였다. 랑겐펠트가 개발한 LIPP (Langenfeld Inventory of Personality Priorities)는 아들러 상담의 생활양식 분석을 보다 빠르고 간편하게 할 목적으로 개발되어, 현재 상담 및 심리치료, 심리교육분야, 그중에서도 단기상담, 부부상담 등에 널리 이용되면서 유용성을 인정받고 있다. 무엇보다도 성격 우선순위 검사는 상담자가 내담자를 좀 더 잘 이해할 수 있는 인지적 체계와 틀을 제공하고, 내담자의 생활양식의 단면을 빠르고 정확하게 밝히며, 내담자의 행동 목적성을 이해하도록 하여 내담자의 통제감과 지배감을 향상시키는 데 도움을 준다. 또한 상담자가 성격 우선순위를 통해 내담자의 성격유형을 재빨리 이해하면, 내담자는 자신이 이해받았다는 느낌을 가질 수 있어 내담자와 상담자 사이의 라포 형성에도 도움이 된다. 우리나라에는 성격 우선순위 측정에 적절하다고 평가된 LIPP

가 우리나라 대학생의 성격 우선순위를 이해하는 데 유용하게 사용될 수 있는지를 분석한 K-PPS의 타당도와 신뢰도 및 문항양호도에 관한 연구가 있었다.

성격강점검사 [性格强點檢査, Character Strengths Test: CST]

긍정심리학에 근거하여 개인의 대표 강점을 측정하는 검사. 심리검사

긍정심리학을 기반으로 개인의 성격강점을 측정하여 자신의 성격강점을 정확하게 인식하고 이를 활용함으로써 성공적인 삶을 살아갈 수 있도록 하기 위해 권석만, 유성진, 임영진, 김지영(2010)이 개발한 검사다. 대학생 및 청년을 대상으로 한 자기보고형 검사다. 성격적 강점과 덕성에 대한 VIA 분류체계(Peterson & Seligman, 2004)에 근거하고 있으며, 지혜, 인간애, 용기, 절제, 정의, 초월이라는 6개 핵심 덕목의 24개 하위강점과 피험자의 반응경향성을 평가하기 위한 사회적 선호도까지 포함하여 총 25개의 하위척도로 구성되어 있다. 각 핵심 덕목에 따른 24개 하위강점으로는 다음과 같다. 지혜 관련 강점으로 창의성, 호기심, 개방성, 학구열, 지혜가 있으며, 인간애 관련 강점으로는 사랑, 친절성, 사회지능이, 용기 관련 강점으로는 용감성, 끈기, 진실성, 활력이 있다. 그리고 절제 관련 강점은 관대성, 겸손, 신중성, 자기조절이, 정의 관련 강점으로는 시민의식, 공정성, 리더십이, 초월 관련 강점으로는 심미안, 감사, 낙관성, 유머감각, 영성이 있다. 하위척도는 각각 10문항씩 총 250개 문항으로 구성되어 있다. 피험자는 각 문항의 내용이 자신의 개인적 성향과 얼마나 비슷한지에 따라 4점 리커트 척도(0=전혀 아니다, 1=약간 그렇다, 2=상당히 그렇다, 3=매우 그렇다)로 평정한다. 24개 성격강점 중에서 원점수가 상대적으로 가장 높은 5개를 대표 강점으로 해석한다. 하위척도의 내적 합치도 크론바흐 알파값은 .76~.92였으며, 검사-재검사 신뢰도는 .65~.87이었다.

관련어 | 성격검사

ㅅ

성격검사 [性格檢査, personality test]

전반적인 성격에 대해서 알아보는 모든 검사. 심리검사

성격이란, 어떤 사람을 독특한 개인으로 존재하게 하는 신체적·정신적·정서적·사회적 특성을 모두 포함하는 총체적 개념이다. 인간은 단 한 사람도 같은 사람은 없지만, 한 개인에게 초점을 맞추어 보면 그 사람의 행동 방식에는 일관성이 있고, 또 안정된 경향이 확인된다. 이처럼 개인에게 특유한 행동 방식을 규정하고 있는 힘을 '성격'이라고 부른다. 이러한 성격을 표준화 또는 비표준화된 척도 및 방법 등으로 알아보는 것이 성격검사다.

성격구조 [性格構造, personality structure]

교류분석(TA)에서 인간의 성격이 어버이 자아상태, 어른 자아상태, 어린이 자아상태로 구분된다고 보는 것. 교류분석

번(Berne)은 우리가 3개의 자아를 가지고 있다고

보고 그것들을 자아상태(ego state)라고 불렀다. 자아상태는 어버이 자아상태(parent ego state: P), 어른 자아상태(adult ego state: A), 어린이 자아상태(child ego state: C)로 나누어지고, 이를 쉽게 설명하기 위하여 P, A, C와 같이 약자를 사용한다. 자아상태란 현실에 대한 정의, 정보처리, 그리고 외부세계에 대한 반응들로 조직되어 있는데, 개인이 의식적으로 깨닫고 눈으로 확인할 수 있는 행동적인 것과 사고, 감정을 총합한 하나의 시스템이라고 할 수 있다. 교류분석의 자아상태 개념은 프로이트(Freud)가 제안한 성격구조인 원초아 또는 이드(id), 자아(ego), 초자아(super-ego)와 유사한 개념이지만 관찰 가능한 현실적·의식적 행동에 초점을 둔다는 점과 역동적이라는 점에서 차이가 있다. 또한 프로이트가 말하는 세 가지 구성요소는 일반화된 것이지만, 교류분석의 세 자아상태는 개인마다 다르다. P, A, C 세 자아상태는 원초아, 자아, 초자아의 영향을 모두 '내포'하고 있다. 번은 P에 놓여 있다고 할 때 부모의 억압, 사고, 충동 등 부모의 '전체 행동'을 재생하고 있다는 사실을 지적하였다(Berne, 2010).

성격무장
[性格武裝, character amour]

신체심리학의 창시자 라이히(Reich)의 성격분석이론에 사용된 용어로서, 인생의 특정 시기에 활성화되었던 갈등이 흔적을 남겨서 성격의 경직성을 띠게 되는 만성적이고 방어적인 행동반응양식. 무용동작치료

성격무장은 방어의 내용이 무엇인가보다 방어적 태도가 어떠한가가 중요하다. 성격무장은 개인이 건강할 때 몸속에 흐르는 자유롭고 충만한 생물학적 에너지인 오르곤(orgone) 에너지의 흐름을 막을 뿐 아니라, 성격의 성숙한 발달이나 성(性)적 발달을 가로막는다. 성격무장에 따른 성격 경직성은 시각적, 구강적, 항문적, 성기적 유형의 네 가지로 분류된다. 그중 시각적 경직성이 다른 유형에 추가될 때 나타나는 주요 병리적 증세는 편집증과 분열증이다. 성기기 이전에 나타나는 경직성은 퇴행이고, 성기기 경직성은 남근적 나르시시즘이나 신경증으로 나타난다. 이러한 성격무장의 치료방법은 억압된 정서를 자극하고 방출하여 이완되어 있던 근육무장과 증상들을 사라지게 하는 것이다. 1924년부터 1930년까지 정신분석학자였던 라이히는 1930년 이후 닻 내리기를 하고 있는 신체의 근육긴장 패턴에 초점을 두고 성격이론을 연구하여, 기존의 심리학적 사고에 신체개념을 복원시켰다는 평가를 받고 있다. 이러한 그의 신념은 신체자세, 제스처, 얼굴 표정 및 기타 행동들이 개인의 성격구조를 나타내고 유지한다는 것이다.

관련어 | 근육무장, 오르곤 에너지, 오르곤 치료

성격방어
[性格防禦, personality defense]

불안으로부터 자신의 성격을 보호하기 위하여 사용하는 방식. 성격심리

설리번(Sullivan)이 제안한 대인관계이론에서 강조하는 주요 개념 중 하나다. 그는 성격을 방어하는 방식으로 해리(dissociation), 병렬적 왜곡(parataxic distortion), 승화(sublimation)를 제시하였다. 해리는 자기역동성과 부합되지 않는 행동, 태도, 욕망을 의식적 자각에서 배제시키는 것을 말한다. 자기를 보호하고 자기에게 위협적인 것에 민감하게 반응하며 사회적으로 수용할 수 없고 불쾌한 경험은 보지 않고 듣지 않는다. 즉, 불안을 야기하는 모든 현실적 상황을 배제하는 선택적 부주의(selective inattention)를 해리라고 한다. 병렬적 왜곡은 자신의 경험에 비추어 타인을 부정적으로 편향된 채 보거나 왜곡하는 것을 말한다. 이렇게 편향된 왜곡은 일상적 대인관계에 영향을 미친다. 즉, 인생 초기에

아들과 아버지 간에 권위적으로 형성된 대인관계는 직장생활에서 고용주와 피고용인 간의 관계를 왜곡시킬 수 있다. 승화는 위협적이고 혼란된 충동을 사회적으로 수용되고 자기향상적인 충동으로 변환시키는 것을 말한다.

관련어 | 방어 기제, 방어 유형

성격심리학
[性格心理學, personality psychology]

심리학의 하위영역 중 하나로서, 사람들 사이의 개인차에 초점을 두어 개인차에 대한 일반적인 법칙과 특정 개인을 이해하는 데 필요한 지식과 기법을 연구하는 학문. 성격심리

개인의 지적 기능이나 행동의 단편적인 활동과 같은 부분적인 것뿐만 아니라 그것을 유발하여 기능하게 하는 내적인 체계 전체에 관심을 두는 학문이다. 따라서 성격심리학의 목표는 성격기술방법의 확립, 개인차의 해명, 성격형성과 변용과정 및 그 요인의 해명, 부적응 행동과 그 개선을 위한 연구 등에 있다. 성격심리학의 역사는 그리스 · 로마시대에서 비롯하였다. 아리스토텔레스의 저서 『관상학』, 테오프라스토스의 '각양각색의 사람', 갈레노스의 '네 가지 기질설(四氣質說)' 등이 그것이다. 먼저 성격심리학의 제1의 흐름은 신체적인 것을 기준으로 하여 성격을 분류하는 연구방법으로서 갈레노스부터 시작되었다. 이러한 연구형태는 뇌분비(호르몬)와 성격, 체격과 성격, 혈액형과 성격 등의 연구로 계승되고 있다. 성격심리학의 제2의 흐름은 철학과 관련되어 연구되었다. 딜타이(Dilthey)의 세계관과 성격, 슈프랑거(Spranger)의 생활양식과 성격, 모리스(Morris)의 생활방식과 성격 등이 이에 해당한다. 제3의 흐름은 정신분석학이나 신정신분석학(신프로이트학파)의 사고방식으로 전자는 리비도를 기초로 하여 성격을 분류하고, 후자는 모자관계나 사회문화의 양상과 성격을 관련시키고 있다. 제4의 흐름은 개성심리학(個性心理學)의 흐름으로, 성격을 유형에 맞추어 넣지 않고 성격을 구성하는 세부요소인 특성에 주목하였다. 유럽 대륙의 성격심리학이 주로 유형론(類型論)에 의거하는 데 비해 미국이나 영국의 성격심리학은 특성론(特性論)에 입각해 있다. 제5의 흐름은 임상 장면에서 형성된 것으로 제4의 흐름과 합류하여 현대 성격심리학의 주류를 이루고 있다. 수많은 성격검사가 작성되고 실제적인 인간이해에 큰 공헌을 하고 있다.

성격유형론
[性格類型論, personality typology]

인간 개개인의 성격을 몇 가지의 유형별로 구분하여 이해하고자 하는 이론. 성격심리

성격 연구의 역사는 고대 그리스 시대에 시작되었으며, 크게 두 가지 접근으로 분류된다. 하나는 히포크라테스(Hippocrates)와 갈렌(Galen)을 중심으로 하는 유형(types) 연구로 인간행동의 요인탐구에 초점을 둔다. 다른 하나는 테오프라스투스(Theophrastus)에 의해 시작되어 그 뒤 올포트(G. W. Allport), 커텔(R. B. Cattell), 아이젱크(H. J. Eysenck) 등에 의해 발전된 특질(traits) 연구로 인간행동의 외적 요인을 중심으로 그 특질을 설명하는 데 비중을 둔다. 유형론은 몇 개의 유형을 설정하여 성격의 다양성과 공통성을 보다 본질적인 측면에서 파악하여 현실에 나타나고 있는 다양한 인간의 성격을 분류 · 정리하여 이해하려는 입장이다. 유형론의 대표적인 것으로는 히포크라테스, 갈렌, 크레치머(E. Kretschmer), 셸던(W. H. Sheldon)의 체질유형론과 융(C. G. Jung)의 심리학적 유형론을 들 수 있다. 고대 그리스 의사 히포크라테스는 인간의 신체 내에는 그리스인이 자연의 구성요소로 믿었던 공기(따뜻하고 습기찬), 땅(차고 건조한), 불(뜨겁고 건조한), 물(차고 습기찬)에 각각 대응하는

네 가지 체액, 즉 혈액, 흑담즙, 황담즙, 점액이 있다고 보았다. 갈렌은 히포크라테스의 체액론에 근거하여 체액의 특성에 의해 개인의 성격적 특성이 결정된다고 주장하며 체액에 따른 다혈질, 흑담즙질, 황담즙질, 점액질의 4대 기질로 구분하였다. 갈렌이 제시한 주요 성격적 특징을 살펴보면 다혈질은 항상 기운이 넘치고 쾌활하며, 흑담즙질은 우울한 기질을 나타내고, 황담즙질은 매우 불안정하고 메마른 성격이 되기 쉽고, 점액질은 행동이 느리고 냉담한 기질을 보인다. 독일의 정신과 의사 크레치머는 인간의 기본적인 체형을 비만형, 근육형, 쇠약형의 세 가지 유형으로 분류하고, 기질을 이러한 체형에 연결 지어 순환기 기질, 분열성 기질, 점착성 기질로 분류하였다. 순환기 기질은 사교적이고 개방적이며 사람을 좋아하고, 명랑하고 유머감각이 있지만 동시에 조용하고 침착하기도 하며, 주변 사람과의 갈등을 유발하지 않으려고 노력하며, 현실과 환경에 융합하는 동조적인 특징을 지닌다. 반면, 분열성 기질은 폐쇄적이고 주변 사람과의 접촉을 꺼리며, 자기만의 세계에 몰입하는 경향이 있고, 민감하고 신경질적이며 흥분하기 쉽고, 또한 온화하고 무관심하며 둔감함을 동시에 지니고 있다. 점착성 기질은 한 가지 일이나 상태에 고착하기 때문에 변화하거나 동요되는 경우가 적고, 신중하고 질서를 좋아하고 끈기가 강하며, 약속이나 규칙을 준수하는 경향이 있고, 안정되어 있지만 세밀함이 부족하며, 주변 사람에게 공손하지만 때로는 격노하기도 한다. 미국의 의사 셀던은 신체적 특징에 따라 내배엽형, 중배엽형, 외배엽형의 세 가지 체형으로 구분하고, 각 체형집단에 속하는 개인들의 특성 평가를 토대로 내장긴장형, 신체긴장형, 대뇌긴장형의 세 가지 차원의 기질로 분류하였다. 내장긴장형은 편안한 것을 좋아하고 사교적이며 먹는 것을 좋아하고, 반응이 느리고 일정한 감정상태를 유지하며, 대인관계에서도 너그럽고 여유롭다. 신체긴장형은 신체적 모험을 즐기고 근육이나 왕성한 신체활동에 대한 욕구가 강하며, 공격적이고 다른 사람의 감정에 둔하다. 대뇌긴장형은 억제적이고 소심하고 내향적이며, 대인관계를 두려워하고 혼자 있는 것을 좋아한다. 한편, 스위스의 정신의학자 융은 모든 인간을 내향적인 사람과 외향적인 사람으로 분류하였다. 내향적인 사람들은 스스로 움츠러드는데, 특히 스트레스적인 정서적 갈등에 직면할 때 혼자 있기를 선호하고, 타인을 회피하는 경향이 있으며, 수줍어한다. 이와는 달리 외향적인 사람들은 다른 사람들과 사회적 활동에 열중함으로써 스트레스에 반응하고, 사교적이며 많은 사람을 직접 대하는 직업에 마음이 끌리게 된다. 융은 이러한 두 가지 의식태도 유형과 사고, 감정, 감각, 직관의 네 가지 심리적 기능을 조합하여 외향적 사고형, 내향적 사고형, 외향적 감정형, 내향적 감정형, 외향적 감각형, 내향적 감각형, 외향적 직관형, 내향적 직관형 등 여덟 가지 성격유형으로 제시하였다. 서양뿐만 아니라 동양에서도 일찍이 인간을 몇 가지 유형으로 분류하여 그 특징에 따라 인간을 이해하려는 관점이 존재하였다. 「내경 · 통천론(內徑 · 通天論)」의 오태인론에서는 인간을 음양생리 면에서 체형, 성질, 음양 편승 등에 따라 태양인(太陽人), 소양인(少陽人), 태음인(太陰人), 소음인(少陰人), 음양화평지인(陰陽和平之人)의 다섯 가지 유형으로 분류하였다. 우리나라의 이제마(李濟馬)는 『동의수세보원(東醫壽世保元)』에서 사상의학론(四象醫學論)을 중심으로 한국인의 성격유형을 주장하였다. 이제마는 주역(周易)의 태극설에 의한 태양(太陽), 소양(少陽), 태음(太陰), 소음(少陰)의 사상(四象)을 인체에 적용하여 기질과 성격의 차이에 따라 인간의 체질을 네 가지로 분류하였다. 허파가 크고 간이 작은 사람은 태양인, 간이 트고 허파가 작은 사람은 태음인, 비장이 크고 콩팥이 작은 사람은 소양인, 그리고 콩팥이 크고 비장이 작은 사람은 소음인이라 하였다. 성격적으로 보면 태양인은 자존심이 강하고 번의가 잦은 영웅적인 기질로 착상이 기발한 반면 비타협적이고, 태음인은 낙천적이고 겁이 많은 기질로 웅장한 계획과 포용력이 강한 반면 욕심이 많고, 소음인은 섬세하고 꼼꼼한 기질로 내성적이고 사색적인 반면 비겁하고 무기력하며 우유부단한 편이며, 소양인은 잠시도 안정된 거동을 취하지 못하는 기질로 외향적이고 사무에 민첩하고 비판 · 표현적인 반면 체념적이고 경박하다. 이상의 유형론은 통계적 근거에 의한 것이 아니므로 연구방법의 과학성에 대해서는 비판을 받고 있으나 경험과 관찰을 기반으로 하여 나름대로의 견해를 가지고 있다고 할 수 있다. 최근 널리 사용되고 있는 검사들 중에서 성격유형론과 관련된 대표적인 검사로는 MBTI와 에니어그램(Enneagram) 검사를 들 수 있다.

관련어 | 특성요인이론

성격의 위계모형
[性格-位階模型, hierarchy of personality]

인간의 특성을 단계별로 구분하여 제시한 성격이론의 틀. 성격심리

아이젱크(H. Eysenck)가 제시한 성격모형으로서, 그는 성격을 하나의 위계(hierarchy)로 보았다. 이 모형에 따르면, 위계의 맨 아래는 특정 반응(specific responses)의 단계다. 이 단계는 실제로 관찰 가능한 행동들로서 모든 사람이 하는 행동이다. 예를 들면, 밥을 먹는 것, 걷는 것, 전화를 거는 것 등 누구나 관찰할 수 있는 반응을 말한다. 다음은 습관적 반응(habitual responses)의 단계다. 유사한 상황에서 특징적으로 발생하는 구체적 행동을 말하는데, 회의에 참석하는 것, 교육을 받는 것 등이 있다. 그다음은 보편적 특질(generalized traits)의 단계다. 사교성, 충동성, 활동성, 활기, 흥분성 등 보다 습관적 반응과 관련된 특질을 말한다. 맨 위는 보편적 차원(general dimensions) 또는 기본 유형(basic types)의 단계다. 예를 들면, 외향성, 내향성, 신경증 등의 특질을 말한다.

관련어 | 특질

성격장애
[性格障碍, personality disorder]

융통성이 없는 행동 및 사고패턴으로 대인관계 형성, 사회적 상황, 직업생활 등에서 문제가 발생하는 상태. 이상심리

자기 자신과 외부환경을 지각하고 관계를 형성하여 유지하는 행동이나 사고패턴이 경직되어 있어 대인관계나 직업활동에서 지속적인 고통이나 어려움을 나타낸다. 이 장애를 지닌 사람은 가족이나 주변인이 자신의 행동에 대한 불쾌한 느낌을 보고해도 자신의 행동이 부적응적이라는 생각을 하지 않는다. 때로는 사회적 관계나 상황에서 주관적 고통을 호소하기도 한다. 시간이 지나가거나 상황에 따라서도 잘 변하지 않는 특성을 지니고 있다. 이 진단의 증상은 청소년기나 성인 초기에 나타나고 유병률은 10~13%다. DSM-5에 따르면, 이 장애는 편집성 성격장애(paranoid personality disorder), 분열성 성격장애(schizoid personality disorder), 분열형 성격장애(schizotypal personality disorder), 반사회적 성격장애(antisocial personality disorder), 경계선 성격장애(borderline personality disorder), 연극성 성격장애(histrionic personality disorder), 자기애적 성격장애(narcissistic personality disorder), 회피성 성격장애(avoident personality disorder), 의존성 성격장애(dependent personality disorder), 강박적 성격장애(obsessive-compulsive personality disorder), 달리 구분되지 않는 성격장애로 세분되어 있다. 이는 다시 특정 행동 특성에 따라 세 분류로 나눌 수 있다. 즉, 편집성, 분열성, 분열형 성격장애는 기묘하고 괴팍하다. 이들은 다른 사람의 친절한 말 속에서도 모욕이나 위협적인 의미를 찾아내기 때문에 사회적 관계에서 점점 멀어지고 친밀한 대

인관계를 형성하기가 어렵다. 반사회적, 경계선, 연극성, 자기애성 성격장애는 다른 사람들로부터 관심을 끌고 주목을 받고 싶어 하는 욕구가 강하여 연극적이고 감정적이며 변덕이 심한 행동을 보인다. 회피성, 의존성, 강박적 성격장애는 불안함이나 두려움의 감정이 내포된 행동을 보인다. 이 장애는 대인관계 형성에 영향을 주기 때문에 집단상담이나 가족상담 등으로 자신의 행동이나 사고가 다른 사람에게 미치는 영향을 알아차리도록 도와주어야 한다. 그리고 행동주의적 접근인 주장훈련, 체계적 둔감법 등은 회피성, 의존성, 강박적 성격장애에 도움이 되며, 정신역동적 접근은 불안과 두려움이 강한 성격장애에 효과적이다. 약물치료는 항우울제의 일종인 MAO 억제제가 효과가 있다고 알려져 있다.

관련어 가족상담, 경계선 성격장애, 반사회적 성격장애, 분열성 성격장애, 의존성 성격장애, 자기애성 성격장애, 주장훈련, 집단상담, 체계적 둔감, 항우울제

성격평가질문지 [性格評價質問紙, Personality Assessment Inventory: PAI]

성인의 다양한 정신병리를 측정하기 위해 모레이가 개발한 성격검사. 심리검사

정신병리를 측정하기 위해 1991년에 모레이(Morey)가 개발한 검사로, 우리나라에서는 2001년에 김영환, 김지혜, 오상우, 임영란, 홍상황이 표준화하였다. 대상은 18세 이상의 성인이며, 자기보고형 질문지로서 다양한 정신병리를 측정하기 위해 구성된 성격검사다. 이 검사는 임상진단, 치료계획 및 진단집단을 변별하는 데 정보를 제공해 줄 뿐만 아니라 정상인에게도 적용할 수 있다. 과거 정신장애진단 분류에서 중요하게 다루어지는 임상 증후군을 선별하여 측정할 수 있도록 하였으며, 성인 외에 18세 미만의 중·고등학생(PAI-A)도 검사 가능(중·고등학생 규준을 포함함)하다. 총 344문항, 22개 척도로 구성되어 있고, '전혀 그렇지 않다(◎)' '약간 그렇다(①)' '중간 정도다(②)' '매우 그렇다(③)'의 4점 척도에 따른다. 22개의 척도는 4개의 타당성 척도, 11개의 임상 척도, 5개의 치료고려 척도, 2개의 대인관계 척도의 네 가지 척도군으로 분류하는데, 이 중 환자의 치료동기, 치료적 변화 및 치료결과에 민감한 치료고려 척도, 대인관계를 지배와 복종 및 애정과 냉담이라는 두 가지 차원으로 개념화하는 대인관계 척도를 포함하고 있는 것이 특징이다. 또한 10개 척도에는 해석을 보다 용이하게 하고 임상적 구성개념을 포괄적으로 다루는 데 도움을 주는 3~4개의 하위척도가 포함되어 있다. 타당성 척도에는 비일관성 척도, 저빈도 척도, 부정적 인상 척도, 긍정적 인상 척도가 포함된다. 임상 척도에는 신체적 호소 척도, 불안 척도, 불안 관련 장애 척도, 우울척도, 조증 척도, 망상 척도, 정신분열병 척도, 경계선적 특징 척도, 반사회적 특징 척도, 알코올 문제 척도, 약물 문제 척도가 포함된다. 치료고려 척도에는 공격성 척도, 자살 관념 척도, 스트레스 척도, 비지지 척도가 포함된다. 대인관계 척도에는 지배성 척도, 온정성 척도가 포함된다. 검사를 하기 위해서는 4학년 교육수준의 독해능력이 있어야 하며, 피험자가 자기보고형 검사를 실시하는 데 필요한 신체적·정서적 요건을 갖추고 있어야 한다.

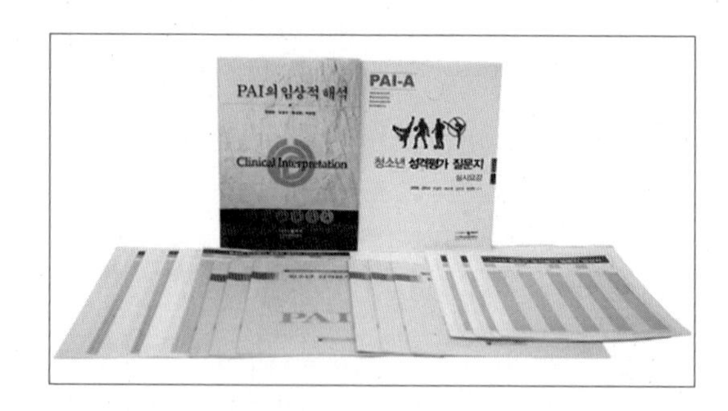

관련어 다면적 인성검사

성경적 대안
[聖經的代案, biblical alternatives]

제이 애덤스(Jay Adams)의 권면적 상담에서 내담자가 자신의 긍정적인 삶으로의 변화를 위해 취해야 할 방향성과 방법. 목회상담

권면적 상담에서는 내담자의 다양한 심리, 정서적 · 행동적 문제가 성경의 원리에 부합되지 않는 잘못된 습관 때문에 발생한다고 보고 있다. 따라서 내담자의 다양한 문제가 해결되기 위해서는 잘못된 옛 습관을 버리고, 성경적 원리에 맞는 새로운 습관을 들여야 한다고 설명한다. 내담자가 이러한 변화를 일으키기 위해서는 새로운 습관의 유형을 결정해야 하는데, 여기서는 성경적인 원리 안에서 대안을 찾아야 한다고 주장하였다. 이 같은 과정을 통해 발견한 대안을 성경적 대안이라고 한다. 이를 위해서 권면적 상담자들은 성경의 원리를 특수한 삶의 상황에 맞게 구체적으로 해석하고 적용하는 능력을 길러야 한다. 권면적인 상담자는 내담자와의 상담과 토론을 통해서 새롭게 교체되어야 할 문제적 행동이나 생각 등이 무엇인지 파악하고, 그것에 대해 성경에서 말하는 입장이나 해석 등을 이야기해 줌으로써 새로운 성경적 대안에 관한 계획을 세우는 것이다.

관련어 | 권면적 상담, 변화

성경적 상담
[聖經的相談, biblical counseling]

상담을 진행하는 데 성경을 가장 중요한 원리로 보면서 내담자의 증상을 이해하고, 진단하고, 치료하는 기준으로 삼는 접근방법. 목회상담

성경적 상담을 하는 상담자는 일반적으로 성경적 지식에 능통하며, 내담자에게 성경의 원리를 가지고 상담을 진행하는 과정에서 주도적인 역할을 한다. 따라서 성경적 상담과정에서의 내담자는 그 상담자의 권위를 인정하고, 성경적 원리에 따른 상담의 진행에 순응하게 된다. 이 같은 성경적 상담의 원리와 진행과정은 기독교 안에서 성경의 원리를 개인의 신앙과 삶을 유지하는 최고의 것으로 여기고 있는 입장과 동일하다. 기독교인이 성경의 원리에 따라 신앙과 삶을 유지하면서 만족스러운 생활을 하는 것처럼, 성경적 상담의 과정에서도 그러한 자세를 회복할 때 내담자의 삶이 긍정적으로 변할 수 있다고 보는 것이다. 성경적 상담의 접근을 주로 하는 학자로는 제이 애덤스(Jay Adams)와 로렌스 크랩(Lawrence Crabb)이 있다. 제이 애덤스는 권면적 상담에서 권면적 상담자가 내담자의 다양한 문제를 성경의 원리에 비추어 보고, 올바른 길을 제시해 주는 역할을 한다고 말하였다. 또한 상담과정에서 성경의 원리를 더욱 적극적으로 적용한 학자는 로렌스 크랩이다. 그는 1975년 『Basic principles of Biblical Counseling』을 저술하면서 성서의 원리를 바탕으로 하는 상담을 제안하였다. 로렌스 크랩은 성경적 상담의 목표가 사람들이 그리스도를 닮아가도록 도와서 그들이 하나님을 더욱더 경배하고 섬길 수 있도록 하는 것이며, 이러한 성경적인 원리가 상담과정에 적용되어야 한다고 주장하였다. 하지만 그는 심리학의 기독교상담에의 적용을 절대적으로 거부했던 제이 애덤스와는 달리 상담의 방법과 과정, 그리고 원리 등은 일반 심리학적 원리를 따랐다. 중요한 것은 성경적 상담에서는 성경의 권위를 인정하고 성경의 입장에서 인간의 모든 문제에 대해 접근하여 해결책을 찾고 있는 등 성경의 권위와 그 역할을 강조했다는 특징을 가진다는 점이다. 따라서 일반적으로 성경적 상담이라고 하면 로렌스 크랩의 성경적 상담만 가리키기도 한다. 성경적 상담의 단계를 보면 첫 번째 단계는 문제가 되는 감정이나 행동을 '성서적 감정'으로 대치하려는 노력을 격려하는 단계다. 두 번째 단계는 문제가 되는 행동이나 감정을 성경적인 것으로 바꾸어야 한다는 것을 권면하는 단계다. 마지막 세 번째 단계는 문제적

행동이나 사고를 성경적으로 변화시키는 교화의 단계다. 3단계를 거치면서 내담자는 올바른 행동의 약속을 하고, 성서적 행동으로 수행하는 단계까지 가며, 마지막으로 성령이 지배하는 감정을 확인하는 단계에서 평안을 유지한다. 성경적 상담에서는 모든 문제의 원인이 내담자의 '마음'에 있으며, 성경적 상담을 통해서 예수 그리스도의 은혜와 성령의 일하심으로 성경의 로마서 12장 2절(너희는 이 세대를 본받지 말고 오직 마음을 새롭게 함으로 변화를 받아 하나님의 선하시고 기뻐하시고 온전하신 뜻이 무엇인지 분별하도록 하라.)에 나타난 전적인 변화 과정을 밟아야 한다고 주장하였다. 그리고 이러한 내담자 삶의 전적인 변화가 일어난다면, 내담자의 안에서 그리스도가 대신 사는 삶인 새 사람을 입은 삶을 경험하게 된다고 하였다. 크랩은 성경적 상담의 목표를 잘 달성하기 위해 필요한 기본 요소는 성경, 기도, 성령이라고 하였다. 첫째, 성경은 모든 신앙과 행위의 표준이 되는 하나님의 말씀으로서, 성경에 관한 정확한 지식과 이를 내담자의 삶에 적용할 수 있는 기술, 그리고 성경의 원리를 절대적으로 신뢰하는 태도 등이 포함된다. 둘째, 상담과정에서 상담자와 내담자 모두 긍정적인 변화를 위한 기도를 함으로써 다 같이 하나님의 도우심을 구하고, 하나님의 능력을 나타내는 성령의 협력하심을 구하는 것이다. 셋째, 하나님의 능력을 실제적으로 나타내는 성령은 인간의 마음과 행동을 주장하므로 상담의 현장에서 상담자와 내담자를 돕는 역할을 한다. 또한 성령이 내담자의 긍정적인 변화를 가능하게 만드는 힘은 성경의 원리에 대한 순종에 있다. 따라서 성경말씀을 중심으로, 성령의 사역과 개입을 의지하며 상담을 진행할 때 효과적인 상담이 될 수 있다고 하였다.

관련어 권면적 상담, 기독교상담, 성화

성공 정체감
[成功正體感, success identity]

자신이 수행한 것들이 성공적이라고 여기는 자기감.
현실치료

정체감은 자기 자신뿐만 아니라 다른 사람과의 관계 속에서 발달한다. 성공과 관련된 정체감에는 자신이 성공적이라고 여기는 '성공정체감'과 자신이 패배적이라고 여기는 '패배정체감'이 있다. 성공적 혹은 패배적이라는 개념은 자아상(self-image)의 측면에서 이해된다. 이러한 자아상은 다른 사람이 그에 대해 가진 이미지와 동일할 수도 있고 다를 수도 있다. 정체감은 부모를 포함한 다른 사람들과의 관계를 통해 발달한다. 초기 아동기에는 대부분 자신을 성공적으로 인식하는 반면, 5~6세경부터는 정체감의 변화가 나타난다. 이 시기에는 사회적 · 언어적 기능 및 사고능력이 발달하기 때문에 자신의 능력에 대해 성공 혹은 패배 의식을 느끼게 된다. 성공정체감을 지닌 개인은 자기 자신을 가치 있는 인간으로 이해하고 건설적인 태도로 다른 사람들과 경쟁하며 효과적으로 자신을 통제한다. 현실치료의 목표는 궁극적으로 내담자가 성공적인 정체감을 갖도록 돕는 데 있다. 보다 더 효과적인 욕구충족 행동을 학습하도록 하는 것이다. 성공정체감을 가지면 사랑을 베풀 수 있고, 다른 사람들로부터 사랑받을 수 있으며, 다른 사람들에게 가치 있는 존재가 될 수 있다고 믿게 된다. 이러한 개인은 자기 가치감을 경험하고, 타인에게 피해를 끼치지 않는 범위 내에서 자신의 욕구를 충족할 수 있다.

관련어 패배정체감

성공적 노화
[成功的老化, successful aging]

나이가 들어 가도 신체와 정신적 기능이 일상생활을 영위하는 데 어려움이 없으며, 안정적인 사회적 관계 유지, 여가를 즐길 수 있는 경제력, 주관적 안녕감 등을 지닌 상태. 중노년상담

노화를 인간의 쇠퇴로 정의하여 부정적 측면을 강조해 왔지만 노화의 긍정적 측면을 강조하여 성공적 노화라는 개념이 형성되었다. 성공적 노화를 연구한 대표적인 학자에는 로와 칸(Rowe & Kahn, 1997), 리프(Ryff, 1989), 발테스와 발테스(Baltes & Baltes, 1990), 피셔(Fisher, 1995), 하비거스트(Havighurst, & Gross et al., 1995) 등이 있다. 이들의 견해를 종합하여 성공적 노화를 정의하면 다음과 같다. 첫째, 질병이나 장애가 없이 건강하다. 그러나 이러한 기능이 어느 정도 감소하거나 제거되어도 보존기능을 활용하거나 대체 기능을 이용하여 만족한다. 둘째, 일상생활을 영위해 나갈 수 있을 정도의 신체적 기능과 정신적 기능을 유지한다. 셋째, 자신의 욕구를 충족하고 생활양식을 지지하기에 충분한 물질적, 비물리적 자원을 적절히 소유하고 있다. 넷째, 가족, 친구, 주변 사람들과 친밀한 관계를 유지하여 사회적 지지체계를 구성하고 집안일, 자원봉사, 직업 등의 생산적인 활동을 계속하여 적극적으로 인생에 참여한다. 다섯째, 노화에 대한 사회문화적 환경이 긍정적이면 성공적으로 노화할 수 있다. 여기에 노인복지제도, 노인정책 등 사회구조적 체계의 지원도 포함된다. 그리고 성공적 노화는 자신의 삶에 대한 행복감과 만족감 같은 주관적 경험이 중요하다. 이러한 성공적 노화의 구성요소에 관한 학자들의 견해는 다음과 같다. 로와 칸(1997)은 신체적 지위, 인지적 지위, 생산적 참여라고 하였고, 리프(1989)는 자기수용, 타인과의 긍정적 관계, 자율성, 환경에의 숙달, 삶의 목적, 개인적 성장의 긍정적 기능이라고 하였다. 피셔(1995)는 타인과의 상호작용, 목적의식, 자기 수용, 개인적 성장, 자율성이라고 하였다. 베일런트와 무카말(Vaillant & Mukamal, 2001)은 객관적 건강, 주관적 건강, 적극적인 생활을 한 기간, 객관적 정신건강, 주관적 생활만족, 사회적 지지라고 하였고, 추와 치(Chou & Chi, 2002)는 기능적 상태, 정서적 상태, 인지적 상태, 생산적인 참여상태 등으로 제시하였다. 성공적 노화에는 나이가 적을수록, 교육수준과 사회적 지위와 경제적 수준이 높을수록, 종교적 신념이 있는 사람일수록, 긍정적인 자녀와의 관계와 주관적 건강상태가 양호할수록, 우울감이 낮을수록, 긴밀하고 친숙한 대인관계의 사회적 지지체계나 노인 사회복지제도와 같은 사회적·법적·재정적인 사회구조적 지지체계 등이 지원될수록 긍정적인 영향을 준다. 그러나 성공적 노화는 개인의 특성이나 상황에 따라 매우 다르게 정의될 수 있다. 따라서 성공적인 노화는 삶의 질 차원에서 삶에 대한 기대와 현실적인 충족감의 일치에서 오는 주관적 만족감이며, 개인의 심리적·환경적 요인은 물론 생활사를 통해서도 영향을 받는 복합적인 감정상태라 할 수 있다.

관련어 | 노화

성과
[成果, outcome]

바라는 것을 달성하면 구체적으로 오감적 차원에서 무엇을 보고, 듣고, 느끼게 될지에 초점을 두고 설정하는 목표. NLP

성과는 목표와 유사하지만 목표보다 훨씬 구체적인 의미를 담고 있는 개념으로서, NLP 성공의 4대 원리 중 하나에 해당한다. NLP에서 성과는 첫째, 잘 설정 혹은 구성된 성과(well-formed outcome)여야 한다. 이것은 구체적이고 성취 가능하며 측정 가능한 방식으로 제대로 표현되고 묘사된 성과를 말한다. 또한 NLP에서 성과는 각 개인에게 맞춤 성과(dovetailing outcome)여야 하는데, 최적화된 해결책을 찾기 위하여 서로의 차이를 조정하고 서로의 욕구나 필요에 맞도록 끼워 맞추는 것을 말

한다. 이는 상생(win-win)의 해결책을 위한 기초가 된다.

성과연구
[成果研究, outcome research]

어떤 상담이나 심리치료가 어떤 내담자에게 효과가 있는지 의문을 해소하는 데 실증적 근거를 보여 주려는 연구. 연구방법

상담에서 성과연구는 마지막 종료점(final endpoints)을 위한 상담개입의 영향을 기술, 해석, 예측하기 위한 것이다. 여기서 마지막 종료점이란 향상된 기능, 향상된 의사결정 능력 또는 감소된 불안감처럼 상담개입 전과 달라진 성과나 최종 결과를 말한다. 본질적으로 성과연구는 개입이 없었을 경우와 비교해서 상담개입이 더 나은가 더 나쁜가, 특정 상담개입이 다른 개입보다 더 효과적이라면 개입이 없거나 다른 개입보다 어느 정도 나은가를 알아보고자 하는 것이다. 즉, 성과연구는 비교가 목적이다. 그 성과가 내담자의 자기지각에 의한 것이든 연구자가 관찰한 것이든 간에 상담개입을 경험한 사람들의 성과를 실증적으로 측정한다. 헤프너, 웜폴드와 키브리한(Heppner, Wampold, & Kivlighan, 2008)은 성과연구 전략을 치료 패키지 전략(treatment package strategy), 분해 전략(dismantling strategy), 구성적 전략(constructive strategy), 모수적 전략(parametric strategy), 공통 인자 통제집단 전략(common factors control group strategy), 비교성과 전략(comparative outcome strategy), 조정설계 전략(moderation design strategy)의 일곱 가지로 구분하였다. 치료 패키지 전략은 치료 패키지나 개입이 어떤 변수에 영향을 주느냐 하는 문제, 예를 들어 자기주장훈련을 받은 내성적인 중학생은 훈련을 받지 않은 다른 중학생 집단과 비교해서 그 훈련이 적절하게 자신을 옹호할 능력을 향상시키는 데 도움을 주었는가를 다룬다. 분해 전략은 효과적인 치료 패키지나 다면적 개입에서 어떤 요소들이 필수적이고 또 어떤 요소들이 필수적이 아닌가의 문제를 다룬다. 이 전략을 개념화하는 가장 좋은 방법은 치료 패키지를 하나의 시험으로 간주하고 그 패키지 내의 각 치료요소를 시험문제로 생각하는 것이다. 그래서 문항의 수를 줄일 경우 줄이지 않았을 때와 같은 타당도와 신뢰도를 갖는지, 즉 상담장면에서 처치요소를 제거하여 더 간소화했을 경우 상담개입이 같은 효과를 가질 것인지를 확인해 보는 것이다. 구성적 전략은 이미 제공된 치료에 새로운 요소의 추가가 전반적인 효율성에 보탬이 되는가 그렇지 않은가를 판단한다. 구성적 전략의 예는 스미스, 콤프턴과 웨스트(Smith, Compton, & West, 1995)가 완성한 연구다. 이들은 2개의 집단에 개인 행복증진 프로그램(personal happiness enhancement program: PHEP)을 제공했는데, 이미 행복감을 증대시키고 우울증이나 불안을 감소시키는 데 효율적이라고 확인이 된 프로그램이다. 그런 다음 2개의 집단 중에 한 집단에는 명상을 추가하여 실시하였다. PHEP와 명상결합집단은 PHEP 단독집단에 비해서 모든 종속변인에서 상당히 더 큰 향상을 보였다. 모수적 전략은 상담 구성요소의 최적량이 성과에 얼마나 보탬이 되는가를 평가한다. 예를 들어, 1회기의 상담이 긍정적인 성과를 가져왔다면 2회기 혹은 3회기에 걸친 상담이 긍정적인 성과에 어느 정도 도움이 되며, 과연 몇 회기에 걸친 상담이 가장 적절한가를 확인하는 것이다. 공통인자 통제집단 전략은 특정한 치료적 개입이나 특정한 요소가 성과에 도움이 되는지, 또는 치료적 변화가 상담에서의 치료적 동맹과 같은 공통인자에서 기인하는지를 확인한다. 예를 들어, 과제의 부여가 긍정적인 성과(예, 우울증의 감소)에 도움이 되는지, 또는 증상의 감소가 주로 상담자와 내담자 간의 관계형성에서 기인하는 것인지를 확인하고자 한다. 비교 성과 전략은 2개 또는 그 이상의 효과적인 치료 중에서 어느 것이 더 효과적이거나 효율적인지(즉, 비용이나 시간이 덜 소요

되는지)를 다룬다. 밀러, 배릿, 함페와 노블(Miller, Barrett, Hampe, & Noble, 1972)은 상호 억제와 전통적인 심리치료 모두가 공포증이 있는 아동을 치료하는 데 효과적이며, 두 심리치료법은 아무런 처치를 하지 않은 경우보다 더 효과적이라는 것을 밝혔다. 조정설계 전략은 어떤 유형의 내담자가 어떤 일정한 유형의 치료법에 더 잘 반응하는지를 다룬다. 예를 들어, 구조적인 데 요구가 높은 개인은 고도로 구조화된 치료법에 더 잘 반응하고, 구조적인 것에 대한 요구가 낮은 개인은 비구조화된 치료법에 더 잘 반응할 수 있다. 그렇다면 상담자는 특정한 내담자의 유형에 가장 효과적인 개입을 찾으려는 희망을 가지고 내담자의 구조화에 대한 요구와 상담개입의 구조화 수준의 상호작용을 살펴야 한다. 비교는 또한 비용 효율성 측면에서 이루어질 수도 있다. 내담자의 지각에 따르든 상담자의 관찰에 따르든 성과는 상담실제에 유용한 정보가 된다. 반면, 비용 효율성에 초점을 둔 성과연구는 공공정책에 유용한 정보를 제공하는 경우가 많다. 'Project MATCH(Cisler, Holder, Longabaugh, Stout, & Zweben, 1998; Holder et al., 2000)'는 성과연구의 좋은 예라 할 수 있는데, 그 연구결과는 알코올중독과 의존성의 치료에 대한 비용 효율성을 살펴 효과적인 치료 프로그램의 실시기간과 같은 문제에 대해서 정책적 결정을 내리는 데 활용되었다.

성교육
[性敎育, sex education]

인간이 성적으로 적응할 수 있도록 성에 관한 지식 정보를 주고 생활지도를 행하는 것. 성상담

성교육이란 남녀의 몸과 마음에 관한 차이를 올바르게 이해시키고, 성에 관한 과학적 지식을 전하여, 남녀 간 성의 특성을 알고, 이를 바탕으로 하여 건전한 인간관계 형성 및 유지를 목적으로 하는 인간존중정신을 기반으로 한 종합적 인격교육을 말한다. 이는 인격체가 저마다 지니고 있는 특성 및 역할을 이해하고 상호존경, 신뢰, 자기통제력 등을 바탕으로 서로 협력하고 행복을 창조할 수 있도록 돕는 활동이다. 궁극적으로 성교육은 인간의 행복한 생활을 돕는 교육활동이라 할 수 있다. 성교육을 통해서 학습자들은 성에 관한 올바른 가치관을 형성하고 과학적 성 지식 및 사실을 정확하고 진솔하게 배워 적절한 자기통제력을 습득하여 올바른 성 윤리를 배워야 한다. 따라서 성교육의 목표는 학습자가 자신뿐만 아니라 타인의 행복까지 만들어 갈 수 있도록 필수적으로 요구되는 자기통제력을 기르는 것이다. 성교육에서 도덕적 기본 태도가 기반이 되는 이유가 이 때문이다. 성은 본능적 충동의 영역이지만 이를 넘어서서 사회화, 개성화되어야 하는데, 사회적 분위기, 도덕 및 종교 관념에 의해 억압되는 성향이 있어서 성에 관한 바른 지식을 습득하는 것이 쉽지만은 않다. 이에 따라 성의 생리, 충동, 감정 등이 스스로 친숙하지 못하여 자아이화적(egodystonic)으로 되는 경향이 있으며, 성에 관한 지식 부족, 수치, 공포, 죄악감, 반발, 왜곡된 관심, 탐닉과 같은 문제를 초래할 수 있다. 이런 이유로 연령, 발달에 따른 적절한 성에 대한 지식을 주는 생활지도가 필요하다. 현실적으로 성에 대한 지식, 지도는 단지 생리적 · 기술적인 것과 부분적인 것이 대부분인데, 전체적 인간이라는 관점에서 교육이 필요하다. 프로이트(Freud)나 사르트르(Sartre)가 명확히 했듯이 성은 인간의 실존 그 자체이며 분리될 수 없는 것이다. 성에 대해서 아는 것은 자신에 대해서 아는 것이며 인간의 실존에 대해서 아는 것이지 않으면 안 된다. 이것은 성인주의(聖人主義)나 선악이 대립하는 이원적 인간관을 말하는 것이 아니라, 인간이 그 속에 모순이나 혼란을 안고 있으면서 그것을 자각, 통합해 가는 인간 실존 그 자체를 자각시키는 것이 된다. 그렇게 되는 것이 불가능한 데에서 성적 문제

성이나 비행이 생겨난다. 성교육의 목표를 이루기 위해서는 남녀생식생리, 해부구조, 신체변화 및 성적 성숙과 같은 성에 관한 생물학적인 면을 이해하는 것이 첫 번째 단계다. 두 번째는 성적 성숙으로 인한 인간심리 발달과정을 이해하는 것이 중요하다. 성에 관련된 정상 및 비정상적 심리를 파악하여 사춘기부터 본격적으로 시작되는 성에 관련된 고민이나 이성에 대한 관심, 성 충동 등을 잘 이해할 수 있도록 한다. 마지막으로는 이성의 존재에 대한 인간적 이해를 들 수 있다. 이성을 대하는 인식, 태도, 행동 등에서 개인은 하나의 인격체로 성장할 수 있어야 한다. 이성을 한 인간으로서 존중하고 서로에 대한 사회적 역할을 이해 및 수용하여 건전한 관계를 형성하고 유지할 수 있도록 도와야 하는 것이다. 인간의 성은 본능에만 국한되어 있는 다른 동물과는 달리 사회, 문화적인 부분이 결부되어 있으므로, 생물학적인 성뿐만 아니라 인간의 관계로 이어지는 성에 관한 지식을 제대로 전달할 수 있어야 올바른 성교육이라 할 수 있다.

성교통증장애
[性交痛症障礙, sexual pain disorder, sexual dysfunction]

정상적인 성행위 중에 성 반응의 전 주기상 수반되는 모든 종류의 성기통증을 일컫는 말로, 성교동통장애(性交疼痛障礙)라고도 함. 성상담

성교 중 통증은 성교 중에 가장 많이 일어나지만, 성교 전이나 성교 후에도 발생할 수 있는 모든 동통을 말한다. 이 장애는 남성과 여성 모두 겪을 수 있지만 여성에게 주로 나타나며, 남녀 모두에게 해당되는 성교통증, 여성에게 국한되는 질 경련증 등이 이에 속한다. 성교통증은 성교 시 지속적으로 생식기에 통증을 느끼는 경우로서, 지속되면 성행위를 회피하게 되고 성욕구장애나 다른 성기능장애로 발전되어 만성화될 수 있다. 이 장애는 다른 장애에 비해서는 드물다. 원인으로는 신체적인 것이 많지만 심리적 요인이 통증의 발생과 지속과정에 영향을 미칠 수 있다. 어린 시절에 성적인 학대나 강간을 당하면서 느꼈던 고통스러운 경험이 성인이 되어 성교 시 통증을 유발할 수 있다. 그뿐만 아니라 상대방에 대한 거부감이나 혐오감, 상대방을 조종하려는 무의식적 동기 등이 성교통증에 영향을 줄 수 있다. 질 경련증은 성행위 시에 남성의 성기가 삽입될 수 없도록 질 입구를 굳게 닫는 경우를 말한다. 즉, 해부학적으로는 정상적인 구조이지만 남성의 성기가 삽입되려고 하면 질 입구가 수축되어 성교가 불가능해진다. 이 같은 현상이 지속되는 것을 질 경련증이라 하는데, 갑자기 발생하는 경우가 많고 흔히 첫 성교 시도를 하거나 처음으로 부인과 검사를 받을 때도 일어난다. 때로는 성적인 충격이나 신체적 질병 때문에 갑자기 질 경련증이 나타날 수도 있다. 성교통증은 성적 상대자와의 갈등을 초래할 수 있으며, 이로 인해 심한 내적 갈등까지 일어날 수 있다. 이는 이성에 대한 무의식적 거부로, 스스로 상대방에 대한 적의를 깨닫지 못하는 경우가 많다. 이러한 증상을 지닌 사람들은 스스로 병원을 찾는 경우가 드물다. 성교통증장애가 오래 지속되면 불면증 등의 불안에 따른 정신적, 정서적 장애를 경험할 수 있다. 성교통증장애의 치료로는 매스터스와 존슨(Masters & Johnson)의 공동 성치료가 가장 많이 사용되고, 캐플란(Kaplan)의 치료법도 많이 사용된다. 이외에 최면치료, 행동치료 등을 적용하기도 한다. 성교통증장애가 기질적 원인일 경우는 의사와 면담하여 그 원인을 제거하는 것으로 해결할 수 있고, 그렇지 않은 경우는 정신적 갈등을 탐색하여 그 갈등을 해소하는 것으로 막을 수도 있다.

성기능장애
[性機能障礙, sexual dysfunctions]

기질적 이상이 없는데 성적 흥분이 정상적으로 환기될 수 없거나 오르가슴에 도달할 수 없는 상태로, 성기능부전(性機能不全)이라고도 함. 성상담

성기능장애는 정상적인 성적 자극에도 불구하고 흥분기에 생리적 반응이 없거나 쉽게 흥분이나 쾌감을 느끼지 못하는 경우를 말한다. 흥분기, 상승기, 절정기, 쇠퇴기 등으로 진행되는 성적 반응주기에 따라서 주어지는 성적 자극에 반응이 원활하지 않기 때문에 정상적인 성관계의 진행이 어려워 이 문제는 부부갈등의 잠재적 원인이 되는 경우가 많다. 당사자들은 이에 대해 드러내 놓고 이야기하는 것을 불편해 하기 때문에 치료에서도 충분한 라포 형성이 필수적이다. 성 기능 장애는 DSM-IV에서는 성적 장애 및 성 정체감 장애 범부의 하위범주로 진단이 되었지만, DSM-5에서는 성기능 장애(Sexual Dysfunction)의 독립범주로 변경되었다. DSM-5에 따르면 성기능장애는 성적 욕구장애, 성적 흥분장애, 오르가슴장애, 성교동통장애, 신체질환을 포함한 복합요인에 의한 성 기능 부전, 물질 유발성 성기능 부전, 특정 불능 성 기능 부전 등으로 분류된다. 성적 욕구장애는 성적 욕구의 저하, 성 혐오장애와 같이 성적 욕구에 문제가 있는 경우를 말하고, 성적 흥분장애는 성적 욕구는 있지만 원활한 성행위를 위한 신체적 조건형성이 불가능하거나 부족한 경우, 즉 여성의 성기 주변 습윤화 곤란, 남성의 발기장애 등의 문제를 말한다. 오르가슴 장애는 성반응주기상에서 절정감을 느끼지 못하거나 스스로 통제할 수 없는 상태로 지연되거나 남성의 경우 너무 빨리 사정이 되는 경우를 말한다. 성교동통장애는 심인성 통증도 포함되며, 성교 시 질 경련과 같은 신체적 고통을 느껴 성교가 원활하게 이루어지지 못하는 것을 말한다. 성적 기능장애의 치료는 과거에는 주로 정신분석에 의존해서 수행되었지만, 점차 문화적, 사회적 요인이 주목받으면서 학습이론이나 행동치료가 도입되어 보급되고 있다. 또 존재와 관계로서 부부간 신뢰관계나 사랑의 중요성을 설명하고 행동치료에서 충족되지 않는 인본주의 심리학적 모델도 나타나고 있다. 발기부전 등의 증상은 약물치료도 효과적이라고 알려져 있다.

성기적 성격
[性器的性格, genital character]

정신분석학에서 심리성적발달단계를 완전히 거친 후에 형성된다고 보는 건강한 성격유형. 성격심리

정신분석학에서 인간의 성격은 성적 에너지인 리비도가 신체에 집중되는 부위에 따라 구강기(oral stage), 항문기(anal stage), 성기기(phallic stage), 잠재기(latency period), 생식기(genital stage)의 발달단계를 거치면서 형성된다고 보았다. 이렇게 각 단계를 거쳐 최종적으로 생식기에 이르러 성역할의 정체감을 형성하고 성인으로서 사회적 관계가 발달된 상태가 되어 성격이 형성된 것을 성기적 성격이라 한다. 에이브러햄(Abraham)은, 성기적 성격은 애정대상에 대한 사랑과 증오의 양가감정을 극복하고 양가감정 후의 성기단계에 도달한 것으로 보았다. 또한 라이히(Reich)는 성격분석의 입장에서 성기적 성격과 신경증적 성격을 구별하고, 성기적 성격에서는 성기적인 오르가슴에 충분한 만족의 능력과 사회적 승화능력이 확립되고 원활한 리비도 경제(libido economy)를 영위하고 있기 때문에 불필요한 리비도로 인하여 우울해하거나 걱정하지 않는다. 이에 반해 이러한 능력이 미흡하면 우울해하거나 신경증적 증상을 유발하여 신경증적 성격을 형성하게 된다.

관련어 | 리비도, 심리성적 발달, 정신분석

성도 검사
[性度檢査, masculinity-feminity test: Mf]

남성성과 여성성의 정도를 알아보는 성격검사. 심리검사

남성다움 또는 여성다움을 측정하는 것으로 M-F 검사라고도 하는데, 심리학적으로 개인이 어느 정도 남성적 또는 여성적 성질을 가지는가를 양적으로 측정하는 성격검사다. 유명한 검사로 터먼(L. M. Terman)과 마일스(C. C. Miles)의 태도흥미 분석 검사가 있는데, 이것은 언어연상, 잉크반점연상(inkblot association), 지식, 정서적 · 도덕적 반응, 흥미, 호감과 의견, 내향적 반응의 일곱 가지 영역에 걸쳐 양성 간에 존재하는 성품과 도량의 차이를 본다. 간이도 검사를 할 수도 있는데 이 경우도 터먼의 검사에서 시사를 받은 것으로서 일곱 가지 영역 중 가장 판별력이 있다고 하는 정서적 및 도덕적 반응(분노, 공포, 혐오, 동정, 사악)만 취해서 하는 것이다. 문제는 다섯 가지 영역 각 10문항의 구성으로 플러스(남성적)와 마이너스(여성적) 반응에 따라 판정한다.

성령
[聖靈, holy spirit]

하나님의 영. 목회상담

성경에서 성령은 삼위일체 하나님의 한 인격으로서, 하나님의 능력을 가졌다고 설명한다. 성령은 곧 하나님이다. 하나님은 본질적으로 영이며, 모든 살아 있는 피조물이 생명력을 얻는 호흡의 원천이고, 또한 인간을 하나님 자신과 같이 만들어 주는 독특한 품격의 수여자다. 성령을 표현하는 구약의 단어는 '루아흐(rûah)'인데, 바람을 의미한다. 이 바람은 때로는 온화하고 유익을 주며, 때로는 광포하고 파괴적인, 불가시적이며 저항할 수 없는 힘을 상징한다(창세기 8:1, 출애굽기 10:13, 19, 민수기 11:31). 이러한 성령은 인간의 구원과 밀접한 관련이 있으며, 도덕적 정결을 부여하고 진리의 길로 인도하며, 마음을 새롭고 정결하게 하는 역할을 한다. 목회(기독교) 상담에서는 상담자와 내담자 모두 성령의 능력을 믿고, 그 능력이 나타나도록 기대하면서 기도해야 한다고 한다. 왜냐하면 상담과정에서 일어나는 내담자와 내담자 삶의 전적인 변화는 인간의 노력이나 힘이 아니라 바로 성령의 능력으로 가능한 것이기 때문이다.

성반응주기
[性反應週期, sexual response cycle]

성적 자극이 주어졌을 때 일어나는 심리적 반응에 근거한 4단계 과정. 성상담

성행위를 하는 과정에서 나타나는 일반적 반응을 4단계로 나누어 설명한 것이다. 첫째는 성 욕구단계(desire stage)로, 성행위를 하고자 하는 욕구를 느끼면서 서서히 성적으로 흥분되는 단계다. 성적 욕구는 다양한 외부자극에 의해 발생하며 때로는 내적인 상상에서 시작되기도 한다. 이 단계에서는 두 사람이 서로 애무와 입맞춤 등을 통해서 흥분을 고조시켜 나가고, 근육이 서서히 긴장되며 가슴과 등 피부가 붉어지는 현상이 나타나고, 심박수가 빨라지기 시작하며 호흡도 서서히 거칠어진다. 여성의 경우 질에서 윤활제가 분비되기 시작하고, 유방이 부풀기 시작한다. 둘째는 고조단계(excitement stage)로, 성적인 쾌감이 서서히 증가하고 신체생리적인 변화가 나타난다. 이 단계에서는 흥분이 더욱 심화되는데 첫 단계에서 일어났던 반응이 더 강하게 진행된다. 남성의 경우는 음경이 발기가 되고 여성의 경우는 골반에서 혈액이 응혈되면서 질에서 분비물이 나오며, 질이 확장되고 외부 성기부분이 부풀어 오른다. 가끔씩 손, 발, 얼굴 등에 경련이 일어날 수도 있다. 심박수, 호흡, 혈압 등이 계속 상승한다. 셋째는 절정단계(orgasm stage)로, 성적인 쾌감이 최

고조에 달한다. 이 단계에서는 성적 긴장이 급격히 해소되며, 생식기, 회음근, 항문의 괄약근이 주기적으로 수축된다. 남성은 참을 수 없을 정도의 사정욕구가 생기면서 정액을 분출하며, 여성은 질 벽 외부 3분의 1 정도가 수축되는 경향이 있다. 지금까지 지속되던 혈관팽창 및 모든 근육의 긴장이 풀리고, 무의식적으로 근육이 수축되며, 여성의 질근육과 자궁에서는 리듬이 실린 수축이 일어난다. 남성 또한 음경근육 수축이 일어나면서 사정을 하게 된다. 마지막은 해소단계(resolution stage)로, 성 행동과 관련된 생리적 반응이 사라지면서 남녀의 신체가 원래 상태로 되돌아가는데 심장은 다른 장기에 비해 다소 시간이 걸린다. 이 단계에서는 몸이 성교 전의 정상적인 상태로 돌아간다. 팽창 및 발기되어 있던 생식기들이 원래 상태로 복원되면서 심적 안정상태로 들어선다. 해소단계에서 서로의 몸을 천천히 애무하면서 친밀함을 나눌 수도 있다. 남성은 생리적으로 한 번 발기 후 일정 기간 발기가 되지 않고 다시 절정에 이를 수 없는 상태가 되는 반면, 여성은 거의 즉각적으로 추가적인 자극에 반응할 수 있다. 그러나 이 경우 음핵과 유두가 매우 예민해져서 자극을 하면 오히려 언짢은 기분이 느껴지기도 한다. 이 네 단계를 흥분기, 상승기, 오르가슴기, 쇠퇴기 등으로 명명하기도 한다. 각 단계별 기간이나 전환되는 시점이 사람마다 다르기 때문에 성교 시 성적 상대자와의 의사소통이 매우 중요하다.

성범죄
[性犯罪, sex offense]

강간, 강제외설, 공연외설, 외설문서 반포 등 성에 관련되어 법적 문제를 일으킨 광범위의 모든 행위. 성상담

성범죄는 피의자의 성욕과 관련된 범죄이기 때문에 특정 성행위가 법률에 저촉되어 금지 및 처벌을 당하는 것이라고 정의할 수 있다. 우리나라 「형법」 제2편 제22장과 제32장에 따르면, 성범죄는 성 풍속에 관한 죄와 강간과 추행의 죄로 구분된다. 성 풍속 관련 범죄는 사회 전반의 건전한 성도덕 및 성 풍속 보호를 기반으로 하는 사회적 법익 보호를 위한 법이라면, 강간과 추행 관련 범죄는 성에 관한 개인 결정의 자유를 비롯한 개인의 법익을 위한 법이다. 성 풍속 관련 죄는 간통죄, 음행매개죄, 음란물죄, 공연음란죄 등이 있고, 강간 및 추행 관련 죄는 강간죄, 유사강간죄, 강제추행죄, 준강간 및 준강제 추행죄, 강간 등에 의한 치사상죄, 미성년자 등에 대한 간음죄, 업무상 위력 등에 의한 간음죄, 13세 미만인 자에 대한 간음 및 추행죄 등이 있다. 이외에 특별 형법에 성폭력 범죄의 처벌 등에 관한 특례법상 특수강도강간, 특수강간, 특정강력범죄의 처벌에 관한 특례법상 특별한 누범 가중 등이 성범죄로 분류된다. 이 같은 성 범죄는 단지 형법에만 국한되는 것이 아니라 「아동복지법」 「풍속영업의 규제에 관한 법률」 「성매매 방지 및 피해자 보호 등에 관한 법률」 「경범죄 처벌법」 등 여러 특별법에서 부분적으로 규정된 모든 성 관련 범죄를 포함하는 개념이다. 가장 많은 법적 문제를 일으키는 것은 강간, 강제외설이며, 18~19세의 청소년에게서 빈번하게 사건이 발생한다. 성범죄 규정에서 일반 형법의 경우는 친고죄를 원칙으로 하지만, 특별 형법의 경우는 비친고죄를 원칙으로 하여 피해자의 고소 없이도 범죄가 성립될 수 있도록 해 두었다. 성범죄의 원인은 개인적인 차원과 사회 및 환경적인 차원으로 나눌 수 있다. 개인적 차원의 성범죄는 통제력 부족, 개인의 감정상태 조절불능 등이 원인이 되어 발생하고, 사회 및 환경적 차원의 성범죄는 부모의 혼인상태, 또래집단의 영향, 외설적 매체 영향, 왜곡된 성 문화에 대한 사회 통념, 범죄의 포악화 경향 등이 원인이 된다. 성범죄의 경우는 피해자의 수치심이 문제가 되어 고소 및 고발이 사건 발생빈도에 비해 미미하다. 이 때문에 최근 강간과 같은 성범죄 수사 중 피해자에게 수치심을 일으키는 어떤 행위도 금지하는 '성

범죄 피해자 보호 지침'을 두는 등 성범죄가 심각해지면서 그에 대한 처벌이 강화되는 추세에 있다. 성범죄 중 가장 큰 사회문제를 일으키는 것 중 하나가 청소년 강간이다. 이는 쾌락추구 및 소비형, 일방적으로 상대를 선택하는 단락형, 성적 부전감 및 신경증적 갈등이 인정되는 충동형, 성적 목적 외 다른 목적의 수행과 동시에 행해지는 부수형 등으로 나누어지고, 각 유형마다 동기나 배경에 차이가 있다. 수적으로 많이 발생하는 강제외설도 유형은 동일하지만 강간의 경우보다 성적으로 미숙한 이들이 행하는 경우가 많다. 성범죄의 동기는 사례마다 다양한데, 특이한 사건 혹은 연속 사건의 동기는 주로 성도착이나 성욕이상자가 일으킨다. 성 범죄자가 성인인 경우는 사건이 고정적이고 반복되는 경향이 많지만 소년인 경우는 대상적 성욕을 만족시키기 위한 일과적 사건이 많고 적절한 처치로 재범을 막기가 용이한 편이다. 성범죄는 사회병리적 배경이 원인이 되는 경우도 많고, 현대 성 문화의 상징으로 부각되고 있기도 하다.

성상담
[性相談, sex counseling]

개인의 과거 또는 현재의 성에 대한 부정적 경험뿐만 아니라 성에 관한 자신의 개념, 생각, 인식을 새로이 하는 학습과정이며, 성과 관련된 인간 내면세계의 특성을 성장시키고 발전할 수 있게 변화를 도와주는 조력과정. 성상담

성상담은 성적인 문제로 도움이 필요한 사람이 전문적인 훈련을 받은 성상담자와 대면해서 문제의 해결, 사고, 감정, 행동 측면에서 인간적인 성장을 위해 노력하는 과정으로 볼 수 있다. 성과 관련된 정서, 행동, 인지적 특성의 성장과 성숙에 도움을 주는 것이 성상담인 것이다. 따라서 성과 관련된 개개인의 생각이나 감정 등의 무지, 왜곡 혹은 성 충동의 적절한 관리능력의 부족 등으로 나타나는 성과 관련된 삶을 다룬다. 성과 관련된 정보지식의 부족, 성과 관련된 태도상의 문제, 기술적 문제, 심리적 갈등의 문제, 정신질환 등이 원인이라 할 수 있는데, 그래서 상담자는 성상담의 경우 성적인 문제가 무지에 의한 것인지, 성에 대한 태도나 사회적 기술상의 문제인지, 심리적 갈등(혹은 신경증)의 문제인지, 나아가 정신질환(혹은 이상심리)의 결과인지를 이해하는 것이 중요하다. 성적 문제가 지식부족에 의한 것이라면 교육과 정보제공이 상담의 방법이 되겠지만 여타의 경우는 일반 상담과정과 동일하다. 그러므로 성상담이란 내담자들이 성과 연관된 문제를 해결할 수 있도록 조력하고 성적인 측면에서 인간적 성장을 촉진할 수 있도록 조력하는 상담의 한 영역이라 할 수 있다. 따라서 상담의 일반 원리나 기법 등이 성상담에 적용되지만, 성상담자는 성과 관련된 인간행동 특성을 보다 깊게 이해할 필요가 있으며 인간의 성적 발달과 그 발달과정에서 야기되는 변화 등에 대해 잘 알고 있어야 한다. 성상담은 개인의 성에 대한 태도, 생각, 인식을 새롭게 학습하는 과정이며, 이를 통해 성과 관련된 문제행동을 해결하는 능력을 학습하는 과정이다. 성상담의 궁극적인 목적은 정신적, 육체적, 성적인 인간교육과 건전한 인간관계 훈련의 성의식 고양이다. 이 목적을 달성하기 위해서 자기사랑, 즉 자기수용, 자신의 성격과 감정을 이해할 수 있는 자기인식, 자신이 잘 알고 있다는 것을 인식하는 자기 확신, 자신을 충분히 가치 있는 사람으로 간주하도록 하는 자기존중이라는 네 가지 자질을 육성할 수 있도록 도움을 주어야 한다. 이 자질은 자아개념의 성장이라는 단어로 설명될 수 있다. 자아개념은 자기 자신에 대한 전반적인 이미지를 나타내는 것으로, 자아개념이 좋을 때 다른 사람과 원만한 관계를 형성하고 가족, 친구 등을 사랑하며, 사랑하는 관계를 형성할 것이다. 이러한 관계를 맺기 위해 필요한 특성으로는 다른 사람의 가치를 인정하여 존중하는 것, 상대방을 있는 그대로 받아들이고 객관적으로 바라보는 것, 신뢰하는 것, 건강한 선택을 할 수 있도록 행동

을 조절하는 것 등이다. 여기에는 책임 있는 행동이 포함되며, 책임 있는 행동이란 자신은 물론 다른 사람을 존중한다는 것을 보여 주는 행동이다. 따라서 성상담의 목적은 책임 있는 행동을 통하여 자신에 대한 자아개념을 더욱 분명히 하고 긍정적인 상을 가지며 만족한 성생활을 할 수 있도록 하는 데 있다. 성상담은 자신의 성을 받아들이고, 자신의 성에 대한 가치관을 확립하여 이성과 원만하고 만족스러운 성관계를 통한 진정한 삶을 찾도록 도움을 주는 과정인 것이다.

성상담에서의 관찰자 역할
[性相談 - 觀察者役割, spectator role in sex therapy]

성기능장애를 지닌 사람들이 성행위 시 그에 몰두하지 못하고 관찰자가 되어 자신의 신체적 반응을 살펴보는 것. 성상담

성 기능은 몸을 자연스럽게 내맡길 때 원활하게 반응할 수 있는데, 이러한 관찰자적 태도는 오히려 성 기능을 위축시키고 성적 쾌감을 감소시킨다. 성적 반응이 내가 원한 대로 일어나지 않으면 불안을 느끼게 되고 결과적으로 성관계에서 실패를 경험한다. 이 같은 요인들이 악순환의 고리를 만들어 성기능장애가 악화된다. 즉, 성적 수행에 대한 두려움 때문에 관찰자적 태도를 취하게 되고, 그렇게 되면 불안해져서 성행위에 몰두할 수 없어 실패하며, 나아가 두려움이 더 심해져 더 자주 실패하고 점차 성기능장애가 악화되는 것이다.

성상담에서의 행동형성
[性相談 - , shaping in sex therapy]

오르가슴 장애를 비롯한 성기능장애 치료에서 이미지를 사용하여 성적 판타지를 불러일으키는 방법. 성상담

행동형성은 원래 행동주의 상담기법의 일종으로, 복잡한 기술이나 반응패턴을 학습시키고자 행동주의자들이 사용한 것이다. 이를 1975년 님스(Nims)가 성치료에 적용하였다. 이는 이전에 학습된 것이나 학습되지 않았지만 사고에 의한 반응에서 출발하여 새로운 학습반응으로 움직이면서 점진적으로 일어난다. 심상(imagery)은 중추신경계에 내재된 행위로, 성적 기능에서도 일반적으로 쓰일 수 있는 요소다. 즉, 성행위 관련 주제로 감각적이고, 의식(儀式)적이며, 감정적이고, 시각적 수반현상이 일어난다. 성적 이미저리의 전형적 형태는 환상(fantasy)이다. 행동형성에서는 남녀 모두 심상을 활용하는데, 남성이 좀 더 성적 장면의 환상을 쉽게 만들어낸다. 행동형성 기법은 성교 시 흥분 및 오르가슴 관련 능력을 모두 증대시키는 심상에 관련된다. 심상(imagery)으로 만들어진 환상으로 연습 단계를 거치고, 직접 성교 시에 그 심상을 환기시키는 과정으로 행동형성 기법을 진행하면서 오르가슴에 도달하고자 노력한다. 이때 환자가 환상으로 떠올렸던 심상을 사용하지 못할 경우, 자위로 연습을 하는 동안 치료사는 직접 개입하여 환자가 자신이 떠올렸던 환상을 자각할 수 있도록 도와준다. 치료사는 개입을 할 때 반응의 수위를 적절하게 잘 조절할 수 있어야 한다.

성숙
[成熟, maturation]

유전요인으로 신체적 · 지적 · 정신적 분화와 통합이 이루어지는 생물학적 과정. 아동청소년상담

성숙은 연령의 증가에 대한 1차적 함수로서 생물학적으로 변화하는 것인데, 어떤 종의 구성원에게 나타나는 통상적인 성장과 발달이며 내적이고 유전적인 요인으로 발달적 변화들이 통제되는 생물학적 과정을 말한다. 성숙은 경험과 환경적 요인에 상관없이, 연습의 정도와 관계없이 발달 규칙에 따라 나

타나고 변화되는 것이다. 태내 발달, 출생 이후 신생아의 급성장, 2차 성장을 비롯한 사춘기 변화들은 성숙의 결과다. 성숙의 가장 큰 특징은 정해진 순서로 발달단계를 거쳐 간다는 점이다. 신체의 양적 변화, 즉 신체의 크기나 능력이 증가하는 성장이나 경험에 의해 나타나는 행동의 변화인 학습과는 구별된다. 지나치게 빠른 성숙이나 지연된 성숙은 지적, 신체적, 정신적 발달의 불균형과 부조화를 가져오게 되고, 적응에서 어려움을 겪는다. 성숙이론에 따르면 발달은 유기체 내부에서 발생하는 자연스러운 과정이므로 개별 아동의 발달 속도에 초점을 둔 아동 중심의 양육과 아동의 성숙수준에 맞는 학습 준비도가 중요하다. 성숙이론의 대표적인 학자는 게젤(A. Gesell)과 몬테소리(M. Montessori) 등이다.

성숙
[成熟, maturity]

로렌스 크랩(Lawrence Crabb)의 성경적 상담에서 내담자가 최종적으로 도달해야 하는 상태. 목회상담

성경적 상담을 주장한 크랩이 상담의 목표로 말한 성숙은 최종적으로 인간이 예수님의 모습을 본받게 되는 것을 말한다. 그는 이 같은 상담의 목표를 달성하기 위해서 내담자의 영적이고 심리적인 성숙을 주장했는데, 이 성숙을 통해 내담자가 하나님을 기쁘게 하는 존재로 바뀔 수 있도록 도움을 주어야 한다고 주장하였다. 크랩에 따르면 성숙에는 두 가지 요소가 있는데, 그중 하나는 특수한 환경 속에서의 즉각적인 순종(immediate obedience in specific situation)이고, 다른 하나는 장기적인 인격의 성장(long-range character growth)이라고 설명하였다. 즉, 성숙은 하나님의 말씀에 대한 순종과 평생 예수 그리스도의 모습을 닮아 가려는 노력 속에서 이루어지는 성장을 통해 가능하다고 하였다. 따라서 성경적 상담을 하는 상담자의 역할은 내담자가 이러한 순종과 성장이 가능해지도록 도움을 주는 것이라고 보았다.

관련어 | 로렌스 크랩의 7단계 모형, 성경적 상담

성숙 거부
[成熟拒否, maturity refusal]

부모와 자녀가 유착되어 유아기와 소년기를 연장하여 어른이 되기를 거부하는 상태. 이상심리

1970년대부터 젊은이들이 어른으로 성장하지 않고 유아화 경향이 있다는 견해가 대두되기 시작했으며, 자기확립의 심리적 유예라는 의미의 모라토리엄(moratorium)이라는 말이 유행하였다. 1980년대 들어서는 일시적 유예가 아니라 이를 평생 장기화하는 경향이 있어 이를 성숙 거부라고 부르게 되었다. 이 증상은 캠퍼스 증후군(campus syndrome)의 기본이 되는데, 겉으로 드러나는 방식은 여러 가지가 있다. 즉, 유급이나 휴학, 대학원 진학 등으로 대학생으로서의 기간을 연장하여 재학하는 것, 남성성이나 여성성의 결여 혹은 왜곡으로 인한 학생 무기력증이나 사춘기 상실증, 시선 공포, 졸업논문 공포, 졸업 공포, 취직 공포 등으로 심한 경우에는 심리적 공황(panic)에 빠지며 자살에 이르는 경우도 있다.

성숙의 가속화
[成熟-加速化, acceleration in maturity]

인간의 성숙이나 발달에서 질적 변화의 출현이 기존의 세대보다 저연령화되는 것. 발달심리

부모나 조부모의 세대에 비하면 청소년의 체격이 현저히 향상됨과 더불어 성숙도 빨라지고 있다. 한 보고서에 따르면 1960년대와 1980년대를 비교했을

때 전국 평균 초경 연령은 이 사이에 7~8개월 빨라지고 있다. 또한 유아의 치아 발생시기나 남자의 성적 발육시기에서도 똑같은 경향이 나타나고 있다. 이러한 신체적 발달의 가속화 현상이 나타나는 이유는 생활수준이 높아짐으로써 건강, 영양, 심리적 보살핌 속에서 좋은 환경으로 발달을 촉진하기 때문이다. 이렇듯 신체의 발달적 측면에서 아이들이 초등학교 고학년이 되면 이미 청소년기에 들어서고 있으며 어른으로 향하는 성숙이 시작되고 있다. 따라서 한 세대 전의 초등학생과는 다른 새로운 고민이나 문제를 안고 있다고 볼 수 있다. 부모나 교사도 아이들의 새로운 발달상황에 대응하는 지도 방식을 연구해야 할 것이다.

관련어 | 청소년기

성숙한 의존단계
[成熟 – 依存段階, mature dependence stage]

분화된 대상과 건강하고 성숙한 상호의존적 관계를 이루는 시기. 대상관계이론

페어베언(W. Fairbairn)이 소개한 자기발달단계 중에서 세 번째 단계로 건강하고 성숙한 상호의존성의 특성을 나타낸다. 유아의존성의 자기중심성은 과도기를 거치면서 성인기의 이타적 관대함으로 발전하는데, 분화된 대상과의 상호의존적인 유대를 유지할 수 있게 된다. 완전한 분화를 통해 비함입적 대상관계를 형성하며 그 결과 외적 대상은 그 자체로 수용될 수 있다. 건강한 자아발달을 위해서는 수용하는 대상과 거부하는 대상 모두 외재화되어야 한다. 그러나 페어베언은 이러한 성숙한 의존단계로의 변화는 결코 완벽하게 이루어지지 않으며 과도기 단계의 불완전함이 전 생애를 통해 존재한다고 보았다.

관련어 | 과도기 단계, 유아적 의존단계

성숙한 인격
[成熟 – 人格, mature personality]

고유 자아발달단계를 거쳐 정서적으로 건강하고 주변환경으로부터 독립되어 자율적으로 기능하는 특성. 성격심리

성격의 특질론을 강조하는 올포트(Allport)가 제안한 성격 특성으로서, 정서적으로 건강한 성인의 특성을 말한다. 그는 인간의 성격발달단계를 고유자아발달단계라 하고 각 단계에는 그 시기에 형성해야 하는 자아를 거쳐 성격이 발달한다고 하였다. 아동기에 형성된 성격이 성인기에도 이어지는 것이 아니라 서로 다른 특성을 가지고 있다. 아동기에 맞는 성격과 성인기에 적합한 성격이 엄연히 구별되는 것이다. 따라서 그가 제안한 성숙한 인격은 정서적으로 건강한 성인의 성격을 말하며, 그 특성은 다음 여섯 가지로 제시할 수 있다. 첫째, 자기의식이 확대되어 있다. 이는 국가, 사회, 이웃과 가정 속에 있는 나를 '나'에 머물러 있지 않고 자기 이외의 사람이나 활동으로 확대해 나가는 것을 말한다. 나만 잘 살면 된다고 생각하는 자기중심적 이기주의나 우리만 좋으면 된다고 생각하는 집단이기주의에 묶여 있지 않다. 둘째, 다른 사람들과 따뜻하고 친밀하면서도 인내하는 유대관계를 형성한다. 그 사람의 인격은 인간관계에서 나타난다고 한다. 친구가 어디 있고 어떤 사람인가, 자기 확대는 잘 되었나 등을 통해 유대관계를 알아본다. 셋째, 정서적으로 안정되어 있다. 정서적 안정을 위하여 자신과 다른 사람을 있는 그대로 받아들인다. 자신을 수용하지 못하고 다른 사람의 탓을 강조하는 사람은 정서적으로 안정되어 있지 않은 사람이다. 또한 자기통제를 함으로써 정서적으로 안정될 수 있다. 만약 화를 참지 못하고 모두 표현해 버려 인간관계를 망치는 사람은 자기통제가 이루어지지 않은 사람이며, 동시에 성숙한 사람이라고 할 수 없다. 넷째, 현실적 지각능력을 지니고 자기계발에 힘쓴다. 취직은 했지만 막상 일을 제대로 해내지 못한다면 현실적 지각

능력이 부족하다고 할 수 있다. 현실적 지각능력은 과거 아동기 경험이나 미래망상에서 벗어나는 것이다. 다섯째, 자기를 객관화할 수 있다. 자신에 대해 주관적으로 생각하고 '나는 사랑받을 수 없는 사람이야.' '나는 틀렸어.'라고 규정하지 않고 자기이해로 통찰하고 유머감각을 지니며 자기를 대상화한다. 여섯째, 통합적인 인생철학을 가지고 있다. 미래목표가 있으면서 자존감이 있고 관계를 튼튼하게 만들어 갈 줄 아는 사람이 통합적인 인생철학이 있는 사람이다. 이 같은 성숙한 인격은 치료적 상담의 목표이기도 하다.

미성숙한 인격 [未成熟-人格, immature personality] 성숙한 인격과 반대되는 개념으로서 미성숙한 인격의 유형은 다음과 같다. 첫째, 투사형 또는 심리형으로서 자신이 해결하기 힘든 일이 있으면 다른 사람의 탓으로 돌린다. 예를 들어, 아내는 남편을 탓하고 남편은 아내를 탓하면서 끊임없이 부부싸움을 하는 경우다. 둘째, 자기중심형으로서 모든 사고와 행동을 자기중심적으로 한다. 예를 들어, 사랑은 주는 것인데 받기만 하려다가 받지 못하면 화가 폭발하는 사람의 경우다. 셋째, 충동형으로서 즉각적이고 가시적인 것을 추구하는 사람이다. 욕구가 즉각적으로 해결되지 않으면 행동을 하지 않으려고 한다. 충동형인 사람은 금방 뜨거워졌다가 금방 식는다. 넷째, 전이형으로서 어떤 사람에게 느꼈던 감정을 또 다른 사람에게 전이하는 사람이다. 예를 들어, 내담자가 치료자에게 남편, 아내 혹은 부모에게 가졌던 감정을 지니는 것이다.

성역할
[性役割, sex role]

생물학적 성이나 사회적 성의 분류에 따라 소속된 사회 내에서 적합하다고 인식되고 그에 따른 성별에 기대되는 행동, 성격, 태도 등을 이르는 말. 성상담

성역할은 사회집단이 그에 속해 있는 한 개인의 성에 따라 기대하는 전형적인 행동유형을 통칭하는 것으로, 생리적인 기반보다는 사회문화적 기반에 따라 좌우되어 시대, 사회, 문화마다 차이가 발생한다. 현대는 고정되고 편향적인 성역할을 가졌던 과거와는 달리 다양성과 개방성이 인정되면서 많은 변화를 일으키고 있다. 과거에는 성역할을 영어로 'sex role'이라 표기하는 것이 일반적이었지만, 현대에는 이 용어 자체가 성 차별적 의미가 포함된 것으로 보고 'gender role'로 표기하는 추세에 있다. 인간의 성차는 크게 생물학적(신체적) 성차와 심리적·사회적 성차로 구분된다. 전자는 남녀의 선천적인 생물학적 차이를 기반으로 규정되는 것이며 시대, 문화, 장소에 따라 크게 변하지 않는다. 반면에 후자는 선천적인 차이가 아니라 후천적 환경에서 학습하여 획득된 것이다. 성역할은 남성이나 여성으로 태어남과 동시에 주위로부터의 작용으로 습득된다. 소속된 사회에서 기대되는 성에 어울리는 이름이 주어지고, 성차원칙(sex-differentiated discipline)에 익숙해져 성의 유형(sex-typing)이 이루어진다. 출생과 동시에 여아와 남아는 성의 구별에 따른 선별적 양육을 받고, 성장과정에서도 성역할에 대한 기대가 서로 달리 적용된다. 따라서 2차 성징이 나타나는 사춘기 이전에 이미 남녀 간의 행동양식은 뚜렷한 차이를 보인다. 성차원칙은 강화학습으로, 부모는 때로는 상벌을 이용하면서 아이의 성에 적합한 행동을 장려하고 그렇지 않을 경우에는 억제시킨다. 부모로부터의 강화학습에서 배우고 성역할을 획득하는 것이 관찰학습(modeling)인데, 이는 아이가 자신과 동성의 부모를 관찰함으로써

부모를 그 성의 모델로 삼아 특징을 학습해 가는 것이다. 또 동성의 부모가 가지는 특성을 능동적으로 받아들여 부모와 동일시하는 발달과정은 정신분석의 발달적 동일시 이론에 의해 설명된다. 이와 같이 획득된 성역할관과 성별에 의한 역할분업은 사회일반에서는 상당히 전통적인 기대에 따라 인지되고, 성역할의 고정관념으로 생각되기 쉽다. 청년기가 되면 사회일반에서의 고정관념의 성역할관과 달리, 자기 자신이 이상으로 하는 자신의 가치관에 기초한 성역할관을 품게 된다. 성역할의 사회화 과정은 출생부터 사망까지 지속되며, 자아정체감 및 사회 내 신분, 대인관계 등에 따라 서로 다른 기능을 하도록 이끈다. 이는 개인의 성정체성과 사회가 인식하는 성역할 간의 괴리를 불러일으킬 수 있다. 따라서 고정관념과 개인이 이상으로 하는 성역할관의 사이에는 종종 갈등이 발생하기도 한다. 특히 현대로 오면서 여성은 현저한 틈을 느끼는 경향이 있고, 사회일반의 고정관념을 수용하는 것에 갈등과 곤란을 느끼며, 성역할에 적응하는 데 문제가 생기기 쉽다. 이후 사회에서의 고정관념이 조금씩 변화하는 것이 추측되는 가운데, 자기 자신의 성역할관을 어떻게 실행으로 옮기는가가 과제다.

성역할발달
[性役割發達, sex-role development]

성별에 근거하여 남성과 여성에게 기대되는 행동, 성격, 태도, 능력 등에 대한 차이의 연령에 따른 변화. 발달심리

만 2세 정도 되는 아동은 옷, 장신구, 소지품 등을 남성용과 여성용으로 구별하고, 2세 6개월경에 성역할 고정관념이 형성되며, 3세경에는 장난감을 선택할 때 성역할 고정관념에 따라 자신의 성과 일치하는 것을 고른다. 4세 유아는 색깔을 남자 색깔과 여자 색깔로 구별하며 청색과 갈색은 남자 색, 분홍색은 여자 색이라고 규정짓는다. 5세경은 외현적 행동을 남성적인 것과 여성적인 것으로 구분하는데, 공격적이고 지배적인 특성을 지닌 행동은 남성적인 것이며, 친절하고 조용한 행동은 여성적인 것이라고 여긴다. 6세에는 성역할 항상성이 확립되어 전통적인 성역할 활동을 강하게 주장하고 여러 가지를 선택하는 데 성역할과 관련된 반응을 고집한다. 이런 반응은 9세경이 되면 성역할 구분에 대하여 다소 융통성 있게 생각하고 행동하게 되지만 12~15세경에 다시 강한 성역할 고정관념을 고집하면서 정체성 확립이 어느 정도 이루어지는 후기 청년기나 성인기에는 성역할에 대해 융통성이 생긴다. 성역할 발달에서 취학 후 아동은 심리적 특성에 따라 성을 구별하는데, 아동 후기에 이르면 감정적이고 애정적이고 약한 것은 여성, 야심적이고 자기주장적이고 공격적이고 지배적인 행동과 언어는 남성의 특성으로 생각한다. 성역할의 형성과 발달은 생물학적 요인, 부모와 보모나 교사와 같은 주변인의 사회적 영향력, TV 등의 방송물, 광고와 독서 등의 매체물 등의 영향을 받는다. 정신분석학적 측면에서 성역할은 동일시 과정에 의해서 형성되며, 이 과정에서 아버지의 역할이 무엇보다 중요함을 강조한다. 사회학습이론에서 성역할은 생물학적 요인을 간과하고 환경과 경험에 따라 형성되는 후천적 행동양식이라고 강조하며, 부모 · 집단 · 사회가 기대하는 성역할을 강화함으로써 형성된다. 즉, 유아기에는 부모의 차별강화에 따른 사회학습활동, 동일시의 과정을 거치고 성정체성을 형성하는 시기인 6~7세경에는 동성모델이나 동성부모의 신체적 특성, 사고, 행동 등을 모방하면서 성역할을 형성한다. 인지발달이론에서 아동은 자신의 성에 적합한 지식들을 적극적으로 탐색하고 구성함으로써 성역할이 발달하며 3세경에 성에 따른 역할들을 범주화하는 성정체성을 발달시키기 시작한다. 4세경이 되면 성 안정성에 대한 인식이 시작되고, 5~6세경에는 외모가 바뀌어도 성이 변하지 않는다는 성 항상성이 확립되며, 취학시기에 성역할이 완성된다. 성 도식이론

에서 보면, 성과 관련된 정보에 주의 기울이기, 조직하기, 기억하기의 과정을 거쳐 형성되는 성에 관한 신념과 기대체계인 인지구조를 성 도식이라 한다. 성 도식은 성정체성이 확립되는 2~3세경에 성 도식 통합이 이루어지고, 이를 기초로 자기 성 도식이 발달한다. 이렇게 형성된 자기 성 도식에 따라 자신의 성과 일치하는 대상과 활동에 관심을 기울여 성 관련 행동을 선택하거나 통제하는 데 큰 영향을 미친다. 그리고 외부환경에서 여러 가지 상황이나 사건에 대한 성역할 추론이 가능해진다.

관련어 | 성, 성역할, 성징, 성호르몬

성역할분석
[性役割分析, sex-role analysis]

사회의 성역할과 관련된 기대가 여성에게 어떠한 영향을 미치는지, 이에 따른 여성과 남성의 사회화는 어떻게 이루어지는지에 대한 내담자의 자각을 돕는 데 사용하는 기법. 여성주의 상담

성역할분석을 통해 각 사회 속에서 다양한 형태로 형성되어 온 성역할에 대한 관념과, 이러한 것에 여성 내담자의 삶이 어떻게 영향을 받아 왔는지 파악할 수 있다. 그리고 이 같은 사회문화권 속에서의 성역할에 대한 관념이 내담자에게 미친 영향이 긍정적인 것인지, 부정적인 것인지를 진단하여 상담을 통해 변화하고자 하는 목표를 정한다. 상담목표를 정하고 나면 목표의 달성을 위해서 여러 가지 계획을 세우고, 이를 수행하기 위한 다양한 방법을 습득한다. 계획수행방법에는 개인적인 성장을 위한 방법과 더불어, 여성의 변화를 반가워하지 않는 환경에 대응하는 기술도 포함된다.

관련어 | 권력분석, 독서치료, 문화분석, 여성주의 상담, 여성주의 역량강화상담

성욕감퇴장애
[性慾減退障礙, hypoactive sexual desire disorder]

성욕장애의 일종으로, 성적 욕망을 느끼지 못하거나 성욕이 현저하게 감소하여 부족한 상태. 성상담

성욕감퇴장애는 성적 공상이나 성행위에 대한 성욕이 지속적으로 결여되어 없거나 부족한 상태를 말한다. 성적 자극을 추구하고자 하는 동기도 거의 없고, 성적 표현 곤란에 관해서도 감정적 동요가 별로 없다. 이 장애는 전반적인 성적 표현에서 나타날 수도 있고 상황, 대상, 특정 행위 등에 따라서 다르게 나타날 수도 있다. 외현적으로 성적 표현이 될 수 있는 상황에서 기회가 상실되어도 성욕감퇴장애가 있는 사람은 그에 대한 좌절의 정도가 약하다. 따라서 이들은 스스로 성행위를 주도하지 않으며, 성적 상대자가 성행위를 시작했을 때 어쩔 수 없이 대응해 주는 정도로 참여할 뿐이다. 성욕에 관한 일반화 혹은 표준화되어 있는 강도나 빈도에 관한 자료는 없다. 그러므로 성욕감퇴장애라는 판단을 내리기 위해서는 부부나 성적 상대자 간의 상대적 성욕구 차이, 개인적 특성, 대인관계 요인, 생활배경, 문화적 상황 등에 근거해야 한다. 이 장애는 특성상 성적 흥분 및 절정감장애를 동반하는 경우가 많다. 성욕감퇴장애가 시작되는 시기는 사춘기지만 대개 성인기에 나타나고, 심리적 고통, 스트레스, 대인관계 등이 원인인 경우가 많다. 이외에도 의학적 상태에 따른 쇠약, 동통, 생존에의 염려 등이 영향을 미치기도 하고, 우울증이 낮은 성욕과 연관성이 있다. 성욕감퇴장애는 성 기능 부전과는 다르며, 견디기 힘든 고통, 대인관계 곤란 등의 문제를 동반하지 않을 경우는 성욕감퇴장애를 고려하지 않는다.

성욕구장애
[性欲求障礙, Sexual disorder]

성욕을 느낄 수 있는 적절한 연령과 상황임에도 성적 욕구를 느끼지 못하거나 현저하게 부족한 상태. 성상담

성행위 자체에 대해서 혐오감을 지니고 있어 아예 성관계를 회피하기도 한다. 심지어 결혼한 사람들 중에도 배우자에게서 성적인 욕구를 느끼지 못하고 성행위를 회피한다. 이처럼 성욕을 느끼지 못하는 문제로 인하여 스스로 고통스럽게 생각하거나 대인관계, 특히 부부관계나 이성관계에 어려움을 겪게 되는 경우로 성 반응주기의 첫 단계에 장애가 있는 경우다. 성욕구장애의 하위유형으로 성욕감퇴장애와 성적혐오장애가 있다. 성욕구장애의 원인으로는 스트레스, 피로, 약물효과, 질병, 내부비 영향, 출산 후 가정불화, 과거의 나쁜 경험, 우울증, 월경전 긴장감, 남편에 대한 혐오감 등 다양하게 나타난다. 비교적 행복한 결혼생활을 하는 부부의 33%가 일시적 장애를 경험할 수 있으니 부부 상호 간의 관심과 신뢰, 성에 대한 관심을 말이나 행동으로 표시하는 등의 방법으로 해결할 수 있으며, 성치료를 통해도 해결할 수 있다.

관련어 성욕감퇴장애, 성적혐오장애

성욕도착증
[性慾倒錯症, paraphilias, sexual perversion]

강력한 성적 충동과 함께 성적 흥분 유발을 위해서 비정상적 상상, 대상, 행위, 방법 등을 사용하는 성적 장애로, 성도착증(性倒錯症), 변태성욕증, 성욕이상 등으로 불림. 성상담

성욕도착증은 성적 만족의 근원이 일반적인 상식에 있지 않고, 성적 충동 및 행위의 정도가 사회적응과 사회적 관계를 곤란하게 할 정도에 이르는 것을 말한다. DSM-5에 따르면, 성욕도착증은 성욕을 유발하는 대상이나 그 만족을 위한 방법에서의 이상을 말하는데, 대상에 따라서는 소아기호증, 노인애, 물품음란증, 사체애, 동물애, 근친상간, 자체애, 인형애 등으로 구분할 수 있다. 1973년 이전까지는 동성애도 포함되었지만 동성애자들이 성적 기호 이외 사회생활이나 일상에서 정상적인 경우가 많았기 때문에 제외하였다. 방법에 따라서는 노출증, 관음증, 사디즘, 마조히즘, 복장 도착, 마찰 도착, 오물증(coprophilia) 등으로 구분한다. 성욕도착증을 설명하는 이론으로는 출산외상설, 거세불안설, 근친상간 금기설, 나르시시즘설 등 정신분석이론이 있다. 예를 들면, 관음증은 여성의 거세 확인에서 비롯되었다는 거세불안설로 설명할 수 있다. 성욕도착증은 최소 6개월 이상 지속적이며 반복적이어야 하고, 유병률은 낮다. 성욕도착증의 50% 이상이 18세 이전에 발병하고 남성에게 더 흔하다. 도착행위는 15~25세 사이에 가장 많이 드러나고, 이후에는 감소추세에 든다. 50세 이후는 고립적 생활을 하는 경우, 도와주는 상대가 있는 경우가 아니면 매우 드물다. 성욕도착증의 원인으로는 프로이트(Freud)의 정신역동 심리성적발달단계에서 구순기 및 항문기 고착과 오이디푸스콤플렉스 관련을 들 수 있다. 그 외에 어머니와의 이별, 어린 시절 경험한 성적 폭행 등의 원인도 있으며, 기질 및 호르몬 문제, 대뇌장애 관련 등도 원인이 될 수 있다.

관련어 관음증, 근친상간, 노출증, 마조히즘, 마찰도착증, 복장도착증, 사디즘, 소아기호증

성의식
[性意識, sexual awareness]

성숙에 수반한 육체적 변화나 성적 욕구에 대한 의식, 이성이나 성역할에 관한 의식. 성상담

성의식이라는 말이 통속적으로는 성에 눈뜸, 성적 관심 등과 동의어로 되어 있는데 광의로 보면 성에 관한 이해나 태도를 말하고 있다. 이는, 첫째, 자타의 육체적 성숙변화에 대한 이해방식이나 태도로

ㅅ

서 성적 성숙에 의한 체형의 변화나 제2차 성징(性徵)의 발현에 대한 당혹, 고민, 기쁨 등의 심리적 체험을 내용으로 한다. 둘째, 성적 사상에 대한 관심, 이성에 대한 접근욕 · 접촉욕 · 키스욕 · 성교욕 등의 성적 행동 욕구, 성적 흥분 체험, 동성애 지향 등을 내용으로 한다. 셋째, 남성 혹은 여성으로서의 성 귀속 의식이나 사회적 기대에 적응하는 성역할 의식 등을 내용으로 한다. 성의식의 발달을 보면 2~3세경 남녀의 신체적 차이를 의식함과 동시에 출생을 비롯한 각종 성적 사상에 관심을 갖는 데서 출발하여 사춘기에 이르기까지 신체적 성숙과 정신적 발달에 맞추어 그 내용이 확대되고 강도도 증가한다. 발달과정에서는 시기적으로 빠르거나 늦거나 하여 개인차가 인정되지만, 최근 성숙의 촉진화 경향이나 성적 자극이 충만하는 사회상황에서는 성의식의 발달에 저연령화나 강도화(성 행동에의 유발 경주화)가 현저하다. 심신장애아의 성의식을 보면 본질적으로 보통 아동과 다르지는 않지만 장애사상의 여하에 따라서 성적 욕구에 대한 자기통제력이 없거나 대상적 만족을 성적 행동에 구하는 등 성의식이 왜곡되며 성적 도착을 보이는 경우도 있다. 또 성격에 문제가 있는 경우(예를 들면, 점착성이나 고집성이나 충동성)에는 특이한 성적 관심에 집착하는 것이나 성적 요구를 노골적으로 행동화하는 경우도 있다. 게다가 성역할 의식이 애매해서 이성과의 성애 의식의 발달이 충분치 않고 이성애를 체험하지 못하는 경우도 있다. 대개 성 혹은 성생활(sexuality)이라고 하는 것은 성적 기관의 육체적 발달만 속하는 것이 아니라 개인의 성행위에 관한 의식 혹은 자각(awareness)을 포함한다. 성의식은 인격 형성을 마무리하는 데 핵이 되며, 출생부터 사춘기를 거쳐 신체적, 심리적 변화와 함께 진행되어 건강한 성인으로 발달하는 데 필수요소가 된다. 제2차 성징이 나타나고 생식기능의 급격한 성숙기에 접어들면 성에 대한 강력한 욕구나 성적 표출에 대한 욕망이 일어난다. 따라서 이러한 충동을 적절히 조절하면서 건강한 방법으로 표출하기 위한 자아기능이라 할 수 있는 건전한 성의식을 갖추어야 한다. 이를 위해서는 상대방을 가치 있는 인격체로 존중하는 태도를 지니고, 상대방을 있는 그대로 이해하면서 신뢰를 바탕으로 책임 있는 행동을 할 수 있어야 한다.

성인기
[成人期, adulthood]

신체적 혹은 정신적 · 사회적 · 정서적으로 성숙한 시기를 일컫는 말로, 일반적으로 30세경부터 노인기의 시작인 60~65세 정도까지의 연령. 발달심리

일반적으로 성인기는 초기(young adult), 중기(middle age), 후기로 구분한다. 성인 초기는 보통 30세 혹은 35세까지, 성인 중기 또는 중년기는 보통 60세 혹은 65세까지로 볼 수 있다. 성인 후기는 60세 혹은 65세 이후를 말하는데, 이는 성인기라고 하기보다는 노년기라고 한다. 에릭슨(Erikson)에 따르면, 성인 초기의 과제는 가까운 관계를 유지하면서 다른 사람에게 자신에 대해 이야기할 수 있는 친밀감을 획득하는 것이다. 이러한 친밀감을 획득하는 데 실패하면 고립하게 된다. 이 시기의 중요 과제는 자신이 책임질 수 있는 직업생활과 가정을 유지하는 것이다.

에릭슨은 성인 중기의 과제를 직업이나 가족, 여가를 통해 생산적이고 창조적이 되는 것으로 보고, 이를 성취하지 못하면 침체한다고 하였다. 중년기에는 실제적인 문제로 고민하는 시기이기도 하다. 직장에 매달리는 문제, 가족에서의 갈등, 자녀교육 등 여러 가지 문제를 겪는다. 그러나 일반적으로 사회에서 비교적 안정된 지위를 갖게 되어 다른 시기에 비해 심리적으로 안정되기 때문에 성인기는 인생에서 가장 내실이 풍부하고 가장 긴 기간을 보인다.

올포트(Allport)는 이 시기에 요구되는 성숙된 성격으로 자기-의식의 확대, 타인과의 따뜻한 관계,

정서적 안정(자기 수용), 현실감각이나 현실능력 및 현실적 과제, 자신에 대한 객관적 시각이나 통찰 또는 유머, 인생을 통합하는 인생철학(人生哲學)을 제시하였다. 인간의 발달을 연구한 이론은 크게 전통적 모형과 생애발달적 모형으로 나눌 수 있다. 전통적 모형은 다시 안정성 모형과 감소 모형으로 설명한다. 전자는 인간의 발달이 아동기에 급격하게 성장하여 청소년기나 성인 초기에 성숙이 완성되고, 이후 안정된 상태를 유지하는 것을 강조하는 모형이다.

한편 후자의 모형은 성인기 이후는 신체적, 인지적, 생리적 기능의 쇠퇴가 일어나고 이러한 쇠퇴는 회복이 불가능하므로 쇠퇴를 줄이는 데 노력을 기울이는 시기라는 것을 강조하였다. 예를 들어, 아동기 발달을 강조하는 프로이트(Freud)와 피아제(Piaget)의 발달이론 등은 안정성 모형이라 할 수 있다. 감소 모형에서 강조하는 발달적 측면의 성인기에 관한 연구는 미비한 편이다. 그러나 생애발달적 모형은 인간의 발달이 전 생애를 걸쳐 이루어지는 것을 전제로 성인기와 노년기 발달 연구를 포함하고 있다.

이 모형의 대표적인 이론은 에릭슨의 심리사회적 발달이론을 들 수 있고, 그는 성인기의 성격발달을 설명하였다. 성인기 발달 모형(adult development model)은 베일런트(Vaillant, 1977)의 그랜트(Grant) 연구, 레빈슨(Levinson, 1978)의 인생주기모형, 생활사태 접근 등이 있다.

관련어 | 그랜트 연구, 레빈슨의 인생주기모형

성인기 인지발달 [成人期認知發達, adulthood cognitive development] 30~65세의 기간에 외부 정보를 받아들이고 처리하는 능력의 변화를 말한다. 성인기의 인지발달에 관한 연구에는 리겔(Riegel, 1973)과 바세체스(Basseches, 1984)의 변증법적 사고, 알린(Arlin, 1975)의 문제발견적 사고, 샤이에(Schaie, 1978)의 성취단계, 페리(Perry, 1970)와 시노트(Sinnott, 1980)의 다원론적 사고, 라보비-비에프(Labouvie-Vief, 1986)의 실용적 사고 등이 있다. 리겔에 의하면 성인기에는 여러 가지 상황, 사건, 대상, 인간 등에 내재하는 모순을 인식하고 그것에 관한 자기 관점의 한계와 문제점을 알아차리는 변증법적 추론을 획득하는 시기로 보았다. 물론 이 사고능력은 성인기에만 출현하는 것은 아니며, 인간의 전 생애 인지발달단계에 모두 포함되어 있다고 하였다. 알린은 피아제의 인지발달 4단계에 이어 5단계 성인기 인지발달단계를 제안하였다. 피아제는 인지발달을 문제해결에 초점을 둔 형식적 조작단계까지 제시했지만 알린은 아동청소년기에 이어 성인기를 인지발달의 5단계, 즉 문제발견적 사고 단계를 제시하였다. 문제발견적 사고란 창의적이고 확산적인 사고로 새로운 문제해결방법을 발견하는 것이다. 한편, 샤이에는 20년 동안의 종단적 연구를 통하여 성인기는 지식사용능력이 발달하는 시기로 보았다. 아동과 청소년기는 지식의 습득단계, 성인 전기는 성취단계, 중년기는 책임단계, 노년기는 재통합단계로 구분하였다. 성취단계에는 자신이 세운 목표, 과업수행, 독립을 지향하며 책임단계는 개인적 목표와 가족 및 사회적 책임을 통합하여 일상의 문제를 해결하려고 한다. 책임단계의 일부분은 실행단계로서 적합한 기술을 발달시키고 실행하는 기회를 갖는 단계이고, 재통합단계는 사회적 참여와 책임에서 벗어나 자신의 흥미와 가치에 부합한 문제와 과제를 선택하는 시기라고 하였다. 페리와 시노트에 따르면, 이 시기의 사고는 이분법적 사고를 지닌 청소년기와 달리 다른 사람의 관점을 이해하고 여러 가지 측면에서 사고할 수 있는 다원론적 사고능력이 발달한다. 다원론적 사고가 때로는 다른 사람에게 논박을 받거나 부적절한 경험이 누적되면 상황적 맥락에 따라서 바뀌는 상대적 사고로 전환된다. 이와 같이 성인기는 사회, 직장, 가정 등에서 발생하는 많은 문제를 해결하고 환경에 적응해 나가야 하는 시기이므로 라보비-비에프는 이 시기에 논리적 사고보다는 현실적이고 실용적 사고 능력이 향상되는 특성이 있다고 하였다. 따라서 성인기의 인지적 특성은 형식적 조작 사고를 기반으로 비판적 사고, 실용적 사고, 과업수행과 성취를 위한 문제해결능력이 발달하며 문제발견적 사고력이 확장되고 다원적 사고와 상대적 사고가 발달하는 것이라 할 수 있다.

성장 매트릭스
[成長-, growth matrix]

필름 매트릭스를 바탕으로 내면의 여러 가지 특성을 어떻게 성장시키고 잠재력을 발휘할지 생각해 보는 것과 연관된 것. 영화치료

성장 매트릭스는 필름 매트릭스를 바탕으로 내담자의 성장을 어떻게 이끌어 낼지에 관한 매트릭스 작업을 포함한다. 성장 매트릭스에서 사분면 I과 III의 연습은 장점과 역량을 증진시키는 데 도움이 되고, 사분면 II와 IV의 연습은 단점을 보완하는 데 도움이 되는 것을 목적으로 고안되었다. 성장 매트릭스의 사분면 I은 타인에게 준 영향에 대해 생각해 보는 면으로서, 셀프 매트릭스의 사분면 I과 성장 매트릭스의 사분면 I을 비교하면서 여기서 지각된 장점으로 자기 인생과 타인이 어떤 이익을 얻을 수 있는지를 적는다. 사분면 II는 부정적 신념을 해소하기 위한 면으로서, 셀프 매트릭스의 사분면 II의 지각된 단점의 기저에 있는 부정적 신념이 무엇인지 생각해 본다. 사분면 III은 내면의 지혜에 접근하기 위한 면으로서, 셀프 매트릭스의 사분면 III의 지각되지 못한 장점과 역량을 어떻게 개발할 것인지를 생각해 본다. 사분면 IV는 그림자 자아를 인식, 용서, 수용하기 위한 면으로서, 셀프 매트릭스에서 발견한 특성과 자신의 그림자 자아가 연관되어 있음을 인식한다.

관련어 셀프 매트릭스, 필름 매트릭스

성장 중심 집단
[成長 中心 集團, growth-centered group]

문제 해결이나 치료가 주된 목적이 아니라 삶의 경험을 원하거나 자기 자신에 대해 좀 더 알기 원하는 참가자들로 이루어진 능동적인 집단 유형. 문제중심치료

성장 중심 집단은 집단 경험을 통해 많은 것을 체험하고 자신에 대해 더 많은 것을 배우려는 동기를 지닌 참가자들로 구성된다. 집단 경험을 통해 개인적 목적을 발달시키고, 배울 수 있는 기회를 갖게 되며, 자신뿐만 아니라 다른 사람들을 더 잘 이해할 수 있게 된다. 집단원들은 인정과 격려, 지지를 받으며 매우 안정된 상태의 집단 상황을 경험함으로써 자신의 참모습을 바라보고 깨달으며 나아가 자신의 사고, 감정, 행동을 변화시켜 성장·발달하고자 한다. 집단 내에서 다양한 주제들을 다룰 수 있지만 주로 삶에서 경험하는 다양한 일상적인 문제나 갈등, 관심사를 집단의 주제로 채택한다. 따라서 생활양식의 변화, 상호작용적 의사소통 향상, 가치관 탐색 등에 목표를 둔 프로그램이 포함된다. 성장 중심 집단 상담자는 직접적인 경험을 도모하는 프로그램을 제공하여 집단원들 간에 상호작용을 촉진하는 역할을 한다. 경험 중심으로 집단을 이끌며 집단원들로 하여금 자신을 되돌아보고 발달적 성장의 통찰을 갖도록 도와준다. T-group, 감수성 집단, 지지 집단, 직면 집단은 모두 성장 중심 집단의 유형이라고 볼 수 있다. 일반적으로 성장 중심 집단은 학교, 대학, 지역복지기관 등과 같은 다양한 장면에서 접할 수 있다.

관련어 문제 중심 집단

성장센터
[成長-, growth center]

각종 집단에서 참만남이나 워크숍을 행하는 기관. 집단상담

성장센터는 1960년대에 캘리포니아 주 이슬런에

최초로 설립되었고, 이후 캐나다를 포함하여 미국 각지에 다수의 센터가 만들어졌다. 특정 이익이 아닌, 일반 사람들이 좀 더 큰 만족감과 마음의 평안을 갖는 새로운 생활양식이나 가치의식을 심어 주는 것이 목적이다. 우리나라에서도 각지의 성장상담연구소나 발달상담센터, 기타 참만남집단이 비슷한 기능을 수행하고 있다.

성장애
[性障礙, sexual disorder]

성에 관련된 개인의 모든 문제. 성상담

성장애는 한 개인이 자신이 원하는 대로 성관계를 가질 수 없는 모든 상태를 말하는 용어다. 성장애는 생물학적인 원인뿐만 아니라 심리적 원인으로도 발생할 수 있다. 원인이 알려져 있지 않은 장애도 많다. 생물학적 원인으로는 척수문제를 비롯한 중추신경계 장애, 터너 증후군, 클라인펠터 증후군 등의 유전병, 그 외 다양한 의학적 질환 등을 꼽을 수 있고, 심리적 원인으로는 성에 관한 혐오감, 불안, 공포 등의 정신적 원인, 성적 상대자와의 의사소통 곤란, 상대방에 대한 신뢰감 부족, 어린 시절 성에 관련된 부정적 경험과 같은 것이 포함된다. 성장애는 성욕장애, 성적 흥분장애, 절정감장애, 조루증, 성교통 등 기능상 문제로 인한 성기능장애와 노출증, 사디즘, 마조히즘, 관음증, 소아기호증 등 성적 방법 및 목적에서 병적 혹은 법적 문제를 일으키는 성도착증과 자신의 생물학적 성과 그 역할이 일치되지 않는 정신적 문제로 인한 성정체감장애 등으로 구분할 수 있다. 성기능장애는 주로 행동요법을 치료방법으로 삼는 경우가 많고, 성도착증은 정신질환으로 분류하고 법적인 해결을 하며, 성정체감장애는 성전환 수술이나 호르몬 치료로 문제를 해결하려고 한다. 이외에 과거에는 동성애를 성장애로 간주했지만 동성애자들이 성적 기호 외의 생활에서는 정상 범주에서 생활하는 경우가 많고, 실제로 인격적으로는 문제가 없는 사람들이 많다는 근거로 1973년 이후 DSM-IV에서 제외되었다. DSM-IV에서는 성적 장애 및 성 정체감 장애(Sexual and Gender Identity Disorders)의 범주가 있었지만, DSM-5로 개정되면서 하위 항목이었던 성기능 장애(Sexual Dysfunction), 성 불편증(Gender Sysphoria), 성도착 장애(Paraphilic Disorders)로 나뉘었다.

성적 가학증
[性的加虐症, sexual sadism]

상대방에게 고통 및 굴욕을 느끼게 함으로써 성적 흥분을 느끼거나 그러한 행위를 반복하는 상태. 이상심리

주로 상대방에 대한 자신의 우월감을 나타내는 행위로서, 상대방을 묶기, 구타, 채찍질, 담뱃불로 지지기, 목조르기 등 다양한 형태로 나타난다. 타인에게 심신의 고통을 주는 것으로 다음과 같은 세 가지 특징이 있다. 첫째, 동의하지 않은 상대방에게 심신의 고통을 반복적으로 줌으로써 성적 흥분을 얻는다. 둘째, 합의된 상대방에게는 독특한 모욕과 거짓 혹은 가벼운 신체적 상처를 입힌다. 셋째, 가학적인 성적 공상은 소아기 때부터 존재하는 경향이 있다. 성적 가학증은 대체로 초기 성인기에 시작되며, 만성화되어 동의하지 않는 상대방에 대한 강간, 난폭한 성행동, 성적 살인행위 등으로 체포될 때까지 지속되는 경향이 있다. 성적 가학증은 심한 육체적 손상을 일으키지 않은 채로 지속되는 경우도 있지만, 많은 경우 시간이 경과함에 따라 강도가 높아져서 상대방에게 심한 손상을 입히거나 죽음에 이르게도 한다.

관련어 | 변태성욕, 사디즘, 성적 피학증

성적 매력
[性的魅力, sexual attraction]

수퍼바이저, 수퍼바이지, 그리고 내담자 사이에서 생기는 이성적인 감정. 수퍼비전

수퍼바이지가 수퍼비전에서 수퍼바이저에게 이성의 매력을 느낄 수 있고 마찬가지로 수퍼바이저가 수퍼바이지에게 이성의 매력을 느낄 수 있다. 또한 수퍼바이지가 내담자에게, 내담자가 수퍼바이지에게, 더 나아가서 수퍼바이저가 수퍼바이지의 내담자에게 이성적인 호감과 매력을 느낄 수 있다. 예를 들면, 수퍼바이지가 자신의 내담자에 대한 꿈을 꾼다든지, 평상시보다 상담시간에 더 화려한 옷을 입는다든지 하는 특정 내담자에 대하여 과도한 관심을 가지고 사례발표를 하거나 특별한 감정을 보이는 경우 수퍼바이저는 이를 감지하고 안전한 환경에서 이성으로서의 느낌을 해소하고 치료적으로 승화될 수 있도록 돕는 작업을 해 주어야 한다.

관련어 윤리 원칙, 윤리적 수퍼비전, 이중관계

성적 비행
[性的非行, sexual delinquency]

법률에 저촉되는 모든 성적 행위로 정의되지만 넓게는 비록 처벌되지는 않지만 도덕 및 풍속에 반하는 성적 행위까지 포함하는 말. 성상담

성적 비행이란 용어에서 비행이라는 말은 주로 10대 미성년자에게 쓰는 용어이기 때문에 성적 비행 또한 주로 대상을 10대로 두는 경우가 많다. 따라서 법률 위반 성적 행위나 도덕 및 풍속에 반하는 성적 행위뿐만 아니라 도색 유희 등을 목적으로 하는 불순 이성교제와 같은 소년 우범에 해당하는 경우도 성적 비행에 포함한다. 또한 표면적인 절도, 주거침입, 경범죄 처벌법 위반, 상해, 방화, 살인 등의 사건에서도 실제 범행동기가 성적 동기에 입각한 내복 훔치기, 절시(竊視), 성기노출, 치한행위 등인 경우 성적 비행이 된다. 즉, 성적 비행에는 강간과 같은 폭력적 · 공격적인 것부터 속옷 훔치기나 훔쳐보기 등의 도착적인 것에 이르기까지 여러 형태가 있다. 강간사건은 집단비행이 되기 쉬운 경향이 있으며, 이것은 가해자가 피해자와의 관계에서 물리적으로나 심리적으로 우위에 있을 때 가능하다. 또 성적으로는 성숙하지만 정신적으로는 성숙하지 못한 불균형 상태이기 때문에 행위의 의미나 결과는 생각하지 않고 충동적으로 행동하며, 혼자서는 일으킬 수 없는 중대한 사건을 집단으로 행하는 경향이 있다. 속옷을 훔치거나 훔쳐보는 행위는 소년들에게서 많이 나타나는데, 성적 욕구의 대상이나 충족방법에 이상성이 있기 때문에 성도착으로 볼 수도 있지만 대부분의 경우 신체적 성숙과 정신적 발달의 부조화, 성에 대한 관심, 성숙한 여성에 대한 열등의식 등으로 정상적인 대상에게 적절한 방법으로 접촉하지 못하여 생겨난 것이라 할 수 있다. 또한 불순한 이성교제는 본인들은 합의했다고 하더라도 정신적으로 미성숙한 사람들의 행위이기 때문에 소년보호의 대상이 된다. 성의 세계에 대한 호기심과 흥미, 집단에 대한 소속욕구와 승인욕구, 신나, 본드, 수면제, 알코올 등의 영향을 받으면 저항감이나 억제력이 저하되어 남녀 간의 치정싸움, 혼숙, 난교상태가 되는 경우가 많다. 그러나 적절한 처우 이후에는 재범률도 낮고, 정신상태도 대부분 정상범위 안에 있다. 따라서 적절한 성교육이 이루어지면 그에 대한 예방도 가능하다. 여성의 경우에는 강간의 피해경험이 계기가 되어 험한 생활을 하게 되고 불순한 이성교제를 하는 동안 질이 나쁜 성인에게 이용되어 매춘으로 전락하는 경우도 있다. 이상과 같은 미성년자의 성적 비행은 사춘기의 발달과정에서 나타나는 일시적 일탈행위로서 일과성인 경우가 대부분이며, 그 원인이 부모의 양육태도나 미성년자의 자기개념(self-concept)의 형성에 문제가 있는 경우가 많다. 외견상 정상적 가정에서 특별한 문제가 없음에도 불구하고 성적 비행사건에

기담하는 경우는 대부분 부모관계나 양육태도에 문제가 있다. 그런 만큼 부모의 양육태도를 개선시키고 미성년자의 자기개념을 재형성하도록 하며 전인적인 의미에서의 성교육을 시행해야 할 것이다. 또 극히 일부의 성적 비행에는 지적장애나 성격장애가 관련되어 있으므로, 이에 대한 정확한 진단과 치료가 요청된다. 10대의 성적 비행 처치에는 고도로 구조화된 계획을 수반한 엄격한 감독, 개인치료, 집단치료, 가족치료, 인지행동치료, 경험치료, 놀이치료, 현실치료, 행동수정, 말 치료(equine therapy), 안구운동 민감 소실 및 재처리 요법(EMDR), 분노조절, 공감훈련, 재발 예방교육 등이 있다.

성적 지향
[性的志向, sexual orientation]

한 개인이 정서적, 감정적, 성적으로 끌리는 사회적인 성적 기호를 일컬음. 성상담

성적 지향이란 특정 성별의 상대에게 성적 및 감정적으로 이끌려 관심을 나타내는 것으로, 이성애자, 동성애자, 양성애자, 무성애자로 구분된다. 성적 취향 혹은 성적 성향이라고도 한다. 미국심리협회(American Psychological Association)에 따르면, 성적 지향은 한 개인에 대해서 느끼는 매력, 그러한 매력들을 표현하는 행위, 그러한 매력에 대한 표현을 나누는 사람들 간의 공동체 사이의 성격적, 사회적 정체성에 대한 이해다. 성적 지향이 사람마다 달라지는 원인을 한마디로 말하기는 어렵고, 유전, 호르몬, 환경적 영향 등의 복합적인 문제로 본다. 대개 이성애가 보편적이다. 성적 지향에 대해서는 주로 생리학, 심리학, 성과학, 인류학, 역사학 등에서 다룬다. 성적 지향은 개인이 자신을 어떤 성으로 인식하느냐 하는 성정체성과는 구분된다. 성적 지향은 자신이 아니라 매력을 느끼는 상대에 따라 결정되기 때문이다. 성적 지향이라는 용어는 동성애, 이성애, 양성애 등의 차별을 금하는 법률에서 주로 사용한다.

성적 피학장애
[性的被虐障礙, sexual masochism disorder]

성적 상대자에게 굴욕, 매질, 묶이는 고통과 괴로움을 당함으로써 성적 흥분, 성적 만족을 느끼는 변태성욕장애의 일종. 성 상담

성적 피학장애가 있는 사람은 자신이 수치를 당하거나, 구타를 당하거나, 묶이거나, 고통스러운 상황에 반복적이고 격렬하게 성적 흥분을 느낀다. 마찬가지로 이 흥분은 환상이나 충동, 행동의 형태를 취할 수 있다. 많은 사람들이 자신의 의지와 다르게 성관계를 가지게 되는 것에 환상을 가지지만, 환상에 의해 심하게 고통 받거나 손상된 사람들만 성적 피학 장애로 진단된다. 이 장애를 가진 일부 사람들은 스스로 피학적 충동에 따라 자신을 묶거나, 핀으로 찌르거나, 자르거나 하는 행동을 하기도 한다. 다른 사람들은 성행위 상대에게 자신을 묶거나, 저지하거나, 눈이 보이지 않게 가리거나, 엉덩이를 때리거나, 매질하거나, 채찍질하거나, 때리고, 전기충격을 가하거나, 핀으로 찌르거나 수치심을 주도록 요구한다. 이는 일종의 성도착증으로, 대응 개념인 성적 가학 장애(sexual sadism disorder)와 함께 나타나는 경우도 많다. 성적 피학 장애자의 행위는 가슴 압박, 올가미나 플라스틱 주머니, 마스크 등을 사용하여 산소 부족 상태까지 나아가는 극단적 상태에서 성적 쾌감을 느끼려고 하는 경우도 있으며, 이를 저산소 음욕증(hypoxyphilia)이라고 한다. DSM-IV에 따르면, 첫째, 성적 피학장애는 최소 6개월간 지속적으로 욕을 들으며 두들겨 맞고 협박을 당하고, 그 외 현실적인 의사적 고통을 받는 행위 등을 반복적으로 당하면서 강렬한 성적 흥분 공상, 성적 충동 또는 성적 행동의 생기 등이 있고, 둘째, 이러한 공상 및 충동, 행동 등으로 현저한 고통이나 사회, 직업

등의 영역에서 기능적 장애를 불러일으키고 있는 경우 진단된다. 성적 피학장애자는 강간을 당하는 공상을 하기도 하고, 무력한 유아처럼 취급받고 싶어서 기저귀를 차고 싶다는 유아증적 욕구를 갖는 경우도 있다. 성에 대한 피학적 상상은 어린 시절부터 존재하는 경향이 있지만 실제적으로는 대개 성인 초기에 시작되며, 남성보다 여성에게 더 많이 나타난다. 성적 피학장애를 가진 사람들의 대부분은 지나치게 위험한 성행위를 하지는 않지만, 때로는 피학 행위의 정도가 점차 심화되어 심각한 신체적 상해나 죽음까지 초래하는 경우도 있다. 경과는 만성적이며 반복적인 경향이 있고, 이는 이성 관계, 동성 관계 모두에서 찾아볼 수 있다.

성적 학대
[性的虐待, sexual abuse]

상대방의 동의나 합의 없는 모든 성적 접촉. 성상담

성적 학대는 자신의 성적 만족을 위해서 상대방의 뜻에 반하거나 혹은 의사를 무시하고 일어나는 강제적 혹은 비합법적 성 관련 학대 및 피해를 모두 포함한다. 성별 관련 없이 모든 연령에서 발생할 수 있는 성적 학대는 성적 착취, 타인을 성적 도구로 이용하는 성적 폭행, 성적 노출 등으로 구분한다. 특히 성적 학대의 가장 큰 피해자는 아동이다. 아동을 매음, 매춘 등에 가담시키고, 성적 접촉, 성에의 노출, 성관계를 갖게 하는 등 폭행의 대상으로 만드는 아동 성적 학대는 성장과정 및 성인이 된 이후에 신뢰 부족, 비정상적 두려움, 연령에 맞지 않는 행동, 학업수행 곤란, 그 외 여러 관계 및 사회적인 많은 문제를 야기한다. 성적 학대는 특정한 가해자, 피해자 관계에서 장기간에 걸쳐 행해지는 경우가 흔하다. 일반적으로 성적 학대는 신체적 학대와 복합되어 있으며, 단순하게 타인으로 국한되는 피해가 아니라 부부나 가족 간에 일어나는 동의 없는 성관계에도 적용된다. 가정 내 폭력(domestic violence family violence)은 가족에 의해서 다른 가족구성원에 대한 신체적 폭력, 심리적 폭력, 방치(neglect) 및 성적 폭력으로 분류되는 것이 일반적이다. 외국에서는 가정 내의 성적 폭력에 부부간의 성폭행(rape)도 포함하고 있는데, 예를 들면 미국과 오스트레일리아 등에서는 대부분의 주에서 부부간 성폭행도 고소가 가능하다. 우리나라에서는 아직 고소는 일반화되어 있지 않다. 가정 밖에서는 '형법'의 강간, 외설, 나아가 성적 착취 등에 상당하는 행위가 주를 이루지만, 최근에는 성희롱(sexual harassment)이나 스토커(stalker) 등이 문제시되고 있다. 이 중에도 성적 학대에 상당하는 것이 있지만 이 모든 것을 법적으로 처리할 수는 없다. 성적 학대의 경우 대개 신체적 학대와 함께 나타나며, 피해자는 심신에 깊은 상처를 받는다. 성적 학대의 영향은 신체 및 정서, 행동 등에 전반적으로 나타난다. 음부창상, 질염, 위통, 두통, 야뇨, 수면패턴 변화, 과도한 눈 깜빡임, 히스테리 발작, 임신, 출혈, 식욕문제와 같은 증상이 신체로 나타나고, 자기혐오, 죄악감, 수치, 불안, 극도의 공포, 야경, 억울함, 절망감, 분노, 함묵, 기억상실과 같은 것이 정서적 문제로 드러나며, 다동, 공격성, 반사회적 행동, 비행, 도벽, 약물남용, 매춘, 공상, 틀어박히는 행동, 마조히즘, 자기 절단적 행동, 자기징벌적 행동, 자살기도, 자기패배적 행동, 일탈적 성행위와 같은 행동적 문제도 보인다. 이외에도 인격적으로 자존감이 저하되어 대인관계에서 문제를 드러내고, 심한 경우 신경증적 성격장애, 정신질환, 다중인격 등 정신과적 질환을 보일 수도 있으며, 급성 스트레스 장애나 외상 후 스트레스 장애를 일으키기도 한다.

성적 혐오장애
[性的嫌惡障礙, sexual aversion disorder]

합의에 의한 성관계라 하더라도 성기접촉을 비롯한 성행위에 대한 역겨움, 공포, 혐오감, 성적 욕망 부족 등을 느끼는 성욕구장애의 한 유형으로 성적 기피장애, 성적 회피장애라고도 함. 성상담

성적 혐오장애는 합의된 성적 대상임에도 불구하고 성행위를 가지는 기회가 되었을 때 불안, 두려움, 혐오감과 같은 부정적인 정서를 지속적이면서 반복적으로 느끼는 경우를 말한다. 성적 혐오장애는 정상적인 성생활 환경 내에서 일어나는 현상이다. 성적 혐오장애의 핵심 증상은 성적 상대자와의 성기접촉에 대한 적극적 회피다. 즉, 이 장애를 가진 사람들은 이성과 성기를 접촉하는 것에 대해 극심한 혐오감과 두려움을 가지고 있다. 따라서 이 상황을 극단적으로 피하고자 하며, 성행위를 해야 하는 상황에 직면하면 극심한 불안, 공포, 혐오감을 느낀다. 이들은 성기의 분비물이나 성기의 질 내 삽입을 혐오하기 때문에 성기접촉을 회피한다. 심한 사람은 성행위 상황에 직면했을 때 공황발작(panic attack)을 경험하기에 성적 혐오장애를 성 공포증(sex phobia)이라고도 한다. 이 같은 증상이 원인이 되어 개인의 극심한 심신의 고통뿐만 아니라 대인관계 문제도 발생할 수 있다. 폐경기, 출산 이후, 월경 직전이나 월경 중, 수술 및 여타 질병 이후 회복기, 실직 및 연인의 죽음 등 심한 스트레스 상황에서 일어나는 일시적인 성생활 기피현상은 성적 혐오와 구분된다. 성적 혐오장애의 원인은 주로 성에 관한 지식 부족, 잘못된 성 관념에서 비롯되는 성 혐오 및 기피, 성적 상대자와의 의사소통장애, 성행위 시의 환경, 성장과정에서의 성적 학대나 폭력 등이다. 성에 대한 혐오감은 사춘기 이후부터 지속될 수도 있고, 성인기의 특별한 경험 이후에 나타날 수도 있다. 성적 혐오감을 지닌 사람은 대체로 전문의의 도움을 청하지 않는 경우가 많다. 그 대신 이 같은 상황을 피하기 위해 나름대로의 방법을 사용한다. 결혼을 했다면 일찍 잠에 들어 버리거나 가족과 비(非)성적인 활동에 지나치게 몰두하거나 외모에 신경을 쓰지 않음으로써 자신의 성적인 매력을 없애 버릴 수 있다. 1970년대까지 성적 장애는 거의 정신분석에 근거한 치료에 의존했지만, 매스터스와 존슨(Master & Johnson)의 공동 성치료가 개발되면서 성적 혐오장애에 대해서도 행동요법이 가미된 치료가 시행되었다. 성적 혐오장애는 치료보다 근본 예방책이 더 중요하다. 적절한 성교육을 통한 올바른 성 지식 전달, 원만한 의사소통 과정을 통한 교감 증대, 배우자끼리 취미나 오락 등을 함께 즐기면서 성생활에 대한 즐거움 증대 등으로 성적 혐오장애를 예방할 수 있다.

성적 흥분장애
[性的興奮障礙, sexual arousal disorders]

정상적인 성적 자극이 주어졌을 때, 일반적으로 성적 흥분이 일어날 수 있는 상황임에도 불구하고 성적 공상 및 성행위에 대한 욕망이 부족하거나 결여되어 성적 흥분을 일으키거나 지속하지 못하는 상태. 성상담

성적 고조단계에 문제가 있어 지속적이고 반복적으로 원활한 성적 흥분에 장애가 생기는 경우로, 성행위가 끝날 때까지 흥분을 전혀 느끼지 못하거나 잠시 흥분이 일어난다 해도 그 정도가 미미하거나 성행위 과정 중에 흥분을 유지하지 못하는 것이다. 성적 흥분 장애는 DSM-5에도 기재된 질환으로 우울, 약물, 영양상태 불량, 그 외 당뇨나 위축성 질염과 같은 의학적 문제가 원인이 되기도 하고, 현재의 성적 상대자에 대한 성적 매력 부족이나 본인의 성적 욕망 부족이 원인이 될 수도 있다. 성적 흥분장애를 일으키는 심리적 원인은 주로 성행위에 대한 죄책감이나 두려움, 불안 및 긴장, 이성에 대한 적개심이나 경쟁심 등을 들 수 있다. 또한 어린 시절 양육환경이 금욕적 분위기였거나 성적 학대경험이 있는 경우도 이 증상을 보일 수 있다. 노화에 따른 폐

경기로 여성호르몬 감소도 자연스러운 성적 흥분장애를 유발한다. 평생 성적 욕망수준이 매우 낮거나 성적 욕망을 거의 갖지 않는 사람도 있다. 성적 흥분장애라는 용어는 주로 여성의 진단명으로 쓰이고, 과거에는 주로 불감증이라고 불렸다. 남성의 경우는 발기장애로 진단한다. 여성은 성교단계 중 상승기에 접어들었을 때 대개 질의 입구가 팽창되고 윤활액이 분비되어 남성의 성기삽입이 원활하게 일어날 수 있는 상태가 되는데, 어떤 여성의 경우 성적 자극이 있음에도 불구하고 성기팽창 및 윤활반응이 일어나지 않아 남성 성기삽입에 곤란이 일어난다. 이 같은 현상이 반복적이고 지속적으로 일어나면 정상적인 성교가 어려울 만큼 물리적 고통을 일으킬 뿐만 아니라 부부관계나 이성 관계에 문제를 초래할 수도 있다. 성적 흥분장애를 갖고 있는 여성은 성행위 자체를 힘들어하며, 성적 상대자인 남성과의 성관계 이외의 관계도 문제가 될 수 있다. 이들은 주로 자신의 증상을 숨기고 남성이 가능한 한 빨리 사정을 하도록 기다리는데, 이는 여성 자신의 성적 즐거움만 포기하는 것이 아니라 불쾌감이나 자신에 대한 좌절감까지 느끼게 하고, 되도록 성관계를 기피하기 때문에 부부관계에 불화가 일어날 수 있다. 남성의 성적 흥분장애는 특정 대상과 상황에만 나타내는 경우도 있고 모든 대상이나 상황에서 언제나 발기가 되지 않는 경우도 있다. 과도한 음주나 흡연, 정신적 사랑과 욕구 사이의 갈등, 상대에 대한 신뢰감 부족, 도덕적 억제 등이 영향을 줄 수 있다.

성전환자
[性轉換者, transgender]

자신의 생물학적인 성과 심리적인 성이 반대라고 생각하는 사람. 성상담

'~을 가로질러' '~을 넘어' '상대편' 등을 의미하는 라틴어 'trans'와 '성(性)'을 의미하는 영어 'gender'의 합성어다. 생물학적 성인 섹스(sex)와 달리, 젠더(gender)는 사회문화적 성에 해당하는 개념이다. 대부분의 사람들은 섹스와 젠더가 일치한다. 그러나 성전환자들은 생물학적인 성과 자신이 심리적으로 느끼는 성이 일치하지 않는다. 남성이나 여성의 신체를 가지고 태어났지만 자신이 반대 성의 사람이라고 인식한다. 대부분의 사람들은 성장과정에서 자신의 성이 남성 혹은 여성이라는 성정체성을 확립하지만 이들은 그렇지 못하다. 결국 이러한 불일치로 인해 성장과정에서 성정체성장애를 경험한다. 동성애에 대한 이해가 부족한 사회에서는 흔히 동성애자와 성전환자를 동일시하는 경향이 있는데, 둘 사이에는 개념적 차이가 있다. 일부 동성애자 중에는 성정체감장애를 호소하는 경우도 있지만, 동성애자는 자신의 생물학적 성이나 성역할에 대해 불편을 경험하지 않으며 성전환을 원하지 않을 수도 있다. 동성애자는 동일한 젠더의 구성원과 성적 관계를 맺기를 원하는 반면, 성전환자는 자신이 적절한 젠더의 몸에 있을 수 있다면 반대 젠더의 구성원과 성적 관계를 맺기 원한다. 의학용어로는 성 전환증(transsexualism)에 해당하는데, '성정체감장애의 가장 심한 형태로서, 사춘기 이후에도 자신의 선천적 성에 대해 지속적으로 불편과 부적절감을 느끼며, 2년 이상 일차 및 이차 성징을 제거하고 상대 성징을 획득하려는 집착에 사로잡혀 있는 상태'를 뜻한다. 아동기부터 반대 성의 놀이, 행동, 태도, 복장 등에 관심을 드러낸다. 예를 들어, 신체적으로 남성임에도 불구하고 남자라는 것과 남자의 역할을 싫어하여 여자 옷을 입고 여성적인 놀이나 오락을 좋아하는 등 여성이 되기를 소망한다. 발생원인은 선천적 요인과 후천적 요인이 제시된다. 선천적 원인으로 유전자 이상, 태내 호르몬의 이상, 산모의 약물복용 등이 있으며, 후천적인 경험이나 학습, 부모의 양육태도에 따라 유발될 수도 있다. 성전환자는 의학적 수술을 통해 생물학적 성을 바꾸기도 하지만, 궁극적으로는 신체 외형적인 것뿐만 아니라 성

역할에서도 자신의 성정체감을 성취하고자 한다.

관련어 | 성장애, 성정체성장애

성정체성
[性正體性, gender identity]

생물학적 성(sex)의 구별과는 별도로, 한 개인이 스스로 자신을 남성 혹은 여성으로 느끼는 내적 느낌이 반영된 심리적 상태. 성상담

성정체성은 생물학적 성을 지칭하는 범주가 아니라 자신이 어떤 성별에 속하는지에 관한 정신적, 심리적 의미를 지닌 범주로, 한 개인이 성장하는 동안 자신이 여성인지 남성인지 인식하는 사회문화적 개념인 동시에 개인적 의미다. 성정체성은 해부학적인 생물로서의 성과 개인이 소속된 문화권 내의 여성 및 남성에게 기대하는 가치관이라 할 수 있는 정신적인 성을 포함하고 있다. 3세경부티 성별에 대한 인식이 시작되는 인간은 자신이 속한다고 인식된 성별에 입각하여 그 집단이 지닌 특성, 행동, 태도 등을 학습하고, 4, 5세에 이르면 성적 정체성이 확립된다. 이러한 성적 정체성은 의복, 두발모양, 장난감, 언어, 태도와 같은 신체 혹은 외부적 요인의 특성에 영향을 받아서 형성되는데, 여기에는 생물학적인 요인도 포함되지만 그 사회의 성역할에 대한 고정관념과 같은 사회적 요인도 포함이 된다. 특히 부모의 기대에 따른 성역할관은 자녀의 성정체성 확립에 지대한 영향을 미친다. 성역할이란 성적 정체성에 관한 내적 표현이 외적으로 나타나는 행동양식이다. 4, 5세경에 일단 자리를 잡은 성정체성은 사춘기에 들어서면서 2차 성징이 나타나고 생물학적으로 성숙한 여성 혹은 남성으로서의 자각이 필연적으로 일어나며, 이때부터 안정성이 흔들릴 수 있다. 대개는 생물학적 성과 성적 역할이 일치하지만, 그렇지 않은 경우 자신의 성정체성 혼란 때문에 성전환, 성도착 등 여러 문제가 생길 수 있다. 개인이 속한 사회의 기대에 따른 성역할에서 요구하는 행동이나 태도의 규범을 수용하기 어려운 경우도 있다. 특히 사회규범의 구속력이 점점 약화되어 가는 현대에서는 개인의 자유로운 인권이 더욱 강화되면서 성정체성의 고정적인 확립은 여러 가지 부정적인 결과를 초래하기도 한다.

성정체성장애
[性正體性障礙, gender identity disorder]

자신의 생물학적 성과 성적 역할에 대하여 지속적인 불편감을 느끼는 상태. 이상심리

자신의 성에 대한 지속적 불편감과 부적절감 때문에 반대의 성에 강한 동일시를 나타내거나 반대의 성이 되기를 소망하는 경우로, 성전환증(transsexualism)이라고도 부른다. 남성인 경우에는 전통적인 여성적 활동이나 행동을 좋아하는데, 여성의 소지품, 옷, 장신구, 머리형 등을 즐기거나 집착하고 때로는 자신의 성기를 제거하기도 한다. 여성의 경우에는 남성적인 사회활동에 참여하기를 원하고 거친 운동이나 놀이를 즐긴다. 여성의 신체적 특징을 거부하고 남성적 신체 특성을 가지고 싶어 한다. 이러한 행동은 또래관계 형성과 학교나 직장 생활의 부적응을 가져올 수 있다. 증상이 나타나는 시기는 사춘기 전후이며 남성에게 더 흔한데 여성보다 두세 배 많다. 이 같은 증상을 유발하는 원인은 사회심리적 요인이 우세하다. 즉, 양육 시 어떤 성으로 자라는가 하는 문제다. 여기에는 아이의 기질, 부모의 태도, 양육방법, 부모와의 부정적 관계가 영향을 준다. 전통 정신분석에서는 심리성적발달과정 중 남근기 상태에 고착되어 생기는 현상이라고 보는 견해도 있고, 성적 학대를 받은 경험이 많을 때 이 장애가 생긴다는 연구도 있다. 만일 내담자의 동기부여가 강하면 그러한 장애는 치료될 수 있다고 본다. 심리치료가 중심이 되지만 심리치료로 치료되

지 않는 경우 성전환 수술을 받기도 한다.

관련어 | 성장애

성중독
[性中毒, sex addiction]

성적 환상(sexual fantasy), 성적 충동(sexual urge), 성적 행동(sexual behavior) 등을 하는데, 스스로 그러한 행동을 통제하는 능력을 상실하고 강박적으로 집착하며, 심리적 · 육체적 · 사회적으로 부정적인 영향을 미쳐도 계속하게 되는 상태. 중독상담

성중독이라는 용어는 최근에 들어와서 형성된 것으로, 1983년 칸스(Carnes)의 저서 『Out of the Shadows: Understanding Sexual Addiction』에서 처음 등장하여 사용되었다. 성중독의 가장 큰 특징은 성적인 행위를 본인 스스로 통제하지 못한다는 데 있다. 아직까지는 성중독에 대한 정확한 개념정의나 진단기준이 마련되어 있지 않지만, 공통적으로 통제력의 상실, 강박적인 욕망과 집착, 부정적인 결과에도 불구하고 계속되는 행동으로 정리할 수 있다.

관련어 | 중독

성징
[性徵, sex characteristics]

남녀를 구별하는 성적 특징. 성상담

성징은 대개 해부학 및 생리적인 신체적 특성을 가리킨다. 출생 시부터 명확한 성기의 구조상 차이를 제1차 성징이라 하고, 사춘기에 겉으로 드러나는 성적 특징을 제2차 성징이라고 한다. 제2차 성징으로 남성은 골근의 발달에 의한 체형의 변화, 음모의 발생, 변성, 사정 등을, 여성은 유방, 골반, 피하 지방의 발달, 음모의 발생, 월경 등을 들 수 있다. 남근우위의 입장에서 남성적 성격, 여성적 성격의 성립을 논한 것은 프로이트(Freud)다. 일반적으로 성징이 정서장애와의 관계에서 문제시되는 것은 사춘기다. 사춘기에 제2차 성징의 출현은 청년으로서 미경험한, 그러면서도 급격한 변화이기 때문에 불안이나 동요가 나타나기 쉽다. 특히 신체의 외견, 즉 성격이나 용모의 인상을 통하여 성숙 정도나 남녀의 매력이 평가되는 경향이 있기 때문에 중요한 영향을 미친다. 이 시기의 청소년들은 키가 크고(작고), 뚱뚱해지며(여위어지며), 여드름이 많이 난다거나 생식기가 작다는 등 용모나 성적 성숙에 관계된 고민이나 열등감을 많이 보인다. 또 적면 공포(赤面恐怖)를 경험하는 경우도 많고, 객관적으로 보면 문제가 없는데 이상이라고 굳게 믿고 있는 사례가 많다. 따라서 성적 성숙은 정상적인 인간발달과정인 점, 이 시기에는 누구나 고민이나 열등감을 초래하기 쉬운 점, 발달의 개인차가 큰 점, 인간의 평가는 인격 전체를 통하여 행해지는 점 등을 이해시키는 지도가 중요하다.

관련어 | 성차

성차
[性差, sex differences]

남성과 여성 간의 신체 및 정신에서 드러나는 차이. 성상담

성차는 암수로 나누어진 동물의 자웅양성이 구별되는 특성을 말하는데, 신체 및 정신뿐만 아니라 행동, 흥미, 태도, 능력 등에도 나타날 수 있으며, 출생부터 평생 관찰 가능하다. 이는 형태적 · 기능적 차이를 유발하고, 유전적 특성과 문화적 배경에 따라서 달라질 수 있다. 대개 임신 4개월경의 태아부터 생식기관에는 명확한 성차가 나타나고, 출생 후 성차는 점점 커진다. 수정 이후부터 나타나는 성차를 1차 성징이라 하고 사춘기 이후부터 나타나는 성차를 2차 성징이라 한다. 인간의 경우 신체적으로 만 10세까지는 1차 성징에 해당하는 생식기관의 형태

외 큰 차이는 보이지 않지만, 10세를 넘어 사춘기에 들면서 2차 성징이 나타나면 뇌하수체의 생식선자극호르몬의 영향으로 성호르몬이 분비되어 몸의 여러 곳에서 성차가 뚜렷하게 나타나기 시작한다. 대개 여성은 골반과 유방이 발달하며, 피하지방이 증가하고, 몸의 근육비율이 적고, 근육에 수분이 많아진다. 남성은 수염, 경모, 흉모 등 체모가 나기 시작하고, 목소리가 변한다. 그리고 심리적 · 행동적 측면에서의 차이는 선천적 · 유전적 요인에 기반을 둔 성숙요인과 환경요인의 영향에 따른 것으로 볼 수 있다. 맥코비와 잭클린(Maccoby & Jacklin) 및 그 동료들의 연구에 따르면, 선천적으로 네 가지 능력에서 기본적인 차이가 있다. 남성은 여성보다 시각적 · 공간적 · 수학적 능력이 뛰어난 반면, 여성은 남성보다 언어적 능력이 뛰어나다. 성격적인 면으로는 대개 남성은 공격적 · 적극적 · 이성적이라고 보는 반면, 여성은 수동적 · 보호적 · 감성적이라 여긴다. 한편, 우리말로는 성차라는 같은 용어로 번역되지만, 'sex differences'는 남성과 여성의 신체 차이에 기반을 둔 생물학적 성차를 말하고, 'gender differences'는 남성과 여성에게 부여되는 사회문화적 입장에서의 성차를 말한다.

관련어 | 성징

성차별주의
[性差別主義, sexism]

개인의 흥미, 능력과 같은 다양한 규준을 무시하고 생물학적 성별에 근거하여 특정 성 집단 및 개인에 대해 사회적으로 부여하는 편견이나 차별, 나아가 그로 인한 사회적 불평등제도, 그것을 정당화하고 지지하는 사상 혹은 이데올로기.

성상담 | 여성주의 상담

성차별주의는 하나의 성이 다른 성보다 우월하다는 전제에서 출발하는 사상으로, 독단적이며 비논리적이고 편견적이며 비생산적이고 이기적인 생각이다. 이러한 신념 때문에 성별에 따른 차별적 행동이나 제도가 양산된다. 과거에는 주로 여성집단이 소수집단으로 차별적 대우를 받는 경우가 많았지만 현대에 이르러 여성인권이 강화되고 여성의 사회진출이 확대되면서 역차별적 문제도 발생하고 있다. 여기서 소수 집단은 육체적 및 문화적 특성 때문에 타인과 구별되어 불평등한 대우를 받는 집단적 차별대상이 되는 이들을 가리킨다. 성차별주의라는 용어는 1968년 미국 여성해방운동가들이 처음 사용하였다. 20세기 여성인권 신장 및 여성주의를 표방하는 페미니즘이 힘을 얻으면서 남성이 여성을 지배하는 우월적 사회구조인 가부장제를 비롯한 사회제도를 비판하고 이러한 제도의 바탕이 바로 성차별주의라고 규정하며 여성에 대한 사회구조적 차별문제가 수면 위로 떠올랐다. 이처럼 성차별주의는 성에 따른 남성과 여성의 역할을 달리 규정하는 성역할 고정관념을 기반으로 하면서 주로 남성의 생물학적 우월성으로 남성을 여성보다 중요한 존재로 보는 사상이다. 즉, 성에는 각기 고유한 유전적 특성과 심리 및 사회적 특성이 있다는 것을 인정하지 못한 채 성별에 근거한 사회적 기회나 역할의 불균등 및 불평등을 모두 성차별주의라 할 수 있다. 바트(Bart, 1971)는 이러한 성차별주의가 여성에 대한 단순한 차별 이상의 것으로서 가부장적 제도나 행위가 제도화되는 과정이라고 하였다. 그것은 언어부터 법률에 이르기까지 사회 전반에 걸쳐 널리 퍼져 있으며, 사회구조에 통합되어 각 제도에 존재한다. 이와 동일한 맥락에서 버나드(Bernard, 1971)는 성차별주의를 단순히 가시적인 차별이 아니라 복합적인 구조를 포괄하는 것으로 간주하였다.

성찰과정
[省察過程, facilitating reflective thinking]

상담자의 행동, 감정, 생각 그리고 상담자와 내담자 사이의 상호작용에 대한 관심을 가지고 이해하기 위해 상담회기에 일어난 현상을 신중하고도 적극적으로 탐색하는 일. 상담 수퍼비전

상담전문가가 되기 위한 훈련을 하는 수련생들은

성찰과정을 통해서 상담전문가로서의 자질을 향상하고, 자신의 상담과정을 되돌아보는 기회를 갖는다. 이러한 기회를 제공하기 위해서 수퍼바이저는 성찰을 위한 최소한의 시간, 격려, 정신적인 여유, 그리고 신뢰를 바탕으로 하는 수퍼비전 관계를 만들어야 한다. 이와 더불어 수퍼바이저는 수퍼비전에서 수련생이 자신과 자신이 진행한 상담에 대해서 성찰할 수 있도록 다양한 기법과 개입을 활용해야 한다. 성찰을 위한 방법으로 그리피스와 프리던(Griffith & Frieden, 2000)은 몇 가지 제안을 했는데, 이원적으로 생각하는 사람들의 시야를 넓혀 주기 위해 '어떻게'와 '무엇을'이라는 질문을 중심으로 하는 소크라테스적인 질문하기, 상담수련생에게 일기를 쓰도록 하기, 대인관계과정회상(IPR)과 성찰팀의 활용 등이다. 이러한 기법들은 수퍼비전의 과정에서 수련생 개인에게 혹은 집단에 적용하여 성찰을 할 수 있도록 도움을 줄 것이다.

관련어 | 대인관계과정회상

성찰적 글쓰기
[省察的 – , reflective writing]

글을 쓰는 사람의 개인적인 생각, 감정, 상황, 사건 등에 대한 반영을 추가하여 설명하는 저널기법. 문학치료(글쓰기치료)

성찰적 글쓰기는 글쓴이의 생각을 탐구하는 데 도움이 된다. 특정한 주제에 대한 생각을 흰 종이 위에 글로 외면화하는 것은 그 문제를 객관적으로 바라보게 해 주며, 복잡한 생각을 정리하는 데 도움을 준다. 이때 관점의 변화는 큰 도움이 된다. 글쓰기를 1인칭에서 3인칭으로 바꾸어 보거나 친구, 연인, 부모, 직장상사 등의 입장에서 써 보거나 그들과의 대화, 편지 쓰기 등의 형식으로 글을 써도 좋다. 또는 시제를 바꾸어 써 보는 것도 좋은 방법이다.

관련어 | 3인칭 글쓰기, 글쓰기치료, 보내지 않는 편지

성취도 검사
[成就度檢査, achievement test]

주어진 주제나 기술에서 개인의 능력이나 학습 정도를 측정하는 검사. 심리검사

성취도 검사란 개인이 특정 지식, 정보, 기술을 획득하거나 습득한 정도 혹은 유능한 정도를 측정하는 도구를 말한다. 독서나 수학과 같은 특수한 학업영역에서 개인이 학습한 내용을 나타내도록 설계된 검사다. 대조적으로 지능검사는 개인의 지적 잠재력(무엇을 배울 수 있는가)을 나타내도록 설계되었다. 대표적인 성취도 검사로는 학업성취도 검사가 있다. 학업성취도 검사란 학교에서 교과학습을 통해 달성한 정도나 학습량을 측정하는 도구를 말한다. 특정한 훈련이나 학습의 결과로 달성된 지적 능력(지식, 이해 등)이나 기능적 능력, 감정적 능력, 태도적인 능력을 측정하며 학력검사라고도 한다. 그 예로 학교장면에서 실시하는 교과목 시험을 들 수 있다. 학력검사는 주로 교사와 학생이 교육목표에 접근해 가는 과정에서 현재 상태를 파악하기 위해 실시한다. 학력검사의 결과를 바탕으로 교사는 교수법을, 학생은 학습영역의 이해도를 확립한다. 나아가 다음 교수법이나 학습에의 동기 또는 지침의 길잡이를 얻는 자료로 사용한다. 학력검사의 결과를 단지 상대적 평가자료로만 사용할 것이 아니라 결과에 대해 교사와 학생의 양자 혹은 교사 입장에서 피드백을 주는 것이 중요하다. 학력검사에는 표준화 절차를 거친 표준학력검사, 교사가 자신의 학급에서 사용하기 위해 작성한 학력검사, 객관적 채점이 가능한 객관검사, 종합적이면서 깊이 있는 학력을 측정하기 위한 논문형 검사, 교과목에 대한 전반적 학력수준을 알아보기 위한 개관적 검사, 분석적 관점에서 한 교과목에서의 수준(수학에서의 지식, 이해, 기능, 사고력, 관심, 태도 등)을 파악하기 위한 진단적 검사와 같이 목적, 내용, 형식에 따라 여러 유형이 있다.

관련어 | 지능검사, 학력검사, 학업성취도

성취동기
[成就動機, achievement motive]

도전적인 과제를 달성하는 과정에서 만족을 얻으려는 내적 의욕 또는 성향. 학습상담

자신이 속한 문화에서 가치 있는 것으로 생각되는 목표를 보다 높은 수준에서 수행하거나 완성하고 싶어 하는 의욕을 말한다. 이러한 의욕은 과제에 집중하고 노력하게 하며 실패에 대해 좌절하지 않고 실패의 두려움을 쉽게 극복하게 하여 결과적으로 성공에 대한 자신감을 높인다. 매클렐런드(McClelland, 1955)는 성취동기의 기준으로 탁월한 수준, 독특한 성취, 장기에 걸친 성취를 들었다. 성취동기를 부여하는 요인에는 여러 가지가 있다. 정신분석이론에서는 유아 소년기의 부모-자녀관계에 수반되는 감정적 요인을 강조하고, 사회학습이론에서는 요구수준, 사회문화적 요인(민족, 종족, 종교, 사회경제적 계층, 남녀의 양육법, 기대되는 성차별, 부모의 가치관 등)을 선행조건으로 들었다. 인지이론에서는 기대가치모델(성공 달성에 대한 주관적인 확률이나 유인가 등), 실패회피의 동기, 성공회피의 동기, 귀인, 자기원인성, 자기효력감 등을 제시하였다. 드웩(Dweck)에 따르면, 하고자 하는 마음에는 '성적을 목표'로 하고자 하는 마음, '학습을 목표'로 하고자 하는 마음이 있다. '성적을 목표'로 하는 사람은 좋은 성적이나 다른 사람의 평가가 목표로서 지능을 고정적인 것으로 보는 경향이 있다. 이 경우는 자신감이 있을 때는 어려움에 도전할 수 있지만 자신감이 없을 때는 무력감에 빠지기 쉽다. '학습을 목표'로 하는 사람은 이해나 학습 그 자체를 목표로 하여 지능을 발전적으로 변화시킬 수 있는 것으로 본다. 이 경우는 자신이 있는 사람이나 없는 사람이나 노력하면 좋을 것이라고 생각하며 숙달을 지향한다.

관련어 | 동기, 무동기, 학습동기

성치료
[性治療, sex therapy]

성 관련 장애가 있는 사람을 대상으로 하여 심리치료, 감각집중법 등을 활용하는 치료. 성상담

성치료의 대상은 주로 부부가 된다. 부부관계의 성적 어려움을 해결하기 위해 성적 문제에 국한된 특수 유형의 치료법을 성치료라 명명하는데, 이는 주로 심인성 성기능장애에 대한 치료를 한다. 가장 대표적인 성치료는 매스터스와 존슨(Masters & Johnson)의 공동 성치료다. 이 치료는 남녀 치료사가 짝을 이루어 부부 내담자를 대상으로 하며, 4명이 팀을 이루어 공동으로 작업한다. 치료기간 중 부부는 과제실습을 위해서 주로 호텔에서 생활한다. 심각한 심리적 갈등을 다루는 경우, 대부분의 부부치료와 구별될 수는 없지만 최초 개입의 계기가 성에 관한 갈등이라면 성치료의 범주에 들어간다. 또 성행위에 관한 의학적 관여가 필요한 경우도 많다. 생리학 내 신경학, 내분비학 등 최신 의학적 지견을 활용해 가면서 부부치료, 심리치료, 행동치료의 접근방법을 조합하여 건전한 성행위를 실현하고자 하는 포괄적인 시도를 모두 성치료의 범주에 넣을 수 있다. 1970년대까지 성치료는 내부분 정신분석학 이론을 기반으로 했지만, 매스터스와 존슨의 치료법이 개발되면서 본격적으로 실제적이고 과학적인 성치료의 시대가 열린 것이다. 매스터스와 존슨 외에 킨제이(Kinsey), 캐플란(Kaplan) 등이 대표적인 성치료사로 언급된다. 캐플란의 정신역동적 성치료는 정신분석적 이론을 기반으로 하고, 한 사람의 치료사가 부부를 대상으로 한다. 치료기간 제한은 없고 1주에 1, 2회 정도 실시한다. 캐플란의 치료는 장기적이면서 융통성 있게 치료기간을 두고, 각 하위 유형마다 서로 다른 독특한 치료법을 사용하였다. 성치료는 주로 약물요법을 시행하는 의사와 공동치료로 행해진다. 매스터스와 존슨은 18~89세까지 남녀 약 600명의 성 반응을 2,500회 이상 관찰하고,

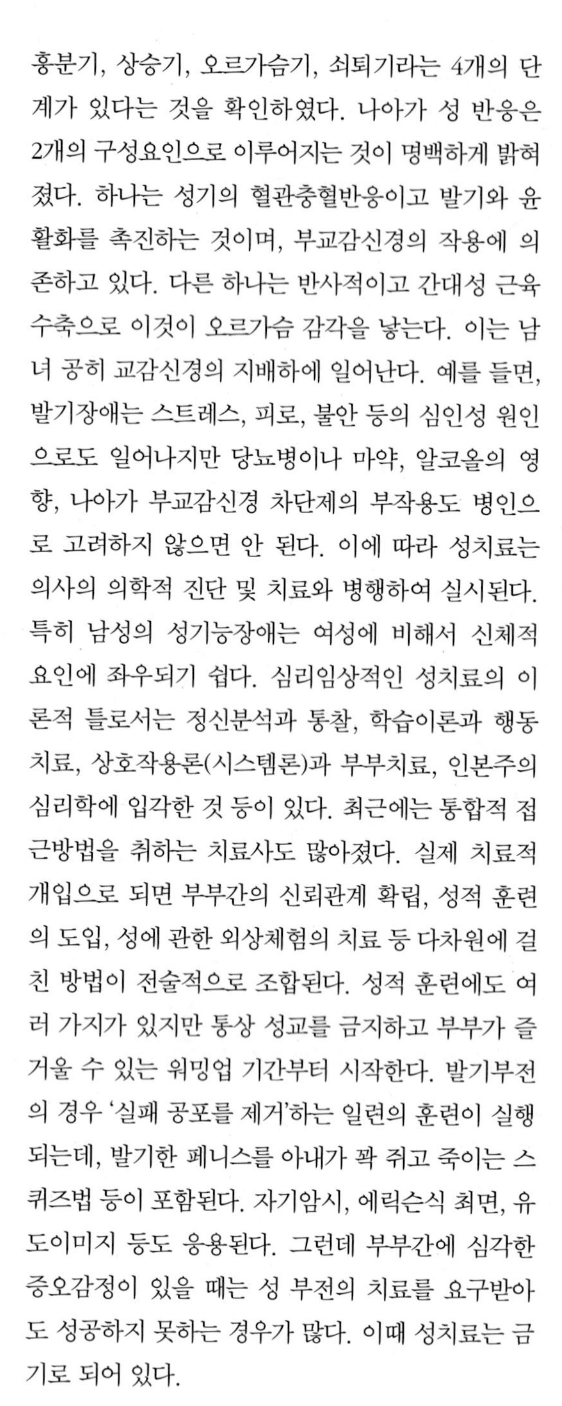

흥분기, 상승기, 오르가슴기, 쇠퇴기라는 4개의 단계가 있다는 것을 확인하였다. 나아가 성 반응은 2개의 구성요인으로 이루어지는 것이 명백하게 밝혀졌다. 하나는 성기의 혈관충혈반응이고 발기와 윤활화를 촉진하는 것이며, 부교감신경의 작용에 의존하고 있다. 다른 하나는 반사적이고 간대성 근육 수축으로 이것이 오르가슴 감각을 낳는다. 이는 남녀 공히 교감신경의 지배하에 일어난다. 예를 들면, 발기장애는 스트레스, 피로, 불안 등의 심인성 원인으로도 일어나지만 당뇨병이나 마약, 알코올의 영향, 나아가 부교감신경 차단제의 부작용도 병인으로 고려하지 않으면 안 된다. 이에 따라 성치료는 의사의 의학적 진단 및 치료와 병행하여 실시된다. 특히 남성의 성기능장애는 여성에 비해서 신체적 요인에 좌우되기 쉽다. 심리임상적인 성치료의 이론적 틀로서는 정신분석과 통찰, 학습이론과 행동치료, 상호작용론(시스템론)과 부부치료, 인본주의 심리학에 입각한 것 등이 있다. 최근에는 통합적 접근방법을 취하는 치료사도 많아졌다. 실제 치료적 개입으로 되면 부부간의 신뢰관계 확립, 성적 훈련의 도입, 성에 관한 외상체험의 치료 등 다차원에 걸친 방법이 전술적으로 조합된다. 성적 훈련에도 여러 가지가 있지만 통상 성교를 금지하고 부부가 즐거울 수 있는 워밍업 기간부터 시작한다. 발기부전의 경우 '실패 공포를 제거'하는 일련의 훈련이 실행되는데, 발기한 페니스를 아내가 꽉 쥐고 죽이는 스퀴즈법 등이 포함된다. 자기암시, 에릭슨식 최면, 유도이미지 등도 응용된다. 그런데 부부간에 심각한 증오감정이 있을 때는 성 부전의 치료를 요구받아도 성공하지 못하는 경우가 많다. 이때 성치료는 금기로 되어 있다.

관련어 | 성교육, 성상담, 성장애

성치료와 꿈 해석
[性治療 – 解釋, sex therapy and dream interpretation]

정신분석기법 중 꿈해석을 성치료에 접목하여 실시하는 방법. 성상담

꿈의 해석은 고전적 정신분석학파의 치료자가 존중하는 방법이었다. 이 때문에 가족치료에서는 꿈을 취급하는 것을 경원하는 경향이 있었다. 그러나 꿈은 중요한 심리학적인 자료이며, 그 의의는 학파를 불문하고 탐구하는 것이 바람직하다. 꿈이 치료적 자료로서 활용되기 쉬운 것은 부부간 성기능 부전에 관한 문제해석에 대처하는 경우다. 우선 꿈은 잘 꾸는 것이지만 잊기가 쉽다는 사실을 설명하고 침상 곁에 꿈 노트를 준비하여 꿈을 꾼 즉시 기록하도록 한다. 꿈을 상기해 가면서 부부는 성기능 부전의 문제점을 상세하게 이야기하고, 치료자는 다음 방법을 취한다. 첫째, 성적 관계에 대한 불안, 저항, 보복적 공격성, 분노 등 부정적, 감정적 과정에 관계하도록 꿈의 에피소드에 대한 정신분석적 해석을 제공해 본다. 심리적으로 미해결의 과정, 억압되어 있는 과정을 해석해 보는 것이 도움이 된다. 특히 부부의 상호작용에 주목하고 각각의 꿈을 상호관계의 시점에서 해석해 보는 데 의미가 있다. 둘째, 부부 동석의 장면에서 각각 꾼 꿈을 역할연기하며 그 꿈이 초래하는 감정체험을 실감하면서 탐구한다. 또, 게슈탈트 치료에서 말하는 꿈작업을 해 본다. 원인의 역할을 연기하고 배우자와 치료자는 등장하는 다른 사람들을 연출하는 것이 좋다.

성폭력
[性暴力, sexual violence]

상대방의 동의 없이 성적 행위를 하거나 성적 행위를 하도록 강요, 위압, 유인하는 것으로, 성을 매개로 한 신체적 · 정신적 · 언어적 폭력 등을 포함함. 성상담

성폭력은 성에 관한 개인이나 집단의 자기결정권을 침해하여 신체, 심리, 사회적 고통을 야기하는 모든 행위를 포함하는 말로, '성폭력 범죄의 처벌 등에 관한 특례법'에 의하면 음행매개, 음화제조, 음화반포, 공연음란, 추행, 간음, 강간, 강제추행 등이 이에 속하며, 음란전화, 성기노출 등도 해당된다. 즉, 강간뿐만 아니라 성추행, 성희롱, 음란물, 인터넷 등을 통한 불쾌한 경험 등 성을 매개로 한 모든 폭력을 포괄하는 넓은 개념이다. 다시 말해, 성폭력은 완력, 위계를 이용하여 성적인 방법으로 가해지는 일방적인 폭력행위로서 강간뿐 아니라 원치 않는 신체적 접촉, 음란전화, 불쾌한 언어와 추근거리는 것, 음란한 눈빛으로 바라보는 것 등 성적으로 가해지는 신체적 · 언어적 · 정신적 폭력을 포함한다. 성폭력은 성적 자기결정권에 대한 인권의 침해행위다. 형법상으로는 일반적으로 폭행이나 협박을 통해 사람을 강간하거나 추행하는 경우를 기준으로 하고 있다. 따라서 성폭력에 대한 막연한 불안감이나 공포뿐만 아니라 그것으로 인한 행동제약도 간접적인 성폭력이며, 조금 난폭한 성관계의 일종이 아니라 성을 매개로 한 폭력행위라고 말할 수 있다. 성폭력은 신체는 물론 심각한 정신적 충격까지 유발하는 범죄행위이며, 단순 신체상해부터 성적 · 생식적 능력손상에 이르는 여러 부정적 결과를 낳는다. 게다가 성폭력 이후 피해자는 자살이라는 극단적인 결단을 내리기도 한다. 우리나라에서 성폭력이 부각된 것은 1980년대부터다. 전체적인 사회 분위기가 국가의 공권력이 행하는 폭력이 지배적이었던 당시, 1986년 부천 성 고문 사건, 1987년 전남 고흥 경찰 임부 성폭행 사건, 1990년대 초, 자신을 12년간 성폭행한 의붓아버지 살해사건인 김보은 사건 등 성폭력 관련 사건들이 드러나면서 사회적 쟁점이 되었다. 이런 가운데 1983년 여성의 전화가 개소되어 여성문제를 전담하는 기관이 생겼고, 이에 따라 여성에 대한 여러 사건 중 구타 및 강간 등의 성폭력 문제가 사회 문제시되었다. 1990년대를 거치면서 한국성폭력상담소 설립, 성에 관한 법률 제정 촉구 등 사회와 국가의 노력이 동시에 일어나기 시작하였다. 1994년 마침내 성폭력 특별법으로 「성폭력 범죄의 처벌 및 피해자 보호 등에 관한 법률」이 제정되기에 이른다. 하지만 이 법률은 성적 자기결정권의 내용은 포함되지 않은 성적 함의를 갖는 폭력을 주된 처벌 대상으로 삼았다. 성폭력의 피해자가 대부분 여성이고, 사회 분위기가 정조를 중시하는 가치관이 팽배해 있기 때문에 피해자가 스스로 사건을 무마하려고 하는 경우가 많다. 따라서 성폭력 실태는 제대로 파악하기가 힘들다. 성폭력의 영향은 개인에게만 그치는 것이 아니라 사회에도 심각한 영향을 미칠 수 있다. 우선 불안, 우울, 공포, 적개심, 성 혐오, 불면증, 소화장애 및 두통과 같은 개인적인 영향도 있지만, 직장 내 성폭력의 경우는 피해자의 근로의욕 저하, 직장선택 제한, 사회구성원 간의 불신감 조장으로 인한 근무능률 저하 등 사회적 문제까지 초래된다. 성폭력은 단순 폭력문제나 특정 성별에 관한 문제에 그치는 것이 아니라 인간 존재의 성적 권리에 손상을 가하는 것으로서 사회 전체의 인식전환이 필요하다.

성향 검사
[性向檢查, test of typical performance]

심리검사 중 일상생활에서 나타나는 개인의 전형적인 또는 습관적인 행동을 측정하는 검사. 심리검사

전형적 수행검사(test of measuring typical performance)라고도 하며, 시행방법은 시간제한이 없

고 각 문항도 정답 또는 오답의 개념이 아닌 하나의 진술문에 대해 개인이 맞다, 틀리다 또는 동의, 비동의의 형태로 답하는 개인이 평소에 보이는 전형적인 행동을 측정하는 검사다. 성향 검사에는 성격검사, 흥미검사, 적응검사, 동기검사, 인지양식검사, 가족관계검사, 도덕성검사, 태도검사, 학습기술검사 등이 있다.

성호르몬
[sex hormone]

척추동물의 종족유지 역할을 하고, 암수의 생식선에서 분비되며, 생식기 발육을 촉진하고, 그 기능을 유지하면서 암수의 성징(性徵)을 주관하는 호르몬. 성상담

성호르몬은 남성과 여성의 생식소에서 생성되는 호르몬으로 배우자 형성에 관여한다. 남성의 경우 정소(精巢) 중 간세포(間細胞)가 호르몬을 분비하는 생식선인데, 이곳에서 분비되는 호르몬 테스토스테론(testosterone)이 음경의 증대, 콧수염의 발생, 변성 등 남성화를 촉진하고, 이 호르몬이 결핍되면 정자의 수정능력이 사라진다. 여성의 경우는 난소 중 여포나 황체가 생식선인데, 여기서 자궁이나 유선(乳腺)의 발육, 월경 등의 여성화를 촉진하는 여성호르몬인 황체호르몬, 난포호르몬이 분비되고, 이것이 제대로 분비되지 않으면 월경이 없어진다. 성호르몬은 생식선뿐만 아니라 부신피질에서도 그 작용을 갖는 물질이 분비되기도 한다. 여성의 난소에서 생성되는 대표적인 성호르몬은 프로게스테론(progesterone)과 에스트라디올(estradiol)이다. 여성호르몬은 모두 뇌하수체에서 분비되는 성선자극호르몬 작용으로 조절된다. 프로게스테론은 주로 배란기 이후에 높은 농도로 생성되며, 임신을 하지 않는 경우에는 월경 2~3일 전까지 농도가 유지되다가 황체가 백색체로 바뀌면서 급격하게 양이 변한다. 에스트라디올은 난자의 성장에 관여하여 자궁 내막의 초기 비후에 영향을 미치고 파골세포의 형성을 억제한다. 난소의 여성호르몬은 사춘기 이후부터 폐경기 전까지는 왕성하게 생성되지만, 폐경기 이후에는 거의 생성되지 않아 폐경기 이후 여성호르몬의 대부분은 부신에서 생성되는 호르몬에 의존하게 된다. 난소에서 생성되는 여성호르몬도 하루의 주기가 있어, 기상 후 가장 높은 수준을 유지하며 하루 중 3~4회의 리듬이 있다. 하루 중 일어나는 이 같은 정상적인 리듬이 반복됨으로써 여성은 28일 혹은 31일, 35일 주기의 생리현상이 나타나는 것이다. 여성과 남성의 분화는 태아의 발생 초기 단계의 여성호르몬과 남성호르몬의 균형으로 결정되고, 성호르몬은 남녀 상관없이 모두 스테로이드계 물질이다.

성화
[聖化, sanctification]

하나님이 인간에게 의도하고 목적하는 상태를 실현하거나 점진적으로 도달하는 것. 목회상담

기독교에서는 예수 그리스도의 믿음, 행실, 마음, 생각, 지혜 등 모든 부분을 닮아 가는 과정이 바로 성화이며, 이를 이루었을 때 인간은 행복한 삶을 살아갈 수 있다고 본다. 성경의 창세기 부분을 살펴보면, 태초에 하나님이 인간을 창조하실 때 하나님의 형상을 닮도록 하였다(창세기 1:26). 하지만 인간의 죄 때문에 본래의 상태를 상실하였으므로, 성화의 과정을 통해 하나님의 형상인 온전한 상태로 회복할 수 있다. 따라서 성화의 목표가 되는 것은 바로 예수 그리스도다. 여기서 주목할 점은 이러한 성화가 인간의 노력으로 이루어지는 것이 아니라, 성령(聖靈)의 역사를 통해 이루어지는 하나님의 은총이라는 것이다. 따라서 온전한 성화를 위해 인간은 하나님의 말씀을 믿고 순종해야 한다. 목회상담(기독교상담)에서는 내담자의 삶에서 다양한 문제로 어려움을 겪는 이유는 바로 하나님의 말씀대로, 즉 성

경의 원리대로 살지 않은 죄 때문이라고 본다. 따라서 죄에서 돌이켜 예수 그리스도를 닮아 가도록 노력하며, 하나님께 순종할 때 바로 성화의 과정이 일어날 수 있다고 하였다. 또한 내담자의 삶에 성화의 과정이 시작되면 고통을 주던 문제가 해결되고 온전한 행복을 누리는, 즉 하나님의 형상을 회복한 삶을 살 수 있게 된다. 성화의 과정은 특정한 시기에 완전히 이룰 수 있는 것은 아니며, 인간의 전 생애에 점진적으로 이루어진다.

성희롱
[性戱弄, sexual harassment]

남녀 고용평등과 남녀 차별금지 관련법에서 업무, 고용 및 기타 관계에서 지위를 이용하거나 업무 등과 관련하여 성적 언어나 행동 등으로 성적 굴욕감을 느끼게 하거나 성적 언동 등을 조건으로 고용상 불이익을 주는 행위. 성상담

성희롱은 본성상 성적이며, 비직업적이거나 바람직하지 못한 것으로 간주되는 성적 유혹, 즉 신체적 구애, 언어적 · 비언어적 행동의 한 유형을 말한다. 이것은 직장에서 상대방 의사에 반하는 성과 관련된 언동으로 불쾌감과 굴욕감을 주는 행위뿐만 아니라 이와 관련하여 사회적 혹은 공적 측면에서 상대방에게 피해나 불이익을 주는 모든 행위를 지칭한다. 성희롱의 육체적 행위는 강제 입맞춤, 포옹, 뒤에서 껴안기, 가슴이나 엉덩이 등 특정 신체부위를 만지는 행위, 안마나 애무를 강요하는 행위 등이고, 음란한 농담이나 진한 음담패설, 외모에 대한 성적 비유나 평가, 성적 사실 관계를 묻거나 성적인 내용의 정도를 의도적으로 유포하는 행위, 성적 관계를 강요하거나 회유하는 행위, 음란한 내용의 전화통화, 회식자리 등에서 무리하게 옆자리에 앉도록 하거나 술을 따르도록 강요하는 행위 등은 언어적 행위에 해당한다. 그 외 외설적 사진, 그림, 낙서, 음란 출판물 등을 게시하거나 보여 주는 행위, 직접 또는 팩스나 컴퓨터 등을 통해 음란한 편지, 사진, 그림 등을 보내는 행위, 성과 관련된 자신의 특정 신체부위를 고의적으로 노출하거나 스스로 만지는 행위를 드러내는 것 등은 시각적 행위로 구분한다. 성희롱은 성폭행보다 매우 광범위하게 적용되고, 대부분의 피해자가 여성이지만 남성이 여성에게 가하는 경우뿐만 아니라 여성이 남성에게 가하는 경우도 해당된다. 여성의 사회진출이 확대되면서 직장 및 학교 등에서의 성희롱 문제는 사회문제로 확산되었다. 일본에서는 1970년대부터 직장 내 성희롱 방지에 관한 고용 관리상의 책무가 포함된 법률이 제정되었다. 우리나라에서는 1980년대 이후 여성의 사회진출이 현저해지면서 종전까지는 가볍게 여기거나 묵과해 온 직장에서의 여성에 대한 성희롱이 사회적인 큰 쟁점이 되었다. 이와 같은 추세에 여성단체는 성희롱 방지를 위한 제도적 장치를 요구하게 되었다. 이에 관계 당국은 법 제정을 추진하여 「남녀 고용 평등법」「남녀 차별 금지 및 구제에 관한 법률」「일, 가정 양립 지원에 관한 법률」「성 발전 기본법」「국가 인권위원회법」 등을 마련하여 성희롱 방지를 위한 조항을 설정하였다. 처음 「남녀 고용 평등법」에 따르면 직장 내 성희롱은 사업주나 상급자 또는 근로자가 직장 내의 지위를 이용하거나 업무와 관련하여 다른 근로자에게 고용상의 불이익을 주거나, 성적 굴욕감을 유발하여 고용환경을 악화시키는 것이다. 이 법률은 사업주에게 직장 내 성희롱 예방을 위한 교육을 실시하도록 하며, 가해자에 대한 징계를 의무화하는 규정을 두었다. 노동부는 이러한 법률을 기반으로 하여 1999년 『성희롱 예시집』을 내어 성희롱에 관련된 여러 장면을 제시하였다. 그중에서 '음란한 눈빛'은 제외되었다. 성희롱 여부의 판단은 행위자의 의도나 동기가 아니라 피해자의 주관적 입장이 먼저 고려된다. 성을 매개로 한 말이나 행동이 행위자의 의도와는 상관없이 상대방에게 불쾌감이나 모욕을 주었다면 성희롱이 된다. 또한 문제상황이 쌍방 간 합의하에 의한 것인지의 여부가 성희롱 판단에서 중요한 고려사항이다.

직장 내 대부분의 성희롱은 상하 권력관계에 기반을 둔 경우가 많으므로 피해자의 침묵이 곧 합의나 허용을 의미하는 것은 아니며, 강요된 복종에 따른 명백한 성희롱이 될 수도 있다는 점을 염두에 두어야 한다. 단 한 번의 성적 언동이라도 정도가 심하고 매우 모욕적이며 성적 굴욕감을 느낄 수 있다고 인정되면 이는 성희롱에 해당된다. 성희롱 피해자는 가해자를 대상으로 손해 배상을 청구할 수 있지만 성희롱 자체가 형사처벌의 대상은 되지 않는다. 직장 내 성희롱의 경우는 피해자가 사업주에게 가해자의 부서 전환, 징계 등의 조치를 요구할 수 있다.

세 수준의 의사소통

[三水準-意思疏通, three level communication]

치료과정에서 내담자의 자각을 촉진하고 자각한 내용을 언어로 표현할 때, '나' 전달법을 사용해서 자신의 감정과 인지적 내용을 감각활동과 연결하여 표현하는 것. 무용동작치료

세 수준의 의사소통은 핼프린(D. Halprin, 1989; 2003)이 게슈탈트에서 설명하는 자각을 좀 더 정교화하여 표현예술치료과정에 적용한 것이다. 이 기법은 눈으로 볼 때뿐 아니라 귀로 듣고, 몸으로 동작하는 신체적 수준의 감각활동이 자신의 감정과 상상이라는 인지적 기능과 어떻게 연결되어 있는지 알아차리고, 그 심리적 과정을 명료하게 언어화해서 자기 책임으로 돌리는 기법이다. 감각자각(알아차림)을 표현하는 경우 "나는 ~을 본다."라는 시각적 차원에서의 감각을 인지하고 표현하여 모호하게 일반화하지 않도록 하는 연습도 중요하다. 한 가지 수준의 감각 자각을 할 때, "나는 ~을 느낀다."와 "나는 ~을 상상한다."와 같이 두 가지 수준만 연결한 다음 다른 차원을 통합할 수도 있다. 이 기법은 치료자, 집단원 사이, 또래 학습자들 사이에서도 상호 비비판적이고 비폭력적 의사소통이 되도록 철저하게 실천하면서, 신체감각과 감정 및 이미지 자각 반응의 연결을 정교하게 표현할 수 있다. 예를 들어, 내담자의 그림에 나타난 나무에 매달린 작은 나뭇잎을 보고 표현예술치료자가 하는 세 수준의 의사소통 반응은 "나는 그 나뭇잎을 보고(감각), 어린 아기가 엄마 품에서 떨어질까 봐 애쓰는 모습을 상상하면서(인지) 안타까움을 느낀다(감정)."라고 표현하기도 한다. 또 다른 예로 내담자가 완전히 직립하지 못한 중간 높이의 자세에서 무릎을 굽혔다 폈다 반복하는 움직임에서, "나는 네가 아직 서지 못하는 중간 자세에서 하는 무릎 반복운동을 보니(감각), 마치 네가 달리기 위해 준비운동을 열심히 하고 있다는 상상이 되고(인지), 희망과 건강함을 느낀다(감정)."라고 표현할 수도 있다. 내담자의 편에서도 자기 그림을 보고 이처럼 반응할 수 있다. 예를 들어, 내담자가 팔과 가슴을 벌린 움직임을 반복한 다음 "내가 가슴을 여는 동작을 할 때(감각) 잊혔던 첫사랑의 기억이 떠올라서 강물에 떠내려가는 상상이 되고(인지), 이별의 슬픔을 느낀다(감정)."라고 표현할 수 있다. 세 수준의 의사소통을 사용하는 경우에는 집단 참여자, 내담자, 상담자 어느 누구든지 자신의 내적 인상과 자료에 대해 떠오르는 심미적 반응을 하게 된다.

관련어 | 세 수준의 자각반응, 심미적 반응

세 수준의 자각반응

[三水準-自覺反應, three levels of awareness reaction]

인간의 신체, 정서, 인지의 요소들을 신체 중심적 통합성으로 이해하여 물리적 신체, 정서적 신체, 인지적 신체 속에서 각각 무슨 일이 일어나고 있으며, 그들은 상호 어떻게 관련되어 조화 및 갈등을 일으키는지 자각(알아차림)하고, 그 자각을 예술 매체를 통해 외부로 표현하는 것. 무용동작치료

세 수준의 자각반응 기법은 내담자의 자각과 반응을 촉진하기 위한 것으로, 게슈탈트 무용동작치료의 대표적 기법에 속한다. 인간의 자각반응이 일

어나는 세 수준은 다음과 같다. 첫째, 신체적 수준으로 신체부분과 동작, 감각, 호흡, 자세 충동에 대한 자각과 반응을 말한다. 둘째, 정서적 수준으로 불안, 기쁨, 평안, 흥분, 분노, 슬픔 등의 감정과 느낌을 자각하고 반응하는 것이다. 셋째, 인지적 수준으로 계획, 기억, 상상, 환상, 연상 등이 포함된다. 게슈탈트 무용동작치료에서는 이 같은 세 수준 각각의 자각범위를 넓히고 표현의 유연성을 확장시키기 위해, 친숙치 않거나 미발달된 반응들을 탐색하는 데 초점을 두기도 하고, 특정 개인에게 창조적으로 발달된 수준을 효과적으로 이용하기도 한다. 예를 들어, 숙련된 무용수들은 신체적 수준에서는 표현방식이 뛰어나지만, 정서적 수준에서 감정표현을 하는 데는 어려움을 느낀다. 어떤 내담자는 동작표현에 수줍음을 느끼지만, 글이나 언어로 표현하는 데는 편안함을 느끼기도 한다. 따라서 이러한 내담자들의 미발달된 반응을 탐색하거나, 발달된 반응을 치료에 효과적으로 이용한다. 동작 중심 표현예술치료에서는 세 가지 수준의 자각반응경험이 신체동작 중심의 통합으로 제4수준의 영적 경험에 대한 성장을 지지하고 돕는다. 게슈탈트 치료자이자 동작중심 표현예술치료자인 핼프린(D. Halprin, 1989; 2003)은 게슈탈트의 중심기법인 자각(알아차림)을 신체감각과 연결시켜 연구하였다.

관련어 | 제4수준의 자각/반응

세계 내 존재
[世界內存在, being-in-the-world]

세계 속에 다른 존재자와 교섭을 하면서 존재하고, 존재에 관심을 두는 현존재로서 인간의 본질적인 구조를 이르는 말.

실존주의 상담

인간이 다른 종(種)과 다른 점은 자기 자신과 다른 사람들을 의식적으로 인식하는 능력을 가지고 있다는 점이다. 보스(M. Boss, 1963)와 빈스방거(L. Binswanger, 1975)는 개인이 사건에 대해 사고와 성찰을 하고 사건에 의미를 부여하는 능력을 가리키는 '세계 내 존재(혹은 현존재, Dasein)'라는 용어를 사용하였다. 이 개념은 또한 빈스방거와 메이(R. May) 등이 인간은 많은 사건에 관하여 결정하고 선택할 수 있다는 것을 의미하는 '그 자체를 위한 존재(being-for-itself)'라고 표현하기도 하였다. 그들은 '자신의 존재 선택에 책임을 가진 사람(May, 1958)'을 의미하는 '현존재 선택(Dasein Choosing)'이라는 말을 사용한다. 메이는 인간(human being)이란 말의 완전한 의미를 설명하는 데 '나는 존재한다(I-am).'라는 말을 사용하였다. 이러한 경험을 설명하기 위해서 메이는 4개월 동안 치료를 받은 매춘부의 사생아인 한 환자가 꿈속에서 '나는 존재한다.'의 경험을 기술한 사례를 소개하였다. "어느 날 나는 빈민가에서 '나는 사생아다.'라는 생각에 잠기어 고가철도 아래를 걷고 있었던 것을 기억한다. 나는 그 사실을 인정해야 한다는 것에 고통을 느끼며 식은땀을 흘린 적이 있다. 그때 '나는 특권을 가진 백인들 틈바구니에서 살아야 하는 흑인이다.' 혹은 '나는 일반인들 사이에 있는 장님이다.'라는 사실을 받아들여야만 했던 것을 알았다. '나는 이제 더 이상 아이가 아니다.' '나는 버려진 존재다.'라고 생각하였다. 그러나 그것은 둘 다 아니다. '나는 사생아로 태어난 것이다.' 그러면 남아 있는 것은 무엇인가? 그것은 '나는 존재한다.'는 것이다. 이렇게 '나는 존재한다.'라는 것에 대한 접촉과 수용의 행위가 일단 확고해지면 '나는 존재하므로 존재할 권리가 있다.'는 경험을 할 수 있었다(내가 생각한 것은 처음으로 나를 위한 것이었다)."(May, 1958) 메이에 따르면, 이러한 강력한 '나는 존재한다.'의 경험은 환자의 문제를 해결하는 전제조건으로 중요하다. 더욱이 이것은 자신에 대한 경험으로서 치료사와의 관계나 사회와는 아무런 관련이 없는 것이다. '나는 존재한다.'는 경험은 주체와 객체와의 관계에서 주체인 자아를 좋아하는 것이라기보다는 "나는 할 수 있고, 다른 무엇보다도 발생하고 있는 것의 주체로서 자기 자신을 아는 존재다."(May, 1958) 이처럼 '존재'란 자아 발달과는 다른 경험이다. 이러한 경험은 존재의 과학(존재론)에서 말하는 존재론적 경험이다.

관련어 | 현존재

세계관평가척도
[世界觀評價尺度, Scale to Assess World Views-Ps: SAWV]

검사척도 중 하나로서 내담자의 세계관을 알아보는 검사. 심리검사

세계관은 세계와 관계하는 개인의 지각과 인식으로 정의된다. SAWV는 아이브라힘(Ibrahim) 등이 개발하고 타당화한 검사로서 내담자의 세계관을 측정하는 척도이며, 그 범주는 인간본성, 사회적 관계, 성질, 시간 정향(orientation) 및 활동 정향이다. 리커트 형식의 45문항으로 되어 있다. 요인분석 결과 낙관적(optimistic), 전통적(traditional), 현존재적(here & now), 비관적(pessimistic) 네 개의 요인이 밝혀졌다.

세계기법
[世界技法, world technique]

아동의 내적 세계에 접근하기 위하여 로웬펠드(R. Lowenfeld)가 고안한 아동심리치료기법. 놀이치료

영국의 아동 정신분석학자인 로웬펠드가 정신분석이론을 기반으로 하여 개발한 일종의 놀이치료기법이다. 그는 당시 심리치료방법이 지나치게 프로이트(Freud)의 정신분석이론에 입각하여 해석하던 경향을 비판하면서, 해석이나 전이 없이 치료할 수 있는 방법으로 세계기법을 만들었다. 로웬펠드는 이 기법이 어린아이의 내적 세계를 표현할 수 있도록 해준다는 의미에서 세계기법이라고 불렀다. 세계기법은 내담자의 감각적이고 직관적인 경험에 바탕을 두는 것으로, 내담자가 모래판 위에서 모형을 가지고 자유롭게 놀면서 개인적이고 사회적인 역할들을 투사하며 드라마를 행하는 것이다. 이 기법은 어린아이를 대상으로 만든 것이지만 어른에게도 활용할 수 있으며, 시행하기 위한 준비물은 다음과 같다. 모래판과 다양한 범주의 모형들, 즉 세 유형의 사람(일반 유형, 군인 유형 및 서커스와 신화적 인물을 포함하는 특별 유형), 집과 건물, 나무와 울타리, 야생동물과 가축, 자동차, 기차, 보트 등의 운송수단, 이정표와 그 밖의 장비, 막대기, 돌, 부정형의 물체와 같은 여러 모형 등이다. 세계기법을 실시하면서 치료자는 내담자가 모형으로 세계를 만들며 노는 과정을 노트에 적거나 그림을 그리거나 사진을 찍어서 기록으로 남긴다. 이와 같이 만들고 기록하는 행위 자체가 내담자에게 쾌감을 주고 증상을 감소시킨다고 보았고, 이러한 측면에서 세계기법은 치료적인 것으로 간주되었다. 이처럼 세계기법은 로웬펠드에게는 어린아이의 직관적 사고와 감각을 탐구하는 심층적인 장치로 인식되었고, 그의 미국 동료들에게는 진단용으로 인식되어 활용되었다. 이후 세계기법은 칼프(D. Kalff)가 모래놀이치료로 발전시켰다.

관련어 | 모래놀이치료

세대차이
[世帶差異, generation gap]

동일 집단 내의 개인 간 또는 서로 다른 집단 간의 경험에 따라 뚜렷하게 구별되는 다양한 의식, 태도, 행위양식, 가치관 등을 말함. 발달심리

세대차이는 흔히 부모 자녀 간 차이와 같이 다른 시대를 살았던 집단 간의 차이를 말하지만 같은 시대를 사는 연령 내에서도 세대차이가 나타날 수 있다. 그러나 대부분 동질집단 내의 차이보다는 다른 집단 간의 차이에 관한 연구가 더 일반적이다. 먼저

다른 집단 간 세대차이는 일반적으로 세대 간 갈등으로 이해되기 쉬우며, 대표적인 예가 부모 자녀 간의 세대차이이다. 부모 자녀 간의 세대차이는 흔히 부모 자녀 간의 갈등을 유발하기도 한다. 어른들은 '요즘 젊은이는 …….' 하고 탄식하며, 아이들은 부모를 이해할 수 없다고 호소한다. 지금 40~50대의 부모는 사물을 도리나 논리로 생각하는 경향이 커서 느낌(feeling)이나 이미지(image)로 행동하는 소위 신세대 아이들의 마음이나 생각을 이해하기 어렵다. 자라 온 환경이나 조건이 현저하게 다르고 경험이 다르기 때문이다. 나아가 같은 세대 사람들과의 사귐이 없는 최근 아이들은 같은 세대에 있으면서도 학년이 다르면 행동방식이나 생각하는 것이 다르다고 여기며, 그것을 이해하는 데 고통을 겪는 경우가 있다. 이를 동질집단 내 세대차이라 할 수 있으며 한편으로는 '단절의 시대'라고 말한다. 이 같은 동질집단 내 세대차이는 현대사회가 물자가 풍부한 데 반해 아이들의 수가 적은 것이나 부모 자신의 규범이 자녀에게 잘 전달되지 못하기 때문에 발생한다고 할 수 있다. 또한 물질주의적 관점에서 사물을 분별하는 부모가 많아져 세대경계(世帶境界)가 없어지는 것 또한 세대차이를 유발한다. 그리고 이 세대 경계의 붕괴는 아이들에게 병리현상을 낳는 원인이 되므로, 가정 내 서열(계층)의 재건이 아이들의 정신건강에 도움이 된다고 주장하는 사람도 있다. 세대차이가 발생하는 이유는, 첫째, 역사적 시기에 따른 사회문화적 조건과 경험의 차이가 그 시기를 살았던 사람들에게 각인되어 세대별 경험과 그에 대한 반응의 차이 때문에 형성된다. 둘째, 인간의 발달단계에 따라 각 단계에 포함된 특성으로 형성된다. 셋째, 세대별 변화의 수용능력에서 차이가 발생해 세대차이를 낳는다.

관련어 @세대, C세대, E세대, G세대, U세대, W세대, X세대, Y세대, Z세대, 베이비붐 세대

세로토닌
[-, serotonin]

생리활성아민의 일종으로 내측 시상하부 중추에 존재하며 체온, 기억, 정서, 수면, 식욕, 기분조절에 기여하는 신경전달물질. 뇌 과학 특수아상담

세로토닌은 중추신경계에서는 중뇌의 봉선핵(縫線核, Raphé핵)에 근원을 둔 세로토닌 뉴런의 신경전달물질 후보로 되어 있고, 장에서는 장관운동을 촉진하는 호르몬으로서의 역할을 하고 있다. 혈소판에도 고농도로 존재하며, 혈소판이 혈관 벽에 점착할 때 방출되어 모세혈관을 수축시키기 때문에 지혈 기구에 관여한다. 송과체에서는 송과체 호르몬인 멜라토닌 생합성의 중간체가 된다. 세로토닌은 수용체를 매개로 하여 작용하며, 현재까지 14종류의 5HT 수용체가 알려져 있다. 이 중 5HT3 수용체는 이온채널형 수용체, 다른 대부분은 G단백질 공역형 수용체다. 세로토닌의 자외선 흡수 특성, 형광 특성은 5-히드록시트립토판과 유사하다(강영희, 2008). 세로토닌은 우울증을 치료하기 위해 SSRI (세로토닌 재흡수 억제제)를 투여하는 과정에서 체중 감소효과가 부수적으로 나타나 비만치료제로 부각되었다. 세로토닌이 부족하면 우울증, 불안증 등이 생긴다. 또한 세로토닌은 식욕 및 음식물 선택에 중요한 조절자로 작용하며 탄수화물 섭취와 가장 관련이 있는 것으로 알려져 있다. 국소적으로 세로토닌이 증가하면 식욕이 떨어지고, 감소하면 반대 현상이 나타난다. 이와 같은 세로토닌의 역할을 이용한 비만치료제로는 '리덕틸'이 있다. 리덕틸은 뇌에서 섭취할 음식의 양과 소모할 에너지를 조절하는 세로토닌과 노르아드레날린이라는 신경전달물질의 흡수를 억제하여 쉽게 포만감을 느끼게 함으로써 결과적으로 음식물 섭취가 줄어들어 체중이 감소한다.

세밀하게 살피기
[細密 –, slicing it thinner]

정서중심부부치료에서 부부의 갈등과 불화의 원인이 되는 부정적 상호작용 고리와 관련되는 다양한 요소를 자세하고 꼼꼼하게 탐색하여 명확하게 인식하도록 도움으로써 변화를 유도하는 기법. 정서중심부부치료

정서중심부부치료에서 치료자는 갈등과 불화의 과정에 있는 부부가 자신들의 관계 속에서 무슨 일이 일어나고 있는지를 충분히 재경험함으로써 명확하게 인식하도록 도와주어 자신들의 태도와 행동, 그리고 정서적 반응이 이러한 부정적 상호작용 고리에 영향을 주고 있다는 것을 확실하게 파악하도록 만들고, 이에 따라 부부의 새로운 관계적 변화를 위해 노력한다. 이처럼 세밀하게 살피기를 통하여 부부의 부정적 상호작용의 고리와 관련된 경험을 자세하게 반영하면 관련된 다양한 요소로 이루어진 층이 존재한다는 것을 알 수 있다. 갈등의 부부 상호작용에서 가장 표면적으로 드러나는 것은 행동층으로, 공격 · 위축 · 무시 등 직접적으로 관찰 가능한 행동이다. 그다음은 지각층으로, 행동층의 반응으로 유추하여 알 수 있는 상대 배우자의 의도와 생각이다. 그다음으로는 이차적 정서층으로, 갈등의 경험 때문에 일어나는 일차적 정서로 발생하고 지각층과 행동층에 영향을 주는 분노, 질투, 좌절감 같은 정서다. 가장 심층부에는 일차적 정서층이 있으며, 이는 갈등의 경험에 따라 즉각적이고 직접적으로 일어나는 일차적 정서인 두려움, 상처, 외로움 등의 정서다. 정서중심부부치료에서는 이 일차적 정서층에 있는 감정들이 부부의 부정적 상호작용 고리의 직접적인 원인이 된다고 보고 있다.

관련어 | 부정적 상호작용 고리, 이차정서, 일차정서

세상모형
[世上模型, model of the world]

세상에 대해서 개인이 주관적으로 인식하거나 평가하는 하나의 관념이나 세계관 혹은 세상을 이해하는 자기만의 패러다임. NLP

세상이라는 실제의 땅을 축소하고 상징적으로 나타내는 '지도'와 상응하는 개념이다. NLP에서는 지도와 세상모형을 비슷한 개념으로 사용하고 있다. 세상모형은 인생관이나 세계관 같은 차원에서 이해해도 좋다. 인간은 외부세상을 탐색하고 그려 내기 위해 감각을 사용한다. 세상은 온갖 형태로 표현 가능한 감각적 인상으로 이루어져 있지만 인간은 그중 아주 작은 부분만을 제대로 인식할 수 있다. 그나마 우리가 인식할 수 있는 부분도 사실 그대로가 아니라 개인 특유의 주관적 현실, 문화, 언어, 신념, 가치관, 흥미 등에 따라 여과되어 인식하는 것이다. 이렇게 해서 사람은 누구나 자신만의 감각적 인상과 개인적 인생경험을 바탕으로 구축하는 자기만의 독특한 주관적 실재 속에 살아가며 자신이 가진 세상모형에 기초하여 행동하게 된다. 이는 모형이나 지도를 만드는 과정과 유사하다. 지도는 만드는 사람의 기준에 맞추어 넣을 것은 넣고 뺄 것은 빼면서 목적에 따라 정보를 전달하는 방식으로 제작된다. 완전하고 정확하지 않지만 제작된 지도는 실제 영토를 이해하고 탐색하는 가치 있는 도구가 된다. 각 개인이 만드는 지도, 세상모형은 그 사람이 어떤 필터를 가지고 있는가에 따라 달라진다. 이때 언어, 신념 등은 인간이 가진 필터 중 하나다.

셀렉팅
[–, selecting]

내담자의 상황이나 치료상황에 맞게 영화를 선택하는 영화치료자의 기술. 영화치료

셀렉팅은 영화치료의 가장 기본이 되는 기술로,

내담자에게 맞는 영화를 선택하는 것이다. 치료자가 셀렉팅에 실패하지 않기 위해서는 내담자의 영화 선호도, 내담자의 문제, 내담자의 심리적 역동이나 다양한 치료용 영화를 경험하는 것이 반드시 필요하다. 영화 셀렉팅은 영화를 먼저 선정하고 내담자에게 제시하는 순방향 셀렉팅과 내담자의 문제를 파악한 다음 그에 맞추어 영화를 선택하는 역방향 셀렉팅으로 나눌 수 있다. 순방향 셀렉팅은 치료자가 치료에 도움이 된다고 판단한 영화를 내담자에게 제시하여 숙제로 내 주거나 회기시간에 보여 준다. 이와 같은 경우에는 치료자가 내담자와 별다른 협의 없이 사전에 영화를 선택한 뒤 특정 치료 프로그램이나 영화치료적 접근을 시행하는 것이 대부분이다. 이때 영화치료자는 치료과정을 미리 기획하거나 숙지하고 한 회기 중에는 치료의 특정한 방향성을 갖고 치료에 임해야 하며, 치료자의 영화를 본 횟수, 영화에 대한 이해, 영화의 활용도 같은 치료적 경험은 중요한 요소로 작용한다. 그리고 영화치료에서 순방향 셀렉팅이 중요한 때는 집단 영화치료나 영화를 활용한 대집단 연수에서 치료자가 내담자 개인의 역동이나 문제에 초점을 맞출 수 없는 경우에서다. 역방향 셀렉팅의 경우는 내담자의 문제와 내담자의 영화 선호도, 내담자의 심리적 역동을 먼저 파악한 뒤 그에 맞추어 치료자가 치료용 영화를 선택하는 것이다. 내담자 개인의 증상이나 상황을 고려하는 것이 가능하여 치료에 효과적이기는 하지만, 대집단치료나 영화를 활용한 연수에서는 적용하기 힘들다.

셀프 매트릭스
[–, self matrix]

필름 매트릭스를 바탕으로 자신이 가장 좋아하는, 혹은 싫어하는 내면의 특성을 작성하는 사분면. 영화치료

셀프 매트릭스는 영화의 인물을 통한 자기 발견과 연관이 있다. 셀프 매트릭스를 완성할 때는 필름 매트릭스 안의 인물과 대응하는 자기 인격 안의 태도와 특성을 확인하는 작업이 이루어진다. 필름 매트릭스가 내담자가 지각한 인물에 대한 특성이었다면, 셀프 매트릭스는 그것을 토대로 내면에 투사된 자신의 여러 가지 자아를 확인하는 작업이다. 셀프 매트릭스의 사분면 I에는 자신이 가장 좋아하면서도 가장 잘 알고 있는 자신의 특성에 관해 적는다. 흔히 평소에 잘 알고 있거나 잘 파악하고 있는 자신의 장점을 말한다. 이 사분면은 자신이 가장 많이 사용하는 페르소나의 자아나 부모 역할을 하는 자아일 가능성이 높다. 사분면 II에는 잘 이해하고는 있지만 싫어하는 내면의 단점에 관해 적는다. 그러나 이러한 단점은 실제 단점이 아니라 내담자가 인식하고 있는 단점이라는 것이 중요하다. 사분면 III에는 영화의 인물에게는 경탄하면서도 자신 안에서는 쉽게 지각하지 못하는 장점을 적는다. 사분면 IV에는 투사된 단점으로 내담자가 가장 이해하기 어렵고 싫어하는 내면의 속성을 적는다.

관련어 필름 매트릭스

ㅅ

셀프코칭
[–, self-coaching]

치료과정을 마친 후에도 내담자가 자신의 삶 속에서 계속해서 보다 나은 삶의 기술을 습득하기 위해 스스로를 돕는 것. 생애기술치료

셀프코칭은 인생코칭의 궁극적인 목표라고 할 수 있다. 즉, 코칭치료의 현장에 참여한 내담자의 문제가 해결된 것이 치료의 종결을 의미하는 것이 아니다. 내담자의 계속되는 삶 속에서 보다 긍정적인 삶의 기술을 지속적으로 습득하고 유지하려는 노력을 확립하는 셀프코칭의 단계에 이르도록 하는 것이 인생코칭의 근본적인 목표인 것이다. 셀프코칭이 가능한 내담자는 자신의 삶을 관찰하고, 그 삶의 질

을 향상시키기 위해 필요하다면 스스로 자신의 행동, 말, 생각, 의사소통방법 등을 수정하고 발전시킬 수 있는 능력을 가지고 있다.

관련어 | 인생코칭

셈여림
[-, dynamics]

에너지를 조절하고 분위기, 세기, 빠르기의 정도를 지원하는 음악의 한 요소로, 음의 세기를 나타내는 말. 음악치료

셈여림은 강약법(强弱法)이라고도 하는데, 힘을 뜻하는 그리스어 'dynamis'에 기원을 두는 용어다. 음악 이외의 일반적 개념으로는 동력학을 뜻한다. 음악에서 셈여림은 소리나 음표의 크기라고 할 수 있으며, 정해진 크기 수준을 가리키는 말이 아니라 음 사이의 상대적 개념이다. 셈여림은 18세기 후반부터 작곡가들이 간간이 표시하기 시작했고, 이후 조반니 가브리엘리(Giovanni Gabrieli) 등이 악보에 표시하면서 세상에 널리 알려졌다. 셈여림은 해당 음이 지니는 강도를 표현하는 셈여림과 진행과정의 셈여림 정도의 증가와 감소를 표현하는 셈여림으로 구분할 수 있다. 전자에서 표현하는 셈여림은 주로 p(여리게, piano), f(세게, forte)로 표시하는데, p와 f를 겹쳐서 쓸수록 여림은 더욱 여린 방향으로, 셈은 더욱 센 방향으로 나아간다. 예를 들어, 피아니시모(pianissimo)는 'pp'로서 '매우 여리게'가 되고, 포르티시모(fortissimo)는 'ff'로서 '매우 세게'가 된다. 후자의 경우는 주로 크레센도(crescendo, 점점 세게)와 디크레센도(decrescendo, 점점 약하게)로 나타낸다. 이러한 셈여림의 변화는 음악의 분위기를 결정하는 데 큰 영향을 미칠 뿐 아니라, 연주자의 해석에 따라서 음악에 다양한 표정을 담는 중요한 요소가 된다.

셰들러의 심상치료
[-心像治療, Schedler's imagination therapy]

집단 심상체험방법을 활용하는 행동주의적 심상치료기법. 심상치료

셰들러의 심상치료는 집단 심상체험방법을 중심으로 한다. 그는 1974년 과거에 불행한 기억을 가진 청소년을 대상으로 한 행동주의적 심상치료기법으로 집단 심상치료를 행하였다. 불우한 환경에 희생된 청소년이나 소년원 생활을 하던 청소년을 대상으로 실행한 집단 행동주의적 심상치료기법으로, 청소년의 점진적 변화와 성숙의 과정을 직접 체험하는 집단으로 실행하는 심상치료기법을 소개한 것이다. 셰들러의 집단 심상치료에서는 집단구성원들 간의 일치된 '마음과 마음 그리기' 작업을 전제로 한 심상체험 방법을 우선적으로 수행한다. 심상체험을 셰들러와 같이 집단으로 실행할 때는 내담자의 증상문제나 겉문제해결에만 집중되는 오류를 범할 수 있으므로, 내담자 문제의 전인적 치료나 심층적 원인치료는 경시되거나 간과될 수 있다. 또한 구성원이 동질집단인지 동질집단이 아닌지에 따라서도 집단 심상체험의 효과는 완전히 다를 수 있기 때문에, 이를 인도하는 유형이나 유도방법에 대한 연구가 더욱 심도 있게 진행되어야 한다.

관련어 | 행동주의

소개기법
[紹介技法, introduction technique]

사이코드라마의 워밍업 기법의 하나로서, 몇 개의 단서를 통하여 역할바꾸기를 훈련하는 것. 사이코드라마

이 기법은 두 사람이 일정한 조건하에서 일정한 시간 동안 자신을 소개하는 것이다. 자기소개에는 자신의 성격, 버릇, 고민, 스트레스 대처방식, 직업

에 대한 만족도, 미래에 대한 생각, 자신을 나타낼 수 있는 3개의 형용사, 집단에 참여한 동기 등이 포함된다. 자기소개를 마친 다음에는 두 사람이 서로 역할을 바꾸어 각자 상대방이 되어 자기소개를 한다. 이 기법을 변형하여 두 사람이 아무런 조건 없이 대화를 나눈 뒤, 대화과정에서 느낀 것이나 드러난 단서를 활용하여 역할을 바꾸어 자기소개를 하거나 바꾸지 않은 채 상대방을 소개할 수도 있다.

관련어 | 역할바꾸기, 워밍업

소거
[消去, extinction]

이전에는 강화되어 온 행동이 더 이상 강화자극을 결과로 얻지 못하여 향후 그 행동을 하지 않게 되는 것. 행동치료

강화를 통해 특정 반응의 빈도가 증가된 이후에 그 반응에 대한 강화가 완전히 중단되면 반응이 일어날 빈도는 감소될 것이다. 소거의 원리는 주어진 상황에서 개인이 이전에 강화된 반응을 방출하고는 그 반응이 강화되지 않으면 다음에 유사한 상황에 직면했을 때 다시 같은 반응을 하지 않을 가능성이 높은 것을 뜻한다(Martin & Pear, 1992). "세 살 버릇 여든까지 간다."라는 속담은 한번 배운 행동은 완전하게 없애기가 힘들다는 것을 강조하고 있다. 소거를 통해 완전히 감소된 행동이라 하더라도 다음에 발생할 기회가 주어지면 다시 나타날 수 있다. 이렇게 일정한 기간이 지난 후에 소거된 행동이 다시 나타나는 것을 '자발적 회복'이라고 한다. 대개 자발적으로 회복된 행동의 양은 이전의 소거기간 중에 나타났던 행동의 양보다는 적다.

소급연구설계
[遡及研究設計, ex post facto research design]

결과(종속변인)와 원인(독립변인)으로 추측되는 것이 이미 발생한 후이고, 따라서 회상을 하여 과거로 거슬러 올라가서 연구를 수행하기 위한 연구설계법. 연구방법

상담자는 개인으로 구성된 집단 간에 어떤 특성 또는 상태에 차이가 발생하는 원인이나 이유를 밝히고자 하는 연구를 수행할 수 있다. 다시 말하면, 상담연구자는 집단 사이에 어떤 변인에서 차이가 있음이 관찰되는 경우 이러한 차이를 초래한 주요 원인이 무엇인지 찾아내고 싶을 때가 있다. 이때 집단 사이의 차이를 초래한 변인은 시간적 또는 윤리적 이유로 조작할 수 없는 변인이다. 이처럼 이미 발생한 결과에서 출발하여 그것의 원인을 탐색하는 연구를 소급연구라고 한다. 라틴어 'ex post facto'는 영어로 'after the fact'와 같은 말로 '사후에, 과거로 거슬러 올라가, 소급적'이라는 뜻이다. 소급연구설계는 한 가지 혹은 그 이상의 이미 존재하고 있는 조건(즉, 독립변인)이 어떻게 해서 종속변인에 의미 있는 차이를 초래했는지 조사하기 위한 것이다. 소급연구설계는 양적 설계지만, 실험연구와 준실험연구와는 차이가 있다. 왜냐하면 연구자는 연구를 수행하는 과정에서 변인들의 어떠한 것도 조작하지 않기 때문이다. 소급연구에서 흔히 사용하는 통계적 방법으로는 상관관계, t검증 및 분산분석 등이 있다. 연구자는 이미 존재하고 있는 집단에서 무작위로 표집할 수 있지만, 집단에 참가자를 무작위로 배정할 수는 없다. 따라서 연구자가 조사결과를 기초로 일부의 원인과 결과를 추론할 수 있다 하더라도 내적 타당도의 수준은 낮다. 더욱이 무선화(randomization)의 결핍은 낮은 외적 타당도를 야기하며, 따라서 연구결과를 다른 피험자에게 일반화하는 데에는 한계가 있다. 연구자가 참가자를 무작위로 배정하거나 선정하지 않기 때문에 연구결과에 영향을 주는 혼성변인들(compounding variables)이 있을 수도 있다. 소급연구설계에서 외부변인을 통제하기 위한 방법은 동질집단을 비교하거나 점수차이를 통제하는 통계적 방법인 공분산분석(analysis of covariance)을 실시하는 것이다. 소급연구설계에 의한 연구를 소개하면 다음과 같다. 탕(Tang) 등(2004)은 학생상담에서 자기효능감에 대해 조사하는 소급연구를 수행하였다. 연구자들은 자기효능감과 다음과 같은 요인들, 즉 연령, 근무경험, 이수한 코스, 인턴으로 일한 시간과의 관계를 조사하였다. 이러한 모든 요인은 이미 존재하고 있었기 때문에 이는 소급 연구에 해당한다. 엇세이, 맥카시, 유뱅크스와 아드리안(Utsey, McCarthy, Eubanks, & Adrian, 2002)은 백인 대학생과 대학원생을 대상으로 불안, 인종주의와 자기존중감 간의 관계를 조사하였다. 탕 등의 연구와 마찬가지로 연구자들은 어떠한 변인도 조작하지 않았기 때문에 이 연구도 소급연구에 해당한다.

소네트
[-, sonnet]

정형시 중에서 가장 대표적인 시의 형식. 문학치료(시치료)

소네트는 유럽에서 나온 서정시 형식의 하나다. 'sonnet'란 용어는 옥시탄어 'sonet'과 이탈리아어 'sonetto'에서 나왔다. 두 낱말 모두 짧은 노래 혹은 작은 소리라는 뜻을 가지고 있다. 우리나라에서는 소곡(小曲)이나 14행시라고 번역한다. 13세기 이탈리아 민요에서 파생된 것으로 단테나 페트라르카가 완성하였고, 르네상스 시대에는 널리 유럽 전역에 유포되었다. 한 편은 4행, 4행의 옥타브와 3행, 3행의 세스테트(sestet)로 된 14행시며, abba-abba-cde-cde 등 몇 개의 정해진 법칙에 따르는 각운을 맞추어 구성한다. 내용적으로는 서곡-전개-새로운 시상 도입-종합 결말의 기승전결 방식이다. 대부분 연애시로 수십 편의 연작으로 된 것이 많다. 페트라르카의 『칸초니에레(Canzoniere)』는 소네트 중 가장 아름다운 것이라고 전해진다. 프랑스에서는 롱사르 등 플레이아디파(派)의 시인들과 독일에서는 슐레겔과 괴테 등의 작품이 유명하다. 영국에서는 와이엇과 사레백작에 의하여 영국 형식의 소네트가 생겼으며 셰익스피어, 밀턴, 워즈워스, 키츠, 로제티, 브라우닝 부인 등이 우수한 작품을 많이 남겼다. 영국 형식의 소네트는 4, 4, 4, 2행(abab-cdcd-efef-gg)으로 구성되며, 이것을 셰익스피어(Shakespeare) 형식이라고 한다. 보들레르, 말라르메, 발레리, 릴케 등도 주요 작품을 소네트 형식으로 썼다. 소네트는 13세기까지 엄격한 압운형식과 특수한 구성을 따르는 14행시를 의미했는데, 그 정형성은 시간이 흐르면서 변화해 갔다. 예로부터 소네트를 쓸 때는 약강(弱强) 5보격을 사용하였고, 이탈리아, 옥시탄, 영국, 스펜서풍, 현대 등에 따라 그 형식이 조금씩 다르다. 글쓰기치료에서는 소네트의 엄격한 압운형식과 반복을 사용해서 글을 쓰는 사람이 그 정형성에 몰두하다 보면 자연스럽고 안전한 환경 속에서 검열되지 않은 정서가 나올 수 있다는 전제에서 활용하는 것이다. 소네트의 정형성을 따라가다 보면 마음속의 저항을 놓치게 되어 예기치 못한 표현이나 자신의 깊은 내면에 담긴 무의식적 언어가 나올 수 있다는 것이다. 이처럼 반복되는 압운은 시를 쓰는 사람이 제한된 어휘들로 그 음악성이나 의미를 시험하도록 하기 때문에, 예전에는 상상하지도 못했던 이미지에 대한 단서를 제공하여 검열을 피할 수 있다. 소네트를 많이 쓴 유명 작가로 셰익스피어, 단테, 스펜서, 오웬, 모건, 프로스트 등을 꼽을 수 있다.

소년법
[少年法, juvenile law]

비행소년의 처우를 위한 기본법. 교정상담

「소년법」이란 반사회성이 있는 소년에 대하여 그 환경의 조정과 품행교정에 관한 보호처분을 행하고, 형사처분에 관한 특별 조치를 행함으로써 소년이 건전하게 성장하는 것을 목적으로 제정한 법률이다. 「소년법」의 원형은 1958년 7월 24일 법률 제489호로 제정되었다. 구 「소년법」을 개정하여 시행된 오늘날 「소년법」은 19세 미만을 소년으로 하며 소년의 보호사건, 소년의 복지를 해하는 성인의 형사사건, 그리고 소년의 형사사건에 붙이는 실체 및 절차에 관해서 정하고 있다. 제1조는 「소년법」의 근본 목적을 명확히 하고 있다. 첫째, 반사회성이 있는 소년에 대하여 그 환경의 조정과 품행의 교정에 관한 보호처분을 행함으로써 둘째, 소년의 건전한 육성을 목적으로 한다고 규정하고 있다. 소년의 건전한 육성을 기한다는 것이 「소년법」 전체를 관철하는 지도이념으로 되어 있는데, 이것은 매우 교육적 · 복지적 내용을 의미하는 것이며 「소년법」이 형사 정책상의 사법적 성격과 더불어 교육적 · 복지적 성격을 띤 법률이라고 말하는 이유이기도 하다. 또 소년 사건의 조사 · 처리에서 보호, 교육주의의 이념하에 소년의 개별성을 존중하고 과학적 식견의 활용을 중시하고 있다.

소년심판
[少年審判, juvenile inquiry and determination]

「소년법」에 따른 법원의 소년부에서 범죄행위가 있는 소년의 처우를 보호하기 위한 절차로서의 심판. 교정상담

「소년법」이 정한 바에 입각해서 가정법원 또는 지방법원의 소년부에서 죄를 범한 소년(범죄소년), 장차 죄를 범하고 또는 형벌 법령에 저촉되는 두려움이 있는 소년(우범소년), 14세 미만의 촉법소년에 대하여 그 건전한 육성을 위해 요보호성(要保護性)을 판단(심리)하고 필요한 처우를 결정하는 절차를 의미한다. 성인으로서 범죄를 범한 경우는 형사절차에 따라 재판을 받지만 소년인 경우는 보호절차로 처우가 결정된다. 비공개가 원칙이며, 교도를 취지로 하여 온화하게 이를 행하지 않으면 안 된다. 심판(심리)에서 결정된 보호처분의 종류는 보호관찰, 양호시설, 구호원 송치, 소년원 송치 등이며, 보호처분을 하지 않을 취지의 결정이 행해지는 경우도 있다.

ㅅ

소년원
[少年院, juvenile training school]

반사회성이 있는 19세 미만의 소년에게 법원 소년부로부터 1개월 이내의 소년원 송치처분을 받은 소년을 수용하여 교정교육을 실시하는 시설. 교정상담

소년원은 「소년법」 및 「보호소년 등의 처우에 관한 법률」에 따라서 가정법원 및 지방법원 소년부의 보호처분에 의하여 송치된 소년을 수용하여 교정교육을 행할 목적으로 설립된 법무부 산하 특수교육기관이다. 즉, 「소년법」의 규정에 따라 가정법원 소년부 또는 지방법원 소년부로부터 송치된 보호소년을 수용하여 교정교육을 행하고 있다. 가정법원 혹은 지방법원 소년부에서 보호처분의 명령을 받은 비행소년—통상 소위 범죄소년이 중심이지만 필요성의 정도에 따라서 우범소년(虞犯少年), 촉법소년(觸法少年)도 포함한다—을 수용하여 교정 교육을 받는 국립시설기관에 해당한다. 소년보호의 목적은 소년보호의 관점에서 수용된 소년 한 사람 한 사람의 비행원인을 규명하여 소년 스스로가 그 원인을 제거하도록 자각하게 하고, 그렇게 함으로써 소년의 자주성을 길러 주어 궁극적으로 사회에의 건전 복귀가 가능해진다는 데 있다.

소년형무소
[少年刑務所, juvenile prison]

형의 집행을 받고 있는 19세 미만의 사람을 수용하는 교도소. 교정상담

소년교도소라고도 하는 소년형무소는 15세 이상의 소년이 사형, 징역, 금고 이상의 형에 해당하는 범죄를 범한 경우에 죄상이 악질이고 중대한 때 가정법원은 사건을 검찰관에게 송치하는(소년법) 경우가 있는데 그 결과 징역 또는 금고형의 판결을 받으면 형무소에서 복역하는 소년은 소년형무소 또는 형무소 내의 특별히 설치된 장소에 성인과 구별하여 수용하는 교도소를 말한다. 이곳은 만 20세까지 임계 수용할 수 있는데, 이 같은 소년 수형자(受刑者) 외에 20세 미만의 청소년 수형자도 수용되고 있다. 직업훈련, 교과교육, 생활지도 등 건전한 사회복귀(社會復歸)를 위한 지도에 특히 중점을 둔다는 것이 특징이다.

소뇌
[小腦, cerebellum]

대뇌의 아래, 뇌간의 뒤에 위치한 주름진 조직. 뇌 과학

감각을 인지하여 통합하고 운동근육을 조정하고 제어하는 역할을 담당하는 뇌의 부위로, 대뇌피질 전두엽에서 어떤 운동을 할지, 이를 위해 어떤 근육을 어떻게 사용할지 계획이 세워지면 실제로 운동을 시작하고 계획대로 실현되도록 피드백 기구로 관여한다.

관련어 | 대뇌피질

소두증
[小頭症, microcephaly]

머리둘레가 대략 연령 및 성별 평균치의 2표준편차 이하인 경우. 특수아상담

소두증은 원인에 따라 크게 두 가지로 분류한다. 첫째, 뇌의 발달과정에서 신경세포의 증식이 비정상적으로 감소하거나 과도한 예정된 세포 사멸에 따른 신경세포의 수 부족으로 야기되는 발달성 소두증(developmental microcephaly)이다. 이는 뇌 피질의 심한 신경세포의 부족 때문에 뇌의 크기와 무게가 감소하며 넓은 뇌이랑을 갖게 되는 경우를 말한다. 일반적으로 얼굴 크기는 정상이지만 머리뼈가 매우 작고 대개 중등도의 지적장애를 보인다. 둘째, 산전 또는 산후의 허혈성, 감염성 또는 독성으로 뇌조직이 파괴되는 파괴성 소두증(destructive microcephaly)이다. 레트증후군과 같이 2~5세 사이에 머리둘레의 성장이 떨어져 후천성 소뇌증이 생기는 경우도 있다.

관련어 | 대두증

소리 재창조
[-再創造, recreation of sound]

노래부르기를 통한 재활운동. 음악치료

소리 재창조는 언어장애가 있는 사람들의 조음, 리듬, 호흡조절을 향상시키는 데 사용되며, 집단에서 개인은 함께 노래부르기를 통하여 인식을 발달시키고 노인의 경우 함께 노래부르기를 통하여 자신의 삶 속에서 중요한 사건을 기억하도록 해 준다. 특히 가사는 정신장애가 있는 사람이 연속적으로 과제를 수행하는 데 도움이 된다.

소마신체
[-身體, soma-]

의학의 분야에서 환자의 신체를 제3자적 관점에서 과학적으로 다루는 것과 달리, 제1자적 관점에서 인간 존재를 그 자신이 내적으로 경험하는 신체와 심리가 통합된 몸이라고 생각하는 신체심리학의 한 개념. 무용동작치료

'somatic psychology'가 신체심리학으로 번역되는 것은 신체현상과 신체적 입장에서의 심리현상을 통합하여 다룬다는 의미로 'body'라는 말 대신 'soma'라는 말을 사용한 것이다. 이러한 의미에서 마음에 어려움이 영향을 주어 신체적인 불편함이나 병증이 나타나는 것을 심신증(psychosomatic)이라고 한다. 제1자적 관점의 신체인 소마는 몸으로 자기지각을 하며, 자각으로 신체가 활동한다는 원리를 가지고 있다. 따라서 소마신체에 의한 학습은 미지의 것에 자각(알아차림)을 집중하는 것이고, 자각이라는 인간기능은 심리기능이라기보다 오히려 소마신체의 독점적 행동이라고 설명한다. 이에 따라 신체심리학이나 심신학 분야에서는 소마신체의 자각기능을 감각-운동과 결부시키는 소마연습을 중요시한다.

관련어 | 신체심리치료, 심신증

소무도병
[小舞蹈病, sydenham's chores]

신체의 여러 근육부분이 불규칙적이고 불수의적이며 뚜렷한 목적 없이 움직이는 상태. 이상심리

무도병(chorea)의 유형으로서, 5~15세 사이의 여자아이에게 흔히 나타나는 신경계 질환이다. 마치 춤을 추는 것처럼 행동한다는 뜻에서 소무도병이라고 부른다. 일반적으로 나타나는 증상은 물건을 움켜쥘 수 없거나, 글을 쓰지 못하거나, 보행에 어려움을 겪는 것 등을 들 수 있다. 일상적 능력이 서서히 상실되다가 근육군의 심한 경련으로 대체되는데, 이 같은 증상은 손발에서 가장 쉽게 볼 수 있고 그다음이 얼굴, 등, 말하거나 씹는 데 사용하는 근육에서도 발생한다. 소무도병은 일반적으로 류마치열(rheumatic fever)과 관계있는 것으로 알려져 있으나, 바이러스성 뇌염이라거나 드문 경우지만 심인이 인정되는 경우는 심인성 질환이라고 보는 견해도 있다. 증상은 가벼운 것에서부터 완전한 능력의 상실에 이르기까지 다양하며, 기간은 몇 주 만에 최고 절정에 도달한다.

소산
[消散, abreaction]

이야기를 함으로써 외상적 기억과 연합되어 있는 정서와 감정을 방출하는 것. 정신분석학

해제반응이라고도 하며, 대개 정화(catharsis)와 비슷한 의미로 사용된다. 뭉쳐 있거나 얽혀 있는 어떤 것을 흩어 주고 풀어 주는 것이라고 할 수 있는데, 특정한 순간이나 문제에 초점을 맞춤으로써 그것의 세력을 해제시키는 것이 주된 목적이다. 프로이트(S. Freud)가 신경증 치료에 적용한 중요한 치료기법 중 하나로, 그는 무의식에 억압되어 있던 심리적 갈등이 본인의 의지와는 상관없이 신체증상으로 변형되어 나타나는 것을 히스테리 증상이라고 보았다. 따라서 히스테리를 치료하기 위해서는 무의식에 억압되어 있던 감정을 정상적인 통로를 이용하여 의식세계로 방출하면 된다고 생각하였다. 외상적 사건을 반복적으로 경험하거나 혹은 심리치료를 통해 심리적 외상과 심각한 정신장애를 초래한 사건과 결부되어 있는 감정을 방출하도록 하는 것이다. 과거에 억압되었던 내용을 의식적으로 자각하는 과정에서 억압된 감정을 표출하고 정서적인 안정을 얻는 과정이다. 프로이트는 자신의 초기 임상장면에서 히스테리 환자를 대상으로 최면암시를 사용할 때 정화효과(cathartic effect)를 통해 소산이

발생한다고 보았다. 이후 암시기법에서 정신분석으로 전환하면서 자유연상(free association) 기법을 적용하게 되었다. 그는 내담자에게 특정한 자극을 주지 않고 내담자의 머릿속에 떠오르는 생각을 모두 말하게 하는 자유연상방법을 적용하여 내담자의 무의식에 억압되어 있던 것을 방출하도록 유도하였다. 이러한 과정을 통해 심리적 정화반응인 소산이 일어나면, 상담자는 내담자가 자신의 감정경험과 원래의 심리적 외상에 대한 기억을 연결하도록 촉진한다. 오늘날에는 정신분석영역에서뿐만 아니라 급성 외상신경증을 비롯하여 증상완화의 목적으로도 널리 활용되고 있다.

관련어 | 자유연상, 정화효과

소수자
[少數者, minority]

문화나 신체적 차이 때문에 사회의 주류문화에서 벗어나 있는 사람이나 집단을 말하며, 원어 그대로 '마이너리티'라고도 함. 다문화상담

한 사회에서 소수자는 그 수가 적고 문화나 사회에서 행사하는 영향력은 다소 약한 편이다. 이들은 속해 있는 사회의 문화나 구성원들의 일반적인 신체 특성과는 다른 이유 때문에 차별대우를 받고, 스스로도 이를 인식하고 있다. '소수자'라고 한글로 번역될 때 적은 수의 사람들을 의미하기는 하지만, 실제로 숫자가 적다는 의미의 '소수'만을 의미하지는 않는다. 이것은 강력한 영향력을 가진 우세집단에 비해 적은 영향력을 행사하는 집단의 사람들을 뜻하는 확대적인 개념이기도 하다. 예를 들어, 사회적으로 우세적인 영향력을 행사하는 정치적 이념이나 종교, 사상, 가치관 등에 동조하지 않는 사람들의 집단을 소수자 집단이라고 할 수 있다. 이 소수자들은 우세 집단이 행하는 차별을 받기도 한다.

관련어 | 소수자 집단

소수자 집단
[小數者集團, minority group]

육체적 · 문화적 특질 때문에 다른 사람들과 구별되고 불평등한 차별대우를 받아서 집단적 차별의 대상이 되는 사람들. 특수아상담

사회란 생물적 · 사회문화적 속성이 다양한 사람들로 구성되는데, 비슷한 속성의 사람들의 집합을 사회집단이라고 할 수 있다. 이때 어떤 사회든지 근본적으로 다수자 집단과 소수자 집단으로 나누어지며, 다수자 집단이 일반적으로 사회의 지배세력을 형성한다면 소수자 집단은 지배집단의 종속집단이라고 할 수 있다. 이들 소수자 집단은 지배집단과는 속성이 다르다는 것을 인정하면서 자기들만의 밀접한 사회관계를 유지하고 결속하는 경향을 보인다. 소수자 집단은 종족 · 씨족 · 종교 · 지역 · 문화적 차이 등을 기준으로 형성되는 것으로서 사회계층적 의미를 지니기 때문에 사회적 편견과 갈등의 원인이 되는 집단이기도 하다. 특히 다양한 종족으로 형성된 국가나 사회의 긴장과 갈등은 소수자 종족과 다수자 종족 간의 편견이 해소되지 못해 나타나는 것으로 알려져 있다. 때로는 동성애와 심신장애인 등을 소수자 집단으로 보는 경우도 있다.

관련어 | 소수자

소시오그램
[-, sociogram]

대인관계를 그림으로 나타낸 것. 심리검사

통상 어떤 소집단(가족, 친구, 동료, 작업반 등) 성원 간의 외면적 사회관계[지위, 역할, 교신(交信) 등]를 나타내거나, 혹은 내면적 심리관계(친화, 반발, 믿음, 불신 등)를 나타낸다. 전자는 쉽게 관찰할 수 있지만, 후자는 소시오메트리(sociometry) 등의 기법을 이용하지 않으면 명확하게 할 수 없는 관계

다. 그 때문에 후자 쪽이 유용하게 연구되고 있다. 예를 들면, 개인을 점이나 원으로 그리고, 개인 간 관계를 화살로 방향을 나타내며, 실선이나 점선으로 구별을 표시한다. 그러나 도표를 그리는 규칙이 일정하지 않아서 객관성이 부족하고 인원수가 많아지면 복잡하게 얽혀 확실하게 할 수 없다는 단점이 있다. 이에 따라 새로운 수학의 매트릭스나 그래프 이론을 연구해야 하는 필요성이 대두된다. 한편, 인원수가 많아도 구조 매트릭스로 인간관계를 나타내며, 이것을 합리적으로 응축하여 기호방향 그래프에 나타낼 수 있고, 매트릭스는 연산이 가능하다는 장점이 있다.

소아 류머티즘 관절염
[小兒-關節炎, children rheumatoid arthritis]

근골격계 이상의 하나로 근육과 관절에 영향을 미치는 원인을 알 수 없는 질병. 특수아상담

소아 류머티즘 관절염의 전형적인 증상으로는 아이가 아침에 잘 일어나지 못하는 경우, 이유 없이 걷기 싫어하는 경우, 38도 정도의 열이 일주일 넘게 지속되면서 감기증상이 반복되는 경우, 무릎 · 팔꿈치 · 발목 등 관절이 붓고 통증을 호소하는 경우, 눈이 충혈되거나 림프선이 붓는 경우 등이 있다. 15세 이하의 소아에서 관절염이 최소한 6주 이상 지속되면 소아 류머티즘성 관절염으로 진단한다. 성인의 류머티즘성 관절염처럼 손가락, 발가락 마디의 작은 관절뿐 아니라 손목, 무릎, 발목, 고관절 같은 큰 관절에서도 통증이 나타나는 것이 특징이다. 또한 고열, 피부발진, 림프선 종대(병적으로 커짐), 포도막염(안구 홍채, 모양체 등에 염증이 생기는 질환) 등의 증상이 함께 나타나는 경우도 있다.

소아기 붕괴성장애
[小兒期崩壞性障礙, childhood disintegrative disorder]

2세까지 정상 발달을 보이다가 이후 구어퇴행을 시작으로 의사소통기술, 사회성, 운동성의 퇴행을 보이는 것. 특수아상담

헬러 증후군(Heller syndrome)이라고도 하는데, 1908년에 오스트리아의 특수교육가 헬러(T. Heller)가 3~4년의 정상 발달을 보이다가 사회성과 의사소통기술에서 심한 퇴행을 보이는 아동 6명을 보고한 것이 시초다. 소아기 붕괴성장애는 자폐장애와 같은 사회적 · 의사소통적 · 행동적 특징을 가지고 있지만, 자폐장애와 달리 적어도 2세까지는 정상적인 발달을 한 다음 이 장애가 발생한다. 소아기 붕괴성장애에서 주관심사는 퇴행인데, 자폐장애와 소아기 붕괴성장애의 퇴행비교에서 자폐장애는 퇴행이 주로 단 단어를 말하는 능력의 상실이나 언어능력이 계속 진전되지 않는 형태를 취하지만 소아기 붕괴성장애는 퇴행이 언어뿐만 아니라 여러 영역에서 관찰되었다. 자폐장애의 퇴행은 퇴행이 진행될 때 알아차리기 어렵고 대다수의 경우는 아동이 의뢰된 후 부모의 회상을 통해서만 확인된다. 그러나 소아기 붕괴성장애의 경우는 퇴행이 확연하여 금방 알 수 있다(서경희, 김미경, 2004). 소아기 붕괴성장애의 경우 퇴행은 구어퇴행이나 손실이 빈도나 순서에서 앞섰으며, 그다음이 사회성장애, 변화에의 저항, 상동행동, 과잉행동, 정서적 증상/불안, 신변처리기술, 운동기술의 순이었다. 소아기 붕괴성장애와 레트장애 간의 구분은 매우 애매한데, 레트장애는 정상 발달 기간이 짧고(수개월), 남아에게서도 보고가 되긴 하지만 주로 여아에게서 많이 보고되고 있다. 또한 퇴행 후 발달도 레트장애가 소아기 붕괴성장애보다 덜 만족스러운 것으로 나타나고 있다. 한편, 소아기 붕괴성장애의 원인과 관련하여 과거에는 신체적 질병과 무관한 것으로 생각했지만 소아기 붕괴성장애의 과반수 이상이 발작이나 뇌전

도(EEG) 이상을 보이며, 유전적 메커니즘도 존재한다는 연구결과도 있어 신경생리학적 연구와 유전 연구 등이 원인 규명에 도움이 될 것이다. 소아기 붕괴성장애의 예후는 자폐장애보다 나쁜 것으로 보고되고 있다. 자폐장애와 비교했을 때 말을 못하는 경우가 더 많았고, 지능지수 비율이 더 낮았으며, 자폐장애 집단보다 시설배치 경우가 더 많고 더 심한 자폐장애 증상을 보였다. 소아기 붕괴성장애는 일정한 발달기간을 가진다는 점에서 자폐장애와 아주 다르다고 할 수 있지만 임상적 특징에서는 매우 유사하여 다른 형태의 자폐장애로 볼 수도 있다.

관련어 | 레트증후군

소아기호증
[小兒嗜好症, pedophilia]

성욕도착증 중 하나로, 사춘기 이전 소아를 성적 대상으로 삼아 성적 공상 및 성행위를 반복적으로 실행하는 경우. 성상담

소아기호증은 여러 가지 형태를 취할 수 있지만, 어린이를 성적 접촉의 대상으로 하여 성인이 성적 욕구를 충족한다는 공통점이 있다. 소아기호증 환자는 연령 16세 이상, 성적 대상으로 삼은 소아보다 최소 5세 이상이어야 한다는 진단기준을 가진다. 주로 남성에게서 보고되지만, 드물게 여성의 경우도 있다. 대부분의 경우 기혼 남성이 많고 여자아이를 대상으로 한다. 이들은 주로 결혼 및 부부관계에 문제가 있는 경우가 많다. 남성의 경우 주로 8~10세 사이의 여자아이를 대상으로 삼는 경우가 많지만 남자아이가 대상이 되는 경우도 있다. 동성애적 남성은 이보다는 조금 나이가 많은 남자아이를 대상으로 하기도 한다. 소아기호증 환자의 대부분은 이성애적이며 중년기 이후 증상이 나타나는 경우가 일반적이다. 이는 법적으로 가장 문제가 되는 도착증 중 하나다. 소아기호증 환자는 어린 시절 성추행 경험이 있는 경우가 많은 것으로 보고되며, 이들을 구분해 보면 인격적으로 미성숙하여 대인관계에 곤란을 겪는 경우, 좀 더 다가가기 쉬운 대상으로 어린아이를 선택하고 과거 이성과의 관계경험도 있지만 성적인 문제 및 일상에서 과도한 스트레스를 받거나 알코올 관련 문제를 가지는 경우, 폭력이나 위협과 같은 반사회적 행동과 여성에 대한 적대감을 지닌 경우로 어린아이를 대상으로 신체적 손상까지 야기하는 경우 등으로 나눌 수 있다. 소아기호증 환자는 주로 소아의 옷을 벗기고 바라보거나, 소아의 성기를 만지거나, 소아가 보는 데서 자위행위를 하거나 자기 성기를 만지게 하거나, 소아의 성기에 손가락을 넣거나, 자신의 성기를 접촉시키는 등의 행위를 한다. 이때 위협이나 폭력이 사용되기도 한다. 소아기호증이 대상으로 삼는 소아가 자신의 친자, 의붓자식, 친척 등에 국한될 때는 근친상간으로 규정한다.

소아마비
[小兒痲痺, poliomyelitis]

폴리오(polio) 바이러스 감염으로 중추신경계, 특히 척수의 전각세포 및 뇌간(brain stem)의 일부 운동핵이 침범되어 급성 감염이 발생하고 그 결과 일시적 또는 영구적인 신체 마비와 변형이 초래되는 질환. 특수아상담

신경조직 중 척수, 특히 경수 및 요수 팽대부의 운동신경세포를 가장 많이 침범한다. 증상은 초기에 발열이나 발한이 있으면서 한쪽 다리가 갑자기 마비되어 보행과 기립이 곤란해지면 건반사가 없어진다. 이어서 마비된 다리의 근육이 위축되어 감각장애는 없다. 임상증상은 침범부위의 정도 및 병의 진행시기에 따라 다르게 나타난다. 척수에 변화를 일으키지 않고 지나가는 부전형(abortive type), 그리고 근육이 약화 또는 마비를 일으키는 마비형(paralytic type)으로 나눈다. 마비형의 경우, 근육의 불균형적인 성장, 잘못된 습관적인 체위, 연부조직의 구축 등으로 말미암아 사지 또는 체간에 여러

가지 변형이 발생할 수 있다. 예방접종을 통한 사전 예방이 가장 중요하다.

관련어 | 지체장애

소외기법
[疏外技法, technique of estrangement]

사이코드라마의 거울기법을 발전시킨 것으로서, 사고와 정서를 분리하여 객관화하는 방법. 사이코드라마

극작가인 브레히트(Brecht)가 제안한 기법으로서, 청중이 다양한 성격배우의 개인적인 감정에 빨려 들어가지 않고, 주어진 상황에서 객관적이고 역사적인 시각을 가질 수 있도록 하는 방법이다. 브레히트는 자연주의 연극양식이 관객으로부터 관습적이고 보수적인 반응을 끌어내어, 관객이 공연의 내용과 실제를 분리하지 못하게 만들어 관객의 비판적 사고능력까지 손상시킨다고 보았다. 이에 브레히트는 관객의 비판적 사고능력을 회복시키기 위하여 소외기법을 제시하였다. 그런 만큼 소외기법은 아리스토텔레스 이래 연극의 전통에 위배되는 것이라 할 수 있다. 아리스토텔레스는 배우가 연극에서 다양한 성격에 동화되어 동일시 과정으로 카타르시스가 초래된다고 믿었으며, 이 믿음이 연극의 전통이었다.

관련어 | 거울기법, 사이코드라마에서의 카타르시스

소진
[消盡, burnout]

에너지원이 고갈되어 생리적 각성이나 심리적 반응이 감소하고 지쳐 버린 상태. 이상심리

지속적인 심리적 고통으로 심리적 에너지가 없어지고 과업수행이 저조한 상태를 말하는데, 다른 사람에게 봉사하는 일에 종사하는 사람들의 직무와 관련된 부정적인 경험을 묘사하는 데 사용하는 개념이다. 정서적 고갈, 비인간화 및 개인적 성취감의 상실이 주증상이며, 어려움을 지닌 사람들과 집중적인 관계를 가질 때 갖게 되는 만성적인 정서적 긴장에 따른 반응이다. 환경적인 요구가 그 사람의 능력을 초과할 경우에 발생하는 것으로 고통을 겪는 동안 자신의 능력, 정열, 목적의식 등이 점진적으로 소실되어 간다. 셀리에(Selye, 1936)는 스트레스에 대한 반응 모형으로 일반 적응 증후군(general adaptation syndrome)을 제안했는데, 이는 경고단계, 저항단계(resistance stage), 소진단계로 구성되어 있다. 소진단계(exhaustion stage)에서 보이는 것이 바로 소진이다. 소진은 신체적 소진, 사고적 소진, 정서적 소진이 있다. 신체적 소진은 피로가 만성화되어 신체적 활기를 잃어버리는 것을 말하고, 사고적 소진은 자기 자신이나 직업생활에 대해 매우 부정적 태도를 보이는 것을 말하며, 정서적 소진은 무력감이나 절망감을 보이는 것을 말한다.

소진증후군 [消盡症候群, burnout syndrome] 무엇인가 하나의 일을 끝까지 해내는 데 자신의 에너지를 대부분 쏟아부어 그것을 하는 보람을 느끼면서 몰두하고 있던 사람이 마치 자신을 연소시켜 다 타 버린 것처럼 돌연 그때까지의 정열이나 의욕을 잃고 무기력해져서 그것에 몰두할 수 없는 상태를 말한다. 원래 달성의욕이 왕성하고 적극적인 유형의 사람에게 많이 나타난다. 이것은 전력을 투입하고 있는 일에 과잉으로 일체화함으로써 그 외의 것에 관심을 향할 여유가 없게 되며, 마음의 여유를 상실하고 자신을 잃어버린 데서 연유한다. 미국의 정신과 의사 프로이덴버거(Freudenberger)가 병원의 사회복지사나 간호사에게 이 같은 증후군을 발견하여 이름 붙인 것이 처음이며 수험생, 주부, 기타 분주하게 쫓아다니고 있는 사람들에게 널리 찾아볼 수 있다.

ㅅ

소집단수업
[小集團授業, small group instruction]

학습자들을 몇 개의 작은 집단으로 나누어 집단 내 역동적인 상호관계를 통하여 학습자 스스로 학습의 주체가 되어 서로 협력하면서 학습과제를 해결해 가는 학습형태. 특수아상담

소집단수업에서는 교사가 전체적인 수업을 통해 문제를 제시하면 소집단별로 문제의 해결을 위한 수단과 해답을 찾는 토론을 전개하여 어떤 결론을 만들도록 하며, 전체 토론을 통해 각 소집단의 결론을 비교·검토하는 단계를 거쳐 전체적인 최선의 결론을 찾는 방식으로 수업이 진행된다. 소집단의 운영방식은 대상 학생의 특성, 대상 학습과제의 특성, 교실의 구조 등에 따라 융통성 있게 계획할 수 있다. 이질적(異質的) 학급에서 다양한 배경의 학생을 한 소집단으로 구성하여 각자 이해하도록 한다는 이점을 살리자는 것이 대체적인 경향이다. 소집단수업에서는 학습자와 교사, 학습자와 학습자 간에 인간적인 접촉이 가능하다. 또한 구성원의 수가 적어서 집단 참여기회가 많고 개별화 교수가 용이하며 다양한 교수방법과 교수전략의 적용이 가능하다. 소집단은 학습능력이 다양한 이질적인 집단이나 비슷한 능력을 가진 동질집단으로 구성하는데, 학습자의 자유의사에 따라 자연적으로 혹은 교사의 의도에 따라 인위적으로 편성할 수 있다.

소크라테스 대화법
[-對話法, Socratic dialog]

소크라테스가 진리에 이르기 위해서 사용한 산파술(elenchos)을 발전시킨 상담의 방법. 철학상담

소크라테스의 대화는 질문자가 답을 가지고 대화자에게 문초하고 다그치면서 답을 따라오도록 강요하는 것이 아니라, 상대가 잘못 알고 있다는 것을 자각하도록 하는 것이다. 이를 위하여 소크라테스는 대화 상대자가 알고 있다고 주장하는 내용에 모순이 되는 주장을 상대가 승인하게 하여 그의 말문이 막히게 하는, 이른바 아포리아(aporia)에 이르게 하는 방식을 취한다. 이처럼 소크라테스의 대화법은 상대가 난처한 지경의 아포리아에 빠지게 하여 스스로 무지를 자각하게 만드는 것이다. 이는 20세기 초 신칸트주의자인 독일의 철학자 넬존(Leonard Nelson)이 상담에 적용하면서 전문화되기 시작하였다. 그에 따르면, 소크라테스 대화법에서 가장 중요한 것은 대화 참여자들이 상대에게 답을 가르쳐 주는 데 있는 것이 아니라 상대로 하여금 답을 찾도록 도와주는 데 있다. 한마디로 대화의 목적은 대화의 참여자에게 용기를 심어 주어 스스로 문제를 풀 수 있도록 하는 것이다. 소크라테스는 대화 중 말문이 막혀 모르겠다고 답한 청년에게 “그래, 자네는 그래도 낫네. 자네가 모른다는 것을 알고 있지 않은가?”라고 격려하였다. 특히 소크라테스 대화법에 중요한 것은 대화 참여자가 자신이 직접 경험한 내용을 자신의 관점에서 진실 되게 표현하는 데 있다. 다른 사람의 이야기를 전달하는 형태를 취하거나 다른 사람의 입장을 대변하는 차원이라면, 이는 소크라테스 대화법이 추구하는 진정성에 이를 수 없다. 또한 소크라테스 대화법에서는 자신의 입장만을 주장할 것이 아니라 다른 사람의 주장을 경청하고, 자신의 주장을 펴더라도 상대가 알아들을 수 있도록 일목요연하게 이야기해야 한다. 또 대화과정에서 주제를 이탈하였을 때는 다시 원주제로 돌아오도록 서로 노력해야 한다. 이러한 과정을 통해서 의견이 충돌되는 부분을 끊임없이 논의해 나가야 한다. 오늘날 소크라테스 대화법은 철학 내부의 인식론뿐만 아니라 상담, 협상 등 다양한 영역에서 사용되고 있다. 실제로 네덜란드 조직컨설턴트이자 소크라테스 대화 촉진사인 에릭 부어스(Erik Boers)는 소크라테스 대화법으로 다양한 상담을 해 주고 있다. 또한 넬존의 제자들도 비판철학촉진협회(Society for the Furtherance of the Critical Philosophy: SFCP)와 소크라테스적 철학하기협회(Gesellschaft für Sokratisches

Philosophieren: GSP)를 창설하여 소크라테스 대화법을 전파하고 있다.

소크라테스 효과
[-效果, Socratic effect]

대화를 통하여 상대방의 막연하고 불확실한 지식을 진정한 개념으로 유도하려고 한 소크라테스의 대화방식에 따른 것으로, 주어진 질문에 답하면서 자신의 태도가 자발적이고 논리적으로 일관성 있게 변화되어 가는 효과. 인지행동치료

철학자 소크라테스가 제자들에게 질문을 던져 스스로 결론에 이르게 한 것처럼 자신의 태도를 자발적이고 논리적으로 일관성 있게 변화시키려는 시도다. 소크라테스는 대화를 통하여 상대방의 막연하고 불확실한 지식을 진정한 개념으로 유도하고자 하였다. 이를 소크라테스식 대화법 또는 문답식 산파술이라 하며, 상담장면에서는 상담자가 질문을 하고 내담자가 이에 대답을 하는 방식이다. 이런 식의 대화를 지속하면 내담자는 태도에 일관성이 있어야 한다는 압박을 받게 되고 일관성이 없으면 긴장하게 되는데, 외부압력 없이 자발적으로 태도를 변화시켜 논리적으로 되도록 만드는 현상이다. 인지행동치료(CBT)에서는 내담자에 관한 정보, 자료, 감정, 사고, 행동 등을 탐색하기 위해 문답식으로 질문한다. 내담자가 부적응적인 사고를 인식하고 스스로 변화시킬 수 있도록 내담자의 호기심을 자극하는 질문을 던진다. 소크라테스식 질문유형 중 하나인 '안내된 발견(guided discovery)'은 상담자가 내담자의 역기능적 사고패턴이나 행동을 드러내기 위해 귀납적 질문을 던지는 것이다. 내담자에 대한 효과적인 질문은 순간순간의 자각을 높이는, '무엇을' 또는 '어떻게'로 시작하는 것이다. 상담자는 내담자에게 치료개념을 가르치는 것 대신 내담자가 스스로 학습과정에 참여하도록 유도한다. 이러한 과정에서 내담자가 자신의 머릿속에 있는 생각을 스스로 탐색해 나가거나 자신이 막연하게 가지고 있는 신념들을 상담자의 예리하고 분석적인 질문에 따라 통찰하고, 사색하고, 정리하게 되는 것이다. 이러한 대화방법에서는 상담자의 적절한 촉진적 자극이 내담자의 깨달음에 매우 중요한 역할을 한다. 이 방법은 특히 학습과 회상에 도움을 주며, 내담자가 역기능적인 신념을 스스로 인식하도록 도와준다. 실시과정은 다음과 같다. 첫째, 일문일답의 형식을 따른다. 둘째, 합의에 도달할 때까지 계속해서 이야기를 해 나간다. 셋째, 질문을 던질 때마다 장황하게 말을 늘어놓거나 토론의 원줄기를 놓치는 일이 없도록 유념한다. 넷째, 비합리적인 생각에 대해 서로 토론을 해야지 논쟁을 해서는 안 된다. 다섯째, 한꺼번에 퍼부어 대는 식의 질문은 삼간다. 질문에 대해서 여유를 가지고 대답할 수 있는 시간을 주어야 한다.

소품기법
[小品技法, vignette technique]

사이코드라마에서 주인공으로 하여금 빈 의자나 다른 사람에게 이야기를 하도록 하는 것. 사이코드라마

소품형식의 사이코드라마 기법으로서, 전체적 장면을 연출하지 않고도 주인공에게서 감정적으로 막혀 있는 부분을 완화시켜 줄 수 있다는 장점이 있다. 이 기법은 형식이 단순한데, 주인공이 준비되어 있다면 특별한 장면이나 연기를 구성하지 않고도 적용할 수 있고, 일대일의 작업에서는 빈 의자로도 연출이 가능하다. 연출자는 빈 의자를 통한 역할바꾸기와 인터뷰 기법을 사용하여 더욱 깊이 있는 장면을 연출할 수 있다. 이를테면, 주인공에게 빈 의자를 이용하여 자기 내면의 측면을 상징적으로 표현하도록 하는 것이다. 소품기법은 특히 집단원 사이의 전이문제를 다루는 데 유용하다.

관련어 | 빈 의자 기법, 역할바꾸기

소프트웨어
[-, software]

컴퓨터를 동작시키고 컴퓨터에 어떤 일을 처리할 순서와 방법을 지시하는 명령어의 집합인 프로그램과 프로그램의 수행에 필요한 절차, 규칙, 관련 문서 등을 총칭하는 용어. 사이버상담

통상적으로 사용되는 프로그램과 같은 의미의 용어다. 컴퓨터 구성요소 중에서 형체를 갖고 있는 하드웨어를 제외한 보이지 않는 무형의 부분을 소프트웨어라고 한다. 소프트웨어는 일반적으로 시스템 소프트웨어와 응용 소프트웨어로 나뉜다. 시스템 소프트웨어는 사용자가 컴퓨터 자체를 관리하고 이용할 수 있도록 지원해 주는 소프트웨어다. 이는 사용자가 개인적으로 만들어 사용하기는 힘들고 대부분 컴퓨터 시스템 제작사가 제공한다. 반면에, 응용 소프트웨어는 사용자가 특정 작업을 하는 데 좀 더 편리하게 하는 것을 목적으로 개발된 소프트웨어다. 문서편집에 필요한 프로그램, 동영상을 보는 데 필요한 프로그램, 작곡에 필요한 프로그램, 게임 프로그램 등이 응용 소프트웨어에 속한다.

속도검사
[速度檢査, speed test]

일정한 시간 안에 얼마나 빠르고 정확하게 수행할 수 있는지를 측정하는 검사. 심리검사

짧은 시간에 난이도가 같거나 동등한 항목을 완성하도록 하는 검사로서, 손가락 및 손동작 검사, 계산 및 정확도 검사 등이 포함된다. 속도검사는 일반적으로 피험자의 숙련도를 측정하기 위한 것이기 때문에 쉬운 문항으로 구성되어 있다. 주어진 시간에 얼마나 많은 문항에 응답하였는지를 채점하여 그 숙련도를 측정하는데, 검사문항의 내용은 비교적 쉬운 편이지만 문항의 수가 많고 시간이 제한되어 있어서 주어진 시간 안에 모든 문제를 풀 수 없도록 구성되어 있다. 피험자는 질문의 답을 몰라서가 아니라 시간이 부족해서 문제를 다 풀지 못하는 것이다. 요컨대 속도검사는 제한된 시간에서의 수행능력을 측정하는 것으로, 문제해결능력보다는 숙련도를 측정하는 것이며, 흔히 사무적이거나 기계적 기술을 평가하는 데 사용된다.

속임수
[-數, con]

교류분석

⇨ '게임' 참조.

속진교육
[速進敎育, acceleration]

일반 학급의 정규 교육과정을 보통의 학생들보다 빠른 속도로 학습하는 것. 특수아상담

속진이라고 하면 일반적으로 '월반'을 떠올리고는 하지만 속진에는 이외에도 여러 가지 방법이 있다. 학년별 속진은 월반 등으로 중학교 1학년 학생이 2학년을 거치지 않고 바로 3학년이 되어, 1~2년 일찍 졸업하는 것을 말한다. 또한 중학교 3학년 과정을 2년 안에 모두 학습하는 이수과정 압축과 특정 교과만을 상위학년 수준으로 공부하는 과목별 속진이 있다. 우리나라에서는 1994년에 월반/속진제 시범학교인 경주 신라중학교에서 5명의 학생이 처음으로 월반 프로그램에 참여하였다. 과목별 속진은 대학에서의 학점제와 비슷하지만 우리나라에서는 아직 이 같은 교육을 시행하는 학교가 없는 것으로 알려져 있다. 외국의 연구를 보면, 이와 같은 속진 프로그램에 참여한 우수아들이 그렇지 않은 우수아들보다, 그리고 속진교육에 참여한 일반 아동보다 학업성취 수준이 높았으며, 사회·정서적 발달에서도 부정적인 영향을 미치지 않은 것으로 보고되었

다(Van Tassel-Baska, 1994). 그러나 속진이 반드시 필요하고 속진을 통하여 교육효과가 극대화될 수 있는 학생들이 모두 속진의 대상이 되는 것은 아니다. 따라서 우수아라도 현재 학년에서 잘 적응하고 있으면, 특별히 속진이 필요하지 않을 수 있다. 또한 두세 학년을 뛰어넘는 급진적 속진은 바람직하지 않을 수도 있으며, 속진은 반드시 심화 학습 프로그램과 병행하여 실시해야 속진 대상자를 좀 더 타당하게 판별할 수 있고, 창의성을 충분히 개발시킬 수 있다(조석희, 1996).

손 본뜨기
[-, hand tracing]

신체 본뜨기 기법의 한 유형으로, 신체의 일부분인 손의 표현으로 자신의 장단점을 이해하도록 하는 미술치료기법. 미술치료

준비물은 A4 용지, 색 사인펜 등이고, 실시방법은 다음과 같다. 먼저, 내담자에게 A4 용지에 손을 올려놓고 양손을 본뜨게 한다. 다음으로, 오른손에는 자신의 장점을, 왼손에는 자신의 단점을 적거나 그림으로 그리도록 한다. 마지막으로, 완성된 뒤에는 내담자와 대화를 나눈다. 이와 같이 진행되는 손 본뜨기 기법은 내담자에게 자신의 장점과 단점을 파악하게 만들어 주고, 자신에 대해 생각할 수 있는 기회를 준다.

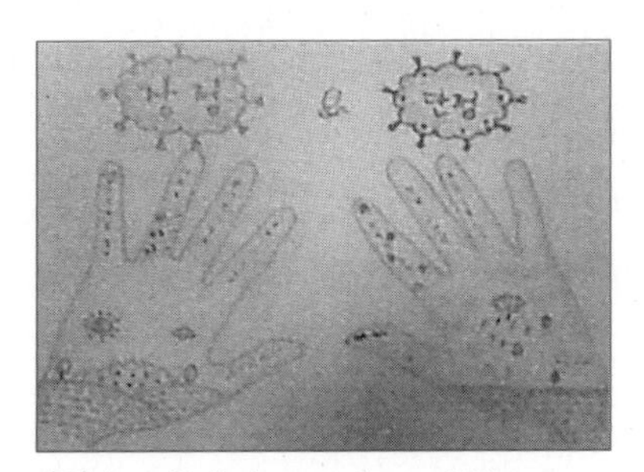

출처: http://cafe.daum.net/yonseikidart

손디검사
[-檢査, szondy test]

무의식적 충동을 진단하는 투사검사. 심리검사

무의식적 충동을 진단하기 위해 1939년에 손디(L. Szondy)가 개발한 것으로, 투사법 검사의 하나이며 정식 명칭은 실험충동 진단검사(experimentelle trieb-diagnostik)다. 이 검사는 처음에는 검사의 배경이론인 손디의 학설, 즉 운명분석학의 입증을 전제로 한 사용법이 중심을 차지했지만, 1960년 손디가 이 검사를 로르샤흐 검사와 주제통각검사(TAT)와 마찬가지로 인간의 심층심리의 복잡한 역동을 파악하는 객관적 진단도구로 자리매김한 이래 무의식적 충동을 진단하기 위하여 각종 심리검사 영역에서 이용되고 있다. 손디검사는 성 충동, 감정 충동, 자아 충동, 접촉 충동 등 충동 욕구를 대변하는 여덟 가지 유형의 정신병 환자(손디의 표현으로는 충동 질환자) 얼굴 사진 48매로 구성되어 있다. 이들 사진에 대하여 좋아하거나 싫어하는 선택 반응(가장 좋아하는 얼굴과 가장 싫어하는 얼굴을 각각 2매 선택한다)에 따라 피험자의 성격을 진단한다. 시행방법이 간단하여 시행 시간이 짧고 저항은 적지만 적용 가능성은 크다는 장점이 있다. 그러나 분석을 위해서는 손디의 운명분석이론을 충분히 이해하고 있어야 한다.

손톱 물어뜯기
[-, nail bitting]

자신의 손톱을 물어뜯는 행동. 이상심리

손가락 빨기와 같이 신경성 습관 중에서도 비교적 많은 부분을 차지한다. 이 같은 아동은 활발하지만 안정감이 없고 손가락 빨기나 틱(tic)을 동반하기도 하는데 반드시 이 모든 특징을 갖는 것은 아니다. 유아기보다는 학령기에 접어들면서 점차 빈도가 높

아지며 8~10세에 가장 왕성하다. 사춘기가 되면 점차 감소하지만 성인이 되어도 계속하는 사람이 있다. 손톱을 깨무는 아동은 모든 손톱을 깨무는 경우가 많으며 개중에는 발등을 물기도 하고, 이들은 손톱 깎기를 이용할 필요가 없는 경우가 많다. 이 행동의 원인 중 하나는 부모나 주변인들의 간섭이나 지배적 태도와 행동으로 아동을 대함으로써 아동의 주도성과 자율성이 발달하지 못해서다. 이에 아동은 학년이 높아지면서 문제를 스스로 해결해야 하는 상황에 놓이는 경우가 많아지면 자율성이 부족하여 불안이 강해지고, 그 불안을 해소하는 방법으로 손톱을 물어뜯는 행동을 하게 된다. 이외에 유아기의 미해결된 오이디푸스 상태가 지속되어 자신의 내적 긴장을 해방시키는 하나의 방법이라고 생각하는 사람도 있다. 치료를 위해서는 우선 과거의 양육자와 아동의 발달과정을 면밀하게 관찰하고 탐색하여 만약 부모의 간섭이나 지배가 많으면 자율성의 발달이 저해받고 있기 때문에 가장 먼저 자율성 발달을 촉진해야 하며, 그것을 저해하고 있는 요인 모두를 제거하기 위해 부모상담과 아동상담을 병행한다. 손톱 물어뜯기 자체에 대한 금지나 질책은 아무 효력이 없을 뿐만 아니라 도리어 아동의 불안을 강화시킨다.

송라이팅
[–, songwriting]

집단 음악치료 장면에서 집단구성원들이 함께 노래를 만들어 가는 활동. 음악치료

음악치료에서 쓰이는 송라이팅이란 용어는 기존에 익숙한 곡에 강약, 빠르기, 가사 등을 내담자 나름대로 변화시켜 내담자 입장에서 곡을 변형하는 활동을 뜻한다. 가장 빈번하게 활용하는 것이 널리 알려진 동요나 가곡, 가요 등에 담긴 가사 중 짧은 어구나 단어를 선정하고 상황에 관련되는 내용으로 가사를 바꾸는 것이다. 가사에 포함된 단어를 내담자의 주관에 따라 바꾸는 과정에서 그들은 자신을 표현할 수 있는 기회를 얻는다. 송라이팅은 주로 집단 음악치료에서 많이 활용되기 때문에 집단구성원들의 공통 관심사를 먼저 토의하고, 그와 관련된 단어들을 선정하여 그것을 중심으로 가사를 구성하기도 한다. 가사를 바꾸어 노래를 다시 부르는 활동을 함으로써 반응을 촉발하고 강화하는 효과를 볼 수 있다. 또한 집단활동 초기단계에서 송라이팅은 구성원 간의 서먹함이나 어색한 분위기를 완화시켜 대인관계를 원만하게 만드는 환경을 제공한다. 송라이팅은 주로 침체된 감정 및 억압을 해소할 수 있도록 내담자가 쓰는 자신만의 방법을 존중한다. 따라서 내담자는 송라이팅 활동과정을 거치면서 자기통제 능력을 강화하는 기회도 얻는다. 송라이팅의 주요 효과로는 자기표현력 증대, 자아정체감 발견, 대인 간 상호교류 증진, 현실의식 신장 등을 들 수 있다.

수련과정
[修鍊課程, internship]

상담교육 프로그램에서 이론과목에 대한 학습에 이어서, 실습을 통해 임상을 경험하고 훈련하는 과정. 상담 수퍼비전

이 과정을 통해 상담수련생은 더 경험이 많은 상담전문가의 수퍼비전을 받으면서 독자적인 상담전문가로서의 성장을 준비할 수 있다. 이를 위한 수퍼비전은 상담기관이나 전문상담연구소 등 현장에서 이루어지기도 하고, 상담수련생이 학위를 받는 학교에서 함께 진행되기도 한다. 수련과정에서 훈련을 받는 상담수련생을 단순히 수련생이라고도 부른다.

관련어 | 수퍼비전

수로화 모형
[水路化模型, canalization model]

유전과 환경의 상호작용 이론 중 하나로서 환경의 영향력에도 불구하고 유전의 영향력으로 아동 및 청소년에게 불가피하게 특정 행동이 나타나는 현상을 설명하는 모형. 아동청소년상담

아동 및 청소년의 유전적 요인과 강력한 환경적 요인이 상호작용하고 아동이 발달하는 방향에는 여러 경로가 있다는 유전과 환경의 상호작용모형에서 인간발달의 기저를 설명하는 모형 중 하나다. 콘래드 워딩턴(Conrad Waddington)이 사용한 수로화라는 것은 운하를 파고 배출구를 만들어 흐름의 방향을 유도한다는 의미로, 다시 말해 강하게 수로화된 특성일수록 유전적 영향이 크고, 약하게 수로화된 특성일수록 환경의 영향이 크다는 것을 말한다. 이 모형에서는 뒤집기, 앉기, 기기, 서기, 걷기 등의 신체운동기능이나 옹알이와 같은 초기 언어능력들을 강하게 수로화된 특성으로 분류하며, 이러한 특성은 장애나 정상적 아동에게도 동일하게 발생한다고 보고 있다. 이와 달리, 지적 능력은 유전적 요인이 강하게 작용하지만 후천적인 물리적 · 사회적 · 교육적 경험에 따라 변화 가능함으로써 약하게 수로화된 특성이라고 할 수 있다. 그리고 수로화에 대한 개인차도 발생하는데, 어떤 스트레스 상황에서 일반적 아동은 그 환경을 극복하여 정상적인 발달상태에 이르지만 그렇지 못한 아동은 여러 가지 형태의 비정상적 발달을 초래한다. 이러한 차이를 나타나게 하는 능력이 회복력(resilience)이며, 이 능력의 차이가 바로 유전자 요인에 따른 수로화 차이라고 할 수 있다.

관련어 거래적 상호작용모형, 반응의 범위 모형

수리회의
[受理會議, intake conference]

아동상담기관의 상담실에 들어오는 아동에 관한 상담사례에 대해 치료방법을 결정하는 회의. 아동청소년상담

수리회의는 아동상담센터 등의 상담기관 상담실에 방문하는 아동에 관한 상담에 대해 어떻게 치료할지를 결정하는 회의다. 이 회의에는 아동복지지도원, 상담요원, 임상심리상담원 등이 참여한다. 여기에서 내담자가 무엇을 희망하고 있는지 파악하는 것이 첫째 과제이고, 나아가 그 요구가 이 기관에서 충족될 수 있는지를 판단한다. 그 판단에 따라 아동의 수용방침이 결정되며, 해당 기관의 기능으로 수용할 수 없는 경우 다른 기관에 의뢰한다.

ㅅ

수면
[睡眠, sleep]

생물계에 널리 존재하는 생체의 리듬적 현상으로서 외형적으로는 주위의 환경에 대하여 반응하지 않는 상태. 이상심리

감각이나 반사기능이 저하되지만 경우에 따라서는 각성할 수도 있고 수면 고유의 자세를 취할 수도 있다. 이러한 특징을 보여 수면은 혼수상태나 마취상태 등과 구별되며, 수면상태는 뇌파로 파악할 수 있다. 성인의 전형적인 수면상태에서 나타나는 뇌파의 변화는 다음과 같다. 먼저, 각성하고 있으면서 눈을 감고 있을 때는 10헤르츠 전후의 α파가 보이며, 졸음이 오면 α파는 없어지고 진폭이 작은 4~6헤르츠의 서파와 가는 속파가 나타난다. 다음으로 진폭이 큰 예파나 방추파라는 14헤르츠 정도의 빠른 파가 나타나며, 더 진행되면 방추파 외에 진폭이 큰 3헤르츠 정도의 서파가 나타난다. 수면이 깊어지면 방추파는 감소하고 거의 서파만 나타난다. 이와 같이 수면이 깊어짐에 따라 뇌파의 주파수가 느려진다는 것이 종래의 일반적인 견해였다. 그러나 최근

에는 뇌파에서 각성하거나 졸음이 오는 상태에서도 감각자극에 의해서는 각성하기 어렵고, 신체의 골격근의 긴장도 감소되어 있어 행동적인 면에서 볼 때 상당히 깊은 수면으로 간주할 수 있는 시기가 있음이 밝혀졌다. 이처럼 뇌파상과 수면 깊이의 관계가 일반적인 견해와 다르다는 점에서, 이것을 역설수면이라고 한다. 반면에 보통의 수면은 서파가 주체이기 때문에 서파수면이라고 한다. 인간의 평균 수면시간은 6~8시간 정도지만, 연령에 따라 달라지며 일반적으로는 나이가 들수록 수면시간이 짧아지는 것으로 알려져 있다. 그리고 수면시간 동안에 여러 가지 변화가 일어난다. 수면은 수면 중 눈을 빨리 움직이는 급속 안구운동(rapid eye movement, REM)의 출현 여부에 따라 렘수면과 비렘수면(non-REM sleep)으로 구분한다. 렘수면 상태에서는 안구운동을 제외한 신체의 움직임은 없지만 깨어 있을 때와 비슷한 활발한 뇌파활동과 꿈이 나타난다. 렘수면은 야간수면 중에 약 90분 주기로 나타나며, 전체 수면시간의 약 20~25%를 차지한다. 반면에 비렘수면 상태에서는 신체근육이 이완되고 산소 소비량도 감소되며, 뇌가 휴식을 취하는 상태다. 수면의 기능은 낮 시간 동안 소모되고 손상된 신체와 중추신경계를 회복시켜 주는 한편, 불쾌하고 불안한 감정들을 정화하여 아침에 상쾌한 기분을 가질 수 있도록 정서적인 정화기능을 하는 것으로 알려져 있다. 이상에서 생각해 볼 때, 비렘수면은 신체와 근육의 회복기능을 하고 렘수면은 단백질 합성을 증가시켜 뇌의 기능을 회복시킨다. 특히 렘수면은 낮 동안에 학습한 정보 가운데 불필요한 것은 버리고 필요한 것은 기억이 잘 되도록 재정리하는 기능을 한다. 이와 같은 기능을 가지고 있는 수면에 문제가 생기면 수면장애가 나타나 일상생활의 적응에 지장을 초래한다.

관련어 | 렘수면, 수면장애

수면과다증
[睡眠過多症, hypersomnia]

잠을 지나치게 많이 자고도 피로가 풀리지 않고 상쾌한 느낌이 들지 않는 상태. 이상심리

수면장애인 수면곤란증(dyssomnia)의 하나로, 아침 늦게까지 일어나지 못하고 낮에도 졸음이 생기는 것이 1개월 이상 지속되어 일상생활이나 직업생활이 방해받거나 부적응이 심한 경우를 말한다. 이 증상이 있는 사람은 8~12시간 수면을 취해도 아침에 일어나는 것이 힘들고, 낮잠을 자거나 우연히 잠을 자지만 상쾌하지 않고 각성도 낮은 수준을 보인다. 따라서 자동차 운전을 하거나 기계를 조작할 때 위험한 순간을 맞이할 수도 있고, 작업 능률이 떨어지고 집중력과 기억력이 감소한다. 그리고 이 장애의 원인이 물질이나 다른 정신장애가 아닌 경우 DSM-5의 진단 범주에서는 수면-각성 장애(Sleep-Awake Disorders)의 하위범주인 수면과다 장애(Hypersomnolence Disorder)로 명명하고 있다.

관련어 | 불면증, 수면장애

수면발작
[睡眠發作, narcolepsy]

충분한 잠을 취했음에도 불구하고 참기 어려울 정도로 잠이 오는 상태. 이상심리

기면증 또는 발작성 수면, 기면발작증이라고도 한다. 주요 증상은 낮 시간에 심한 졸음을 보이고, 격렬한 감정으로 힘이 빠지는 탈력발작, 렘(REM) 수면의 반복적인 침습, 입수면기의 환각, 가위눌림과 같은 수면마비 등이다. 이 증상은 취학 전이나 후에 약간의 졸음으로 나타나지만 청소년기에 보인다면 임상적으로 심각하기 때문에 이 진단을 내리는 것이다. 그리고 40대 이후에는 발병하지 않는다. 갑작스럽게 졸음에 빠져들기 때문에 공부를 하거나 운

전하는 것에 어려움을 주어 낮 활동에 큰 영향을 미친다. 수면발작을 경험하는 성인의 약 40%는 기분장애, 범불안장애, 수면 중 보행장애, 이갈이, 야뇨증 등의 장애력을 지니고 있다. 발병률은 남녀 동일하며 성인 인구의 0.02~0.16%가 이 증상을 겪고 있다. 치료는 약물이 효과적이고 각성제, 항우울제 등을 사용한다.

관련어 | 수면장애

수면장애
[睡眠障礙, sleep disorder]

잠을 충분히 잤음에도 불구하고 피로감을 느끼고 원기가 없거나 잠을 드는 것이 힘이 들고 깊은 잠을 유지하기 힘든 상태. 이상심리

수면은 인간이 지니는 기본적인 생리적 욕구다. 수면장애에서 가장 일반적인 상태는 불면이다. 잠을 쉽게 이루지 못하고, 얕은 수면을 취하며, 짧은 수면시간 등의 상태를 보인다. 불면상태에서는 이리저리 몸을 뒤척이거나 잠꼬대를 하고, 이를 갈며, 우는 등의 증상을 수반하기도 한다. DSM-5에 따르면, 수면장애는 유발되는 원인에 따라 1차성 수면장애와 2차성 수면장애로 구분한다. 2차성 수면장애(secondary sleep disorder)가 다른 장애나 물질, 예를 들어 우울증을 비롯한 다른 정신장애, 카페인이나 알코올과 같은 물질, 신체적 질병 등에서 파생되어 나타나는 수면의 문제를 의미하는 반면에, 1차성 수면장애(primary sleep disorder)는 다른 의학적 조건에 기인되지 않는 수면장애를 의미한다. 다시 말해, 1차성 수면장애는 숙면을 못 하여 낮 시간에 졸리거나 피곤함을 느끼는 등 일상생활의 적응에 어려움을 초래하는 경우를 말하며, 이것은 다시 수면곤란증(dyssomnia)과 수면이상증(parasomnia)으로 나누어진다. 수면곤란증은 수면의 양, 질, 적절성에 문제가 있는 경우이며, 여기에는 불면증(insomnia), 과다수면증(hypersomnia), 수면발작증(narcolepsy), 호흡곤란 수면장애(breathing-related sleep disorder), 일주기리듬 수면장애(circadian rhythm sleep disorder) 등이 있다. 수면이상증은 수면상태에서 일어나는 비정상적인 행동으로서, 여기에는 악몽장애(nightmare disorder), 수면 중 경악장애(sleep terror disorder), 몽유병으로 불리는 수면 중 보행장애(sleepwalking disorder)가 있다. 이 장애를 일으키는 요인은 다음과 같다. 첫째, 신체적 요인으로 영아의 경우는 공복, 구갈, 아프고 가려움, 습윤, 거북함 등의 국소자극, 소화불량증이나 중이염 같은 신체질환 등이 이유가 되는 경우가 많다. 유아동의 경우에는 이상 외에 아데노이드 비대, 심장질환, 과로, 운동부족 등으로 발생한다. 둘째, 물리적 요인으로 침구의 상황, 조명, 소음, 습도, 통풍상황 등 물리적 환경조건의 영향을 받는다. 셋째, 심리적 요인으로 영아의 경우에는 취침 직전까지 흥분했을 때, 유아동의 경우에는 취침 직전에 라디오, 텔레비전, 잡지 등에 의한 시청각 자극, 두려운 이야기나 지나치게 들떠서 떠드는 것과 같은 정신적 흥분이 원인이 되기도 한다. 또한 부모의 요구 수준이 지나치게 높거나 조화롭지 못한 가정환경으로 인한 긴장이나 불안 때문에 잠들 수 없는 경우도 있다. 나아가 유아들은 혼자 있는 데 대한 공포, 죽음, 막연한 걱정, 불안 등의 이유로 잠들 수 없는 경우가 있는데, 이는 수면공포증으로 발현될 수도 있다.

수면치료
[睡眠治療, sleep treatment]

며칠간 또는 몇 주간의 수면시간을 정상적인 수면시간 이상으로 연장시키는 방법. 이상심리

약제를 사용하여 지속적으로 수면을 치료하는 방법과 수면이나 단조롭고 약한 자극을 반복적으로 사용하여 수면을 치료하는 방법을 말한다. 전자는

ㅅ

클래시(Kläsi, 1921)가 창시한 방법으로, 주로 조울병, 정신분열증 등의 치료에 사용한다. 후자는 외부 자극을 차단하고 필요에 따라서는 최면 혹은 단조롭고 약한 자극을 반복하는 것으로, 주로 피곤한 상태의 치료에 사용한다. 이외에 지속적으로 머리에 전기자극을 주어 불면증을 치료하는 전기수면치료가 있다.

수반성
[隨伴性, contingency]

반응행동과 그 결과 간에 확립될 수 있는 특별한 관계, 즉 어떤 사건(A)이 일어나면 이어서 특정 사건(B)이 야기된다는 것을 진술하는 규칙. 행동치료

자녀가 자기 방을 깨끗이 정리하면(A) 용돈을 받을 것(B)이라는 규칙을 수반성의 예로 들 수 있다. 자극, 반응, 결과라는 세 가지 용어 간의 관계를 설정하는 변별화된 조작행동에는 세 가지 용어 수반성이 관련된다. 조작적 조건형성에서 수반성에 필요한 세 가지 중요한 구성요소는 반응 혹은 행동이 일어나는 환경적 · 상황적 사건인 자극, 행동 자체, 행동에 뒤따르는 환경적 자극인 결과가 있다.

수수께끼
[–, puzzle]

기존의 고착된 생각이나 입장을 다른 각도에서 볼 수 있도록 질문을 하는 에릭슨 최면의 수평적 커뮤니케이션의 한 방법. 최면치료

에릭슨 최면의 특징 중 수평적 커뮤니케이션에 포함되는 기법으로, 내담자에게 새로운 시각을 탐색하도록 던지는 질문이나 문제를 말한다. 이 같은 질문이나 문제를 접한 내담자의 대부분은 상식적이고 일반적인 방법으로 해결하고자 하면서 어려움을 겪는다. 따라서 문제해결을 위해 새로운 발상으로 접근하게 되면서, 내담자는 자신의 문제를 기존의 고착된 방식이 아닌 새로운 각도에서 생각해 본다. 결국 에릭슨 최면의 또 다른 특징인 관점바꾸기와도 연관이 있는 간접적인 개입전략으로, 그런 면에서 내담자중심적이고 가장 에릭슨(Erickson)적인 기법이라고도 볼 수 있다. 에릭슨의 유명한 수수께끼인 '9개의 점 잇기'가 대표적인 예다. 종이 위에 가로, 세로 각각 3개의 점을 그린 뒤, 연필을 한 번도 떼지 않고 4개의 직선으로 모든 점을 이어야 하는데, 이는 가장자리의 점 밖으로 선이 나갈 수도 있다는 새로운 관점으로 문제를 바라보아야만 해결이 가능하다.

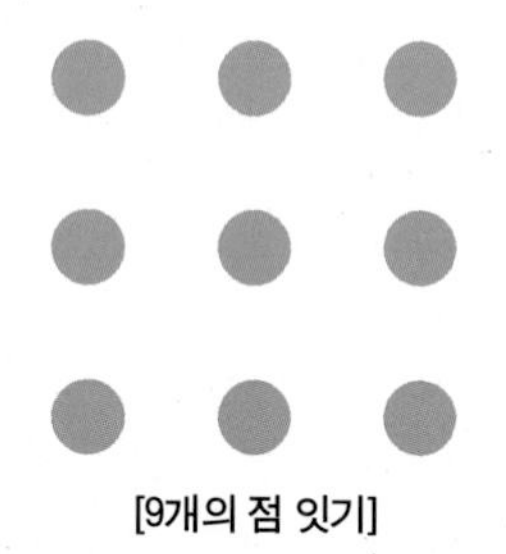

[9개의 점 잇기]

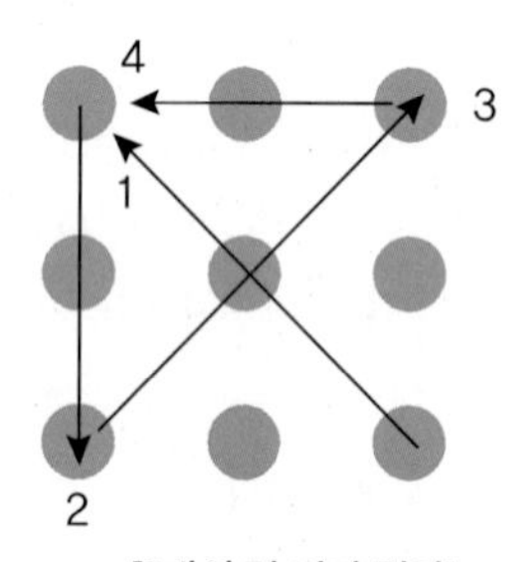

[9개의 점 잇기 정답]

출처: 설기문(2009). 에릭슨 최면과 심리치료. 서울: 학지사. p. 381, 383.

관련어 | 관점바꾸기, 수평적 커뮤니케이션, 에릭슨 최면

수용
[受容, acceptance]

로저스(Rogers)가 창안한 인간중심상담이론에서 중요하게 여기는 상담자의 행동으로서, 상대방이 이야기한 것을 이해하고 받아들였다는 것을 표현하면서 상대방의 사고흐름을 방해하지 않는 것. 인간중심상담

수용은 두 가지 측면의 의미로 볼 수 있다. 첫째, 반응기법으로서의 수용은 내담자가 말을 계속 이어갈 수 있도록 내담자의 표현을 평가하거나 판단하지 않고 그대로 받아들이고 인정해 주는 것을 말한다. 이 경우를 단순한 수용(simple acceptance)이라고도 한다. 둘째, 좀 더 깊은 의미로서 상담자의 태도나 자세를 일컫는 수용은 로저스가 인간중심상담이론에서 제시한 촉진적인 상담 분위기의 하나인 무조건적 긍정적 존중과 같은 의미다. 즉, 내담자의 감정, 행동, 의견에 상관없이 그 행동을 판단하거나 진단하지 않고, 칭찬하거나 평가하지도 않으면서 있는 그대로 받아들이는 태도 혹은 자세를 말한다(Rogers, 1980; 김춘경, 2004에서 재인용). 상담자는 내담자를 갈등과 부조화, 그리고 좋은 점과 나쁜 점을 모두 갖춘 있는 그대로의 개인으로 수용한다. 이러한 태도는 중립적으로 수용하는 것 이상으로, 즉 내담자를 가치 있는 인간으로 여겨 내담자에게 긍정적인 존중을 표시하는 것까지 가리킨다. 수용은 또한 내담자에게 호감을 가지거나, 온정으로 대하거나, 칭찬해 주는 것도 포함한다. 상담자는 긍정적이든 부정적이든 간에 내담자를 평가하거나 판단하지 않고, 내담자의 어떤 조건에도 관계없이 무조건 수용된다. 즉, 상담자는 내담자를 무조건 긍정적으로 존중한다. 수용의 전제는 내담자의 자기 이해와 자기실현경향성에 대한 신뢰다. 수용이 상담관계에서 특별히 의미를 갖는 이유는 이론적으로 볼 때 부정적이고 자기패배적인 순환과정을 제거해 주기 때문이다. 상담자가 내담자의 방어적 행동에 상관없이 내담자의 인간으로서의 내재적 가치를 일관되게 수용하면, 내담자는 더 이상 자기방어의 필요성을 느끼지 않고 이전에는 두려워 접근하지 못했던 자신의 내면세계와 자기개념을 되돌아보고 탐색할 수 있게 되며, 이러한 과정을 거치면서 변화해 가는 것이다.

수용전념치료
[受容專念治療, acceptance and commitment theory: ACT]

수용과 마음챙김 과정, 전념(적극적 참여)과 행동변화과정을 통해 심리적 수용과 유연성을 증진시키는 인지행동적인 치료중재. 수용전념치료

인지행동치료(Cognitive-Behavioral Therapy: CBT)의 발달과정에는 최소한 두 가지 주요 흐름이 있다. 하나는 고전적 조건화와 조작적 조건화의 원리와 관련된 기법을 특징으로 하는 행동치료이며, 다른 하나는 1970년 초 이후에 인지매개설이라는 구성개념에 기초하여 출현한 인지치료다. 그런데 지난 몇 년 동안 인지행동치료의 전통 내에서 제3의 흐름이 출현하고 있는데, 변증법적 행동치료(dialectical behavior therapy: DBT)와 마음챙김에 기초한 인지치료(mindfulness-based cognitive therapy: MBCT) 및 수용전념치료(ACT)가 대표적인 예라 할 수 있다. 이러한 치료법들은 정서나 인지의 직접적인 변화보다는 사적 경험(private experience)의 수용이라는 맥락의 변화를 도모하는 공통점을 가지고 있어서 수용중심치료법(acceptance-based treatment)이라고도 일컫는다. 이와 같은 인지행동치료의 제3흐름 혹은 제3세대의 하나인 ACT는 스티븐 헤이즈(Steven Hayes)가 발전시켰다. 헤이즈는 생각, 느낌, 감각 등을 있는 그대로 수용하고, 그것이 인지구조 틀 속에서의 생각이나 감정일 뿐임을 알게 하는 인지적 탈융합(cognitive defusion)과 마음챙김을 통해 심리적 건강과 삶의 질을 향상시킬 수 있다고 보면서, 부정적인 정서나 행동을 피하고 변화시키는 것이 아니라 그 자체를 경험하고 수용할 것을

강조한다. ACT의 목표는 바로 심리적 유연성의 증진에 있으며, 이는 마음챙김과 수용과정, 전념과 직접적 행동변화과정이라는 두 가지 국면으로 구성된다(Hayes, Strosahl, & Wilson, 1999). ACT는 먼저 정상성의 가정에 대한 문제를 제기한다. 즉, '인간에게 고통은 보편적이며 정상적이다.'라는 가정을 하며, 고통을 만들어 내는 근원이 인간의 언어적 과정에 있다고 보았다. 여기서 인간의 언어란 몸짓, 그림, 소리, 필기형태와 같은 상징적 활동이다. 인간의 고통은 언어적 맥락 내에서 이해될 수 있으며, 이러한 언어적 과정을 이해하고 바꾸는 것이 심리치료자가 해야 할 일이다. ACT의 철학적 배경은 기능적 맥락주의(functional contextualism)로서, 이는 사건 전체에 초점을 두면서 부정적인 생각과 감정이 일어나는 심리적 맥락을 중시한다. 즉, 내적 사건이 일어나는 심리적 맥락을 변화시킴으로써 내적 사건의 역할을 바꾸고자 하는 것이다. 정신병리에 대한 ACT의 모델은 인간이 학습을 통해 구축한 '언어와 인지구조 틀에 의해 사고하고 행동한다.'는 관계구성틀이론(relational frame theory)에 기반을 두고 있다. 관계구성적으로 학습된 내용들이 인간의 행동을 조절하는 원천을 지배해 버리는데, 이것이 바로 인지적 융합이다. 또한 ACT는 인간의 언어가 지닌 속성 때문에 심리적 경직성이 일어나며, 대개의 정신질환 형태는 인지적 융합과 경험회피의 결과라고 보았다. 여기서 경험회피란 자신의 특정한 사적 경험에 접촉하지 않고 사적 사건들의 형태나 빈도 또는 그것이 발생된 상황들을 바꾸려고 할 때 생기는 현상으로, 사적 경험은 그 자체로 해롭지는 않지만 의도적으로 통제노력을 한다면 역설적으로 증가될 수 있다. 그러므로 ACT의 개입은 융합과 회피를 와해시키는 것이 목표다. 즉, 개인 내적 사건과 관계하는 방식을 변화시켜 스스로 소망하는 목표와 가치로 움직이도록 도움을 주는 것이 주요 목표다(문현미, 2006). 이처럼 ACT는 생각이나 감정과 같은 사적 경험의 내용을 바꾸기보다 그에 대한 관계를 변화시키는 데 역점을 두면서 경험의 수용이라는 맥락의 변화를 강조하고, 수용을 통해 생각을 생각으로, 감정을 감정으로 자각하여 탈중심화하며, 선택한 행동에 전념하도록 돕는다. ACT는 심리적 수용을 방해하는 관념에서 벗어나 내적 경험을 기꺼이 수용하면서 현재에 접촉하고, 개념화된 자기에서 벗어나 자신의 가치를 위해 전념할 수 있도록 돕는 요소, 즉 수용과 마음챙김, 인지적 탈융합, 현재에 접촉하기, 초월적 자기, 가치와 가치에의 전념 등을 중시한다. 치료적 과정은 순차적이고 선형적으로 이루어지지 않고 상호 연관되어 있으면서 유동적으로 이루어진다. 이전의 심리치료이론들이 고통을 일으키는 심리적 문제를 직접적으로 다루면서 그것을 이겨 내는 것을 목표로 했다면, ACT는 고통이 일어나는 과정을 알아차리고 수용한 다음 가치 있는 삶에 전념하면서 그 싸움을 멈추도록 하는 것이 목표다.

관련어 | 관계구성틀이론, 기능적 맥락주의, 마음챙김, 인지적 융합

수용하는 대상
[受容-對象, accepted object]

유아적 의존단계에서 아동에게 좋게 경험되는 대상.

대상관계이론

유아적 의존단계에서 아동은 의존 대상인 어머니와 합일화되는데, 대부분의 경우 어머니는 아동의 욕구를 충족해 주기 때문에 좋은 대상으로 경험된다. 그러나 어머니가 아동의 접근을 거부하고 욕구를 충족시켜 주지 못할 때 젖가슴에 대한 아동의 욕망은 좌절을 경험하게 된다. 페어베언(W. Fairbairn)은 이러한 불만족스러운 대상을 경험하는 것으로부터 비롯된 갈등을 분열적 상태라고 부른다. 이러한 분열적 상태에서 아동은 대상 상실에 따른 불안에 대처하기 위해 대상을 내재화하여 나쁜 대상 부분

을 통제하고자 한다. 내재화된 대상은 양가적으로 경험되는데, 아동은 어머니를 좋은 대상과 나쁜 대상으로 나누고, 이 두 요소를 서로 분열시킴으로써 위협받지 않고 의존성의 끈을 유지하고자 한다. 내재화된 대상 중에서 만족스러운 대상은 분열되지 않은 채 수용하는 대상, 즉 중심자아(central ego)로 남는다.

관련어 | 거부하는 대상, 중심자아, 흥분시키는 대상

수정 핵가족
[修正核家族, modified nuclear family]

한 공간에 함께 거주하기는 하지만, 그 안에서 주거공간을 분할하여 부모세대와 자녀세대가 독립적으로 생활하는 가족의 형태. 가족치료 일반

외형상으로 하나의 집에 거주하며 살지만 위층과 아래층, 혹은 안채나 바깥채 등의 분리된 주거공간에서 부모세대와 자녀세대가 독립적으로 생활하는 가족의 형태다. 현대사회에 들어와 개인적인 생활을 중시함에 따라 변형된 가족의 형태라고 할 수 있다.

관련어 | 수정 확대가족

수정 확대가족
[修正擴大家族, modified extended family]

부모와 독립한 자녀의 가족이 근거리에 독립적으로 살면서, 실제로는 한 집에 사는 것과 같이 친밀한 상호작용을 하는 가족의 형태. 가족치료 일반

현대사회의 변화에 따라 가족의 형태가 절충적으로 바뀐 것으로서, 수정 확대가족은 부모와 독립한 자녀의 가족이 각각 다른 집에서 거주하지만, 가까운 거리에 살면서 마치 한집에 사는 것처럼 밀접하고 활발한 만남과 교류가 이루어지는 형태다. 이러한 형태의 가족은 핵가족의 중요성이 강조되는 현대사회에서 서로의 생활에 방해받지 않으면서도 확대가족의 다양한 장점을 공유할 수 있다.

관련어 | 위성가족

수줍음
[-, shyness]

타인과 인간관계를 형성할 때나 대중 앞에서 느끼는 긴장 등의 부정적인 정서. 생애기술치료

인간관계 속에서 어떤 사람들은 수줍음을 느끼는데, 이러한 감정 때문에 친밀한 관계를 맺는 것에 방해를 받을 수 있다. 수줍음을 많이 느끼는 사람들은 인간관계에서, 그리고 대중 앞에서 하나 이상의 사람들과 이야기를 하고 감정을 나누는 일을 매우 힘들어하며, 또 피하기 때문에 그 관계를 보다 나은 방향으로 발전시키지 못한다. 이러한 일이 반복되면서 좋은 인간관계를 맺는 기술이 점점 부족해지는 것이다. 이들을 돕기 위해서는 단순히 수줍음을 없애는 것으로 해결할 것이 아니라 그 사람 자신이 수줍음과 관련한 약점이 있다는 것을 인정하고, 그 약점을 성취해야 할 긍정적인 목표의 하나로 인식하는 것이 중요하다. 그리고 수줍음을 하나의 목표로 인식할 때 중요한 것은 '조화'와 '정복'을 구분하는 것이다. '조화'라는 것은 수줍음과 관련되는 상황이나 사람을 좀 더 효과적으로 다루는 것에 집중하는 것이고, '정복'은 전혀 수줍어하지 않는 것을 목표로 하는 것이다. 인간관계 기술을 훈련하는 것은 수줍음의 원인이 되는 사람이나 상황에 점차적으로, 그리고 더 나은 방향으로 조화를 이루어 나가도록 도움을 주기 위해서다.

관련어 | 인간관계 기술

수치심 공격하기
[羞恥心攻擊 -, shame-attacking]

합리정서행동치료

⇨ '위험 무릅쓰기' 참조.

수퍼바이저
[-, supervisor]

자신보다 경력이 짧은 상담자의 상담활동에 대한 보고를 받거나 상담기술의 적용 등에 대한 충고를 해 주는 숙련된 상담자. 상담 수퍼비전

수퍼바이저는 상담자나 심리치료사의 양성을 위한 수련생의 훈련이나, 기존 상담자의 실력 향상을 위해 반드시 필요한 존재다. 수퍼바이저는 수퍼비전 활동을 통해 수련생이나 다른 상담자가 시행한 상담사례를 분석하고, 적용한 상담기술의 적절성과 좀 더 효과적인 기법의 활용을 제안하는 역할을 한다. 또한 상담기법의 적용 외에도 상담이론, 상담윤리 등의 다양한 요소에 관해서 피드백을 준다.

관련어 | 수퍼비전

수퍼바이저 역할모델
[-役割-, social role supervision model]

수퍼바이저의 역할과 실제 수퍼비전에서 수행해야 하는 활동의 두 가지 차원을 강조한 모델. 상담 수퍼비전

수퍼바이저 역할모델에서는 수퍼비전의 현장에서 수퍼바이저가 담당하는 역할에 대해서 세부적으로 설명하고 있으며, 이러한 역할을 온전히 수행하기 위해서는 어떤 임무를 완수해야 하는지에 대해서도 구체적으로 제시하고 있다. 또한 수퍼바이저와 상담수련생의 이상적인 관계에 대해서도 자세하게 안내하고 있는 것이 특징이라 할 수 있다. 수퍼바이저들은 이 모델을 통해 수퍼비전에서 달성해야 할 목표와 실제 수퍼비전 현장에서 수행해야 하는 세부사항에 대한 지침을 얻는다는 장점이 있다. 수퍼바이저 역할모델에 속하는 모델은 버나드(Bernard, 1979)의 구별적 모델과 할로웨이(Holloway, 1995) 모델이 가장 대표적이다.

관련어 | 구별적 모델, 할로웨이 모델

수퍼바이지 권리장전
[-權利章典, supervisee's rights]

수퍼바이지가 가질 수 있는 수퍼비전 과정에 대한 기대와 윤리문제 발생 시 가질 수 있는 수퍼바이지의 권리를 나열한 것. 수퍼비전

수퍼바이지의 권리에 관하여 먼손(Munson, 2002)은, 첫째, 일정한 시간의 간격을 두고 지속적으로 감독해 주는 수퍼바이저, 둘째, 개인적 사생활을 존중해 주는 성장 지향의 수퍼비전, 셋째, 기술적으로 안전하고 이론적으로 충분한 근거가 있는 수퍼비전, 넷째, 사전에 설명한 명확한 기준에 따른 평가와 실제 수행관찰을 근거로 한 평가, 다섯째, 임상적 실습에 적절한 기술을 발휘하고 수퍼비전 실습에 잘 훈련된 수퍼바이저를 요구할 권리가 있다고 하였다. 이에 더해 수퍼바이지 권리장전에는 수퍼비전 관계의 성격, 첫 수퍼비전에서의 기대, 수퍼비전 관계에서의 기대, 수퍼비전 관계에서 윤리와 문제점, 수퍼비전 과정에 대한 기대, 수퍼비전 회기에 대한 기대, 평가 과정에 대한 기대가 포함되어 있다(Bernard & Goodyear, 2008).

관련어 | 권리, 윤리적 수퍼비전

수퍼비전
[-, supervision]

상담자의 상담수행을 감독 혹은 지도하는 활동. 상담 수퍼비전

수퍼비전은 상담에 대한 이론적 지식과 상담경험이 풍부한 전문가가 상대적으로 이러한 부분이 부족한 전문가를 도와 그의 상담능력의 발전을 촉진해 주는 것이다. 수퍼비전은 '위에서'의 뜻을 가진 'super'와 '관찰하다'의 뜻을 가진 'vision'이 조합된 단어로, '감독하다'라는 의미가 있다. 이처럼 감독하는 사람인 수퍼바이저와 감독을 받는 사람인 수퍼바이지(수련생), 그리고 그들이 서비스를 제공하는 내담자 간에 이루어지는 독특한 전문적인 관계가 바로 수퍼비전이다. 다시 말해, 수퍼바이저가 전문적이고 독립적인 상담자가 되고자 하는 수련생에게 유능한 경력사항과 전문가적인 지식을 바탕으로 적절한 상담의 실제 기술을 습득할 수 있도록 도움을 주는 활동이라고 정의할 수 있다. 유능한 수퍼비전이 되려면 수련생에게 전문적으로 발전할 수 있는 기회를 주는 것과 내담자에게 보다 효과적인 상담 서비스를 제공하는 것 사이에 적절한 조화를 유지해 나가는 것이 필요하다. 따라서 수퍼바이저는 수련생이 치료적 실무의 기술을 배우는 데 도움을 주면서, 내담자들이 제공받는 돌봄의 질이 높게 유지되도록 감독하는 데 노력을 기울여야 한다. 수퍼비전은 주로 수련생의 상담과정에 대한 체계적인 피드백과 반영(reflection)으로 이루어진다. 이를 통해 수련생은 자신의 상담과정에서 일어난 부적절한 반응이 무엇인지 파악하여 실수가 일어날 때 피드백으로 수정의 기회를 가짐으로써 상담능력을 향상시켜 나간다. 이러한 수퍼비전은 초보 상담자뿐만 아니라 숙련된 상담자에게도 필요하다. 왜냐하면 제3자에게 지적을 받지 않으면 자기 언동의 습관을 알아차리는 일이 쉽지 않기 때문이다. 수퍼비전에서는 수퍼바이저와 수련생인 상담자가 대개 다음과 같은 문제를 검토한다. 첫째, 전략을 세우는 방식, 둘째, 기술(질문방식, 강화방식 등), 셋째, 상담자의 내면(역전이 등), 넷째, 내담자의 내면(전이 등), 다섯째, 상담자와 내담자의 관계, 여섯째, 문제의 핵심, 일곱째, 문제해결방법, 여덟째, 상담자가 곤란해하는 문제, 아홉째, 상담 전체의 흐름이다. 한편, 수퍼비전의 영역에는 훈련 수퍼비전과 자문 수퍼비전이 있다. 훈련 수퍼비전이란 상담자가 되기 위한 훈련을 받는 수련생의 수퍼비전 과정이고, 자문 수퍼비전이란 경험이 있고 자격을 갖춘 심리치료사가 내담자와의 작업과 관련해서 조금 더 경험이 많은 심리치료사나 그와 대등한 사람에게 자문을 구하는 과정이다.

자문 수퍼비전 [諮問-, consultative supervision] 경험이 있고 자격을 갖춘 상담심리치료사가 내담자와의 상담과 관련해서 보다 더 경험이 많은 상담심리치료사나 그와 대등한 상담전문가에게 자문을 구하는 과정을 말한다. 자문 수퍼비전에서 형성되는 수퍼바이저와 상담자 사이의 관계는 훈련 수퍼비전의 상하 수직적인 권력구조와는 달리, 조언과 격려가 공존하는 평등관계가 특징이다. 따라서 교육, 훈련, 지도, 평가의 방법을 사용하기보다는 토의, 의견 교환, 상담 등의 방법을 사용하여 수퍼비전이 진행된다. 또한 자문 수퍼비전은 숙련된 전문상담자가 내담자와의 상담에 대한 자신의 이론적이고 기법적인 전략을 새로운 관점으로 통합하고, 자신의 상담지식을 보다 더 확장하려는 목적에서 행해지고 있다.

훈련 수퍼비전 [訓練-, training supervision] 전문상담자가 되기 위한 교육을 받고 있는 기간에 상담수련생이 받는 수퍼비전을 말한다. 훈련 수퍼비전을 하는 과정에서는 수퍼바이저와 상담수련생과의 관계가 교육과 평가의 기능을 담당하는 사람과 훈련을 받는 사람의 상하 수직적인 권력관계로 형성된다. 따라서 수퍼바이저는 상담수련생을 전문적인

상담자로 성장시키기 위해서 보다 통합적인 접근으로 훈련을 시켜야 하며, 훈련과정을 정기적으로 기록하고 관찰하여 이를 평가하는 역할을 담당한다.

수퍼비전 개입
[-介入, supervision intervention]

상담수련생의 상담기술 훈련을 위한 수퍼비전 과정에서 수퍼바이저가 상담수련생이 나아가야 할 방향을 제시하는 것.

상담 수퍼비전

수퍼비전의 개입은 상담이론의 제시부터 직접적인 상담방향의 제시까지 모든 개입을 포함하는 말이다. 수퍼비전 개입에는 촉진적 개입(facilitative intervention), 처방적 개입(prescriptive intervention), 개념적 개입(conceptual intervention), 직면적 개입(confronted intervention), 승화적 개입(catharsis intervention)이 있다. 촉진적 개입은 수퍼바이저가 상담수련생을 지지하고 발달을 격려하는 것으로서, 모든 단계의 상담수련생에게 필요하지만 특별히 초급 상담자의 적절한 상담기술에 대한 강화를 목적으로 사용할 때 매우 유용하다. 또는 초급 상담자가 자신의 상담과정에 대해서 불안과 혼란을 느낄 때 이를 안정시켜 주기 위한 방법으로 사용할 수도 있다. 초급 수련생이 상담자로서의 자질과 자신감을 갖기까지는 상당한 시간과 훈련이 필요하다. 따라서 대부분의 초급 상담자들은 자신의 상담에 대해 자신감이 부족하고, 그 상담과정의 효과에 대한 불안으로 쉽게 의기소침해진다. 이럴 때 수퍼바이저가 부족한 기술이나 불확신에 대해 지적을 하거나 비난을 하면 더욱 힘들어하는 경우가 많다. 그렇기 때문에 수퍼바이저는 수퍼비전이 상담기술과 상담수행 행동을 배우는 과정이라는 것을 이해시키고, 지지와 격려를 해 주면서 함께 상담기술을 학습하는 과정을 보다 세분화하고 구체화하여 초급 상담자가 두려움과 어려움 없이 상담기술을 익힐 수 있도록 도와야 한다. 처방적 개입은 의사가 환자에게 처방전을 적어 주듯이 수퍼바이저가 상담수련생에게 상담에 대한 방향을 알려 주는 것으로서, 주로 초급 상담자를 대상으로 이루어진다. 개입의 내용은 내담자의 개념화, 상담의 목표설정, 상담계획, 상담개입기술 등 모든 요소가 포함될 수 있다. 이러한 처방적 개입은 수퍼바이저의 판단에 따른 단 한 가지의 대안만을 상담수련생에게 제시하여 따르게 하는 것보다는, 여러 대안을 제시하고 상담수련생이 그것을 검토하고 선택할 수 있도록 하는 것이 보다 효과적이다. 개념적 개입은 상담의 이론과 실제에 대한 통합적 도움을 주기 위한 개입으로서, 주로 초급 상담자에게 적용한다. 초급 상담자는 자신이 내담자와 무엇을 해야 할지에 대한 생각과 자신이 그 상담의 과정과 효과에 대해서 얼마나 불안해하는지만 생각하기 때문에 자신의 상담개입을 이론적으로 설명하지 못하는 특성을 보인다. 이러한 현상은 단순히 자신의 상담기법을 이론적으로 개념화하지 못하는 것에 그치지 않고, 본래 그 기법이 의도하는 목적과 효과를 충분히 활용하지 못하는 결과를 낳는다. 또한 이 같은 현상은 상담의 효과에도 부정적인 영향을 미칠 수 있다. 따라서 수퍼바이저는 개념적 개입을 통해서 상담수련생이 사용하고 있는 상담기술의 이론과 실제를 연결할 수 있도록 개념화하고, 이것을 상담계획 등으로 확대하여 보다 확장된 시각으로 상담과정 전체를 바라볼 수 있도록 격려해야 한다. 개념적 개입을 통하여 상담수련생은 자신의 상담을 전체적이고 구조적인 시각으로 바라볼 수 있는 보다 자율적인 상담자로 훈련될 수 있다. 직면적 개입은 상담자의 실수나 잘못된 상담개입에 대해 직면할 수 있도록 지적하는 것으로서, 직면적 개입이 적절하게 필요한 경우도 있지만 초급 상담자에게는 가급적 쓰지 않는 것이 좋다. 초급 상담자에게 직면이 불가피하다고 판단이 될 때는 본인의 상담과정을 기록한 녹음테이프나 녹화테이프를 가지고 상담수련생의 개입이 얼마나 효과적이었는지, 내담자와의 상호작용에 얼마나 주의를 기울이고 있는지 등에 대해 부드럽게 지적하는 정도로만 활용하는 것이 좋다. 왜냐하면 직면적 개입의 부주의한 사용은 상담자로서의 능력에 대한 자신감을 떨어트리고, 마음에 상처를 입게 할 수 있기 때문이다. 이러한 위험성에도 불구하고, 상담자가 안전하고 편안한 상담수행에서 벗어나 새로운 개입을 하거나 심각한 내담자와 상담을 하는 데 직면적 개입은 필수적이다. 승화적 개입은 상담자가 편안하게 느끼고 있거나 문제로 여기지 않는 영역에 문제를 제기하는 것으로서 상담자의 알아차림(awareness)의 수준을 높이기 위해 사용된다. 이는 주로 내담자에 대한 역전이나 상담자의 개인적인 문제를 다루게 된다. 따라서 이 같은 수퍼비전 개입의 형태는 초급 상담자에서 중급 상담자로 발달하는 시점에 필요하다. 승화적 개입을 위해서는 주로 상담수련생의 녹화나 녹음테이프를 사용하여 수퍼비전을 하는데, 이를 통해 수퍼바이저는 상담자의 잠재적 능력을 강조하고 역전이를 보여 주며 상담이나 수퍼비전 과정에서 자신을 탐색하는 방법을 드러내 준다. 승화적 개입을 통해 상담수련생은 자신의 내담자에게 더욱 주의를 기울이게 되고, 상담의 보다 복잡한 과정을 이해하는 기회를 얻는다. 이때 수퍼바이저는 보다 효과적인 상담수련생의 승화적 개입을 위해서 여러 가지 전략을 사용할 수 있는데, 상담과정에 대해 초급 상담자가 언급하도록 만들어 상담에 대한 초심을 기억하게 하거나, 상담자의 주의를 내담자의 반응에 두도록 하거나, 혹은 상담자의 내적 생각과 감정에 주의를 기울이도록 할 수 있다.

수퍼비전 계약
[-契約, supervision contract]

상담 수퍼비전에 관련된 모든 사람, 즉 상담수련생, 프로그램 수퍼바이저, 현장 수퍼바이저의 역할과 책임을 명확하게 규정하기 위한 계약. 상담 수퍼비전

작성한 수퍼비전 계약이 법적 구속력은 없지만 수퍼비전을 행하는 과정에서 상호 책임을 증가시키려는 목적으로 사용한다. 오스본과 데이비스(Osborn & Davis, 1996)는 수퍼비전 계약에 포함되어야 하는 사항에 대해서 다음과 같이 제시하였다. 첫째, 수퍼비전을 통해서 내담자를 보호하고 상담수련생의 발전을 촉진하려는 본래의 의도, 목표, 그리고 목적을 정확하게 명시한다. 둘째, 수퍼비전의 서비스가 언제, 어디서, 어떻게, 어떤 수퍼비전 모델을 사용하여 수행되는지 설명한다. 셋째, 형성평가 및 종합적 평가와 같은 평가방법과 일정을 자세하게 안내한다. 넷째, 수퍼비전 과정에서 수퍼바이저와 상담수련생이 수행해야 할 의무와 책임에 대해 세부적으로 제시한다. 다섯째, 수퍼비전 과정에서 발생하는 비상시 대처절차와 문서보관을 위한 형식 등의 문제를 언급한다. 여섯째, 수퍼비전에서 이루어지는 실습범위의 한계를 정한다.

수퍼비전 사전동의
[-事前同意, supervision informed consent]

수퍼비전 계약 전에 수퍼바이저가 수퍼바이지에게 수퍼비전과 관련된 내용을 알려 주어 미리 동의를 받는 일. 수퍼비전

수퍼비전은 수퍼바이지와 수퍼바이저 간의 구체적인 계약에 따라 이루어진다. 이 계약에서는 수퍼비전의 목표와 목적에 대하여 분명히 밝히고 수퍼비전의 구체적인 내용을 수퍼바이지에게 알려 주어야 한다. 그리고 수퍼비전에서 무엇이 기대되는지도 알려 주어야 하며 평가방식과 수퍼바이저와 수퍼바이지의 의무 및 책임에 대해서도 알려 주어야 한다. 계약기간과 수퍼바이저의 자격 및 역량에 대하여 명시하고, 절차상의 문제가 생길 경우 어떻게 해결할지 그 방법에 대해서도 명시한다(Bernard & Goodyear, 2008). 수퍼비전 과정에 대하여 내담자에게 동의를 구하고 수퍼비전이 어떻게 상담과정에

도움이 될 수 있는지도 내담자에게 알려 줄 필요가 있다. 그리고 수퍼바이저의 책임과 수퍼바이지의 책임에 대해서도 명확히 알려 주어야 한다. 또한 상담훈련 프로그램 시작 전에 수퍼비전이 필수임을 미리 알려 준다.

관련어 | 수퍼바이지 권리장전, 윤리적 수퍼비전

수퍼비전 평가도구

[-評價道具, supervision evaluation tool]

실시된 수퍼비전에 대해 객관적 평가를 하기 위해 사용되는 도구. 수퍼비전

수퍼비전은 구체적인 계약을 통해 진행되는 구조화된 만남이다. 수퍼비전은 진행하는 데 애매하게 주먹구구식으로 진행하는 것이 아니라 객관적 기준을 가지고 명확하게 수행할 필요가 있다. 수퍼비전 계약 때 평가계획을 수퍼바이지에게 알려 주고 어떤 기준으로 평가를 받는지에 대하여 구체적으로 설명한다. 수퍼비전에서 평가(evaluation)는 평가 자체를 위한 것이 아니라 수퍼바이지가 전문적인 상담자로서 성장해 나갈 수 있도록 수퍼바이지 안에 숨겨져 있는 상담자로서의 가치(Value)를 끌어내는 행위다. 올바른 평가를 하기 위해서는 무엇보다 관계형성이 되어야 한다. 평가는 상호적이며 계속되는 행위이기 때문에 신뢰를 바탕으로 한 관계를 전제로 한다. 수퍼바이지와의 평가 항목으로는 사례개념화 정도, 치료가설을 가지고 진행하는 치료계획, 개입기술, 치료적 관계 성립, 전문적 그리고 윤리적인 행위 등을 삼을 수 있다. 평가에는 형성평가와 종합평가 두 가지가 있는데 수퍼비전 때마다 수퍼비전을 진행하면서 그 때마다 제시하는 형성평가를 그리고 훈련기간이 끝날 때 제시하는 종합평가로 나뉠 수 있다. 평가를 실시할 경우 주관적인 판단에 의해서만 평가하지 말고 수퍼비전의 목록 평가, 상담수련생 수준 질문지, 수퍼비전 목록 내에서의 평가과정, 수퍼비전 작업동맹 목록(Bernard & Goodyear, 2008) 등을 참고하여 객관적인 기준을 가지고 수퍼바이지에 대한 평가를 실시할 수 있다.

관련어 | 수퍼비전 종결, 수퍼비전 평가, 척도

수퍼비전에 대한 수퍼비전

[-, supervision-of-supervision]

수퍼비전 능력을 향상시키기 위하여 수퍼비전을 실시한 것에 대한 수퍼비전의 실시. 수퍼비전

수퍼바이저가 되려고 하는 수퍼바이저 훈련생에게 본인이 실시한 수퍼비전 자료를 가지고 좀 더 효과적으로 수퍼비전을 할 수 있는 방식과 내용을 점검하도록 도움을 주는 것이다. 수퍼비전 회기의 비디오테이프를 가지고 오거나 축어록을 가지고 오도록 하여 수퍼비전 개입방법에 대한 피드백을 줄 수 있다. 상담자의 사례를 꼼꼼히 읽고 피드백을 주었는지 점검해야 하며, 또한 수퍼바이저 훈련생이 수퍼바이지에게 정서적으로 안정된 모습으로 대하고 있는지, 수퍼바이저 훈련생 자신의 문제를 확대하여 수퍼바이지에게 부가하고 있는 것은 아닌지도 탐색해야 한다. 엘리스와 두스(Ellis & Douce)는 수퍼비전에 대한 수퍼비전에서 발생하는 다섯 가지 문제를 다음과 같이 지적하였다. 첫째, 책임조율로 새로운 수퍼바이저들이 내담자에 대한 책임과 수퍼바이지의 성장을 촉진하는 책임감의 균형을 가지도록 한다. 둘째, 병행과정은 수퍼비전 과정에서 나타난 현상뿐만 아니라 수퍼비전에 대한 수퍼비전에서도 나타난다. 셋째, 권력투쟁에서 수퍼바이저 훈련생은 권력을 잘 다룰 수 있어야 하는데, 처음에는 지배적인 방식으로 행동하고 자신의 권력을 위협하는 것에 민감하게 반응하도록 한다. 넷째, 수퍼비전에 대한 수퍼비전에서 수퍼바이저 훈련생의 개인적 가치관과 문화가 언급되어야 한다. 다섯째, 이성적으로 매

력을 느끼기도 한다(Bernard & Goodyear, 2008).

수퍼비전의 목적
[-目的, supervision goal & objectives]

수퍼비전 과정에서 추구해야 하는 목적. 수퍼비전

수퍼비전을 실시하는 데에는 두 가지 목표가 있다. 첫 번째는 과정상의 목표(formative goal)로서 수퍼바이지를 전문적인 상담자로 발달시키는 교육적인 기능이다. 이 목표를 달성하기 위해 수퍼바이저는 수퍼비전을 조직화하고 수퍼바이지가 최대의 학습경험을 할 수 있도록 환경을 조성해야 한다. 두 번째는 규범적인 목표(normative goal)로서 상담상황에서 내담자의 안녕과 복지를 보장하고자 하는 것이다. 이 목표를 달성하기 위해 수퍼바이저는 수퍼바이지의 상담사례에서 내담자의 안녕과 복지에 해가 되는 사항을 파악한 다음 효과적으로 대처하도록 해야 한다.

관련어 | 수퍼비전 계약, 수퍼비전 사전동의

수평적 격차
[水平的隔差, horizontal decalage]

과제의 형태에 따라 조작의 획득시기가 달라지는 현상. 발달심리

피아제(Piaget)에 따르면, 일반적으로 길이, 크기, 양, 수의 보존 개념은 6~7세, 무게는 8~9세, 넓이와 부피는 11~12세에 획득된다. 그러나 쿠네오(Cuneo) 등은 너비와 높이가 서로 다른 직방형의 과자를 나누어 주고 똑같이 먹으라고 지시한 과제에서 3~5세의 아동이 두 요인을 통합하여 과자의 양의 보존 개념을 정확하게 이해할 수 있음을 확인하였다. 또 겔먼(Gelman,)은 수 보존실험 과제의 수를 서너 개로 줄여서 3~4세 아동을 대상으로 실험한 결과 이들이 수 보존을 획득하고 있음을 알 수 있었다. 여러 가지 형태의 보존개념은 일정한 시기에 한꺼번에 획득되는 것이 아닌데, 수와 길이, 양에 대한 보존개념을 가장 먼저 획득하고, 다음으로 무게에 대한 보존개념, 부피에 대한 보존개념의 순서로 획득한다. 여기서 보존 개념은 어떤 대상의 외양이 바뀌어도 그 속성이 바뀌지 않는다는 것을 이해하는 능력이다. 이는 아동의 사고변화를 보여 주기 위한 피아제의 개념이다. 보존개념은 가역성, 보상성, 동일성이라는 세 가지 개념의 획득이 전제가 된다. 가역성은 어떠한 상태변화가 그 변화의 과정을 역으로 밟아 가면 다시 원상으로 되돌아갈 수 있다는 사실이다. 보상성은 높이의 감소가 폭이라는 차원으로 보상된다는 것이고, 동일성은 어떤 방법으로든 더하거나 빼지 않았으므로 양이 동일하다는 것이다.

수평적 커뮤니케이션
[水平的-, parallel communication]

내담자와 눈높이를 맞춘 내담자중심의 의사소통을 시도하는 최면치료기법. 최면치료

인간중심적 에릭슨 최면에서의 의사소통으로, 권위적이고 지시적이며 수직적인 관계의 의사소통을 반대하면서 허용적이고 내담자중심적이다. 여기에는 유머와 농담, 수수께끼, 재담, 이야기와 메타포 등이 포함된다. 유머와 농담은 직접적으로 말하면 저항이나 반감을 일으킬 수 있는 내용을 유머 있게 간접적으로 전달하는 화법이다. 예를 들면, 사실과 달리 전문가인 체하는 사람에게 들려준 에릭슨(Erickson)의 다음과 같은 이야기가 있다. "아동교육에 대한 강의로 유명한 어떤 전문가는 미혼이었지만 자녀교육에 대한 강의를 잘하였고, 주로 하는 강좌의 제목은 '부모를 위한 자녀교육 10계명'이었습니다. 그러던 그가 결혼을 하여 자녀를 낳은 다음에는 강좌의 제목을 '부모를 위한 자녀교육 10힌트'

로 바꾸었습니다. 얼마 있지 않아 둘째 아이가 생겼고, 그의 강좌 제목은 '부모를 위한 몇 가지 잠정적인 제안'으로 바뀌었습니다. 마지막으로 셋째 아이가 태어난 뒤에는 모든 강의가 중단되었습니다." 에릭슨은 직접적으로 무엇을 가르치거나 지시하는 방식은 내담자에게 도움이 되지 않는다고 믿었기 때문에 메타포나 비유를 사용하고, 또는 치료적인 주제가 있는 이야기를 들려주는 등 내담자에게 간접적으로 의미를 전달하면서 치료적 메시지를 던지는 방식을 자주 이용하였다. 다음으로 수수께끼는 내담자의 생각 틀을 다른 각도에서 보게 하거나 기존의 고착된 생각이나 입장을 다시 생각해 보도록 하는 효과를 발휘하는 것으로, 가장 에릭슨적인 기법이라 할 수 있다. 재담은 같거나 비슷한 발음을 가졌지만 다른 뜻을 가진 말을 익살스럽게 사용하여 편안한 분위기를 만들면서도 내담자를 혼란에 빠트려 트랜스를 유도하거나 치료적 암시의 효과를 높이는 기법이다. 예를 들면, "배가 가득 참으로써 마음이 편안하다면 몇 배를 더 채우면 좋을까요? 배가 가득 찰수록 당신의 능력 또한 배로 가득 찰 것입니다."와 같은 암시문을 들 수 있다. 이야기와 메타포는 "오르막과 내리막길은 세상과의 통로다. …… 평탄하다가 굽어지기도 하며 오르막이 있는가 하면 내리막이 있듯, 우리네 인생살이도 꼭 그렇다."와 같은 암시문처럼 메타포나 비유가 담긴 이야기를 통한 편안한 트랜스 유도기법이다.

관련어 에릭슨 최면

수학장애
[數學障礙, mathematics disabilities]

연령이나 지능수준에서 기대되는 것보다 현저히 낮은 수학 성취를 보이는 학습장애의 한 유형. 특수아상담

수학장애는 세 가지 형태로 나타난다. 첫째는 수학 학습에 전반적인 결함이 있는 경우로, 수학 학습이 매우 느리고 어려워하며 거의 변화가 없다. 둘째는 분수영역 또는 나눗셈의 하위영역처럼 특정 수학영역에 결함을 보이는 경우로, 다른 영역의 학습은 어려워하지 않는다. 셋째는 사고(thinking), 추리(reasoning), 문제해결(problem solving)에 광범위한 결함을 가진 경우로, 수학적 개념과 기능 모두가 왜곡되고 비논리적인 특징을 갖는다. 『정신장애의 진단 및 통계편람 제5판(DSM-5)』에서는 기존 학습장애를 큰 범주로 두고 하위범주로 수학 장애, 쓰기 장애, 읽기 장애, 달리 분류되지 않는 학습 장애로 분류한 DSM-IV와는 다르게 학습장애의 하위범주를 하나로 묶은 특정 학습장애(Specific Learning Disorder)로 명명하였다. DSM-5에서는 특정학습장애를 학습하고 학업의 기술을 사용하는데 어려움을 보이는 상태라고 하였으며, 어려움을 위한 중재를 제공받았음에도 불구하고 읽기, 쓰기, 언어, 수학 영역에서의 여러 가지 증상들 중 한 가지 증상이 적어도 6개월 동안 지속적으로 나타났을 때로 설명한다. DSM-5에서 제시한 여러 증상들 가운데 수학장애에 해당하는 항목들을 살펴보면, 첫째, 수 감각, 수 지식, 계산의 어려움으로 그 예로는 낮은 수준의 수, 수 크기, 관계에 대한 이해력, 또래 친구처럼 수학 지식을 기억하는 대신에 손가락을 이용해 한자리수 덧셈하기, 산술 계산하는 과정에서 헤매거나 순서 뒤바꾸기를 들 수 있다. 둘째, 수학적 추론의 어려움으로, 예를 들면 문제를 풀 때 수학적 개념, 지식, 과정들을 적용하는 데 심각한 어려움을 느끼는 것을 말한다.

관련어 학습장애

수행검사
[遂行檢査, performance test]

운동성 반응을 나타내야 하는 검사. 심리검사

동작검사라고도 불리는데, 개인이 특정 기술이나

능력수준을 보여 주기 위하여 단순히 지필로 체크하는 것이 아니라 운동성 반응을 나타내도록 하는 검사를 말한다. 수행검사는 작업 예시로도 알려져 있다.

수행자 상실
[修行者喪失, lost performative]

어떤 일이나 상황, 정보에 대해서 평가를 하거나 가치를 판단하되 수행자가 누구인지 언급하지 않는 최면화법의 하나. 최면치료

밀턴모형 최면화법의 일종으로, 수행자를 언급하지 않은 상태에서 그 판단이 마치 진리인 것처럼 말하는 것이다. 이를 통해 상담자가 원하는 판단을 내담자에게 부여하고 변화를 유도할 수 있으며, 치료적 효과를 이끌어 내기도 한다. 예를 들어, "깊이 숨을 들이마시고 내쉬십시오. 그러는 동안 이완을 하면 좋은 경험이 될 것입니다."라고 표현을 하면 '깊이 숨을 들이마시고 내쉬는 동안 이완을 하는 것'이 좋은 경험이라고 판단하는 사람을 언급하지 않음으로써 내담자가 좋은 경험이라고 판단하는 데 대한 저항을 줄일 수 있다. 일반적으로 수행자 상실은 "~하는 것은 중요합니다." "~하는 것이 좋습니다." "~할 필요가 없습니다." "~하는 것은 대단한 일입니다." "~하는 것이 더 낫습니다." 등으로 표현한다.

관련어 | 밀턴모형

수행평가
[遂行評價, performance assessment]

상담과정에서 내담자가 자신의 변화를 위해 실천해야 하는 과제를 얼마나 성취했는지 평가하는 일. 개인상담

상담과정에서 수행평가는 내담자의 과제수행 여부와 내용을 확인하여 바람직한 변화를 강화하거나 수행과정상 문제점을 확인하여 수행과제를 수정 또는 조정하여 내담자의 수행을 촉진하는 데 의의가 있다. 내담자의 수행평가는 과제수행 탐색, 성과 및 성과요인 강화, 실천장애요인 탐색, 수행과제 조정의 단계로 이루어진다. 과제수행 탐색단계에서는 상담과정에서 제시된 과제를 수행했는가와 그 결과를 확인한다. 그리고 과제를 하지 않았지만 호소문제 및 목표수행과 관련된 변화의 경험을 탐색하는 것도 도움이 된다. 수행평가는 하지 않은 것에 대해 초점을 맞추기보다는 실제 성과나 성과요인을 탐색하는 데 주목해야 한다. 성과 및 성과요인을 확인하기 위해서 긍정적인 구체화 질문을 사용하여 긍정적이고 생산적인 상담 분위기를 형성해야 한다. 이 과정에서 성과에 대한 동기나 의도, 능력이나 노력에 대해 긍정적으로 해석하여 바람직한 수행행동을 강화한다. 수행을 하지 못했다면 방해요인이 무엇인지 확인하여 과제를 수정하거나 조정한다.

관련어 | 상담목표

수행평가
[遂行評價, performance assessment]

피험자 스스로 자신의 지식이나 기능을 드러낼 수 있도록 답을 작성 · 구성하거나, 발표하거나, 산출물을 만들거나, 행동으로 나타내도록 요구하는 평가방식. 심리 측정

심리측정에서 수행평가는 최소한의 언어적 소통을 요구하는 측정방식으로 비언어적 평가(nonverbal assessment)라고도 부른다. 피험자는 지필방법을 사용하여 질문에 답하기보다는 수행과제를 해결해야 한다. 수행평가는 지능, 발달, 인성과 같은 다양하고 광범위한 속성을 측정하는데, 문화적 편견을 줄일 수 있고 구두지시에 따르는 데 어려움이 있거나 언어적 인지발달이 충분하지 않은 어린 아동

에게 실시할 수 있다는 장점이 있다. 상담분야에서 수행평가는 상담자 훈련 프로그램에서 자주 활용한다. 상담자 교육을 위한 실습이나 인턴십 과정에서 수련감독자인 수퍼바이저(supervisor)는 수련생이 회기를 어떻게 진행하고 실제 상담하는지를 관찰하거나 상담수행과정을 비디오로 녹화하여 평가한다. 수행평가를 위해서는 사전에 정해 놓은 평가준거가 있어야 하며, 이러한 평가준거에 맞추어 상담수련생을 평가한다. 수행평가의 주된 특징은 수련생이 배운 지식을 실제 생활장면에서 얼마나 제대로 적용, 활용하고 있는가를 알아보기 위한 과제를 직접 행한다는 점이다. 이처럼 수행평가는 피험자가 문제의 정답을 선택하는 것이 아니라 자기 스스로 정답을 작성 · 구성하거나 행동으로 나타내도록 하는 평가방식으로, 추구하고자 하는 목표를 가능한 한 실제 상황에서 달성했는지를 파악하고자 하며, 그 결과(product)뿐만 아니라 과정(process)도 중시한다. 또한 단편적인 영역에 대해 일회적으로 평가하는 것이 아니라 피험자 개개인의 변화와 발달과정을 종합적으로 평가하기 위해 전체적이면서도 지속적으로 이루어지는 것을 강조하고, 피험자의 학습과정을 진단하고 개별 학습을 촉진하는 데 목적이 있으며, 피험자의 인지적인 영역(창의성이나 문제해결력 등 고등 사고기능을 포함) 외에도 행동발달상황이나 홍미와 태도 등 정의적인 영역 및 체격이나 체력 등 신체적인 영역까지 종합적이고 전인적인 평가를 중시한다. 수행평가의 방법으로는 서술형과 논술형 검사, 구술시험, 토론법, 실기시험, 실험 · 실습법, 면접법, 관찰법, 자기평가와 동료평가 보고서법, 연구보고서법, 포트폴리오법 등이 있다(Baron & Boschee, 1995; Herman, Aschbacher, & Winters, 1992). 이러한 수행평가의 방법들은 피험자에게 요구되는 활동과정에 따라서 구성적 응답, 결과물, 활동 및 과정평가의 네 가지로 분류할 수 있다(McTighe & Ferrara, 1996). 구성적 응답(constructed response)이란 주어진 답지 가운데서 답을 고르는 전통적인 선다형 평가와는 달리 피험자에게 개방형 질문이나 과제를 제시하고 그것에 대해 간단하게 글로 응답하게 하거나, 개념도나 그래프 또는 흐름도 등 시각적 응답을 스스로 만들어 보도록 하는 방법이다. 결과물(products) 평가란 어떤 지식이나 기능을 적용하여 결과물을 만드는 과제를 제시하고, 피험자가 만들어 낸 과제를 관찰하여 지식이나 기능영역에 대한 숙련 정도를 평가하는 방법이다. 결과물 평가의 예로는 글짓기, 연구보고서, 실험보고서와 같이 글로 쓴 것, 모형, 전시물과 같이 시각적인 것, 음성녹음과 같이 구어로 된 것 등이 있다. 활동(performances) 평가란 실제 생활과 유사한 상황에서 활동 중심의 과제를 제시하여, 그 과제를 가지고 피험자가 활동하는 모습을 직접 관찰함으로써 지식과 기능을 평가하는 방법이다. 이는 성악, 악기연주, 체육, 연설, 연극, 구두 제시, 시범, 논쟁 등 활동을 중심으로 이루어지는 영역에서 광범위하게 사용하고 있다. 활동 중심 평가의 구체적인 예로는 교내 합창단 활동에 대한 평가를 들 수 있다. 합창곡과 평가기준이 학생들에게 미리 제시되고, 교사는 각 학급의 학생들이 연습하는 장면과 실제 공연을 보고 기준에 따라서 활동을 평가한다. 과정 중심(process-focused) 평가란 피험자의 학습전략과 사고과정을 관찰할 수 있는 과제를 제시하여, 가시적인 활동과 결과물, 그리고 응답보다는 그것의 바탕이 되는 인지적 과정을 알아내는 데 초점을 두는 방법이다. 과정 중심 평가를 통하여 교육자는 자신의 교육활동에 대한 진단적 정보를, 학습자는 학습활동에 대한 피드백을 받는다는 점에서 이 방법은 형성평가의 성격을 띤다. 다양한 과정 중심 평가가 수업의 일부로서 일상적으로 사용되고 있다. 예를 들면, "두 가지의 공통점과 차이점은 무엇인가?"라고 묻거나 "문제해결이나 의사결정 과정을 큰 소리로 말해 보시오."라고 함으로써 학생들의 인지과정을 유추한다. 학기 초에 교사가 학생들과의 면담을 통하여 그들의 인지와 언어발달, 사회적 기술, 그리고 기타 관심 영역에 대한 유용한 정보를 얻는 것도 과정평가의 한 형태가 될 수 있다.

순간포착
[瞬間捕捉, captured moments]

저널쓰기의 한 기법. 문학치료(글쓰기치료)

순간포착은 자기 삶의 영광과 고뇌, 평온과 슬픔, 기쁨과 고통을 산문으로 기록하여 기념할 수 있는 방법이다. 카메라 셔터가 영원 속의 한 순간을 필름에 포착하듯 감격과 감동의 순간을 보존하는 동결된 한 순간을 순간포착이라 한다. 순간포착은 감각을 통해 쓰는 것이 가장 좋다. 쓰는 사람이 창조력을 최대한 발휘할 수 있도록 하고, 시공간 속에서 한 순간의 소리, 광경, 냄새, 감정 등을 상세하게 설명할 수 있도록 한다. 순간포착의 아름다움 중 하나는 자신을 자각(awareness)의 장소로 다시 데려갈 수 있는 능력이며, 또 다른 아름다움은 자각의 장소를 만들어 낼 수 있는 능력이다. 사진첩의 스냅사진처럼 순간포착 기법은 미래를 위한 소중한 기억을 보존하는 데 사용할 수 있다. 순간포착에 내재되어 있는 창의성은 자칫 지나치기 쉬운 미묘한 뉘앙스를 드러낼 수 있다. 시가 순간포착을 위한 유용하고 놀라운 도구가 되기도 한다. 순간포착을 위해서는 사건에서 감각을 통해 느끼는 세밀한 것들에 집중하는 것을 명심해야 하고, 묘사적인 단어가 넘쳐날 만큼 화려하게 써야 한다.

순응하는 어린이 자아상태
[順應 - 自我狀態, adapted child ego state]

교류분석

⇨ '어린이 자아상태' 참조.

순환성
[循環性, circularity]

가족의 자율통제기능을 설명하는 데 가장 기본이 되는 원리로, 과거뿐 아니라 현재까지 진행되고 있는 일련의 사건들이 순환적인 피드백 고리로 서로 연결되어 문제가 발생한다고 보는 개념. 전략적 가족치료

과거의 어떤 사건 때문에 정신병리가 일어났다고 보는 선형적 인과관계(linear causality)와는 달리, 순환성의 관점은 개인의 최초 행동은 순환적인 연결을 만들어 다음 행동에 영향을 미치고 이 행동은 다시 순환적으로 다음 행동에 영향을 미치게 된다는 것이다. 예를 들어, 베이트슨(Bateson)은 강아지를 발로 차는 사람과 그 발에 차인 강아지와의 관계를 통하여 이 개념을 설명했는데, 사람이 강아지를 찰 때 강아지는 도망을 가거나 사람을 물려고 하거나 혹은 움찔거리는 등 다양한 반응을 보인다. 이때 만일 강아지가 발로 차는 사람을 무는 행동을 한다면 강아지의 이 같은 행동은 사람으로 하여금 다음 행동을 취하도록 영향을 주어 그 사람은 자신을 물려고 하는 강아지를 막대기로 때리려고 할 것이고, 또한 사람의 이 같은 행동은 다시 강아지에게 영향을 주어 강아지는 자신을 때리려고 하는 사람에게 또 다른 행동을 취하는 방식으로 상황이 연속적으로 이어지면서 전개될 것이다. 즉, 개인의 문제는 과거부터 현재까지 상호영향을 미치는 고리가 연결되어 발생한 것이므로 그 문제를 정확하게 이해하기 위해서는 순환적인 해석의 접근이 필요하다.

관련어 | 선형적 인과관계, 순환적 인과관계

순환성장애
[循環性障礙, cyclothymic disorder]

많은 경조증 경험과 주요 우울장애 진단기준에 충족하지 않는 수회에 걸친 우울증상이 나타나는 기분장애의 한 유형. 정신병리

우울한 기분과 경조증을 자주 나타내는 경우의 기

ㅅ

분장애이지만, 주요 우울증의 일화나 조증 일화의 진단을 내리기에는 그 강도가 약할 때 내려지는 진단이다. 이전에는 순환증(cyclothymia)이라고도 하였으며, II형 양극성장애의 경한 상태에 해당하고 기분부전장애(dysthymic disorder)와 마찬가지로 만성적 기분장애에 해당한다. 경조성 행동과 우울증 행동이 모두 나타나지만, 조증 일화 혹은 주요 우울증 일화에 대한 진단기준을 충족시키지 않으며, 이러한 행동들이 최소한 2년 이상 지속된다. 우울한 기분과 경조증을 경험하는 기간이 서로 혼재되어 있거나, 번갈아 가면서 나타나거나, 혹은 각 상태 사이에 정상적인 기분상태가 2개월씩 유지되는 경우도 있다. 우울할 때에는 자신을 부족한 사람으로 여기지만, 경조증 상태에서는 자존감이 팽배해진다. 순환성장애자가 우울상태에 놓여 있을 경우에는 주의집중력이 매우 낮아지며 대화의 양도 감소한다. 반면 경조증 상태에서는 사고기능이 지나치게 활발하여 창조성과 활동성이 높아진다. 주위 사람들을 멀리했다가도 일순간 주체 못할 정도로 사람들을 찾아 나서며 가까이하려고 하거나 장시간의 수면을 하다가도 일순간 너무 적게 자기도 하는 등 기분의 변화기복이 심하다. 경계형 인격장애 등 인격장애가 수반되는 경우가 많으므로 기분장애라기보다는 인격장애로 분류하는 견해도 있다. 주로 청소년기 혹은 초기 성인기에 발병하며 일반인의 평생 유병률은 1% 정도다. 순환성 기분장애 진단을 받은 사람 중의 일부는 이후 양극성장애(bipolar disorder)로 발전하기도 하는데, 순환성장애와 양극성장애 간에는 유전적 연관성이 높은 것으로 추측된다. 순환성장애를 지닌 환자들은 단극성 우울증이나 정상 상태의 친인척을 두는 경우보다 오히려 양극성장애를 지닌 친인척을 두고 있는 경우가 더 많은 것으로 보고되고 있다.

관련어 | 양극성장애

순환적 운동
[循環的運動, cyclical movement]

인간의 문제행동은 계속해서 또 다른 문제행동을 유발한다는 제이 애덤스(Jay Adams)의 개념. 목회상담

권면적 상담을 주장한 애덤스가 인간의 문제행동이 지니는 속성에 대하여 설명한 것이 순환적 운동이다. 그는 인간의 문제행동은 삶의 사건에 죄악된 반응을 한 결과로, 이러한 죄악된 행동은 계속해서 또 다른 죄악을 낳는 성격을 지니고 있다고 설명하였다. 마치 한 가지의 거짓말을 가리기 위해서 열두 가지가 넘는 거짓말을 계속해서 해야 하는 것과 마찬가지다. 죄성을 띤 행동은 처음에는 단순하고 작은 사건에서 시작되지만 그 죄를 깨닫지 못하고 시간이 경과할수록 점점 더 많은 죄악된 행동을 하는 하향식 순환(downward cycle)을 하게 된다고 설명하였다. 따라서 내담자의 죄악된 문제행동을 변화시키기 위해서는 사건에 대해 성경적으로 반응하는 습관을 훈련하여 상향식 순환(upward cycle)으로 만들어 문제행동을 고칠 수 있다고 보았다.

관련어 | 성화, 제이 애덤스

순환적 인과관계
[循環的因果關係, circular causality]

일련의 사건들이 고리처럼 연결되고 반복되어 있다는 개념으로, 비선형적 인과관계 혹은 비선형적 사고라고도 함. 전략적 가족치료 체계치료

사건들의 원인과 결과가 직선상에 있는 것이 아니라 고리처럼 연결되고 반복되어 서로 역동적으로 관련을 맺고 있다는 개념이다. 순환적 인과관계는 체계이론의 핵심이다. 이는 어떤 사람의 행동이 다른 한 사람에게만 영향을 미치는 일직선의 상호 관련을 맺는다는 생각을 거부한다. 한 사람의 행동은 다음 사람에게 영향을 미치고, 그것은 또다시 제3의

사람에게 영향을 미치는 식으로 반복적으로 증가하고 연결된 복잡한 상호작용이 일어난다는 뜻이다. 따라서 사건의 원인과 결과를 단순하게 파악하기보다는 복잡한 순환적 인과관계를 탐색하여, 최초의 영향력을 행사한 원인을 찾아 변화시키는 것이 전체의 변화를 위한 근본적인 해결방법이 된다. 예를 들어, 자녀의 등교거부와 같은 자녀의 문제를 다룰 때, 이를 어머니의 과보호적인 양육태도가 원인이며 등교거부는 그 문제행동의 결과라고 생각하는 선형적(직선적)인 인과론으로 생각하지 않는다. 즉, 어머니의 자녀에 대한 과보호는 일에만 몰두하여 가정을 생각하지 않는 아버지에 대한 실망감이 원인으로 작용했을 수 있다. 한편, 아버지가 일에 빠져드는 것은 가정에서 다른 가족구성원으로부터 소외되어 있다고 느끼는 것이 원인일 수도 있다. 따라서 그 자녀의 등교거부는 부모 사이가 나쁜 것을 걱정하는 것이 원인이 되었을 가능성도 부정할 수가 없다. 즉, 각각의 심리상태가 서로 원인도 되고 결과도 될 수 있는 것이다. 문제에 직면했을 때 시야를 좁혀 인과론적으로만 생각하는 가족에 대해서 치료자가 순환적 인과론에 입각한 견해를 도입하는 것은 진단과 치료에 효과적이다.

순환적 질문

[循環的質問, circular questioning]

가족의 상호작용이나 가족관계에서 일어나는 행동들에 대해서 이야기하는 대화기법. 전략적 가족치료

밀란(Milan)의 체계적 가족치료에서 사용하는 독특한 치료기법으로, 가족 간의 상호작용에서 나타나는 특정 행동을 집중적으로 물어보는 것이다. 이러한 질문을 통하여 내담자와 그 가족을 새롭게 인식하는 계기가 되고, 가족관계에서 발생하는 혼란스러운 메시지들을 명확하게 하는 효과가 있다. 순환적 질문의 예로는, "엄마가 우울할 때 아빠는 무엇을 하고 계시니?" "아빠의 그런 행동을 마음에 들어 하지 않는 사람은 누구니?" "마음에 들지 않는다는 표현을 어떻게 하니?" 등이다.

관련어 | 순환질문

순환질문

[循環質問, circular questions]

개인과 연관되는 패턴을 이끌어 내기 위한 체계적인 질문기법. 개인심리학

순환질문은 내담자의 생활을 구조화하기 위해 그의 대인관계와 가족구성원 또는 대상인물들의 차이를 비교하면서 질문하는 것이다. 이러한 순환질문의 목표는 A가 B에 영향을 주고 그다음 B가 A에 영향을 준다는 식의 일방적인 인과성보다는 순환성을 알아내는 것이다. 예를 들어, "당신 말고 당신 아내의 우울에 대해 누가 더 많이 걱정을 하나요?" "당신이나 당신 딸 중에 누가 더 걱정을 많이 하나요?" "당신의 아내가 우울할 때, 당신은 어떻게 반응하나요?" "당신은 그녀의 반응에 어떻게 반응하나요?" "당신의 딸이 이것에 어떻게 반응하나요?" "당신은 딸의 반응에 어떻게 반응하나요?" 등으로 질문하면서 순환적인 관계와 상호작용을 파악하는 것이다. 아들러(Adler)는 1933년 자신의 면담일정에서 "형제자매가 몇 명이나 되나요?" "당신에 대한 그들의 태도는 어떠한가요?" "그들은 얼마나 잘 지내나요?" "그들은 어떤 질병이 있나요?" 등 순환질문의 유용성을 제안하였다.

관련어 | 순환적 질문

순회교육
[巡廻敎育, itinerant education]

장애아 교육 교원 및 장애아 교육 관련 서비스 담당 인력이 각 급 학교나 의료기관, 가정 또는 복지시설(장애인 복지시설, 아동 복지시설 등) 등에 있는 장애아 교육 대상자를 직접 방문하여 실시하는 교육. 특수아상담

순회교육은 1994년 「특수교육 진흥법」이 전면 개정되면서부터 법률에 명시되었다. 「장애인 등에 대한 특수교육법」에 따르면, 교육장 또는 교육감은 일반 학교에서 통합교육을 받고 있는 특수교육 대상자를 지원하기 위하여 일반 학교 및 특수교육 지원센터에 특수교육 교원 및 특수교육 관련 서비스 담당 인력을 배치하여 순회교육을 실시해야 한다. 교육감은 장애 정도가 심하여 장·단기의 결석이 불가피한 특수교육 대상자의 교육을 위하여 필요한 경우, 그리고 이동이나 운동기능의 심한 장애로 각 급 학교에서 교육을 받기 곤란하거나 불가능하여 복지시설·의료기관 또는 가정 등에 거주하는 특수교육 대상자의 교육을 위하여 필요한 경우 순회교육을 실시해야 한다. 순회교육은 가정 순회교육과 시설·병원 순회교육으로 크게 나눌 수 있다. 가정 순회교육은 유치원부터 고등학교에 이르기까지 의료적 혹은 정형외과적 장애 때문에 학교에 출석할 수 없는 장애 학생이나 병원에 입원할 상황이나 조건은 아니지만 가정에 장기적으로 머물러 있어야 하는 중도·중복장애 학생을 대상으로 교육이 이루어지는 형태를 말한다. 또한 심한 정서장애로 학교에 출석하지 못하고 가정에 있는 학생을 대상으로 이들이 보다 적절한 교육환경에 배치되거나 혹은 덜 제한적인 교육환경에 배치될 때까지 일시적으로 가정에서 교육을 받는 경우도 있다. 한편, 시설·병원 순회교육은 학령기 학생 중에 만성적이거나 의료적 및 정형외과적 장애 때문에 병원에 입원해 있는 동안 특수교육을 필요로 하는 대상 학생을 위한 교육형태로, 학교교육 프로그램에 출석하지 못하는 대상 학생에게 특수교육을 실시하는 데 그 목적이 있으며, 교수·학습 활동은 각 장애 학생의 개별화 교육계획에 명시된 목표와 활동을 보완하고 지속시키는 데 중점을 둔다. 학습 활동형태는 주로 개인지도 및 소집단으로 이루어지는데, 이는 장애 학생들로 하여금 입원해 있는 동안 각 대상 학생의 교육적 요구에 가장 적합하게 학습활동이 이루어지도록 하기 위해서다. 병원 순회 교사와 장애 학생 간의 밀접한 관계는 문제의 영역에서 치료적이고 집중적인 일대일 교수활동을 촉진한다. 교수활동은 유치원부터 고등학교 과정에 이르기까지 학교교육과정을 학생 개인의 요구에 맞게 수정하여 제공하며, 학년 수준과 교과영역에 따라 교사가 순회하며 지도한다.

관련어 | 통합교육

술어
[述語, predicate]

NLP의 전략으로서 형용사, 부사, 동사 등 사람이 어떤 상상체계의 사용을 드러내는 감각에 근거한 단어. NLP

감각적인 표상체계를 보여 주는 것으로서, 빈사(賓辭)라고도 부른다. 사람은 감각을 표현하는 언어를 사용해서 과거에 가졌던 경험을 되살리는데, 자신의 선호표상체계의 유형에 따라 자주 사용하는 술어의 종류가 있다. 즉, 시각적 선호표상체계를 가진 사람은 시각적인 술어를 자주 사용한다. 예를 들면, '보다, 푸르다, 차분한 모습이다, 그림 그리다, 풍경을 보다, 관점을 갖다'와 같은 술어를 많이 사용하는 경향이 있다고 할 수 있다. 마찬가지로 청각적 표상체계를 가진 사람은 '듣다, 목소리가 크다, 시끄럽다, 조율하다, 소리를 죽이다'와 같은 술어를 많이 사용한다. 결과적으로 사람들은 자신의 선호표상체계에 따라서 그에 해당하는 감각을 기준으로 술어를 자주 사용하는 것이다. 좋은 의사소통의 비결은 무엇을 이야기하는가가 아니라 어떻게 말을 하는가이며 내담자와의 라포를 형성하기 위해 상담자는

내담자의 술어에 일치시켜 말하는 것이 필요하다. 예를 들면, 시각적 표현을 자주 사용하는 내담자에게는 "○○씨 말하는 표정이나 모습을 보니 정말로 그렇게 생각하는 것처럼 보이네요."와 같은 식으로 시각적 표현을 활용하여 반응한다. 이러한 술어의 원리는 라포를 형성하거나 전략을 세우는 데 아주 유용하게 활용할 수 있다.

〈표상체계와 술어〉

V 시각	A 청각	K 신체감각	A 내부언어
보다	듣다	느낀다	생각한다
보이다	경청하다	촉감	학습
관점	소리 지르다	파악	결정
견해	화음이 맞다	따라잡다	고려하다
노출되다	귀를 의심하다	일깨우다	변화하다
확대하다	침묵	열다	인식하다
축소하다	귀가 먹다	예민하다	알다
편견	목소리가 크다	문지르다	의식하다
분명한	공언하다	피부에 와 닿다	회상하다
선명한	소음	실감	의문

숨겨진 관찰자
[-觀察者, hidden observer]

트랜스 상태에서 의식적으로 인식하지 못하는 일을 포함하여 일어나는 모든 일을 감시하는 심적 구조. 최면치료

신해리파(Neodissociation Approach)인 힐가드(Hillgard)의 관찰연구에서 밝혀진 것으로, 피최면자의 경험 전체를 관찰하고 있으나 최면에 걸린 사람들은 인식하지 못하는 마음의 일부를 말한다. 힐가드는 시각장애자에게 최면을 걸어 들을 수 없도록 한 뒤 이를 확인하였는데, 들을 수 있는 어떤 부분이 있다면 가리켜 보라는 지시에 피최면자의 손가락이 올라가는 모습에서 발견한 개념이다. 이는 주관적인 자기와 구별되는 것으로서 객관적인 제3자 입장에서 자기를 관찰하는 또 다른 자기라 할 수 있다. 힐가드는 이를 별도의 인지적 하위체계(separate cognitive subsystem)로 설명하였다.

관련어 | 최면, 트랜스

숨겨진 안건
[-案件, hidden agenda]

집단에서 표면적으로 제기되지 않고 개인 혹은 일부 집단구성원들만 알고 있는 관심사나 문제. 집단상담

집단 내에 숨겨진 안건이 있을 경우 그것에 마음이 쓰여 집단활동의 참여에 영향을 미칠 뿐 아니라, 전체적인 집단과정에도 지장을 초래할 수 있다. 숨겨진 안건에는 가정불화로 인한 개인적인 불만부터 탈락된 집단구성원 때문에 갖게 되는 집단에 대한 느낌에 이르기까지 다양한 성질의 것이 포함된다. 숨겨진 안건 때문에 집단활동이 제대로 진행되지 않을 정도로 심각하다면 상담자나 집단구성원 가운데 누구든지 이 사실을 표면화시켜 취급할 필요가 있다. 특히 상담자는 집단이 종결되는 시기에 해결되지 않은 안건에 대해 이야기를 나누도록 해야 한다. 물론 집단의 종결과 함께 집단구성원의 모든 문제가 완벽하게 해결되는 것은 현실적으로 거의 불가능하다. 그러나 집단에 가지고 온 문제를 완전히 해결하지 못한다 하더라도 그러한 상황이나 문제를 다루어서 제한된 시간 안에 최소한의 해결점이라도 찾고자 하는 노력을 기울여야 한다.

숨은 독자
[-讀者, implicit reader]

글쓴이가 머릿속에서 그리는 독자로서, 잠재 독자(潛在讀者)라고도 함. 문학치료(글쓰기치료)

숨은 독자라는 용어는 헌트(C. Hunt)가 아이저

(W. Iser)의 상상 속의 독자(implied reader), 라비노비츠(P. Rabinowitz)의 저자적 독자(authorial audience) 혹은 예정된 독자(intended reader) 등의 용어들을 종합해서 만든 것이다. 내면에서 어떤 독자가 글을 읽는지 상정(想定)하고 글쓰기를 하면 상상 속에서 그 독자와 상호작용이 일어나 다른 시각을 가진 존재와 교섭을 하면서 글을 쓰는 효과가 있다. 이때 글쓴이가 머릿속에서 그리는 독자를 숨은 독자 혹은 잠재 독자라고 하는 것이다. 글을 쓰는 과정에서 그 현장에 독자가 있다고 생각하고 쓰는 것은 어떤 글을 쓰는가, 글을 쓸 때 글쓴이가 자신을 어떻게 표현할 것인가 등에 영향을 미친다. 헌트가 말하는 숨은 독자는 글에 대한 어떤 비평이나 논평을 가하는 존재가 아니라 고요하게 아무 말 없이 침묵하는 것으로 가정된 독자다.

숲 속 거닐기 기법
[-技法, walking in the woods]

사이코드라마의 준비단계에서 사용하는 기법으로, 움직임을 통해서 집단 전체가 협동할 수 있는 활동. 사이코드라마

실시방법은 다음과 같다. 연출자는 먼저 환자들에게 숲 속을 걷는 상상을 하도록 한다. 그러고는 그중 한 사람에게 어떤 말을 하도록 한 다음, 나머지 사람들은 그 말에 따라 즉각적으로 행동해야 한다. 예를 들어, 한 사람이 "추워."라고 말하면 나머지 사람들은 그를 따뜻하게 해 주기 위하여 서로 깍지를 끼고 그를 에워싸는 것이다.

관련어 | 워밍업

숲 심상
[-心像, the forest]

KB 심상척도 중 하나로, 동굴심상과 함께 내담자가 드러내는 마음뿐만 아니라 내담자의 숨겨진 마음까지 파악할 수 있는 심상척도. 심상치료

숲 심상은 동굴심상과 더불어 내담자의 무의식적 세계를 파악하는 심상척도로서 내담자 마음세계가 지닌 음양적으로 상반된 기능을 파악하기 위한 심상이며, 숲 가장자리 심상, 숲가 심상, 숲 주변 심상이라고도 한다. 숲 심상은 초원심상 다음 단계에서 적용하며, 숲을 찾는 방법으로 심상을 체험하고, 융(Jung)이 말한 그림자가 드러날 수 있는 수준까지 이른다. 숲 심상을 통해서 내담자는 무의식 속에 담긴 마음을 체험할 수 있다. 따라서 내담자의 저항이 일어날 수도 있다. 숲 심상은 내담자의 과거경험 중 불안 및 공포를 조성한 과정을 파악하고 분석할 수 있는 심상척도이기 때문에, 내담자 마음이 어떻게 기능하고 있고 어떤 의미를 지니고 있는지를 정확하게 분석할 수 있는 단계다. 숲 심상에서는 심하게 억압된 정서 및 심리 방어기제의 내용이 노출된다. 따라서 치료자는 숲 심상을 통하여 특히 아동 및 청소년의 심리적 기능과 의미를 정확하게 분석할 수 있다. 아동 및 청소년은 자신이 체험한 심상 내용을 동화식으로 표현하기도 한다. 숲 심상체험에서 현실도피 및 방어, 비현실적 욕구표현, 유아기로의 퇴행욕구 등이 나타나기 때문이다. 6세 이하 아동에게서의 이야기식 심상체험은 정신발달의 정상적 기능을 의미한다. 다시 말해, 동화식 심상체험은 정상적인 6세 이하 아동에게 정신 및 심리 발달단계의 정상적인 특징으로 간주된다는 것이다. 그러나 6세 이상 아동 및 청소년의 동화식 심상체험은 비현실적 욕구 및 현실도피의 의미가 있으며, 그런 만큼 분석 작업의 대상이 된다.

관련어 | 심상척도

슈퍼의 진로발달이론
[-進路發達理論, Super's career development theory]

개인과 환경의 상호작용을 강조하고 전 생애 발달적 측면에서 개인의 진로발달을 설명하는 틀. 진로상담

슈퍼(1953)는 긴즈버그 등(Ginzberg et al., 1951)의 진로발달이론의 한계를 지적하고 뷜러(Büehler, 1933), 하비거스트(Havighurst, 1953), 호포크(Hoppock, 1935) 등의 진로선택 및 진로발달에 대한 견해를 종합하여 진로발달에서 통합적 이론을 구축하였다. 그의 이론은 직업적 자기개념을 강조하였고 신체적·정신적 성장, 일의 관찰, 일반적 환경, 경험 등에 의해 발달하고 자신과 타인과의 차이점 및 유사점들로 동화된다. 일에 관한 인식을 폭넓게 경험할수록 더 복잡하게 형성된다. 진로발달은 성장기(growth stage), 탐색기(exploration stage), 확립기(establishment stage), 유지기(maintenance stage), 쇠퇴기(decline stage)의 과정을 거치며, 전 생애적으로 발달한다고 보았다. 성장기는 출생 후 14~15세경까지를 말하며 자기개념과 연합된 역량, 태도, 흥미, 욕구를 발달시키는 시기다. 이때는 다시 환상(fantasy), 흥미(interest), 능력(capacity) 등의 발달과업을 수행해야 한다. 호기심을 가지고 직업에 대한 환상을 갖기 시작하여 성장하는 동안 주변인이나 외부환경을 탐색하여 일에 대한 정보를 얻고 자신을 이해하게 되어 직업에 대한 흥미를 보이는 시기다. 여러 가지 정보를 수집하여 미래계획의 중요성을 인식하고 현재의 행동이 미래의 결과를 가져온다는 것을 알게 됨으로써 환경에 대한 통제력과 의사결정능력 등의 중요성을 인식하게 되어 이러한 능력은 점차 향상된다. 탐색기는 대략 15~24세경을 말하며 직업선택이 좁혀지지만 결정되지 않은 잠정적인 시기로서 미래계획에 대한 주요한 진로발달과업을 수행해야 한다. 이 시기의 발달과업은 결정화(crystallization), 구체화(specification), 실행화(implementation) 등이다. 결정화는 자신이 원하는 하나의 직업계획을 정한 다음 어떻게 수행할 것인가를 고려하는 것이다. 원하는 선택에 관해 더 잘 인식하려는 목표를 가지고 적절한 정보를 찾는다. 즉, 자신과 직업을 보다 잘 이해한다면 자신이 선호하는 직업을 분명히 알게 되어 원하는 진로를 선택할 수 있다. 구체화는 개인이 더 구체적인 자원들과 선택에 영향을 미치는 변인에 대한 명확한 인식을 통해 직업설계를 확실히 하는 것이다. 실행화는 훈련을 마치고 그 직업에 진입함으로써 이루어진다. 확립기는 25~44세를 말하며 직접적인 작업경험으로 진로선택에 대한 확신을 지닌 채 직업에 대하여 만족하거나 적응해 나가는 시기다. 이 시기의 발달과업은 안정화(stabilization), 공고화(consolidation), 발전(advancing) 등이다. 안정화는 개인이 하나의 직업에서 확고히 자리를 잡고 직위에서 안정감을 느낄 때 도달하는 데 자신이 선택한 직업에 대한 능력, 기술, 흥미를 지니고 있는지를 확인하는 것이다. 공고화는 자신이 선택한 직업에 대하여 긍정적으로 평가하고 믿음을 갖는 것이다. 발전은 자신이 선택한 직업에서 보다 많은 임금과 책임, 그리고 높은 지위로 승진하는 것을 말한다. 이러한 과업을 수행하는 동안 자신이 선택한 직업에 대하여 다른 결정을 내릴 경우에는 다시 탐색기로 돌아가서 직업선택에 대한 결정화, 구체화, 실행화의 과업을 재수행해야 한다. 유지기는 45~64세를 말하며 선택한 직업에서 자신의 위치를 확고히 하고 지속적으로 적응해 나가는 시기다. 이 시기의 발달과업은 유지(holding), 갱신(updating), 혁신(innovating)이다. 자신이 선택한 직업의 수행수준을 유지하거나 새로운 기술이나 지식을 획득하여 자신의 능력을 갱신 또는 혁신적인 방법을 도입하여 진로쇄신을 이루어야 하는 것이다. 이러한 과업을 수행한 사람은 경험이 적거나 보다 어린 근로자의 멘토역할을 할 수 있다. 쇠퇴기는 65세 이상을 말하며 이 시기에는 은퇴를 하거나 은퇴를 고려하는데, 일의 효율이 감소한다. 이 시기의 과업은 은

퇴준비, 은퇴 이후 생활준비 등이다. 이러한 진로발달과정은 순환과 재순환이라는 개념으로 설명되는데, 앞에서 제시한 발달단계는 순차적으로 발달할 수도 있고 매우 유동적이기 때문에 연령에 따라 순차적인 단계를 거치는 것이 아니라 하나 또는 그 이상의 단계를 재순환할 수도 있다. 또한 슈퍼는 각 발달단계에서 발달과제를 적절히 수행하는 것을 진로성숙(career maturity)의 지표라 하였다. 진로성숙이란 계획성, 책임감의 수용, 선호직업의 다양한 측면에 대한 인식 등의 특성들로 나타나며, 이 개념은 직업성장과 관련된 역량과 바람직한 태도를 규명해 주며 사정의 규준이 된다. 그리고 청소년과 관련된 여섯 가지 발달차원을 제시하였다. 첫째, 직업선택 지향성은 개인이 궁극적으로 해야 하는 직업선택에 관심이 있는지 여부를 결정하는 하나의 태도 차원이다. 둘째, 정보와 계획은 장래의 진로결정과 과거에 달성했던 계획에 관해 개인이 가지고 있는 정보의 구체성에 관한 하나의 역량차원이다. 셋째, 직업선호의 일관성은 개인 선호도의 일관성이다. 넷째, 특질의 공고화는 자기개념을 형성하기 위한 개인적 진전과정이다. 다섯째, 직업적 독립성은 작업경험의 독립성이다. 여섯째, 직업선호의 분별력은 개인적 과제에 일치하는 현실적 선호를 형성하는 개인의 능력과 관련된 차원이다. 1990년대 초에 슈퍼는 아치모형을 만들어 전 생애에 걸쳐 경험하는 생애역할의 다양성을 설명하였다. 그 모형은 전기적이고 심리적이며 사회경제적 요소가 진로발달에 어떤 영향을 미치는지를 구체화시켜 주었다. 아치에서 하나의 기둥은 개개인과 그들의 심리적 특성을 나타내고 다른 하나는 경제적 자원, 공동체, 학교, 가족 등의 사회적 양상을 나타낸다. 개인이 기능하고 성장하면서 사회적 요인은 개인의 생물학적이고 심리적인 특성과 상호작용한다는 것이다. 생물학적 요인은 개인의 욕구, 지능, 가치, 적성, 흥미를 포함하고 지리적 요인은 가족, 학교, 동료집단, 노동시장 등을 말한다. 아치의 중심부는 사회적 세력과 개인적 세력을 경험한 사람이다. 이 이론은 직업적 성숙과정을 가장 체계적으로 기술하고 있으며, 미래의 발달심리학에 관한 연구주제를 안겨 주었다는 데 좋은 평가를 받고 있다. 그러나 제시한 개념들이 지나치게 광범위한 탓에 개념이 모호하여 경험적 결과를 얻기 어렵다는 한계가 있다.

관련어 | 생애진로발달, 진로발달이론, 진로성숙

스마트 회복
[-回復, SMART recovery]

훈련된 자원자의 도움으로 운영되는 단주 중심의 자조모임.
중독상담

1992년 앨버트 엘리스(Albert Ellis) 박사가 시작한 모임으로, 처음 명칭은 알코올 약물중독 자조연합(Alcohol and Drug Abuse Self-Help Network: ADASHN)이었다가 1994년에 스마트 회복이라는 명칭으로 변경었다. 'SMART'는 self management and recovery training의 약자로서, 중독에서 벗어나기 위한 동기부여와 인지행동치료를 기본 바탕으로 하고 있으며, 자기관리 및 회복훈련을 주목적으로 한다. 스마트 프로그램은 동기부여, 절박함의 조절, 문제해결, 삶의 조화라는 네 가지 영역을 강조한다. 단주를 돕기 위한 전문 자원봉사자들이 모임을 주선하여, 주로 신념 및 행동의 변화를 위한 구조화된 프로그램을 기반으로 하는 오프라인 모임이 이루어진다. 온라인으로 매일 만나는 모임도 있다. 또한 웹사이트의 온라인 보드와 채팅 룸을 통해서 스마트 모임에 대한 정보를 제공하고, 각종 중독으로부터의 회복을 지지한다. 미국의 스마트 회복 홈페이지는 www.smartrecovery.org이다.

관련어 | 알코올중독자 모임, 자조모임, 합리적 회복

스몰 트라우마
[-, small trauma]

개인의 삶에서 심리정서적인 고통을 지속적으로 주는 경험. 기타 가족치료

트라우마에는 두 종류가 있는데, 첫째는 빅 트라우마이고, 둘째는 스몰 트라우마다. 스몰 트라우마는 개인의 삶 속에서 자존감을 상실시키는 경험처럼 일상생활에서 자주 일어나는 사건을 말한다. 예를 들면, 상처받는 말을 듣거나 어린 시절 놀림을 받거나 실수를 하여 마음을 다친 것이다. 이러한 개인의 경험들은 자신에 대해 부정적이고 제한적인 믿음을 만들어 위축되고 불만족스러운 삶을 살아가도록 영향을 준다.

관련어 | 빅 트라우마, 외상

스벵갈리 효과
[-效果, Svengali effect]

최면사가 최면을 통해 피최면자를 악용할 수 있다는 오해. 최면치료

최면사가 최면상태에 있는 내담자를 나쁘게 이용할 수 있음을 말해 주는 개념으로, 최면 상태에서는 의식이 잠들기 때문에 피최면자는 아무것도 할 수 없고 최면사의 암시에 맹목적으로 응할 수밖에 없다는 오해를 뜻한다. 1894년에 듀 모리에(du Maurier)가 쓴 소설 『트릴비(Trilby)』가 베스트셀러가 되고, 이를 영화로 만든 '스벵갈리(1931)'에서 기원한 것인데, 주인공인 스벵갈리가 여성 주인공인 트릴비에게 최면을 걸어 범죄에 이용한다는 내용 때문에 일반인에게 '최면은 위험한 것'이라는 왜곡된 인상을 심어 주었다. 이는 영화나 텔레비전, 드라마 및 소설 등에서 최면을 묘사하는 전형적인 내용으로, 최면의 실상을 왜곡하는 대표적인 사례다. 실제 최면상태는 의식이 없어지는 것이 아니라 의식은 그대로 있으면서 무의식이 활성화되는 것이므로 자신의 말이나 행동, 심리적·신체적 반응을 의식할 수 있다. 게다가 내담자의 자발적 의지가 있어야 최면이 가능하다. 최면상태에서도 도덕관념에 반하는 행위를 암시로 지시하는 경우 내담자가 갈등이나 불편함을 느껴 최면에서 깨어나기 쉽기 때문에 최면을 범죄에 이용하기는 쉽지 않다. 그럼에도 불구하고 내담자가 암시에 응했다면 마음속에 이미 범죄적 성향이 있었다고 볼 수 있다.

관련어 | 최면

스위셔와 맷킨 시스템
[-, Swisher & Matkin system]

구어장애가 있는 유아를 대상으로 집단환경과 개인환경 내에서 효율적으로 언어습득에 도움을 주는 프로그램. 학습상담

1983년에 스위셔(Swisher)와 맷킨(Matkin)이 발달적 접근이론에 근거하여 개발한 프로그램이다. 실시대상은 2.5~5세 이내 아동이며, 정상적인 청각기능, 비언어성 지능은 생활연령의 1표준편차 내, 표현언어 기술과 수용언어 기술이 비언어적 지능수준을 기준으로 1표준편차 이하로 낮은 아동에게 효과적이다. 치료자는 아동과 부모·보호자와 함께하는 상황, 또래와 함께하는 상황, 임상치료자와 함께하는 상황에서 자발적으로 표현하는 언어를 표집하고 발화의 의미론, 구문론, 화용론적 측면에서 평가하고 분석한다. 그다음 분석한 자료를 토대로 언어치료목표를 설정하여 또래와 성인과의 언어적 상호작용을 촉진한다.

관련어 | 구어장애

스위트오렌지
[-, Sweet orange]

진정, 항우울, 방부성, 항경련, 구풍(驅風), 담즙분비 촉진, 소화기능 강화, 림프자극 등에 효과가 있는 과실로서, 콜럼버스가 신세계로 전하여 서인도 제도와 플로리다에서 재배했고 현재는 브라질, 이스라엘, 캘리포니아, 플로리다가 최대 생산지. 향기치료

스위트오렌지는 육즙이 풍부한 과실로 사철 혹은 반 사철나무나 관목의 여러 변종이 포함된다. 비터오렌지나무보다 다소 작고 무르며, 가시가 거의 없다. 또 과실은 작지만 달콤한 과육과 쓴맛이 나지 않는 막으로 되어 있다. 스위트오렌지 오일은 진정, 항우울 작용이 있어서 불안, 신경과민성, 불면증 치료에 사용하며 라벤더, 네롤리, 샌들우드 오일과 같은 릴랙싱 오일과 함께 사용이 가능하다. 또한 소화계 안정에 도움을 주고, 소화계의 발작을 막고 완화시키며, 소화기 경련을 없애 준다. 따라서 스위트오렌지 오일은 변비, 헛배부름, 그리고 장과민성치료에 효과적이다. 특히 향이 달콤하고 신선하여 아이들 치료에 자주 쓰인다. 또한 스위트오렌지 오일은 림프 흐름을 자극하는 데 효과적이어서 부은 조직의 치료를 돕고 셀룰라이트 처치에 사용한다.

스퀴글
[-, squiggle]

위니콧(Winnicott)이 제안한 난화 그리기의 한 유형으로, 상담자가 먼저 자유로운 선을 하나 그어 제시한 다음 내담자가 그 선을 단서로 난화를 그리고 이미지를 완성하는 미술치료기법. 미술치료

위니콧은 내담자와 친밀감과 신뢰감을 형성하고 치료를 놀이적 측면에서 다루기 위하여 이 기법을 제시하였다. 이는 상담을 하는 동안 상담자와 내담자가 서로 그림을 주고받는 활동이다. 준비물은 A4 용지와 연필, 색연필, 사인펜 등의 필기도구이고, 실시방법은 다음과 같다. 먼저, 용지에 상담자가 간단하고 무의미하며 마치 긁적인 듯한 선을 그린다. 그 용지를 내담자에게 제시하여 내담자가 그 선을 기반으로 자기 나름대로 자유롭게 그림을 완성하도록 한다. 그런 다음, 내담자가 먼저 빈 용지에 자유롭게 간단한 선을 그리고 상담자가 그 용지에 그려진 선을 기반으로 그림을 완성한다. 그림을 모두 그린 뒤에 각각의 그림에 대해서 서로 이야기를 나누거나, 여러 장의 그림을 하나의 이야기로 만들어 보는 것도 도움이 된다. 이 기법의 장점은 다음과 같다. 첫째, 상담자와 내담자 간에 친밀감과 신뢰감을 쌓을 수 있는 라포를 형성할 수 있다. 둘째, 놀이 형식으로 진행되기 때문에 내담자의 저항을 최소화할 수 있어서 내담자의 내면탐색이 가능하다. 셋째, 외부압력의 억압을 받고 있는 내담자에게 긴장을 이완시키는 효과가 있어서 상담자와 내담자의 의사소통을 촉진시킨다. 넷째, 이 활동을 통한 결과물은 아동 내담자의 부모가 아동의 상태를 이해하도록 돕는 근거자료로 쓰일 수 있다.

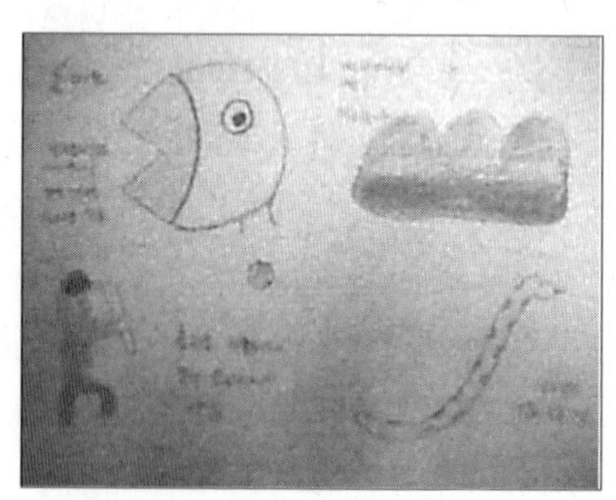

출처: http://cafe.daum.net/hangbokopen

관련어 난화 그리기, 대상관계이론, 자기심리학, 자기심리학적 미술치료

8개의 스퀴글 [八-, eight frame colored squiggle technique] **난화 그리기의 한 유형으로, 위니콧(Winnicott)의 스퀴글 기법을 확대하여 이**

스라엘의 스타인하르트(Steinhardt, 2006)가 개발한 미술치료기법이다. 준비물은 50×70센티미터의 흰색 용지와 45색 크레파스이고, 실시방법은 다음과 같다. 먼저 상담자는 용지를 접어서 8개의 칸을 만든 다음, 내담자에게 각각의 칸 안에 자유롭게 선을 그리게 한다. 칸을 사용하는 순서와 색 사용 방법에는 제한이 없다. 8개의 칸을 모두 그리지 못하고 남긴다면, 조심스럽게 최소한의 표현이라도 할 것을 권유한다. 그럼에도 불구하고 내담자가 그리려고 하지 않으면, 그것도 하나의 선택으로 받아들인다. 선을 다 그린 다음에는 이 선에서 어떤 이미지를 볼 수 있는지 찾아보고 그 이미지를 그림으로 완성하도록 한다. 다 그린 뒤에 다시 한 번 자신이 그린 그림을 보면서 강조하여 그리거나 추가적으로 그리고 싶은 것이 있으면 그리도록 한다. 그림을 완성하면 내담자에게 각각의 이미지에 제목을 붙이게 할 수도 있고, 각 이미지와 관련하여 떠오르는 이야기를 적으라고 할 수도 있다. 또 어느 작품이 가장 마음에 드는지, 선호순위가 어떠한지를 매기고 그 이유에 대해 이야기를 나눌 수 있다. 이 기법은 내담자가 부담을 느끼지 않고 순조롭게 진행될 경우 첫 회기에서 의미 있는 그림과 이야기로 이이질 수 있다. 8개의 공간은 상하와 좌우로 대칭을 이루고 있으므로, 짝을 이루는 주제로 양 극단을 표현하거나 내용이 연결되는 시리즈로서 변화와 다양함을 보이기도 한다. 스타인하르트는 8개의 그림 중에서 제작시간이 많이 소요된 그림은 그려진 이미지보다 의식적으로 중요한 것이고, 시간이 적게 소요된 이미지는 아직 준비가 되지 않은 문제, 부담스럽고 문제가 많은 주제, 혹은 무의식적으로 중요한 것으로 간주하였다.

스퀴글 게임
[-, squiggle drawing game: SDG]

난화 그리기의 한 유형으로, 한 사람이 어떤 형태의 선을 그리면, 상대방이 그에 더하여 그림을 완성하는 게임.

대상관계이론

가드너(Gardner)의 이야기하기(storytelling)와 위니콧(Winnicott)의 스퀴글 기법을 활용하여 클래먼(Claman)이 개발한 미술치료기법이다. 이는 특히 아동 내담자와의 의사소통을 증진시키고 상담자와 내담자 사이의 친밀감을 형성하는 데 도움을 준다. 준비물은 A4 용지, 연필, 지우개, 크레파스나 색연필 등이고, 실시방법은 다음과 같다. 먼저, 상담자가 내담자에게 A4 용지에 직선, 곡선, 지그재그, 원 등을 그려 준 다음, "그려진 것들을 이용하여 당신이 그리고 싶은 것을 무엇이든지 그려 보세요."라고 지시한다. 그렇게 난화를 완성하게 한 뒤에 그림의 내용과 그릴 때의 느낌을 이야기하도록 한다. 그림의 의미를 명확하게 하기 위하여 '무슨 일이 일어났는가?' '그것을 어떻게 느끼는가?' '그 전에 무슨 일이 일어났을까?' '이후 무슨 일이 일어날까?' 등의 질문을 한다. 다음으로 상담자는 내담자가 한 것과 동일한 방식으로 그림을 그리고 이야기를 만든다. 상담자는 작품의 성격, 작품의 주제와 형식적 특징, 이야기의 줄거리, 내담자의 태도를 관찰하여 내담자의 정서상태나 대인관계의 특성을 파악한다. 실시하는 데 유의사항은 내담자가 그림을 그리면서 하는 질문에, "원하는 대로 그려 주세요."라고 대답하고, 상담자가 그림을 그릴 때는 이전에 내담자가 그린 그림과 관련되는 것을 그리는 것이다.

관련어 | 스퀴글

스타
[−, star]

내담자(client) 혹은 IP(identified patient)를 지칭하는 사티어(Satir)의 용어. 경험적 가족치료

사티어는 자신의 가족치료이론에서 내담자를 가리킬 때 '스타'라는 용어를 사용하였다. 보통 내담자라는 표현에는 해결해야 할 문제를 가지고 도움을 청하러 온, 그래서 변화를 위한 처치가 필요한 사람이라는 의미가 담겨 있다. 그러나 사티어는 외부로부터의 조치나 처방이 진정한 내담자와 그 가족의 변화를 이끄는 것이 아니라, 내담자 스스로 가지고 있는 잠재적인 성장능력이 이미 있음을 믿고 치료자는 이러한 성장능력이 제 힘을 발휘할 수 있도록 자극하고 도와주는 역할을 해야 한다고 주장하였다. 따라서 내담자를 스타라고 표현함으로써 외부적인 개입이 필요한 내담자가 아니라 스스로 변화하고 성장할 수 있는 잠재력이 반짝이는 빛을 가지고 있는 존재임을 강조하였다.

스탬프
[−, stamp]

교류분석(TA) 이론에서 라켓 감정을 경험했을 때 이를 바로 표현하기보다는 나중에 사용하기 위해서 저장해 두는 것. 교류분석

스탬프는 '심리적 거래 스탬프(psychological trading stamp)'를 줄여서 사용하는 말이다. 1960년대 미국의 슈퍼마켓에서는 고객에게 스탬프를 주는 것이 유행이었는데, 당시 사람들이 구매한 물품에 따라 색깔이 다른 스탬프를 주었다. 사람들은 이 스탬프를 스탬프북에 모아 두곤 했고, 일정한 수의 스탬프를 모으면 다른 물건과 교환할 수 있었다. 어떤 사람은 스탬프를 조금 모아 작은 물건과 교환했고, 어떤 사람은 많이 모아 큰 물건과 교환하였다. 사람들이 심리적 거래 스탬프를 모을 때도 동일한 선택을 할 수 있다. 모아 두었던 스탬프를 사용하는 대상은 보통은 라켓 감정을 느끼게 했던 사람이 아니라, 그보다는 훨씬 덜 위협적인 대상이 되곤 한다. 사람들이 라켓 감정을 바로 사용하지 않고 스탬프로 모으는 이유를 번(Berne, 1964)은 자신의 각본 결말로 나아가기 위해서라고 설명하였다. 어떤 사람의 각본이 비극적인 것이라면, 그는 심각한 결말을 청산하기 위해 최대한 스탬프를 많이 모으려 노력한다. 예를 들면, 우울 스탬프를 여러 해 모아 두었다가 마지막에 자살과 바꿀 것이다. 패배자 각본을 가진 경영자라면, 몹시 시달리는 스탬프를 모아 두었다가 심장마비나 위궤양, 또는 고혈압과 바꿀지도 모른다. 평범한 각본을 가진 사람들은 스탬프를 조금씩 모았다가 가벼운 결말과 바꿀 것이다. 오해 스탬프를 모으는 여자는 몇 달에 한 번씩 남편과 크게 싸우는 데 사용할 것이다. 또 직장상사에 대한 분노 스탬프를 모으는 사람은 직장에서 사람들과 싸우는 데 사용하다가 해고를 당하기도 한다(Stewart & Joines, 2010).

스테나인 점수
[−點數, stanine score]

표준화 점수 가운데 하나를 나타냄. 심리검사

스테나인(stanine)은 'standard'와 'nine'의 합성어로 1~9까지 범위의 점수를 가지고 평균은 5점, 표준편차는 대략 2가 되고 인접된 점수 간 점수 차는 약 1/2이다. 제2차 세계 대전 중 미국 공군에서 개발하였는데, 스테나인 점수는 백분위 점수의 범위를 나타낸다. 원점수 분포에서 가장 점수가 낮은 4%의 사례에는 1점을, 다음 7%는 2점, 그다음 12%는 3점을 주는 식으로 부여된다. 따라서 대규모의 피검자를 개략적으로 분류하고자 할 때 많이 사용된다. 스테나인 점수는 정수 점수이고 계산이 간편하다는 장점이 있다. 반면, 단일 점수가 아닌 점수

의 범위를 나타내기 때문에 엄밀하지 못하며 사람들이 한 수치가 여러 원점수를 나타낸다는 것을 이해하지 못할 수도 있다.

스테레오 타입
[-, stereotype]

언어, 행동, 사고 등이 창의성이나 융통성 없이 경직되고 정형화되고 고정된 것. 개인상담

상담학에서는 다음의 두 가지 측면으로 해석이 가능하다. 하나는 인지적 측면으로서 고정관념으로 번역되며, 행동적 측면에서는 상동행동으로 번역된다. 고정관념은 사람, 사물, 장소에 대한 지나치게 단순하고 완고하면서 편견적인 고정된 이미지나 사고를 말한다. 예를 들면, 키가 작은 사람은 모두 나폴레옹처럼 권력에 대한 욕구가 있다거나 상담을 원하는 모든 사람이 정신적으로 병들었다는 생각을 들 수 있다. 고정관념이 있으면, 변화에는 비교적 둔감하고 자신이 의도하는 가설이나 관념에 도전하는 객관적인 자료를 쉽게 받아들이지 않는다. 이런 관념을 지니고 있는 사람은 외부세계를 위협적인 것으로 여기고 그 위협에 대처하기 위하여 자신의 고정관념을 고집하는 경향이 있다. 이 반응의 일부는 자아를 보호하기 위한 방어기제로 작동한다. 고정관념이때로는 공포증과 편집증 등으로 나타나는데, 이는 외부환경에 대한 보다 극단적인 병리적 반응의 일부로서 치료가 필요하다. 한편, 상동행동은 일정한 패턴을 반복하는 특이한 운동성 행동을 말한다. 이는 흔히 자폐증과 같은 발달장애 아동에게 나타난다. 예를 들면, 상반신을 전후로 계속 움직이기, 손을 계속 흔들기, 고개 끄덕이기 등이다. 정신의학자 캐너(Kanner)는 자폐아에게 주위 상황을 일정하게 유지하려고 하는 강박적인 요구의 존재를 강하게 주장했는데, 자폐아는 각종 다양한 자극에 직면하면 수용하지 못하고 곤혹스러워하며 불쾌함을 느낀다. 그 결과 각종 다양한 자극을 피하게 되고 단조로운 자극에 즐거움을 느끼기 때문에 그 자극이나 행동을 반복한다고 주장하였다.

스토리텔링
[-, storytelling]

즉흥적으로 혹은 윤색 과정을 거쳐 낱말, 이미지, 소리 등을 사용해서 가능한 한 생생한 방법으로 사건을 다른 사람에게 전달하는 작업. 문학치료

스토리텔링은 간단히 말하면 이야기하기다. 이야기는 오락, 교육, 문화보존 등의 수단으로, 도덕적 가치관 주입을 위해서 모든 문화권에서 쓰이는 매체이며 스토리텔링은 이런 이야기를 전달하는 과정을 말한다. 이야기를 하면서 상황에 따라 꾸미기를 할 수도 있다. 이야기는 내러티브와 혼용되기도 하며 서로 나누면서 그 안에 담긴 도덕적 가치관이 배도록 하는 것이다. 이야기나 스토리텔링에는 구성, 등장인물, 시점 혹은 서사적 관점 등이 포함되어야 한다. 초기 스토리텔링의 형태는 주로 몸짓과 표현을 섞은 구전의 형식을 띠고 있다. 종교의식의 일부뿐만 아니라 동굴의 원시벽화도 많은 고대 문화의 초기 스토리텔링 형식이 될 수 있다. 호주의 원주민들은 동굴벽화에 이야기의 상징을 그려 두고 이야기꾼이 이야기를 기억할 수 있는 수단으로 삼기도 하였다. 이후 이야기는 구전 서사, 음악, 록 아트(rock-art), 무용 등과 함께 사용되었다고 전해진다. 모래, 나뭇잎, 나무에 새긴 조각과 같은 일회적 매개체도 그림과 글쓰기에서 이야기를 기록하기 위해 사용되기도 하였다. 문자의 시대가 도래하면서 이야기는 기록이 되었고, 그 형태가 고정되었다. 현대는 디지털 시대가 되면서 이야기는 영화나 그 외의 많은 미디어로 새로운 기록의 형태를 가지게 되었다. 원래 구전이 되던 이야기는 기억에 의존하여 세대 간 전승이 되었기 때문에 적층성, 가변성, 집단

창작 등의 성격을 가지고 있었는데, 현대는 문자와 방송매체 등으로 기록, 전승되면서 지역과 시간의 제한을 넘어서고 있다. 스토리텔링은 어떤 사람이 다른 사람에게 무엇을 말해 주는 것이고, 그 이야기는 실화일 수도 있고 꾸며진 것일 수도 있으며, 일상적 대화가 되는 경우도 많다. 원래 스토리텔링은 민속예술 중 하나이며, 처음에는 하루가 다시 시작됨을 찬양하고, 살아 있는 기쁨을 표현하고, 지루하고 따분한 노동의 부담을 줄이기 위한 단순한 노래로 시작되었다. 이후 이야기꾼들이 시, 음악, 무용 등을 이야기에 섞어 공동체의 연예인 같은 역할뿐만 아니라 그 집단의 역사가 역할까지 맡게 되었다. 이렇게 전문 이야기꾼이 탄생하였다. 중세에는 스토리텔링이 이 나라 저 나라를 떠돌아다니는 음유시인들의 여행으로 범위가 더 확대되었다. 이들은 소식을 모으고, 좋은 이야기를 전달하고, 각 지역에서 유명한 것들을 잘 아는 존재가 되어 기대를 한몸에 받았다. 그러다가 문자와 인쇄술로 이들의 역할은 퇴로를 걷게 되었다. 최근에도 미국이나 캐나다를 여행하는 이야기꾼이 있다. 스토리텔링 회합 및 축제는 여러 지역의 관객들을 모은다. 오늘날 공식적인 스토리텔링에서는 이야기꾼이 관객들에게 들려줄 이야기를 준비한다. 어떤 이야기꾼은 자기 상상으로 이야기를 하기도 하고, 또 어떤 이야기꾼은 책이나 다른 이야기꾼의 이야기를 모으거나 응용하기도 한다. 신화, 서사시, 전설, 우화 등 민간전승 이야기들이 여전히 사랑을 받고 있다. 이를 바탕으로 상담 및 심리치료에서 내담자가 이야기를 만들거나 듣는 것으로서 치료적으로 다양하게 사용한다. 이때는 민담과 같은 민간전승의 이야기를 매개체로 사용하기도 하고, 내담자 자신의 현실에 기반을 둔 이야기를 할 수도 있으며, 내담자의 상상에서 나온 판타지를 말할 수도 있는데, 여러 형식의 이야기를 통해서 자기 문제를 외현화하는 치료적 측면을 발견할 수 있다. 이야기가 갈등해소기능을 가지고 있다는 말이다. 한국디지털스토리텔링학회에서는 스토리텔링을 사건에 대한 진술이 지배적인 담화양식으로 사건진술의 내용을 스토리라고 하고 사건진술의 형식을 담화라고 할 때 스토리텔링은 스토리, 담화, 이야기가 담화로 변하는 과정의 세 가지 의미를 모두 포괄하는 개념이라고 정의하였다. 이러한 개념은 특히 영화나 애니메이션의 스토리텔링 과정을 중심으로 두고 있다. 문학콘텐츠를 재미있고 생생한 이야기로 풀어 설득력 있게 전달하는 행위의 총체라고도 본다. 여기서 스토리텔링은 주로 문화 원형을 이용하여 콘텐츠를 만드는 과정에서 이루어진다. 교육분야에서는 미국영어교사위원회(National Council of Teachers of English)에서 스토리텔링을 음성(voice)과 행위(gesture)를 통해 청자들에게 이야기를 전달하는 것이라고 정의하였다. 대개 이야기꾼(storyteller)은 이야기를 하는 사람과 이야기를 듣고 상상력을 발휘하는 청자 간의 상호작용적인 과정이라고 한다. 구연동화처럼 어떤 이야기를 품고 있는 화자가 음성과 소품을 이용하여 구연, 행위 등으로 청자에게 들려주는 것도 스토리텔링이다. 이때 청자는 화자와 함께 호흡하며 추임새나 이야기의 속도조절 등 직접적인 참여가 가능하다. 이 개념들을 종합해서 보면, 스토리텔링은 스토리를 청자에게 전달하는 단계와 특정 정보나 지식을 이야기 형식으로 독자에게 전달하는 단계로 나눌 수 있다. 전자는 영화, 애니메이션, 게임 등 이야기를 기본으로 하는 스토리텔링 방법이며, 후자는 지식이나 정보를 대상으로 하는 스토리텔링 방법이다. 여기서 스토리와 정보, 지식을 총체적인 의미의 이야기로 묶을 수 있으므로, 원형이 되는 어떤 이야기를 다른 사람에게 전달하는 담화방식, 또는 담화과정이 스토리텔링의 개념이 된다. 스토리텔링이 치료에 접목된 것은 1990년대로 볼 수 있다. 이야기는 내담자의 개인사를 담고 있기 때문에 내담자의 정보를 얻을 수 있는 가장 좋은 수단이다. 이야기에서 내담자의 고통을 일으키는 특별한 행동패턴이나 감정구조를 쉽게 알 수 있는 것이다. 그것은 항상 지배적 이야기(dominant story)로 남는 경우가 많기 때문이다. 이 같은 지배적인 이야기 구조는 외상이나 기억, 삶의 패턴을 간직하고 있기 때문에 이야기로 진단도 가능하고, 이야기를 수정하면서 내담자의 삶을 재구성해 보도록 할 수 있다. 리쾨르(Ricoeur)에 따르면 사람은 자신의 행위를 말하고, 사람은 언어와 관계한다. 즉, 사람은 어떤 것에 관하여 사람과 말한다. 그리고 언어는 창조성을 가지고 있다. 언어의 창조성은 세계를 새롭게 해석할 수 있도록 한다. 이는 새로운 존재의 발견을 뜻한다. 언어 속에서 잃어버린 것을 새롭게 발견할 수 있다는 말이다. 이런 언어와 사람의 관계성, 언어의 창조성을 철학적 기반으로 해서 새로운 현실의 발견적 서술이 가능하고, 현실에 대한 재서술을 이야기가 담당하기 때문에 스토리텔링은 치료적 효과를 발휘할 수 있다. 인간은 이야기 담론에 근거해서 행위가 새롭게 서술되고, 이야기와 더불어 현실의 해석학적 변형을 체험할 수 있기 때문이다. 이 같은 스토리텔링을 치료의 장에서 즐겨 썼던 사람은 밀턴 에릭슨(Milton Erickson)이다. 스토리텔링은 내담자의 삶과 환경에 대한 통제감각을 도와주는 심적 기제다. 또한 내담자의 문제와 관련된 소설과 같은 이야기를 내담자의 문제와 유사한 방식으로 전개시키고, 결말에서 해결을 도출해 내는 의도된 이야기들이다. 이야기는 내담자를 가르치고 내담자에게 정보를 제공하고, 새로운 참조의 틀로 상황을 볼 수 있도록 해 준다. 게다가 내담자는 이야기를 들으면서 몰입상태를 발달시키고, 내적 경험이나 학습으로 얻을 수 있는 변화에 대한 의식적인 지각이나 이해가 없어도 중요하고 심오한 변화를 구체화시킬 수 있다. 에릭슨이 사용한 스토리텔링은 목적이 다양한데, 상담자와 상담자의 이야기를 듣는 내담자를 자연스럽게 연결해 주고, 이야기라는 안전장치를 써서 위협적이지 않은 방법으로 문제해결을 용이하게 하였다. 내담자에게 적합한 이해와 행동에 대한 다양한 예시를 이야기를 통해 보여 줄 수 있다. 이야기는 전하고자 하는 메시지를 가장 안전하게 전달하는 매체가 된다. 역사적 · 문화적 배경을 가지고 인간에게 많은 배움을 준다는 것을 전제로 할 때, 이야기는 새로운 정보를 주는 무한한 보고가 된다. 상담자는 이런 정보를 제시하고, 내담자는 이야기를 들으면서 자신의 내적 변화를 위해서 이야기에서 배운 새로운 정보를 활용하는 재생산의 길로 들어선다. 이때 스토리텔링은 내담자 문제와 유사한 구조 만들기, 내담자의 갈등과 유사한 은유적 갈등 제시, 내담자의 현실을 고려한 해결책 제시 등의 기본 구조를 가지고, 때에 따라서는 내담자의 변화를 촉진하는 도구를 활용할 수도 있다.

관련어 | 내러티브

스톡홀름 증후군
[-症候群, Stockholm syndrome]

인질이 납치나 강도를 당했을 때 범인과 장기간 함께 지내면서 범인에게 연민을 느끼고 동조하게 되는 심리적 현상.

정신병리

1973년 스웨덴의 수도 스톡홀름에서 발생한 은행강도사건에서 오랜 시간 동안 인질로 잡혀 있던 한 여성이 강도범을 사랑하게 되어 약혼자와 파혼하고 교도소에 수감된 그 강도범을 성실하게 기다린 사건에서 유래한 정신과적 용어다. 보통 강간범과 희생자, 괴롭히는 자와 괴롭힘을 당하는 자, 포획자와 포로, 또는 테러범과 인질 간에 발달하는 정서적 교감이나 심리적 의존성을 뜻한다. 인질이 구속상태에서 경험하는 강력한 공포와 스트레스 및 의존적 관계의 결과로 인해 오히려 범인에게 호감을 갖게 되거나 정서적으로 집착하게 되는 현상이다. 인질강도사건과 같은 극단적인 상황에 처했을 경우, 인질은 처음의 두려움이나 공포감과 달리 범인과 같이 있는 동안 차츰 그들에게 온정을 느끼게 되고 오히려 자신을 구출하려는 측에 반감을 가질 수 있다. 인질로 잡힌 극단적인 상황에서 인질은 자신의 생사를 쥐고 있는 강자인 범인에게 감화되어 범인을 지지하고 경찰을 적대시하는 행동을 나타낸다. 이와 반대되는 현상으로 리마 증후군(Lima syndrome)이 있는데, 범인이 인질에게 동화되는 심리적 현상을 일컫는다. 이는 1997년 페루 리마에서 반정부 요원들이 인질과 함께 지내면서 인질에게 동화되어 공격적인 태도가 완화되었던 현상에서 유래한다.

스톱-스타트 기법
[-技法, stop start technique]

남성의 조루증 치료를 위해서 1970년대 매스터스와 존슨(Masters & Johnson)이 개발한 방법. 성상담

스톱-스타트 기법은 성치료기법 중 하나로 음경에 자극을 가하여 발기하게 한 다음 사정 직전 자극을 멈추고 사정을 억제하는 훈련방법으로, 지금까지 남성의 조루증 치료에 가장 효과적인 방법으로 주목받고 있다. 조루증의 치료목표는 환자가 원하는 시기에 사정할 수 있도록 도와주는 것이다. 사정을 조절하기 위해 환자는 사정이 이루어지는 절정감 직전의 강한 성적 흥분과 성기의 감각을 자극할 수 있어야 한다. 또한 사정을 지연할 수 있는 기술과 인내력을 함양해야 하는데, 스톱-스타트 기법으로 연습할 수 있다. 하지만 이는 남성에게만 적용하는 성치료기법으로서, 이 방법으로 여성이 오르가슴에 이를 수는 없고, 단지 남성의 사정시간을 늦추는 방법일 뿐이다. 이 방법의 문제점으로는 남성이 계속해서 머릿속에서 자신의 사정에 초점을 두고 있어야 한다는 것이다. 스톱-스타트 기법은 특별한 기술 없이 약간의 훈련만 받으면 누구나 실행할 수 있다. 핵심은 신체 전반 감각에 집중하고, 호흡을 정확하게 하면서 성교 전과 성교 시에 이완 및 명상하는 방법을 배우고, 사정할 때 사용하는 근육을 통제하는 능력을 키우는 훈련을 하고, 자신의 신체에서 사정반응이 향상되고 있음을 파악하고, 정신적 통제능력과 조건화가 향상되도록 학습하는 것이다. 처음 이 방법이 개발되었을 당시는 성기에만 국한되어 사용했지만, 현대에 와서는 전신의 감각에 집중하여 본인뿐만 아니라 성적 상대자의 만족에도 기여할 수 있는 방법이 모색되고 있다.

스트랜즈
[-, strands]

본래는 의복 등의 소재가 되는 꼰 실을 의미하지만, 로저스(C. Rogers)가 내담자중심 상담에 의해 인격적으로 변화해 가는 모양을 이론적으로 설명하는 데 사용한 개념(구성개념)의 하나. 인간중심상담

로저스는 옛날부터 관습적으로 사용해 온 개념인 요인(factor)이라는 말 대신에 스트랜즈를 사용하였다. 그는 내담자의 변화과정을 연속적인 것으로 생각했는데, 내담자가 부적응을 일으키고 상담자가 관여하기 시작할 때는 내담자의 견해나 사고방식, 느낌이 한 가닥 한 가닥의 실(스트랜즈)처럼 제각각이지만 상담이 점차 추진되면서 그 실이 합쳐져서 한 가닥의 굵고 억센 실로 정리되어 가는 것과 같은 이미지에서 스트랜즈라는 말을 사용하였다. 상담과정에서 한 가닥 한 가닥의 실에 해당하는 요소는 감정과 개인적 의미부여(feeling and personal meanings), 체험과정의 양식(manner of experiencing), 불일치의 정도(degree of incongruence), 자기전달(communication), 개인적 구성개념(personal constructs), 문제와의 관계(relationship to problems), 대인관계의 양식(manner of relating to others)의 7가지 현상적 측면이다. 상담이 진행되면서 표출되거나 인정되지 않던 '감정과 개인적 의미부여'가 증대되고 충분히 체험되게 되고, 체험의 과정에 잘 머무르게 되며, 알아차리지 못하던 '불일치'를 인식하고, 나아가 불일치의 시간이 일시적으로 짧아지게

되고, '자기를 전달'하는 의사소통을 원활하게 하게 되며, 자신의 체험에 비추어 유연하고 능동적인 방식으로 '개인적 구성개념'을 검토하게 되고, 문제를 변화시킬 욕구가 없던 상태에서 문제를 자신의 입장에서 주체적으로 바라보고 책임을 지는 태도로 문제와 더불어 나아가고자 하며, 너무 가까운 관계를 위험하게 여기고 회피하는 자세는 개방적이고 자유롭게 관계를 맺어 나가는 방식으로 변화된다. 이것이 곧 스트랜즈다.

스트레스
[-, stress]

한 체계를 과부화된 상태로 점점 악화시킴에 따라 전체 체계를 붕괴시키는 내 · 외적인 위협. 정신병리

라틴어는 'stringer' 혹은 'strictus'에서 유래했으며 '팽팽하게 하다'는 의미다. 1920년대 셀리에(H. Selye)가 학문적인 연구주제로 강조하기 시작한 스트레스는 인간의 삶의 모든 영역에 존재하기 때문에 누구도 완벽하게 피할 수 없다. 스트레스는 개인이 적응해 가야 할 어떤 변화를 의미하기도 한다. 스트레스의 개념은 매우 포괄적이지만 일반적으로, '자극으로서의 스트레스'와 '반응으로서의 스트레스,' 그리고 '개인과 환경 간의 역동적인 상호작용으로서의 스트레스'라는 세 가지 모델로 설명될 수 있다. 자극으로서의 스트레스 모델은 개인에게 가해지는 다양한 자극을 스트레스로 규정한다. 개인의 신체적 · 심리적 안녕을 위협하는 환경적 자극이나 조건을 밝히는 데 초점을 둔다. 스트레스를 유발하는 자극인 스트레스원(stressor)은 전쟁과 테러, 질병, 지진 혹은 홍수와 같은 재해부터 실직, 이혼, 사별과 같은 중요 생활사건, 그리고 교통체증이나 높은 기온과 같은 일상의 사소하고 성가신 일에 이르기까지 다양하다. 반응으로서의 스트레스 모델에서는 개인이 변화와 적응을 요구하는 사건이나 상황에 직면하면 신체는 이에 적응하기 위해 가능한 자원을 동원하여 반응한다고 본다. 이때 이러한 반응을 스트레스로 간주한다. 유기체가 경험하는 신체적 적응반응, 스트레스 및 신체적 질병과의 관계를 밝히는 데 초점을 둔다. 스트레스를 받으면 인지적 · 감정적 · 신체적 반응을 나타내고 이에 대처하고자 한다. 대응전략과 방어기제가 동원된다. 신체적으로는 스트레스에 대처하기 위해 신경계를 각성시키고 이어 근육계, 심혈관계, 내분비계를 활성화한다. 심리적으로도 인지작용과 정서작용이 활성화된다. 이로 인해 고도로 분화된 합성적 행동(synthetic behavior)이 나타나며, 이러한 반응양식은 학습경험에 따라 개인별로 다양하다. 스트레스와 그에 대한 반응으로 나타나는 정서적 흥분이 증가하면 유전적 혹은 체질적으로 취약한 개인은 흥분된 감정을 스스로 통제하지 못해 와해되거나 조종력을 상실할 수도 있다. 스트레스 상황에 직면하면 유기체는 스스로 자신을 방어하기 위해 사태에 적응하여 평형상태를 유지하고자 하는데, 이러한 노력이 실패하면 탈진상태, 즉 부적응 상태에 빠진다. 스트레스를 감당할 수 없으면 압도되고, 무기력해지며, 공황상태에 빠지고, 나아가 신경증과 심인성장애가 나타날 수 있다. 부적응 상태가 장기화되고 심각해지면 약물남용에 빠지거나 성격장애 혹은 기타 여러 정신병적 장애가 나타난다. 한편, 상호작용으로서의 스트레스 모델에서는 환경 내의 자극 특성뿐만 아니라 그에 대한 반응자의 지각, 인지 및 대처능력 등의 개인특성을 모두 강조한다. 스트레스는 개인이나 환경 중 어느 한쪽 측면에서만 이해될 수 없으며 이 둘 간의 역동적인 상호작용에 따라 결정된다고 본다. 오늘날 가장 많은 지지를 받고 있는 모델이며 스트레스에 대한 개인의 해석과 평가를 강조하는 관점을 지니고 있다. 스트레스 사건 자체보다는 그 사건에 대한 개인의 주관적인 해석과 스트레스에 대한 대처를 더 중요시한다. 생활사건이 스트레스를 유발하기보다는 스트레스 상황에 대한 개인의 인지적

평가와 그에 대한 대처양식에 따라 스트레스 정도가 달라진다고 본다.

관련어 | 스트레스면역훈련, 스트레스 통제

스트레스 통제
[-統制, stress control]

직장 내 심신의 건강 관리를 위한 종합적 대책. 심상치료

심상치료에서 쓰이는 스트레스 통제라는 용어는 직장 내에서 일어나는 업무 및 대인 관련 심신의 스트레스에서 비롯되는 건강문제를 관리하기 위한 종합적 대책을 일컫는다. 여기에는 자기통제와 집단통제의 두 측면이 있다. 좁은 의미의 스트레스 통제법에는 스트레스가 정동성(情動性)과 자율신경, 내분비 반응계를 매개로 하여 심신을 손상시키는 것을 저지하는 제지법이 포함된다. 예를 들면, 자율 훈련법(AT), 이완(relaxation), 바이오피드백(BF), 프로트갑셀법(액체에 부양하여 이완시키는 법) 등이며, 요가나 선, 명상도 해당된다. 조직에서의 스트레스 통제는 먼저 스트레스 평가(코넬 건강지수, 기타 심리검사, 체크리스트도 유익하다)를 시작으로, 자기통제법의 학습, 시간의 사용방법이나 인생관, 일의 속도 등의 연구, 대인관계 스트레스를 피하기 위한 마음가짐의 훈련, 즉 교류분석(TA), 주장훈련법, 사이코드라마 등이 있다. 여기서 상담자는 상담을 통하여 내담자의 고민을 들어 주고 스트레스를 벗어나는 방법에 대한 조언을 하며, 직장 스트레스 통제체제의 주요 인물(key person)로서의 역할을 수행해야 한다.

스트레스면역훈련
[-免疫訓練, stress inoculation training: SIT]

스트레스에 대한 저항능력 혹은 내성을 기르기 위해서 내담자를 인지적으로 훈련시켜 스스로 자신의 문제를 다루는 기술을 습득하도록 하는 방법. 심상치료

스트레스면역훈련은 스트레스에 대한 내성을 기르는 훈련으로, 마이켄바움(Meichenbaum)이 체계화한 방법이다. 이는 상처를 반복해서 받게 되는 스트레스 상황 속에서 그 상황을 극복할 수 있는 방법으로, 전략을 습득하여 예방을 할 수 있도록 고안된 것이다. 다시 말해, 이미 스트레스 상황이 발생한 상태에서는 스트레스 감소를 위한 전략을 사용하지만 스트레스면역훈련은 스트레스 상황이 발생하기 전에 전략을 습득하는 것으로서 스트레스가 가득한 상황에 직면하더라도 이를 극복할 수 있는 힘을 기르는 과정이라 할 수 있다. 면역이란 말은 신체 외부에서 신체 내부로 침입하는 항원에 저항하여 병에 걸리지 않도록 하는 능력을 말한다. 이 개념에 따라 스트레스를 항원으로 보고 만든 것이 스트레스면역훈련이다. 자기교수훈련을 개발한 마이켄바움은 사전에 이러한 대처기술을 습득하도록 하여 스트레스를 유발하는 사건과 맞닥트렸을 때 이에 효과적으로 대처할 수 있도록 스트레스면역훈련의 단계를 체계화하였다. 이는 정보과정인 개념화, 연습과정인 대처기술 획득, 사용과정인 적용의 3단계로 구성되어 있다. 제1단계 정보과정으로서의 개념화에서는 내담자의 문제를 분석하여 스트레스 발생 시 수용 가능한 모델을 구축한다. 이 단계에서는 내담자가 스트레스에 처했을 때의 반응, 분노, 불안과 같은 정서적 상태를 정확하게 알 수 있도록 하는 것이 목표다. 스트레스와 이로 인한 부정적 정서에서 내담자의 사고가 어떻게 흔들리는지를 이해하여 스트레스가 발생했을 때 나타나는 불안 및 스트레스 암시자극 등에 대한 민감성을 높이고, 이를 조기에 인식하고 대안적인 반응을 할 수 있도록 준비한다.

제2단계에서는 연습과정을 통해서 대처기술을 획득하도록 한다. 이 단계에서는 불안과 스트레스에 대한 반응을 조절할 수 있는 여러 가지 가능성을 살펴본다. 1단계에서 수집한 정보를 기반으로 하여 극복반응, 이완훈련, 문제해결기술, 접근행동연습 등을 학습한다. 이때 마이켄바움의 인지극복기제가 사용된다. 여기서는 스트레스 요인 준비, 스트레스 요인과의 만남, 극복의 느낌 연습, 자기강화의 세부 네 단계로 진행된다. 1, 2단계를 거치고 나면 제3단계에서는 사용단계로서 직접 적용해 본다. 내담자는 스트레스면역훈련의 단계를 거치면서 획득한 극복성취 능력을 실제 스트레스 유발 상황에서 시험한다. 이 적용 단계에서는 실제 상황이 닥쳤을 때를 대비하여 앞서 면역화 훈련을 했다는 가정하에 실행되는 것이다. 3단계의 목표는 실제 문제상황을 만났을 때 확실하게 실현될 수 있는 유동성을 가능케 하는 데 있다. 스트레스면역훈련은 스트레스 상황을 내담자가 직접 통제할 수 있는 능력을 지닐 수 있도록 하기 위해서 개발된 것이지만, 이외에도 행동의학이나 경찰, 소방관 등 극심한 스트레스 상황에 자주 노출되는 집단에서 예방책으로도 많이 활용된다.

스트레스반응
[-反應, stress reaction]

스트레스 자극에 직면했을 때 나타나는 생리적 · 심리적 반응 양상. 정신병리

스트레스원과 같은 긴박한 위협에 처했을 때 유기체가 나타내는 반응은 신체적 반응과 심리적 반응으로 구분된다. 캐넌(W. Cannon)은 스트레스반응을 위협적인 자극에 대한 생리적 각성상태를 투쟁 혹은 도피 반응(fight-flight response)이라고 하였다. 투쟁 혹은 도피 반응은 유기체가 위협을 당할 때 교감신경계가 활성화되어 외부의 위협에 대응하여 싸우거나 도망가는 행동을 취할 수 있도록 준비시킨다. 따라서 스트레스반응은 유기체의 생존을 보호하려는 진화의 산물이다. 예를 들어, 맹수가 앞에서 노려보고 있다면 맹수에 맞서 싸우거나 민첩하게 도망감으로써 생명을 보존할 수 있도록 생리적 각성이 증가된다. 이와 같은 스트레스에 대한 투쟁 혹은 도피 반응은 스트레스 평가, 시상하부의 자극, 교감신경의 활성화 순서로 진행된다. 유해한 것으로 평가되는 자극들은 자동적으로 투쟁 혹은 도피 반응을 유발한다. 동시에 이러한 자극은 정서적으로도 부정적인 감정을 불러일으킨다. 어떤 자극이 위협적인 것으로 지각되고 판단되면 이를 스트레스로 지각하게 되고, 그 결과 뇌의 시상하부가 자극된다. 시상하부는 뇌하수체로 하여금 스트레스에 대항하여 싸우는 부신피질자극호르몬(adrenocorticotropic hormone: ACTH)을 분비하도록 한다. 부신은 코르티솔호르몬(cortisol hormone)을 분비하여 근육이 사용할 에너지를 만들기 위해 혈당을 증가시킨다. 이와 동시에 자율신경계의 교감신경이 활성화된다. 이 모든 신체적 반응은 위협에 반응하기 위해 준비하는 과정으로 볼 수 있다. 1930년대부터 캐나다 의사인 셀리에(H. Selye)는 심각한 스트레스적 위협이 개인의 안녕감(well-being)에 미치는 생리적 영향을 연구하였다. 매우 다양한 스트레스원이 유사한 생리적 변화를 초래한다는 점에 주목한 셀리에는 이러한 생리적 반응을 일반적 적응 증후군(general adaptation syndrome: GAS)이라고 불렀다. 일반적 적응 증후군은 경고단계, 저항단계, 소진단계로 진행된다. 경고단계는 스트레스에 대한 초기반응으로, 신체는 위협에 반응하기 위해 자원을 신속하게 동원한다. 필요한 에너지를 얻기 위해 신체는 저장된 지방과 근육을 사용하며, 심리신체 증상은 유발되지 않는다. 저항단계에서는 유기체가 스트레스원에 대처하는 동안 신체적 각성수준이 증가한다. 지방과 근육 자원을 지속적으로 사용하기 때문에 소화, 성장, 성적 충동과 같은 불필요한 과정

이 중단된다. 월경이 중단되거나 정자생산이 감소한다. 이것은 유기체가 스트레스에 장기간 노출될 때 지속적으로 신경계와 내분비계의 변화를 야기하면서 나름대로 스트레스에 대응하는 기제다. 소진 단계에서는 신체의 저항이 붕괴된다. 스트레스가 해소되지 못하고 지속되는 경우에는 결국 신체적 손상을 발생시킨다. 개인이 보유하고 있는 자원은 고갈되고 스트레스에 대한 적응 반응이 매우 약해진다. 신체의 면역체계가 약해져서 감기, 위통, 알레르기, 근육통 등 심리신체증상이 나타난다. 한편, 통제 불가능하다고 지각된 스트레스원에 직면하면 마음은 신체와 마찬가지로 건강문제를 초래할 수 있는 방식으로 반응한다. 스트레스에 직면했을 때 마음이 가장 먼저 하는 일은 그 사건이 위협적인지, 그리고 만약 위협적이라면 이에 대해 대처할 수 있는지를 판단하는 것이다. 한 자극이 스트레스인지 여부를 해석하는 것을 일차적 평가라고 하며, 자신이 스트레스원을 처리할 수 있는지 여부를 판단하는 것을 이차적 평가라고 한다. 라자루스(R. S. Lazarus)는 스트레스에 대한 일차적 평가를 손해와 상실, 위협, 그리고 도전으로 구분하였다. 스트레스 자극을 손해와 상실로 평가하는 것은 어떤 사건 때문에 피해와 손상을 입었다고 해석하기 때문이다. 예를 들어, 아끼던 물건을 분실하면 피해와 상실을 겪었다고 생각하면서 스트레스를 느끼게 된다. 주로 일어난 과거사건에 대한 것이 많으며, 두려움, 우울, 불안 등의 부정적 정서를 유발한다. 스트레스 자극을 위협으로 평가하는 것은 손해와 상실이 아직 발생하지는 않았지만 가까운 미래에 생길 수 있다고 믿기 때문이다. 예를 들어, 내일 중요한 프레젠테이션을 앞두고 있다면 혹시나 실수하게 될까 봐 걱정과 불안을 느끼게 된다. 반면에 스트레스 자극을 도전으로 지각할 수도 있다. 지금의 고통이 밝은 미래를 보장해 줄 것으로 믿는다면 현재의 스트레스는 덜 고통스럽게 느껴질 수 있다. 스트레스 자극이 비록 감당해야 하는 힘든 것이기는 하지만, 힘든 만큼 자신의 성장과 발전에 도움이 된다고 해석하는 것이다. 따라서 스트레스 자극을 손해와 상실 혹은 위협으로 평가하는 것보다 훨씬 더 적은 스트레스를 경험하게 되고, 열정이나 흥분과 같은 긍정적인 정서가 유발된다. 한편 스트레스에 대한 심리적 반응은 심각할 경우 외상 후 스트레스 장애나 탈진과 같은 스트레스 장애를 유발하기도 한다. 외상 후 스트레스 장애는 만성적인 생리적 각성, 원하지 않는 생각이나 외상에 관한 생각이 반복적으로 떠오르는 것과 외상을 상기시키는 것을 회피하는 것이 특징이다. 이는 개인이 위협적이고 통제 불능인 사건을 경험하고 그로 인해 공포와 불행감을 느낄 때 나타난다. 탈진은 정서적 요구가 많은 상황에 오랫동안 노출되어 있고 수행과 동기수준의 저하가 동반할 때 초래되는 신체적 · 심리적 소진 상태를 뜻한다.

관련어 | 외상 후 스트레스 장애

스트레스의 교류 모형
[– 交流模型, transactional model of stress]

개인이 환경적 요구를 어떻게 인식하고 대처하느냐에 따라, 즉 사람–환경 간 상호작용의 질에 따라 개인의 스트레스 경험이 달라질 수 있음을 보여 주는 이론적 모형. 정서중심치료

라자루스(Lazarus)와 포크만(Folkman)이 창안한 이론으로, 스트레스의 결과로부터 외적 자극에 대한 평가와 대처과정을 분리하여 스트레스가 발생하는 과정을 설명하였다. 먼저 평가는 개인의 내적 자원과 환경적 변인들이 개인에게 위협이나 손실, 도전과 같은 유의미한 자극물이 되는지 결정하는 일차적 평가와 그로 인한 요구에 어떻게 대처할 수 있는지를 결정하는 이차적 평가로 구성되어 있다. 라자루스와 포크만은 일차적 평가의 결과를 '무관한, 좋은/긍정적, 해로운/손실이 되는, 위협적인, 도전

적인' 사건으로 나누었다. 무관하다고 평가된 사건은 개인의 가치나 신념, 목표와는 관련이 없으므로 특정 정서와 관련되지 않는다. 좋은/긍정적인 것으로 평가된 사건은 행복이나 만족감 같은 정서를 일으키고, 이러한 정서에서는 별다른 대처반응이 나타나지 않는다. 해로운/손실이 되는 사건은 보통 슬픔, 분노와 같은 부정적인 정서를 불러일으킨다. 위협적인 것으로 평가된 사건은 불안과 연관되는 경향이 있다. 도전적인 것으로 평가된 사건에서 그 상황이 득이 될 수 있다고 보이면 보통 긍정적인 정서 및 부정적인 정서 모두와 관련되는 경향이 있다. 도전으로 평가된 상황은 흥분이나 열정과 같은 감정을 촉진하지만, 불확실한 결과에 대한 불안이나 공포도 일으킬 수 있는 것이다. 라자루스와 포크만에 따르면, 해로운/손실이 있는, 위협적인, 도전적인 사건은 스트레스라고 평가되고, 이들 사건과 관련된 정서와 대처반응이 나타난다고 보았다. 대처란 개인이 사용할 수 있는 자원을 초과하거나 부담이 큰 요구를 다루는 노력으로, 달리 표현하면 스트레스로 지각된 것에 대한 반응이다. 스트레스와 그 대처과정에서 중요한 세 가지 요소는 평가, 정서, 대처다. 특정한 스트레스를 어떻게 평가하는지에 따라 유발되는 정서와 이어지는 대처행동이 달라지기 때문이다. 또한 이때 유발된 정서와 대처행동은 다시 이후의 정서와 재평가에 영향을 미친다. 그래서 상황이 해결되거나 그 상황을 더 이상 스트레스로 평가하지 않게 될 때까지 '평가-정서-대처-정서-재평가'가 계속 순환된다. 일반적으로 사람들은 스트레스를 주는 사건이 발생했을 때, 문제 중심 대처와 정서 중심 대처를 사용하게 된다. 문제 중심 대처는 문제를 직접적으로 다루는 것을, 정서 중심 대처는 해당 문제와 관련된 부정적인 정서를 완화하려는 것을 의미한다. 하지만 이들 두 대처방식이 항상 뚜렷하게 구분되는 것은 아니며, 문제 중심 대처가 정서 중심 대처의 기능을 할 수도 있고, 그 반대일 경우도 있다. 예를 들면, 개인이 문제 자체를 다루는 도중 자신이 느낀 부정적 정서가 해결될 수도 있다.

스트레스질문지
[-質問紙, stress questionnaire]

스트레스를 측정하기 위한 질문지. 심리검사

스트레스의 관계 여부를 자기 스스로 느끼기는 어렵다. 그래서 자신의 현 상태를 여러 가지 각도에서 응시, 재고하여 어떤 스트레스가 있는지 추측하기 위해 몇 가지 질문지가 연구되어 있는데 이를 총칭하여 스트레스질문지라고 한다. 고전적인 예로는 홈즈-레이(Holmes-Rahe)의 생활스트레스 검사도구(life stress inventory)가 있다. 이 질문지는 인생 전반에 관한 여러 가지 스트레스원(源)을 탐구하기 위한 43항목의 질문이 설정되어 있고, 각각의 스트레스 원은 점수에 따라 무게의 순위 부여가 된다. 미국의 경우 배우자의 죽음에 가장 무거운 100점(우리나라는 자녀의 죽음이 100점), 교통위반 등 가벼운 위법행위가 11점으로 되어 있다. 또 프리드먼(M. Friedman)과 로젠만(R. Rosenman)의 타입 A와 타입 B라는 이분법으로도 질문지가 사용되고 있다. 쿠퍼(C. Cooper)는 직장생활에서 어떤 스트레스가 관계하는지 명확히 하기 위해 직무 스트레스를 위한 질문지를 개발하였다. 스트레스 지수를 알아보는 간편 질문표는 다음과 같다. ① 언제나 초조해한다. ② 흥분이나 화를 잘 낸다. ③ 집중력이 저하되고 인내심이 없어진다. ④ 우울하고 기분이 침울하다. ⑤ 건망증이 심하다. ⑥ 뭔가를 하는 것이 귀찮다. ⑦ 매사에 의심이 많고 망설이는 편이다. ⑧ 하는 일에 자신이 없고 쉽게 포기한다. ⑨ 뭔가 하지 않으면 진정이 안 된다. ⑩ 성급한 판단을 내리는 경우가 많다. 10개의 목록 중에서 7개 이상이 해당하면 상담 · 심리치료를 받는 것이 좋으며, 4~6개에 해당하면 스트레스를 다소 받고 있지만 문제라고 할 것 까지는 없는 상태다. 또 1~3개에 해당하면 정상적이고 생활활력소로 작용할 수도 있다고 해석한다.

스트로크
[-, stroke]

교류분석(TA)에서 언어적으로나 비언어적으로 교류를 할 때 주고받는 자극과 반응으로, 인정의 한 단위. 교류분석

번(Berne)은 스트로크가 인간으로 하여금 사회적 행동을 하게 만드는 기본적인 동기유발요인이라고 보았다. 번이 스트로크라는 용어를 사용한 것은 어린이들의 신체적 접촉에 대한 강한 욕구를 의미에 둔 것이다. 우리는 성인이 된 후에도 신체적 접촉을 필요로 하지만 신체적 접촉 대신에 다른 인정으로 대치하는 법을 배운다. 미소나 칭찬, 얼굴을 찌푸리거나 야단치는 것도 우리의 존재를 인정해 주는 것이다. 번은 다른 사람으로부터 인정을 받으려는 욕구를 '인정기아(recognition hunger)'라고 불렀다. 가정이나 직장 또는 사회에서 서로 어떤 스트로크를 주고받는가에 따라 인간관계가 결정되고 나아가 행복이 결정된다. 교류분석에서는 각 개인이 주고받는 스트로크의 유형을 파악하여 보다 건설적이고 효율적인 스트로크를 주고받는 법을 학습함으로써 성장과 성공을 촉진할 수 있다고 본다. 스트로크는 인간 삶의 본질을 이룬다. 스트로크가 없으면 삶을 이어 갈 수 없기 때문이다. 음식이 없으면 살 수 없듯이, 어린 시절부터 부모에게 따뜻한 온정과 애정으로 가득 찬 스트로크를 받지 못하면 심리적으로 건강하게 성장할 수 없다. 해리스(Harris)는 스트로킹(stroking, 스트로크를 주는 것)이 없다는 것은 바로 '심리적 죽음'을 의미한다고 말하였다. 인간의 성격은 한마디로 어릴 때부터 중요한 타인으로부터 어떤 종류의 스트로크를 받는가에 따라 결정된다. 예를 들면, 어릴 때 부모에게 받는 '금지명령(성장을 저해하는 메시지)'에 따라 '초기 결정'을 하며 이것이 각본을 형성하는 것이다. 스트로크에는 언어적 스트로크와 비언어적 스트로크, 긍정적 스트로크와 부정적 스트로크, 조건적 스트로크와 무조건적 스트로크 등이 있다. 어떤 스트로크든 스트로크가 없는 것보다는 낫다. 사람마다 원하는 스트로크가 다르듯이, 누구든지 자신이 선호하는 '스트로크 지수(stroke quotient)'가 있다. 스트로크의 질은 객관적으로 측정할 수 없기 때문에 나에게 질이 높은 스트로크가 상대방에게는 그렇지 못할 수도 있다. 어떤 사람은 스트로크를 받았을 때 자신이 기대하는 스트로크 지수에 맞지 않을 경우 이를 무시하거나 하찮게 여긴다. 이때 우리는 스트로크를 '디스카운트(discount)'하거나 '걸러 낸다(filter out)'고 말한다. 우리가 받는 스트로크와 우리 자신 사이에는 '스트로크 필터(stroke filter)'가 있어서 스트로크를 선택적으로 거를 수 있다. 자신의 스트로크 지수에 맞는 스트로크는 받아들이고, 그렇지 않은 것은 걸러냄으로써 자신의 기존 모습을 유지하려고 한다. 슈타이너(Steiner, 1971)는 스트로크에는 다섯 가지 제한적 규칙이 있다고 하면서 이를 '스트로크 경제(stroke economy)'라고 불렀다. 다섯 가지 규칙은 '스트로크를 주어야 할 때 주지 말라.' '스트로크가 필요해도 요구하지 말라.' '원하는 스트로크를 주더라도 받아들이지 말라.' '스트로크를 원하지 않을 때 배척하지 말라.' '자신에게 스트로크를 주지

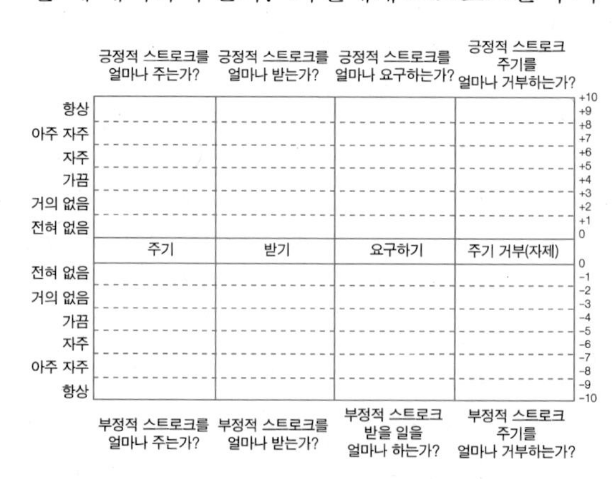

[스트로킹 프로파일]

말라.'다. 슈타이너는 부모가 자녀에게 스트로크를 무제한 줄 수 있음에도 불구하고, 공급을 줄여 여기서 얻을 수 있는 가격을 높임으로써 이러한 규칙을 따르도록 훈련시킨다고 말하였다. 즉, 부모가 스트로크를 통해 자녀를 통제한다는 것이다. 사람들이 스트로크를 주고받는 유형을 분석하기 위해서 맥케나(McKenna, 1974)는 '스트로킹 프로파일(stroking profile)'이라는 도표를 개발하였다.

스트롱 흥미검사 [-興味檢査, Strong Interest Inventory: SII]

홀랜드 모형에 기반하여 스트롱이 개발한 진로 관련 지필용 직업흥미도 검사. 심리검사

직업의 흥미에 대해 알기 위해 1927년에 스트롱(Edward Strong, Jr)이 개발한 검사로, 대상은 현재 진로를 탐색 중인 사람이다. 경험적, 예언적, 직업적 특성을 가지고 있으며 지속적인 개정을 거치면서 가장 체계적인 흥미검사로 알려져 있다. 직업상 흥미를 측정하는 2개의 주요한 방법으로 구성되어 있는데, 첫째는 특정 활동이나 대싱에 대한 문항 또는 사람들이 일상생활에서 부딪히는 여러 종류의 사람들에 관한 문항에 대해 응답자가 좋다 또는 싫다와 같은 반응을 하는 방법이다. 둘째는 이러한 반응을 다양한 직업과 경험적으로 조율하는 방법이다. 각 직업에 매우 만족해하며 종사하는 사람들이 일반 사람들과 비교해서 특히 좋아하는 취미나 활동 등이 무엇인지를 알아내어 이를 문항으로 만들었다. 지필검사로서 스스로 실시하는 직업흥미검사이며 여섯 가지, 즉 현실적 · 탐구적 · 예술적 · 사회적 · 진취적 · 관습적(RIASEC) 유형에 기초한 일반적 직업군과 성격유형으로 되어 있다. 결과는 기본흥미척도, 일반직업척도, 전문직업척도로 나타난다.

스트룹 색상-단어검사 [-色相單語檢査, STROOP Color and Word Test]

신경심리학적 장애를 진단하기 위한 검사. 심리검사

다양한 신경심리학적 장애를 진단하기 위해 1935년에 스트룹(J. R. Stroop)이 개발한 검사로, 5~14세 아동을 대상으로 한다. 우리나라에서는 신민섭과 박민주가 표준화하였다. 뇌 손상, 주의력결핍 과잉행동장애, 틱장애, 학습장애를 포함한 전두엽 기능장애 진단에 유용한 스트룹 검사는 전두엽에서 담당하는 억제과정의 효율성을 평가하기 위해 개발되었다. 이 검사는 단어의 색과 글자가 일치하지 않는 조건에서 자동화된 반응을 억제하고 글자의 색상을 말해야 하며, 이때 반응시간이 느려지는 것이 전두엽의 억제과정을 반영하는 것이다. 학습과 주의력, 문제해결능력, 사회적 판단 및 정서조절에 관여하는 인간의 고등인지기능인 전두엽 실행기능을 평가하는데, 학교에서의 또래관계, 교사와의 관계 및 가족관계 등 실제 생활에 적응할 수 있는 능력을 예측하는 데 도움이 되는 정보를 제공한다. 개인이나 집단을 대상으로 5~10분의 짧은 시간 내에 간편하게 실시할 수 있으며, 연습효과가 적어 짧은 시간 내 재검사가 가능한 전두엽 기능검사다. 아동기 신경발달학적 장애(neurodevelopmental disorders)를 진단하고 신경심리학적 결함의 정도를 평가하는 데 유용하며, 특히 ADHD 진단과 치료효과 평가에 탁월한 검사도구다. 정상과 이상의 구별뿐만 아니라 척도별 3~4개의 구체적인 하위척도로 구성되어 있어서 현재 경험하고 있는 어려움이나 불편을 호소하고 있는 영역을 구체적이고 전반적으로 파악할 수 있다. 정신과적 관심이 되는 이상행동뿐만 아니라 개인의 성격적 특징과 행동적 특징을 동시에 파악할 수 있다. 현대사회를 살아가면서 일반인이 흔히 경험하는 대인관계 문제, 공격성, 스트레스, 알코올 문제 및 약물 문제까지 파악할 수 있다. 각종 장애

의 진단 및 치료계획의 수립에 도움이 되는 임상해석자료도 제공한다. DSM-5와 같은 변화된 정신의학적 진단체계가 상당수 반영되었기 때문에 보다 효과적인 처치와 진단이 가능하다. 결과 처리용 전산 프로그램을 활용할 경우 좀 더 간편하게 채점이 가능하며, 개인별 자료관리는 물론 집단별 자료관리도 가능하다.

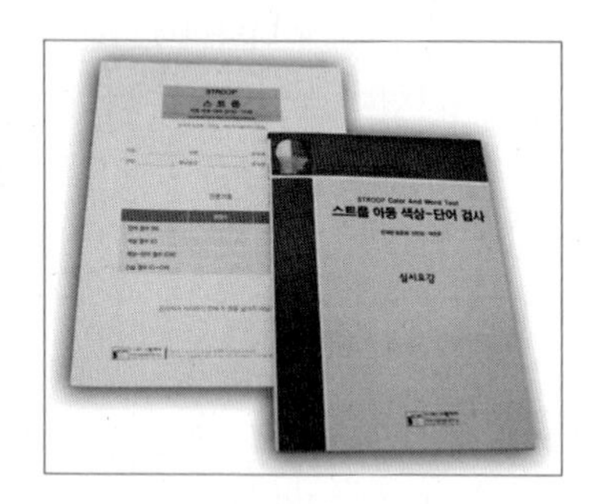

관련어 | 스트룹 효과

스트룹 효과
[-效果, Stroop effect]

단일 대상에 있어서 주의를 기울이지 않은 자극에 의해 주의를 기울인 자극의 정보처리가 방해를 받는 현상. 심리 측정

대상의 명칭과 색상이 서로 다를 경우 대상의 색상을 명명하지 못하는 현상이 이에 해당한다. 잉크 색상을 말하는 반응시간이 길어지거나 그 색상으로 적힌 단어를 잘못 말하는 실수가 나타난다. 예를 들어, '빨강'이라고 하는 색채 단어를 '파란'색 잉크로 적은 스트룹 자극판을 보여 주었을 때, '파랑'이라고 하는 잉크색상의 이름을 빨리 말하지 못한다. 대신 '빨강'이라고 하는 단어를 말하는 실수를 범하기 쉽다. 무시한 정보가 신속하고 강력하게 처리되기 때문이다. 이러한 현상을 응용하여 동물 그림 속에 그림과 틀린 동물 이름을 써 놓은 자극판을 제시하는 교구를 제작하기도 한다. 또한 뇌 손상의 유무, 정도, 부위를 측정하고, 뇌와 행동 간의 관계를 규명하려는 신경심리검사 도구를 개발하는 데에도 응용되고 있다. 신경심리검사는 진단뿐만 아니라 치료계획의 수립과 치료경과를 평가하는 데에도 활용하는데, 내담자의 지적 능력, 언어, 집중력, 기억, 지각, 좌우 대뇌 반구의 기능, 수행능력, 문제해결 능력, 성격, 감정상태 등을 종합적으로 평가한다. 이러한 신경심리검사 도구에 속하는 스트룹 검사는 전전두엽의 기능을 측정하는 데 사용한다.

관련어 | 스트룹 색상-단어검사, 신경심리검사

스파이크나드
[-, Spikenard]

진정, 기능증진, 항염증, 살균, 연하제(嚥下劑) 등의 효과가 있는 허브로서, 히말라야 산맥이 원산지이며 고도 3,000~5,000미터 사이의 네팔, 부탄, 시킴 등의 고지대에서 재배. 향기치료

스파이크나드는 부드러운 향기를 내는 허브로 1미터까지 자라고, 큰 피침형의 잎과 작은 녹색 꽃 그리고 향이 강한 즙을 내는 뿌리줄기가 있다. 스파이크나드 오일은 심장을 평온하게 하고 감정을 진정시켜 신경성 긴장, 불안, 불면에 사용하고, 또한 빈맥과 빠르고 불규칙한 심장박동을 가진 부정맥에도 사용한다. 스파이크나드는 진정, 소화촉진 효능이 있어서 구역질, 변비, 장의 복통 등에 처방하며, 간과 혈액을 순환시키고 강하게 하기 때문에 치질과 정맥류, 난소기능 부전증과 빈혈 등에 추천된다.

스포츠상담
[-相談, sport counseling]

운동선수를 대상으로 하여 운동수행능력 향상, 심리적 안정 등을 목적으로 하는 상담. 기타

스포츠상담은 선수의 신체 및 기술적 측면을 비롯한 다양한 호소문제를 다루는 특정 상담을 말한다. 스포츠상담의 특성상 스포츠과학과 스포츠심리학에 대해 먼저 이해하는 것이 필수다. 스포츠상담에서 주로 다루어지는 문제들은 경쟁불안 해소, 안정된 성격 형성, 팀워크, 슬럼프 극복, 재활 등으로서, 선수에게 미칠 수 있는 여러 가지 심리적 요인들로 나타나는 스포츠 상황의 부적응, 수행능력 향상도모, 스포츠와 면학의 병행, 종목과 관련된 혹은 그에 수반하는 적응상 여러 문제에 도움을 주기 위해 실시한다. 스포츠상담에서는 상담형식에 따르는 조언 및 지도, 자기조절법, 행동치료적 방법, 집단적 방법 등을 많이 활용한다. 또한 스포츠 활동에 따라 상황이 발생하고, 선수의 적응상 문제가 주가 되기 때문에 심리학을 비롯한 스포츠 관련 훈련을 받은 전문가가 상담사가 되어야 한다.

스포츠심리학
[-心理學, sport psychology]

스포츠나 운동에 관한 심리적 요인과 그에 따라 발생하는 심리적 효과에 관한 문제를 연구하는 학문. 기타

스포츠심리학이란 운동과학과 심리학 분야 간의 지식을 동원하여 스포츠나 운동상황 내 인간 및 인간의 행위에 관해 과학적으로 탐구하고 그 지식을 현장에 적용할 수 있도록 하는 학문이다. 심리학의 하위영역으로 볼 것인지 아니면 스포츠과학의 하위영역으로 볼 것인지에 따라 정의를 달리할 수 있다. 심리학의 하위영역으로 규정할 때는 일종의 응용심리학이 되어 심리학의 원리가 스포츠에 적용되는 것으로 정의되고, 스포츠과학 분야로 규정하면 주로 스포츠 관련 과학자들의 정의를 따르게 된다. 스포츠심리학은 대상에 따라 광의와 협의로 나누기도 한다. 광의의 스포츠심리학은 스포츠심리뿐만 아니라 운동학습, 운동제어, 운동발달 등을 포함하며, 협의의 스포츠심리학은 스포츠심리만을 다룬다. 특히 광의의 스포츠심리학에서 운동 학습 및 제어는 인지, 지각, 학습, 신경, 생리 등의 이론을 바탕으로 운동의 행동 및 신경생리적 메커니즘을 분석하고, 운동발달은 그 맥락에 따라 주로 발달적 측면에서 유아들의 운동수행까지 연구한다. 정리해 보면, 스포츠심리학은 운동수행능력에 미치는 심리학적 요인과 심리 및 신체적 요인이 운동수행능력에 미치는 영향을 연구하는 종합적 학문으로, 수행능력 향상과 선수복지가 주목적이라 할 수 있다. 이는 선수뿐만 아니라 코치, 선수의 부모도 대상이 되고, 부상 및 재활, 의사소통, 종목 전환과 같은 문제까지 다룰 수 있다. 초기 스포츠심리학은 주로 체육교사들이 발전시켰는데, 이는 스포츠와 체육활동에 관련된 다양한 현상을 설명하고 교육하는 데서 출발하여 연구실에서 이루어지는 스포츠심리학 발전에도 기여하였다. 1920년대에는 독일의 슐츠(R. Schulte)가 독일체육교육대학(Deutsche Hochschule für Leibesübungen)을 설립하면서 중요성이 대두되었고, 그는 이곳에서 스포츠에 관한 신체적 능력 및 재능에 관한 측정을 하여 1921년에 『Body and Mind in Sport』를 출판하기도 하였다. 러시아에서는 1925년 모스크바와 레닌그라드에서 신체문화에 관한 연구소가 설립되어 스포츠심리학 연구를 시작하였고, 1930년 즈음에는 본격적인 스포츠심리학 분야가 발전하였다. 북미에서는 이동능력, 사회촉진, 취미형성 등에 관한 독립된 연구로 스포츠심리학이 태동하였고, 1890년대 스크립처(E. Scripture)가 달리기 선수의 반응시간, 학생 사고시간, 관현악단 지휘자의 지휘봉의 정확도 등에 관한 측정실험을 하였다. 이런 모든 과정을 거쳐 미국 최초의 스포츠심리학자

그리피스(C. Griffith)가 등장하였다. 그는 일리노이 대학교에서 스포츠심리학에 관한 체계적인 연구를 시작하여 현장에 직접 적용할 수 있는 스포츠심리학의 시대를 열었다. 이후 1960년대, 1970년대를 거치면서 스포츠심리학은 현장과 연구실에서 여러 성과를 내면서, 1985년에는 응용스포츠심리학진보협회(association for the advancement of applied sport psychology: AAASP)가 결성되었고, 이후 2007년에 진보(advancement)라는 단어를 삭제하여 응용스포츠심리학협회(association for applied sport psychology: AASP)로 개명하였다. AASP는 서둘러 통일된 임상기준을 마련하는 데 힘쓰면서, 윤리강령 개발에도 박차를 가하였다. 또한 미국심리학협회의 한 분과로서 활동의 전문성을 더욱 강화하면서 임상에서 요구되는 표준화 프로그램을 개발하였다. 전 세계적인 스포츠 열풍 시대의 도래로 경쟁이 더욱 치열해져 선수들과 선수 관련자들의 스트레스는 점점 강도가 심해지고 있으며, 그에 따라 선수들의 수행능력에 미치는 신체 및 정신적 영향에 대한 연구가 더욱 중요해지고 있다. 따라서 스포츠심리학의 중요성 또한 함께 커지고 있는 추세다. 이 스포츠심리학에서는 4C를 주로 다루는데, 4C란 집중력(Concentration), 자신감(Confidence), 제어(Control), 책임(Commitment)으로, 이는 대부분의 스포츠 종목에서 성공적인 수행능력에 가장 중요한 정신적 자질 네 가지다. 4C를 신장시키기 위해서 선수에게 필요한 기술은 이완(relaxation), 중심 잡기(centering), 정신적 심상(mental imagery) 등이다. 한편, 우리나라에서는 1990년대 이후 스포츠의 급신장과 더불어 스포츠심리학의 중요성이 더욱 커지면서 일반인에게도 알려지게 되었고, 선수뿐만 아니라 일반인의 운동 참여로 인한 심리 및 정신적 건강발달에까지 영역이 확대되고 있다.

스프링보드
[–, springboard]

글쓰기를 유도하기 위한 프롬프트(prompt)로, 저널을 쓸 때 초점을 맞추고 주제를 명확히 하기 위한 글귀나 질문.

문학치료(글쓰기치료)

글쓰기 도약판이라고도 하는 스프링보드는 글을 쓰는 사람이 저널의 쓰기를 시작할 수 있는 방아쇠와 같은 실용적 기능이 있다. '도대체 무엇에 대해서 쓰지?'라는 난감함이나 두려움과 싸울 수 있는 목록을 저널에 작성해 두면 유용하다. 예를 들면, '내가 해야 할 가장 중요한 일은?' '만일 내가 실패하지 않으리라 확신했었다면?' '내가 진심으로 원하는 것은?' '만일 내가 투명 인간이라면?' '만일 내가 그날로 돌아간다면?' 등이다.

관련어 | 구조화 글쓰기, 문장완성하기

스프에 침 뱉기 기법
[–技法, spitting in the client's soup]

상담자가 내담자의 특정한 행동을 직면시켜 역기능적인 행동이나 태도를 감소시키는 개인심리학의 주요 상담기법.

개인심리학

아들러(Adler)가 개발한 수많은 혁신적인 기법 중 하나로서, 상담자가 내담자의 자기파괴적 행동 뒤에 감추어진 의도나 목적을 드러내 밝힘으로써 접근-회피 상황을 설정하는 것이다. 상담자가 내담자의 잘못된 인식, 생각, 또는 행동에 '침을 뱉으면' 내담자는 그와 같은 것을 더 이상 하지 않거나 주저하게 될 것이라는 생각에서 만들어졌다. 아들러는 이 기법을 '깨끗한 양심에 먹칠하기'라고 하였다. 상담자가 내담자의 문제행동을 관찰하고, 그 행동의 감추어진 목적을 내담자에게 명확하게 보여 주면, 내담자는 그 행동을 계속 할 수는 있지만 더 이상 이전처럼 편하게 할 수는 없을 것이다. 예를 들어, 항상 딸에게 우월함을 과시하는 어머니는 그 행동을 지적받은 후에 그것을 계속 할 수는 있지만, 이제 그렇게 행동한 것에 대한 보상은 없다. 스프에 침을 뱉으면 식욕이 떨어지는 것처럼 내담자는 더 이상 자신이 하는 역기능적 행동의 감추어진 의미에 무지하지 않기 때문에 그 행동에 대한 흥미를 잃는 것이다. 상담자가 내담자에게 불쾌한 행위를 할 수 있어야 이 기법을 사용할 수 있다. 그러나 상담자가 냉소적이거나 무관심하다는 말을 듣지 않도록 유념해야 한다. 또한, 특히 자신에 대해 부정적인 관점을 지닌 내담자에게는 사용하지 않는 것이 좋다.

스피드
[-, speed]

메스암페타민을 지칭하는 속어. 중독상담

메스암페타민이 정맥주사로 인체에 투여되면 약효가 빠르게 나타나는데, 이에 따라 붙여진 이름이다. 때로는 메스암페타민과 헤로인을 섞어 주사하는 것을 지칭하기도 한다.

관련어 | 메스암페타민

스피드 볼
[-, speed ball]

코카인에 헤로인을 섞은 약물. 중독상담

스피드 볼을 복용하고 사망한 배우 존 벨루시(John Belushi)의 이름을 따서 '벨루시'라고 부르기도 한다. 스피드 볼처럼 여러 가지 약물을 혼합하여 섭취하면 인체 내에서 상승작용을 일으켜 효과가 증대된다. 하지만 상승된 효과만큼 금단증상이나 내성도 빨리 찾아온다.

관련어 | 코카인, 헤로인

스피드 순환
[-循環, speed cycle]

만성 메스암페타민 남용자들이 겪는 4단계 과정. 중독상담

속칭 '스피드'라고 불리는 메스암페타민을 지속적으로 남용하는 사람들은 다음의 4단계를 순환적으로 경험하게 된다. 첫 번째, 전신 오르가슴 단계, 두 번째, 흥분 단계, 세 번째, 피로 허기 단계, 네 번째, 우울증 단계다. 이때 마지막 단계인 우울증 단계에서 일반적으로 이를 극복하기 위해 약물을 다시 사용하게 되어 스피드 순환이 반복되는 결과를 낳는다.

관련어 | 메스암페타민, 스피드

ㅅ

슬로슨 지능검사
[-知能檢査, Slosson Intelligence Test: SIT]

언어지능의 개인 적격 검사. 심리검사

지적 능력을 측정하기 위해 1963년에 슬로슨(Richard Slosson)이 개발한 검사로, 1981년에 개정판이 출간되었다. 영아에서 성인까지, 즉 4~65세를 대상으로 하고 10~30분의 짧은 시간에 실시하는 구체화된 언어지능의 개인 적격 검사다. 검사의 내용은 산수추론, 어휘, 청각기억, 상식 및 이해로 구성되어 있다. 검사를 실시하는 데 필요한 준비물은 연필이다. 슬로슨 지능검사는 읽거나 쓰는 것이 아니라 검사자의 질문에 답을 하는 것이다. 검사자가 피험자에게 일련의 짧은 답을 요하는 질문을 하고 피험자는 이에 대해 구두로 반응해야 한다. 이 검사는 선별검사로서 검사자는 피험자를 격려하고 지원하며, 피험자의 능력을 최대한 정확하게 나타내도록 문항을 반복적으로 사용할 수 있다. 개인 검사이므로 개별적으로 실시해야 하고, 검사는 산만하지 않을 정도의 조용한 장소에서 시행해야 한다. 한편, 발달이 느린 아동이나 영재 아동 혹은 다른 분

야에 비하여 한 분야에서 결손이 있을 때는 검사시간이 더 많이 소요되기도 한다. 이 검사의 장점은 전문가가 아니어도 시행할 수 있다는 검사의 용이성과 검사의 실시와 채점에 30분 정도밖에 소요되지 않는다는 점이다. 검사문항이 애매모호하지 않아 실시와 채점에 어려움이 없으며, 정답을 각 질문 옆에 표시할 수 있어서 실시하면서 바로 채점하는 것이 가능하다. 이 검사는 학생의 지적 능력의 대략적인 수준을 파악할 수 있고, 더 자세한 사정이 필요한 학생을 확인하는 데 유용하다. 학생의 강점과 약점에 대한 프로파일은 제공하지 않지만, 학생의 실수 유형을 분석함으로써 더 상세한 사정이 필요한 분야를 확인하는 것이 가능하기 때문이다. 예를 들면, 어떤 학생은 산수추론에 약하고 어떤 학생은 어휘와 관련하여 특별한 어려움을 겪고 있음을 알 수 있다. 반면에 이 검사의 단점은 검사문항이 질문에 답하는 식으로 되어 있고 몇 개의 도안을 모사하는 것 외에는 수행과제가 포함되어 있지 않아서 시공간 기술의 측정이 제대로 이루어지지 않기 때문에 이 분야에 결손이 있는 학생을 발견하기가 어렵다는 것이다.

습관성
[習慣性, habituation]

약물의 반복적인 사용으로 생기는 정신적 의존의 증상으로, 약물을 지속적으로 사용하고 싶어 하는 강한 욕구. 중독상담

습관성은 반복적으로 사용하고 있는 약물의 신체적 의존 증상과는 달리, 정신적으로 계속하여 해당 약물을 사용해서 효과를 얻고 싶어 하는 강한 열망을 말하는 것이다. 따라서 습관성 때문에 직접적인 약물의 사용량 증가나 금단증상을 일으키지는 않지만, 반복적으로 약물의 사용을 지속하는 것은 결국 신체적인 의존 가능성을 높이는 결과를 가져온다.

관련어 | 약물치료, 오용, 중독

습관장애아동
[習慣障礙兒童, children with habit disorders]

고두(叩頭), 타두(打頭), 회두(回頭), 몸 흔들기 등의 율동 운동, 손가락 빨기, 손톱 물기, 자위 등 소아의 불안이나 긴장을 나타내는 신경증성 습관을 가진 아동. 특수아상담

습관장애를 가진 아동은 몸을 움직이지 않고 집중해야 하거나 긴장된 상황에서 반복적인 습관행동을 보인다. 즉, 몸을 가만히 두지 못하고 손 꼼지락거리기, 다리 떨기, 손톱 물어뜯기, 손가락 빨기, 눈깜박이기, 말 더듬기, 머리 흔들기 등을 행한다. 이런 습관행동들은 주변환경의 변화에 자신의 신경계를 안정적으로 조율하기 위해 하는 경우가 대부분이다. 그러나 아동의 습관행동은 부모나 교사에게 이해받기보다는 집중력 부족, 산만함, 까다로움, 엉뚱함 등으로 인식되어 지적을 받기가 쉽다. 그리고 이러한 상황이 누적되어 우울증, 불안증, 강박장애, 분리불안, 반항장애, 틱장애 등으로 발전하거나 또래문제, 부모문제, 학습문제, 사회성 부족 등으로 적응문제가 발생할 수 있다. 습관장애아동은 불안하다는 것이 주된 특성이다. 이 같은 불안은 특정 원인에 기인한다기보다는 자신의 선천적 기질 성향에 따른 것이기 때문에 아동 자신도 원인을 모른 채 내면적으로 불안함과 짜증스러움이 일어나 외현적으로 동기부족, 부정적 정서표출로 습관행동을 하는 경우가 일반적이다. 예를 들어, 자신의 몸을 움직이지 않고 집중해야 하거나 자신이 하고자 하는 동기가 없는 일을 할 때 짜증을 내거나 작은 환경변화에도 위축되고 두려워하며, 정서기복이 심해진 경우에는 분노감, 불쾌감, 무력감, 우울감까지 동반 상승되어 나타나며, 틱이나 강박 성향이 있는 아동이라면 만성 틱장애나 강박장애로 발전하는 경우도 있다.

관련어 | 틱장애

승리자 각본
[勝利者脚本, winner script]

교류분석

⇨ '각본분석' 참조.

승전담
[勝戰談, victory stories]

문화민감가족치료에서 역사적인 확대가족의 경험에서부터 일련의 좋은 이야기를 수집하는 것. 기타 가족치료

가족구성원들이 가족 역사 프로젝트를 개발할 수도 있고, 가족 신화 혹은 불완전한 이야기에 대해 정확한 정보를 모을 수도 있다. 자유, 이민사, 그리고 부당한 것에 대해 싸웠던 이야기는 가족들에게 자신의 역사와 세대 간 투쟁에 대하여 보다 정확한 그림을 제시해 준다. 이 과정은 가족들에게 유대인이나 게이, 혼혈인과 같은 숨겨지거나 억압된 부분이 있다면 교정되거나 회복되는 단계 중 하나가 될 수 있다.

승화
[昇華, sublimation]

억압된 충동이나 욕구를 사회적으로 인정되거나 가치 있는 방향으로 표현하고 충족시키는 것. 정신분석학

리비도를 사회적으로 허용되고 때로는 칭찬을 받을 수 있는 다른 경로로 전환하는 심리적 기제다. 본능적 에너지의 원천과 목표는 동일하지만 긴장 감소의 대상이 다르다는 점에서 치환과 차이가 있다. 욕구의 표출상태를 대치시켰다는 점에서 치환과 유사하다고 볼 수 있으나, 승화의 경우에는 다른 방어기제들보다 더 성숙된 형태이며 대치된 욕구충족의 대상이 보다 문화적 가치를 지닌다. 성적이거나 공격적인 에너지를 사회적 · 문화적으로 허용된 바람직한 경향으로 발전시킨 것이며, 문명세계를 이루는 주요 수단이다. 승화의 전형은 개인의 생애 직업활동에서 찾아볼 수 있다. 공격성을 거친 스포츠 활동으로 해소한다든지 혹은 성욕을 그림이나 문학작품 등의 예술활동으로 표현하는 것이 이에 해당한다. 군인, 스포츠맨, 외과 의사 등은 공격성의 승화에 적합한 직업으로 볼 수 있으며, 예술활동이나 아이들의 양육 또는 복지관계의 직업은 성 본능이 승화된 직업이라고 할 수 있다. 위협적인 충동을 지속적으로 방어하는 데 심리적 에너지를 소모해야 하는 다른 유형의 방어기제와는 달리, 승화는 바람직하지 않은 충동을 건전한 방향으로 돌리는 것이기 때문에 가장 성공적인 방어기제라고 할 수 있다. 또한 정신병리적인 측면을 수반하지 않는다. 리비도 욕구와 에너지는 승화를 통해 생산적인 문명 발달에 커다란 진보를 가져다준다. 정신분석적 관점에서 보면 위대한 예술작품은 성적 혹은 공격적 에너지를 창조적 활동으로 전환시킨 결과다.

관련어 | 방어기제

시각장애
[視覺障礙, visual impairment]

교정을 한 다음에도 교육적 성취에 부정적인 영향을 미치는 맹을 포함하는 시각손상. 특수아상담

저시력과 맹을 모두 포함하는데, 시각장애는 비전문가나 의학전문가가 선호하는 법적 정의와 교육자가 선호하는 교육적 정의 두 가지로 구분된다. 법적 정의는 시력과 시야의 측정에 따라, 교정시력이 20/200 이하거나 시야가 20 미만인 경우, 교정시력이 20/200~20/70인 경우에는 저시력으로 분류한다. 여기서 시력이 20/200이라 함은 정상 시력을 지닌 사람이 200피트에서 볼 수 있는 것을 20피트에서 보는 것을 의미한다. 따라서 정상 시력은 20/20이

다. 시력이 정상이라고 해도 시야가 너무 좁아서 전체적으로 볼 수 없는 사람도 법적 맹에 포함된다. 정상 시력을 가진 사람은 고개를 돌리지 않아도 180도 내의 사물을 모두 볼 수 있는 반면, 시야가 20도인 사람은 주변시력이 매우 약해서 볼 수 있는 범위가 20도 이하로 제한되어 좁은 터널을 통해 보는 것과 같은 현상이 나타난다. 많은 교육자가 시력 그 자체가 개인의 기능과 잔존시력의 사용 가능성에 대하여 정확하게 예측해 줄 수 없기 때문에 시각장애의 법적 정의에 따른 법적 분류는 적절하지 않다고 주장하고 있다. 실제로 시각장애인의 대다수가 잔존시력이 있으며 전혀 볼 수 없는 사람은 소수에 불과하다. 그러므로 교육적 정의는 읽기 교수의 방법상 차이를 강조하고 있다. 시각손상이 심하여 점자를 배워야 하거나 청각교재를 사용해야 하는 경우에는 맹으로 구분하고, 활자의 크기를 조절하거나 확대경을 사용해서 글자나 인쇄물을 읽을 수 있는 경우에는 저시력으로 구분한다(이소현, 2003). 최근에는 시각장애의 교육적 정의로, 교정 렌즈를 착용하고도 시각적 과제 수행에 어려움을 보이지만 보상적인 시각적 전략, 저시력을 위한 기타 도구, 환경적인 수정으로 그러한 시각적 과제를 수행하는 능력을 강화할 수 있는 사람(Corn & Koenig, 1996)이라는 정의가 제시되고 있다. 시각장애의 특성은 시각장애 자체가 두뇌의 정보처리능력에 부정적인 영향을 미치지는 않기 때문에 인지적인 문제는 없다. 하지만 개념학습과 관련해 볼 때는 시각장애 아동이 일반 아동에 비해 개념을 획득, 이해하는 데 상대적으로 어려움을 더 갖는다고 한다. 특히 추상적 개념학습에서 이 같은 어려움이 더욱 두드러진다. 하지만 이러한 개념학습에서 나타난 어려움은 본질적으로 시각장애 아동의 기본 능력이 떨어져서가 아니라 제한된 경험이나 부족한 학습시간 등의 환경요인이 관련되어 있기 때문이다. 또한 공간개념에서 시각장애 아동이 일반 아동보다 학습능력이 떨어진다고 보고하고 있다. 하지만 시각장애 아동에게 공간 개념에 대한 학습이 전혀 불가능한 것이 아니며, 실제 시각장애 아동의 경우 다른 감각기관과 심상을 통해 공간에 대한 개념을 형성하는 것으로 밝혀졌다. 심리행동적으로 일반 아동과 비교해 보면, 시각장애 아동은 분노, 공격, 우울과 같은 부정적 행동 특성을 더 많이 가지고 있는 것으로 보고된다. 이 같은 특성은 시각장애 자체에서 기인한다기보다는 차별적 경험에 대한 공격적인 개인적 표출이라고 생각할 수 있다. 또, 시각장애 아동은 눈 비비기나 몸 흔들기와 같은 정형화된 행동을 자주 나타낸다. 그 이유로 시각장애 아동은 감각자극이 상대적으로 결여되어 있어서 이에 대한 보상으로 자기 자신을 자극하는 행동을 한다는 설명이 있는데, 이는 사실적인 근거가 미약해 보인다. 이보다는 시각장애 아동이 보이는 정형화된 행동은 아동이 정신적 부담을 받는 상황에서 심리적 안정감을 무의식으로 회복하기 위해 보이는 행동이라는 주장이 좀 더 설득력을 갖는다. 하지만 이런 행동들이 타인과의 관계 형성이나 건강과 관련해 부정적 영향을 줄 때는 행동수정을 위해 체계적인 프로그램이 제공될 필요가 있다(김동일 외, 2002).

관련어 | 감각장애

시각저널
[視覺-, visual journal]

미술치료과정에서 그림이나 콜라주로 만든 스케치북 또는 화첩. 미술치료

이 기법은 주로 치료기간 중에 치료가 없는 날 과제형태로 주어진다. 이는 개인에 관한 기록으로서, 날짜나 순서에 관계없이 이미지와 글을 사용하여 자유롭게 자신의 생각이나 느낌을 기록하는 것이다. 이러한 기록과정은 내담자의 자기표현을 위한 창조적 과정이며, 세상과 자신의 관계에 대한 탐색이다. 이미지 제작으로 아이디어의 창출과 시각적

언어의 발전에 도움을 줌으로써 이 같은 기록물은 내담자가 치료효과를 확인할 수 있는 일종의 전이 대상의 역할을 하고, 내담자에게 감정을 표현하고 감정에 대한 보상을 받을 수 있는 기회를 준다. 이 기법은 감정적으로 어려움을 겪었거나 심한 질병 또는 외상으로 정신적 타격을 입은 사람들에게 특히 도움이 된다. 시각저널은 기록내용에 따라 감정저널(feeling journal)과 신체저널(somatic drawing journal)로 구분된다. 감정저널은 자신의 감정을 표현하고 탐색하기 위한 감정에 관한 기록인 반면, 신체저널은 자신의 몸이 느끼는 것에 대한 구체적 이미지를 창조하기 위한 신체에 관한 기록이다.

시간관리
[時間管理, time management]

개인이 원하는 목표를 수행하기 위하여 계획된 절차를 수행하는 데 주어진 시간 자원을 적절하게 분배하고 환경과 자신을 통제하는 것. 학교상담

시간관리는 개인에게 주어진 시간을 효율적으로 관리하여 사회적으로 바람직하고 개인이 원하는 목표를 달성하는 데 목적을 두고 있다. 효율적인 시간관리를 위해서는 비효율적인 시간 사용의 원인 확인, 목표와 우선순위 정하기, 현실적인 계획 세우기, 효율적인 일상생활 조직하기, 당장 실행하기, 자투리 시간 줄이기, 위임이나 부탁하기, 반복적인 잡무의 효율적인 실행, 과잉 친절 금하기, 반복적 중단사태 피하기, 비합리적 완벽주의 피하기, 정보 이용하기, 생애 설계, 마감시간 결정, 노동시간과 여가 및 휴식시간과의 균형 등의 하위목표가 있다. 한편, 시간관리는 학습전략의 하위구성요소 중 하나이며 김동일, 박경애, 김택호(1995)는 청소년을 위한 효율적인 시간관리 전략을 제안하였다. 이 전략에는 일일 · 일주일 생활시간 확인하기, 효과적 · 비효과적 시간관리 원인 확인하기, 목표 세우기, 우선순위 정하기, 계획하기, 실제 해 보기(주간계획표 짜기), 다지기(하루 계획 실행하기, 평가하기, 정보 이용하기), 적용하기, 실습하기(일일 계획 및 평가표 작성하기) 등이 있다. 이에 티볼트(Thibeault, 1990)는 학교상담자를 위한 효율적인 시간관리 전략을 다음과 같이 제시하였다. 즉, 보다 전문적인 업무를 수행하는 데 중점을 두고 과제의 우선순위 정하기, 효율적인 생활 조직하기, 단기적 · 장기적 목표수립, 조직적인 업무환경 유지, 행정업무자와 시간관리 협력하기(업무 중 연수, 조직 내 교육) 등이다.

관련어 | 학습전략, 학습전략훈련모형

시간구조화
[時間構造化, time structuring]

교류분석(TA)에서 외부환경 세계를 정돈하고 구조화하고자 하는 인간의 기본욕구로서, 시간의 사용방법을 정하여 프로그램화하는 것. 교류분석

인간은 자신의 심리 내적인 부분과 외부환경 세계를 조직하고 구조화하고자 하는데, 번(Berne, 1961)은 이 기본욕구를 구조기아(structure hunger)라고 불렀다. 교류분석에서 인간은 서로 스트로크(stroke)를 받거나 주기 위해 사회생활을 영위한다고 설명한다. 그래서 우리는 자신이 원하는 스트로크를 얻기 위해 여러 가지 고안을 하여 자신과 상대방, 그리고 환경을 조작하려고 한다. 구체적으로 자신의 생활 시간을 대인교류에 둘러싸고 여러 가지로 프로그램화하는 것을 의미하는 것으로서 이것이 바로 시간구조화다. 인간은 장기간 바쁜 시간에 쫓긴다든가 반대로 지루해지면 스트로크의 결여 때와 같은 감정적 · 신체적 쇠퇴를 나타낼 수 있다. 인간은 시간이 구조화되지 않은 상황에 처하면 먼저 시간을 구조화시키려 하며, 긍정적이든 부정적이든 스트로크를 채우기 위해 시간을 보내는 방법을 고안해 낸다. 예를 들면, "휴일에는 무엇을 하며 지낼까?" "주말의 손님을 어떻게 접대할까?"와 같은 계획을 세운다.

우리는 한 개인이 시간을 보내는 방법에 따라 어떤 스트로크를 어떻게 채우고 있는지 알 수 있다. 유용하고 좋은 시간구조화 프로그램을 갖는다면 만족스러운 스트로크를 받을 가능성이 높다. 그러나 비효과적인 시간구조화는 점점 자신을 스트로크 부족으로 몰아넣게 되고, 이는 더 비효율적인 시간구조화로 굳어진다. 번(1972)에 따르면, 우리 인간은 혼자 있을 때는 어떤 활동이나 공상을 통해서만 시간을 구조화할 수 있다. 2명 이상일 경우 번(1964)은 여섯 가지 시간구조화 형태가 있다고 설명하면서, 폐쇄, 의례, 소일, 활동, 게임, 친밀 등의 방법이 있다고 하였다. 시간을 구조화하는 여섯 가지 방법은 자아상태나 스트로크와 관련된다. 폐쇄에서 친밀로 내려갈수록 스트로크의 강도가 높아진다. 교류분석 문헌에는 폐쇄에서 밑으로 내려갈수록 심리적 위험(psychological risk) 수준이 높아진다고 말하는 사람도 있다. 다시 말해, 밑으로 내려갈수록 상대방이 수용할지 배척할지 예측하기가 힘들다. 어린이 자아상태에서 이러한 불가 예측성을 '위험'으로 지각하는 것이다. 우리가 어렸을 때의 OK 감정은 부모로부터 받는 스트로크에 달려 있었다. 그리고 배척은 생존에 위협이 되는 것으로 지각하였다. 성장하고 난 뒤의 우리에게는 어떤 시간구조화 방법이든 이러한 위험이 없다. 아무도 우리의 감정을 강제할 수 없는 것이다. 상대방이 우리의 말을 배척한다면, 우리는 왜 그런지 물어볼 수 있고 상대방이 변화되도록 요청할 수 있다. 그래도 상대방이 거부한다면, 그와의 관계를 끊고 나를 수용할 다른 사람을 찾으면 된다. 여섯 가지 방법을 자세하게 살펴보면 다음과 같다. 첫째, 폐쇄(withdrawal)는 자신의 고유한 세계에 틀어박히거나 자신을 가두어 버리는 것, 신체적 혹은 심리적으로 자신을 타인에게서 멀리함으로써 인정 자아를 얻는 방법을 말한다. 몸은 함께 있어도 집단 성원과 전혀 교류를 하지 않는 상태다. 폐쇄는 어느 자아상태에서든 일어날 수 있다. 그러나 외적 단서가 빈약하기 때문에 어느 자아상태에 놓여 있는지 외부에서 행동적으로 진단하기는 힘들다. 폐쇄상태에서 주고받을 수 있는 스트로크는 자가 스트로크(self-stroke)뿐이다. 다른 사람과 관계하지 않기 때문에 배척받지 않을까 하는 심리적 위험도 없다. 집단 내에서 습관적으로 폐쇄상태에 놓이는 사람도 있다. 이들은 어릴 때 사람들과 스트로크를 주고받는 것을 위험하다고 결정했기 때문인데, 용량이 큰 스트로크 은행을 가지고 있다. 사막의 낙타처럼 외부로부터 스트로크를 받지 않아도 혼자 상당 기간 즐길 수 있는 스트로크를 저장해 둔 것이다. 그러나 오랫동안 폐쇄되어 있어서 스트로크 은행이 고갈되면 스트로크 박탈 상태에 놓일 수 있다. 둘째, 의례(rituals)는 전통이나 관습에 따라 프로그램된 단순한 정서적 교류로서, 일상의 인사, 결혼식, 입학식, 졸업식 등이 대표적이다. 의례는 어린이들이 자라면서 가정에서 적절한 상호작용을 배우는 가운데 발달한다. 한 사람이 악수를 하려고 손을 내밀면 그의 손을 잡고 악수를 해야 한다는 것이다. 누군가 "안녕?"이라고 인사할 때, 의례적인 동일한 질문으로 인사하기를 배운다. 의례는 아주 다양하다. 미국에서 가장 단순한 예는 서로 "Hi! Hi!" 하고 스트로크를 주고받는 것이다. 의례는 어린이 자아상태에서 폐쇄보다 심리적 위험이 더 높은 것으로 지각된다. 의례에서 주고받는 스트로크는 강도는 낮지만 스트로크 은행을 채우는 데 중요한 비중을 차지한다. 셋째, 소일(pastimes) 역시 의례와 마찬가지로 사회적으로 프로그램화된 상호작용의 한 형태로서, 잡담이라고도 한다. 그러나 소일의 내용은 의례처럼 정형화되어 있는 것이 아니라 좀 더 자유롭게 진행된다. 소일에서는 무엇에 대해 이야기는 해도 실제 행동을 취하는 것은 아니다. 집단활동에서 소일을 하는 사람(pastimer)은 현재 집단에서 일어나고 있는 일에 대해 이야기하기보다는 '과거의 것(past time)'에 대해 이야기할 가능성이 높다. 소일에서는 대부분 지금-여기의 것이 아니라 지나간 과거의 것에 대해 이야기한다. 칵테일파티에서와 같이 피상적인 대화가 주류를 이룬다. 번은 소일에 대해 설명하면서 남자들이 모이면 자동차 이야기, 여자들이 모이면 살림 이야기, 부모들이 모이면 자식 이야기가 주류를 이룬다고 하였다. 소일에서 주고받는 스트로크를 의례에서 주고받는 스트로크와 비교할 때, 스트로크가 좀 더 강하지만 어떤 반응이 올지 예측 가능성은 다소 떨어진다. 따라서 소일에서의 스트로크가 좀 더 위험하다고 지각할 수 있다. 넷째, 활동(activities)은 물건이나 주제와 관련된 외부현실에 대한 상호작용으로서 대부분 일과 관련해서 일어난다. 직장에서 그룹 구성원들 사이의 대화는 대부분 목표를 달성하고자 하는 것이지, 그냥 단순히 이야기만 하자는 것은 아니다. 이것이 바로 활동과 소일과의 차이다. 활동에서 상호작용에 참여하는 구성원의 에너지는 특정 물질적 결과를 위해서 사용된다. 직장에서는 대부분의 시간을 활동에 부과한다. 다른 예로는 가전제품을 고치거나 아기 기저귀를 갈아 주고 수표를 기입한다. 운동을 하거나 악기를 아주 잘 다루기 위해서 열심인 사람들 모두는 이미 활동에 임하고 있는 것이다. 어른 자아상태는 이러한 활동의 주된 자아상태다. 이것은 지금-여기 목표를 달성하기 위해 관심을 쏟고 있는 것에 기인하고 있다. 활동으로부터의 스트로크는 긍정적이든 부정적이든 모두 조건적이다. 다섯째, 게임(games)은 솔직하게 인정 자아를 얻을 수 없고 비뚤어진 형태로 그것을 얻으려는 사람들에게 보이는 교류양식이다. 일종의 심리적 게임으로 인정자아는 긍정적 인정자아, 조건부 인정자아, 무조건 인정자아, 신체적 인정자아, 언어적 인정자아 등이 있다. 게임은 일련의 주고받는 대화 후에 승부가 나서 결과적으로 불쾌한 감정을 맛보는 것이 그 특색이다. 여섯째, 친밀(intimacy)은 욕구나 감정을 직접적으로 교환하는 교류를 말한다. 두 사람이 서로 의뢰하고 상대방에게 순수한 배려를 행하는 관계다. 이 관계가 성립하기 위해서는 두 사람이 모두 'I'm OK, You're OK.'라는 기본적 태도를 갖는 것이 필요하다. 이것은 두 사람이 나타내는 기쁨의 자발적 표현이며, 사회적인 압력에 따라 프로그램화된 의례에 대한 반응이 아니다. 친밀은 인격 대 인격의 교류다. 여기서 어버이 자아(P)의 요구는 존중되고 동시에 자유로운 어린이 자아(FC)가 출현하여 활발하게 활동하는 것도 허용된다. 이 어린이 자아(C)는 창조적, 자발적이고 호기심이 풍부하며 공포를 알지 못한다. '지금-여기'라는 입장에서 자발적으로 직접적인 인정자아의 교환이 이루어진다.

관련어 | 스트로크

시간선
[時間線, time line]

과거-현재-미래를 연결하는 가상적인 선을 가리키는 NLP의 개념. NLP

현재나 미래의 내적 그림, 소리, 느낌, 그리고 과거의 기억을 저장하는 방식이기도 한 시간선은 내재시간형(in time)과 통과시간형(through time)의 두 종류가 있다. 시간선의 종류에 따라서 개인의 성격이나 행동양식이 달라진다는 데 시간선의 의의가 있다. 또한 모든 인간의 경험과 기억은 이 시간의 맥락에서 구조화되는데, 시간의 맥락이 바뀌면 경험이나 기억의 구조도 바뀌고, 따라서 이러한 경험이나 기억구조의 변화는 곧 변화나 치료의 효과로 전환된다. 아울러 시간선이 바뀌면 그에 따라 성격이나 개인적 성향, 시간에 대한 관념도 달리진다. 시간선의 원리를 바탕으로 이루어지는 치료기법으로는 시간선 치료(time line therapy) 기법이 있다. 시간선 치료는 분노, 슬픔, 죄책감, 불안과 같은 부정적 정서의 제거와 제한적 신념의 제거, 그리고 미래의 목표설정 및 달성의 분야에서 탁월한 효과를 발휘하는 것으로 알려져 있다. 그러므로 시간선은 특히 시간선 치료를 비롯한 치료적 상황과 함께 미래의 목표설정을 위한 작업에서 유용하고, 시간선

치료에서는 시간선을 바꾸는 과정도 포함되기 때문에 시간선 변경을 통한 성격의 변화도 아울러 시도한다.

내재시간형 [內在時間型, in time] NLP에서 시간선의 한 종류로서 과거가 뒤에 있고 미래가 앞에 있는 형태다. 시간선을 알아보기 위해서는 "당신은 과거가 어디에서 생각나는가, 그리고 미래는 어디에서 생각나는가?" 또는 "당신은 과거의 일을 생각할 때 어느 방향에서 생각나는가, 그리고 미래의 일은 어디에서 생각나는가?"라고 물어본다. 내재시간형의 사람들은 현재가 자신의 몸속, 특히 머릿속에 존재하는 것으로 경험되기 때문에 과거나 미래가 현재와 연결된 것으로 연합되어 기억되기 쉽다. 그래서 과거의 일을 생각하거나 떠올릴 때 시간의 거리나 간격을 잘 느끼지 못하고 쉽게 연합되는 경향을 나타낸다. '뒤를 돌아보지 마라.' '앞을 보고 가자.'와 같은 표현은 내재시간형 차원에서 할 수 있는 표현이다. 내재시간형의 사람은 시간관념이 별로 없고 순서, 절차, 계획에 둔감한 편이다. 따라서 내재시간형은 시골형, 동양형에 해당한다고 볼 수 있다.

통과시간형 [通過時間型, through time] NLP에서 시간선의 한 종류로서 내재시간형과 반대되는 개념이다. 통과시간형은 과거, 현재, 미래가 모두 앞에서 펼쳐지며 통과하는 시간형이다. 즉, 과거와 현재가 앞에서 보이기 때문에 과거를 생각하기 위해서는 뒤를 돌아봐야 할 필요가 없다고 할 수 있다. 그리고 시간선이 모두 앞에서 보이므로 시간의 흐름이나 순서 등이 잘 보인다. 이러한 이유로 통과시간형의 사람은 시간에 예민하고 어떤 일의 순서와 절차를 중시하는 경향이 있다. 따라서 통과시간형은 도시형, 서구형에 해당한다고 볼 수 있다.

시간왜곡
[時間歪曲, time distortion]

최면상태에서 시간이 실제보다 길거나 짧게 느껴지는 현상. 최면치료

최면 중에 흔히 나타나는데, 최면상태에서 내담자의 감정, 가치, 행태, 기억, 이해력은 주관적이 되고 객관적인 현실검증은 덜 중요시하게 되면서 발생하는 시간차원의 왜곡현상이다. 일상적인 상황에서도 시간에 대한 개인의 지각은 달라질 수 있다. 예를 들어, 좋아하는 일을 하는 동안은 시간이 짧게 느껴지고, 싫어하는 일을 하는 동안은 길게 느껴진다. 최면상태에서는 이와 같은 왜곡이 다반사로 일어난다.

관련어 | 최면

시간을 활용한 자명한 진술
[時間-活用-自明-陳述, truism utilizing time]

내담자가 경험하는 시간적 차원을 진술하도록 하는 최면기법. 최면치료

에릭슨 최면기법 중 자명한 진술의 한 유형으로, 감각에 대한 자명한 진술과 유사하지만 이것은 시간적 차원에 초점을 둔다는 차이가 있다.

관련어 | 감각에 대한 자명한 진술, 에릭슨 최면, 자명한 진술

시간조망
[時間眺望, time perspective]

생애발달을 통해 자신의 경험을 과거와 현재, 미래에 대한 시간개념을 토대로 추정하는 것. 아동청소년상담

에릭슨(E. Erikson)이 제시한 청년기 일곱 가지 부분 위기(part conflict)에 속하는 요소다. 에릭슨

은 개인 발달에서 정체감 형성의 결정적인 시기에 해당하는 청년기의 중요성을 강조하면서, 확고한 정체감 확립을 위해 청년기에 달성해야 할 발달과업과 극복해야 할 위기를 각각 제시하였다. 먼저 청년기 이전에 극복해야 할 위기로서 청년기에 재출현하는 네 가지 위기에는 시간전망 대 시간혼미, 자기확신 대 자의식, 역할실험 대 역할고착, 도제수업 대 활동불능이 있다. 이후 성인기에는 성의 양극화 대 양성혼미, 지도력과 수행 대 권위혼미, 신념실천 대 가치관혼미라는 또 다른 세 가지 위기가 추가된다. 청소년기에 극복해야 할 위기는 이 일곱 가지 부분 위기의 해결이며, 확고한 정체감 확립을 위해서는 시간조망을 포함한 일곱 가지 위기를 성공적으로 해결해야 한다. 청년기에 접어들면 자신의 과거를 인정하고 미래 성인기의 생활을 계획하기 위해 자기 자신이 무엇이 되고자 하는지를 숙고한다. 이때 인생목표를 달성하기 위해 얼마나 시간이 걸릴 것인지 과거경험에 비추어 추정해 보는 것을 시간조망 혹은 시간전망이라고 한다. 그러나 과거와 미래를 통합하는 데 있어서 다양한 기억과 기대 및 가능성으로 인해 시간혼미를 경험하기도 한다. 에릭슨은 청년기에 겪게 되는 시간조망에 관련된 부분 위기를 유아기의 위기와 비교하였다. 유아기에 인식하는 시간은 아주 초보적인 시간개념으로, 양육자가 나타나고 사라지는 것을 지각함으로써 형성된다. 유아 자신이 원할 때 언제든지 양육자가 나타나면 '신뢰감'이 형성되고, 양육자의 출현과 사라짐이 예측불허 상태가 되면 '불신감'이 형성된다. 이에 비해, 청년기의 시간개념은 자신의 인생 전체 시간표에 대한 전망으로서 유아기의 갈등보다 훨씬 더 정교하다.

시간퇴행
[時間退行, time regression]

사이코드라마에서 과거의 장면과 은유를 지금-여기에서 말로 표현하여 구체화하는 행위 사이코드라마

여기서 가장 중요한 것은 역할자로 하여금 그것이 실제로 지금-여기에서 일어나고 있는 것으로 믿게 하는 것이다. 시간퇴행은 정신적 외상, 불쾌한 경험, 기타 과거의 경험에 따른 문제가 있을 때, 다시 말해 현재의 어려움이 과거의 경험과 관련되어 있을 때 과거로 돌아가 그것을 지금-여기에서 일어나는 일로 다루는 것이다. 따라서 여기서는 주인공을 비롯한 모든 보조자아가 현재 시제를 사용한다. 과거시제를 사용하면 역할연기자가 관찰자 입장이 되지만, 현재시제를 사용하면 역할연기자가 참여자 입장이 될 수 있기 때문이다.

관련어 | 연령퇴행

시기심
[猜忌心, envy]

자기 자신에게 생명을 제공해 주고 유지시키는 대상을 파괴하고자 하는 공격성의 한 양태. 대상관계이론

죽음의 본능은 죽음 자체를 향하는 욕동이며 자기를 향한 파괴성을 지니고 있는 반면, 시기심은 대상을 파괴하고자 한다. 클라인(M. Klein)은 시기심을 출생할 때부터 타고나는 것으로 이해하고 다양한 감정이 혼합된 하나의 정서라고 보았다. 시기심은 좋은 대상에게로 향한 공격성이다. 유아는 어머니의 돌봄을 경험하지만 그것만으로는 부족하다고 느낀다. 나쁜 수유경험을 한 유아는 어머니의 젖가슴이 모유를 조금씩만 제공하고 사라져 버린다고 생각하기 때문에 어머니가 좋은 것들을 철저하게 통제한다고 느끼면서 분노한다. 유아는 환상 속에서 젖가슴이 그 자체의 목적 때문에 젖을 저장한다

고 느낀다. 좋은 수유경험을 지닌 유아도 젖가슴이 끊임없는 결핍감을 고조시키기 때문에 이에 대해 부정적인 감정을 지니게 된다. 따라서 유아는 좋은 젖가슴을 공격하게 되는데, 처음에는 어머니를 모욕하는 형태로 나타나지만 나중에는 자기보다 더 많은 것을 가졌다고 생각되는 사람들을 조롱하는 형태로 표출된다. 이처럼 클라인에 따르면, 시기심은 대상이 탐나는 무언가를 소유하고 즐기는 것에 대해 화를 내는 것이다. 그래서 대상이 가지고 있는 것을 빼앗거나 훼손함으로써 대상이 비참해지는 것을 보고 마음의 안정을 찾는다. 시기심은 생애 초기에 어머니와 경험했던 독점적 관계에 근원을 두고 있다.

관련어 | 질투, 탐욕

시나논 그룹
[–, synanon group]

1958년 캘리포니아 주 산타모니카에서 찰스 디더릭(Charles Dederich)이 시작한 중독자 치료를 위한 자조모임. 중독상담

디더릭은 자신이 알코올중독에서 회복된 경험과 강력한 지도력을 바탕으로 알코올중독자 및 마약중독자와 함께 자신의 집에 거주하면서 오랜 기간 철학과 사상, 종교에 관한 토론모임을 시작하였다. 이 모임을 시작으로 많은 중독자들이 치료가 되는 효과를 거두었고, 이러한 성공을 바탕으로 AA 프로그램을 수정하여 비거주자 프로그램을 거주자 프로그램으로 바꾸는 방법으로 치료법을 개발한 것이 시나논이다. 시나논 그룹은 1959년에 창설되어 캘리포니아의 본부를 중심으로 각지에 지부를 두고 활동하였으며, 오늘날 치료적 공동체(TC)의 기본 개념과 프로그램의 기초 형성에 영향을 주었다. 시나논 안에서는 종족(tribes)이라고 불리는 공동체 속에서 타인을 공격하거나 칭찬하는 시나논 게임 혹은 영원한 장소라고 말해지는 수일간의 의식적 회합 등이 행해진다. 또한 참가자의 방어기제를 허물어트리기 위해 상당히 격심한 공격을 가하는 것을 강조하는 경향이 있다. 만성 알코올중독자를 돕는 자조모임과 같은 방법으로 약물 의존자들에게 약을 중단하도록 집단적인 치료를 시도한다. 시나논의 엄격한 공동생활, 집단극기훈련, 극기 마라톤, 정기적인 상호 조언회 등으로 생활의 극한에 직면하여 금단증상으로 고통받는 의존자들을 구제한다. 시나논 내에서는 어떠한 약물도 허용되지 않으며, 공동 규율이 엄격하게 유지된다. 시나논 옹호자들은 메타돈 치료보다 더 낫다고 말하고 있는데, 시나논 치료가 장기적으로도 성공할 수 있는지는 의문이다.

관련어 | 알코올중독자 모임, 자조모임

시냅스
[–, synapse]

뉴런과 뉴런 사이의 연결부위. 뇌 과학

뉴런에서 나온 신경전달물질이나 뉴런의 세포막에 형성된 전류를 통과시키는 통로로서, 뉴런에서 생성된 신경자극을 다음 뉴런으로 신호가 전달될 수 있도록 특수하게 분화된 구조다. 이 시냅스를 건너 다음 뉴런에 도착함으로써 신경자극이 전달된다.

관련어 | 뉴런

시냇물 심상
[–心像, the stream]

KB 심상척도 중 하나로, 인간이 정신 내적으로 지니고 있는 충동, 욕구, 원초적 본능, 리비도, 역동에너지 체계 등을 분석하기 위한 심상척도. 심상치료

시냇물 심상은 인간 역동에너지의 흐름, 정신세계

전반의 형태 등을 파악하는 심상으로, KB와 GMIP에서 세 번째로 다루는 심상이다. 시냇물에 한정된 심상만이 아닌 대양까지 아우르는 다양한 형태의 물과 동일한 의미 및 기능을 표현하기 때문에 물 심상이라고도 한다. 시냇물 심상은 꽃심상, 초원심상체험에 이어서 활용하는 것이 일반적이다. 시냇물이 내담자의 충동, 심리적 갈망, 희망이나 소망, 정신발달상태, 감정세계 등을 의미하는 분석 대상이기 때문에 로이너(Leuner)는 시냇물 심상체험으로 내담자의 리비도 상태, 정신 성욕 발달단계, 정신에너지 역량 및 기능 등을 더듬어 볼 수 있다고 하였다. 시냇물 심상으로는 우울장애, 성격장애, 충동장애 등을 지닌 내담자의 부정적 정서문제 및 마음의 문제를 파악할 수 있다. 시냇물의 원천은 곧 정신의 원천지로 분석되어, 시냇물이 어디서 어떻게 시작되었는지를 분석하는 것으로 내담자 정신세계의 탄생과 발달과정, 유아기의 형성과정, 부모-자녀관계, 구강기 심리발달 형성과정, 기본 정서발달과정 등을 파악한다. 시냇물 심상은 시냇물이 시작되는 원천으로 거슬러 가 그 물에서 목욕을 하고, 그 물을 마시고, 그 주변의 풍경을 묘사하는 것으로 내담자의 정신세계를 엿보면서 치유방법을 마련할 수 있다. 예를 들어, 자위나 동성애적 문제로 곤란을 겪는 아동이나 청소년이 성적으로 죄책감에 시달릴 때 시냇물의 원천을 찾아가 온몸을 깨끗이 씻는 심상체험작업을 통해 치유될 수 있다. 시냇물 심상에서는 내담자의 정신상태 및 심리상태의 고착화 정도를 진단하고, 정서안정, 긍정적 자아상 회복 등을 유도할 수 있다. 따라서 자기애적 성격장애, 신체화장애, 구강기 고착화장애, 유아기 부모-자녀관계 갈등문제, 애정결핍 등을 치료하는 데 효과가 크다. 시냇물 심상분석에서는 물의 상태에 먼저 주목해야 한다. 물이 얼마나 깨끗한지, 신선도나 오염도는 어떠한지, 물의 깊이나 시내의 너비가 어느 정도인지에 대한 묘사가 내담자의 병리적 상태를 상징한다. 이와 더불어 물의 흐름이나 물길, 유속이나 모양 등도 내담자의 심리 및 정신, 마음의 문제를 진단하고 분석하는 데 중요한 자료가 된다. 아동의 경우는 시내 가운데 놓이는 방해물이나 장애물이 그 아동의 주요 심리 및 정신적 문제를 그대로 나타내는 것이라고 볼 수 있다.

관련어 | 심상, 심상척도

시더우드
[-, Cedarwood]

진정, 방부, 수렴, 항지루, 이뇨, 거담, 살충에 효과가 있는 나무로서, 알제리와 모로코의 아틀라스 산맥이 원산지.

향기치료

시더우드는 사철 푸른 침엽수로 40~50미터까지 크고 넓게 자란다. 줄기나 가지 주위에 여러 겹으로 뾰족한 침처럼 회녹색 나뭇잎이 달린다. 시더우드 오일은 스트레스, 불안, 긴장을 줄이는 데 사용하며, 몸의 기 에너지를 강장하여 건강하게 만들어 주고 힘을 강화시킨다. 그리고 신장과 비장 모두를 강장하는 효과가 있어서 무기력, 신경쇠약, 요통, 집중력 저하 등에 사용한다. 또한 시더우드 오일은 림프 배수를 증가시키고 축적된 지방의 분해를 촉진하는 효과가 있으며, 세스퀴테르펜 케톤 성분을 함유하여 뛰어난 점액용해 효과가 있어 점액분비 증세, 기침, 만성 기관지염의 치료에 사용할 수 있다.

시련기법
[試鍊技法, ordeal technique]

문제적 증상이 나타날 때마다 의도적으로 내담자가 괴로워하는 일을 수행하도록 하여 문제적 증상을 감소시키는 기법. 전략적 가족치료

문제적 증상을 가진 내담자에게 그것을 포기하도록 하는 대신에, 증상이 나타날 때마다 괴롭고 피하고 싶은 일을 수행하도록 과제를 주는 것이다. 따라서 내담자는 문제행동을 계속해서 유지하는 것이 포기하는 것보다 더 고통스럽다는 것을 인식하여, 결국은 스스로 문제적 증상을 보이지 않도록 하는 효과가 있다. 시련기법은 에릭슨(Erickson)이 시작하여 그의 제자인 헤일리(Haley)가 정리·명명하였다. 예를 들면, 에릭슨은 15년간 불면으로 고민하는 노인에게 잠이 오지 않을 때 가장 싫어하는 작업인 왁스로 마루 닦기를 하룻밤 내내 계속하는 시련과업을 시행하도록 하였고, 그 결과 4일 만에 불면증이 치유되었다. 치료자가 내담자에게 부여할 시련과제를 선택할 때는 내담자의 도덕성에 위반되지 않고, 실행 가능하며, 생활개선에 도움이 되는 것을 고른다. 예를 들면, 운동, 다이어트, 저작, 독서 등을 문제행동이 나타날 때마다 내담자가 시행하도록 하는 것이다. 때로는 문제행위를 계속해서 하라는 것 자체도 시련과제가 될 수 있다. 내담자가 두 가지 증상을 호소하는 경우에는 한 가지 증상에 대하여 다른 한 가지 증상을 고행으로 실행하도록 하면, 두 가지 증상 모두에 대한 효과를 거둘 수 있다. 경우에 따라서는 내용을 묻지 않고 시련을 예고하는 것만으로도 치료효과를 얻을 수 있다. 이 치료기법을 사용하는 데는 내담자에게 변화와 치료에 대한 강력한 동기를 부여하는 것이 특히 중요하다. 또한 내담자의 증상이 가족관계에 부정적인 영향을 미치는 경우가 많기 때문에, 시련과제의 주체로 내담자의 가족을 지정하는 경우가 종종 있다.

시범집단
[示範集團, demonstration group]

실제 집단경험을 하기 전에 먼저 모의실험을 하기 위해 설정한 집단. 집단상담

시범집단은 다양한 집단경험에 대해 의문을 해소하기 위해 많은 인원 앞에서 실제로 집단활동을 행한다. 보통 한두 시간의 집단경험을 한 다음 집단 참가자와 청중이 함께 질의응답을 한다. 예를 들어, 감수성 훈련집단에 대하여 이해하고자 한다면 실제로 그 집단을 먼저 경험해 보는 것이다. 한국집단상담학회 등에서 실시하는 관찰집단이 시범집단에 해당된다.

시상
[視床, thalamus]

대뇌피질과 중뇌 사이에 위치한 회백질. 뇌 과학

후각 이외의 모든 수용기에서 대뇌피질에 전달된 감각신호를 중계하는 역할을 하며, 척수와 중뇌 구조에서 대뇌로 가는 신호와 역으로 대뇌에서 척수와 신경계로 가는 신호를 분류하고 처리하며 안내하는 데 관여한다.

시상하부
[視床下部, hypothalamus]

자율신경계의 기능을 조절하는 뇌 구조. 뇌 과학

간뇌의 일부로서 제3뇌실의 바깥벽과 바닥부분을 말하며 뇌하수체와 연결된다. 시상하부에는 많은 신경세포와 신경섬유가 존재하며, 이러한 신경세포집단을 핵이라고 한다. 시상하부는 자율신경계와 관련된 기능을 하는데, 앞 시상하부는 부교감신경 계통에 대한 자극효과가 있고 뒤 시상하부는 교

감신경 계통에 대한 자극효과가 있다. 또한 시상하부는 여러 가지 호르몬의 분비를 조절한다. 여기에서 조절하는 호르몬에는 갑상샘자극호르몬분비호르몬, 성샘자극호르몬분비호르몬, 성장억제호르몬, 성장호르몬분비호르몬, 부신겉질자극호르몬분비호르몬, 프로락틴분비억제인자, 프로락틴분비유발인자가 있다. 시상하부는 사람의 생명유지에 필수적인 기본적 행동(섭식, 음수 행동, 성 행동, 체온조절, 수면, 각종 호르몬 분비 조절 등)을 제어하는 뇌 안의 조절중추가 집중해 있는 부위라 할 수 있다. 뇌의 중앙 저부(底部)에 위치하는 이 부분의 만복중추(滿腹中樞)에 손상이 생기면 다식(多食)이 일어나거나 비만증을 유발하고, 뇌염 환자가 기면(嗜眠) 상태에 빠지는 것은 기면 중추의 이상에 따른 것이다. 나아가 이 부위의 장애로 요붕(尿崩), 즉 다뇨(多尿)증이 일어난다. 앞쪽은 성욕을 일으키고 성을 조절하는 성 중추이며, 가운데는 식욕을 갖게 하는 식 중추이고, 아래는 체온조절 중추다. 이것은 자율신경 중추이기도 하며, 이 부위의 신경전달물질이 부족하면 조울증 혹은 우울증을 유발한다.

관련어 변연계, 세로토닌

시설보호
[施設保護, institutional care]

가정을 대신하여 의식주, 양육, 치료 등을 제공해 주는 사회복지서비스의 하나. 사회복지상담

가정으로부터 적절한 보호나 양육 혹은 치료를 받지 못하는 유아나 아동, 중증 혹은 중복장애를 지닌 사람들, 노화가 진행되고 있는 노인 등 사회복지 대상자를 수용하여 보호하고 양육하는 것을 시설보호라고 한다. 초기에는 의식주를 제공하는 것이 시설보호의 주된 목적이었다. 325년 니케아(Nicea) 종교회의에서 여행자, 빈곤자, 고아를 수용하기 위해 막사를 설립하여 의식주를 제공했던 일이 최초의 시설보호서비스라고 할 수 있다. 지금에 이르러서는 의식주 제공뿐만 아니라 정신적, 신체적 장애를 개선 및 치료하거나 성장발달 촉진에 대한 심리상담, 또는 재활(rehabilitation) 등에 대한 전문적 조력이 시설보호의 역할로 강조되고 있다. 예를 들면, 상담소, 육아시설, 보호치료시설, 일시 보호시설인 쉼터, 요양시설, 자립지원시설, 주간보호시설, 직업훈련시설 등이 시설보호가 이루어지는 지역기관이다.

시설에서의 진행
[施設-進行, house run]

치료적 공동체의 활동을 돕기 위한 공동체적 모임으로, 시설 전체의 보안뿐만 아니라 구성원의 전반적인 임상적 상태에 대해 평가하는 과정. 중독상담

시설에서의 진행과정의 주요 모임은 네 가지가 있다. 주요한 네 가지 모임의 첫 번째는 모닝미팅(the morning meeting)이다. 모닝미팅은 매일 아침 식사 후 바로 소집되며 기관 내 모든 구성원과 스태프가 모인다. 모닝미팅의 목적은 하루를 긍정적인 태도로 시작할 수 있도록 서로 격려하는 것을 통해서 혼자가 아니라 공동체와 함께하는 치료라는 것을 인식하도록 하는 것이다. 또한 그동안 불규칙한 생활습관에 젖어 있던 중독자들이 규칙적인 생활을 할 수 있도록 자극하는 역할도 한다. 두 번째는 하우스미팅(the house meeting)이다. 하우스미팅은 치료적 공동체(therapeutic community: TC) 사업을 수행하는 가장 중요한 수단으로, 주요 기능은 공동체 운영이다. 하우스미팅은 주중 매일 밤에 이루어지며, 모든 입소자와 스태프가 모인다. 하우스미팅에서는 입소자들의 긍정적 혹은 부정적인 행동에 대하여 토론도 하고, 참만남집단의 구성, 작업교체, 사후관리 계획과 같은 논의도 한다. 또한 입소자가 공동체가 정한 규율을 위반하였을 경우, 그 경위를 모든 사람 앞에서 진술하게 하여 공동체가 이를 지

각할 수 있도록 하고 부정적인 영향력을 사전에 차단하는 역할도 한다. 세 번째는 세미나(the seminar)다. 세미나는 공동체 의식을 향상시키고 임상적인 관리를 할 수 있는 활동이다. 시설의 모든 입소자와 사전에 선별한 스태프가 모여 매일 오후에 회합을 갖는다. 세미나는 다양한 집단과 모임 중에서 교육적인 형태로 개념적인 것과 의사소통기술의 변화를 강조한다. 네 번째는 일반미팅(the general meeting)이다. 일반미팅은 공동체의 통합을 위협하는 문제를 제기하고 교정하기 위해 필요하다. 일반미팅의 목적은 문제를 활용하여 회복과정과 올바른 삶에 대한 치료적 공동체의 관점을 가르치는 것, 그리고 개개의 구성원들을 위해 전체 공동체에 존재하는 강점과 지지를 재확인해 주는 것이다. 이외에도 사업, 교육, 인류 봉사적 측면에서의 모임과 그 밖의 다양한 공식 모임이 있다.

관련어 알코올중독, 치료적 공동체

시작의 원/종결의 원
[始作-圓/終結-圓, check-in circle/check-out circle]

무용동작치료과정에서 각 회기 주제 활동작업을 시작하기 전과 끝난 후에 집단구성원들이 상담자와 함께 원으로 둘러앉아 느낌과 경험을 나누는 일. 무용동작치료

무용동작치료의 치료회기 시작단계에서 내담자의 근황과 '여기 그리고 지금'의 감정표현은 일반적인 상담단계에서 시작과정 및 탐색과정으로 중시되는 것과 같은 과정이다. 행위 중심의 예술치료 작업과정을 거친 후 언어로 경험 나누기를 통해 요약과 반영을 하는 일은 행위 중심의 무의식적 동기의 측면과 작업과정, 그리고 자신의 문제 및 생활 상황과의 연결이라는 언어적이고 인지적 측면의 통합이라는 면에서 중시된다. 즉, 다양한 예술활동의 표현과 언어적 표현의 치료적 통합의 효과로서 가치가 있다. 시작의 원 단계에서는 내담자가 자신의 문제와 증상을 말하고 상담자는 경청한다. 계속 이어지는 회기일 경우에는, 그동안 내담자에게 일어났던 좋은 일과 나쁜 일을 이야기한다. 이때 상담자는 경청하고 현재의 감정을 물어본다. 집단의 초기 단계일 경우 목표설정을 위해 척도질문을 할 수 있다. 개인 회기라면 넓은 방 한쪽에 놓아 둔 2개의 의자에 마주 앉아서 시작의 원을 진행하고, 계속 회기라면 원형으로 서서 각자 차례로 현재의 감정을 동작하며 말하기(talking with movement)로 표현하고 다른 구성원들이 그 동작과 말을 메아리 되기(echoing) 방법으로 대체할 수 있다. 종결의 원 단계에서는 이전의 모든 단계의 경험을 언어적 표현으로 나누어 본다. 집단이라면 원으로 둘러앉고, 개인 회기라면 방 한쪽에 있는 2개의 의자에 마주 앉아 나누기를 한다. 동작의 형태로 종결할 경우, 원으로 서서 간단한 감정표현을 동작하며 말하기로 나누어 본다.

시작하는 말
[始作-, opening remarks]

인간관계기술의 하나로, 상대방의 말을 들을 준비가 되어 있다는 신호로 사용하는 간단한 말. 생애기술치료

"요즘 어떻게 지내십니까?" "오늘 하루를 잘 보내셨나요?" "오늘 좀 피곤해 보이네요."와 같이 상대방과 이야기를 하고 싶고 또한 상대방의 감정이나 생각 등을 나누고 싶다는 뜻을 내포하고 있는 말을 시작하는 말이라고 한다. 이러한 인간관계기술을 사용함으로써 보다 긍정적인 인간관계를 형성하는 데 큰 도움이 된다. 시작하는 말을 하기에 가장 적당한 때는 상대방이 약간 걱정이 된다거나 상대방이 자신의 감정이나 생각을 나눔으로써 격려받는 것이 필요해 보일 때다. 하지만 시작하는 말로 상대방과의 의사소통의 문을 열 때 조심해야 할 점은, 상대방

의 반응에 주의를 기울여야 한다는 것이다. 상대방이 아직 말할 준비가 되지 않은 상태일 수도 있고, 자신의 감정이나 생각을 나누고 싶지 않을 수도 있기 때문이다.

관련어 | 인간관계기술

시치료
[詩治療, poetry therapy]

치료자와 내담자의 치료적 관계에서 시를 매개로 상호작용하여 치료적 효과를 내는 것. 문학치료(시치료)

시의 치료적 효과는 선사시대의 샤먼과 언어의 주술성을 바탕으로 한 주술사의 주문과 기원의 행위에서부터 나타나 있다. 아리스토텔레스는 이미 『시학』에서 카타르시스로 감정을 소산함으로써 일어나는 치료적 효과를 언급하였고, 또한 통찰과 우주적 진리 획득이 시를 통해 이루어진다고 말하였다. 정서적 동일시를 제1요소로 하는 카타르시스는 지금까지도 시치료에서 가장 중요하게 다루어지고 있다. 기록상 최초의 시치료사는 기원전 1세기경 로마의 의사로 알려진 소라누스(Soranus)인데, 그는 조증 환자들에게는 비극을 처방하고 우울증 환자들에게는 희극을 처방했다는 기록이 있다. 게다가 아폴로가 의학의 신이면서 시의 신이라는 사실은 의학과 예술이 역사적으로 서로 얽혀 있음을 말해 주는 것이다. 수세기를 거듭하면서 시와 치료의 연관성은 증명되어 왔다. 벤저민 프랭클린(Benjamin Franklin)이 세운 미국 최초의 병원, 펜실베이니아 병원에서도 정신질환 환자들의 치료에 읽기, 쓰기, 출판 등을 사용하였다. 미국 정신의학의 아버지로 불리는 벤저민 러시(Benjamin Rush)도 음악과 함께 문학의 치료적 효과에 대해서 말하였다. 그는 『The Illuminator』에 환자들이 쓴 글을 싣기도 하였다. 근대에 들어서면서, 19세기 초에는 정신건강의 목적을 위해서 시가 사용된 기록들이 보인다. 샤우플러(Schauffler)의 저서 『The Poetry Cure: A Pocket Medicine Chest of Verse』에서 시와 관련된 각각의 심리상태나 정신질환의 분류를 볼 수 있다. 그는 시가 모든 사람에게 동일한 방식으로 감정을 유발하지는 않는다고 하면서, 시 사용에 대한 경계도 말하고 있다. 그 외에도 샤우플러는 읽는 것과 쓰는 것에 대한 가치를 함께 말하면서, 무분별한 시의 사용이 위험할 수도 있음을 경고하였다. 그의 또 다른 저서인 『The Junior Poetry Cure: A First-Aid Kit of Verse for the Young of All Ages』에서는 자기 환자들을 대상으로 해서 분류한 열네 가지 일반적 질환에 대한 시를 보여 주고 있다. 현대에 와서 시의 치료적 가치에 대한 조명은 증대되었고, 여러 방향으로 치료적 접근은 실제로 확대되었다. 학문적으로 문학적인 연구가 나타나기 시작한 것은 시치료라는 용어보다는 독서치료라는 용어에서 더 많이 이루어졌고, 1960년대와 1970년대에 많이 알려지게 되었다. 블란톤(Blanton)은 1960년에 『The Healing Power of Poetry』에서 각 분위기에 맞는 특별한 정신적 문제와 관련된 시를 분류하는 시도를 하였다. 그는 시의 치료적 가치에 대해 논하면서 영감을 주는 시 활용으로 처방적 접근을 계속하였다. 시치료라는 명칭은 그리퍼(Griefer)가 처음 사용하였다. 그 외에 모레노(Moreno)도 심리시학이라는 명칭을 쓰면서 치료에 시를 활용하였다. 그리퍼는 1963년 『Principles of Poetry Therapy』라는 책을 썼고, 그의 연구를 이어 리디(Leedy)가 1969년에 『Poetry Therapy: The Use of Poetry in the Treatment of Emotional Disorders』를 편집하였다. 1960년대에는 집단 심리치료가 눈부시게 발전하면서, 심리치료사들은 시치료가 치료의 장에서 쓰일 수 있는 안전하고 효과적인 도구라는 것을 확인하였다. 이후 시치료는 재활, 교육, 도서관학, 레크리에이션, 창조적 예술 등 여러 훈련을 거쳐 전문가를 양산하였다. 그러고는 정신건강전문가들이 문학적 자료들, 특히 시가 치료적 가치가 있다는 연구를 심화시켰다. 이들의 연구로 문학, 특히 시의 환기적 가치에 대한 조명과 다른 사람의 시나 원작에 대한 반응으로 내담자가 자신의 경험 및 정서를 글로 쓰는 것에 대한 잠재적 유익함의 인식을 증명하였다. 리디는 컴버랜드병원과 뉴욕의 시치료센터에서 시의 치료적 유익함을 계속 연구하였다. 그 외에도 화이트(White)와 쉴로스(Schloss) 등이 시의 치료적 힘에 대한 연구와 실제 적용에 관해 계속해서 연구를 하였다. 이후 시는 정서적 문제에 대한 치료적 효과만이 아니라 시의 치유적인 힘과 뇌 우반구의 연관성, 재활, 중독, 성폭행 및 근친상간 희생자와 같은 여러 분야에서 치료적 효과를 증명하였다. 이에 더하여 농아나 정서장애가 있는 사람들에게는 말로 하는 치료에서의 한계를 극복하는 새로운 방법으로 주목받기도 하였다. 한편, 러너(Lerner)는 로스앤젤레스에서 1973년에 시치료 연구소(Poetry Therapy Institute)를 설립했는데, 이 단체는 시치료의 연구와 실제를 위해 헌신한 최초의 합법적 비영리 조직이었다. 현재 미국에서는 시치료를 독서치료와 엄격하게 구별하지 않고 독서-시치료(biblio-poetry therapy)라는 용어를 쓰면서 같은 분야로 보고 있다. 시치료에서는 시 자체의 작품성이나 미적인 완성도가 아니라 시와의 상호작용을 통한 과정이 중요시된다. 시치료사들은 문학과 심리학 양 분야 모두에서 기반이 굳건해야 하고, 시치료는 집단으로 이루어지는 경우가 많기 때문에 집단역동에도 잘 대처할 수 있어야 한다. 시치료를 통해서 이루고자 하는 목표는 다음과 같다. 첫째, 자기 및 타인에 대한 정확한 인식과 이해를 발전시킨다. 둘째, 창의성, 자기표현, 자긍심 등을 증대시킨다. 셋째, 대인관계기술 및 의사소통기술을 강화한다. 넷째, 압도적인 정서를 환기시키고 긴장을 풀 수 있도록 한다. 다섯째, 새로운 관념, 통찰, 정보 등으로 새로운 의미를 찾는다. 여섯째, 대처기술 및 적응기능을 변화시키고 증대시킨다. 이 같은 시치료는 문학, 전문치료사, 내담자의 세 가지 핵심 구성요소의 상호적인 과정이다. 숙련된 치료사들은 내담자의 문제와 상황에 적합하고 긍정적인 결과를 낼 수 있는 시 선별 능력이 있어야 한다. 내담자와 치료사의 상호작용 과정은 내담자가 정서적, 인지적, 사회적 수준에서 발전할 수 있도록 해 준다. 따라서 시치료사는 부드럽고 비위협적인 분위기를 형성하여 내담자가 안전하다고 느끼면서 개방되고 정직한 감정을 공유할 수 있는 자리에 있다고 느낄 수 있도록 만들어 주어야 한다. 치료사가 적절한 훈련을 통해서 문학적 소양과 임상기술을 모두 갖추어야 이 같은 상호작용이 가능하다. 상호작용 과정은 다음 4단계로 볼 수 있다. 1단계는 인식(recognition)이다. 이는 시작 단계로, 내담자가 선별된 것을 인식하고 동일시할 수 있어야 한다. 2단계는 고찰(examination)이다. 이 단계에서 참여자들은 치료사의 도움을 받아 구체적인 세부사항을 탐색한다. 3단계는 병치(juxtaposition)다. 이는 대조와 비교를 통해서 중요한 상호작용을 탐색하는 과정이다. 내담자가 가지고 있던 기존의 관점과는 상반되는 관점에서 경험을 다시 살펴보면서 태도 및 행위에 대한 현명한 선택을 할 수 있는 통찰을 만들어 낸다. 4단계는 자신에 대한 적용이다. 이 단계에서는 내담자가 자신과 문학 간의 연관성을 찾아 현실에서의 자신에 대한 새로운 앎을 적용하는 것이 중요하다. 회기를 마칠 즈음에, 치료사는 미해결된 일들을 처리하면서 종결할 수도 있고, 알게 된 것들을 내담자가 통합할 수 있도록 하기도 한다. 시치료에서 읽기와 쓰기의 과정은 숙련된 전문가의 민감한 지도로 진행이 되어 자기통합을 위한 중요한 촉매로 쓰인다. 미국시치료협회에 따르면, 시치료는 치료뿐만 아니라 예방에서도 효과를 보고 있다. 시치료에서는 시를 읽는 것뿐만 아니라 직접 시를 쓰는 과정도 있다. 철자 시, 3행시, 공동 시, 가족 시, 협력 시 등의 제작과정이 치료기법으로 활용되고 있다.

시치료협회
[詩治療協會, Association for Poetry Therapy]

현재 활동 중인 시치료 기관. 문학치료

국내에서는 한국시치료협회가 2003년 창설되어 활동하고 있다. 미국에서는 약 30년 전에 시치료협회가 창설되어 활동하고 있다. 현재까지 미국시치료협회는 시인, 작가, 원조전문가, 건강관리전문가, 교육자, 언어를 사랑하는 사람들 등 언어의 치유적 힘을 인식하고 인정하는 사람으로 구성된 단체로서 왕성하게 전 세계적인 활동을 하고 있다. 시치료사는 정신건강, 의료, 노인학, 치료, 교육 및 지역 환경 등에서 일하고 있다. 시치료라는 용어는 독서치료, 저널치료, 치료적 스토리텔링, 치료에서의 영화의 활용 등 언어를 기반으로 하는 다른 치유적 양식까지 아우르고 있다. 1928년 약사이면서 법률가이기도 했던 역량 있는 시인 그리퍼(E. Greifer)가 시의 교훈적 메시지가 치료의 힘을 가지고 있다는 것을 보여 주는 활동을 시작하였다. 시에 대한 큰 열정을 가지고 오랜 시간 시에 대한 관심을 기울여 왔던 그는 뉴욕 빌리지 8번가에서 'Village Arts Center와 Messagists Club'을 창설한 이후 'Remedy Rhyme Gallery'를 만들기도 하였다. 그는 스스로 자신의 이론을 검증해 나갔다. 1950년대에 이르러서는 크리드무어주립병원(Creedmore State Hospital)에서 시치료집단을 시작하였다. 또한 정신과 의사인 리디(J. Leedy)와 스펙터(S. Spector)에게 감독을 받으면서 컴버랜드병원(Cumberland Hospital)에서 시치료집단을 이끌었다. 그리퍼는 1966년에 사망했지만 그의 혁혁한 인도주의적인 정신은 현재 시치료의 발달에 핵심적인 역할을 하였다. 그의 시치료에 대한 열정은 리디에게로 이어졌고, 그의 역동과 혁신적인 정신은 시치료협회 창설의 밑거름이 되었다. 리디는 컴버랜드병원과 뉴욕의 시치료센터에서 시의 치료적 이점에 관한 연구를 계속했고, 그레이슨(D. Grayson)과 함께 『Parents and Other Strangers』(1986)를 쓴 화이트(A. White)는 나소 주 레크리에이션 부서(Nassau County Recreation Department)에서 일하면서 병원, 재활센터, 특수아동학교 등지에서 시에 대한 치료적 이점을 불러일으키는 실험 프로젝트를 시행하였다. 또, 1976년 『Psychopoetry』를 쓴 쉴로스(G. Schloss)는 뉴욕 사회요법연구소(Institute for Sociotherpy)에서 개인 및 집단을 위한 심리치료를 시행하였다. 1969년 이들이 모여 리디와 함께 창설한 것이 시치료협회(Association for Poetry Therapy)다. 시인이자 교육자이면서, 1986년 『Poetry as Therapy』를 저술한 모리슨(M. Morrison)은 이 협회의 강력한 지지자이면서 이 방면에서 최초로 체계화된 분류기준의 초안을 마련하였다. 이는 1973년 『Association of Hospital and Institution Libraries Quarterly』에 수록되었다. 그런데 1980년까지 협회는 다른 기관에서 주는 교육인증서로 대치하고 있었고, 시치료사들을 위한 일정 교육 필수조항을 만들지 못하고 있었다. 그러다가 1980년에 시치료협회 부회장인 라이터(S. Reiter)가 성장 가능하고 국가적인 창의적 예술치료집단으로서의 전문가 육성을 저해하는 문제점을 다룰 수 있는 이 분야의 지도적인 인사들을 모아 이사회(Board Meeting)를 만들었다. 리디, 러너, 모리슨, 아센(A. Ahsen), 하인즈(A. Hynes), 브라운(R. Brown), 버거(A. Berger), 벨(G. Bell), 민(D. Min), 쉬에만(J. Shieman), 피에트로핀토(A. Pietropinto), 랭고쉬(D. Langosch), 쉴로스, 라이터 등이 참석 이사들이었다. 이 이사회에서는 다음 두 가지 중요 사항이 결정되었다. 첫째, 시치료협회를 전 국가적 비영리협회의 미국시치료협회(National Association for Poetry Therapy)로 한다는 것을 만장일치로 결정하였다. 둘째, 하인즈가 의장을 맡아 위원회를 지휘하면서 초기 미국시치료협회에서 활동한 인사를 중심으로 창설된 기관으로서, 이 분야의 우수성을 영속하려는 자신들의 힘을 응집시키기 위해서 전국독서-시치료연합(National

ㅅ

Federation for Biblio-Poetry Therapy)을 구성한다. 이 모임은 현재 'Certified Poetry Therapist, CPT' 'Registered Poetry Therapist'라는 이름으로 시치료사 자격증을 발부하고 있다. 이와 같은 결정에 따라 1981년부터 시치료협회는 미국시치료협회라는 이름으로 활동을 하게 된 것이다. 1960년대에 에드거(K. Edgar)와 헤이즐리(R. hazley)는 시치료에 대한 연구조사를 최초로 시행하고, 시치료사 교육을 위한 교과과정 제안서를 제출하였다. 이 제안서는 심리학과 문학 모두를 아우르는 교육에 대한 새로운 과정을 세울 것을 요구하고 있었다. 오늘날까지 이 접근법을 적용한 대학은 없지만, 미국 전역의 대학에서 개별 과정으로는 받아들이고 있다. 1976년에는 마침내 브라운이 최초의 연합 독서치료사로서의 자격을 받았다. 전문가 규범 및 자격 요건은 미국시치료협회의 인증위원회에 마련되어 있고, 2000년 6월이 되면서 독서-시치료연합은 시치료에서 자격 및 공증을 수여하는 유일한 우수기관이 되었다. 이처럼 미국시치료협회는 시치료사들을 대표하는 공식적인 회원 조직이다. 이 기관은 정보 및 출판물을 내고, 국가적 회합, 지원교육, 연구 및 교육 등을 후원하며, 시치료 분야를 대표하고, 전문가 및 대중의 이목에 부응하는 시치료 분야의 성장을 진작시키고 있다. 미국시치료협회는 또한 미국창조예술치료학회(National Coalition of Creative Arts Therapies Associations, NCCATA)와 제휴하고 있다. 미국시치료협회의 회원 자격은 언어, 상징, 이야기를 통한 성장진작 및 치유라는 그들의 사명을 공유하고자 하는 모든 사람에게 열려 있다. 회원이 되면 시치료협회의 기관에 참여할 수 있고, 온라인으로 행하는 집단 논의에도 참여하여 아이디어와 자원, 영감 등을 자유롭게 나눌 수 있다. 미국협회는 디지털양식으로 자료를 공급하고 온라인 접속을 제공하여 환경보호에 앞장서고 있다. 'Museletter'는 회원 소식지로서, 1년에 세 번 발행하고, 협회 및 회원들의 소식뿐만 아니라 논문, 논평, 교육 및 네트워킹 기회 등을 싣고 있다. 『The Journal of Poetry Therapy』는 분기별로 출판되고, 연구 및 과정에 대한 논문과 학위논문의 초록, 도서 논평, 시 등이 실려 있다. 지역회원은 현재 야후에서 모임이 있는데, 이들은 연간회원 명부를 받을 수 있고, 'Museletter'의 편집본을 받는다. 미국시치료협회는 비영리 사단법인 미국시치료협회 재단(National Association for Poetry Therapy Foundation: NAPTF)을 설립하였다. 이 기관의 목적은 시치료 분야를 지원하면서 세금공제 가능한 기증과 기부를 받는 것이고, NAPT와 시치료 분야의 목표 및 목적을 더욱 발전시키기 위한 개인 및 기관으로부터 인정을 받는 것이다. 제한은 없지만 시치료 분야의 전문인 교육진작 및 대중의 관심 신장, 회합, 세미나, 회의 등에 대한 지원, 연구 및 교육적 기회 증대 및 촉진 등을 이 기금 창설의 목표 및 목적으로 하고 있다. 기금이 창설된 지 얼마되지 않았지만, 이미 오랜 기간 준비되어 왔기 때문에 시치료 및 시 적용의 편이성에 대한 연구, 교육, 프로젝트, 교육 및 임상실습 등을 지원하기 위한 프로그램을 즉시 제공할 수 있다. NAPTF에 내는 모든 기부는 국세청 규정에 의거해서 완전한 세금공제를 받을 수 있다. NAPT에서 시행하는 시치료 분야 교육 및 자격제도는 전국독서-시치료연합에서 주관한다. 여기서 수여하는 자격은 CAPF(certified applied poetry facilitator), CPT(certified poetry therapist), RPT(registered poetry therapist) 등이다. 미국시치료협회는 페가수스 문양을 로고로 삼고 있다. 뮤즈들의 말이었던 페가수스 문양은 1981년 사회복지사 회합에서 발표를 했던 마짜(N. Mazza)의 가방에 새겨져 있었다. 이 문양은 수세기 동안 시인과 시를 사랑하는 사람들의 휘장이 되어 왔었다. 그리스 신화에 보면, 눈부신 고르곤이 아테네 신전에서 놀고 있을 당시 메두사에게서 포세이돈이 낳은 것이 페가수스다. 회색 눈에, 질투심이 많던 아테네 여신은 부정을 저지른 메두사를 그냥 두지 않았고, 결국 우리가 알고 있는 그 흉측한 모습으로 변해 버린 것이다. 아테네의 저주로 메두사는 자기 아이들과 페가수스를 그대로 낳을 수가 없어서 쌍둥이 크리사오르 배 속에 오래도록 품고 있었다. 페가수스가 보는 순간 돌로 변해 버리는 고르곤의 뱀의 머리를 베고 태어났을 때는 완전히 다 자라 있었다. 아테네가 양육한 페가수스는 뮤즈가 사는 헬리콘 산에서 시간을 보냈다. 전해지는 바에 의하면, 페가수스의 발굽이 땅을 두드리자 히포크레네의 샘이 터져서 물이 쏟아져 나왔는데, 이렇게 영감을 얻은 사람이 시를 쓰게 된다. 한편, NAPT 회원은 정해진 윤리강령을 따라야 하는데 현재 독서-시치료 윤리강령이 있다. 이것은 독서-시치료 전문가 회원들의 일상적인 행동에 대한 지침이며, 독서-시치료사 및 응용 시치료 촉진자들이 강령에 표현되거나 내포된 규범에 위반되는 행위를 할 때 문제의 판결에 대한 근거로 삼기 위해 만들어졌다. 봉사를 하는 사람들과의 관계, 동료와의 관계, 감독직과의 관계, 외부전문가들과의 관계, 공동체와의 관계 등에 대한 윤리적 행동규범이 나타나 있으며, 책임감, 능력, 공개적인 표명, 비밀보장, 내담자 복지, 직업적 관계 등이 원칙의 골격을 이루고 있다.

시트로넬라
[-, Citronella]

방부, 살균, 탈취, 발한, 해열, 살충, 강장에 효과가 있는 식물로서, 과테말라, 아이티, 중국, 인도, 베트남 등에서 재배.

향기치료

시트로넬라는 길고 폭이 좁은 잎과 짧은 줄기를 가진 다년생 풀로 볏과 식물이다. 시트로넬라 오일은 활력을 증진시키는 향을 가지고 있어서 노이로제 및 신경의 피로를 경감해 준다. 또한 관절염 및 류머티즘의 통증, 근육통, 신경통의 경감에 사용하며, 시트로넬라 오일에 포함된 알데히드 성분은 몸살, 감기, 가벼운 감염에 효과적인 치료성분이 된다. 또한 시트로넬라 오일은 살충효과도 있기 때문에 스프레이 형태로 공기 중에 확산시키거나 피부에 직접 발라 사용한다.

시행착오
[試行錯誤, trial and error]

문제해결을 위해 어떤 행동을 반복하는 과정에서 발생한 오류를 수정해 나감으로써 점차 최적의 방법을 적용하는 것.

행동치료

손다이크(E. Thorndike)는 시행착오의 반복을 연습이라고 하였다. 유기체는 문제해결장면에 처하여 성공적으로 문제를 해결할 때까지 착오나 실패를 거듭하면서 다양한 반응이나 행동을 무선적으로 시도한다고 본다. 문제를 해결하는 데 걸린 시간은 시행횟수가 증가함에 따라 감소하기 때문에 기회를 많이 제공하면 문제해결능력이 증가한다. 그는 이러한 현상을 실험하기 위해, 앞발로 빗장을 올려야만 문이 열리고 먹이를 언을 수 있는 문제상자를 만들어 배고픈 고양이를 그 안에 가두었다. 고양이는 먹이를 얻기 위해 온갖 시도를 하는데, 이 과정에서 불필요하거나 부적합한 행동은 점차 줄어들고 보다 정확하고 적합한 행동은 증가한다는 것을 관찰하였다. 이와 같이 시행착오를 거쳐 문제해결행동을 학습하는 것을 시행착오 학습(trial and error learning)이라고 한다. 그의 초기이론에서는 연습만으로도 학습이 가능하다고 했으나, 그 후 연습과 함께 주어지는 보상의 중요성도 인정하였다. 빗장을 올리는 고양이의 행동은 먹이라고 하는 보상을 얻기 위한 도구가 되므로 이것을 도구적 학습(instrumental learning) 혹은 도구적 조건형성(instrumental conditioning)이라고 한다. 또한 성공한 행동, 즉 문제해결에 효과가 있는 행동이 각인되는 이러한 학습

원리를 효과법칙(law of effect)이라고 한다.

관련어 | 조작적 조건형성, 효과법칙

시행착오 학습이론 [試行錯誤學習理論, trial and error learning theory]

유기체가 시행착오를 거쳐 새로운 행동을 학습해 가는 과정을 설명하는 이론. 행동치료

손다이크(E. Thorndike)는 학습의 기본 형태는 시행착오 학습이라고 하였다. 최상의 방법이 결정되지 않은 어떤 조작이나 운영에 대해 적당하다고 생각되는 방법을 조작하여 그 결과를 판단하고, 좀 더 좋은 조작방법을 생각하여 최적의 상태를 추구해 나가는 과정을 시행착오라고 한다. 이 같은 시행착오에 의한 학습이 시행착오 학습이다. 손다이크는 이러한 학습형태를 처음에는 도태와 연합(selecting and connecting)이라고 불렀다. 그의 초기실험은 어떤 종류의 반응을 하면 도피를 할 수 있도록 배열한 퍼즐상자 실험도구 속에 고양이를 넣어 두고 관찰하는 것이었다. 걸쇠를 건드리면 빠져나올 수 있도록 만든 퍼즐상자에 고양이를 반복해서 가둔 후 탈출하는 과정을 관찰하였다. 시간에 따라 동물에게 요구되는 구체적인 반응은 다를 수 있지만, 기본 실험 설계는 동물이 문제상자를 빠져나오기 위해 특정 방식으로 행동을 수행하도록 되어 있다. 그는 동물이 문제해결을 하는 데 소요된 시간을 그 동물이 문제를 해결해야 하는 기회의 수의 함수로 표현하였다. 각각의 기회란 곧 하나의 시행(trial)이며, 그 동물이 점차 착오(error)적 반응을 줄이고 문제를 해결하면 시행은 종결된다. 손다이크는 고양이 이외의 다른 동물을 대상으로 실시한 반복적인 실험을 통해, 시행횟수가 증가함에 따라 문제를 해결하는 데 걸린 시간은 감소한다는 것을 확인하였다. 즉, 동물은 기회를 많이 가질수록 착오 없이 문제를 보다 빠르게 해결하였다. 실험에서, 상자 안에 갇힌 고양이는 틈 사이로 발을 내밀기도 하고 상자를 물어뜯고 할퀴는 등 여러 가지 반응을 시도하던 중에 우연히 막대나 줄을 건드렸고 성공적으로 상자에서 탈출하였다. 고양이는 우연히 탈출장치를 건드려 밖으로 빠져나오는 과정을 반복하면서 탈출시간을 점차 단축시키는 모습을 보여 주었다. 성공적인 탈출과 그 결과로 주어지는 먹이 보상은 퍼즐상자라고 하는 자극과 고양이의 탈출반응을 강하게 결합시켰는데, 이것을 자극반응 결합론 혹은 시행착오 이론이라고 한다. 이러한 일련의 실험 결과를 토대로 손다이크는 학습은 통찰적이라기보다는 조그마한 체계적인 단계를 거쳐 점증적으로 일어난다는 확신을 하게 되었다.

관련어 | 시행착오, 조작적 조건형성

시험적인 풍선 [試驗的-風船, trial balloon]

내담자가 일부러 자기경시적인 발언을 하여 이에 대한 상담자의 반응을 시험해 보는 것. 목회상담

제이 애덤스(Jay Adams)가 주장한 권면적 상담에서 내담자가 자기경시적인 발언을 하는 이유는, 상담자가 이러한 내담자의 말에 어떤 반응을 할지 알아보려고 시험적으로 던지는 것이라고 하였다. 즉, 상담을 진행할 때 상담자는 내담자가 자기 자신에 대해 "저는 참 쓸모가 없는 사람이에요!" "내 인생은 완전히 실패했어요." 등 자기경시적인 발언을 하는 것을 종종 듣게 되는데, 이것은 내담자가 자신의 문제에 대해 상담자가 어떤 입장을 취하고 있는지 알아보려는 것이다. 이러한 내담자의 자기경시적인 발언에 상담자의 반응태도에 따라 상담의 효과가 달라지므로, 권면적 상담자는 내담자의 이 같은 발언을 신중하고 주의 깊게 다루어야 한다고 애덤스는 설명하였다. 따라서 상담자는 내담자가 시

험적으로 이러한 표현의 풍선을 던지면, 그 줄을 재빨리 붙잡아서 터트린 다음 그 안에 무엇이 들어 있는지 분석하고 원인을 파악하는 것이 중요하다. 상담자는 "당신이 얼마나 쓸모없는 사람인지 말씀해 주시겠어요?" "무엇이 당신의 인생을 실패하도록 만들었지요?"라고 질문하여 상담자가 죄에 대해서 심각하게 생각하고 있음을 느끼도록 해 주고, 내담자가 변화를 위해 죄를 회개할 수 있도록 만들어야 한다.

관련어 | 권면적 상담

식인주의
[食人主義, cannibalism]

인육을 상징적 차원 또는 일상에서 사용하는 것. 철학상담

식인주의는 스페인 사람들이 서인도를 발견했을 때, 그곳의 카리브인이 당시 식인풍습을 가지고 있었던 것에서 유래한다. 즉, 'canibalism'의 'Canibal'은 카리브인을 지칭하는 'Carib'에서 파생되었다. 식인주의는 그동안 굶주림, 제례, 복수, 효행 등과 관련하여 부단히 존재해 왔다. 사람들은 영적인 능력을 탁월하게 하기 위해서, 복수를 위해서, 배가 고파 먹을 것이 없어서, 효도를 하기 위해서 등 여러 가지 이유로 인육을 먹어 온 것이다. 심지어 멜라네시아와 같은 지역에서는 인육이 식품으로 취급되기도 하였다. 문화수준이 비교적 높은 지역에서도 인육이 제례와 관련하여 사용되기도 하였다. 마오리족의 경우, 승자는 패자의 시신에서 살을 베어 축하 잔치에 사용하기도 하였다. 이런 식인주의는 종교적이고 의례적인 경우가 많았지만, 지금도 에스키모족은 동료의 몸을 인육으로 사용하기도 한다. 이처럼 식인주의는 족내 카니발리즘(endocannibalism), 족외 카니발리즘(exocannibalism), 오토 카니발리즘(autocannibalism), 의례 카니발리즘(ritual cannibalism) 등 다양한 형태로 존재한다. 이 카니발리즘이 인간에게만 해당하는 것은 아니다. 다른 종족에서도 나타나는데, 가령 가금이 다른 가금을 쪼고, 돼지가 다른 돼지의 꼬리를 물어뜯는 것과 같은 카니발리즘도 있다. 이는 어미가 새끼를 더 이상 기를 수 없다거나 기타 여러 가지 불안심리 때문에 새끼를 해치거나 잡아먹어 버리는 경우다. 그런데 이런 카니발리즘은 서구인은 우월하고 비서구인은 야만적이라는 차별적 태도를 취할 때도 등장한다. 그래서 서구인들은 카니발리즘을 근거로 비서구인을 타자화하면서 스스로를 주체화하는 기반으로 삼기도 하였다. 그런 이유로 카니발리즘은 오리엔탈리즘의 근간이 되기도 한다.

신경
[神經, nerve]

어떤 자극에 마음이나 감각이 반응하는 기관. 뇌 과학

뇌 세포인 뉴런과 관련된 모든 것으로, 생물이 환경이나 자극을 감지하고 이에 대처하는 기관이다.

관련어 | 뉴런

신경가소성
[腦可塑性, neuroplasticity]

뇌가 외부환경의 양상이나 질에 따라 스스로의 구조와 기능을 변화시키는 특성. 뇌 과학

이미 형성된 대뇌피질의 뉴런 간 연접관계가 강화되거나 약화되는 것을 말한다. 감각신경에 의해 전송되는 정보에 따라 스스로 자신의 신경망을 새롭게 구축하면서 그 형태를 바꾸어 나가는 것이다. 출생 직후 가장 활발하게 나타나는 현상으로, 강한 자극을 받으면 거의 활동을 하지 않던 시냅스가 활발해지고, 활발해진 시냅스는 이후에도 똑같은 상태를 유지하게 된다.

관련어 | 시냅스

신경망 이론
[神經網理論, neural network theory]

인간의 마음을 인간의 두뇌에 대한 신경체계로 설명하는 이론. 인지치료

인간의 마음속에 일어나는 일을 보다 충분하게 설명해 주는 신경망 이론의 구성성분은 마디 또는 인지 단위라고 지칭하는 처리단위의 집합이다. 신경망은 신경세포와 유사하지만 신경세포만큼 복잡하지는 않다. 인지 단위 혹은 마디는 다양하게 활성화될 수 있다. 활성화된 마디의 집합이 의식의 내용에 해당하며, 의식한다는 것은 활성화가 가장 많이 된 마디들이 특정 순간에 주의를 기울인 것이다. 마디들은 다른 마디들과 흥분적 또는 억제적으로 연계되어 있으며, 그 연계는 강도에 차이가 있다. 연계의 강도는 마디가 표상하는 것 사이의 연합에 대한 장기기억을 구성한다. 또한 마디마다 활성화되는 규칙이 있다. 하나의 마디가 자신에게 들어오는 입력을 합하는 방식, 현재의 활성화 상태에 입력을 더하는 방식, 활성화가 소멸하는 속도 등을 규정한다. 신경망 이론에서 학습은 마디들의 연결을 강화시키는 것을 말한다. 가장 단순한 학습규칙은 두 마디가 동시에 활성화될 때, 특히 활성화에 주의집중이 수반될 때 마디 사이의 연계가 강화되는 것이다. 신경망 이론에서 인지는 동시다발적으로 이루어지는 병행처리과정이다. 이것은 모든 마디가 각자의 일을 동시에 수행한다는 뜻이다. 마음은 모든 유형의 상이한 소프트웨어를 돌릴 수 있는 보편적인 목적의 컴퓨터와 다르다. 특수한 과제를 수행하도록 만들어진 수많은 특수 컴퓨터의 집합에 더 유사하다. 컴퓨터는 기억 속에서 무엇인가 찾을 필요가 있을 때 어떤 방식으로든 탐색을 수행한다. 그러나 두뇌나 신경망은 그렇지 않다. 기억은 내용 자체가 주소를 가질 수 있기 때문에 그렇게 할 필요가 없다. 기억해 내야 할 정보를 부호화하고 있는 마디를 자동적으로 활성화시키는 것이다. 1930~1940년대에 라셰프스키(Rashevsky)는 인간의 심적 현상에 대한 신경망 이론을 제안하였다. 당시에는 두뇌에 대해 알려진 것이 많지 않았기 때문에 그의 이론은 시대에 상당히 앞서 있었으며 더군다나 라셰프스키의 이론이 어려운 수학공식으로 표현되었기 때문에 많은 사람들은 그가 말하는 신경망 이론의 내용을 이해하지 못하였다. 그 후 코노르스키(Konorski, 1967)는 사람들이 좀 더 이해하기 쉽고 유용한 일반 신경망 이론을 제안하였다. 그러나 그의 관심은 파블로프식 조건형성과 같은 주제에 국한되었기 때문에 많은 주의를 끌지 못하였다. 또한 1960년대부터 인간의 마음에 대한 강력한 신경망 이론을 발달시켜 온 그로스버그(Grossberg)는 신경망 이론을 복잡한 수학적 용어로 기술한 탓에 그 이론이 얼마나 도전적이며 중요한 것인지는 서서히 밝혀졌다. 이후로 러멜하트와 매클렐런드(Rumellhart & McClelland, 1986) 등의 많은 이론가가 그로스버그의 이론보다 이해하기 쉬운 신경망 이론을 제시하면서 수많은 현상을 설명하였다.

신경성 식욕부진증
[神經性食慾不振症, anorexia nervosa]

섭식장애(eating disorders)의 유형으로서, 과체중이나 비만에 대한 두려움과 같은 심리적 원인으로 음식섭취를 피하거나 식욕이 없어져 먹어야 할 것을 먹지 않아 체중이 비정상적으로 감소하는 증상. 이상심리

음식물을 거부한다는 점에서 거식증이라고도 하고, 사춘기에 발병하기 쉽다는 점에서 '사춘기 여윔증'이라고도 한다. 식욕부진(anorexia)이라는 용어에서 연상되듯이, 이는 식욕이 없음을 의미하지만 실제로 이 질환을 가진 사람들은 대개 강한 식욕이나 음식에 대한 갈망을 가지고 있는데도 적극적으로 이를 억제하는 것이다. 살찌는 것을 두려워하며, 현재 체중이 얼마이든, 그리고 다른 사람들이 무엇이라고 말하든 상관없이 스스로 과체중이라고 확신

한다. 그렇기 때문에 과도한 저체중을 유지하기 위하여 포식 후에 일부러 구토나 설사를 하기도 하고, 굶거나 과도하게 운동을 하는 경향이 있다. 또는 음식에 대한 병적인 집착행동으로 사람들의 눈을 속여 몰래 먹는 행동을 보인다. 이러한 행동들은 영양부족을 낳고, 나아가 무월경이나 월경불순, 빈혈 등의 신체적 질환을 가져오며 더 심해지면 죽음에 이르는 신체적 손상이 발생할 수도 있다. 이러한 초제한적 체중감소(a super-restrictive diet)는 엄청난 통제가 필요하기 때문에 신경성 식욕부진증 환자들은 일상생활의 다른 영역에서도 매우 통제되고 조심스러운 모습을 보인다. 즉, 정서적으로는 우울, 불안, 분노와 같은 부정적 정서가 강하며 행동적으로는 사회적 위축, 불면증, 성적 흥미의 감소, 음식물과 관련된 강박적 행동, 충동 조절의 어려움, 자극에 대한 과민반응, 알코올 또는 다른 약물남용 등을 나타내는 경향이 있다. 또한 인지적으로는 자신의 외모나 체중에 대한 왜곡, 음식물과 관련된 강박적 사고 등을 보인다. DSM-5의 진단기준은 다음과 같다. 첫째, 연령 및 신장에 따른 최소한의 정상 체중에 대한 유지를 거부하면서 정상 체중의 15% 이하로 유지하기 위하여 체중감량을 시도한다. 둘째, 과소체중임에도 체중이 늘거나 살이 찌는 것에 대한 극심한 공포가 있다. 셋째, 정상 체중이나 신체의 외모에 대한 혼란과 왜곡이 있어 체중과 체형에 대한 자기 평가에 과도한 영향을 주어 현재의 심각한 체중미달을 인정하지 않는다. 이 질환을 촉발하는 원인을 설명하는 데 가장 많이 알려진 것이 사회문화적 요인이다. 즉, 현대사회는 외모를 중시하여 신체적 아름다움을 강조한다. 이러한 외부압력을 받은 많은 여성은 사회문화적 관념을 내재화하여 외모와 체중에 대한 왜곡된 사고와 행동을 하게 된다. 결과적으로 살이 너무 쪘다거나 날씬해야 한다는 왜곡된 자기상으로 음식섭취를 피하고 심각한 체중감소가 발생한다. 사춘기에는 지방이 붙어 어른 체형에 가까워지는데, 이성(異性)에게 매력적으로 보이고 싶은 의식이 강하고 뚱뚱해지는 것에 대한 공포를 느낄 수 있다. 가정적 요인으로는 부모의 과보호나 지나친 간섭 때문에 정신적으로 부모로부터 떨어질 수 없어 어른이 되는 것에 대한 불안을 강하게 느낄 수 있다. 이러한 이유로 식사를 하지 않음으로써 성장을 억제할 수 있다고 생각한다. 신경성 식욕부진증의 원인은 아직 명확하게 밝혀진 것이 없지만, 유전적 요인과 환경적 요인의 결합으로 나타난다고 알려져 있다. 지금까지의 연구에 의하면 우울 또는 불안의 변형, 어른이 되는 것에 대한 불안의 결과, 환경적인 압력, 가족과의 관계상 어려움 등을 대표적인 원인으로 보고 있다. 또한 페어번 등(Fairburn et al., 2003)은 섭식장애의 유형인 신경성 식욕부진이 신경성 폭식증과 공통요인을 공유하고 있으며, 그 원인으로 지나친 완벽주의(clinical perfectionism), 낮은 자존감(low self-esteem), 불안정한 감정(interpersonal difficulty) 등을 제안한 바 있다. 신경성 식욕부진증의 유형으로는 제한형과 폭식/제거형이 있는데, 전자는 먹지 않으면서 운동을 하고 후자는 많은 양의 음식을 먹고 난 뒤 구토를 한다. 이 질환을 가진 많은 사람에게서 이 두 가지 양상이 교차로 나타나기도 한다. 이 증상의 평균 발병연령은 17세이고 40세 이후에는 나타나지 않으며, 주로 청소년과 젊은 여성에게 나타나는데 발병률은 약 0.5~1.0%다. 이들은 활발하고 완고한 여성이 많으며 아무리 여위어도 질병의식이 없다. 이 질병으로 인한 사망률은 환자의 약 10% 이상이며 대부분 굶주림, 자살, 전해질 불균형이 직접적인 원인으로 보고되고 있다. 치료는 무리하게 먹도록 하는 것이 주가 되는 경향이 있지만 심리적 원인을 확인하는 것이 필요하다.

관련어 섭식장애, 신경성 식욕부진증, 신경성 폭식증

신경성 폭식증
[神經性暴食症, bulimia nervosa]

급식 및 섭식장애 중 하나로, 반복되는 폭식(binge eating)을 한 후에 체중증가를 막기 위해 구토를 유발하거나, 이뇨제 또는 하제를 사용하거나, 혹은 지나친 운동과 같은 보상적 행동을 하는 정신장애. 아동청소년상담 특수아상담

반복적인 폭식이 나타나는 식사장애로 한자리에서 배고픔과 상관없이 많은 양의 음식을 먹는데, 폭식기간에는 먹을 것을 통제할 수 없다고 느끼며 중단하지 못한다. 이 질환을 가진 사람들은 체중 또는 체형에 극도로 예민하여 자가유도구토와 같은 제거 방법으로 체중을 조절하기도 하며, 하제, 좌약, 관장, 이뇨제 등을 남용하거나 과도한 금식 또는 운동에 매달리기도 한다. 거식증의 변형된 형태로 보기도 하지만, 거식증은 정상 체중을 유지하지 못하고 영양부족이 심각한 반면, 이 증상의 환자는 어느 정도 정상 체중을 유지하면서 영양부족이 덜 심한 것이 특징이다. 영어 단어의 'bulimia'의 어원은 'bous limos'라는 그리스어에서 유래한 것으로, '소(bull) 같이 먹는다'라는 뜻이다. 따라서 소같이 지나치게 많이 먹는 것을 지칭하는 말이다. 폭식증의 역사를 살펴보면, 1세기경 로마 귀족들이 연회를 열면서 음식을 많이 먹어 배가 부르면 토한 다음 위를 비우고 나서 다시 다른 음식을 먹기도(roman vomitorium) 하고, 중세에 들어와서는 많이 먹는 것(gluttony)을 일곱 가지 중죄 중 하나로 보았던 관습 때문에 금욕적인 수도자들 사이에서 참회의 한 방법으로 구토를 하는 경우도 있었다. 오늘날의 진단기준에 맞는 폭식증은 1930년대부터 보고되었으며, 1960년경에는 폭식과 스스로 구토를 하는 것이 폭식증의 주요 특징으로 여겨지게 되었다. 이 증상의 환자들은 대개 스트레스를 피하기 위한 수단으로 많이 먹는 행위를 한다. 그리고 이들이 폭식하는 음식은 기름지고 달며 칼로리가 높아 평소에는 자제하고 잘 먹지 않던 것들이다. 따라서 환자 스스로도 체중조절을 위해서 이러한 폭식을 조절하려고 애를 쓰지만, 순간 자제력이 무너지면 그 반동으로 더 많이 먹는 현상이 나타난다. 또한 이러한 일들이 계속해서 반복이 되면 점점 폭식하는 빈도수나 양이 많아져서 다른 사람들이 알지 못하게 혼자 비밀리에 폭식을 하게 되는 경우도 생긴다. 이러한 폭식은 그 자체로는 체중증가 외에는 그리 큰 문제가 되지 않지만 폭식을 한 이후에 체중증가를 염려하여 구토나 이뇨제 사용, 혹은 비정상적인 과도한 운동 등으로 해결을 하려는 데서 문제가 발생한다. 이러한 보상적인 행동은 자신의 반복되는 행동에 대해 죄책감을 느끼게 하고, 이러한 죄책감은 또다시 폭식을 불러오는 악순환을 거듭하게 만든다. 또한 이 환자들은 주로 아무도 모를 때 비밀리에 먹고, 어느 정도 정상적인 체중을 유지하기 때문에 증세가 심각해질 때까지 주위 사람들이 잘 인식하지 못하는 경우가 많다. 이들에게서 우울, 불안, 공황장애 등이 동반되기도 하며, 정상적인 섭식행동 집단에 비하여 신체 불만족 수준 및 우울 수준이 높은 것으로 알려져 있다. 무엇보다 이 질환은 약물오용으로 인한 탈수, 하제 사용으로 인한 만성적 위장관계문제, 과도한 구토로 인한 치아부식 등의 위험을 수반한다. 이 증상은 신경성 식욕부진증보다 흔하고, 90% 이상이 여성에게서 발견되는 질환으로 대개 10대에서 20대 초반에 발병한다. 연구에 의하면 이 증상을 일으키는 원인으로 가족성, 즉 유전의 영향을 주시하고 있다. 그러나 아직까지 생물학적인 원인이 명확하게 밝혀지지는 않았으며, 다만 많은 전문가들이 식욕에 관여하는 뇌 영역이 관련되어 있다고 믿고 있다. 이러한 진단은 심한 폭식이 3개월 동안 적어도 주 1회 이상 나타나고 약물오용, 운동, 다이어트 등으로 이를 보상하려는 행동이 나타날 때 진단할 수 있다는 기준을 DSM-5에 정해 놓고 있다. 더불어 이때 강박장애나 불안장애, 기분장애와 같은 다른 원인이 없는지 확인할 필요가 있다. 이 증세는 단기간에 사라질 수도 있지만 여러 해 지속되기도 하며 이 질환이 있는 사람들의 4분의 1은 특별한 치료 없이도 좋아진다. 그

러나 영양상담, 심리상담, 항우울제 등의 약물치료를 통한 치료를 병행하면 결과가 가장 좋다고 알려져 있다. 특히 인지행동치료나 심리교육적 치료가 폭식증 관련 정신병리를 감소시키는 것으로 보고되고 있다. 무엇보다 치료의 목적은 급박한 의학적 위험이 있지 않은 이상 본인 스스로 개인적 목표를 확립하도록 지도해 주는 것이 되어야 바람직하다.

관련어 | 신경성 식욕부진증

신경쇠약
[神經衰弱, neurasthenia]

신체적, 정신적으로 허약해지고 만성적인 피로와 신체의 여러 부위에 동통을 호소하는 증상. 이상심리 정신분석학

의학적으로 내적 자극과 외부 자극에 대한 과민 반응, 피로감, 불면증, 현기증, 수전증, 기억력 감퇴 등의 증상을 보인다. 이 증상은 현실신경증(actual neurosis)의 유형으로 여성보다 남성에게 많이 나타나는 경향이 있다. 정신분석에서는 과도한 도덕적 불안을 느낄 때 신경쇠약이 나타난다고 본다. 프로이트(S. Freud)는 자신의 초기이론에서 신경증적 장애가 성적 생활의 장애 혹은 성애적 생각이나 기억에 대한 갈등과 불안 때문에 유발된다고 믿었다. 불안은 정신분석에서 매우 중요한 개념으로서 어떤 것을 하도록 동기화시키는 긴장상태를 의미한다. 한정된 심리적 에너지에 대한 원초아, 자아, 초자아 간의 갈등이 통제수위를 넘어서면 불안이 유발된다. 불안은 원초아나 초자아가 자아에게 위험이 임박했음을 알리는 신호로서, 적절한 반응양식을 모색하라고 하는 일종의 경고다. 불안에는 현실적 불안, 신경증적 불안, 도덕적 불안의 세 가지 유형이 있다. 이 중 도덕적 불안은 초자아와 자아 간의 갈등에서 비롯된 불안으로 본질적으로 자신의 양심에 대한 두려움인데, 도덕적 기준에 위배되는 생각이나 행동을 했을 때 유발된다. 만약 도덕적 원칙에 위배되는 본능적 충동을 표현하도록 동기화되면 초자아는 수치심과 죄의식을 느끼게 되는데, 이때 죄의식이 심할 경우 자신의 죄를 속죄받기 위해 고의적으로 처벌받을 행동을 저지르기도 한다. 예를 들어, 범죄 후 쉽게 검거되도록 범죄현장에 증거를 남기는 행동은 개인이 내면의 죄의식을 견디다 못해 처벌을 받고자 하는 불안감에서 비롯된 것이다. 지나친 도덕적 불안은 개인이 견디기 힘든 내적 긴장을 유발하고 이러한 상태가 장기간 지속되면 신경쇠약을 초래한다.

관련어 | 도덕적 불안, 불안, 현실신경증

ㅅ

신경심리검사
[神經心理檢查, neuropsychological test]

후천적이거나 선천적인 뇌 손상과 뇌 기능 장애를 진단하는 검사. 심리검사

신경심리검사는 본질적으로 뇌와 행동과의 관계를 다루고 뇌 손상이나 신경병리적 조건에 따른 인지기능 및 행동적 변화를 측정하는 것이므로 적절한 평가를 위해서는 신경해부학, 신경병리학, 행동의 신경학적 기본 원리에 대한 지식이 있어야 한다. 신경심리검사에 대한 관심은 뇌 손상을 입었거나 행동장애를 보이는 군인의 감별 및 진단과 재활에 대한 필요성이 나타나면서 시작되었다. 뇌 손상 환자뿐 아니라 정신장애자, 정상인과 노인의 인지기능평가, 더 나아가 지적장애, 학습장애, 행동장애에 대한 연구에도 신경심리학적 지식을 광범위하게 도입하고 있다. 전반적인 인지기능을 종합적으로 평가하는 검사로서, 조기진단과 변별진단 및 치료의 재활에 필요한 정보를 인지적인 영역에 따라 구성하고 있다. 해당 인지영역에는 주의집중 능력, 언어 및 그와 관련된 기능들, 시·공간 기능, 기억력, 전두엽 관리 기능의 다섯 가지 영역이 포함된다. 신경심리검사는 성인의 뇌 손상에 따른 행동적 변화를 평

가하기 위해 신경과나 신경외과 분야에서 주로 발전되어 왔고, 기능적 정신장애와 기질성 정신장애를 감별하기 위해 정신과 영역에서도 일부 사용되었다. 신경심리학 분야가 주로 실험적 또는 통계적 접근을 강조해 온 미국의 심리학자들에 의해 발전되면서 표준화된 검사의 적용과 결과 해석을 강조하는 많은 심리검사 배터리가 개발되었다. 이 중 대표적인 것이 1947년 할스테드(Halstead)가 뇌 손상 환자의 행동 특성을 측정하기 위해 만든 검사를 레이탄(Reitan)이 개정하여 제작한 할스테드 레이탄(Halstead-Reitan)이다. 또한 보스턴 의과대학 연구팀은 신경심리학 연구영역을 확장하고 다양한 평가도구를 개발하는 데 큰 공헌을 하였다. 실어증, 치매, 노화 문제에 대한 탁월한 연구를 진행하였고, 이들이 개발한 'Boston Diagnostic Aphasia Examination, Boston Retrograde Amnesia Battery, Boston Naming Test'와 같은 평가도구는 현재 임상현장에서 사용되고 있다.

신경적 수준
[神經的水準, neurological levels]

NLP에서 사용되는 개념으로서 환경, 행동, 능력, 신념, 정체성, 초정체성 또는 영성 등 경험의 여러 가지 차원. NLP

여러 가지 신경적 수준 중 환경(environment)은 우리가 처한 장소와 시간, 그리고 함께하는 사람들을 말하며, 행동(behavior)은 사고과정이 포함된 모든 활동이나 행위를 말한다. 행동에는 아날로그 행동과 디지털 행동이 있는데, 아날로그 행동(analogous behavior)은 아무런 의미도 없고 이름 붙일 수 없는 사소한 행동을 말한다. 즉, 소리를 듣는다, 눈으로 본다, 걷는다 등의 사소한 행동이면서 동시적, 감각적으로 일어나는 행동이다. 디지털 행동(digital behavior)은 특정한 의미가 있으면서 이름도 붙일 수 있는 행동을 말한다. 즉, 대화 중 얼굴을 찡그리는 것은 동의하지 않는다는 의미, 상대방의 이야기나 이야기하는 태도가 마음에 들지 않는다는 의미의 행동이고 눈을 크게 뜨는 것은 마음에 들거나 놀라움 등 인상적이었다는 의미의 행동이다. 고개를 끄덕이거나 가로젓는 행동을 하면 상대방의 말이나 뜻에 동의하거나 동의하지 않는다는 의미를 전달하는 행동반응이 된다. 그리고 손이나 손가락을 어떻게 하느냐에 따라서 상대방에게 욕을 하거나 적대감을 표시하는 행동으로 인식될 수도 있는데 이러한 모든 것이 디지털 행동이다. 능력(capability)은 어떤 일을 수행하기 위한 성공전략으로서 일종의 기술이라고 할 수 있다. 자동차를 운전할 수 있다면 그것은 능력차원의 것이다. 신념(belief)은 자기 자신, 타인, 세상, 그리고 세상의 운영원리에 대해 일반화하는 개념이다. 정체성(identity)은 자아상 또는 자아관을 말하는데 스스로 생각하는 자기 자신을 의미한다. 초정체성(beyond identity)은 영성수준이기도 하면서 타인과 가장 크게 연결되는 수준, 가장 크게 자기 자신이 되는 수준을 말한다. 영성(spirituality)은 진정한 자신이 되고 자신의 본질을 경험하면서 타인과 가장 잘 연결되어 있는 경험의 차원을 말한다. 신경적 수준의 가장 깊은 수준이라고 할 수 있으며, 특히 자기를 뛰어넘어 타인과의 관계나 더 넓은 조직, 세계와의 관계 또는 초월적인 상태와 관련된다.

신경전달물질
[神經傳達物質, neurotransmitter]

뇌를 비롯하여 체내의 신경세포에서 방출되어 인접해 있는 신경세포 등에 정보를 전달하는 일련의 물질. 인지행동

신경전달물질은 시냅스 전(pre-synapse) 뉴런의 축색 말단에 있는 소낭이라고 하는 작은 주머니 안에 담겨 있다. 시냅스 전 뉴런이 신호를 전달하면 소낭들이 터져서 그 안에 있던 신경전달물질이 시냅스로 쏟아져 나온다. 신경전달물질은 연구결과

지금까지 대략 9개 정도가 밝혀졌는데, 아세틸콜린, 도파민, 노르에피네프린, 에피네프린, 세로토닌, 히스타민, 글루타메이트, 글라이신, GABA(Gamma Amino Butyric Acid)가 해당된다. 특히 아세틸콜린은 최초로 발견된 신경전달물질로 신경충격을 신체의 근육으로 전달하는 데 관여한다. 중추신경계에서는 주의과정, 수면장애와 알츠하이머병에 관여한다. 도파민은 운동행동 및 보상과 관련된 활동에 중요한 것으로서 흥분제와 같이 남용된다. 도파민 활동은 파킨슨병이나 정신분열병과 관계가 있다. 엔케팔린은 뇌에 있는 아편수용기, 즉 아편과 이와 관련된 약물의 영향을 받는 부분으로 작용하는데 이는 신체의 자생약물이다. GABA는 뉴런발사를 억제하며 뇌에서 거의 배타적으로 작용하는 신경전달물질이다. 불안을 억제하는 진정제는 GABA의 활동을 증가시킴으로써 작용한다. 노르에피네프린은 자율신경계에서 심장박동률과 혈압의 증가와 같은 투쟁과 도피반응의 유발에 관여한다. 중추신경계에서는 위험에 대한 기민성을 활성화하며 공포 장애와 우울에도 관여한다. 세로토닌은 억제에 중요한 역할을 하는 신경전달물질이다. 세로토닌과 노르에피네프린에서의 불균형은 심각한 우울증과 관련이 있으며, 불안장애, 강박장애, 섭식장애, 공격성, 자살, 정신분열증 및 알코올중독과 같은 다른 수많은 장애와도 관련이 있다. 이외에도 뇌에는 약 100가지 정도의 화학물질이 신경전달물질로 활동하고 있으며, 아직도 새로운 신경전달물질이 계속해서 발견되고 있다.

신경증
[神經症, neurosis]

심리 내적 갈등으로 인해 유발되는 복잡한 정신병리적 증상의 복합체. 정신분석학 분석심리학

정신질환 분류체계에서는 현실검증 여부에 따라 정신병과 신경증을 구별하고 있다. 정신병과 달리, 신경증은 현실검증능력이 유지되고 있는 상태다. 신경증의 대표적인 경우로 불안신경증을 들 수 있는데, 원초아의 열망을 억압할 때 초래되는 인지, 정서, 행동적 병리를 의미한다. 자아가 불안을 다루는 데 절대적으로 필요한 요소는 억압방어기제다. 수용될 수 없는 충동은 자아로부터 무의식적으로 밀려나서 다시 원초아로 돌아간다. 그러나 충동에는 그와 연합된 에너지가 존재하는데, 자아가 억압되기 시작하면 자아에너지의 일부를 원초아에게 공급하여 원초아의 열망을 더욱 강하게 억누른다. 따라서 너무 강한 억압은 불안신경증과 같은 정신병리를 유발한다. 프로이트(S. Freud)는 실제 신경증과 구분하기 위해 신경증 상태를 정신신경증이라고 불렀다. 정신신경증(psychoneuroses)은 초기에 정의되었던 히스테리, 강박증, 공포증과 같은 방어 신경정신증과 불안신경증을 현재에 일컫는 용어다.

관련어 | 방어기제, 불안

신경증 경향성
[神經症傾向性, neurotic tendency]

신경증적 욕구에 따라 강박적으로 나타나는 태도와 행동. 성격심리

호나이(K. Horney)가 제안한 성격이론의 주요 개념 중 하나로, 신경증 욕구에 따라 나타나는 개인의 태도나 행동을 말한다. 이러한 경향성에는 순응형, 공격형, 고립형의 세 가지 유형이 있다. 순응형 성격은 다른 사람을 향해 움직이는 성향을 보이는데, 다른 사람으로부터의 애정과 인정에 대한 욕구가 강하여 자신의 목표를 달성하기 위해 주변 사람들을 조종하려는 경향이 있다. 다른 사람의 관심과 애정을 유발하는 방법을 알고 있으며, 반응적이고 타인의 욕구에 민감하다. 이들은 자신의 안전이 자신을 대하는 다른 사람의 태도나 행동에 좌우되어 과

도하게 의존적이며 끊임없이 관심과 애정을 확인하고 싶어 한다. 이들의 무의식적 기저에는 깊은 반항심과 복수심, 억제된 적대감을 가지고 있지만 겉으로는 이와 상반된 행동을 나타낸다. 순응형은 주로 애정과 인정, 지배적 파트너 등의 신경증적 욕구가 강하다. 공격형 성격은 다른 사람에 대항해 움직이는 경향이 있어서 다른 사람에게 적대적이며 우월하고 강한 사람만이 생존한다는 가치를 가지고 있다. 이들은 다른 사람으로부터 거부당하는 것을 두려워하지만 그것을 표현하지 않는다. 오히려 이러한 거부에 대한 불안, 불안전, 타인에 대한 적대감을 해소하기 위하여 다른 사람을 고려하기보다는 거칠고 지배적인 행동을 한다. 타인과 논쟁하거나 비판하는 것을 즐거워하고 최고가 되려고 많은 노력을 기울이지만 직업적 성공은 목표가 아니라 수단이다. 공격형은 주로 힘, 착취, 특권, 존경, 성취 또는 야망 등의 신경증적 욕구가 강하다. 고립형 성격은 다른 사람과 정서적 거리를 두어 다른 사람에게서 멀어지려는 행동을 한다. 이들은 개인적 사생활을 매우 중요하게 생각하기 때문에 타인의 강요나 규제에 민감하고 계획을 싫어하며 결혼과 계약과 같은 구속을 회피하고 친밀감은 갈등의 원인이 되므로 피하고자 한다. 그리고 감정보다는 이성, 논리, 지적 능력을 더 강조하고 자신의 독특성과 초연함에 대한 우월감을 가지고 있다. 고립형은 주로 자아충족, 완전, 생의 편협한 제한 등의 신경증적 욕구가 강하다.

관련어 | 신경증적 욕구, 욕구

신경증의 5단계
[神經症 – 五段階, layers of neurosis]

펄스(Perls)가 심리치료에 따라 변화되는 인간의 성격변화단계를 5개의 심리층으로 구분하여 설명한 것. 게슈탈트

신경증의 5단계는 실제 인간이 가지고 있는 여러 층의 성격에 대하여 설명한 것은 아니다. 다만 심리치료과정에서 변화되고 성숙되는 인간의 성격을 다섯 단계의 층으로 비유적으로 설명한 것이다. 펄스가 정의한 신경증의 5단계는 다음과 같다. 첫 번째 층은 피상층(cliche or phony layer)으로, 사람들이 서로 의례나 규범의 틀 안에서 형식적인 관계를 맺는 단계다. 이들은 습관적이고 피상적으로 외부환경에 반응하기 때문에 자신에 대한 알아차림이 일어나는 것을 기대하는 것이 어렵다. 치료 초기에 내담자는 표면적으로는 세련되고 적응적인 행동을 보이지만, 자신을 충분히 노출하지 않으므로 진정한 변화는 일어나지 않는다. 두 번째 층은 공포층(phobic) 혹은 연기층(role playing layer)으로, 사람들이 환경에 적응하기 위해 자신의 욕구를 억압하고 부모나 주위 환경에서 바라는 기대에 맞추어 살아가는 단계다. 이러한 단계에 있는 사람들은 타인이 기대하는 역할행동을 자신이 원하는 행동이라고 믿으며, 배우처럼 주어진 역할을 연기하면서 살아간다. 그래서 보이는 그 모습이 실제 자신의 모습이라고 착각하며 살아가기 때문에 시간이 지날수록 실제 자신의 욕구나 감정과는 점점 멀어져서 좌절을 경험한다. 이들은 자신에게 주어진 역할을 수행하지 않으면 처벌을 받는다는 비현실적인 공포와 두려움을 느끼지만, 현실을 유지하려고 애쓰고 이러한 감정을 숨기면서 자기 내면의 깨달음에 저항한다. 실제 느끼는 것보다 더 좋게 보이려고 하거나 더 나약해 보이고자 하는 상태로서 역할이나 게임의 단계로 볼 수 있다. 세 번째 층은 교착층 혹은 막다른 골목(impasse)으로, 이는 전 단계인 연기층에서 수행했던 역할연기를 그만두고 자립을 시도하지만 자립능력의 부족으로 곤경, 상실, 공허함 등의 공포를 경험하는 단계다. 실존적인 막다른 골목은 환경적인 지지가 아직 없고, 내담자 자신이 삶을 극복하기에는 스스로 무능력하다고 믿고 있는 상황을 이르는 말이다. 대부분의 사람들은 공포감 속에서 자신의 삶에 대한 책임을 회피하고 싶어 하기 때문

에 이 층의 경험을 피하려고 한다. 또한 이러한 상황에서 느끼는 공포감이나 공허함 때문에 종종 치료를 중단하겠다는 의사를 표현하거나 '갑자기 모든 것이 혼란스럽다.' '앞으로 어떻게 해야 할지 모르겠다.'라는 표현을 하기도 한다. 이때 치료자는 내담자가 자신의 이러한 상태를 피하지 말고 직면하여 견디어 내도록 격려해 주어야 한다. 내담자가 혼동상태와 공백상태를 참고 통과하면 유기체적인 변화가 일어나면서 새로운 돌파구가 열린다. 네 번째 층은 내파층(implosive layer)으로, 가짜 주체성이 무너지기 시작하면서 내담자가 이제까지 억압해 왔던 자기 자신의 욕구나 감정을 알아차리게 되는 단계다. 이 단계에서는 오랫동안 억압되어 왔던 욕구와 감정들이 게슈탈트를 형성하지만, 차단되었던 에너지들이 상당한 파괴력을 가지고 있어서 외부로 발산될 때는 관계를 망가트릴 것이라는 두려움이 생긴다. 그래서 형성된 게슈탈트를 외부와의 접촉을 통해 해소하지 못하고 자신의 내부로 돌리며, 이렇게 전환된 에너지는 개체의 내면세계를 파괴하는 데 쓰이기도 한다. 이 단계는 죽음 혹은 죽음에 대한 공포로 표현되는데, 상반되는 힘 때문에 유기체는 무기력해지고, 이로 인해 죽음처럼 여겨진다. 일종의 긴장성 마비(catatonic paralysis)라고 할 수 있다. 이 단계에서 사람들은 자신을 묶어 놓고 쥐어짜내 내적 폭발을 유발한다. 이렇게 일단 내파 단계의 죽음과 참된 접촉이 일어나면, 예상치 못한 현상들이 발생한다. 다섯 번째 층은 폭발층(explosive layer)으로, 사람들이 자신의 욕구나 감정을 더 이상 억압하지 않고 외부로 표출하는 단계다. 이 단계에 이르면 게슈탈트를 형성한 개체는 환경과 접촉하여 이를 해소한다. 그래서 지금까지의 진실하지 못한 자신의 모습, 낡은 자기를 버리고, 깊은 몰입이 가능해진다. 정신과 신체의 총체적인 통합을 체험하며 타인과의 관계에서도 실존적인 참만남이 가능하다. 이러한 폭발은 온몸으로 자신의 억압되었던 감정을 표출하면서 일어나기도 한다. 예컨대, 고함을 지르거나 울거나 땀에 흠뻑 젖은 채 격렬한 감정표현을 한다. 이러한 현상은 내담자가 이제까지 회피해 왔던 진정한 자신의 감정과 접촉하고 자기 자신의 잠재적인 에너지와 만나는 체험을 하면서 벌어지는 일이다. 이 체험은 미해결 과제를 완결시어 주고, 새로운 경험의 지평을 열어 줌으로써 흔히 치료의 획기적인 전환점을 가져오기도 한다. 이제 교착상태에서는 빠져 나와 실존적 주제가 전경으로 떠오르고 해결의 기미가 보인다. 폭발층에서 해소가 일어나기 때문이다. 이와 같은 신경증의 5단계는 심리치료의 한 회기에서 모두 일어날 수도 있고, 여러 회기에 걸쳐 연속적으로 일어날 수도 있다. 성격 변화의 단계를 알아차림-접촉주기와 관련지어 살펴보면, 피상층과 공포층은 아직 게슈탈트 형성이 잘 되지 않는 단계이고, 교착층은 게슈탈트 형성은 되었지만 에너지 동원이 잘 되지 않는 단계이며, 내파층은 에너지 동원은 되었지만 행동으로 옮기는 단계에서 차단되어 게슈탈트가 완결되지 않은 상태이고, 폭발층은 마침내 개체가 게슈탈트를 해소하고 완결 짓는 단계로 볼 수 있다.

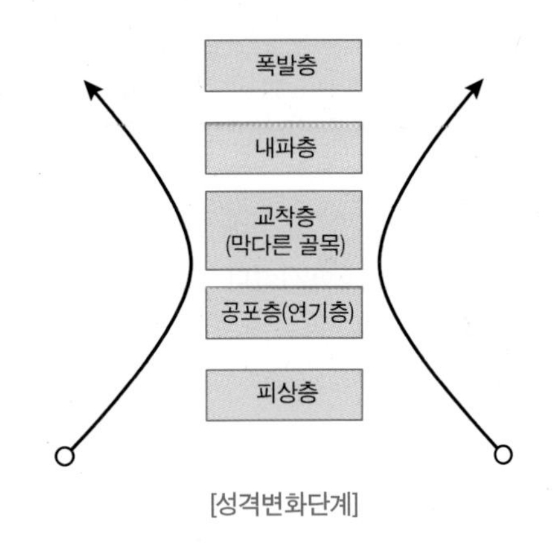

[성격변화단계]

출처: Perls, F. S (1966/1985). *Gestalt, Wachstum, Integration.*

관련어 | 알아차림-접촉주기

ㅅ

신경증의 선택
[神經症-選擇, choice of neurosis]

심리적 문제를 크게 신경증과 정신증으로 구분할 때 신경증적 문제를 겪는 사람의 특징으로, 현실인식과 생활적응에 치명적인 결함은 없지만 주로 정서적·행동적 측면에서, 그리고 주변 사람들과 인간관계를 맺고 유지해 나가는 과정에서 상당한 정도의 불편과 고통을 느끼는 상태. 정신병리

신경증이라는 용어는 프로이트(Freud)가 자주 사용한 이후 정신의학 분야에서 일반화된 용어로, 신경증보다는 노이로제로 흔히 알려져 있다. 신경증은 다양한 증상에 대해 사용하고 있어서 전문가 사이에도 일치된 정의가 없다. 신경증적 문제를 선택한 사람은 주어진 상황에 부적절한 행동을 되풀이하거나, 감정의 변화가 심하거나, 우울, 불안, 공포 등 부정적 감정을 계속해서 경험하거나, 의기소침, 의욕상실, 무기력 등이 지속되거나, 상황에 적응해 나가는 데 도움이 안 되는 생각을 자주 하거나, 주변 사람들과 마찰 또는 갈등을 지속적으로 경험한다. 따라서 신경증에는 불안상태를 포함하여 강박장애, 전환장애, 해리장애, 신경성 우울증, 그리고 공포장애 등이 포함되었다. 그러나 과학적 행동주의 입장이나 인지적 입장에서 불안장애가 좀 더 심도 있게 이해되면서 신경증의 개념이 모호해졌다. 또한 1950년대 이후 정신약물 분야에서의 신경 이완제나 안정제의 개발 및 효용성이 신경증에 대한 정신분석적 함의를 약화시켰다고 볼 수 있다.

관련어 | 불안장애, 정신증

신경증적 불안
[神經症的不安, neurotic anxiety]

원초아의 억압된 욕구나 충동을 자아가 통제하지 못해 벌을 받을 특정 행위를 하지 않을까 하는 두려움. 정신분석학

정신분석에서 설명하는 세 가지 불안유형 중의 하나로, 원초아 속에 포함되어 있는 억압된 욕구나 충동, 특히 성적 충동이나 공격적 충동을 자아가 적절하게 통제하고 조절하지 못해 처벌받을 행위를 하게 되지 않을까 하는 불안이다. 원초아에 대한 자아의 의존에서 유발되는 불안으로, 아동이 충동적 행동을 했을 때 부모나 다른 권위자에게 처벌받은 것이 학습된 것으로, 현실에 기초해서 형성된다. 즉, 신경증적 불안도 처음에는 현실적 불안에서 발달한다. 개인이 신경증적 불안을 경험할 때에는 그 불안의 원인을 의식하지 못하는 것이 특징이다. 신경증적 불안이 심리적 압박감을 증대시키면 이성을 잃고 충동적인 행동을 한다. 충동적인 행동이 초래하는 결과가 불안 그 자체보다는 덜 고통스럽기 때문이다. 신경증적 불안이 과도할 경우에는 신경증(neurosis)이나 정신병(psychosis)으로 발전할 수 있다.

관련어 | 객관적 불안, 도덕적 불안, 불안, 현실적 불안

신경증적 욕구
[神經症的欲求, neurotic needs]

개인이 안전을 얻기 위해 기본적 불안을 처리하는 데 사용하는 방어적 태도. 성격심리

호나이(K. Horney)가 제안한 성격이론의 주요 개념 중 하나로, 매우 강렬하고 비현실적이며 무분별하여 문제를 비합리적으로 해결하고 불안이 해소되지 않고 내재되어 있는 방어적 태도를 말한다. 이러한 욕구는 애정과 인정(affection and approval), 지배적 파트너(a dominant partner), 힘(power), 착취(exploitation), 특권(prestige), 존경(admiration), 성취 또는 야망(achievement or ambition), 자아충족(self-sufficiency), 완전(perfection), 생의 편협한 제한욕구(narrow limits to life)의 모두 열 가지다. 애정과 인정에 대한 신경증적 욕구를 지닌 사람은 다른 사람이 사소한 문제에 대하여 자신의 의견에 동의하지 않으면 관계를 끊어 버리거나 자신의 소망을 표현하고 요구하는 것을 억제하는 한편 타인

의 요구를 거절하지 못하여 주체적이고 성숙한 대인관계를 발전시켜 나가지 못한다. 지배적 파트너 욕구를 지닌 사람은 지나치게 타인에게 의존하는 경향이 있어서 협력, 타협, 공유와 같은 상호적 행동을 하지 못한다. 신경증적 힘 욕구를 지닌 사람은 불안, 약함, 열등감을 보호하기 위해서 힘을 형성하고자 한다. 착취에 대한 신경증적 욕구를 지닌 사람은 자신의 안전을 위하여 타인을 착취하고자 함으로써 타인에 대하여 적대적이고 의심이 많다. 타인을 착취하고자 하는 욕구는 타인도 자신을 착취할 것이라는 두려움 때문에 더욱더 큰 두려움과 분노를 갖게 된다. 특권에 대한 신경증적 욕구를 지닌 사람은 지위상실에 대한 두려움을 지니고 있어서 모든 에너지를 인정과 특권을 얻는 데 쏟아붓는다. 그래서 자신의 주변인들은 자신의 특권을 강화시키는 사람들만으로 구성되길 바라고 추구한다. 존경에 대한 신경증적 욕구를 지닌 사람은 자기혐오와 자기경멸과 같은 고통스러운 감정에서 벗어나기 위하여 이상화된 자아를 창조한다. 이들은 이상적 자아가 어느 정도 존경받는가가 더 중요하고 이러한 비현실적인 자아상은 무의식적 수준에서 작용한다. 이 욕구는 성취 또는 야망에 대한 욕구와 밀접한 관련이 있다. 신경증 환자는 여러 분야에서 최고가 되기를 바라기 때문에 기대치가 커서 에너지가 분산되어 오히려 실패와 실망이 더 커진다. 현실적으로 이런 기대에 대한 성공이 힘들기 때문에 신경증 환자들은 다른 사람을 짓밟음으로써 우월감을 느끼고자 한다. 건강한 사람은 가끔 혼자서 충분한 휴식을 취한 다음 일상생활로 돌아와 잘 지낼 수 있지만 신경증 환자는 타인과 정서적 거리를 두고 자신이 더 우월하다는 환상을 갖는다. 독선적이고 권위적인 부모 밑에서 자란 아동은 비현실적인 기대감으로 완전을 추구하고자 하여 자신의 흠이나 단점에 대하여 매우 민감하게 반응하고, 자신은 올바르다고 여기면서 타인의 비난과 비판을 허용하지 않는다. 신경증 환자들은 자발성과 개방성이 요구되는 상황을 피하려고 하며 실패를 두려워하여 모험을 즐기지 않고 단조롭고 정돈된 삶 속에 안주하려고 한다.

관련어 | 신경증 경향성, 욕구

신경증적 우울
[神經症的憂鬱, neurotic depression]

우울한 기분과 의욕상실의 상태. 정신병리

신경변화에 의해 유발된 우울증으로, 해결되지 않은 갈등에 의한 정서적 장애다. 정신병적 우울보다는 덜 심각한 것으로 본다. 신경증적 우울의 증상은 정서적으로 슬픔, 좌절감, 불행감, 공허감, 죄책감, 고독감, 무가치감, 허무감, 절망감 등으로, 불쾌하고 고통스러운 기분이 지속된다. 특히, 슬픔과 상실감으로 인해 침체된 기분이 지속되며, 울음으로 나타나기도 한다. 인지적 증상으로 자신을 무능력하고 열등한 존재로 여기는 등 자기비하적인 생각을 한다. 아울러 평소와 달리 주의집중이 잘 되지 않고 기억력이 저하되고, 판단에도 어려움을 겪는다. 행동적인 증상은 쉽게 지치며 피곤함을 자주 느끼고, 수면 중에 자주 깨어나는 것 등이 있다. 또한 사회활동을 회피하여 위축된 생활을 하게 된다. 행동이 느려지고 활기가 감소하여 행동이 둔하고 처지게 된다. 심한 경우에는 자기학대적인 행동을 하거나 자살을 시도하기도 한다. 신체생리적 증상으로는 식욕이 저하되며, 체중이 현저하게 감소되는 현상 등이 나타난다. 반대로 식욕이 증가하여 갑자기 체중이 늘어나는 경우도 있다. 성적인 욕구나 성에 대한 흥미가 감소하며, 소화불량이나 두통과 같은 증상을 나타내기도 한다. 정신분석에서 프로이트는 신경증 우울을 사랑하던 대상의 상실에 대한 반응이라고 보았다. 프로이트의 주장 이후 아브라함, 클라인, 아리에티, 블래트가 우울에 관한 이론을 발전시켰다. 인지이론에 기반을 둔 벡은 사람들이 생활사건을 부정적이고 비관적인 의미로 과장하고 왜곡하기 때문에 우울이 유발된다고 주장하였다. 또한 정신의학자들은 생물학적으로 유전적 요인, 뇌의 신경화학적 이상, 뇌 구조의 기능적 손상, 내분비계통의 이상, 생체리듬의 이상 등에 초점을 맞추어 연구를 진행하였다. 뇌세포 간의 신경정보전달을 담당하는 신경전달물질의 이상이 우울증을 유발할 수 있다는 연구도 진행되었다. 특히 노르에피네프린과 도파민 등 모노아민 계열의 신경전달물질의 과잉분비가 우울증을 유발한다고 하였다. 이런 연구결과는 약물치료의 이론적 근거가 된다. 그러나 우울증상을 보이는 내담자 중에는 약물복용 시 나타나는 부작용 때문에 약물치료를 거부하는 사람이 많다. 우울한 사람들은 약물치료의 부작용에 취약해서 잘 견디지 못하는 경향이 있다. 약물치료는 우울증의 재발을 예방하지 못하며, 단독으로 지속적인 치료성과를 거두기 어렵다. 따라서 약물치료는 심리치료와 함께 병행되는 경우가 많다. 신경증 우울의 인지적 치료기법은 내담자를 우울하게 만드는 부정적인 사고와 역기능적 신념을 찾아내어 그러한 사고의 정당성을 평가하고 보다 현실적이고 합리적인 사고로 대체하고자 한다. 정신분석에서는 내담자의 자존감을 향상시키거나 초자아를 조정하거나 자아를 강화하고 확장함으로써 우울증을 치료하고자 한다. 행동주의 상담에서는 내담자의 생활 속에서 긍정적 강화와 비율을 증가시켜 우울을 치료하고자 한다. 그 외 여러 가지 접근이 있다.

신경학적 음악치료
[神經學的音樂治療, Neurologic Music Therapy]

음악을 매체로 하여 손상된 뇌를 자극하고 뇌의 작용을 활성화하여 뇌 기능을 회복시키는 치료방법. 음악치료

신경재활음악치료(Music Therapy in Neurorehabilitation)라고도 하는 신경학적 음악치료는 신경과학에 기반을 둔 음악치료 모델로, 음악을 인식하고 생산해 내는 활동이 인간두뇌와 행동기능에 영향을 미친다는 과학적 진술을 바탕으로 만들어진 치료법이다. 이는 뇌졸중, 외상으로 인한 뇌 손상, 파킨슨병, 헌팅턴병, 뇌성마비, 알츠하이머, 자폐, 그 외 신경학적 질환 등으로 손상된 인지, 동작, 의사소통기능을 재활하기 위한 목적으로 사용된다. 이외에도 일반인의 생활능력 및 정서적 안정성 향상이나 아동의 건강한 심신발달을 위해서 신경학적 음악치료를 사용하기도 한다. 신경학적 음악치료는 리듬, 박자, 멜로디, 강약, 화성, 악기와 같은 모든 음악적 요소를 활용하여 뇌 손상에서 비롯된 인지, 언어, 신체 등의 모든 기능을 개선하고 재활하는 것이 주요 목적이다. 신경학적 음악치료는 연구를 기반으로 한 표준화된 임상기술을 사용하여 감각운동훈련, 말과 언어 훈련, 인지 훈련 등을 행한다. 신경학적 음악치료이론에 따르면, 리듬은 인간 두뇌의 여러 부분을 활성화시켜 뇌신경 내에서 새로운 신경경로(neuropathways)를 구축하는 데 영향을 미친다. 이 같은 이론을 바탕으로 해서 기능적 목적을 이루기 위해 뇌를 자극하고 새로운 신경경로를 구축하는 데 음악을 매체로 사용하여 뇌의 변화를 일으키고자 한다. 신경학적 음악치료에는 태생적으로 지니고 태어난 동작의 리듬성을 회복하고자 하는 리듬청각자극(rhythmic auditory stimulus: RAS), 다양한 음악적 요소들을 사용하여 동작을 자극하기 위한 패턴화된 감각기능강화(patterned sensory enhancement: PSE), 악기를 활용하여 기능적 동작패턴을 자극하고 훈련시키는 치료적 기악연주(therapeutic instrumental music playing: TIMP), 음악 및 노래에 담긴 패턴을 사용하여 비명제적 언술을 자극하는 언어자극(speech stimulation: SS), 노래를 이용하여 실어증 치료를 위한 멜로디 억양치료(melodic intonation therapy: MIT), 리듬으로 단서를 제공하여 언술의 발화와 속도를 조절하는 데 도움을 주는 리듬 있는 말 단서 주기(rhythmic speech cueing:

RSC), 정상적 발화에 맞는 운율, 어조, 속도 등에 억양으로 자극을 주기 위한 음성억양치료(vocal intonation therapy: VIT), 발화를 위해 호흡 및 자세 등을 연습하기 위한 치료적 노래하기(therapeutic singing: TS), 음악적 요소들로 발화를 할 때 필요한 근육조절을 연습하고 특정 발음을 정확하게 구사하기 위한 구강동작 및 호흡훈련(oral motor and respiratory exercises: OMREX) 등이 포함된다. 신경학적 음악치료사가 되기 위해서는 신경학적 음악치료 해당 기관에서 3년간의 훈련을 받고, 신경학적 음악치료 훈련기관에서 제공하는 기준에 준하는 자격을 획득해야 한다. 신경학적 음악치료는 미국 콜로라도주립대학교의 타우트(M. Thaut)와 존슨(S. Johnson)이 이론적 틀을 만들고, 음악생체의학연구센터(Center for Biomedical Research in Music)에서 연구를 발전시켰다. 현재 신경학적 음악치료는 미국음악치료협회(American Music Therapy Association: AMTA)에서 워크숍 등 다양한 활동을 시행하면서 보급하고 있다.

신념
[信念, belief]

엘리스(Ellis)의 ABC 모델에서 B(belief system)를 가리키는 것. 합리정서행동치료

신념이란 어떤 사건이나 행위와 같은 환경적 자극에 대해서 각 개인이 갖는 태도로서 개인의 신념체계 또는 사고방식이라 할 수 있다. 신념체계는 합리적 신념체계(rational belief system)와 비합리적 신념체계(irrational belief system)로 구성된다. 합리적 신념체계는 건강하고 생산적이고 적응적이고 사회적 현실에 부합하는 생각이며, 적절한 정서적 · 행동적 결과를 야기한다. 하지만 비합리적 신념체계는 경직되고 독단적이고 건강하지 못하고 부적응적이며, 목표를 이루고자 하는 요구나 당위 및 강요의 형식을 띠면서 부적절한 정서적 · 행동적 결과를 야기한다. 심리적 어려움을 겪고 있는 사람은 비합리적 신념체계를 가지고 있다. 여기서 비합리적 신념체계란 ABC 모델의 A(activating event)에 해당되는 선행사건이나 행동을 아주 수치스럽고 끔찍한 현상으로 해석하여 스스로를 벌하고 자포자기 또는 세상과 타인을 원망하는 것을 말한다. 자신을 이롭게 하는 합리적 신념체계를 선택하면 건강한 감정과 행동이 반응으로 나타날 가능성이 높지만, 이에 비해 비합리적 신념체계를 선택하면 건강하지 못한 감정과 행동을 보일 가능성이 높다.

관련어 | 비합리적 신념, 합리적 신념

신념미술치료사정
[信念美術治療查定, belief art therapy assessment: BATA]

영적 활동을 통하여 스트레스를 해소하거나 문제해결 대처능력을 증진시키는 조력활동. 미술치료

BATA는 애도와 상실에 관한 문제를 탐색하는 것에서 비롯되었으며, 개인적 기능 및 가정적 기능과 관련된 내담자의 신념체계를 탐색하기 위하여 호로비츠(Horovitz)가 개발하였다. 그는 개인이 삶에 대한 의미를 탐색하는 것이 영성을 살펴보는 동기화로 간주하고, 종교적 신념은 내담자의 대처능력이나 스트레스 처리능력에 영향을 준다고 보았다. 종교적 이미지를 분석하는 것이 내담자가 자기 내면의 어려움을 다루고 자신에게 힘을 준다는 것이다. 준비물은 여러 종류의 종이와 2, 3차원적 미술작품 제작에 필요한 다양한 재료이고, 실시방법은 다음과 같다. 먼저, 내담자의 과거와 현재의 종교적 신념에 관한 정보를 얻기 위한 인터뷰를 한다. 다음으로 내담자에게 다음과 같은 두 가지 사항을 지시한다. 첫 번째로 "우주가 어떻게 창조되었고, 누구 또는 무엇이 우리를 창조하였는가를 생각해 본 적이

ㅅ

있습니까? 많은 사람들은 신을 믿습니다. 당신도 신을 믿는다면, 신이 당신에게 어떤 의미가 있는지 그림을 그리거나 조각을 해 보세요."라고 한다. 이와 관련하여 신을 믿지 않는 사람들을 위해서는 내담자가 어떤 신념을 지지하고 있는지 질문해 볼 수 있다. 두 번째로, "어떤 사람들은 신과 대립되는 것이 있다고 믿습니다. 당신이 대립되는 것이 있다고 믿는다면, 이것의 의미에 대하여 그림을 그리거나 조각을 해 보세요."라고 한다. 마지막으로 다시 인터뷰를 한다. BATA의 해석은 발달수준, 미술작품의 형식적 질, 주제 및 내담자의 태도에 기초한다. 이와 같이 BATA는 미술치료영역에서 내담자의 영적 발달을 탐색하는 유일한 사정으로, 이를 시행하는 데에는 다양한 종류의 재료가 제공되며, 비신자나 무신론자에게도 사용할 수 있다는 특징이 있다.

신데렐라 콤플렉스
[-, Cinderella complex]

타인에게 의존하여 보살핌을 받고 싶어 하는 여성의 의존적인 심리상태. 부부상담

미국의 작가 다울링(Dowling)이 지은 『Cinderella complex』에서 처음 사용한 용어다. 그는 신데렐라 콤플렉스란 억압된 태도와 불안이 뒤얽혀 여성의 창의성과 의욕을 발휘하지 못하고 일종의 미개발 상태로 묶여 있는 심리상태라고 정의하였다. 신데렐라 콤플렉스에 빠진 여성들은 무언가를 하려고 할 때 두려움과 불안으로 시도하지 못하며 대신 누군가 해 주기를 바란다. 이는 여성의 삶을 통제하는 보이지 않는 벽으로, 여성으로 하여금 도전과 경쟁을 기피하게 만드는 것이다. 여성에게 아내와 어머니로서 '여성다운' 매력을 지키도록 하면서, 자립적인 독신여성이나 이혼녀 등에 대해서는 비정상적으로 규정하여 여성 간의 분리를 조장하기도 한다.

신뢰도
[信賴度, reliability]

측정하고자 하는 것을 얼마나 오차 없이 정확하게 측정하고 있는가의 정도. 심리측정

검사점수는 진점수와 오차점수로 구분할 수 있고, 진점수는 타당한 진점수와 타당하지 않은 진점수로 구분된다. 검사도구에 의한 관찰점수는 크게 진점수와 오차점수로 구분되고, 신뢰도는 진점수에 해당되는 부분을 말한다. 진점수는 검사도구의 특성상 측정하고자 하는 내용을 측정한 타당한 점수와 다른 특성을 측정한 타당하지 않은 점수로 구분된다. 전체 관찰점수 중 타당한 점수부분이 타당도가 되고, 신뢰도는 타당도의 중요한 선행요건으로서 타당도가 높기 위해서는 신뢰도가 높아야 한다. 그러나 신뢰도가 높다고 해서 반드시 타당도가 높은 것은 아니다. 신뢰도와 타당도의 관계에서 신뢰도는 타당도를 위한 필요조건이지 충분조건은 아니다. 타당도는 검사도구가 측정하려는 내용을 얼마나 충실하게 측정하고 있는가의 정도를 말한다면, 신뢰도는 측정하고자 하는 것을 얼마나 신뢰할 만하게 또는 정확하게 측정하는가의 정도를 가리키는 것으로 믿음성(dependability), 안정성(stability), 일관성(consistency), 예측성(predictability), 정확성(accuracy) 등과 동의어로 쓰이고 있다. 한 검사점수가 일관성 없이 어제 측정한 결과와 오늘 측정한 결과가 예측할 수 없을 정도로 바뀌고, 그 결과를 전혀 믿을 수 없다면 해당 측정결과는 아무 효용이 없을 것이다. 고장난 저울로 물건을 달아 볼 수 없듯이 신뢰할 수 없는 평가도구를 가지고 인간행동을 재어 볼 수는 없는 일이다. 따라서 한 검사도구가 어떠한 목적으로 쓰이기 위해서는 우선 최소한의 신뢰도를 갖추어야 한다. 타당도는 평가도구의 필요 불가결한 조건이지만, 신뢰도가 낮으면 타당도는 이에 비례해서 낮아지기 때문에 신뢰도는 타당도의 필요조건이 된다. 다시 말해, 신뢰도 없이 타

당도가 높은 평가도구는 존재할 수 없다. 신뢰도를 추정하는 방법에 따라서 신뢰도의 종류를 몇 가지로 구분할 수 있는데, 대표적으로 검사-재검사신뢰도(test-retest reliability), 동형검사신뢰도(equivalent form reliability), 반분신뢰도(split-half reliability), 문항 내적 합치도(inter-item consistency reliability), 크론바흐 알파 계수, 채점자 신뢰도(scorer reliability)를 들 수 있다. 하나의 검사도구를 같은 집단에게 두 번 실시하여 전후의 결과에서 얻은 점수를 기초로 상관계수를 산출하는 방법을 검사-재검사신뢰도라고 한다. 이것은 한 시기에서 다른 시기 사이에 점수의 변동이 얼마나 있는지, 즉 전과 후의 점수 사이에 얼마나 안정성이 있느냐 하는 것을 나타내므로 일명 안정성 계수(coefficient of stability)라고도 부른다. 검사와 재검사 사이에 기간이 짧을 때는 특정한 문항을 기억함으로써 검사의 신뢰도가 사실 이상으로 높아질 수 있는데, 이것을 피할 수 있는 방법의 하나는 같은 검사를 두 번 실시하는 것이 아니라 문항은 다르지만 같은 특성을 같은 형식으로 측정하도록 제작한 동형검사(parallel test)를 실시하는 것이다. 이처럼 같은 집단에 대해서 두 동형검사를 각각 다른 시기에 실시하여 얻은 점수 간의 상관관계를 구하는 것을 동형검사신뢰도라고 하며, 흔히 동형성 계수(coefficient of equivalence)라고도 한다. 동형검사는 표면적인 내용은 서로 다르지만 동질적이며 동일하다고 추정할 수 있는 문항으로 구성된 검사로, 예컨대 문항의 난이도, 변별도 및 문항 내용이 같은 것으로 구성된다. 하나의 검사도구를 한 피험집단에 실시한 다음 그것을 적절한 방법으로 두 부분의 점수로 분할하고, 분할된 두 부분을 독립된 검사로 생각해서 그 사이의 상관을 산출하는 방법은 반분신뢰도라고 하며, 일종의 동질성 계수(coefficient of homogeneity)다. 두 부분으로 분할하는 방법에는 여러 가지가 있다. 첫째는 전후로 꼭 반이 되게 나누는 방법, 둘째는 기우법(odd-even method)으로 나누는 방법이다. 셋째는 난수표(random numbers table)에 의해 두 부분으로 나누는 방법이며, 이것은 문항이 어떻게 선택되어도 무방한 경우에 사용한다. 넷째는 의식적으로 문항의 난이도 및 내용에 따라 비슷한 것끼리 짝지어 반분하는 방법이다. 반분신뢰도의 경우에는 지금까지 논의한 신뢰도 측정방법과는 달리 하나의 특수한 문제가 있다. 검사의 신뢰도는 검사의 길이와 깊은 관계가 있다. 즉, 한 검사의 길이가 증가하면 신뢰도도 따라서 증가한다. 그러므로 반분된 검사에서 얻은 점수를 가지고 신뢰도 계수를 계산했기 때문에 전체 검사의 신뢰도를 추정하기 위해서는 여기서 얻은 신뢰도 계수에 어떤 교정이 필요하다. 이러한 목적에서 사용되는 교정공식을 스피어만브라운(Spearman-Brown) 예언공식이라고 하는데, 일반 공식은 다음과 같다.

$$\gamma_{xx} = \frac{K\gamma'_{xx}}{1+(K-1)\gamma'_{xx}}$$

γ'_{xx}: 실제로 계산된 검사의 신뢰도

K: 실제로 계산된 검사의 길이(늘리거나 줄이거나)의 곱수

γ_{xx}: 실제로 계산된 검사의 길이를 K배만큼 늘리거나 줄였을 때 기대되는 신뢰도

검사-재검사신뢰도, 동형검사신뢰도, 반분신뢰도는 실질적이든 형식적이든 2개의 독립된 별개의 검사 간(inter-test) 득점의 일관성을 신뢰도로 표시하고 있다. 반면에 문항 내적 합치도(inter-item consistency)는 하나의 검사 내(within-test)에 있는 문항 하나하나를 각각 독립된 별개의 검사로 간주하여 문항 내(inter-item) 정답과 오답 사이의 일관성을 일종의 상관계수로 표시한 것을 말한다. 하나의 검사에서 문항 간 정답과 오답반응이 일치하고 있는 정도는 그 검사문항이 가지고 있는 동질성의 정도에 따라 결정된다. 그러므로 문항 내적 합치도를 검사의 동질성 계수(coefficient of homogeneity)라고도 한다. 또한 이 신뢰도의 추정방법은 쿠더와 리

처드슨(Kuder & Richardson)이 개발했기 때문에 쿠더리처드슨 신뢰도라고도 부른다. 쿠더리처드슨의 신뢰도 추정방법 계산으로 가장 잘 알려져 있는 것은 K-R 20과 K-R 21이다.

$$K-R20: \gamma_{xx} = \frac{n}{n-1}\left[1 - \frac{\Sigma pq}{S_i^{\,2} S_x^{\,2}}\right]$$

$$K-R21: \gamma_{xx} = \frac{n}{n-1}\left[1 - \frac{\overline{X}\,(n - \overline{X}\,)}{nS_x^{\,2}}\right]$$

n: 검사 속 문항의 수

p: 각 문항에 정답을 한 학생의 비율
(30명 중 6명이 정답을 했다면
$p = \frac{6}{30} \times 100 = 20$)

q: 각 문항에 오답을 한 학생의 비율($q = 1 - p$)

Σ: 합(合)의 기호

$S_x^{\,2}$: 전체 검사점수의 변량(=검사점수의 표준오차의 제곱)

$\overline{X}$: 전체 검사 점수의 평균

하나의 검사를 한 집단에 실시하고 거기에서 오차변량을 제외한 진점수 변량을 추정해 보려는 노력이 시도되면서, 피셔(Fisher)가 개발한 변량분석에 기초하여 크론바흐(Cronbach)가 α계수 방법을 개발하였다. 즉, 한 검사 속 문항 사이의 신뢰도 계수를 문항 간 평균 공변량/문항 간 평균변량의 비(ratio)로 나타내려는 개념이다. 크론바흐 α계수는 문항형식에서 문항의 반응이 맞으면 1, 틀리면 0으로 채점되는 양분 문항뿐만 아니라 한 개의 문항이 여러 단계의 점수로 채점되는 연속점수의 경우에도 사용할 수 있으며, 흔히 급내 상관(intraclass correlation)이라고도 부른다. 공식은 다음과 같이 계산된다.

$$\alpha = \frac{n}{1-1}\left(1 - \frac{\Sigma S_i^2}{S_x^2}\right)$$

n: 문항 수

S_i^2: 각 문항의 변량

S_x^2: 전체 검사점수의 변량

이 공식은 K-R 20과 많이 닮았다. K-R 20에서 Σpq가 이 공식에서는 ΣS_i^2으로 바뀌었을 뿐이다. 만약 문항이 0, 1, 즉 '틀렸다' '맞았다'는 두 가지 방법의 경우에는 α_k는 K-R 20인 공식으로 변한다. 반분하는 경우는 다음과 같다.

$$\alpha_2 = 2\left(1 - \frac{S_{h^1}^{\,2} + S_{h^2}^{\,2}}{S_x^{\,2}}\right)$$

여기서 $S_{h^1}^{\,2}$, $S_{h^2}^{\,2}$은 나누어진 반쪽검사에서의 점수 각 변량을 가리킨다. 실제 이것은 α_k에서 $n = 2$로 바꾸면 생기는 공식이다. 채점자 신뢰도는 채점자 간 신뢰도(inter-scorer reliability)와 채점자 내 신뢰도(intra-scorer reliability)로 구분할 수 있다. 채점자 간 신뢰도는 답안지 또는 문항의 답을 2명 이상의 채점자가 독립적으로 채점하여 그 결과가 일치되는 정도를 말하고, 채점자 내 신뢰도는 채점해야 할 답안지가 많을 때 질적으로 거의 같은 내용의 답에 대해 한 채점자가 일관성 있게 같은 점수를 준 정도를 의미한다.

관련어 타당도

신뢰의 관계
[信賴-關係, the trust bond]

인간관계를 형성하는 데 두터운 신뢰가 있는 관계 속에서 안전함을 느끼도록 하는 관계의 유형. 생애기술치료

신뢰란 상대방의 정직함과 책임감에 대한 강한 믿음을 의미한다. 관계가 발전함에도 불구하고 '내가 이 사람을 신뢰할 수 있는가?'라는 스스로의 질문에 '예'라고 답할 수 없다면, 그 관계는 결국 악화되거나 단절되어 버릴 것이다. 따라서 긍정적인 인간관계의 형성에서 신뢰의 관계로 발전하는 과정은 매우 중요한 요소 중 하나다.

관련어 기쁨의 관계, 돌봄의 관계, 동료로서의 관계, 의사결정의 관계, 친밀한 관계

신변자립

[身邊自立, self-help, independent function]

장애 학생 중에서도 지적장애를 지닌 학생이 반드시 습득해야 하는 것으로, 사회생활을 영위하기 위해 평생 반복되는 가장 기초적인 활동인 동시에 일차적인 생존기능. 특수아상담

지적장애 아동의 경우 취학연령에 이르러서도 기초생활 기능이 불완전하게 습득되어 있거나 전혀 습득되어 있지 않은 경우가 많으므로 신변자립 기능을 습득하는 것이 중요하다. 이 신변자립이 적절히 이루어지지 않으면 또래아동과의 관계에서 소외, 고립, 따돌림 등의 어려움을 겪을 수 있기 때문에 교사와 상담자들은 독립적인 기능을 유발, 유지할 수 있는 것을 신변자립의 목표로 삼는다. 신변자립 교육은 우선적으로 지도되어야 하는 기초적인 일차적 생존기능 위주로 이루어지는데, 예를 들면 식사용구(수저, 포크, 빨대, 컵 등) 사용지도, 섭식습관 지도(씹지 않고 삼키는 행동교정, 음식물 흘리는 행동교정, 편식교정 등), 간식 먹기 지도, 식사예절 지도, 착·탈의 기능 지도, 몸단장 지도, 대변 지도 등이 대표적이다. 일반적으로 신변자립 기술의 하위영역을 식생활 활동, 위생청결 활동, 몸단장 활동의 세 영역으로 구분한다. 이러한 신변자립 기술을 가르치기 위하여 여러 연구에서 제시한 전략을 종합하면, 나이에 적합하고 기능적인 활동을, 구체적으로 작은 단위로 나누어 가르치되 점차 연결, 확대하여 가르치고, 일상의 모든 활동 속에서 가르치면서 가정과 학교의 연계를 지향한다.

관련어 | 신변자립훈련

신변자립훈련

[身邊自立訓練, self-help training, independent function training]

지적장애 아동, 청소년, 성인의 신변처리 및 생활자립 기능 향상을 위하여 생활을 하면서 이루어지는 교육 및 훈련. 특수아상담

지적장애를 가진 사람들의 독립적인 생활영위를 위한 개인 잠재능력의 최대 계발을 목적으로 진행된다. 이 훈련은 전 생애를 통한 지속적인 과정, 각 개인의 가치와 존엄성의 존중, 과학적인 근거에 기초함, 독립된 프로그램이 아닌 다른 영역과의 통합을 통한 전인적 발달 강조, 그리고 반복지도라는 원칙을 가지고 있다. 신변처리 기능의 지도와 훈련을 위해서는 다음과 같은 특성이 지켜져야 한다. 체계적이고 일관성 있게 진행되어야 하며, 다른 분야의 학습보다 우선적으로 지도하고, 실제 생활장면 속에서 지도할 때 더 효과적이라는 것이다. 지도하는 교사는 정상 아동의 발달단계를 충분히 이해하고 있어야 하며, 아동의 요구와 필요에 부합하는 개별화된 프로그램이어야 한다. 그리고 가정 또는 교육기관이 신변자립훈련에 유리한 환경이어야 하며, 반드시 부모와 가족의 적극적인 참여가 필요하다. 또한 아동의 성공적인 신변처리에 대한 관심과 긍정적인 강화가 있어야 한다. 실제 지도에서는 동작을 지도함과 동시에 아동이 알아들을 수 있는 간단한 언어적 촉구를 하여 따르도록 한다. 그러나 이 언어적 지시가 아동의 행동에 방해가 되어서는 안 되며, 점차 신체적, 언어적 촉구를 줄여 나감으로써 궁극적으로 아동 스스로 해낼 수 있도록 해야 한다.

관련어 | 신변자립

신비체험
[神祕體驗, mystical experience]

형언 불능성, 순이지적, 일시성, 수동성이라는 특징이 있는 경험으로서, 일시적으로 변성된 초월적 상태. 초월영성치료

신비체험은 자아초월심리학의 태동 이래 가장 활발하게 연구된 주제지만 연구자마다 개념 정의가 매우 다양하고 그 차이도 크다. 신비체험에 대하여 최초로 체계적인 탐구를 수행한 윌리엄 제임스(William James)는 신비적 의식상태가 다음 네 가지 특징을 가지고 있다고 기술하였다. 첫째, 형언 불능성(ineffability)으로, 이 정신상태의 주체는 즉각적으로 그러한 신비적 정신상태를 표현하는 것이 불가능하고 그 경험의 내용에 대한 타당한 보고를 말로는 표현할 수 없다는 것이다. 이것은 신비적 정신상태는 직접적으로 경험되어야 하는 특징이 있기 때문이다. 신비적 상태는 지적 상태보다는 감정적 상태에 가깝다. 둘째, 순이지적 특성(noetic quality)인데, 신비적 상태는 비록 감정의 상태와 유사하다 해도 그 상태를 경험하는 사람에게는 역시 지식의 상태인 것처럼 보인다. 그것은 추론적 지성으로는 이해 불가능한 진리의 깊이를 통찰하는 상태다. 셋째, 일시성(transiency)으로, 신비적 상태는 오랫동안 지속될 수 없다. 극소수의 경우를 제외하고는 30분 또는 한두 시간 정도가 한계로 보인다. 그 시간을 넘어서면 그 상태는 일상 속으로 사라져 버린다. 때로는 사라져 버린 뒤에 그 상태의 특징을 불완전하게나마 기억 속에서 되살릴 수 있다. 넷째, 수동성(passivity)으로, 신비적 상태에 도달하는 것은 주의집중이나 어떤 육체적 수행을 하는 등 처음에는 자발적 실행으로 촉진할 수 있음에도 의식이 특정한 상태에 놓일 때 신비주의자는 그 자신의 의지가 마치 정지된 것처럼 느끼며, 때때로 자신이 어떤 상위의 힘에 사로잡혀 있는 것처럼 느낀다.

신비화
[神祕化, mystification]

다른 사람의 경험을 잘못 해석함으로써 의도적으로 왜곡하고 다르게 묘사하거나, 벌어진 사건이나 현상에 대해 모순되고 반대되는 설명을 함으로써 그 속에 내재된 문제를 무시하고자 하는 것. 경험적 가족치료

신비화는 하나의 사회경제적 계급이 다른 계급을 착취할 때 사용하는 수단을 설명하기 위해 마르크스(K. Marx)가 처음 사용한 개념이지만, 이를 랭(R. Laing)이 정신분열증 환자의 가족을 연구하면서 동일한 현상을 관찰하여 신비화라고 명명하였다. 즉, 신비화는 다른 가족구성원의 경험이나 감정을 실제와는 다르게 정의하거나 다르게 표현함으로써 본래의 의미를 왜곡시키는 현상을 말한다. 신비화의 경향은 주로 부모가 어린 자녀를 대할 때 많이 나타나는데, 예를 들어 놀이터에서 놀고 있는 자녀에게 "이제 놀이가 지겨워졌나 보구나. 그만 집에 가자."라고 아이가 실제 느끼는 것과는 다르게 표현함으로써, 자녀의 감정을 부인하거나 다르게 느끼도록 만드는 것이다. 실제로 자녀에게 이렇게 말하는 부모의 생각에는 '이제 그만 집에 돌아가자.'라는 강압적인 의미가 숨어 있다. 신비화는 실제의 지각과 감정, 나아가 현실을 부인함으로써 현재의 기능을 유지하는 역할을 한다. 부모가 계속적으로 아이를 신비화로 대할 때 아이는 진정한 자신을 만나지 못하게 되고, 심해지면 정신병으로까지 발전할 수 있다.

신생아
[新生兒, neonatal]

출생 후 첫 2주~1개월 된 아기. 발달심리

출생 시 신생아의 체중은 남아가 평균 약 3.4킬로그램, 여아는 평균 3.2킬로그램이고 신장은 남아가 약 50.8센티미터, 여아가 평균 50.1센티미터다. 맥박은 1분에 120~160회 정도로 빠르지만 불규칙하

며 호흡은 1분에 35~45회 정도로 불규칙적인 복식호흡을 한다. 체온은 37~37.5℃로 성인보다 다소 높은 편이며 체온조절능력은 약하여 외부온도의 영향을 많이 받아 몸을 따뜻하게 유지해 주는 것이 필요하다. 출생 직후 수면은 하루에 20시간이며 점차 줄어들어 18시간 정도 잔다. 뼈는 연골이 많고 두개골은 아직 완전히 형성되지 않았으며 피부색은 붉고 주름과 솜털이 많다. 뇌의 무게는 성인과 비교했을 때 25% 정도이며, 뇌는 부위마다 발달속도가 다르고 이 시기에는 각성, 소화, 호흡, 배설, 반사기능 등 생물학적 기능이 발달하고 신체발달은 두미원리(cephalocaudal principle)와 중심말초원리(proximodistal principle)로 이루어진다. 두미원리는 머리, 목처럼 위에서 시작하여 어깨, 몸통처럼 아랫부분이 뒤에 발달하게 되며, 중심말초원리는 몸통이 먼저 발달하고 난 뒤에 팔, 다리, 손, 발 등 말초 부위가 발달한다는 것을 말한다. 출생하는 순간 신생아는 정상성 여부를 진단받게 되는데 이러한 진단도구는 아프가척도(Apgar Scale)와 브레즐튼 신생아행동평정척도(Brazelton Neonatal Behavioral Assessment Scale: NBAS) 등이 있다. 또한 이 시기에 주로 발생하는 일반적인 질환이나 사망원인으로는 산소결핍증, 호흡 곤란증, 저체중, 조산아, 미숙아 등이 있다. 출산 후 처음 6~12시간은 어머니가 아기에 대해 반응할 준비가 되어 있고 강한 애정을 발달시키는 정서적 유대(emotional bonding)의 민감기라고 하며, 이 같은 과정을 거친 어머니는 아기에게 몰입된 양육양식과 강한 애정을 보였으며 아기와의 상호작용을 촉진시킨다.

관련어 반사, 산소결핍증, 영유아 발달 선별 검사, 아프가척도

신세대 병사
[新世代兵士, new generation soldier]

21세기에 있는 우리나라의 20대 청년 병사들. 군상담

신세대 병사는 신세대의 가치관과 의식구조, 그리고 청년기의 발달적 특성을 가진 병사들을 의미한다. 이들의 특성 중 긍정적인 측면은 다음과 같다. 첫째, 이전의 병사들과 달리 군에서 필요로 하는 그 이상의 지식과 기술능력을 소유하고 있기 때문에 각종 첨단장비와 기계를 조작하고 운용하는 것이 쉽다. 둘째, 강한 자의식을 지니고 있어서 기존의 관습이나 관행에 얽매이지 않고 자신이 좋아하는 것을 새롭게 만들어 나간다. 그러므로 이들의 업무에 대한 논리성과 합리성을 인정해 주면 적극적으로 자신의 임무를 수행해 나간다. 셋째, 솔직하게 자신을 표현하고 생활에서의 어려움이나 개선점을 건의하여 해결하려고 하며 계급의 수직적 관계에서 벗어나 선임과 후임 간에 평등적인 관계를 형성하고자 한다. 이와 같이 이들은 도전적이고 적극적인 태도를 가지고 있기 때문에 동기를 적절하게 부여하면 주어진 임무를 자발적으로 수행하려는 특성이 있다. 반면에 긍정적인 측면이 지나치면 다음과 같은 여러 가지 문제점을 낳는다. 첫째, 강한 자의식은 오히려 이기적이고 개인주의적 성향으로 나타난다. 이는 군 조직의 위계질서, 소속감, 공동체 의식을 약화시킨다. 둘째, 솔직한 자기표현이때로는 상급자에 대한 반발과 명령 불복종으로 이어져 상급자와 갈등을 유발할 수 있다. 또한 통제가 많은 병영생활에 대한 불만을 그대로 표현하여 더욱더 갈등을 심화시킬 수 있다. 셋째, 선임과 후임 간의 평등적인 관계는 수직적 명령체계를 무너뜨릴 수 있으며 이러한 관계에 대한 견해의 차이는 곧 체계에 대한 불만과 거부감으로 이어질 수 있다. 넷째, 신체적으로 허약하여 교육훈련, 야외훈련과 같은 힘든 훈련들을 참아 내기가 어렵다. 다섯째, 절약정신의 부족으로 보급품을 관리하는 데 소홀하여

물질적 손실이 크다. 이와 같이 신세대 병사는 이전의 병사들과 달리 지적 수준은 높은 편이지만 비관습적이고 개방적이며 자유로운 개인주의적 태도 때문에 정신력, 인내심, 절제력이 부족하여 엄격하고 통제된 병영생활에서 일탈행위를 할 가능성도 지니고 있다.

관련어 | 보호 · 관심병사, 복무부적응병사

신용모델
[信用-, credibility model]

에드워드 판즈워스(Edward Farnsworth, 1982)가 기독교 신학과 심리학의 통합유형을 설명하기 위해 만든 여섯 가지 모델 중 하나로, 신학적 원리로 검증된 심리학적 이론만을 받아들이고자 하는 입장. 목회상담

판즈워스는 심리학과 신학의 통합은 오로지 해석적인 개념을 통해서만 이루어진다고 주장했으며, 개념적 관계의 모델로 신용모델, 전환모델, 적응모델, 병립모델, 보완모델, 내재통합의 여섯 가지를 제시하였다. 그중 신용모델은 성경적이고 신학적인 진리의 입장에서 볼 때 위배되지 않는 과학적 사실만 받아들여야 한다고 보는 견해다. 판즈워스는 이러한 견해는 신학만 모든 진리의 전부로 보는 치우친 견해이며, 신학은 성경에 대한 해석이고 심리학은 인간에 대한 해석이라는 해석적인 차원에서만 신학과 심리학의 통합이 이루어져야 한다고 비판하였다.

관련어 | 내재통합, 병립모델, 보완모델, 적응모델, 전환모델

신전수면
[神殿睡眠, incubatio]

고대 그리스의 복합 치료 공간인 아스클레페이온(Asklepeion)에서 행해진 치료로, 수면을 이용하여 사람들의 정신건강의 증진을 꾀하고자 한 방법. 철학상담

고대 그리스에서 가장 중요하고 유명한 치료법으로, 꿈을 꾸면서 치료를 경험하는 치유법이다. 환자들이 수면상태에 있거나 수면과 각성 사이의 모호한 상태에 있는 동안 신성이 일어난다. 수면 요법은 주로 신성한 장소로 알려진 아바톤(abaton)이라는 곳에서 행해졌는데, 아스클레피오스(Asklepios)는 꿈속에서 아스클레페이온을 장식한 신상(神像)의 형태로 나타나거나 뱀 또는 개와 같이 짐승의 형태로 출현하기도 했다고 한다. 이러한 지상의 상징들은 환자의 고통스러운 상처 부위를 핥아 주며 치료의 도구역할을 한 것으로 알려지고 있다. 치료는 대부분 수면을 취하는 동안 신이 행한 것이지만, 깨어 있는 동안에도 다양한 수단, 즉 햇빛, 신선한 공기, 깨끗한 물, 음악, 약용치료, 운동, 식이요법, 즐거운 마음가짐, 그리고 휴식을 취할 수 있는 환경 등을 이용하여 치료를 도모하였다. 아스클레페이온에서 행해지는 수면 요법은 특히 정신적 고통을 호소하는 환자에게 적용한 치료법이라고 할 수 있는데, 이는 아스클레피오스가 단순한 육체적 고통의 치료만이 아니라 심리적 안정을 도모했던 신이었다는 점을 말해 주고 있다. 이와 같은 아스클레페이온에서의 수면요법은 서양 고대의 정신치료(psychotherapy)의 모습을 잘 보여 준다. 고대인들은 꿈속에서 자신의 병이 오직 신, 즉 아스클레피오스의 신성한 행위를 경험함으로써 치유될 수 있다고 믿었다. 수면요법이 행해지는 장소인 아바톤의 공간배치나 모습은 오늘날의 심리치료실과 매우 비슷하다.

관련어 | 아스클레페이온

신체-부분 은유 기법
[身體-部分隱喩技法, body-part metaphor technique]

미국 타말파연구소의 무용동작치료자 훈련 프로그램의 중심 기법에 속하는 것으로, 우리 신체의 각 부분—머리/얼굴, 척추, 가슴, 어깨, 손/팔, 복부, 골반, 다리/발—이 상징하고 있는 은유를 개인 삶의 주제와 연결하여 작업하는 것으로서 신체신화기법 또는 체화치료라고도 함. 무용동작치료

신체심리학에서는 우리 신체부분과 동작에는 생

리적, 해부학적 기능이라는 실제적 신체개념과 삶의 의미와 상징을 가진 은유적 신체개념을 가지고 있다고 설명한다. 따라서 인간 삶의 경험들이 정서 및 심리상태와 함께 개인의 동작 속에 축적되고 각인되어 있다고 한다. 이러한 인간 신체의 의미들을 표현예술치료에 도입하기 위해 핼프린(Halprin)은 내담자가 자신의 생활상황과 관련된 작업주제나 문제에 대해 발견, 직면, 해소, 변화, 성장한다는 5단계 심리치료과정을 연구하였다. 이 과정에서는 신체, 정서, 인지의 세 수준의 자각(알아차림)과 반응기법 및 세 수준의 의사소통기법, 그리고 그림, 동작, 시적 대화, 글쓰기 등의 복합예술매체가 상호 순환적으로 적용된다. 신체-부분 은유 기법을 무용동작치료에서 적용할 때는 개인의 신체 부분을 머리 부분, 어깨 부분, 손과 팔 부분, 가슴 부분, 배 부분, 골반 부분, 다리와 발 부분으로 나누어 작업한다. 물론 실제 치료과정에서는 작업의 주제인 특정 신체 부분에 초점을 둔다 해도, 다른 신체 부분과 연결하여 작업하게 된다. 각각의 신체 부분 작업의 일반적 프로그램 구조의 예를 들어 보면, 어깨 부분의 경우에는 무게를 지고, 유지하고, 팔의 기능을 증폭시키는 신체기능과 관련해서 연상되는 심리적 상징은 무거운 짐 지기, 책임지기, 팔의 활동 돕기 등이다. 더 구체적인 연상을 한다면, 경직된 어깨와 정서, 많은 책임을 진 구부러신 어깨, 젖힌 어깨와 분노 및 자기주장, 각진 어깨와 '나는 할 수 있다.'는 태도 등이다. 이 연상들과 함께 개인적으로 자신의 생활과 관련된 주제를 선택해서, 그림과 동작으로 탐색하고 즉흥적인 표현을 하게 된다. 그리고 그림을 그린 다음, 또는 동작탐색이나 동작표현을 하고 난 다음에는 그것을 가지고 파트너나 상담자와 대화를 할 수도 있고 글쓰기를 할 수도 있다. 또는 약 열 가지 정도의 신체 부분들을 작업한 후에 마지막 회기에는 신체자화상을 그리고 자화상 공연으로 마무리하기도 한다. 이러한 과정을 통해 내담자들은 자신의 생활과 관련되는 심리적 문제와 증상들을 자신의 신체 부분과 관련시켜 내면적 신체 감각, 정서 및 이미지를 탐색하여 자각(알아차림)한 후, 표현예술매체를 활용하여 5단계 심리치료과정을 거치고 나면 심신통합의 치유와 성장을 경험한다고 하였다.

관련어 | 핼프린의 생애예술과정

신체 본뜨기
[身體-, body tracing]

내담자로 하여금 자신의 신체상을 표현하여 자신을 깊이 자각하게 만드는 미술치료기법. 미술치료

사람의 전신상을 넣을 수 있는 용지, 크레파스, 색연필, 물감, 파스텔, 색종이, 잡지책, 가위, 풀 등을 준비하여, 다음과 같은 절차로 진행한다. 먼저, 용지를 바닥에 깔거나 벽에 붙여 놓고 신체를 본뜨게 하는데, 개인 치료일 경우에는 치료자가 내담자를 눕히거나 세워서 본을 뜨고 집단치료일 경우에는 집단원들이 서로 도와 가며 본을 뜨도록 한다. 그다음 치료자는 "이 신체는 바로 당신입니다. 당신의 신체상을 보고 당신이 어떤 사람인지, 무엇을 느끼고 있는지, 무엇을 원하고 있는지, 어떤 감정과 생각을 하고 있는지를 꾸며 보세요."라고 지시하여 내담자가 자신의 신체그림에 자신의 생각, 감정, 욕구, 갈등, 소망 등을 자유롭게 표현하도록 한다. 작품이 완성된 후에는 내담자에게 작품을 소개할 것을 권한다. 마지막으로, 내담자가 작품을 제작하면서 느낀 점을 말하도록 한 뒤, 치료자는 자신이 느낀 점이나

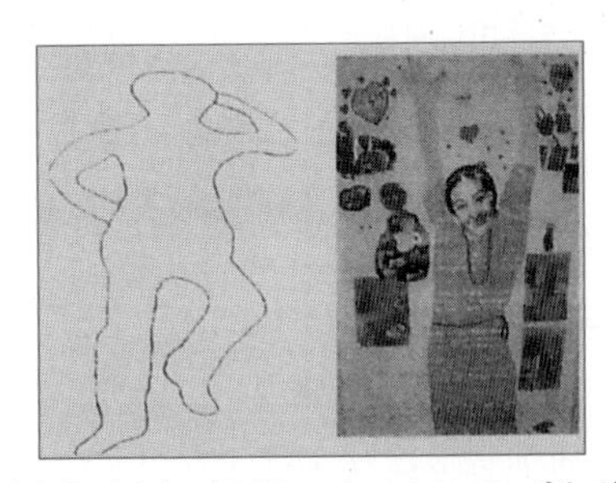

출처: 최선남, 김갑숙, 전종국(2007). 집단미술치료. 서울: 학지사.

내담자가 생각하지 못한 부분에 대해 피드백을 해준다. 이와 같이 진행되는 신체 본뜨기는 작업시간이 길어질 수도 있고, 그런 만큼 치료자는 내담자가 작업을 마칠 수 있도록 기다려 주고, 내담자가 무엇을 느끼고, 어떻게 작업하고 있는지를 잘 관찰해야 한다.

신체변형장애
[身體變形障碍, body dysmorphic disorder]

자신의 외모 중 마음에 들지 않거나 원하지 않는 특징 혹은 상상으로 만든 신체결함에 집착하고 걱정하며 염려하는 증상. 이상심리

신체형 장애의 유형으로, 전통적으로는 불구공포증으로 알려져 있다. 다른 사람들이 보기에는 정상적인 외모인데도 자신은 외모가 기형이라고 잘못 생각하는 장애를 말한다. 이 장애를 지닌 사람들은 가는 머리, 여드름, 두드러진 혈관, 주름, 흉터, 대머리, 안면 비대칭 등에 대한 결점이나 가상적 결함을 호소하고 눈, 코, 입, 귀, 치아, 머리의 형태와 크기, 가슴, 엉덩이, 복부, 손, 발, 다리, 어깨, 등 모든 신체부위에 대한 결함에 집착하거나 결함이 있다고 상상한다. 이러한 결함을 세심하게 관찰하고 과도하게 치장하거나 아예 결함을 보지 않기 위해 거울을 없애 버리기도 하며, 결함과 관련되는 관계망상적 사고를 보이기도 한다. 자신의 외모에 대해 지나치게 집착하여 일상생활을 손상시키는 경우가 많은데, 대체로 다른 사람들과의 관계를 회피하여 사회적으로 고립되어 때로는 자살사고, 자살시도, 자살성취에 이르기도 한다. 신체적 결함을 없애기 위해 성형과 같은 외과적 치료를 받기도 하지만 이러한 치료는 오히려 증상을 더욱 강화하고 더 많은 집착행동을 보이도록 만든다. 이 증상은 신체적 외모와 자기표현에 대한 사회문화적 가치관이 큰 영향을 미친다. 대개 발병은 청소년기에 시작되는 경향이 있지만 증상을 밝히기 꺼려 함으로써 오래 진행된 뒤에 진단을 받는 경우가 많다. 점진적으로 발병할 수도 있고 급작스럽게 발병하기도 하며, 증상의 강도는 시기에 따라 변하고 집착하는 신체부위가 지속적일 수도 혹은 변할 수도 있다.

신체상
[身體像, body image]

개인이 자기 자신의 신체에 대해 갖는 마음의 표상. 이상심리

신체상은 신체에 대하여 갖는 느낌이나 태도로서, 자신의 신체부위와 기능에 대한 만족의 정도를 말한다. 만족의 정도가 높으면 긍정적 자아개념을 형성한다. 신체상은 자아개념이나 외부세계를 인식할 때 기초가 되는 중요한 과정으로서, 모든 사람이 자신의 신체상을 가지고 있다. 정신역동적 이론에서 인간의 가장 원초적인 자아가 곧 신체 자아이며, 신체의 지각과 개념 및 신체와 관련되어 있는 감정을 포함하여 신체상을 형성한다. 신체상은 자아 구조의 기초이며 성격형성의 핵심 요소이자 성격발달에 영향을 미친다. 또한 신체상은 겉으로 보이는 외모뿐만 아니라 신체의 구조, 기능, 지각능력, 운동력 등을 포함하고 자신의 신념, 가치, 목표, 성격, 자신에 대한 다른 사람의 견해 등이 통합되어 형성되며 환경에 대한 반응을 결정하기도 한다. 신체상은 평생 끊임없이 변하고 다른 사람과의 관계경험을 통하여 형성되고 발달해 나간다. 즉, 유아기에는 다른 사람과 자신을 분리하는 인식이 명확해지고 운동능력과 감각기능의 발달과 함께 타인과 자신을 비교하거나 부모의 태도에 따라 신체상을 형성해 나간다. 학령기는 성역할이 구체화되는 시기로서 사회적 환경으로부터 자극을 받아 신체상이 점차 확대된다. 사춘기에는 2차 성징의 발달로 신체에 대한 관심이 더욱 증가하여 내적 신체상을 형성하고, 이 시기의 모든 행동의 근거가 된다. 청년기 신체상은 자아개념, 성공, 원만한 사회관계를 이루는 중요한

요소로서 변화된 신체에 따라 새로운 신체상을 형성해 나간다. 성인기나 노년기에 접어들면 신체는 노화되고 그에 따라 신체상이 수정된다. 신체상은 자아인식과 관련이 깊고 개인의 주관적 경험으로서 다른 사람과의 상호작용을 통하여 형성되고 발달된다. 건강한 삶을 위해서는 신체적 존재로서의 자신을 수용하고 적절한 신체상을 가져야 하며, 신체상에 대한 심한 왜곡은 자기혐오나 병적 스트레스를 유발할 수 있다.

신체심리치료
[身體心理治療, body psychotherapy]

인간의 마음과 신체 사이의 복잡한 교차성과 상호작용을 연구하여 적용하는 심리치료방법. 무용동작치료

신체심리치료에서는 '나는 하나의 신체를 가지고 있다(I have a body).'가 아니라 '나는 하나의 신체다(I am a body).'라는 개념을 중요시하면서, 신체에 대한 긍정적인 태도로 신체를 경청하고 욕구와 필요를 존중한다. 신체심리학은 라이히(Reich)가 페렌치(Ferenczi)의 신체외상치료(somatic trauma therapy)를 체계화한 것이다. 페렌치는 프로이트(Freud)의 추종자로서, 임상적 주제로서의 신체개념을 표면화하여 신체외상치료를 개발하였고, 라이히는 이를 더욱 체계화하였다. 라이히는 심리학적 사고에 신체개념의 중요성을 복원시켰을 뿐만 아니라, 인간의 신체를 우주의 영적 과정과 이미지를 반영하는 체계로 간주하였다. 그럼으로써 인간의 신체개념을 심리적 과정으로, 또한 생명에 기본적인 우주에너지 흐름의 장(field)으로 확대하여 인간을 총체적으로 이해하고자 하였다. 이와 같은 라이히의 신체심리학은 이후 그의 후계자에게서 다양하게 응용되었다. 일부에서는 그의 신체 사상과 신체적 개입방법을 직접적으로 적용하였고, 특히 이것은 1960~1970년대 개인의 초기외상(primal trauma)의 신체치료에 적용되었다. 또 그의 신체심리학을 다른 방법으로 변형하거나 부분적으로 적용한 곳도 있다(Totton, 2003). 이와 같이 직·간접적으로 라이히의 신체심리학의 영향을 받은 신체 중심 치료는 다음과 같다(Halprin, 2003). 로웬(Rowen)의 생체에너지기법(bioenergetics), 펠덴크라이스(Feldenkrais)의 동작을 통한 자각기법, 롤프(Rolf)의 구조적 통합 기법인 롤핑(rolfing) 기법, 셀버(Selver)의 감각자각 기법, 스톤(Stone)의 양극치료(polarity therapy) 등이다. 이들은 처음에는 순수한 전통적 신체작업의 분야에서 시작했지만, 라이히의 신체심리학의 영향을 받아 심리치료모델로 편입되었다.

관련어 | 심신의사소통, 심신조건화

신체언어
[身體言語, body language]

몸짓, 손짓, 표정 등을 이용한 비언어적(非言語的) 표현. NLP

육체언어 혹은 원어 그대로 보디랭귀지라고도 부르며, 학문적으로는 키니식스(Kinesics)라고 한다. 어떤 의사를 표현하고자 하는 의도성 있는 제스처를 포함하는 좀 더 포괄적인 개념이라고 할 수 있다. 신체언어는 신체의 동작, 외양, 접촉행위, 유사언어, 공간과 시간의 사용, 물체와 환경 등을 수단으로 하여 표현하고, 신체의 부분 혹은 전신을 사용하여 표현하며, 행위자의 의도성이 있기도 하고 있지 않기도 한다. 손동작을 사용한 신체언어가 가장 널리 사용되는데, 흔히 엄지와 검지를 동그랗게 모아서 원을 만들고 나머지 손가락은 펼쳐 하늘을 향하게 하는 손동작의 경우 동의, 수락을 의미한다. 또 양손의 검지를 세우고 서로 교차시켜 X자를 만드는 손동작은 거부, 반대를 의미한다. 사람과 사람 간의 상호작용에서는 언어적 상호작용의 비중이 매우 낮고 신체언어를 포함한 비언어적 상호작용이 언어적

상호작용을 보완하거나 확증을 짓는 역할을 한다는 점에서 비언어적 의사소통의 중요성이 크다고 할 수 있다. 상담은 주로 내담자와의 언어적 상호작용을 통해 이루어지기 때문에 상담자가 내담자의 신체언어의 의미를 이해하고 이에 맞는 신체언어를 사용하는 보완은 상담의 효과를 높이는 데 큰 역할을 한다. 신체언어는 아이들이 언어를 습득해 가는 과정에서 언어보다 먼저 학습하고 사용하는 것으로서, 문화의 영향을 크게 받는다는 특성이 있다.

신체운동지능
[身體運動知能, bodily-kinesthetic intelligence]

춤이나 운동, 연기 등 몸으로 표현되는 상징체계를 쉽게 익히고 창조하는 능력. 인지치료

문제를 해결하거나 사물을 아름답게 꾸미기 위해서 몸 전체나 손, 입 같은 신체 일부분을 이용하는 능력이다. 신체운동지능의 핵심은 몸의 움직임을 조절하는 능력과 공이나 악기 등의 대상을 기술적으로 다루는 능력에 있다. 이 능력은 손 빨기나 바라보기와 같은 단순한 반사운동에서 시작하여 점점 개인의 의도와 환경의 영향이 반영된 행동으로 발달한다. 움직임으로 대상을 표현하거나 신체 각 부위를 이용하여 균형을 유지하고 조절하는 능력, 그리고 움직임을 기억해 재생하는 능력 등이 포함된다. 신체운동지능이 높은 사람들은 신체적으로 좋은 균형감각을 가지고 있으며, 손과 눈의 협동관계가 좋다. 리듬감각이 있고, 어떤 문제를 직접 몸으로 접해 보고 해결하려는 경향이 있다. 우아한 움직임을 연출하고 몸짓을 통해 생각을 전달하는 데 능숙하다. 또한 공, 바늘 따위의 도구와 물체를 다루고 조절하는 데 빨리 적응하고, 상대방의 신체언어를 잘 읽어 내는 능력을 갖추고 있다. 신체 움직임에 뛰어난 능력을 갖고 있는 무용수나 수영선수, 대상을 정교하게 다루는 능력이 있는 기술자와 구기종목 선수 및 기악가 등이 이에 속한다. 신체운동지능이 높은 사람들에게 직접 만지거나 움직여 보거나 하는 등의 신체적인 감각을 통해 학습하는 것이 효과적이다. 예를 들면, 흙에다 글씨를 쓴다거나 진흙으로 글씨를 쓰면서 암기한다. 또한 걸어 다니거나 운동 동아리에 참여하는 등 정기적인 운동과 관련된 취미생활을 갖는 것이 학습에 도움이 된다.

관련어 | 다중지능이론, 대인관계지능, 자기이해지능

신체화장애
[身體化障礙, somatization disorder]

내과적 이상이 없는데도 다양한 신체적 증상을 반복적으로 호소하는 상태. 이상심리

수년간 지속되고 의학적 치료를 받을 정도로 다양한 신체적 증상을 반복적으로 드러내지만 신체적 기능에는 이상을 보이지 않는다. 증상을 보면 머리, 복부, 등, 관절, 팔다리, 가슴, 대장 등의 통증이나 이상을 호소하고 여성에게는 불규칙적인 월경, 월경과다, 임신기간의 구토 등이다. 남성은 발기부전, 사정부전을 호소하거나 남녀 모두 성적 활동에 무관심하다. 이외에 협응운동이나 균형의 장애, 마비, 국소적 쇠약, 발성불능, 요 정체, 환청, 접촉이나 통증에 대한 무감각, 시력장애, 복시, 난청, 경련, 기억상실과 같은 해리증상을 보이기도 한다. 이러한 증상에 대해 실제적인 고통을 느끼며 의도적으로 조작한 꾀병은 아니다. 또한 신체적 증상과 함께 불안과 우울 등의 부정적 정서를 자주 나타내며 충동적이고 반사회적 행동, 자살시도, 자살위협, 가정불화 등에 따른 동반 장애를 호소하기도 한다. 이와 같은 신체적 장애 때문에 대인관계에 어려움이 있고 학업이나 직업생활에서 효율적으로 기능하지 못하는 경우에 이 진단을 내린다. 증상의 종류와 빈도는 문화적 배경에 큰 영향을 받는다. 예를 들면, 아프리카나 남아시아에서는 개미나 벌레가 몸에 기어 다

닌다는 신체적 증상을 더 많이 호소하고 인도에서는 남성 생식기능에 관한 증상이 많다. 부모가 신체화장애를 겪고 있다면 자녀가 이 장애를 호소할 확률은 10~20%다. 이 증상은 대개 만성적이며 완전하게 회복되기는 힘들다. 최초의 신체화 증상은 대개 청소년기에 시작되며, 여성은 월경불순을 가장 많이 호소하고 성적 기능과 관련된 증상은 가족불화와 가장 상관이 높다.

관련어 | 심신증

신학
[神學, theology]

기독교인들이 예배하고 따르는 하나님에 대한 이성적인 탐구를 하는 학문적 체계. 목회상담

중세 유럽에서 토마스 아퀴나스(Thomas Aquinas)와 같은 학자들은 하나님의 존재에 대해서 증명하고 그 본질에 대한 연구를 하였다. 따라서 이때의 신학이란 하나님의 본질과 목적, 그리고 활동에 대해서 연구하는 학문이었다. 이러한 신학연구의 경향은 12세기와 13세기를 지나면서 점차 대학에서 가르치는 차원 높은 학문의 하나로 인정받게 되었고, 이때부터 신학이란 하나님에 대해 연구하는 것뿐만 아니라 기독교인의 신앙에 대해서 연구하는 학문이 되었다. 18세기 계몽주의 시기를 거치면서 사회학과 인류학의 영향 아래 신학의 관심도 하나님의 본질 자체에 대한 연구보다 믿음이나 기도 등 실제적인 종교적 행위와 경험에 대해서 연구하기 시작하였다. 이러한 것들은 점차 '신학이란 무엇인가?'라는 개념에 대해서도 많은 변화를 가져왔다. 신학의 정의에 대해서 칼 라너(Karl Rahner)는, 신학이란 신앙의 과학이라고 하였다. 즉, 신학이란 하나님을 믿는 믿음 안에서 발견되고 포착되는 신에 대한 의식적이고 체계적인 설명이라는 것이다. 신학의 영어 단어인 'theology'는 하나님을 나타내는 'theos(God)'와 말씀 혹은 이성을 뜻하는 'logos(word)'의 그리스어가 조합된 것이다. 글자의 어원에서 살펴보면, 신학이란 하나님에 대한 말 혹은 하나님에 대한 이성적인 인식이라고 할 수 있다. 이것은 앞의 신학의 내용에 대한 발전사항과 마찬가지로, 신학이란 하나님의 말씀, 즉 '성경'을 연구하는 학문만 뜻하는 것은 아니다. 물론 성경에 대해 연구하는 것은 신학의 한 부분이다. 하지만 신학이 성경을 연구하는 학문이라고 단언하기는 힘들다. 신학이란 학문의 주제가 신의 존재를 증명하는 것이나 그 본질을 설명하는 것에만 그치지 않고, 더 나아가 하나님과 인간 사이의 관계에 대한 인간의 총체적인 인식, 즉 사람들의 믿음과 하나님에 대한 진술에 대해 과학적으로 연구하는 학문이라고 할 수 있다. 여기에는 구약학, 신약학, 조직신학, 교회사, 선교학, 그리고 실천신학 등이 속한다.

관련어 | 실천신학

신화학
[神話學, mythology]

신화의 성립과정, 확산, 소멸, 인간 삶에 미치는 영향 등에 대한 연구 혹은 신화들 자체. 철학상담

신화(mythos)와 이야기(logos)가 결합한 것으로서, '믿기지 않는 가공의 이야기'라는 의미를 담고 있는 'mythologia'가 기원이다. 신화학은 근대 유럽에서 본격적으로 발전한 학문이지만, 원래 그리스에 기원을 두고 있다. 대표적으로 기원전 6세기 테아게네스(Theagenes)의 우의설(愚意說, allegory theory)과 기원전 3세기 유헤메로스(Euhemros)의 유헤메리즘(euhemerism)을 들 수 있다. 전자는 신들을 자연물, 이른바 물이나 불과 같은 원소나 욕망 혹은 심사숙고와 같은 윤리적 원리에 우의적으로 연관을 지어 설명하는 입장이라면, 후자는 생전에 공적을 많이 세운 영웅적인 인물과 연관을 지어 설명하는

입장이다. 전자의 우의적인 신화적 해석은 파르메니데스(Parmenides), 엠페도클레스(Empedocles), 아리스토텔레스(Aristoteles)와 같은 그리스 철학자들을 거쳐 스토아학파로 이어졌고, 19세기 자연신화학파로 전개되었다. 우의설의 주류는 신화의 기초를 자연적 현상에서 찾았지만, 에피쿠로스(Epicuros)와 같은 사람은 신화를 이와는 달리 영적 생활을 우의화한 것으로 보았다. 이 입장은 훗날 뮬러(Müller)를 거쳐 신화를 심리학적으로 해석하는 데에 이르렀다. 한편, 후자의 유헤메리즘에 입각한 신화에 대한 설명은 초자연적인 존재를 역사적 인물과 연관을 지어 해석하는 입장으로서, 신들은 실재하지 않으며 공적인 많은 인간들을 의미할 뿐이라고 주장하였다. 즉, 신은 당시의 영웅이었던 인간이 사후에 신격화된 것이다. 신화에 대한 이 같은 해석은 헤로도토스(Herodotos)와 플라톤(Platon)에게도 어느 정도 나타난다. 유헤메리즘은 당시 그리스도교 호교론자(護教論者)에게 대환영을 받았고, 중세의 이교 신화의 해석이나 13세기 게르만 신화에도 적용되었다. 이런 신화학은 근대에 이르러 본격적으로 자리를 잡았다. 14세기부터 시작된 문예부흥시기에 앞서 언급한 두 입장은 많은 비판을 받기 시작하였다. 이때 신화는 구약성서의 표절일 뿐이라는 평가를 받았다. 이후 18세기에는 학문적 차원에서 신화가 연구되었다. 캐나다에서 선교를 하던 예수회 회원을 중심으로 북아메리카 신화와 그리스 신화의 비교 연구가 이루어지면서 이 작업은 본격화되었다. 이후 비코(Giambattista Vico)를 거치면서 자연신에서 인격신으로 이행하는 과정에 대한 엄밀한 논의가 펼쳐졌다. 비코는 신화 형성에 공상력이 본질적이라고 주장하면서, 신들이 인격화되는 과정을 서술하였다. 그 후 헤르더(Johann Herder), 크로이처(Friedrich Creuzer), 셸링(Friedrich Schelling) 등 낭만주의 학자들의 신화에 대한 연구가 이어졌고, 자연신화학파는 신화에 나타나는 신의 이름에 대해 언어학적 비교연구를 행하였다. 또한 인류학파, 제신화학파 등 여러 진영에서 신화에 대한 본격적인 연구가 시작되었다. 이집트 신화, 인도 신화와 그리스 신화의 비교연구도 이루어지면서 다양한 문화권에서 출현한 신화들 간의 비교분석도 심화되었다. 특히 비교 신화학이 발전하면서 신화를 애니미즘에서 찾는 입장과 물력설(物力說), 즉 전(前)애니미즘에서 찾는 입장이 대두되기도 하였다. 20세기에 이르러 신화는 물력에서 진화한 것으로, 그리고 주술의 형태로 진행된 의례에 설명이 가해진 것으로 해석되는 현상이 강해졌다. 신화가 어디에 기원을 두고 있든, 이것은 인간의 근본 문제, 희망 등이 자리하고 있는 영역으로 신화학에 대한 연구는 동시에 인간의 자기 삶에 대한 연구이기도 하다.

실독증
[失讀症, alexia]

뇌의 손상으로 글자를 읽거나 판독하지 못하는 것. 이상심리

독서불능증이라고도 하는데, 지적 능력은 보통 이상의 수준이지만 언어와 관련된 기호를 알아차리거나 처리하지 못한다. 매우 서툴게 글자를 읽거나 단어와 문자의 순서를 바꾸어 읽는다. 학령기에 주로 발견되는 실독증은 유전적 경향이 크며, 지금까지 알려진 바로는 뇌의 후두엽이나 두정엽의 손상으로 발병한다. 실독증은 크게 세 가지 증상으로 구분된다. 첫째, 정확하게 글자를 소리 내어 읽을 수는 있지만 그 문장이 나타내는 의미를 이해하지 못한다. 둘째, 큰 소리로 읽는 것과 쓰인 글자를 이해하는 것 모두 어려워하며 수 읽기장애, 즉 산수장애를 보인다. 셋째, 쓰는 것은 가능하지만 읽는 것이 어렵다. 자신이 직접 쓴 글자도 금방 읽지 못하고 이러한 사실을 본인도 알고 있다. 이 증상의 발병은 남자가 여자보다 3배 정도 많다. 실독증은 일기 연습과 훈련을 통해서 개선될 수 있다.

관련어 | 난독증, 읽기장애

실로사이빈
[-, psilocybin]

호프만이 환각버섯(psilocybe mexicana)에서 추출한 환각제. 중독상담

환각버섯은 멕시코의 초지에서 자생하는 버섯으로 멕시코 원주민들은 오래전부터 이를 환각제로 사용해 왔다. 이 버섯을 섭취하면 환각, 정신착란, 자각상실 등의 증상이 나타난다. 호프만(A. Hofman)은 원주민들이 사용하던 환각버섯에서 환각을 유발하는 물질을 추출하여 인공화합물질로 합성하는 데 성공하였다. 그는 이 물질의 이름을 버섯의 이름을 따서 실로사이빈이라고 명명하였다. 실로사이빈은 교감신경계를 자극하는 LSD와 유사한 인돌 계열이다. 사용 시 4밀리그램 정도까지는 유쾌하고 발랄한 기분, 신체와 정신의 이완, 가벼운 흥분 정도를 경험하지만 10~20밀리그램 정도로 사용하면 근본적인 의식의 변환을 경험한다. 즉, 시간과 공간 감각이 완전히 달라지고 심리적인 자아와 신체적인 자아가 분리되는 경험을 하게 된다. 또는 아주 어렸을 때의 사건이나 죽은 조상의 모습이 환상으로 나타나기도 한다. 이러한 현상 때문에 멕시코의 원주민은 이 환각이 죽은 조상과의 영혼교류의 방법이라고 여겼다.

관련어 | 향정신성 약물, 환각제

실무율적 사고
[悉無律的思考, all-or-nothing thinking]

파국적인 사고를 확장하려는 인지적 사고오류 중 하나. 부부상담

실무율적 사고의 가장 큰 특징은 지금 일어나지 않는 일이라면 앞으로도 일어나지 않을 것이라고 생각하는 것이다. 예를 들어, 배우자가 올해 자신의 생일을 기억하지 못하면 앞으로도 계속 기억하지 못할 것이라고 생각하는 것과 같다. 이와 같은 생각은 또다시 해결되지 못하는 논쟁으로 이어지고 양쪽을 지치게 만든다. 만일 부부관계에서 '당신은 항상' 혹은 '당신은 절대'라는 말을 자주 사용하고 있다면 실무율적 사고를 하는 것이다. 이러한 사고는 극단적으로 생각하는 흑백논리로 이끌 수 있다. 즉, 배우자로부터 자신은 사랑받거나 혹은 전혀 사랑받지 못한다고 생각하거나, 자신의 결혼생활이 성공적이라거나 혹은 실패적이라고 이분법적으로 생각해 버리는 것이다. 실무율적 사고는 부부간에 부정적인 상호작용을 유발하며, 서로 만족할 수 있는 타협점을 발견하기 어렵게 만든다. 또한 배우자에게 공격당하는 듯한 느낌을 받게 함으로써 더욱 강력하게 방어하도록 하는 데 영향을 미친다. 부부가 비생산적인 논쟁에 휘말리는 요인이 되기도 한다.

관련어 | 파국적 사고

실버 그림검사
[-檢査, Silver Drawing Test: SDT]

인지적 특성과 정서적 측면을 측정하기 위해 1983년에 실버(Silver)가 개발한 검사로, 자극그림카드를 이용한 투사검사. 심리검사

우리나라에서는 2001년에 문명혜가 한국판으로 표준화하였다. 실버 그림검사는 자극그림카드(stimulus drawing card)를 이용하여 피험자가 사람, 동물, 물건, 장소 등 다양한 소재를 직접 선택하여 조합·구성할 수 있는 그림검사다. 처음에는 청각장애 아동의 지능을 평가하기 위해 개발되었으며, 그림이 언어적 결함을 대신할 수 있고 말이나 글에 필적하는 언어가 될 수 있다는 전제를 근거로 하고 있다. 실버 그림검사의 특징은 개념적 문제해결능력을 평가하는 데 언어적 결함이 문제가 되지 않는다는 점과 언어적 방법을 탈피하여 인지적 강점과 약점을 명확하게 제공해 준다는 것이다. 그리고 아동과 청소년의 우울 성향을 초기에 확인할 수 있으며, 사

전 · 사후 평가도구와 효과적인 교육적, 치료적 프로그램으로 제공될 수 있다. 실버는 아동이 그림을 그리는 동안 심리적 갈등을 해소하고 안정과 조화를 이루는 것을 치료적 기법화하였고, 치료자가 아동이 그린 그림을 매개로 하여 아동의 언어 행동을 지도하는 것을 발달적 또는 지도적 기법이라고 하였다. 다시 말해, 실버 그림검사는 사정기법(assessmental techniques), 치료기법(therapeutic techniques) 및 발달기법(developmental techniques)으로 사용할 수 있도록 개발되었다. 이 검사는 피험자의 인지능력과 정서적 특성을 평가하기 위하여 예측화(predictive drawing), 관찰화(drawing from observation), 상상화(drawing from imagination)라는 세 가지 하위 검사로 구성되어 있다. 이들은 서로 연결되어 있으며 예측화, 관찰화, 상상화의 순으로 실시한다. 예측화는 그림 외부에 선을 추가하여 물체 외양의 변화를 예측하도록 요구하는 것이다. 관찰화는 높이, 넓이, 깊이에서 공간관계를 표현하는 능력을 평가하기 위하여 3개의 원통과 커다란 조약돌의 배열을 그리도록 요구하는 것이다. 상상화는 반영을 자극하는 데 목적이 있는 것이다. 이것은 개인이 자신의 그림을 수정하고 정교화하는 데 몰두해야 하기 때문에 방해나 주의산만을 예방하는 것이 중요하다. 이와 같은 하위검사는 각각 산수와 읽기에서 기초가 되는 세 가지 개념 중 하나를 평가하도록 설계되어 있다. 실시방법은 먼저 피험자에게 두세 가지 자극그림을 선택하게 한 다음, 그들이 선택한 주제들 간에 발생하는 것을 상상하여 그리도록 한다. 여기서 피험자는 자극그림을 수정하고 자신의 주제와 생각을 첨가한다. 그림을 완성한 뒤에는 제목을 붙이며, 마지막으로 그림의 의미를 분명하게 할 수 있도록 그림에 대한 대화를 한다. 소요시간은 10~20분 정도다. 이 검사는 5세 이후의 아동, 성인은 물론 문맹자에게도 사용할 수 있으며, 문맹자의 경우에는 구두실시도 가능하다. 집단으로 또는 개인으로 실시할 수 있는데, 7세 미만의 아동과 임상 대상자에게는 개인면접을 실시한다.

실신발작
[失神發作, fainting]

신체가 임계치를 넘는 내부자극(물리적, 화학적, 정신적)을 받았을 때 대뇌가 통제기능의 일부 또는 전체를 상실한 무의식 상태의 행동이나 반응이 동반되는 상황. 이상심리

증상은 의식이 없는 상태에서 대변, 구강거품, 무의식적인 말과 행동 등의 신체활동이 동반된다. 이 증상은 원인을 알 수 없는 원발성, 원인이 있는 속발성으로 구분할 수 있다. 속발성 실신발작은 다시 물리적 충격, 화학적 충격, 정신적 충격, 질병 등으로 나눌 수 있다. 물리적 충격은 무기나 기구 등의 타격에 의한 충격, 극고온이나 극저온과 같은 극한의 온도자극에 의한 실신발작, 전기충격에 의한 실신발작 등이 있다. 화학적 충격은 특정 약물에 따른 알레르기성 실신발작, 뱀이나 벌 등의 독에 의한 실신발작, 극약복용으로 인한 실신발작, 지속적인 마약복용에 의한 실신발작 등이 있다. 정신적 충격은 경기, 환각 및 환청에 의한 실신발작 등이 있다. 질병은 신장성 쇼크, 혈성 신장질환 및 부정맥 등으로 뇌에 산소공급이 부족한 경우, 빈혈성, 패혈증, 간질성, 기생충, 뇌종양, 고혈압 및 저혈압에 의한 실신발작이 있다.

실어증
[失語症, aphasia]

표현이 단순해지고 의미 없는 말을 하며 임의로 말을 만들거나 의사표현에 어려움을 보이는 증상. 특수아상담

말과 글을 이해하지 못하는 경우가 많으며 이해뿐 아니라 자신이 표현한 글마저도 그 의미가 맞지 않거나 철자법이 틀린 경우가 많다. 흔히 뇌 손상 후 증세가 나타나고 일반적으로 언어가 완성되는 5~

6세 이후에 발생하는 후천적 장애다. 생물학적으로는 언어를 담당하는 근육 자체에는 문제가 없지만 언어중추상 문제로 발생된다고 알려져 있다. 그중에서도 뇌혈관장애로 일어나는 중풍이 가장 큰 원인으로 밝혀져 있고, 그 외 뇌 부상, 뇌종양, 뇌 감염 등도 원인이 될 수 있다. 실어증의 증상에 따라 브로카 실어증(Broca's aphasia), 베르니케 실어증(Wernicke's aphasia), 전반 실어증(global aphasia) 등으로 구분한다. 브로카 실어증은 좌반구의 전두엽 아래쪽 뒷부분(브로카 영역)의 손상에서 기인하는 것으로 알려져 있으며, 말이 유창하지 못하고 따라 말하는 데 어려움이 있으며 문법도 잘 맞지 않지만 청각적 언어이해능력은 상대적으로 좋은 편이다. 또한 쓰기 능력이 손상되는 경우가 많다. 베르니케 실어증은 좌반구 측두엽의 위쪽 뒷부분(베르니케 영역)의 손상 때문인 것으로 알려져 있으며, 발음과 억양 측면에서는 말이 유창하고 조음장애가 거의 없다. 문법도 규칙에 맞게 사용하는 편이지만 의미가 잘 통하지 않는 문제가 있다. 또한 몸짓 등 행동을 사용한 의사소통은 잘하는 데 비해 청각적인 처리가 필요한 말은 이해하지 못하는 경우가 많으며 시각장애를 보이는 경우가 있다. 전반 실어증은 좌반구의 언어산출 및 언어이해를 담당하는 영역 모두에 손상이 있을 때 나타난다. 언어의 전 영역에 손상이 있기 때문에 자발적인 언어이해가 힘들고 유창하지 않으며 따라 말하기, 읽기, 쓰기 모두에서 어려움을 보인다. 실어증 증상의 개선을 위해서는 일시적인 언어장애를 제외하고는 조기에 시작하여 상당 기간 치료를 받아야 하며, 무엇보다 현재 환자의 주변환경에서 효율적인 의사소통을 할 수 있도록 하는 것이 가장 중요하다. 예컨대, 증상이 심각하다면 발성치료부터 시작하고 단순 단어 나열이 가능하다면 문장을 만들어 내는 연습치료부터 시작하는 것이다.

관련어 베르니케 실어증, 브로카 실어증, 언어장애

실어증 · 신경언어장애선별검사 [失語症神經言語障碍選別檢査, Screening Test for Aphasia & Neurologic-communication Disorders: STAND]

뇌졸중에 기인한 실어증 환자의 말 언어 수행력을 측정하는 검사. 심리검사

급성기 뇌졸중 환자의 실어증 유무 및 유형 감별을 위해 2008년에 김향희, 허지회, 김덕용, 김정완이 개발하였다. 이 검사는 독자적인 문항개발, 내용타당도 검증, 예비 검사, 본 검사 과정 등을 거쳐 문항과 자극카드를 여러 차례 수정 · 보완한 후에 정상인 및 뇌졸중 환자를 대상으로 표준화하였다. 또한 언어검사실에서뿐만 아니라 침상에서 급성기 환자를 대상으로 손쉽게 사용할 수 있도록 고안되었다. 검사는 크게 '언어(language)'와 '말(speech)' 범주로 구성되어 있으며 그림 설명하기, 이름 대기, 듣고 이해하기, 따라 말하기, 읽기, 쓰기 영역의 손상 정도를 측정하는 6개의 하위검사와 말/운동 프로그래밍, 말 수행을 평가하는 4개의 하위검사를 포함하고 있다. 검사결과로는 그림 설명하기, 이름 대기, 듣고 이해하기, 따라 말하기 수행점수의 총점인 OLI(oral language index, 진단정확도 96.65%)와 OLI에 읽기 및 쓰기 수행 점수가 더해진 GLI (global language index, 진단정확도 94.84%)에 기초하여 제시된 기준점수(cut-off score)를 기준으로 뇌 손상 환자의 실어증 유무를 진단한다. 또한 그림 설명하기, 듣고 이해하기, 따라 말하기 수행에 대한 기준점수를 제시하여 실어증의 여덟 가지 유형(브로카, 베르니케, 명칭, 전도, 연결 피질 운동, 연결 피질 감각, 혼합, 전반 실어증)에 대한 분류도 가능하다. 짧고 간단한 검사문항으로 구성된 이 검사는 OLI 점수의 산출이 가능한 하위검사의 경우 정상인은 약 2분, 실어증 환자군은 약 3~4분 정도 소요된다. 기존 실어증 선별검사들은 말 영역에 대한 평가가 가능하지 않았지만, 여기서는 말 검사가 포함됨으로써 신경학적 질환으로 말장애가 동반되는 환자들이 자칫

언어장애로 진단될 수 있는 상황을 선별해 낼 수 있도록 하였다. 연령 및 교육 정도에 민감하지 않은 문항으로 구성되어 있어서 저학력의 대상자나 고령층에게도 손쉽게 실시할 수 있다. 이 검사에는 NIHSS(National Institute of Health Stroke Scale)의 '언어검사(best language)' 및 '마비 말장애(dysarthria)' 문항들이 포함되어 있다. 따라서 각 의료기관에서 NIHSS를 시행한 후에는 중복되는 문항을 제외한 나머지 하위검사만 실시하면 된다. 검사에서 그림 설명하기, 대면 이름 대기, 읽기의 경우에는 자극카드를 사용하며, 실어증 유무를 진단하기 위해 사용되는 점수는 OLI와 GLI이다. 검사시간을 충분히 할애할 수 없거나 환자가 무학 또는 문맹인 경우에는 OLI 점수를 산정할 수 있는 하위검사까지만 실시하면 된다. 각 하위요인을 살펴보면, 언어영역에는 그림 설명하기(그림 설명하기, 대화하기, 하나-열 세기)와 이름 대기(생성 이름 대기, 대면 이름 대기), 듣고 이해하기(사물 그림, 예/아니요 답하기), 따라 말하기, 읽기(큰 소리로 읽기, 읽고 답하기), 쓰기(듣고 받아쓰기)로 이루어져 있다. 말 영역에는 말/운동 프로그래밍(말실행증〈apraxia of Speech〉 프로토콜, 구강 실행증〈oral apraxia〉 프로토콜)과 말 수행(/아/ 모음 연장 발성〈vowel prolongation of /a/〉, 말 명료도〈speech intelligibility〉)으로 이루어져 있다.

실연
[實演, enactment]

내담자가 자신에게 중요했던 과거의 어떤 장면이나 미래에 있을 수 있는 장면을 현재 상황에 벌어지는 장면으로 상상하면서 특정 행동을 실제로 연출해 보는 기법. 게슈탈트

실연이라는 기법은 내담자가 그 상황에서의 자신의 감정이나 입장을 추상적인 개념으로 설명하는 대신 직접 행동으로 연기해 보는 것이다. 이러한 실연은 내담자로 하여금 자신의 문제를 현재 치료장면에서의 행동으로 끌어올려 실험하고 탐색해 볼 수 있도록 해 준다. 즉, 자신의 문제에 대해서 말하는 대신 문제의 내용을 구체화하여 그것을 현실적으로 다룰 수 있게 만들어 주는 것이다. 내담자는 실연을 통하여 상상 속에서 타인과 상호작용할 수 있는데, 그것은 상징적인 행위지만 실제 사건에서와 비슷한 힘을 갖는다. 이러한 과정을 통해 내담자는 미처 몰랐던 자신의 감정이나 행동패턴을 발견할 수도 있고, 회피해 왔던 행동을 해 볼 수도 있다. 실연의 치료적 의미는 알아차림을 증가시키고, 미해결 과제를 완결시켜 준다는 데서 찾을 수 있다. 가령, 어떤 사람에 대한 억압된 분노감을 보복에 대한 두려움 없이 해소할 수 있다. 그리고 양극성을 다룰 수 있고, 과거의 행동방식을 청산하고 새로운 행동방식을 실험해 봄으로써 그것을 습득할 수 있다.

관련어 | 실험

실용주의
[實用主義, pragmatism]

19세기 후반 20세기 초에 미국에서 시작하여 발전된 철학사조로서 기존의 형이상학주의, 관념주의, 선험주의, 이론주의에 대해 비판하고, 생각이나 이론의 현실성, 실용성, 효과성에 큰 비중을 두는 입장. 철학상담

실용주의는 당시 미국의 청교도 정신과 근대 과학주의를 조화시키려는 움직임에서 일어났다. 원래 실용주의라는 말은 '사건' '행동'을 의미하는 그리스

어 '프래그마(πραγμα)'에서 파생되었다. 이 말을 본격적으로 사용한 것은 퍼스(Charles Peirce)다. 그는 『철학의 원리(Principles of Philosophy)』(1931)에서 '실용적'이라는 말을 본격적으로 사용했는데, 실천이성의 명령을 선험적이고 정언적인 의미의 '프락티슈(praktisch)'와 경험적이고 가언적인 의미의 '프래그마티슈(pragmatisch)'로 구분한 칸트(Immanuel Kant)의 주장에서 차용하였다. 퍼스는 당시 의심을 신념으로 바꾸는 과학적 탐구의 방법을 주된 관심으로 삼았으며, 탐구를 통해서 신념을 감각적으로 확인할 수 있는 결과를 중시하였다. 그에 따르면, 실용주의의 격률은 추론과 탐구를 통해 관념을 명석하게 하는 것이다. 그는 탐구의 네 가지 방법, 즉 고집의 방법, 권위의 방법, 이성의 방법, 과학의 방법을 거론하면서 앞의 세 가지는 각각 자기중심적, 집단중심적, 사변적임을 지적하고, 네 번째 방법이 경험적 보편성에 입각하고 있어 가장 신뢰할 만하다고 주장하였다. 퍼스는 참된 신념은 과학적 탐구에 참여하는 모든 사람들이 함께 합의할 수 있는 것이어야 한다고 보았다. 이 같은 퍼스의 의미이론은 행동의 요소까지 동원한 제임스(William James)의 신리이론으로 이어진다. 퍼스에게는 신녀의 참이 내 안에서 이론적으로 탐구로 확인되면 그만이지만, 제임스에게는 실천의 과정을 통해서 좋은 결실을 낳아야 한다. 이른바 관념의 참과 거짓은 실제 생활에서 실천적 활동을 통해 유용한 결과를 낳을 때에만 성립된다. 따라서 어떤 관념, 이론, 주장이 참인 것은 그것이 실제 생활 속에서 실천을 통해 반드시 유용한 결과를 낳아야 한다. 결국 진리와 유용성은 동일한 가치를 지닌다. 이런 면에서 퍼스와 제임스는 차이가 있었다. 전자는 진리를 이상적이며 절대적이라고 보았는데, 후자는 진리를 경험적이며 상대적이라고 보았다. 이런 제임스의 입장을 듀이가 더욱 강조하였고, 그래서 실용주의는 도구주의(instrumentalism) 또는 실험주의(experimentalism)로 주장되기도 한다. 그는 관념, 이론, 경험 등 이 모든 것은 우리의 실제 생활에서 도움을 얻기 위한 도구에 불과하며, 우리가 지니는 '창조적 지성(creative intelligence)' 역시 도구사용의 능력일 뿐이라고 주장하였다. 그러나 이후 실용주의는 진리를 상대화하고 도구화하여 비철학적이라는 비판을 많은 철학자들에게 받았다. 그렇지만 오늘날 로티(Richard Rorty)와 같은 신실용주의자는 반본질주의, 반표상주의, 반토대주의 입장에서 미국 전통에 자리하고 있는 실용주의를 새롭게 발전시키고자 하였고, 그의 입장은 포스트구조주의 계통의 여러 철학과 함께하는 면이 있었다.

실음악증
[失音樂症, amusia]

대뇌 소증상(巢症狀, focal sign, Hcrdsymptom)의 일종으로 음의 높이, 리듬, 박자 등을 인지하는 데 문제가 있는 경우를 말하며, 음치(音癡, tone-deafness)라고도 함. 음악치료

실음악증이란 음악에 대한 감각이 떨어져 음악을 이루는 요소들, 특히 음의 고저에 대한 판별력이 결여되어 있는 상태를 일컫는 말로, 학자인 크노블라우흐(Knoblauch)가 소개한 용어다. 일반적으로 음치라고 알려져 있는 실음악증의 주요 증상은 음악의 멜로디에서 일어나는 음의 변화를 인지하지 못하는 것으로서, 청각으로 인식된 음을 기억하여 다시 표현하는 데도 곤란을 겪는다. 이는 단순한 감각 손상이라고 보기는 힘들다. 성인의 경우 공간처리 능력과의 연관성도 커 보인다. 실음악증은 선천적인 것과 후천적인 것으로 구별한다. 선천적인 경우는 태어날 때부터 음악적 처리능력이 비정상적인 경우를 말하고, 후천적인 경우는 측두엽횡회, 전단부 양측성 등의 손상이 생물학적 원인이라고 알려져 있다. 연구에 따르면 선천성 실음악증의 경우는 음 높이를 구분하지 못하는 경우가 대부분이며 유병률은 4% 정도다. 반면에 후천성은 몇 가지 양상으로 나타난다. 뇌 손상으로 인한 경우는 음악적 소

리를 생산해 낼 수 있는 능력을 상실하고, 어떤 경우는 실어증을 동반하기도 한다. 이러한 경우 노래는 어느 정도 가능하기도 하다. 그 외 음악적 과정 내 특정 하위과정에 문제가 있는 실음악증도 있다. 리듬, 멜로디, 정서적 과정 간의 연관성을 찾지 못하는 경우도 있고, 음악적 기술들을 조합하지 못하는 경우도 이에 포함된다. 실음악증은 나타나는 증상에 따라 구분해 볼 수 있다. 귀에 익은 멜로디임에도 불구하고 자신이 부를 때는 전혀 다른 음으로 발성하는 소위 음치와, 악보를 읽을 수 없거나 곡조를 제대로 따르지 못하는 등의 수용적 실음악증, 노래를 부를 수 없거나 악보를 쓸 수 없거나 악기를 연주할 수 없는 임상 혹은 표현적 실음악증, 앞의 두 상황이 함께 나타나는 혼합형 실음악증 등이 있다. 실음악증이 있는 사람들은 다른 뇌 기능은 정상인 경우가 많고, 뇌에서 두 음 간의 영역구분이 잘 안 되는 것이 문제이기 때문에 음악을 즐기지 못한다. 따라서 음악이 가미되는 사회적 상황은 가능한 한 피하려고 하므로 사회생활 곤란으로 이어질 수 있다.

실인증
[失認症, agnosia]

지각장애(perception disability)의 유형으로, 대상을 인지하지 못하거나 그 의미를 파악하지 못하는 증상. 이상심리

감각이 손상된 것이 아니라 대뇌의 일부에서 병변이 생겨 발생한 것으로, 의식이나 언어는 정상적으로 기능하지만 특정 감각기관을 통하여 대상을 인식하는 데 장애를 보인다. 예를 들어, '사과'를 보고 모양이나 색깔은 말할 수 있지만 '사과'가 주는 의미를 이해하지 못하고, 만져 본 다음에야 비로소 무엇인지 알게 되는 것을 말한다. 실인이라는 말을 처음 사용한 것은 프로이트(Freud)의 정신분석이론에서 찾아볼 수 있는데, 프로이트는 실인을 대상과 표상의 관계파악의 장애라고 하였다. 실인증은 신경학적 장애로서 뇌졸중이나 치매 등으로 발병된다. 감각기관의 부위에 따라 시각실인증(visual agnosia), 청각실인증(auditory agnosia), 촉각 및 체감 실인증(tactile agnosia 또는 asomatognosia)으로 나누며, 대뇌의 이상 부위에 따라 치료한다.

실재론
[實在論, realism]

관념론과 대비되는 개념으로, 인식되는 대상이 인식 주체의 지각작용이나 사유작용과 독립하여 존재한다는 입장. 철학상담

관념론에서 인식대상은 인식주체가 인식한 대상일 뿐이지 인식주체의 인식작용에서 벗어나 독립적으로 존재하는 것일 수 없다. 인식주체가 인식하지 않는 한 인식대상은 성립될 수 없다는 것이 관념론의 기본 입장이다. 이에 반해 실재론은 인식대상이 인식주체의 인식작용을 초월하여 그 자체로 바깥에 존재한다는 입장이다. 그 존재가 물질일 수도 있고 정신일 수도 있으며, 개별자일 수도 있고 보편자일 수도 있다. 흔히, 플라톤은 관념론자라고도 불리고 실재론자라고도 불린다. 그가 실재론자라고 불리는 것은 개별자를 초월해 있는 보편자로서의 이데아가 인식주체와 상관없이 독립적으로 존재함을 주장하기 때문이며, 그가 관념론자라고 불리는 것은 그 이데아를 물질적 존재가 아닌 정신적 존재로 보기 때문이다. 한편, 중세의 유명론(唯名論)은 존재하는 것은 보편자가 아니라 개별자라고 보았다. 이 경우 보편자는 이름에 불과하며 실재하는 것은 개별자뿐이다. 유명론도 보편자를 실재로 인정하지는 않지만 개별자를 실재로 인정하는 점에서 실재론이라고 할 수 있다. 또한 근대의 경험론자인 버클리(Geroge Berkeley)의 경우, "존재하는 것은 지각되는 것이다(esse est percipi)."라고 하는 점에서 주관적 관념론자로 볼 수 있지만, 같은 경험론자인 로크(John

Locke)의 경우, 우리가 감각경험할 수 없는 제1성질(primary quality)을 지닌 기체(基體, substratum)를 주장하는 점에서 실재론자로 볼 수 있다. 칸트(Immanuel Kant) 역시 대상이 대상으로서 성립하는 것이 인식주체의 감성(sinnlichkeit) 형식인 시·공간과 지성(verstand) 형식인 12범주의 결합에 기인한다고 주장하는 점에서 선가험적 관념론(先可驗的觀念論, transzendentaler idealismus)자라고 할 수 있지만, 우리가 인식하기 위해서 바깥에 소재를 제공해 주는 그 무엇, 즉 우리의 인식 바깥에 자리하고 있는 '물자체(Ding an sich)'를 인정하고 있다는 점에서 실재론자다. 한편, 마르크스(Karl Marx)의 경우 유물론자이기도 하고 실재론자이기도 하다. 그가 궁극적 존재가 물질이라고 하는 점에서는 유물론자이지만, 의식보다 물질이 우선하고 물질은 의식에서 독립하여 존재한다고 하는 점에서는 실재론자다. 이처럼 실재론은 정신이든 물질이든, 개별자이든 보편자이든 인식주체 바깥에 독립적으로 존재함을 주장하는 것이다. 그러나 이는 항상 관념론의 공격을 받는다. 이미 무엇인가가 존재한다는 것은 인식주체와 상관없이 존재할 수 없고, 존재하는 그 무엇은 인식주체가 인식한 내용으로서의 무엇일 수밖에 없다는 것이다. 아무것도 인식하지 못했는데 어떻게 무엇인가가 존재한다고 할 수 있는가 하는 관점에서 관념론자는 실재론자를 공격한다. 하지만 관념론자의 입장을 그대로 따라가면 주관주의에 빠질 우려가 있다. 모든 것이 인식주체의 영향 속에 들어와야만 존재하는 무엇이라고 할 수 있다면, 극단적으로 밀고 나가면 모든 것은 내 마음에 달려 있다는 주관주의에 빠져 버린다. 그래서 실재론자는 인식주체의 유한성에 근거하여 인식주체가 인식할 수 없는 영역으로서의 존재 자체를 인정하려는 입장에 서려고 한다. 실제로 20세기 영국과 미국에서는 실용주의와 독일 관념론 모두를 비판하면서 관념 바깥에 실재가 존재함을 주장하는 러셀(Bertrand Russell), 무어(George Moore), 홀트(Edwin Holt), 마빈(Walter Marvin) 등의 신실재론도 출현하였다. 오늘날에는 과학적 실재론, 내재적 실재론 등 다양한 실재론이 여전히 전개되고 있다.

실재지도
[實在地圖, map of reality]

현실을 지각하고 경험하는 주관적인 세계. NLP

세상모형(model of the world), 내부표상(internal representation)과 같은 개념이다. 인간의 주관적인 경험세계는 객관적인 현실과 다를 수 있다. 과거 경험, 가치관이나 신념, 교육적 배경과 문화 등에 따라서 동일한 현실적 상황이라도 서로 다르게 지각하고 이해하여 각자의 내면적인 경험을 다르게 구성하게 되는데, 이러한 것이 실재지도라고 할 수 있다. 이는 '지도는 영토가 아니다.'라는 NLP의 전제조건과 관련이 있다. 따라서 상대방을 제대로 이해하고자 한다면 그의 실재지도를 잘 이해해야 한다. 지도는 영토가 아닌데 영토로 착각하는 것이 인간의 속성이다. 그러므로 진정한 변화나 치료를 위해서는 영도로 착각하는 어리석음에서 벗어나 지도를 지도로 생각할 수 있어야 한다. 예를 들면, 길을 가다가 개를 본 두 사람이 개에 대해서 반응하는 방식은 전혀 다를 수 있다. 즉, 한 사람은 개를 보자마자 무서워하며 피하는 데 반해, 또 한 사람은 오히려 귀엽다고 좋아하며 가까이 다가간다. 전자는 과거에 개에게 물려서 두렵고 고통스러웠던 경험을 했을 가능성이 많다. 그로 인해 그는 마음속에서 그 경험을 반영하는 개의 지도를 무의식적으로 그린 것이다. 옆 사람이 저 개는 물지 않고 순하면서 귀엽다고 안심해도 된다는 말을 아무리 열심히 한다 해도 그 말은 별로 의미가 없다. 왜냐하면 그는 이미 과거에 물렸던 개에 대한 경험을 기초로 그려진 지도만 가지고 있고, 또 그 지도를 바꾸기는 쉽지 않기 때문이다. 이처럼 성공한 사람은 성공의 지도를 보고, 자기 삶을 여행하고, 행복한 사람은 행복의 지도를 보고 여행을 한다. 따라서 이러한 여행의 결과, 이들은 그러한 성공과 행복을 더 경험하게 된다고 할 수 있다.

실제 자기
[實際自己, actual self]

로저스(Rogers)의 자기개념 중 있는 그대로의 자기개념으로서, 자신의 내면에 흐르는 감정의 일부를 부정하거나 가장하지 않고 있는 그대로 의식하며 체험하는 감정을 살릴 수 있는 자기개념. 인간중심상담

현실자아(real self)라고도 하는데, 상담장면에서는 상담자와 내담자의 상호관계에서 상담자에게 필요한 자기개념이나 태도로, 속이지 않는 투명하고 진실한 자유에 대한 바람을 한결같이 내포하고 있는 것을 말한다. 실제 자기개념은 상담에서 중요한 의미가 있고, 특히 로저스는 내담자의 자기 자신에 대한 시각이 상담에 큰 영향을 미친다는 사실을 알아차리고는 실제 자기개념의 중요성을 주장하였다. 그리고 레이미(Raimy)는 미발표 논문인 「상담과 인격의 체제에서 하나의 요인으로서의 자기개념」(1949)에서 자기개념을 다음과 같이 포괄적으로 규정하였다. 첫째, 자기개념은 학습된 지각체계이고, 그것은 다른 지각대상을 지배하는 것과 마찬가지로 조직원리의 지배를 받는다. 둘째, 자기개념은 행동을 규정한다. 상담에서 다른 자기를 의식함으로써 행동의 변화로 이끌린다. 셋째, 자기개념은 분화되어 있지만 체제화된 체계다. 따라서 자기를 부정적으로 평가하는 국면에서조차 개인이 자신의 개인성(individuality)을 유지하기 때문에 방어될 수 있다. 자기는 유기체의 경험에 따라 끊임없이 형성된다. 이때 한 개인이 형성하는 자기개념은 실제 자기와 이상적 자기가 구분된다. 사람은 한 순간 한 순간 여러 가지 체험을 하면서 살아가지만 자신이 의식하고 있는 것은 그중 일부에 불과하다. 사람은 각각 자기 자신에 대해 보는 방법, 즉 자기상을 가지고 있으며 그에 맞도록 체험을 선택하거나 왜곡하여 의식을 한다. 이 같은 선택이나 왜곡이 행해지기 이전의, 바로 체험해 가고 있는 자신, 있는 그대로의 자신, 이것이 실제 자기다. 속이지 않는 본마음의 자신이라는 것이다. 로저스는 현재의 경험이 실제 자기개념과 일치할 경우 적응적이고 건강한 성격을 갖는 반면, 불일치할 경우 불안을 경험하고 부적응적이며 병리적인 성격을 갖게 된다고 보고하였다. 그러나 있는 그대로의 자기개념은 내담자가 쉽게 인식하고 이해하고 있는 것이 아니며, 더욱이 내담자가 상담에서 얻을 수 있는 것이 아니라 상담자와 내담자 사이의 감정의 상호작용에서 발전하는 것이다. 그런 만큼 있는 그대로의 자기개념은 상담자의 자기개념이라고도 할 수 있다. 상담자 자신이 숨김없이 투명하고 진실한 인간인 있는 그대로의 자기로 있는 것, 즉 상담자가 있는 그대로의 자기가 됨(letting myself to what I am)으로써 내담자와 상담자의 관계에서 상담자 자신의 있는 그대로의 인간(a real person)을 보여 주는 것을 통해 내담자 역시 유기체로서의 자기 안의 모든 정동을 있는 그대로의 모습으로 개방된 존재방식으로 이해하게 된다. 따라서 인간중심상담에서는 내담자가 바로 자기 자신을 최대한 많이 경험하는 것을 목표로 삼는다. 내담자는 있는 그대로의 자기를 수용하는 것에서부터 출발하여 자기를 변화시키고 자기를 실현할 수 있다.

실존적 대화
[實存的對話, existential dialogue]

현상학적이며 나-너의 접촉과 철수의 과정을 바탕으로 한 대화. 게슈탈트

게슈탈트 상담에서 실존적 대화는 진정한 만남, 진정한 접촉이 이루어지는 것이며 개인 안의 두 부

분 사이에서도 이루어질 수 있다. 대화는 접촉의 한 형태이며, 실존적 대화를 하는 두 사람은 인격체로 만나 함께 나누는 대화를 통해 상대방에게 반응하면서, 서로 영향을 주고받는다. 게슈탈트 상담에서 대화는 언어적 대화뿐 아니라 몸짓, 얼굴표정, 비언어적 소리를 사용한 만남까지 포함한다. 실존적 대화는 대화에 헌신함, 살아 있는 대화, 착취를 허용하지 않음의 양상으로 나타난다.

관련어 | 대화적 관계, 실존적 만남, 현존재

대화에 헌신하기 [對話-獻身-, commitment to dialogue] 게슈탈트 상담에서 치료자와 내담자 사이의 실존적 대화의 한 양상이다. 접촉과정은 관련된 사람들의 합 이상이며, 포함과 현전의 합까지 넘어서는 하나의 전체다. 관계적 과정에 충실하고 궁극적으로 그것에 내던지는(surrender) 것은, 다른 사람과 접촉하고 자기를 표현하는 것 이상이다. 이것은 접촉과 그 결과를 조절하기보다는 관계의 '사이(between)'에서 접촉이 발생하도록 허락하는 것이다. 게슈탈트 심리학의 창시자인 베르트하이머(Wertheimer)는 어떤 상황에 내재한 해결책을 찾기 위해서는 이전에 가지고 있던 믿음이나 태도보다는 그 상황의 진실에 대한 진심 어린 욕망과 헌신이 필요하다고 말하였다.

살아 있는 대화 [-對話, dialogue is lived] 게슈탈트 상담에서 치료자와 내담자 사이의 실존적 대화의 한 양상이다. 살아 있는 대화에서 대화란 이야기되는 것이라기보다는 행해지는 것이고, '살아지다'라는 말은 행위의 흥분감과 즉각성을 강조한다. 대화의 양식은 춤추기, 노래, 말이 될 수도 있는데, 참여자들 사이의 에너지를 표현하거나 움직이게 하는 어떤 형태도 될 수 있다. 현상학적 실험에 게슈탈트 치료가 확실하게 공헌한 점은, 비언어적 표현으로도 경험을 설명할 수 있도록 매개변수를 확장시킨 것이다. 그러나 상호작용은 윤리와 적절성, 치료적 과제 등으로 제한할 수 있다.

착취의 불허 [搾取-不許, no exploitation] 게슈탈트 상담에서 치료자와 내담자 사이의 실존적 대화의 한 양상이다. 게슈탈트 치료자인 욘테프(Yontef)에 따르면, 모든 형태의 착취는 대화적 관계와 모순되는 것이다. 착취는 내담자의 실제 경험을 본래대로 보호하는 것이 아니라 치료자의 목표에 맞추기 위해서 내담자의 경험에 영향을 미치는 것이라 할 수 있다.

실존적 딜레마
[實存的-, existential dilemma]

죽음의 불가피성에 대한 자각으로 깊은 고뇌의 실존적 불안을 느끼면서 존재와 비존재 사이의 양극단에 직면하여 겪는 선택의 곤란한 상황. 실존주의 상담

실존주의적 관점의 중심 개념은 현존재(Dasein)다. 이 독일어 단어는 일반적으로 '세계 속에 존재하고 있는 것'이라고 번역된다. 이는 자율적이고 개별적이며 진화하는 존재로서의 자기에 대한 경험의 총체를 의미하는 데 사용된다. 현존재라는 용어는 또한 인간이 세계와 떨어져서는 존재하지 않고, 세계는 그 안에 있는 사람들과 분리되어서는 아무 의미도 없다는 것을 강조하고 있다. 실존주의자들에게 인생의 기본적 이슈는, 인생이란 불가피하게 죽음으로 끝난다는 것이다. 이 죽음은 언제라도 올 수 있다. 경험이 아무리 자기실현적이라 하더라도 죽음은 어느 누구도 피할 수 없는 사건이며, 죽음의 불가피성에 대한 자각은 불일치에 기인한 불안보다 훨씬 더 깊은 고뇌의 실존적 불안을 유발한다. 단지 존재와 비존재만이 존재하며, 인간은 끊임없이 그것들 사이의 양극단에 직면한다. 이러한 깨달음에 대해 어떻게 반응해야 하는가 하는 것이 실존주의자들에게는 인생의 핵심 문제다. 선택은 무(無)로 후퇴하느냐 아니면 존재할 용기를 갖느냐 하는 것

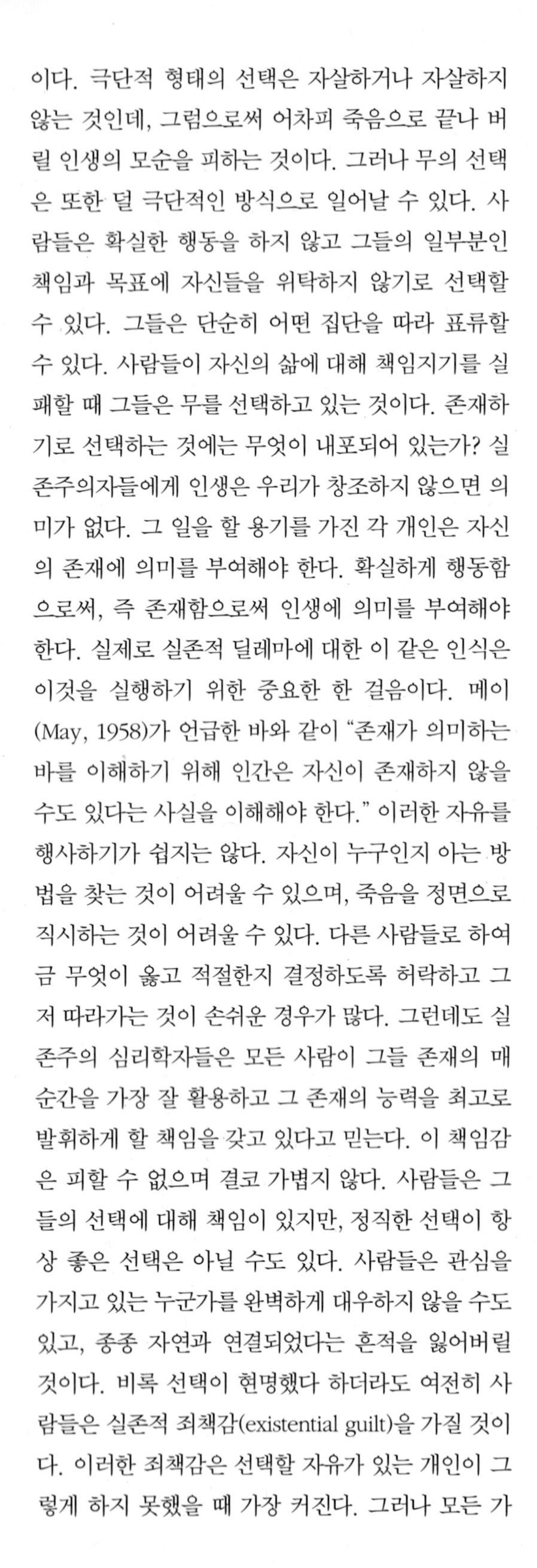

이다. 극단적 형태의 선택은 자살하거나 자살하지 않는 것인데, 그럼으로써 어차피 죽음으로 끝나 버릴 인생의 모순을 피하는 것이다. 그러나 무의 선택은 또한 덜 극단적인 방식으로 일어날 수 있다. 사람들은 확실한 행동을 하지 않고 그들의 일부분인 책임과 목표에 자신들을 위탁하지 않기로 선택할 수 있다. 그들은 단순히 어떤 집단을 따라 표류할 수 있다. 사람들이 자신의 삶에 대해 책임지기를 실패할 때 그들은 무를 선택하고 있는 것이다. 존재하기로 선택하는 것에는 무엇이 내포되어 있는가? 실존주의자들에게 인생은 우리가 창조하지 않으면 의미가 없다. 그 일을 할 용기를 가진 각 개인은 자신의 존재에 의미를 부여해야 한다. 확실하게 행동함으로써, 즉 존재함으로써 인생에 의미를 부여해야 한다. 실제로 실존적 딜레마에 대한 이 같은 인식은 이것을 실행하기 위한 중요한 한 걸음이다. 메이(May, 1958)가 언급한 바와 같이 "존재가 의미하는 바를 이해하기 위해 인간은 자신이 존재하지 않을 수도 있다는 사실을 이해해야 한다." 이러한 자유를 행사하기가 쉽지는 않다. 자신이 누구인지 아는 방법을 찾는 것이 어려울 수 있으며, 죽음을 정면으로 직시하는 것이 어려울 수 있다. 다른 사람들로 하여금 무엇이 옳고 적절한지 결정하도록 허락하고 그저 따라가는 것이 손쉬운 경우가 많다. 그런데도 실존주의 심리학자들은 모든 사람이 그들 존재의 매 순간을 가장 잘 활용하고 그 존재의 능력을 최고로 발휘하게 할 책임을 갖고 있다고 믿는다. 이 책임감은 피할 수 없으며 결코 가볍지 않다. 사람들은 그들의 선택에 대해 책임이 있지만, 정직한 선택이 항상 좋은 선택은 아닐 수도 있다. 사람들은 관심을 가지고 있는 누군가를 완벽하게 대우하지 않을 수도 있고, 종종 자연과 연결되었다는 흔적을 잃어버릴 것이다. 비록 선택이 현명했다 하더라도 여전히 사람들은 실존적 죄책감(existential guilt)을 가질 것이다. 이러한 죄책감은 선택할 자유가 있는 개인이 그렇게 하지 못했을 때 가장 커진다. 그러나 모든 가능성을 성취하는 것은 불가능하기 때문에 의식이 있는 모든 사람은 실존적 죄책감에서 결코 완전히 자유로울 수 없다. 사람들은 자신의 어떤 역량을 깨달을 때 자신의 다른 역량이 표현되는 것을 막아 버린다. 결국 실존적 죄책감은 피할 수 없는 것이며, 존재가 치러야 하는 대가의 일부다.

실존적 만남
[實存的－, existential encounter]

너와 나의 결정적인 내적 경험이 초래되는 참만남.
실존주의 상담

실존주의 상담에서는 내담자와 상담자의 관계를 매우 중시한다. 상담의 효과를 얻기 위해서는 상담자와 내담자가 '참만남'을 경험할 수 있어야 한다. 참만남이란 둘 사이의 어떤 결정적인 내적 경험이 초래되는 관계를 의미한다. 이처럼 실존주의 상담에서 만남은 일반적으로 두 개인의 우연한 만남이나 첫 대면이 아닌 두 개인 중 한 사람 혹은 두 사람에 의해 발생하는 결정적인 내적 경험이다. 실존적 만남은 이전의 대인관계의 부활이 아니며, 이 만남 속에서 두 사람은 완전히 새로운 시야가 열리고 세계관과 성격이 변화한다. 참만남은 무지나 착각으로부터 갑작스럽게 해방되는 경험이며 정신적 시야를 넓혀 삶에 새로운 의미를 부여한다. 상담장면에서 실존적 만남은 상담자가 내담자를 단순한 병든 대상으로 취급해서는 안 되며, 상담자는 내담자와 '너와 나'라는 동일한 인간적 존재로서의 깊은 내적 만남에 몰입해야 함을 의미한다. 이러한 만남과 대면을 통해서만이 상담자는 내담자의 내적, 주관적 세계를 진정으로 이해할 수 있다.

관련어 | 실존주의 상담

실존적 불안
[實存的不安, existential anxiety]

자신의 실존에 대한 붕괴의 불안, 자신의 세계 상실, 또는 자신이 무(無)가 되지 않을까에 대한 불안. 실존주의 상담

실존주의자들에 따르면 불안이란 것은 실존적 혹은 존재론적으로 이해되어야 하는 것이다. 즉, 불안이란 것이 기쁨이나 슬픔과 같은 감정의 하나라기보다는 인간 존재론적인 특질이며 인간 실존에 뿌리박힌 것으로 이해되어야 한다고 보았다. 불안은 인간 실존의 중심, 존립기반 그 자체에 대한 위협이기 때문에 인간은 언제나 비존재에 대한 위협을 체험하고 있다는 것이다. 불안은 인간이 가지는 것(we have)이 아니고 인간인 것(we are)이며, 자신이 분해될지 모른다는 위협에 대한 체험은 정신질환자에게만 국한되는 것이 아니라 신경증적 불안이나 정상적인 불안에 대해서도 동일하다. 다시 말해, 불안은 한 개인이 한 인격으로 존재하는 데 본질적인 것이라고 이해되는 어떤 가치가 위협받을 때 스며 나오는 걱정이다. 메이(R. May, 1977)는 실존적 불안과 공포(fear)를 구별하면서 그 차이는 정도나 강도의 차이가 아니라고 하였다. 불안은 자존심이나 인간이 존재로서의 자신의 체험 중에서 가장 중요한 국면이 되는 자기가치감(sense of value as a self)의 중심에 있는 핵심을 공격하는 것으로 서술되는 반면에, 공포는 인간 실존의 주변적인 것에 대한 위협에 불과하고 외부에서 그것을 객관화할 수 있다고 하였다. 불안이 인간 실존의 핵심을 공격한다는 사실은 그것이 존재의 발견을 동요시키는 것이며 시간감각을 말살하고 과거의 기억을 둔화시키며 미래를 소거시킨다는 의미다. 메이(1967)에 따르면, 불안을 실존적으로 이해하게 될 때 불안이란 독일어가 가지고 있는 원어 'angst'의 함축적 의미를 보다 증대시킨다고 하면서, 불안은 고통과 공포 모두를 수반한 위협의 체험이며 어떠한 존재도 피할 수 없는 가장 괴롭고 가장 기본적인 위협이 된다고 하였다. 왜냐하면 그것은 인간 존재 자체가 상실의 위협성에 노출되기 때문이다. 또 다른 중요한 국면은 불안에는 언제나 내면적 갈등이 내포되어 있다는 사실이다. 이 갈등은 존재와 비존재와의 갈등으로 인간이 자신의 실존을 충족시키는 어떤 가능성이 다가오는 시점에서 일어난다. 그 가능성이 현재의 안정감을 파괴하는 가능성까지 포함하고 있어서 그 안정감의 획득 노력은 새로운 가능성의 부정이라는 경향을 야기한다. 인간에게는 출생 외상(birth trauma)이 모든 불안의 원형이라는 상징적인 표현으로 진실성을 지니게 된다(May, 1983). 인간 모두가 태어날 때 협소한 통로를 지나면서 고통 또는 질식한다는 데서 'angst'의 의미가 잘 시사하듯, 열려지는 어떠한 가능성, 울면서 탄생하는 어떤 가능성이 없다면 인간은 불안을 체험할 수 없을지도 모른다. 메이는 불안이 인간의 자유와 깊은 관계가 있다고 보았다. 그에 따르면, 인간이 새로운 가능성을 현실화하려는 자유가 있다면 그것이 비록 한정적인 자유라고 할지라도 불안의 체험과 연관된다고 하였다. 메이는 자유란 언제나 잠재적 불안을 포함하고 불안은 자유의 현기증(dizziness of freedom)으로서, 불안은 그러한 자유가 현실화되기 전의 가능성으로서의 자유의 현실모습이기 때문에 인간의 불안과 자유는 불가분의 관계를 가지고 있다는 키르케고르(S. Kierkegaard)의 견해에 동조하였다. 더욱이 메이는 인간의 실존이 가능성을 의미한다면 인간이 그 가능성을 현실화해야 한다는 문제에 직면하고 있는 상태가 불안이며, 또한 역설적으로 불안을 체험하는 그 자체가 어떤 가능성이 존재한다는 것이고 그 새로운 존재의 가능성이 비존재에 의해 위협당하고 있다는 사실이 증명된다고 보았다. 그렇기 때문에 인간에게 죽음의 위협은 가장 고통스러운 공통된 불안의 상징이 되기도 한다. 그러나 인간은 자신의 실존 속에서 가치를 보유하는 것에 만족과 안정감을 느끼는 존재이기 때문에 비존재인 죽음의 면전에서 존재의 부정에 대한 갈등을 체험하면서

살아가는 존재인 것이다(May, 1967). 인간에게 이러한 불안의 실존을 직면하고 처리하는 방법은 어떤 특정한 위협보다 강한 가치성과 자신의 존재를 동일시하는 것이다. 불안을 야기하는 궁극적인 위협은 죽음이기 때문에 죽음의 사실보다 더 강한 가치성을 인간은 소유하는 것이라고 메이는 주장하였다. 요컨대, 메이를 비롯한 실존주의자들은 인간은 가능성을 실현하기 위하여 자유, 선택, 책임을 행사할 때 필연적으로 불안을 경험하며, 인간이 결정을 실행에 옮기기 위해 예상할 수 없는 장래를 향하여 모험을 감행하면서 불안을 경험하게 되는데, 이러한 유형의 불안을 실존적 불안이라고 하였다. 실존주의적 상담에서 추구하는 진실한 삶이란 인간이 실존적 불안을 두려워하거나 부인하려고 하는 대신 있는 그대로 깨닫고 이에 직면하는 용기 있는 삶이다. 그리고 선택과 결정에는 실존적 불안이 필연적으로 수반된다는 사실을 인식함에도 불구하고, 선택하고 결정하는 행동을 진실한 행동으로 보고 이를 장려한다.

관련어 | 실존적 죄책성, 실존주의 상담

실존적 사이코드라마
[實存的 –, existential psychodrama]

켈러만(Kellermann, 1991)이 과학을 자연과학과 인문과학으로 구분하는 관점을 기준으로 삼아 인문과학적 접근으로 분류된 사이코드라마. 사이코드라마

실존적 사이코드라마에는 건강, 정상, 병리라는 개념이 없으며, 진단도 부적절하고 불필요한 것으로 간주되고 있다. 실존적 사이코드라마는 의학적 의미에서의 치료가 아니라, 사람들과의 만남을 통해서 자신에 대해 좀 더 제대로 인식하고 균형감을 갖는 기회를 얻을 수 있는 정서적 경험을 하는 데 초점을 맞추고 있다. 그런 만큼 실존적 사이코드라마의 목표는 각 개인이 자신에게 가능한 범위 안에서 자발성과 창조성을 발휘하는 것이다. 이러한 실존적 사이코드라마는 단순한 재미의 즉흥연기와는 구별되며, 광범위하게는 정신치료의 일종으로 볼 수 있다. 특히 거짓된 자기개념과 타인에 대한 비현실적 자각에서 벗어나 자신을 자유롭게 만들려는 사람에게 유용하다.

관련어 | 실존주의, 실존주의 상담, 실존주의 심리학

실존적 양식
[實存的樣式, existential mode]

공존세계에 대한 현존재(Dasein)의 차원. 실존주의 상담

현존재 분석, 즉 실존적 분석(existential analysis)은 인간 실존의 구조에 관한 하이데거(M. Heidegger)의 연구로 고무된 개념체계의 도움으로 내담자의 내적 경험세계를 재구성하는 데 초점을 맞추고 있다. 실존적 분석은 그 자체를 의식의 상태에 대한 연구조사에 한정시키지 않고 개인의 실존에 관한 전체 구조를 고려하고, 개인의 내적 경험세계의 일치를 강조하는 현상학과는 달리 한 개인이 둘 이상의 일치하지 않는 세계들 속에서 살 수 있다. 즉, 하나 이상의 실존양식을 가질 수 있음을 강조한다. 또한 경험의 즉각적인 주관적 세계만을 고려하는 현상학과는 달리 개인의 세계 혹은 일치하지 않는 세계의 발달과 변화를 재구성하려 한다. 빈스방거(L. Binswanger)는 실존적 분석연구에서 자기 환자들의 주변세계(umwelt), 공존세계(mitwelt), 고유세계(eigenwelt)에 대한 차이점을 기술하였고, 후에 보다 넓은 참조체계, 즉 실존양식의 차이점에 관한 분석을 체계화하였다. 주변세계는 인간이 접하며 살아가는 환경 혹은 생물학적 세계를 의미한다. 모든 유기체는 주변세계를 가지며, 동물과 인간에게 주변세계는 생물학적 욕구, 추동 및 본능을 포함한다. 실존주의자들은 자연세계의 현실을 받아들인다. 공

존세계는 인간이 사회적 존재로서 더불어 살아간다는 뜻으로, 인간관계 영역에 관심을 두는 것을 의미한다. 개인은 타인과의 관계로 이루어지는 공동체의 세계에 존재한다. 고유세계는 자신의 세계이며 개인이 자기 자신과 갖는 관계를 의미한다. 이것은 인간에게만 나타나는 것으로 자각, 즉 자기 관계성을 전제하고 있다. 이와 같이 주변세계는 개인이 던져진 세계이고, 공존세계는 인간만이 갖는 대인관계이며, 고유세계는 자신의 세계다. 또 영적 세계는 세계에 대한 믿음을 의미한다. 이러한 실존적 양식에 따라 인간은 매 순간 주변세계인 환경 안에서, 공존세계인 대인관계를 맺으며, 고유세계인 자기자각을 하면서 살아간다고 볼 수 있다. 그러므로 실존주의적 관점에서 보면, 상담자는 내담자의 어떤 존재방식이 가장 문제가 되는지를 파악하여 도움을 주는 것이 필요하다. 한편, 실존적 분석은 주체에 있어서 영속성과 동질성을 가정하는 고전심리학과는 달리 자기(self)라는 것은 이원적, 다원적, 일원적, 익명의 실존양식 등 여러 가지 형태에 따라 변화한다는 사실을 고려하고 있다. 이원적 양식(dual mode)은 '친밀함'이란 개념과 대략 일치하며, 나-당신(I-Thou) 관계에 대한 부버(Buber) 견해의 부연이다. 어머니-자녀, 형제-자매, 사랑하는 자-사랑받는 자, 신자일신(信者一神) 등의 관계와 같은 이원적 양식의 여러 가지 형태가 있다. 빈스방거는 이 관계들 중에서 사랑과 우정이라는 이원적 양식을 광범위하게 분석하였다. 그는 사랑의 이원적 양식에서는 공간이 무한하면서 동시에 극히 가까운 모순을 보인다고 말하였다. 즉, 원거리와 근접은 영원성이 시간에 대한 것처럼 공간에 대해 동일한 관계를 지니는 특수한 공간양식에 의해 초월된다. 사랑의 이원적 양식은 또한 영원성의 위급, 즉 미래뿐만 아니라 회고에 의해서 명백해진다. 그리고 순간은 일시적인 기간을 배제함으로써 영원과 일치한다. 이와 같이 향리(鄕里, Heimat, 사랑의 내적인 고향)는 공간을 초월하고 그 속에서 순간과 영원이 혼합되는데, 빈스방거는 이것이 정상적인 실존적 경험의 핵심을 이룬다고 하였다. 이 같은 이원적 실존양식에 비추어 수많은 문제점을 실존적 분석자들이 고찰해 왔다. 보스(M. Boss)는 결혼의 양상을 분석했는데, 정상적인 결혼이 이원적 양식을 포괄해야 하는 반면에 배우자들이 다원적 실존양식이나 일원적 실존양식으로 살아가고 있는 '타락된 형태의 결혼'도 있다고 하였다. 다원적 양식(plural mode)은 형식적 관계, 경쟁, 투쟁의 영역과 대략 부합된다. 여기서는 '당신과 나'의 친밀성이 '전자와 후자' 혹은 서로 격투하고 있는 '양자'의 공존에 굴복된다. 빈스방거는 감수성, 정열, 도덕성, 명성 등을 통하여 자신의 동료에 점령되거나 굴복하는 여러 가지 방법을 묘사하였다. 일원적 양식(singular mode)은 자기 자신과 더불어 한 사람과의 관계를 포함하고 있다. 정신분석학에서도 자기애, 자기처벌적이고 자살적인 행동에 대해 알고 있었지만, 빈스방거의 개념은 아주 광범위하며 정신 내적 관계성의 폭넓은 범위가 포함되어 있다. 따라서 그는 극히 교묘한 방법으로 자신의 개념을 분석하였다. 그의 관점에서 보면, 내적 갈등은 다원적 양식의 모델을 모방한 여러 가지 일원적 양식으로 간주되며, 자폐증은 자기 동료들과의 관계의 결핍뿐만 아니라 자기 자신과의 특수한 관계양식이다. 익명의 양식(anonymous mode)은 빈스방거가 간결하게 요약하고, 그것의 기술은 쿤(Kuhn)이 로르샤흐 검사의 가면해석에 관한 연구에서 발전시켰다. 그것은 가면무도회에서의 무희나 살인을 하고 자기가 알지 못하는 사람에게 죽임을 당하는 군인처럼 익명의 집합체 속에서 살아가고 행동하는 개인의 양식이다. 어떤 개인은 동료들을 피하거나 싸움을 하는 수단으로 이 양식에서 은신처를 찾는데, 이는 바인더(Binder)가 지적한 바와 같이 익명의 편지의 저자에 해당하는 경우다.

관련어 | 현존재 분석

실존적 죄책성
[實存的罪責性, existential guilt]

인간이 어떤 선택과 결정을 하는 경우 어쩔 수 없이 다른 대안적 선택과 결정을 거부하게 될 뿐만 아니라 그러한 선택과 결정이 가능성의 실현에 도움이 된다는 보장도 없을 때 인간이 경험하게 되는 특성. 실존주의 상담

실존주의자들에 의하면 인간이 가능성의 현실화에 대한 문제를 직면하고 있는 상태가 불안이라고 한다면, 인간이 모든 가능성을 부정하고 그 가능성을 현실화하는 것에 실패할 때 그 인간의 상태가 죄책성이라는 것이다. 이러한 죄책성은 불안과 더불어 인간의 실존적 특징이다. 메이(R. May, 1983)는 실존적 죄책성을 다음과 같은 특성을 가진 것으로 기술하였다. 첫째, 모든 인간이 실존적 죄책성에 참여되어 있다는 사실이다. 그 이유는 모든 인간이 예외 없이 어느 정도 동료인 타인의 그대로의 현실성을 왜곡하여 이해하고 있고, 자기 자신의 가능성을 완전히 현실화하는 사람은 한 사람도 없기 때문이다. 인간은 누구든지 자신의 가능성과 변증법적인 관계를 가지고 있다. 둘째, 실존적 죄책성은 문화와 사회의 금지에서 생겨나는 것도 아니고 또한 문화의 도덕적 습관을 수용하는 것에서 야기되는 것도 아니라는 것이다. 즉, 그것은 부모의 금지를 파계(破戒)했다는 죄에 기인하는 것이 아니고 인간이 자신을 선택할 수도 있고 선택하지 않을 수도 있는 인간으로 볼 수 있다는 사실에서 생겨난다는 것이다. 셋째, 실존적 죄책성은 병적 또는 신경증적 죄책성과는 다르다는 점이다. 인간이 죄책성을 수용하지 못하고 그것을 억압해 버리면 신경증적 죄책성으로 변이(變移)되어 간다. 신경증적 불안이 아직껏 직면하지 않은 정상적인 실존적 불안의 최종 결과인 것과 마찬가지로 신경증적 죄책성은 실존적 죄책성의 결과인 것이다. 인간이 그 죄책성을 자각하고 수용할 수 있다면, 그것은 병적인 혹은 신경증적인 것이 아니다. 넷째, 실존적 죄책성은 신경증적인 징후 형성으로 향하지 않는다는 사실이다. 오히려 실존적 죄책성은 인간의 성격에 건설적인 효과를 미친다. 구체적으로는 실존적 죄책성이 겸허한 자세, 동료 인간과의 관계에서 감수성을 야기하고, 자기 자신의 가능성을 점점 더 창의적으로 활용할 수 있는 힘을 가지고 있다는 것이다. 메이(1983)는 이러한 인간의 실존적 죄책성의 특성을 보스(M. Boss)가 취급한 강박신경증(obsessional-compulsive) 환자의 사례를 들어 설명하였다. 그 환자는 자신 속에 존재하는 기본적인 가능성에서 자신을 제거해 버림으로써 자신의 존재를 잊고 상실하였기 때문에 실패한 것이다. 그것은 단순히 죄책감을 가지고 있는 것이 아니라 죄책성이 있다는 것이며, 이러한 죄책성을 단순히 죄책감으로 환원시킴으로써 현실감이 누락된 인간의 환영만을 취급하는 오류를 범한다고 메이는 지적하였다. 그는 또한 그 죄책성을 자기 자신의 가능성을 포기하는 데 야기되는 죄책성(고유세계의 부정), 동료 인간을 볼 때 자신의 제약성과 선입견으로 보게 된다는 사실에서 야기되는 타인에 대한 죄책성(공존세계의 부정), 자연에서 분리한 것으로 자연과의 커뮤니케이션을 인지하거나 인정하지 못하는 분리 죄책성(주변세계의 부정)의 세 가지 형태로 구분하여 논하고 있다. 실존주의적 상담에서 추구하는 진실한 삶이란 인간이 실존적 죄책감을 두려워하거나 부인하려고 하는 대신 있는 그대로 깨닫고 이에 직면하는 용기 있는 삶이다. 그리고 선택과 결정에는 실존적 죄책감이 필연적으로 수반된다는 사실을 인식함에도 불구하고, 선택하고 결정하는 행동을 진실한 행동으로 보고 이를 장려하고 있다.

관련어 | 실존주의 상담, 실존주의 심리학

실존적 질문
[實存的質問, existential question]

내담자가 상담장면에서 주저하거나 용기 없는 행동을 할 때 상담자가 내담자에게 깊은 관심을 보이면서 동시에 내담자의 행동을 구체적으로 지적해 주고 행동변화를 촉진하는 질문. 실존주의 상담

실존주의적 상담에서는 내담자의 부정적인 말이나 반응에 반론하기 위하여 '왜(어찌하여) 안 되는가(하지 않는가)?'의 성격을 띤 분석적 질문을 사용한다. 이 질문으로 내담자는 자신의 잠재 가능성을 실현하기 위해 자유롭게 선택하고 책임을 지는 데 용기를 내어 도전해 보도록 격려된다. 예를 들면, 내담자가 상담장면에서 주저하거나 용기 없는 행동을 할 때 "왜 당신은 그렇게 주저하는가?"라는 질문을 해서 내담자의 행동을 구체적으로 지적해 준다. 이와 같은 질문은 상담자가 내담자에게 자신의 깊은 관심을 보여 줄 수 있는 동시에, 적절한 심리적 압박을 주어 내담자의 행동변화를 촉진할 수 있다.

실존주의
[實存主義, existentialism]

세계 내의 인간 실존에 대한 해석에 힘쓰며 인간 실존의 구체성과 문제적 성격을 강조하는 철학사조. 실존주의 상담

고대 그리스 철학자 플라톤 이후 유럽의 철학은 인간을 눈에 보이지 않는 '본질'에서부터 이해하려는 관념론이 전통을 이루었고, 19세기 후반 서유럽에서는 콩트(A. Comte)를 중심으로 초월적이고 형이상적인 사변을 배격하고 관찰이나 실험 등 경험적으로 검증 가능한 인식론적 실증주의가 주를 이루었다. 실존주의는 이러한 합리주의적 관념론이나 실증주의에 반대하여 개인적인 인간의 주체적 존재성을 강조하는 철학이다. 실존이란 말은 원래 철학 용어로서 어떤 것의 본질이 그것의 구체적인 조건을 배제한 일반적 본성을 의미하는 데 대하여, 그것이 개별자로서 존재하는 것을 의미한다. 즉, 실존주의라 함은 본질에 앞선 본질 존재가 아니라 개별적인 '현실' 존재라는 뜻이다. 따라서 실존주의는 개인이 처해 있는 현실적 세계의 상황 속에 단독으로 존재하는 현실 존재의 파악에서 출발하며 주체적 관점에서 인간의 완전한 자유와 책임을 강조한다. 파스칼(B. Pascal)과 키르케고르(S. A. Kierkegaard)부터 싹이 튼 실존주의는 후설(E. Husserl)의 현상학의 영향을 받아 하이데거(M. Heidegger), 야스퍼스(K. Jaspers), 사르트르(J. Sartre) 등에 의하여 비로소 철학사상으로 확립되었다. 실존주의는 '본질'에 대하여 어떠한 태도를 취하느냐에 따라 기독교적 실존주의(유신론적 실존주의), 무신론적 실존주의, 행동적 실존주의 등으로 나누어진다.

관련어 | 실존주의 상담, 현존재

ㅅ

실존주의 상담
[實存主義相談, existential counseling]

인간에 대한 실존주의 철학의 기본 가정을 현상학적 방법과 결합시켜 내담자에게 자신의 내면세계를 있는 그대로 자각하고 이해하도록 하며, 지금-여기의 자기 자신을 신뢰하도록 하는 데 목표를 두는 상담접근법. 실존주의 상담

현상학적 방법이란 주관적 관찰자의 입장에서 사물을 있는 그대로 이해하는 접근으로 인간에 대해 관념적으로 정확한 자료를 얻기보다는 실존적으로 진실한 것을 파악하는 것이 목적이다. 실존주의 상담이론은 다른 이론들과는 달리 특정한 한두 사람의 창시자가 만들어 낸 단일 체계의 이론이 아니라 신학과 철학, 정신의학, 심리학, 교육학 등의 여러 분야에서 발달한 이론들의 묶음이라고 할 수 있으며, 상담이론이라기보다는 상담의 철학이자 인간을 보는 관점이라고 할 수 있다. 실존주의 상담이론은 정신분석과 행동주의 상담이론의 분석적이고 조작적인 관점과는 달리 내담자의 내면적 세계를 그대로

인정하고 받아들이는 인본주의적인 관점을 가지고 있다. 실존주의 상담의 출발은 초기 이성론과 경험론에 대한 반동으로 일어났던 실존주의 철학이다. 따라서 실존주의 상담은 잘 알려진 실존주의 철학자인 키르케고르(Kierkegaard), 니체(Nietzsche), 하이데거(Heidegger), 사르트르(Sartre), 부버(Buber) 등이 보는 인간에 대한 이해를 반영하고 있다. 실존을 통한 인간의 불안과 무의미성에 초점을 둔 키르케고르는 실존주의(existentialism)라는 말을 처음 사용한 인물로서, 실존에 던져진 인간은 의미를 창조할 자유를 가지고 있으며 개인적 실재에 대한 책임을 가지고 있다고 보았다. 의미와 목적이 부재하거나 삶의 질서가 없는 것을 허무주의(nihilism 혹은 nothingness)로 일컬은 니체는 허무주의에 빠지면 인간은 불안, 분노, 정신적 공포를 갖는다고 보았다. 따라서 그는 선악의 보편적 근원을 나타내는 외부의 도덕성을 거부하고, 도덕적 삶의 책임은 개인과 선택의 자유에 달려 있다고 보았다. 키르케고르와 니체의 영향을 받은 하이데거는 세계 안에서 세계의 일부도 아니요 개인의 일부도 아닌 부정할 수 없는 실재로서 세계 안에 존재하는 인간을 현존재(Dasein)라고 하였다. 그는 현존재는 세계 안에서 다른 많은 개인과 관계를 맺는 가운데 본래적인 존재양식을 상실하고 평균화되며, 책임을 지지 않는 몰개성적인 인간으로 전락하고, 불안에서 헤어날 수 없다고 보았다. 이러한 불안으로부터 벗어나려면 본래적인 자기를 근원적으로 이해하고 본래적인 자기로서 존재할 것을 결단하지 않으면 안 된다고 하였다. 또한 인간의 충족감은 세계로부터 생기는 것이 아니라 순간(지금-여기)의 경험을 통해서 생긴다고 하였다. 칸트(Kant), 헤겔(Hegel), 하이데거의 영향을 받은 사르트르는 모든 행위, 사건, 사고 및 결정은 이전의 발생결과에 따른다는 결정론(determinism)의 견해를 부정하기 위해 노력하였다. 그는 인간을 자유의지를 가지고 있으며, 과거가 아닌 순간(지금-여기)에 기초하여 선택을 하고, 고정적이지 않고 어딘가로 생성되어 가는 진전되는 존재(on a journey of becoming)로 보았다. 부버는 '너' 없는 '나'는 존재할 수 없으며 각 개인은 다른 사람과의 경험이나 대면을 통해서 변화된다고 보았다. 또한 그는 인간의 삶에서 긴급함을 야기하는 죽음이 인간으로 하여금 현재에 충실하도록 이끌며, 이는 다른 사람들과의 경험에 충실해지도록 한다고 보았다. 이와 같이 인간의 삶의 의미를 탐구하는 데 초점을 두며, 인간은 죽을 수밖에 없는 운명의 존재라는 것을 인식하고 이러한 종국적 죽음의 그림자에서 의미를 찾기 위해서는 실재에 대한 지각을 재구성하고 과거나 미래가 아닌 현재의 경험에 충실해야 한다는 실존주의 철학자들의 견해는 실존주의 상담이론의 견고한 기초가 되었다. 상담 및 심리치료에 이러한 실존주의 철학을 적용하여 실존주의 상담을 주창한 인물로는 빈스방거(L. Binswanger), 보스(M. Boss), 프랭클(V. Frankl), 메이(R. May), 얄롬(I. Yalom) 등이 있다. 실존주의 상담은 내담자로 하여금 자신의 내면세계를 있는 그대로 자각하고 이해하도록 하며, 지금-여기의 자기 자신을 신뢰하도록 하는 데 그 목표를 두고 있다. 무엇보다도 실존주의 상담의 목표는 내담자가 자각을 통하여 자신의 문제를 직시할 수 있도록 도움을 주는 데 있다. 상담자는 내담자에게 자기 존재의 본질에 대하여 각성하고 현재 자기가 경험하고 있는 불안과 갈등 및 장애의 원인이 자기상실 내지는 논리의 불합리성에 있다는 것을 각성토록 하여 내담자가 비록 제한된 세계 내에서의 존재일 망정 이 세상에 던져진 삶을 수동적으로 살아갈 것이 아니라 자기 나름대로의 주관을 가지고 능동적으로 삶의 방향을 선택하도록 도와주어야 한다. 이러한 목표에 도달하기 위해서 실존주의 상담에서는 무엇보다도 내담자와 상담자의 관계를 매우 중시한다. 상담자와 내담자가 '참만남'을 경험할 수 있어야 하는데, 참만남이란 새로운 세계가 열리고 새로운 사고방식을 경험하여 세계관과 성격에 현격한 변화를 가져오게 되는 내적 경험이다. 참만남은 무지나 착각으로부터 갑작스럽게 해방되는 경험이며, 정신적 시야를 넓혀 삶에 새로운 의미를 부여한다. 메이는 상담과정을 친밀한 관계의 수립, 고백, 해석, 내담자의 인격 번형의 4단계로, 프랭클은 증상의 확인, 의미의 자각, 태도의 수정, 증상의 통제, 삶의 의미발견의 5단계로 제시하였다. 실존주의 상담에서는 경우에 따라 자유연상법, 질문법, 해석 등 정신분석의 몇 가지 원리와 기법을 활용하여 내담자의 실존에 접근해 가기도 하지만, 정신분석에서와는 달리 과거의 원인과 경험을 찾아 치료하는 데 집중하기보다는 지금-여기에서 일어나고 있는 일들과 현상학적 경험을 깊이 있게 탐색하여 내담자의 문제사례를 실존개념으로 분석하는 데 초점을 맞추고 있다. 또한 실존주의 상담에서는 인간중심상담의 원리를 많이 적용하기도 한다. 즉, 내담자의 주관적 세계를 중시하고, 인간의 성장과 발달을 촉진하는 상담자의 자세를 견지한다. 존중과 공감을 바탕으로 한 수용적 분위기에서 내담자의 솔직한 감정을 이끌어 내는 것도 그와 유사하다. 또 형태주의 상담과 의사교류분석의 방법도 활용되고 지식적인 방법, 직면(confrontation)이나 역설적 의도(paradoxical intention), 탈숙고(de-reflection) 등 다양한 방법을 활용한다.

관련어 | 역설적 의도, 직면, 의미치료, 현존재

실존주의 심리학
[實存主義心理學, existential psychology]

실존철학에 기반하여 자신이라는 존재를 발견하는 것을 목표로 삼은 심리학. 실존주의 상담

실존주의 심리학에 관련된 학자로는 자아실현을 제창한 매슬로(A. Maslow)를 위시하여, 현존재 분석의 빈스방거(L. Binswanger)와 보스(M. Boss), 의미치료의 프랭클(V. Frankl), 사회학적인 입장을 취한 프롬(E. Fromm), 나아가 내담자중심 상담을 제창한 로저스(C. Rogers) 등 많은 사람이 포함된다. 실존주의 심리학은 정신분석, 행동주의로 흐르는 일면적인 인간관을 극복하는 것으로서 발전해 왔지만 현재는 확장되어 분석행동론에도 현상적·인지적 관점으로 다시 받아들여 침투해 가고 있다. 그 때문에 실존주의적 접근방법의 주변영역은 애매하다. 그러나 실존주의 심리학은 소위 대면집단(encounter group)을 통한 인간적 성장, 게슈탈트(Gestalt) 치료에서의 자유로운 체험과 같은 활동 등을 통한 실천이 사상적 기반으로 되어 있다. 실존주의 심리학과 인본주의 심리학을 같은 뜻으로 해석하는 경우도 있지만, 전자가 계기가 되어 심리학에서 제3세력이나 인본주의 심리학이 태어났다고 할 수 있다. 실존주의 심리학의 정신은 종래의 과학적 심리학에 대한 도전이다. 구체적으로는 다음 세 가지를 들 수 있다. 첫째, '어머니가 ~했기 때문에 자신은 비행을 일삼았다.'라는 것과 같은 인과론적 사고를 거부한다. 비행을 일삼는 결단을 한 것은 자신이며, 어머니가 그렇게 하도록 한 것은 아니라고 생각하는 것이다. 즉, 인과론(결정론)에 대한 도전이며, 주체성과 자기결단을 강조한다. 둘째, 자료를 수량적으로 분석해도 상대방의 본질은 밝혀지지 않는다. 상대방과 대화(엔카운터)하여 몸으로 이해하는 것이 진실로 이해하는 것이다. 즉, 체험학습을 중시한다. 셋째, '적응하고 있는 인간이 좋다.'고는 할 수 없다. 약간은 부적응해도(사람들을 웃겨서 바보로 되는 것 같지만) 자신의 방식을 취하는 용기를 갖는 인간이 바람직한 것이라고 생각한다. 즉, 적응보다 자아실현을 중시한다. 이 같은 사고방식이 기존 상담의 여러 이론에 도입된 것을 총칭하여 인본주의 심리학(humanistic psychology)이라고 한다. 실존주의 심리학은 과학적·객관적인 전통적 심리학에 대한 경종을 울린 것이다.

관련어 | 내담자중심 상담, 실존주의 상담, 인본주의 심리학

실증주의
[實證主義, positivism]

실증주의는 19세기 후반 20세기 초에 나타난 철학사조로서, 형이상학적 입장과는 반대로 실험과 관찰로 증명 가능한 사실에 대한 탐구를 강조한 사상. 철학상담

실증주의의 대표자라고 할 수 있는 콩트(Comte), 마흐(Mach) 등은 사변적이고 관념적인 형이상학적 주장을 무의미하다고 비판하면서 오로지 실험과 관찰을 통해 실제로 증명할 수 있는 것들에 대해서만 학문적 가치를 부여하고자 하였다. 사실 '실증주의'라는 말은 프랑스의 공상적 사회주의자였던 생시몽(Saint-Simon)이 처음 사용하였다. 물론 실증주의를 철학적 차원에서 본격적으로 정초한 사람은 콩트라고 볼 수 있는데, 그는 『실증 철학 강의(Cours de philosophie positive)』에서 실증주의에 대한 명확한 주장을 제시하였다. 이 책에서 그는 인류의 정신적 발달을 3단계, 즉 신학적 단계, 형이상학적 단계, 실증적 단계로 분류하고 단계별로 차례로 이행하는 것을 인류의 발전으로 파악하였다. 신학적 단계는 허구적 단계로서 세계현상을 초자연적 존재의 작용으로 설명하는 것이라면, 형이상학적 단계는 추상적 단계로서 세계현상을 허구적인 초자연적인 존재가 아니라 추상적인 존재로 대체하는 것이다. 그리고 마지막으로 실증적 단계는 과학적 단계로서 세계현상의 궁극적 원인에 집중하는 것을 그만두고 우리에게 존재하는 현실로서의 사실세계에 집중하는 것이다. 이 단계에서는 관찰을 통해 확인되고 증명되는 것이 중요하다. 이처럼 콩트는 인간이 실험과 관찰을 통해 파악할 수 없는 초자연적인 존재에 의거해서 세계현상을 설명하는 차원에서 과학적으로 입증할 수 있는 존재에 의거해서 세계현상을 설명하는 차원으로 이행할수록 인류는 발전하고 있는 것이라고 생각하였다. 그는 '실증적'이라는 말을 사실적인 것, 유용한 것, 확실한 것이라는 의미로 사용하고자 하였다. 그의 실증주의는 인간의 모든 학문을 자연과학에 종속시키는 방식으로 이어졌다. 그래서 사회과학도 자연과학적 단계로 발전되어야 한다고 주장하였다. 심지어 종교에 대해서도 '실증적 종교'라는 표현을 사용하였다. 이러한 실증주의는 이후 '빈학파(Wiener Kreis)'를 중심으로 1920년대에 출현한 신실증주의, 이른바 논리 실증주의에 매우 강한 영향을 미쳤다. 실증주의의 이 같은 흐름은 오늘날에도 물리주의와 함께 여전히 강력한 이론으로 자리하고 있다. 이들 이론은 인간이 추구하는 보이지 않는 가치를 모두 사실의 영역으로 환원하고자 하며, 과학적 실험과 관찰이 아니라면 그 어떤 방법도 신뢰하지 않으려는 강한 과학주의를 기반으로 하고 있다.

실책행동
[失策行動, parapraxis]

말하는 사람이 무의식 속에 있던 것을 드러내어 실수하는 것. 정신분석학

'프로이트의 실수(Freudian slip)'라고 알려진 것으로서, 무의식의 존재를 확인할 수 있도록 해 주는 증상이나 행동을 뜻한다. 정신분석에서는 무의식의 존재를 직접적으로 알 수 없지만 언어, 기억, 혹은 행동의 실수와 같은 다양한 임상적 증거를 통해 간접적으로 확인할 수 있다고 본다. 예를 들면, 질병이나 피로로 주의력이 분산되는 경우가 아님에도 불구하고 실언을 하는 것이 해당된다. 의장이 개회 인사에서 "의회의 폐회를 선언합니다."라고 말한 것은 그가 의회를 빨리 끝내 버리고 싶다는 의도가 공공연하게 표현되어 나온 것이다. 또한 자아를 위협하거나 의식수준에서 용납되기 어려운 불쾌한 생각을 쉽게 잊어버리는 망각도 실책행동의 일종이다.

실천계약
[實踐契約, action contract]

상담과정에서 수행과제를 실행하겠다고 상담자와 내담자 간에 이루어지는 약속. 개인상담

상담목표를 실행하도록 준비시키는 과정에서 이루어지는 방법으로, 실천계약에는 언어로 이루어지는 구두계약과 계약내용을 구체적으로 글로 표현하여 명문화한 서면계약이 있다.

구두계약 [口頭契約, verbal contract] 상담과정에서 내담자가 수행과제를 실행하는 것에 대하여 상담자와 내담자 간에 말로 약속하는 것을 말한다. 구두로 계약하기 때문에 쉽고 간편하여 실용적이고, 계약내용이 유동적이어서 융통성이 있다. 그러나 상담관계에서 신뢰가 부족한 경우 계약의 힘이 약해지고 수행내용, 역할 및 책임이 불분명하여 결과에 대한 평가에 어려움이 발생하는 단점이 있다. 따라서 구두계약을 할 때는 다음과 같은 점을 고려한다. 첫째, 구두계약 내용을 기록하여 보관한다. 둘째, 내담자는 계약내용을 상담자뿐만 아니라 자신의 주변 사람에게도 알린다. 셋째, 수행과제를 실행하는 과정에서 중간보고를 하도록 한다. 넷째, 구두계약을 요약하고 재확인하는 과정을 거친다. 다섯째, 내담자가 수행과제를 실천하도록 촉구하는 과정에서 상담자가 해야 할 역할을 내담자에게 알리고 동의를 구한다. 예를 들면, 상담자의 역할은 과제수행 촉구, 수행결과 보고에 대한 요구, 평가참여, 수행결과에 대한 대가요구 등이 있다.

서면계약 [書面契約, written contract] 상담과정에서 내담자가 수행과제를 실행하는 것에 대하여 상담자와 내담자 간에 글로 명문화하여 약속하는 것을 말한다. 서면계약의 장점은 수행기간, 수행수준, 수행내용, 수행대가, 상담자와 내담자의 역할 및 책임 등에 대하여 구체적으로 명시하기 때문에 계약의 힘이 강하다. 그리고 계약내용을 글로 작성하는 동안 내용에 대한 현실성을 점검할 수 있고, 수행결과에 대한 평가나 조정이 쉽다. 그러나 작성하는 과정이 복잡하여 번거롭고, 문서화되어 고정되므로 상황에 따른 계약내용의 변경이 어렵다는 단점이 있다. 이러한 단점을 보완하기 위해 다음과 같은 점을 고려해야 한다. 첫째, 자살과 같이 중요하고 급박한 위기문제에 대해서만 서면계약을 한다. 둘째, 구조화된 서면계약서를 작성해 두어 상황에 따라 작성이 용이하도록 한다. 서면계약서에는 주로 수행과제, 수행기간, 수행량 및 빈도, 수행보고 및 점검일시, 수행대가, 계약일자, 계약자 이름, 날인 등이 포함되며 이러한 양식은 미리 준비해 두고 사용하면 편리하다.

실천신학
[實踐神學, practical theology]

기독교인의 종교적인 활동에 대해 연구하는 신학의 한 분야. 목회상담

실천신학이라는 명칭은 슈미트(J. Schmid)의 『신학백과사전(Die Theologishe Encyklopadie)』(1810)과 플랑크(G. Planck)의 『입문서(Grundriss)』(1813)에서 처음으로 사용되었다. 이후 베를린대학의 교수인 필립 마헤네케(Philipp Marheinecke)의 『실천신학개요(Entwurf der practischen Theologie)』(1837)가 출판되면서 실천신학이 신학의 한 연구분야로 알려지기 시작하였다. 실천신학의 초기에는 다른 무엇보다도 교회 안의 여러 가지 사역을 좀 더 효과적으로 할 수 있도록 도움을 주는 것이 주요 연구분야였다. 즉, 신학에서 연구한 이론을 교회에서 어떻게 적용할 것인가를 연구하는 것이 실천신학이었다. 그러다가 1970년대 이후에는 사람들의 종교적인 모든 활동을 연구하는 것으로 연구분야가 확장되었다. 마인츠(Mainz) 대학의 오토(G. Otto)는 실천신학

이란 사회에서 발견되는 종교적인 활동에 대한 비평적인 이론이라고 정의하였고, 큐퍼(A. Kuyper)는 실천신학은 당시의 기독교적인 실제의 모든 것을 포함한다고 말하였다. 이렇게 실천신학에서 특별히 사람들의 종교적인 실천, 즉 행동에 관심을 두고 연구하는 것은 말씀으로 오신 하나님과 그 말씀을 전파하는 기독교인들 사이의 관계를 연결하는 매개체로서의 역할을 행동(실천)이 하고 있기 때문이다. 하나님은 사람의 모습을 입은 예수님으로서 인간 세상 가운데 오셨고, 십자가에 달려 돌이가신 사건 이후에는 성령의 형태로 우리 인간과 항상 함께하신다. 기독교인의 종교적인 활동과 실천은 이러한 하나님의 인간 세상의 임재 아래에서 그가 하시는 말씀과 실제 인간의 삶 사이를 연결해 주는 매개체 역할을 하는 것이다. 예를 들어, '항상 쉬지 말고 기도하라'는 하나님의 말씀을 인간의 삶에서 실천하는 종교적인 활동을 하기 위해서 목사나 부모 혹은 자기 자신은 가르치고 다짐함으로써 하나님의 말씀을 상기하고 실제 삶에서 그 말씀대로 실천하고 행동하려고 한다. 이 과정에서 목사, 부모 혹은 자기 자신이 가르치고 다짐하는 행위는 하나님의 뜻이 인간 삶에서 표현되고 이해될 수 있도록 매개의 역할을 한 것이다. 따라서 하나님의 말씀을 가르치는 행위, 말씀을 이해하는 것, 또는 그 말씀을 따르고 실천하는 혹은 전파하는 행위 모두가 바로 하나님과 인간 사이의 매개체 역할을 하고 있는 것이며, 이 매개체로서의 역할, 즉 행위(실천)에 대해 연구하는 것이 실천신학의 연구 목표가 된다.

관련어 | 목회상담, 신학

실타래 치유
[- 治癒, skein heal]

심상치료에서 내담자의 문제를 이해하는 방법으로, 내담자가 지니고 있는 문제를 형태학적 측면으로 보아 엉켜 있는 실타래와 같은 마음의 기능과 상태에서 비롯된다고 파악하면서 그 엉킴을 풀어 나가는 작업을 일컫는 말. 심상치료

실타래의 형태학적인 면을 응용하여 심상치료에서 만든 개념으로, 내담자가 지닌 문제를 내담자의 마음과 기능이 실타래처럼 엉켜서 발생했다고 보고 문세해결 혹은 치유라는 것은 엉킨 실타래와 같은 내담자의 마음 및 기능을 단계별로 풀어 나가는 작업이라고 하였다. 심상치료에서는 실타래의 모양에 비유하여 내담자의 문제에 대한 개념을 유형별로 나누었는데, 실타래처럼 엉킨 자신의 문제가 안 풀린다고 답답해하는 유형, 실타래처럼 엉킨 자신의 문제를 보고 어찌할 바를 모르는 유형 등 '실타래처럼 엉킨'이라는 말을 앞에 두고 그 뒤에 다양한 정서적 반응유형을 붙여 20여 가지 문제유형을 보여 주었다. 내담자의 문제 심각성 정도에 따라서 실타래 자체의 손상, 실오라기가 전혀 없는 상태, 처음부터 재질 자체에 문제가 있는 경우, 푸는 것이 불가능할 정도로 심하게 엉켜 있는 상태, 엉킨 채 굳어 버린 상태, 실타래 실이 끊어져 버린 상태 등의 경우는 만성 신경증이나 정신장애와 같이 심각한 정신적 문제로 비유하였다. 심상치료 자체가 시각심상과 같은 은유적 방법을 기반으로 하기 때문에 문제를 보는 시각에서도 이러한 은유적 방법으로 접근하여 내담자가 문제를 형태학적인 면에서 구체적인 시각으로 탐색할 수 있도록 한다. 만성 신경증이나 정신장애로 비유한 실타래의 심각한 상태에서는 치료사가 시간, 지식, 열정, 인내와 같은 많은 노력을 기울여야 한다. 실타래의 형태학적인 면을 비유하여 장(腸) 치료에서도 이 같은 용어를 사용하기도 한다.

실행연구
[實行硏究, action research]

실천가가 자신이 처한 현실을 더 잘 이해하고 개선하는 활동을 추구하면서 수행하는 연구로, 현장에서 발생하는 문제를 해결하기 위해 새로운 기술이나 접근방법을 개발한 뒤 현장에서 직접 적용하여 효과를 알아보는 연구. 연구방법

실행연구의 대명제는 연구자와 연구대상의 일체성에 있다. 즉, 연구자 자신이 연구의 수행 과정 및 결과의 혜택을 직접적으로 누린다는 것이다. 따라서 실행연구는 연구자인 행위 당사자가 주체가 되어 자신의 개인적, 사회적 삶을 탐구하여 계속적으로 개선하고자 하는 과정 지향적 탐구 패러다임이다. 교육적 상황과 관련시켜 보면 실행연구란 행위 당사자인 교사가 또는 실행연구를 실시하는 전문연구자와 교사가 협력하여 모종의 개선계획을 실제로 행하면서 연구를 수행하는 것이다. 실행연구는 개선을 목표로 하되 연구와 실천이 순환적으로 전개되는 연구다. 리즌과 브래드버리(Reason & Bradbury, 2001)는 "실행연구는 우리가 역사의 현 시점에서 발현하고 있다고 믿는 참여적 세계관을 기반으로 하여, 인간에게 가치 있는 목적을 추구하는 데 필요한 실천적 지식을 획득해 가는 참여적이고 민주적인 과정이다."라고 정의하였다. 실행연구에서 연구자와 연구대상인 현장실천가와의 관계를 중심으로 실행연구의 유형을 기술적 실행연구, 실천적 실행연구, 해방적 실행연구로 구분하기도 한다. 기술적 실행연구는 실천의 효율성을 증진하는 것을 목적으로 하며, 현장의 실천가는 전문연구자에게 크게 의존한다. 실천적 실행연구는 효율성에 더하여 실천가의 이해와 전문성 발달을 목적으로 하며, 연구자는 실천가의 실천적 반성과 자기성찰, 즉 의식의 변화를 격려한다. 해방적 실행연구는 현존하는 한계와 조건 내에서 기술적이고 실천적인 개선, 실천가의 더 나은 이해를 촉구할 뿐만 아니라 체제나 조직의 변화 혹은 체제나 조직의 바람직한 개선을 저해하는 조건의 변화를 지향한다. 이러한 해방적 실행연구에서는 연구자와 실천가가 팀으로 협동하며 동등한 책임을 갖는다. 실행연구는 다음과 같은 네 가지 특징이 있다(Reason & Bradbury, 2001). 첫째, 사람들의 매일매일의 일상사에 유용한 실천적 지식을 산출하는 것이 주요 목적이다. 둘째, 실천적인 결과를 달성하려고 할 뿐만 아니라 새로운 형태의 이해를 창출하고자 한다. 이런 점에서 행위 없는 이론이 의미 없는 것처럼 성찰과 이해 없는 행위는 맹목적이다. 셋째, 사람들의 매일매일의 일상사와 함께하면서 해방적 방식의 앎과 실천적 지식을 추구하기 때문에 참여적 연구(participatory research) 성격을 띤다. 실행연구는 전문적인 연구자뿐만 아니라 연구대상이 되는 모든 사람과 함께 그들을 위해, 그들에 의해서 수행될 때 비로소 의미 있는 연구가 된다. 넷째, 매일의 경험에서 출발하고 체험적 지식의 성장에 관심을 갖기 때문에 탐구의 결과뿐만 아니라 탐구의 과정 자체가 매우 중요하다. 이에 따라 실행연구에서 얻는 지식은 완결된 명사형(knowledge)이 아니라 끊임없이 형성되어 가는 동사형(knowing)이다. 요컨대, 실행연구는 계획, 실천, 반성의 순환적 과정을 통해서 특정한 문제를 다루기 위해 고안된 연구의 한 유형이다. 그 문제는 그 상황에 가장 직접적으로 연관된 사람들이 확인하고 다룬다. 문제를 확인하고 실천을 해 나가는 것에 참여자가 적극 관여하는 것이 실행연구의 중심적인 전제다. 방법론은 사회적인 문제에 대한 현실적인 해결책을 제공하기 위한 하나의 과정으로서 대두되었다. 실행연구의 예는 산업조직체, 지역사회 개발 프로젝트, 교육에서뿐만 아니라 사회적 정의 실현에서도 찾아볼 수 있다. 또한 실행연구는 특정 준거를 충족시킨다(Breakwell, Hammond, Fife-Schaw, & Simth, 2006). 실행연구는, 첫째, 교육적이고, 둘째, 개인을 사회집단의 구성원으로 다루고, 셋째, 문제에 초점을 두고 상황 특수적이며 미래 지향적이고, 넷째, 변화중재를 포함하며, 다섯째, 개선을 목표로 한다. 연구자는 관심의 문제를 확인하고, 그 문제를

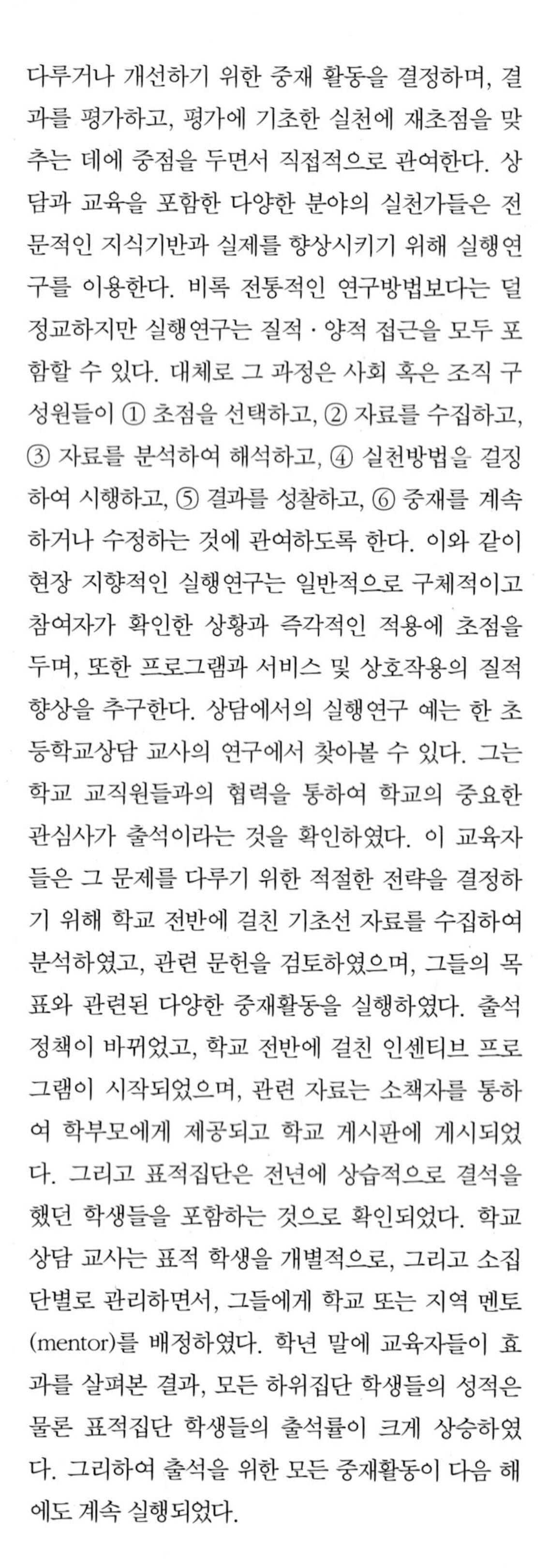

다루거나 개선하기 위한 중재 활동을 결정하며, 결과를 평가하고, 평가에 기초한 실천에 재초점을 맞추는 데에 중점을 두면서 직접적으로 관여한다. 상담과 교육을 포함한 다양한 분야의 실천가들은 전문적인 지식기반과 실제를 향상시키기 위해 실행연구를 이용한다. 비록 전통적인 연구방법보다는 덜 정교하지만 실행연구는 질적 · 양적 접근을 모두 포함할 수 있다. 대체로 그 과정은 사회 혹은 조직 구성원들이 ① 초점을 선택하고, ② 자료를 수집하고, ③ 자료를 분석하여 해석하고, ④ 실천방법을 결정하여 시행하고, ⑤ 결과를 성찰하고, ⑥ 중재를 계속하거나 수정하는 것에 관여하도록 한다. 이와 같이 현장 지향적인 실행연구는 일반적으로 구체적이고 참여자가 확인한 상황과 즉각적인 적용에 초점을 두며, 또한 프로그램과 서비스 및 상호작용의 질적 향상을 추구한다. 상담에서의 실행연구 예는 한 초등학교상담 교사의 연구에서 찾아볼 수 있다. 그는 학교 교직원들과의 협력을 통하여 학교의 중요한 관심사가 출석이라는 것을 확인하였다. 이 교육자들은 그 문제를 다루기 위한 적절한 전략을 결정하기 위해 학교 전반에 걸친 기초선 자료를 수집하여 분석하였고, 관련 문헌을 검토하였으며, 그들의 목표와 관련된 다양한 중재활동을 실행하였다. 출석 정책이 바뀌었고, 학교 전반에 걸친 인센티브 프로그램이 시작되었으며, 관련 자료는 소책자를 통하여 학부모에게 제공되고 학교 게시판에 게시되었다. 그리고 표적집단은 전년에 상습적으로 결석을 했던 학생들을 포함하는 것으로 확인되었다. 학교상담 교사는 표적 학생을 개별적으로, 그리고 소집단별로 관리하면서, 그들에게 학교 또는 지역 멘토(mentor)를 배정하였다. 학년 말에 교육자들이 효과를 살펴본 결과, 모든 하위집단 학생들의 성적은 물론 표적집단 학생들의 출석률이 크게 상승하였다. 그리하여 출석을 위한 모든 중재활동이 다음 해에도 계속 실행되었다.

실험
[實驗, experiment]

게슈탈트 치료에서 사용하는 기법의 총칭. 게슈탈트

실험은 치료자와 내담자가 함께 행하는 모든 탐색적 활동을 지칭한다. 이는 내담자의 문제를 이해하고 해결하기 위하여 치료자가 창의적인 아이디어를 구상하고 내담자와 함께 하나의 상황을 연출해 냄으로써 문제해결을 돕는 기법을 뜻한다. 이처럼 실험이란 어떤 현상을 관념적으로 분석하지 않고 실제 행위를 통하여 전개하고 탐색해 봄으로써 새로운 해결책을 모색하는 모든 창의적인 노력이다. 실험은 특정 목표를 달성하기 위해 고안된 것이 아니고 치료자와 내담자가 순간순간 접촉하는 과정 속에서 일어난다. 폴스터(Polster)에 따르면, 치료자가 고안한 실험은 이미 개발된 주제—내담자의 꿈, 환상, 신체인식과 같은—에서 유도되고, 내적 갈등을 실제적 과정으로 만들어 갈등을 표면화시키는 방법이다. 실험에 사용되는 대표적인 기법에는 빈 의자 기법, 실연, 두 의자 기법, 과장하기 등이 있다. 그는 형태실험이 다양하다고 하면서, 앞으로 있을 수 있는 위협적인 장면 상상하기, 내담자와 주요 타인과의 대화장면 설정하기, 고통스러웠던 기억 극화하기, 역할놀이를 통해 어머니나 아버지 되기, 내적 언어의 표현인 몸짓이나 기타 비언어적 신호에 집중하기, 개인 내부의 갈등을 일으키는 측면들 간에 대화하기 등을 예로 들었다. 이러한 실험은 진단과 치료의 두 가지 기능을 가지고 있다. 실험을 통해 내담자의 문제를 명료화하고, 내담자에게 새로운 경험을 할 수 있는 장을 마련해 주어 새로운 변화를 촉진한다. 징커(Zinker)에 의하면, 실험의 목적은 내담자의 행동반경을 넓혀 주고, 자신의 행동이 자신의 창조품이라는 자각을 높여 주고, 경험적 학습을 증가시키고, 행동을 통해 새로운 자아개념 형성을 도와주며, 미해결된 상황을 완결시키고, 알아차림-접촉주기의 차단을 극복하도록 해 주며, 인지

적 이해와 신체적 표현을 통합시키고, 의식되지 않은 양극성을 발견하게 해 주며, 성격의 분열된 측면과 갈등을 통합시켜 주고, 내사들을 몰아내거나 통합시키며, 억압된 감정이나 사고의 자연스러운 표출을 돕고, 내담자가 좀 더 자신감을 갖고 자립적으로 탐색할 수 있도록 도와주며, 자신에 대해 좀 더 책임을 지도록 도와주는 것이다.

관련어 | 과장하기, 빈 의자 기법, 실연

실험실적 접근
[實驗室的接近, laboratory approach]

T-집단의 접근법을 특징짓는 것으로서, 자기 자신과 다른 집단구성원의 피드백으로 자신의 행동패턴을 검토하고 보다 바람직하고 생산적인 새로운 행동을 실험해 보면서 소집단을 통한 도전과 훈련이 중심이 되는 방법. 집단상담

통칭 T-집단(훈련집단)이라고 부르기도 한다(Foreman, 1967). 비교적 비조직적인 작은 집단에서 집단구성원 모두가 직접 참여하여 스스로의 목표를 설정하고 상호 피드백을 주고받으며 집단활동을 관찰, 분석, 계획, 평가하는 등 직접적 경험을 통하여 주로 인간관계의 기술과 집단과정에 대해서 학습하는 것이 이 모형의 특징이라 할 수 있다.

관련어 | T-집단

실험연구설계
[實驗硏究設計, experimental research designs]

한두 개의 요인을 변화시키고 나머지 모든 요인은 일정하도록 엄격하게 통제된 상황에서 발생시킨 현상에 대하여 객관적으로 관찰하는 연구를 수행하기 위한 연구설계법. 연구방법

실험연구설계는 실험자가 인과적 가설을 검증하기 위하여 실험조건을 어떻게 구성하고, 피험자를 어떻게 배치하고, 실험처치를 어떻게 투입하고, 실험결과를 어떻게 분석할 것인지 등에 대한 계획이다. 연구의 설계에는 무선배정, 독립변인의 조작 혹은 범주화, 종속변인의 측정, 외부변인의 통제와 같은 요소들이 포함된다. 연구설계의 주요 목적은 결과에 영향을 미칠 수 있는 요인, 즉 외부변인을 통제함으로써 원인추론을 용이하게 하고(내적 타당도), 연구의 일반화 가능성을 증진시키는 데(외적 타당도) 있다. 무선배정은 처치나 중재를 받는 처치집단(실험집단)과 아무런 처치를 받지 않는 통제집단 혹은 다른 처치나 중재를 받는 비교집단이 동등해지도록 참가자(피험자)들을 실험조건에 무작위로 배치하는 것이다. 이는 연구자가 관심을 가지고 있는 독립변인 이외의 실험 외적인 변인들, 즉 가외변인(extraneous variable)이 종속변인에 편파적으로 미치는 것을 막기 위한 통제의 한 방편이다. 일반적으로 실험설계는 두 가지 유형, 즉 집단 간 설계(between-groups design)와 집단 내 설계(within-groups design)로 대별된다. 집단 간 설계는 실험에서 처치조건에 따라 상이한 피험자 집단을 사용하는 실험방안으로 피험자 간 설계라고도 한다. 반면, 집단 내 설계는 실험에서 각 처치조건에 동일한 피험자 집단을 사용하는 실험방안으로 피험자 내 설계라고도 한다. 피험자 내 설계는 같은 피험자가 2회 이상의 처치를 받고 측정된다는 의미에서 반복측정설계라고도 부른다. 실험설계는 네 가지 모형, 즉 진실험설계(true experimental design), 준실험설계(quasi-experimental design), 전 실험설계(preexperimental design), 단일대상연구설계(single-subject research design)로 구분할 수 있다. 진실험설계는 실험집단과 통제집단을 갖추고 있고, 피험자들을 각 집단에 무선배정하는 것이 특징이며, 준실험설계보다 실험의 내적 타당성이 훨씬 높아 실험적 연구를 하는 경우에 우선적으로 권장된다. 준실험설계는 연구자가 실험처치를 할 수는 있지만 모든 관련 변인을 완전하게 통제하거나 조작할 수 없는 실험설계로, 학급과 같이 기존의 집단을 실험집단 또는 통제집단으로 사용하여 실험처치를 하는

경우 자연적 집단을 그대로 사용하므로 실험의 외적 조건을 완전히 통제하지 못한다. 준실험설계에서는 엄격한 실험실이 아닌 일상생활 상황을 연구상황으로 선택하기 때문에 연구결과를 일반화하는 데에는 장점이 있지만 그 상황과 관련된 무수한 변인을 통제할 수 없어서 검증된 연구결과의 내적 타당성에 의문을 가질 수 있다. 전 실험설계는 무선배정을 하지 않고, 통제집단이나 비교집단을 두지도 않으며, 따라서 연구결과를 일반화할 수 없는 설계다. 단일대상연구설계는 실험처치의 영향을 알아보기 위하여 한 개인을 연구대상으로 하는 실험방안인데, 원칙적으로 한 개인을 대상으로 하는 연구지만 경우에 따라서는 소수의 개인으로 구성된 단일집단을 대상으로 실험하기도 한다. 단일피험자설계라고도 불리는 단일대상연구설계는 행동치료연구를 할 때 많이 이용한다. 예를 들어, 상담자가 개인상담 외에 집단상담에도 참여한 것이 파괴적 행동장애로 진단된 청소년들의 행동변화에 도움이 되는지의 여부에 관심이 있다고 하자. 만약 상담자가 개인상담과 집단상담을 모두 받은 내담자들의 행동변화를 비교하지만(피험자 내 설계) 특정 비교집단(개인상담만을 받은 내담자들)의 결과와 비교하지 않기로 결정했다면, 이는 전 실험설계에 해당된다. 비록 상담자가 내담자에게 어떤 변화가 있었는지 알 수는 있지만 개인상담만 받은 내담자의 변화와 비교하여 어떤 차이가 있는지는 알 수 없다는 점에서 그 결과는 제한될 수밖에 없다. 만약 상담자가 개인상담과 집단상담을 모두 받은 내담자의 점수와 개인상담만 받은 내담자의 점수를 비교하기로 결정했다면, 이는 준실험설계에 해당된다. 이 경우 비교집단은 있지만 가외변인을 통제하지는 못한다. 가외변인에 대한 통제는 내담자들이 개인상담만 받는 집단과 개인상담과 집단상담을 모두 받는 집단에 무선배정되는 진실험설계에서 가능하다. 그러나 진실험설계는 많은 가외 변인을 통제할 수 있지만, 실험이 너무 엄격하게 통제될 경우 실험상황의 결과를 비실험 상황, 즉 자연적 상황에 일반화할 수 없다는 문제점이 있다.

관련어 내적 타당도, 단일대상연구설계, 외적 타당도, 준실험설계, 진실험설계, 집단 간 설계, 집단 내 설계

실험집단
[實驗集團, experimental group]

독립변인을 처치 혹은 제공받는 피험자 집단. 연구방법

연구에서 관심을 두고 있는 처치를 받는 집단으로서, 주로 진실험설계나 준실험설계의 연구에서 실험하는 처치의 효과를 검증받는 집단을 의미한다. 예를 들면, 자기성장 집단상담 프로그램이 자존감 증진에 미치는 효과를 알아보는 연구에서 실험집단은 자기성장 집단상담 프로그램을 경험하고 사전, 사후검사 혹은 사전, 사후, 추수 검사를 통해 프로그램의 효과를 검증하는 집단이다. 이에 반해, 실험집단과 함께 사전, 사후 혹은 추수 검사를 받으면서 실험집단이 실험처치를 받는 동안 무처치 혹은 다른 프로그램을 제공받아 실험집단의 프로그램 효과와 비교하여 다른 결과가 있는지 알아보는 집단을 통제집단이라고 한다.

실현경향성
[實現傾向性, actualization tendency]

인간중심상담이론의 개념으로서, 자신의 잠재력과 가능성을 실현하려는 유기체의 타고난 경향. 인간중심상담

로저스(Rogers)는 인간이 가진 유일한 기본적인 동기로 성장과 증진을 위하여 끊임없이 나아가고자 하는 동기가 있으며, 이를 통해 생활 속에서 직면하는 고통이나 성장방해 요인을 극복할 수 있다고 믿었고, 이를 실현경향성이라고 불렀다. 다른 말로 자기실현경향성(self-actualizing tendency), 자기실현의 특성(characteristic of self-actualization)이라

고도 한다. 모든 사람은 태어나는 순간부터 자신이 되고자 하는 그 무엇도 될 수 있는 가능성과 잠재력을 가지고 있다. 다른 창조질서와 마찬가지로 인간은 자신을 유지하고 잠재력을 건설적인 방향으로 성취하려는 기본적이면서 선천적인 성향을 지니고 있다. 실현경향성은 환경이 야기하는 어려움에서도 유전적 청사진을 충족시키려는 생물학적 압력이며, 유기체를 유지하거나 고양시키는 방식으로 발달해 가려는 경향이다. 실현화는 욕구나 긴장의 감소와 같은 동기부여의 추동(motivational driver)을 포함하며, 고통스러운 노력이 따르더라도 창조적인 도전을 하거나 배우려는 욕구와 같은 성장동기를 포함한다. 실현경향성을 통해 유기체는 단순한 존재에서 복잡한 존재로, 의존적인 태도에서 독립적인 태도로, 경직된 자세에서 융통성 있는 자세로 발달된다. 실현경향성의 만족이란 안락함이나 편안함보다는 위대한 설계, 완성이라는 말로 이해되어야 한다. 실현경향성을 심리적 문제에 적용하면 인간은 본래부터 부적응 상태를 극복하고 정신적 건강상태를 되찾을 수 있는 능력이 있다고 해석할 수 있다. 따라서 상담을 통해 심리적 문제를 해결하는 기본 가정도 인간중심상담의 기본적인 철학적 신념에 근거한다. 내담자의 실현경향성을 촉진하기 위해서 상담자는 전문적인 기법을 사용하기보다는 내담자 스스로 자신의 문제를 해결해 가도록 촉진자의 역할을 해 주어야 한다.

관련어 | 자기실현

심리검사
[心理檢査, psychological test]

인간의 행동과 그 행동에 관련된 현상을 관찰하고, 수량척도나 고정된 유목을 이용하여 그것을 기술하기 위한 체계적 절차. 심리검사 심리 측정

심리검사는 특정 심리적 현상에 대한 개인 간 차이와 개인 내 차이를 측정하여 개인의 현재 상태나 전체 행동을 이해, 설명, 예측하는 데 필요한 중요한 지표를 제공해 준다. 심리검사 속에는 인간행동에 관련된 인지적·정의적·운동기능적 영역의 모든 행동뿐만 아니라 이러한 행동에 직접 혹은 간접으로 관련이 있는 환경(생태, 분위기)과 같은 인간 외적 변인을 개념화하고 측정하는 체계적 절차까지 포함된다. 이 같은 검사에는 검사의 실시, 채점, 해석을 표준화한 절차에 따라 하도록 구성된 표준화검사(standardized test)가 있는가 하면, 검사자가 검사목적을 위해 직접 제작하여 사용하는 검사, 그리고 주제통각검사(TAT), 로르샤흐 잉크반점검사(Rorschach ink-blot test)와 같은 투사적 방법에 의한 검사 등의 비표준화검사(nonstandardized test)도 있다. 표준화검사든 비표준화검사든 심리검사는 인간의 능력, 지각, 흥미, 동기, 성격, 적응, 가치, 태도와 같이 개인이 가지고 있는 심리적 특성과 그 정도를 밝힐 목적으로 일정한 조건에서 이미 마련된 자극 또는 문제나 작업을 제시한 다음 해당 개인의 반응을 특정 관점에 비추어 질적 또는 양적으로 기술하는 조직적 절차라고 정의할 수 있다. 특히 표준화검사라고 할 때 표준화는 기술적으로 엄격하게 통제된 검사의 내용과 방법을 의미하는 것으로, 그와 같은 절차를 거쳐 만들어진 검사를 표준화된 검사 또는 표준화검사라고 한다. 게다가 심리검사는 심리적 특성에 대한 개인 간 차이 또는 개인 내 차이를 확인하는 방법과 도구를 의미하기도 한다. 전통적으로 심리검사는 개인 간 혹은 개인 내 차이를 밝히는 데 사용되어 왔다. 그러나 최근에는 공동조직이나 산업기관에서 조직의 집단풍토 또는 집단생산성을 점검할 목적으로 집단을 하나의 단위로 하여 집단 간 혹은 집단 내 차이를 진단하고 평가하는 데 심리검사를 많이 활용하고 있다. 따라서 심리검사는 개인 및 집단의 심리적 특성을 밝히기 위한 조직적 절차라고 할 수 있다. 이처럼 지적 능력이나 기술을 측정하는 방법이나 도구를 검사라고 하며 흥미, 태도, 동기, 습

관과 같은 정의적 영역을 측정하는 방법이나 도구를 지칭할 때는 검사 대신 인벤토리(inventory), 체크리스트(checklist), 인덱스(index), 조사(survey), 프로파일(profile), 설문지(questionnaire) 등의 용어를 사용하기도 한다. 심리검사는 기준에 따라 여러 가지로 분류할 수 있다. 첫째, 검사절차의 의도에 따라 최대수행능력검사(maximum performance test)와 대표적 행동표현검사(typical performance test)로 구분한다. 최대수행능력검사는 최적의 조건이 주어졌을 때 피험자가 최고로 수행할 수 있는 능력이 어느 정도인가에 관한 정보를 주는 반면, 대표적 행동표현검사는 피험자의 평소 행동이나 전형적인 특성에 관한 자료를 제공해 준다. 둘째, 문항의 난이도와 시간제한 여부에 따라 역량검사(power test)와 속도검사(speed test)로 구분한다. 역량검사는 다양한 난이도와 복잡성을 가진 문항에 대해서 피험자가 시간에 구애받지 않고 얼마나 정확하게 해결할 수 있는가를 측정하는 반면, 속도검사는 문항은 쉽지만 반응시간이 엄격하게 제한되어 있기 때문에 몇 문제를 얼마나 빨리 정확하게 대답했는가를 측정한다. 셋째, 한 번에 실시할 수 있는 대상 수에 따라서는 개별검사(individual test)와 집단검사(group test)로 구분한다. 개별검사 혹은 개인검사는 한 번에 한 사람씩 검사하도록 만들어진 것으로서 검사수행에 영향을 미칠 수 있는 요인(독해수준, 불안, 피로 등)을 고려할 수 있고 피험자를 면밀하게 관찰할 수 있는 반면, 집단검사는 한 번에 많은 피험자를 동시에 검사하도록 만들어진 것으로서 선택형 문항으로 되어 있으며 일반적으로 규준(norm)이 마련되어 있다. 넷째, 채점자의 주관개입 여부에 따라 객관적 검사(objective test)와 주관적 검사(subjective test)로 구분한다. 객관적 검사는 일관성 있게 실시하고 결과를 작성하여 자료를 해석할 수 있도록 검사절차와 채점이 마련되어 있는 반면, 주관적 검사는 보다 열린 형태로 자료 수집(서술형, 논술형, 확장형 구성반응)을 하도록 되어 있어 융통성 있게 채점할 수 있고 채점자의 판단이 요구된다. 한편, 검사라는 용어와 관련하여 배터리(battery)라는 개념이 있는데, 이것은 여러 부분으로 구성된 한 벌의 기구 또는 장치라는 뜻이다. 그러므로 심리검사에서 직업적성검사 배터리(General Aptitude Test Battery)와 신경심리검사 배터리(Halstead-Reitan Neuropsychological Test Battery)처럼 능력적 특성을 측정하되 2개 이상의 하위검사로 이루어진 종합검사를 의미할 때 이 용어를 사용한다. 즉, 비교적 비슷한 영역의 내용을 종합적으로 측정하기 위해 2개 이상의 검사가 모여 하나의 배터리를 이룬다. 검사의 제작 목적과 실시대상에 따라 검사의 기능이 크게 다를 수 있지만, 대개 심리검사는 개인에 대한 일종의 의사결정을 하는 데 사용되기 때문에 이에 필요한 보다 정확하고 객관적인 정보를 수집·활용하는 것이 심리검사의 주요 기능이라고 할 수 있다. 임상심리전문가들은 환자의 장애를 진단하기 위해 심리검사를 실시하고, 대학에서는 신입생을 선발할 때 학업적성검사와 성격검사와 같은 심리검사를 실시하기도 하며, 기업체에서는 신입사원의 채용, 승진과 같은 인사 관리에 관한 결정을 내리기 위해 심리검사를 실시하기도 한다. 이 같은 종류의 의사결정은 개인에 대해 타인이 내리는 의사결정이지만 심리검사는 피험자가 자신을 보다 정확하게 이해하고 스스로 자신의 진로를 탐색하고 결정하는 경우에도 사용된다. 그리고 프로그램이나 서비스의 효과를 평가하기 위해 심리검사를 실시할 때도 있고, 연구를 수행하는 과정에서 연구가설을 검증하는 데 필요한 자료를 수집하기 위해 심리검사를 실시하는 경우도 있다. 그러므로 심리검사는 실시 목적에 따라 이해, 선발, 분류, 정치(placement), 진단, 평가, 검증과 같은 다양한 기능을 가지고 있다.

관련어 | 사정

심리게임
[心理-, psychological game]

교류분석

⇨ '게임' 참조.

심리결정론
[心理決定論, psychic determinism]

우연한 것으로 보이는 인간의 어떤 행동도 특정한 동기와 원인을 가지고 있다는 이론. 정신분석학

프로이트(S. Freud)의 결정론적 관점에 따르면, 아무런 원인도 없는, 즉 저절로 발생하는 현상이란 없다. 어떤 원인이 반드시 있었기 때문에 그 결과로 인간은 기쁘고 괴롭고 분노한다. 희로애락을 결정하는 것은 외부의 환경적 조건이라는 견해를 가진 학자들도 있지만, 프로이트는 이와 정반대의 입장을 취하였다. 인간행동을 결정하는 것은 환경의 외적 조건보다 오히려 개인의 심리 내적 조건이라고 보았다. 개인이 겪는 갈등은 내부에 존재하는 어떤 정신적 원인이 작용한 결과이므로 그 원인이 제거되지 않는 한 심리적 문제는 결코 해결되지 않는다. 따라서 개인의 사고, 감정, 행동을 결정하는 정신적 원인의 실체가 무엇인지 규명하고자 하는 것이 정신분석의 궁극적 목표가 된다. 인간은 현재 자신의 행위를 결정하고 그에 따른 책임을 질 수 있는 주체적 존재라기보다는 과거 성장기 동안의 생활경험에 의해 전적으로 영향을 받는 존재다. 정신분석은 생애 초기 6년간 발달적 경험을 강조하는데, 과거 어린 시절의 경험과 심리 성적 에너지는 무의식적인 동기와 갈등으로 잠재되어 있다가 현재 행동에 영향을 미친다. 과거의 경험들은 무의식 안에 있기 때문에 결국 현재의 행동과 느낌은 무의식에 따라 결정된다는 것이다. 심지어 우연이나 실수처럼 보이는 행동도 의미가 있으며, 반드시 무의식 속의 어떤 원인 때문에 발생한다고 간주한다. 인간에 대한 이러한 결정론적인 관점은 주어진 어떤 현상을 있는 그대로 이해하는 것에서 한 걸음 더 나아가 이면의 그 무엇을 발견하려는 분석적 태도를 취하도록 한다. 또한 개인이 즉각적으로 자각하거나 통제할 수 있는 범위를 넘어서 있는 그 어떤 힘의 영향을 받는다고 주장한 프로이트는 비이성적인 힘인 본능적 추동이나 무의식적 동기가 인간행동을 결정한다고 보았다.

관련어 | 심리성적발달

심리교육적 가족치료
[心理教育的家族治療, psychoeducational family therapy]

심리정서장애에 대한 교육, 가족의 지원 등에 대한 교육을 시행함으로써 환자와 그 가족에게 발생하는 스트레스를 감소시키기 위한 접근방법. 기타 가족치료

심리교육이란 정신장애자와 그 가족에 대하여 질병의 성질이나 치료법, 대처방법 등 요양활동에 필요한 올바른 지식이나 정보를 제공하는 것이다. 심리치료적인 배려를 가한 교육적, 원조 접근법의 총칭이라고도 할 수 있다. 정신장애는 환자와 그 가족에게 커다란 심리적인 짐이다. 따라서 단순히 정보만 제공하여 교육하기보다는 심리치료적인 배려, 즉 환자와 가족의 심리적인 부담을 덜어 주기 위한 지원도 포함된다는 의미에서 심리교육이라는 용어를 사용했다고 할 수 있다. 심리치료적 배려의 목적은 환자와 가족의 기분이해와 지지, 그리고 질병에 따르는 스트레스에 대한 대처능력의 향상이라고 할 수 있다. 그리고, 이러한 견해에서 보면 정신장애만 아니라 치매, 당뇨병, 도벽 등의 환자가족을 대상으로 심리교육적 가족치료가 가능하다. 이 같은 심리교육적 가족치료는 정신분열증에 대한 전통적인 가족치료와 정신과적인 접근에 대한 불만에서 시작되었다. 그 중심에 선 학자는 캐럴 앤더슨(Carol Anderson),

더글러스 라이스(Douglas Reiss), 그리고 제럴드 호가시(Gerald Hogarty)였다. 이들은 정신분열증 환자의 치료와 사회적 적응을 위해서 증상과 기능, 예상되는 문제 등을 사전에 환자와 그 가족에게 교육하여 만성적인 정신질환에 효과적으로 대응할 수 있도록 도와주는 것이 재발방지에 매우 효과적이라고 주장하였다. 따라서 정서장애가 있는 환자의 가족이 경험할 수 있는 스트레스를 예측하고, 환자 주변에서 발생할 수 있는 갈등을 약화시키는 방법과 기술을 교육하는 것에 초점을 맞추었다. 즉, 환자의 가족을 환자를 지지하고 그 역량을 강화해 주는 협력적 파트너로 구축하고자 하는 것이다. 이러한 심리교육적 가족치료의 핵심적 개입은 환자가족의 기대수준을 낮추고, 환자에게 정상적으로 행동하도록 압박하는 수준을 낮추게 하는 것이다. 이 목적을 달성하기 위해서 환자와 그 가족을 위한 워크숍을 열기도 하고, 가족과의 모임을 주선하기도 한다. 그리고 그러한 기회에 환자의 해당 정서문제의 발병과 과정, 생물학적 병인, 약리학, 심리사회치료의 방향, 약물치료, 예후, 환자와 가족의 요구, 가족의 대처방안 등이 다루어진다.

관련어 | 의료가족치료

심리도식작용
[心理圖式作用, schema operation]

심리도식영속화와 심리도식치유의 과정. 도식치료

심리도식은 개인의 모든 사고, 감정, 행동 및 생활경험을 영속화하거나 치유하는 작용을 할 수 있다. 심리도식영속화(schema perpetuation)는 심리도식이 꾸준히 지속되도록 하는 내적 · 행동적인 모든 것을 말한다. 심리도식영속화에는 심리도식을 강화하는 사고, 감정, 행동과 자기충족적 예언(self-fulfilling prophecy)이 포함된다. 심리도식은 세 가지 주요 기제를 통해 영속화된다. 첫째, 심리도식을 강화하는 방식으로 상황을 잘못 지각하는 인지적 왜곡을 통해 영속화된다. 둘째, 심리도식과 연결되어 있는 정서를 차단하는 자기패배적인 생활 패턴을 통해 영속화된다. 셋째, 치유 가능한 인간관계를 회피하고 부정적인 반응을 유발하면서 관계에 대처하는 방식을 통해 영속화된다. 성격문제를 지닌 대부분의 사람들은 어린 시절부터 시작된 부정적인 패턴을 자기패배적인 방식으로 반복한다. 그들은 심리도식을 영속화하고, 그 영향은 사고 · 정서 · 행동 · 대인관계 방식의 영역에 만성적이며 광범위하게 나타난다. 그렇게 함으로써 어릴 때 자신에게 가장 심각한 상처를 준 바로 그 상황을 뜻하지 않게 다시 만들어 낸다. 심리도식치유(schema healing)는 심리도식치료의 궁극적 목표다. 치유된다는 것은 부적응적 심리도식과 연결된 기억의 강도, 심리도식의 정서, 신체감각의 강도, 부적응적 인지 모두가 경감되는 것을 의미하며, 부적응적 대처방식을 적응적인 행동패턴으로 대체하는 행동변화도 포함된다. 부적응 심리도식이 치유됨에 따라 부적응적 심리도식이 활성화되는 빈도가 줄고 관련된 정서의 강도가 약해지면서 회복속도는 더 빨라지고 심리도식이 촉발되더라도 건강한 방식으로 반응하게 된다. 심리도식은 자기정체감의 중심이고, 심리도식을 포기한다는 것은 자신을 붕괴시킬 수 있기 때문에 내담자는 심리도식을 포기하지 못하고, 또한 심리도식과 연합된 기억을 완전히 지워 버리지 못하기 때문에 심리도식은 완전하게 치유되거나 사라지지 않는 것이다. 상담에 대한 저항은 자기보호이고 통제감과 내적인 정합성을 유지하려는 시도라고 볼 수 있다.

관련어 | 심리도식치료, 초기 부적응 도식

심리도식치료
[心理圖式治療, schema therapy]

전통적인 인지행동치료개념과 치료방법을 의미 있게 확장시킨 혁신적이고 통합적인 심리치료로서, 내담자의 심리도식을 추적하여 이를 인식하고 변화시키는 데 주안점을 두는 상담요법. 도식치료

심리도식치료는 영(Young)과 그의 동료들이 개발한 것으로서, 특히 전통적인 인지행동치료를 통해서는 적절한 도움을 받을 수 없었던 고질적이고 만성적인 성격문제를 지닌 내담자를 치료하고자 하였다. 심리도식치료에서는 인간이 지닌 다섯 가지 보편적이고 핵심적인 정서욕구로 타인과의 안정애착, 자율성과 유능감과 정체감, 타당한 욕구와 감정을 표현하는 자유, 자발성과 유희, 현실적 한계 및 자기통제를 가정하고 내담자가 이를 충족시킬 수 있는 적응적인 방식을 찾는 것이 목표였다. 심리도식치료에서는 심리적 문제의 기원을 이해하기 위해 아동기와 청소년기의 탐색을 주장하면서 체험적 기법, 상담-내담자 관계, 부적응적 대처방식 등을 더 강조하여 기존의 인지행동치료를 확장시켰다. 심리장애의 만성적이고 성격적인 부분을 치료하기 위해 개발된 심리도식치료는 만성적인 우울과 불안, 섭식문제, 부부문제, 대인관계문제 등을 치료하는 데 유용한 것으로 밝혀졌다. 내담자와 상담자가 만성적이고 일반화된 문제를 이해하고 그것을 알기 쉬운 방법으로 조직화할 수 있도록 도움을 주는데, 특히 내담자의 대인관계에 주안점을 두고 초기 아동기부터 현재까지의 심리도식을 추적한다. 이 같은 모형에 따른 상담을 통해 내담자는 자신의 성격문제를 자신과 동일시하고 당연하게 여기기보다 해결해야 하며 해결할 수 있는 문제로 볼 수 있게 된다. 치료자는 내담자와 동맹을 맺고 내담자의 부적응적인 심리도식과 함께 맞서 싸우기 위해 인지적·정서적·행동적·대인관계적 방략들을 활용한다.

관련어 초기 부적응 도식

심리물리동형설
[心理物理同型說, isomorphism]

지각세계에서의 전체성은 두뇌에서의 전체적 활동과 동형대응(同型對應)을 이룬다는 이론. 게슈탈트

쾰러(Köhler), 코프카(Koffka) 등의 게슈탈트 심리학자가 내세우는 가설로서 일종의 심신병행설(心身並行說)이다. 쾰러에 따르면, 심리학에 관하여 발견된 게슈탈트성은 그 밑바닥에 있는 생리-물리의 세계에서도 성립되며, 이러한 의미에서 심신의 세계는 구조가 동형이라고 하였다. 1920년대까지 게슈탈트 심리학은 일반적인 지각영역에서 흥미있는 현상과 관계되는 심리학적 관찰에만 국한되어 있었다. 한편, 쾰러는 1920년 『물리적 게슈탈트』에서 심리적 현상과 물리적 현상의 동형론을 주장하였다. 지적 현상도 뇌 기능과 관련된 심리적 과정이지만, 심리학자에게 중요한 의문은 우리가 지각을 할 때 관계되는 생리적 과정이 어떤 것인가다. 흔히 물리적 과정의 상태가 심리적 사상들과 근접해 있고, 인간의 지각에는 많은 사실이 포함되어 있는 것으로 알려져 있다. 그리고 시각의 생리학적 과정이 특별히 규칙적이고 단순한 형태를 가진 것으로 제시될 때 같은 조건에서 그에 해당하는 과정이 뇌 속에서 같은 경향을 갖는다는 것이 증명이 되면, 이를 구조속성이라 부를 수 있을 것이다. 이것은 이 경우뿐만 아니라 여러 가지 다른 지각 사실과 그에 해당하는 뇌의 과정에서도 공통되는 구조적 특징일 수 있다. 이러한 논리를 바탕으로 게슈탈트 심리학자들은 이 같은 가정을 일반적 가설의 형태로 공식화하였다. 즉, 심리학적 사실과 그에 기초하는 뇌 과정은 그들의 구조특성과 유사하다는 것이다. 그러다가 1950년 중엽부터 여러 방면에서 패턴인식이 문제되기 시작하면서 물리-생리 세계에서의 게슈탈트성이 재인식되고 있다.

관련어 게슈탈트 심리 치료

심리사회적 발달이론
[心理社會的發達理論,
psychosocial development theory]

에릭 에릭슨(E. H. Erikson)이 제시한 것으로서, 프로이트(Freud)의 이론을 확장하고 개인이 기능하는 데 자아의 중요성을 강조한 이론. 개인심리학

에릭슨은 인간의 발달은 성숙과정인 생물학적 요구와 사회적 압력 간의 상호작용에서 비롯된다고 하면서 사회화의 차원을 강조하였다. 태어나서 죽을 때까지의 전 생애를 발달의 과정으로 본 최초의 이론가로, 그는 『Childhood and Society』에서 문화권에 따라 다소 차이가 있지만 보편적으로 거치게 되는 인생의 8단계를 제시하였다. 또한 성숙의 힘에 지배되는 발달단계가 존재하며, 각 단계마다 각각 개인과 그를 둘러싼 사회환경 간의 상호작용이 빚어내는 심리사회적 위기가 있다고 주장하였다. 궁극적인 자아정체감과 심리적 건강을 획득하기 위해서는 각 단계의 위기를 극복해야 하며, 여기에서 자아가 중요한 역할을 한다고 보았다. 1단계는 기본적 신뢰감 대 기본적 불신감의 단계다. 에릭슨에 따르면, 자신과 타인에 대한 신뢰의 감각은 인생 처음 1년 동안의 경험에서 파생된다. 이 시기에 처음으로 맺는 사회적 관계에서 욕구와 필요가 적절히 일관성 있게 충족되면 유아는 돌보는 사람뿐만 아니라 그 외의 타인도 신뢰한다. 기본적 신뢰감의 형성은 세상에 대한 태도를 형성하는데, 이 시기의 신뢰감 형성은 인생 후기 모든 사회적 관계의 성공적 적응과 밀접한 관련이 있다고 하였다. 한편으로는 불신감의 효용도 언급하였다. 2단계는 1~3세경의 자율성 대 수치심의 단계다. 신경계의 발달로 배변조절이 가능해지며 걸을 수 있고 혼자서 먹을 수 있게 된다. 이때 유아는 스스로 선택하고자 하며 자신의 의지를 드러내려고 한다. 유아는 자율성을 갖고자 하며 새로운 힘의 감각을 익힌다. '나' '내 것' 같은 말을 자주 하고, '아니야' '안 해' '내가' 등을 써서 자기주장을 한다. 배변을 주무르거나 혼자 먹는다고 밥상을 엉망으로 만드는 등 자신의 의지대로 행동하고자 하면, 사회화의 수행자인 부모는 유아가 사회적으로 적합한 행동을 하도록 훈련시킨다. 이러한 사회적 기대와 압력을 의식하면서 수치심과 회의가 나타날 수 있는데, 훈련을 빌미로 삼아 아동의 노력을 묵살하거나 실수를 과장하는 것 등은 아동에게 스스로 하고자 하는 충동을 능가하는 수치심과 회의를 유발한다. 3단계는 3~6세경의 주도성 대 죄책감의 단계다. 이 시기의 유아는 언어를 능숙하게 구사하고 활동영역도 넓어지며 새로운 것에 대해 무한한 호기심을 나타낸다. 주도성이란 대범하고 호기심이 많으며 경쟁적인 특성을 말한다. 주도성을 지닌 아동은 계획을 세우고 목표를 설정한 다음 그것을 달성하려고 한다. 예를 들어, 5세 아동은 블록을 얼마나 높이 쌓을 수 있는지에 도전하고 침대에서 누가 높이 뛰어오를 수 있는지 내기를 하며 처음에 보는 것은 무엇이든 호기심을 가지고 이것저것 캐묻곤 한다. 이들의 행동은 목표 지향적이고 경쟁적이며 상상력이 풍부하고 대범하다. 4단계는 7~12세경의 근면성 대 열등감의 단계다. 자아성장이 결정적인 시기로, 이때의 아동은 기초적인 인지적 기술과 사회적 기술을 습득하며, 사회에서 통용되고 유용한 기술을 배우는 데 전념한다. 학교생활을 하면서 꾸준한 주의집중과 지속적인 근면을 유지하는 자아력을 발달시키고, 또래와 어울려 놀고 일하는 것을 배우게 된다. 이 단계에서 지나친 부적절감이나 열등감을 경험하면 문제가 나타난다. 아마도 많은 사람의 기억 속에 초등학교 시절 교실이나 운동장에서 겪은 실패의 아픔이 하나둘쯤 있을 것이다. 심한 열등감은 여러 가지 원인에서 오는데, 전 단계의 갈등이 해결되지 못하여 어려움을 겪기도 하고 때로는 아동에 대한 학교와 지역사회의 편견 때문에 근면성의 발달이 방해를 받기도 한다. 5단계는 청년기로 정체감 대 정체감 혼미의 단계다. 에릭슨은 모든 시기 중 청년기에 가장 주목했는데, 이때는 급격한 생리적 변화로 성적, 공격적 충동이 자

아를 위협할 만큼 강해지는 격동의 시기라고 보았다. 청년기의 가장 중요한 과제는 새로운 자아정체감, 즉 나는 누구인가 또 거대한 사회 속에서 나의 위치는 어디인가에 대한 느낌을 확립하고 자신의 능력, 역할, 책임에 분명한 인식을 갖는 것이라고 생각하였다. 정체감의 형성은 전 생애에 걸친 과정이지만 정체감의 문제는 청년기에 위기를 맞는다. 왜냐하면 청년기는 내외적인 변화(신체적, 사회적)가 많이 일어나고 미래와 관련된 여러 가지 선택이 이루어지는 시기이기 때문이다. 청년기에는 사춘기 동안의 급격한 신체적 변화에 따른 자신의 모습에 당황해한다. 10대가 거울 앞에서 많은 시간을 보내는 것도 이 같은 이유다. 그러나 정체감의 문제는 이러한 신체적 변화나 본능적 충동 외에 사회적인 측면을 함축하고 있다. 이들은 다른 사람들 눈에 자신이 좋게 보이지 않으면 어쩌나, 다른 사람의 기대에 어긋나면 어쩌나 하는 생각을 한다. 그리고 사회에서의 자기 진로에 대해서도 생각한다. 급속하게 성장하는 정신능력을 갖춘 청년들은 자기 앞에 놓인 무수한 선택의 가능성에 압도되어 버린다. 이 시기의 청년들은 지신의 의문에 답을 찾으려고 노력하지만 그 과정은 결코 쉽지 않다. 에릭슨은 고민과 방황의 시간이 길어질 때 정체감 혼미가 온다고 말하였다. 이와 같이 자신이 누구인가에 대한 확신을 갖기가 힘들기 때문에 청년들은 소속 집단에 동일시하는 경향을 보이고, 당파적이면서 편협하고 동지와 적을 구분하므로 다른 사람들에게 배타적일 수 있다. 방황이 계속되면 부정적인 정체감이 형성되기도 한다. 6단계는 성인기로 친밀감 대 고립감의 단계다. 에릭슨은 성인기 단계를 고려한 최초의 프로이트학파 학자이며 발달연구자 중 한 사람이다. 청년기 이후의 단계는 사람들이 다른 사람에 대한 사랑과 보살핌을 넓혀 가고 심화시켜 가는 과정을 나타낸다. 성인기에 이르면 상대방에게서 공유된 정체감을 찾으려 하기 때문에 타인과의 친밀감을 형성하는 일이 중요한 과제가 된다. 물론 청년기에도 사랑에 빠지는 경우가 있다. 하지만 청년들은 자신이 누구인지, 다른 사람들 눈에 어떻게 보이는지, 자신이 어떤 사람이 될 것인지 등에 대한 관심으로 사랑을 하면서도 한편으로는 자기몰두적이다. 이처럼 청년들은 상대방을 통해 자기를 정의하려고 하고 자신을 해명하는 문제에 골몰하기 때문에 타인과의 관계에서 진정한 친밀감에 도달하기는 쉽지 않다. 정체감을 확립하지 못한 사람은 스스로에 대해 자신이 없어지고 타인과의 관계에서 친밀감을 형성하지 못하면서 고립되어 자기 자신에게만 몰두하게 된다. 7단계는 중년기로 생산성 대 침체성의 단계다. 두 사람이 친밀감을 형성하게 되면 그들의 관심은 두 사람의 관계를 넘어서서 확대되며, 다음 세대를 이끌고 가르치고 키워 나가는 데 관심을 갖기 시작한다. 생산성은 자녀를 낳고 기르는 것뿐만 아니라 넓게는 다른 사람들이나 그들의 다음 세대를 위해 일을 하고 그들에게 보다 나은 세상을 만들어 주는 데 기여하는 것을 뜻하기도 한다. 이때 생산성이 결핍되면 성격이 침체되고 불모화된다. 이러한 사람들은 종종 유사 친밀상태로 퇴행하거나 타인에 대한 관심보다는 자신의 욕구에 더 치중하는 경향이 있어서 타인에 대한 관대함을 잃고 스스로에게만 빠져든다. 마지막 8단계는 통합성 대 절망감의 단계다. 때때로 노인은 오랜 경륜의 지혜를 갖춘 존재로 생각되기도 했지만 이제는 옛날이야기가 되고 말았다. 노인들은 은퇴로 인해 직업과 수입원을 잃고 체력과 건강도 잃는다. 시간이 지나면 친구나 배우자를 잃기도 한다. 급변하는 현대사회는 오랜 경륜의 가치를 많이 약화시켰다. 성공적인 노년은 이러한 신체적 · 사회적 후퇴에 어떻게 적응하느냐에 달려 있다. 에릭슨이 강조하는 적응은 외적인 것이 아니라 성숙과 지혜에 대한 잠재력을 갖기 위한 내적인 투쟁을 의미한다. 대부분의 경우 노년기에 들어서면 자신의 생애를 되돌아보며 자신의 인생이 가치 있었는지 생각하게 된다. 이러한 과정에서 이미 살아온 생애가 후회되고 되돌리기에는 너무 늦어 버려서 보다 나은 삶을 선택할 수 없다는 궁극적인 절망감에 이르게 된다. 이 절망감은 사소한 일에 대한 혐오로 나타나기도 한다. 또한 노인들은 다른 사람의 실수나 잘못을 참지 못하는데, 이것은 스스로에 대한 경멸과 관련이 있다고 한다. 이와 같은 절망감 속에서도 노인들은 통합감을 찾고자 한다. 자아통합감이란 지나온 인생에 대해 그럴 수밖에 없었음을 받아들이고 인생의 의미를 찾아 인생에 대한 참다운 지혜를 획득하는 것이다. '그래, 그때 그렇게 해서는 안 되는 거였는데 내가 실수를 했다. 그러나 나는 그때 그럴 수밖에 없었고 그것이 내게는 최선이었다.'는 태도를 갖는 것이다. 사람들은 노인의 외적인 쇠퇴에 초점을 두어 노인에게 연민을 가지기 쉬운데 에릭슨은 노인의 내적인 투쟁에 초점을 맞추었다. 그는 노인들은 죽음을 면전에 두고 인생의 의미를 되묻고 있으며, 무엇이 인생을 의미 있게 해 주는지에 대한 답을 하기 위해 애쓰고 있는 존재라고 하였다.

심리사회적 유예기
[心理社會的猶豫期, psychosocial moratorium]

관여와 성취가 너무 어려워 자기 자신을 찾기 위한 일종의 '타임아웃' 기간. 개인심리학

청소년 집단이란 성인의 역할과 책임을 일정 기간 연기시키는 심리사회적 유예기라 할 수 있다. 이 시기는 사회적, 직업적 역할을 탐색하는 시기이며, 자아정체성을 확립하고 탈중심화가 일어난다. 자아정체성 탐색과정에는 자신의 가능성의 발견과 함께 가능성의 포기와 체념의 과정도 포함된다. 청년 초기 이상적 자기상에 담았던 많은 자아기대를 포기하는 과정에서 청소년들은 자신의 한계를 인정하고 수용함으로써 객관적인 자아정체감을 확립하게 된다. 이러한 정체성 탐색과정 중에 이들은 때로 자신에 대한 절망과 방황, 동요를 경험하는데, 이 때문에 에릭슨(E. Erikson)은 청년기를 '심리적 유예기'라고 정의한 것이다. 이 시기에 극복해야 할 과제로는, 첫째, 자신에 대한 인식의 연속성과 동질성의 확립이다. 자신의 과거경험을 반추하고 현재의 자신을 이해하며 미래에 가능한 모습을 탐색하는 과정 속에서 일관성과 연속성 있는 자아정체성을 확립하는 것이다. 둘째, 상이한 관점과 시각에서 서로 달리 판단될 수 있는 자아의 여러 국면을 일관성 있는 하나의 자아체계로 통합하는 것이다. 셋째, 자신의 독특성 또는 특수성의 확립이다. 에릭슨은 사회적으로 심리사회적 유예기간이 청소년에게 주어지지 않고 그들도 이러한 유예기를 두렵기만 한 방황기로 인식한 나머지 자신이 원하지 않는 사회적 역할을 너무 조급하게 받아들이는 경우, 예를 들면 조기취업이나 학업중단, 혹은 자신의 방황을 견디기 어려워 군에 입대하는 경우들에서 정체감 유실이 발생할 수 있다고 하였다. 유예기가 장기간 지속되면 방황은 물론이고 청소년에게는 고통스러운 경험이 된다. 적절한 유예기 경험을 통해 비로소 청소년은 보다 높은 차원의 인격적 성숙과 사회적 참여를 이룰 수 있다고 보았다.

관련어 | 자아정체성, 정체성 위기, 탈중심화

심리성적발달
[心理性的發達, psychosexual development]

정신분석이론에서 소개한 성격발달과정. 정신분석학

프로이트(S. Freud)는 발달을 본능적 측면에서 설명하면서 발달을 추동하는 원천을 성적 욕망과 동기라고 보았다. 발달이란 리비도가 점차적으로 좀 더 구조화된 방식으로 나타날 때 보이는 패턴을 뜻한다. 출생 시부터 성인기까지의 심리발달 및 성격발달을 성(性)에 근거하여 기술하였다. 이때 성이란 단순히 성교(性交)만이 아니라 빨거나 무는 것,

배설이나 보유하는 것, 심지어 꼬집는 것과 같은 잔인한 행동까지 포함하여 신체에 쾌감을 일으키는 것을 포괄적으로 일컫는 개념이다. 따라서 심리성적발달단계의 명칭도 각 시기에 성적 흥분이 가장 민감한 신체부위에 따라 명명되었다. 성적 에너지인 리비도가 집중되는 곳에 따라 생물학적으로 예정된 성격발달단계를 거친다. 프로이트는 개인의 성적 인생을 크게 세 단계로 나누었다. 첫 번째 단계는 생후 약 5세까지의 유아성욕기이고, 두 번째 단계는 잠복기이며, 세 번째 단계는 생식기다. 이 중에서 초기 유아성욕기는 다시 세 단계로 구분되는데, 각각 구강기, 항문기, 남근기가 된다. 이처럼 전체 심리성적발달단계는 성적 쾌감을 제공하는 신체기관에 따라 구강기, 항문기, 남근기, 잠복기, 생식기의 5단계로 세분화된다. 성적 본능이 가지고 있는 리비도는 출생 직후 먼저 입에 집중되며 점차 성장하면서 항문과 생식기 등 다른 신체부위로 옮겨간다. 이전 발달단계에서 추구하는 욕구가 적절하게 충족되면 다음 단계로의 이행이 자연스럽게 진행되고, 건강한 성격을 형성하게 된다. 그러나 각 발달단계에서 욕구가 지나치게 충족되거나 결핍되면 다음 발달단계로 넘어가는 데 지장을 초래하고, 성인이 되어서도 그 단계에 고착되어 성격형성에 문제가 나타난다. 고착은 심리성적발달의 초기단계를 원만하게 거치치 못했을 때 리비도의 일부가 특정 발달단계와 특정 대상에 얽매여 있는 상태를 뜻한다.

관련어 구강기, 남근기, 생식기, 잠복기, 항문기

심리심상치료
[心理心像治療, psycho-imagination therapy]

쇼어(Shorr)가 개발한 심상치료로, 자각과 변화촉진의 매개로 인간의 상상력을 활용하는 기법. 심상치료

심리심상치료는 정신분석과 실존치료의 영향을 받은 정신과 의사이자 심리학자인 쇼어가 소개한 것이다. 쇼어는 사람의 심상을 불러일으키는 것이 기존의 치료법보다 개인의 내적 세계를 표현하는 데 훨씬 효과적이라는 것을 발견하고, 심리치료에 논리적이고 체계적인 정신분석적 이론을 가미한 심상치료를 개발하였다. 쇼어에 따르면, 시각적 심상은 다른 정신적 기능보다 개인이 자신의 경험이나 타인과 관련된 경험을 통해서 더욱 분명한 양상을 드러내도록 해 준다. 치료사는 내담자의 이러한 심상을 일깨워 그것을 통해 내담자가 세상을 볼 수 있도록 도와준다. 심상 일깨우기 작업으로 사람은 누구나 자연스럽게 심상에 몰입할 수 있는데(natural flow of imagery), 이 과정은 심상을 체험하는 사람으로 하여금 자신에 대하여 또 타인과의 관계에 대하여 주된 통찰을 할 수 있는 기회를 만들어 준다. 이는 심상이 의식적인 검열을 극복하고, 사고, 소망, 기대, 감정 등에 강력한 힘을 미치는 매개체로 작용하기 때문이다. 심상은 신속하고 정확하게 개인의 정체성을 반영하여 변화를 이끌 수 있는 매체로 작동한다. 쇼어(1967)가 제시한 치료이론은 특히 신프로이트 학파인 랭(Lang)의 자기와 타인에 관한 이론, 메이(May)와 설리번(Sullivan)의 대인관계이론 등에서 영향을 많이 받았다. 이들의 이론을 한데 엮어 치료적 심상에 관한 임상적 범주를 체계적으로 활용할 수 있는 이론적 틀을 형성한 것이다. 쇼어는 인간 존재에 관한 이해, 모든 인간이 갖게 되는 병리적 문제와 심리적·정신적인 문제 등에 관한 치료이론을 소개하였다. 나아가 상담장면에서 응용할 수 있는 여러 행동주의적 심상체험방법을 연구하였다. 쇼어가 소개한 주요 방법들은 자발적 심상(spontaneous imagery), 지시된 심상(directed imagery), 자아상 심상(self-image imagery), 신체 심상(body imagery), 양면적 심상(dual imagery), 성적 심상(sexual imagery), 예언적 심상(predicting imagery), 과제 심상(task imagery), 정화 기능적 심상(cathartic imagery), 심층 심상(depth imagery), 일반적 심상(general imagery) 체험방법 등이다.

심리언어
[心理言語, psycholinguistic]

인간 언어의 습득, 사용, 이해, 생산에 관여하는 심리적 요소 혹은 기제. 특수아상담

일반적으로 언어의 습득과 사용에는 수용과정(인식, 이해), 표현과정(음성 또는 움직임), 그리고 조직화과정(지각, 개념, 언어적 상징의 내적 조직화)이라는 세 가지 과정이 포함된다. 우리가 말하는 것과 이해하는 것에는 비슷한 심리언어적 구조가 있다는 것이 밝혀졌고, 심리 · 언어학자들은 세상에 존재하는 다양한 언어에도 불구하고 공통적인 요소가 있음에 주목하였다(Greenberg, Osgood, Jenskin 등의 언어 보편성에 관한 연구). 오스굿(Osgood)은 심리언어학적 언어이론을 제시한 바 있고, 리버(Rieber)는 오스굿의 모델에 기반을 두고 취학 전 아동에 대한 심리언어적 학습검사를 표준화하였다. 이후 이러한 심리언어 모델을 바탕으로 한 검사가 발달적 언어장애의 진단과 분류에 기여하게 되었다. 발달장애 및 언어장애 아동의 심리언어 기능평가를 위한 대표적인 검사로는 사무엘 커크(Samuel Kirk)가 개발한 ITPA(The Illinois Test of Psycholinguistic Abilities)가 대표적이다. 이 검사는 아동의 언어학습능력의 개인 내 차를 측정하는 표준화된 검사도구로서 지적장애, 언어지체, 발달지체, 학습장애, 청각장애 아동 등에 활용되고 있으며, 특히 지능검사만으로는 판별이 어려운 지적장애 아동의 언어 관련 능력을 측정하는 데 활용할 수 있다. 즉, 심리언어능력 발달단계 및 취약한 부분에 대한 진단을 목표로 한다. 지적장애 아동을 대상으로 ITPA 검사를 적용한 연구결과에 따르면, 첫째, 정신연령보다 언어연령이 더 낮은 경향이 있고, 둘째, 정상 범주 아동에 비해 취약함을 보이는 영역은 문법상의 규칙, 특히 어형변화에 관한 지식을 측정하는 청각-음성 자동 분야라는 점, 셋째, 상대적으로 점수가 높은 영역은 언어능력이 필요하지 않은 하위검사인 시각부호화 영역이라는 점 등이 밝혀졌다.

관련어 | ITPA 모형

심리역동적 수퍼비전
[心理力動的 -, psychodynamic supervision]

정신분석학적 접근을 바탕으로 시행하는 수퍼비전. 상담 수퍼비전

심리역동적 수퍼비전에서는 수련생과 내담자, 그리고 수련생과 수퍼바이저 간의 관계와 역동을 중점적으로 탐색한다. 따라서 수퍼비전의 목표는 수련생이 내담자와의 갈등해결의 역동을 이해하는 것이고, 수퍼바이저는 수련생이 그들의 상담과정을 반영하는 수퍼비전 과정에 주의를 기울이도록 가르치는 것이다. 상담자가 수퍼비전을 통해 자신의 개인역동을 이해하고 통제할 수 있게 되면, 내담자의 역동에 계획된 영향력을 미칠 수 있고, 또한 이를 치료에 사용할 수 있다. 역동에는 내적 역동과 대인 역동이 있는데, 내적 역동은 개인의 보이지 않는 행동, 태도, 신념, 감정, 생각, 인식 등이다. 개인이 변화에 저항하는 것은 내적 역동 안에서 일어나는 갈등에 대한 반응이다. 따라서 수퍼바이저는 수련생이 자신의 내적 갈등을 이해하도록 도와주어야 한다. 또한 대인 역동은 내담자와 수련생, 수련생과 수퍼바이저, 그리고 수퍼바이저와 내담자 사이에 일어난다. 이때 수퍼바이저는 수련생이 내담자의 역동을 해석하여 치료적으로 사용할 수 있도록 돕는다. 심리역동적 수퍼비전은 정신분석이론이 다른 상담이론보다 역사가 오래된 것과 마찬가지로 그 역사가 길다. 1920년대에 베를린 정신분석연구소에

서 이미 수퍼비전이 시작되었고, 1922년 국제심리분석협회에서는 정신분석가가 되는 훈련과정을 표준화하였다.

관련어 | 병렬 과정, 수퍼비전

심리이전단계
[心理以前段階, prepsychological stage]

인식되지 않는 심리적 욕구와 긴장을 갖는 유아기의 가장 초기 발달단계. 대상관계이론

코헛(H. Kohut)의 이론에 따르면, 이 시기에도 유아는 갓 태어나 자기(self)를 갖고 있다. 공감적인 모성적 접촉 그 자체는 이미 유아에게 자기가 형성될 수 있는 기반을 제공한다. 어머니의 공감적 반응이 없다면, 비록 자기를 가지고 태어난다 해도 유아는 자기가치감을 발달시키지 못한다. 초기 유아의 자기감은 일련의 반사와 내적 잠재성에 불과하지만, 부모의 기대와 격려를 통해 그러한 미미한 자기감은 심리의 중심적 조직으로 신속하게 변형된다. 좋은 자기대상을 만난 유아는 자기대상을 내재화, 즉 변형내재화를 할 수 있게 되며 이를 통해 핵심 자기(nuclear self)를 만들어 나간다. 유아는 어머니의 호의적인 반응을 토대로 자기가치감을 느끼는데, 이러한 대상경험은 정상적 발달의 근간이 된다.

심리적 경직성
[心理的硬直性, psychological inflexibility]

바라는 목적을 이루는 데 유용한 방식에 따라 행동을 조율하지 못하는 것. 수용전념치료

수용전념치료(ACT)에서는 인간의 언어가 지닌 속성 때문에 조성되는 심리적 경직성이 정신병리나 심리적 고통의 기원이라고 설명한다. 인간은 관계구성으로 존재하지 않는 사건에 대하여 이야기하거나 생각할 수 있고, 가능한 결과를 비교하며 사건의 기능을 바꿀 수 있다. 이로써 인간은 언어와 인지 덕분에 자극에 대한 반응들을 무수히 간접적으로 통제할 수 있는 유연성이 증가한다. 그러나 다음과 같은 언어적 과정을 통해서 반응이 협소해지고 경직성이 증가될 수 있다(문현미, 2006). 첫째, 언어적 존재인 인간은 어떤 맥락에서 경험한 것을 재구성하고 연합하는 능력으로써 혐오자극을 확대한다. 혐오자극이 확대되면 단순하게 상황적인 해결을 통해서 심리적 고통을 줄이는 일을 하지 못하게 된다. 둘째, 언어가 인간생활에 유용하기 때문에 비언어적인 기능에까지 지배적이 되면서 언어적 평가규칙에 의해 심리적 유연성과 창조성이 방해를 받게 된다. 언어적 법칙은 직접적인 경험과 접촉할 수 있는 행동범위를 좁히는 경향이 있어서 개인은 지금-여기에서의 경험과 그 결과에 덜 접촉하게 되고, 언어적 규칙과 평가에 좀 더 지배를 받게 된다. 결과적으로 행동조절에 덜 언어적이며 덜 판단적인 전략이 효과적일 때조차 언어적이고 평가적인 전략의 지배를 받는다. 이를 인지적 융합이라고 한다. 셋째, 평가적인 언어가 지배적이 되면 경험회피가 발생한다. 언어적 능력이 진화될수록 더 많은 관계구성이 사적 사건에 적용되고, 사적 사건이 평가적인 언어적 조절전략 내에 융합된다. 문제해결 전략으로서의 언어와 인지는 긍정적인 상태를 만들고 부정적인 상태는 피하기 위해 끊임없이 평가를 하는데, 사적 사건에 대해서도 평가작용이 일어난다. 부정적으로 평가된 생각에 대해서는 그것을 해결하기 위해 언어적 규칙에 따라 생각을 더 구체화한다. 그러므로 규칙 때문에 피하려던 생각은 더 많아진다. 해결의 성공 여부를 점검하느라 규칙에 재접촉하고 규칙은 다시 생각을 낳는 악순환이 발생한다. 스트레스와 각성이 더 생기고 언어의 평가적인 비교과정과 자기초점적인 회피전략이 더 발생한다. 이와 같이 언어적 평가과정을 통하여 고통은 증가

되고 상황에 대한 적절한 해결은 감소하므로 역기능적이고 병리적이 될 수 있다(Hayes, 2004). 이처럼 ACT에서는 언어가 주로 인지적 융합과 경험회피라는 과정을 통해서 반응범위를 좁힌 결과로 심리적 경직성이 초래되고, 이러한 심리적 경직성이 정신병리 혹은 심리적 고통의 원천이 된다고 보고 있다.

관련어 | 수용전념치료, 심리적 유연성, 인지적 융합

심리적 상황
[心理的狀況, psychological situation]

어떤 상황이나 사건 등의 자극에 대한 개인의 지각이나 반응에 영향을 주는 내적 혹은 외적 요인. 성격심리

사회학습이론에 근거하여 성격을 이해하고자 하는 로터(Rotter)가 제시한 기대-강화가치 모형(expectancy-reinforcement value model)의 중심 개념 중 하나다. 개인은 외부환경이나 자극에 따라 반응하며 이런 과정에서 개인의 내적 요인은 변화를 가져오면서 다시 외부환경에 대한 반응으로 이어진다. 여기서 개인의 내적 요인은 성향영향(dispositional influence), 외부환경이나 자극과 같은 외적 요인은 상황영향(situational influence)으로 칭하며, 이 두 요인은 상호작용을 한다. 따라서 내적·외적 요인, 즉 개인의 심리적 상황을 이해함으로써 행동을 예측할 수 있다. 심리적 상황은 같은 상황에 대해서 사람마다 다르게 지각하고 다른 의미를 부여하기 때문에 개인마다 다르다. 어떤 사람이 공격적 욕구를 강하게 지니고 있다고 할 경우 그 사람은 자신의 강화기대에 따라 어떤 상황에서는 공격적인 행동을 하지만, 또 다른 상황에서는 하지 않을 수 있다는 것이다.

관련어 | 심리적 욕구

심리적 수용
[心理的受容, psychological acceptance]

사적 사건들을 방어 없이 있는 그대로 온전히 경험하는 것. 수용전념치료

수용(acceptance)의 주요 요소는 개인의 통제의제(control agenda)를 버리고 가치를 부여한 행동을 지향하는 것으로서 전념(commitment)에 부합하는 삶과 관련된 경험을 기꺼이 경험하는 것이 심리적 수용인 반면에, 비수용(non-acceptance)은 심리적 안녕을 추구하기 위해 투쟁하는 것으로서 오히려 심리적 안녕에 장애가 될 뿐만 아니라 그 자체로 문제를 만든다(Dougher, 1994). 수용전념치료(ACT)에서 심리적 수용이란 "사적 사건, 자기, 역사 등의 주요 영역에서 직접적인 변화 의제를 의식적으로 버리는 것을 가리키며, 생각과 감정이 말하는 대로가 아니라 생각과 감정을 있는 그대로 경험하도록 개방하는 것"을 의미한다. 또한 심리적 수용은 생각과 감정을 단지 알아차리는 행동의 개념으로 생각할 수 있다(Zettle, 1994). 이는 마음챙김 혹은 알아차림(mindfulness)과 유사한 것으로, 붓다는 이를 개방적이고 현재 지향적이며 비판단적인 자각으로 설명한 바 있다. 그러므로 심리적 수용이란 상황과 사건 및 그 결과로 생기는 반응을 있는 그대로 소유하고 허용하는 것이며, 생각이나 감정에 대하여 아무것도 하지 않는 것을 의미한다. 심리적 수용은 수용 행동으로 드러나는데, 이로써 수용의 수준을 가늠할 수 있다. 헤이즈에 따르면, 수용행동에는 연속선상의 수준이 있다. 가장 낮은 수준은 물러남(resignation)과 견디기(tolerance) 단계로, 변화라는 맥락에 여전히 영향을 많이 받고 있는 수준이다. 그다음 수준은 변화 의제가 작동하지 않는 상황에서 변화의제를 의도적으로 버리는 행동을 내포한다. 좀 더 높은 수준의 수용행동은 기꺼이 경험하기(willingness)를 내포하며, 이는 사적 경험에 대한 개방성을 의미한다. 이보다 더 높은 수준은 문자적

인식에서 벗어나는 인지적 탈융합(cognitive defusion) 혹은 탈문자적 해석(deliteralization)이 내포된다. 높은 수준이 될수록 이전에 투쟁하고 변화시키고자 애쓰던 심리적 사건이 있어도 함께 행할 수 있게 되는데, 이러한 극단적인 형태의 수용이 가능해지려면 언어적 과정을 조정할 필요가 있다. 변화의제 자체가 변화되어야 하는 것이다. 그렇게 되면 가령 자신의 분노와 더불어 온전히 함께 존재할 수 있게 된다. 이와 같이 높은 수용의 수준에서는 효율적으로 행동하면서 심리적 경험에 능동적이고 직접적으로, 충분히, 그리고 방어할 필요성이 없이 접촉하게 된다. 심리적 수용의 정서적 결과로는 내담자가 자신과 타인에 대해 보다 이해하고 동정적이 되며, 현재 순간에 통합적이고 온전한 존재가 되어 내적인 응집성과 내면의 조화를 가져온다. 심리적 수용의 행동적 결과로는 감정이 충분히 자각되고 수용되면서 상황에 잘 대처할 수 있게 되고, 개방적이 되며, 회피를 위해 했던 노력을 이용할 수 있게 되어 에너지가 넘친다(Greenberg, 1994). 이처럼 심리적 수용은 정신건강과 함께 상황에 대한 대처능력과 문제해결력을 증진시켜 삶의 적응력과 안녕감을 향상시켜 주기 때문에 삶의 목적을 이룰 수 있는 힘을 주는 방법이 된다. 또한 상담과 심리치료에서 최종적으로 지향하는 바에 이를 수 있도록 해주는 과정 목표가 된다.

관련어 | 마음챙김, 수용, 수용전념치료

심리적 욕구
[心理的欲求, psychic needs]

인간의 행동 방향을 결정짓는 개인 내적 인지적 요인. 성격심리

사회학습이론에 근거하여 성격을 이해하고자 하는 로터(Rotter)가 제시한 개념으로서, 행동에 영향을 미치는 개인 내적 요인을 욕구라고 한다. 욕구에는 생리적 욕구와 심리적 욕구가 있다. 생리적 욕구는 주로 생의 초기에 경험하며 배고픔, 갈증, 감각자극, 고통의 탈피 등의 욕구를 말한다. 점차 신체와 인지 능력이 발달하면 생리적 욕구보다는 심리적 욕구가 강해진다. 성장할수록 내적 요인보다는 사회적 환경이 심리적 욕구에 더 큰 영향을 미치기 때문에 심리적 욕구충족을 위하여 타인에게 의존하게 된다. 로터가 제안한 심리적 욕구는 안정 및 지위 욕구, 보호 및 의존 욕구, 지배욕구, 독립욕구, 사랑과 애정 욕구, 신체적 안락욕구다. 안정 및 지위 욕구는 다른 사람들에게 좀 더 유능하고 훌륭하게 보이고자 하는 욕구로서 직업적, 사회적, 전문적 혹은 여가활동 등의 사회적 활동에서의 유능성을 말한다. 보호 및 의존 욕구는 좌절이나 처벌을 받지 않거나 자신의 욕구를 만족시키기 위하여 타인에게 의존하려는 욕구를 말한다. 지배욕구는 가족이나 친구를 포함한 대부분의 주변 사람들의 행동을 통제하려는 욕구다. 독립욕구는 자기 스스로 결정하고 선택하고자 하며 보다 직접적인 만족을 위한 기술을 개발하고자 하는 욕구다. 사랑과 애정 욕구는 타인에게 수용되고 사랑받고자 하는 욕구이며, 신체적 안락욕구는 안정과 관련된 신체적 만족을 추구하는 욕구다.

관련어 | 심리적 상황, 욕구

심리적 유연성
[心理的柔軟性, psychological flexibility]

순간의 경험에 온전히 접촉하며 자신의 가치에 부합하는 방식으로 행동을 지속하거나 변경시키는 능력. 수용전념치료

헤이즈(Hayes) 등에 따르면, 심리적 유연성이란 "자극을 일으키거나 유발하는 사적 내용에 융합되지 않고 사적인 경험을 있는 그대로 수용하며, 현재 순간과의 접촉을 유지하고 의식의 내용과 초월적인 자기를 구별하며, 가치를 둔 삶의 목적에 접촉하

고 그 목적으로 추구하기 위한 전념적 행동의 패턴을 구축하는 능력"을 의미한다. 인지행동치료의 제3 동향의 하나인 수용전념치료(ACT)에서는 추구하는 가치에 기여하는 행동을 지속하는 능력인 이 심리적 유연성을 기르는 데 목표를 두고 있다. ACT의 핵심적인 목표는 생각이나 느낌이 '말하는 대로'가 아니라 생각과 느낌을 '있는 그대로' 생각하고 느끼도록 도와주는 것이며, 내담자가 자신의 역사와 자동적 반응에도 불구하고 가치를 둔 방향으로 움직이도록 하는 것이다. ACT에서 이와 같은 심리적 유연성을 획득하는 과정에는 여섯 가지 주요 국면이 있다. 먼저, 내담자가 심리적 경직성 때문에 치르는 대가에 접하도록 도와준 다음 ① 심리적 수용기술 습득, ② 인지적 탈융합기술 습득, ③ 맥락으로서의 자기와 개념화된 자기구별, ④ 현재 순간과 접촉 및 앎의 과정으로서의 자기확립, ⑤ 이유 붙인 행동과 선택구별, 가치 명료화, 목표와 행동 및 가치 구별, ⑥ 전념적 행동을 지속시키고 선택한 가치와 관련된 행동적 변화 전략을 배우도록 하여 심리적 유연성과 효과적인 행동패턴을 발달시키고자 하는 것이다(Hayes, 2004). 여섯 가지 과정은 선형적으로 이루어지지 않고 동시에 유동적으로 이루어지는 상호적인 과정이다. 각각의 과정은 정신병리를 회피하기 위한 방법이 아니라 긍정적인 심리적 기술로서 개념화되어 있다. 수용은 경험회피에 대한 대안적인 개념으로, 개인의 역사로부터 유래한 감정과 생각 등 사적 경험의 빈도나 내용을 변화시키려는 불필요한 노력 없이 있는 그대로 이를 감싸 안는 것을 말한다. 예를 들어, 불안장애 환자에게 불안을 그저 정서적 경험으로부터 방어하지 않은 채 느끼도록 가르친다. 인지적 탈융합이란 감정과 생각 등 사적 사건의 형태나 빈도를 변화시키는 것이 아니라 강점이나 생각과 관계를 맺고 상호작용하는 방식을 변화시키는 것이다. 예를 들어, '나는 아무 쓸모가 없다.'는 생각의 내용을 긍정적으로 변화시키려 하거나 억제하기보다는 이를 '나는 내 자신이 쓸모가 없다는 생각을 하고 있다.'로 경험하게 한다. 이렇게 함으로써 언어적 의미와 자신을 융합하는 가운데 불쾌한 생각을 섣불리 감소시키려 노력하는 것에서 벗어날 수 있고, 생각 등의 사적 경험을 지나치게 믿거나 이에 연연하지 않을 수 있게 된다. ACT의 관계구성틀이론에 따르면, 인간은 언어적으로 자신을 타인과 구분하고 과거와 미래와 현재를 연결하는 자기인식을 갖는다. ACT에서는 이때 자기 또한 다른 사적 경험과 마찬가지로 언어적으로 표현된 내용 그 자체가 아니라 각각의 경험을 관찰하고 관계를 맺는 맥락적 주체라고 본다. 즉, 다른 사람이 나에 대해서 생각하는 내용(예, 저 사람은 무능하다)도 내가 아니며, 내가 나 자신에 대해서 생각하는 내용(예, 나는 관대하다)도 자신이 아니라는 것이다. 결국 자기란 생각과 감정 등의 사적 경험을 관찰하는 동시에 미래의 가치를 위해 맥락적으로 행동을 선택하는 변화무쌍한 주체다. ACT에서는 있는 그대로의 심리적 사건 및 환경적 사건에 비판단적으로 접촉하도록 한다. 그 이유는 내담자가 자신을 둘러싼 환경에 보다 직접적으로 접촉할 때 행동이 좀 더 융통성을 갖게 되며, 그렇게 함으로써 자신의 가치에 일관되는 방식으로 행동을 선택할 수 있기 때문이다. 가치란 자신이 선택한 행동의 질적인 측면으로 삶의 여정에서 끊임없이 계속되는 과정이지 결코 완전하게 손에 넣을 수 있는 목표가 아니다. ACT에서는 내담자가 삶의 여러 영역과 관련해 자신의 삶의 방향을 명료화할 수 있도록 도움을 준다. 회피와 융합이라는 장애가 잘 인식되고 가치 방향과 이에 따른 구체적인 목표와 행동이 정해지면, 전념적 행동을 통해 내담자 자신이 원하는 삶을 살도록 한다. ACT에서는 거의 매 회기 단기, 중기, 장기의 행동변화 목표를 세우고 이를 숙제 및 회기 내에서 시도하며, 그 과정에 노출 및 마음챙김 등의 새로운 기술습득과 목표설정하기 등을 포함시킨다. 이처럼 ACT에서는 심리적 유연성을 길러 주기 위해 여섯 가지 핵심적인 치료과정을 거친다. 그림에서 보는 것처럼 ACT의 각 치료과정은 서로 겹쳐지며 상호 연결되어 있는데, 이를 크게 두 부분으로 나눌 수 있다. 하나는 마음챙김과 수용의 과정이고, 다른 하나는 전념과 행동변화의 과정이다. 마음챙김과 수용의 과정에서는 수용, 인지적 탈융합, 현재와 접촉하기, 맥락으로서의 자기라는 치유기제를 통해 수용과 알아차림을 기술한다. 그리고 전념과 행동변화의 과정에서는 현재와 접촉하기, 맥락으로서의 자기, 가치, 전념적 행동이라는 치유기제를 통해 전념과 행동 변화과정을 기술한다(Hayes, Follette, & Linehan, 2004). 이와 같은 ACT의 여섯 가지 치유기제는 두 가지 과정이 심리적 유연성을 획득하여 행동을 변화시키는 결과를 가져오도록 한다.

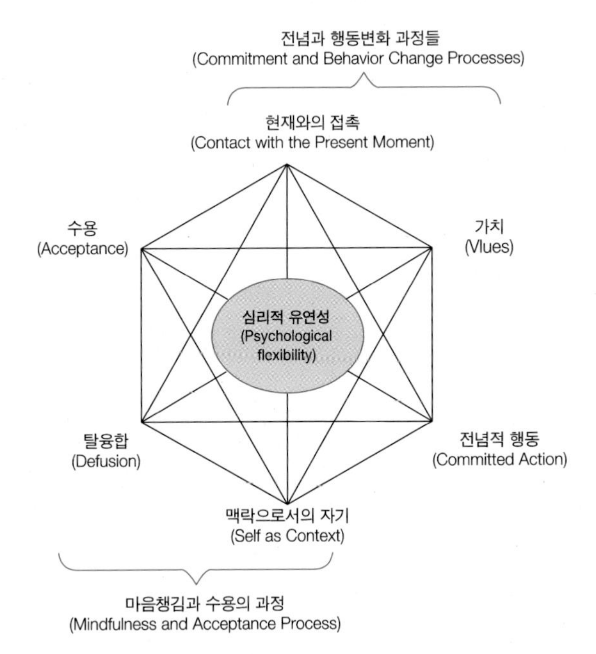

[ACT 변화모델에 따른 심리적 유연성의 측면들]

출처: 문현미(2006). 심리적 수용 촉진 프로그램의 개발과 효과: 수용-전념 치료 모델을 중심으로. p. 27.

관련어 | 마음챙김, 수용전념치료, 심리적 수용, 인지적 융합, 전념적 행동

심리적 유형
[心理的類型, psychological type]

융(C. G. Jung)이 자아성향과 심리적 기능이라는 두 가지 잣대를 근거로 분류한 인간심리(혹은 성격)의 유형. 분석심리학

자아성향(ego's orientation)은 삶에 대한 일반적인 태도로서 의식의 주인인 자아가 갖는 정신에너지의 방향으로 외향성과 내향성의 상반된 경향을 말한다. 자아가 외부세상에 지향하는 방향이 수동적인 경우에는 내향성, 능동적인 경우에는 외향성이라고 한다. 다시 말하면, 내향성은 에너지가 내부의 주관적 세계로 향하는 반면에, 외향성은 에너지가 외부의 객관적 세계로 향한다. 심리적 기능(psychological function)은 사고, 감정, 직관, 감각이라는 네 가지 기능을 말하는데, 개인은 외부세계와 내면세계를 지각하고 이해하기 위하여 이 네 가지 요소를 사용한다. 어떤 기능을 우선적으로 사용하고 어떤 기능을 비교적 덜 사용하는가에 따라 개인의 기본적인 성격이 달라진다. 사고는 구조와 기능에 기반을 둔 정보를 다루는 능력, 감정은 초기의 에너지 상태와의 상호작용에 기반을 둔 정보를 다루는 능력, 감각은 실제적 속성에 기초한 정보를 다루는 능력으로 세부적인 정보의 영향을 받으며, 직관은 숨겨진 잠재성에 기초한 정보를 다루는 능력으로 가능성을 본다. 이러한 두 가지의 태도와 네 가지의 심리적 기능을 조합하여 융은 심리적 유형 혹은 성격유형을 외향적 사고형, 내향적 사고형, 외향적 감정형, 내향적 감정형, 외향적 감각형, 내향적 감각형, 외향적 직관형, 내향적 직관형의 여덟 가지로 구분하였다. 이를 바탕으로 개발된 것이 마이어스-브리그스 성격유형검사(MBTI)다.

관련어 | 내향성, 마이어스-브리그스 성격유형검사, 외향성

ㅅ

심리진화론적 정서이론
[心理進化論的情緒理論, psychoevolutionary theory of basic emotions]

정서는 개인 및 유전학적 생존기회를 증대시키는 적응패턴이라고 하는, 플루치크(Plutchik)가 전개한 이론. 정서 중심 치료

플루치크는 유기체가 환경에 적응해 나가기 위해서는 환경의 이해득실에 대한 평가가 전제되어야 하며, 환경을 평가하기 위한 인지적 능력이 뇌 구조의 진화와 함께 진화해 왔다는 심리진화이론을 주장하였다. 이러한 인간의 적응적 패턴에는 접근 혹은 회피 반응, 투쟁과 도피 반응, 애착과 상실 반응, 탈출 혹은 배출 반응 등이 있다. 진화론적 관점에서는 이러한 적응의 상호작용적 패턴이 두려움과 분노, 수용과 혐오, 그리고 기쁨과 슬픔의 원형으로 평가될 수 있다고 보았다. 이처럼 플루치크는 정서를 환경에 적응해 나가는 데 도움이 되는 적응적 반응으로 간주하고, 정서에 대한 자신의 관점을 상호 관련된 세 가지 모형으로 설명하였다. 첫 번째 모형은 구조모형으로, 정서의 강도, 유사성, 양극성의 세 가지 특징을 조합하여 분류하고 있다. 이것은 팽이모양의 하나의 입체모형으로 만들 수 있는데, 플루치크는 여기서 8개의 기본 정서에 대한 관점을 추가하여 삼차원의 구조로 설명하였다. 두 번째 모형은 서열모형으로, 심리생리학적 관점에서 제임스(James)는 정서반응에 선행하여 생리적 변화가 나타난다고 주장했지만 이는 이후 정서와 생리적 변화의 선, 후에 대한 논쟁을 불러일으켰는데 이러한 순서에 관한 논쟁에서 플루치크는 정서반응을 순환적 과정으로 설명하였다. 순환적 방향이나 목적을 유기체를 균형상태로 회복시키려는 생물학적 항상성의 개념과 결부시켜 설명했는데, 진화론적 관점의 적응적 기제로서 정서의 기능적 가치를 중요시한 것이다. 예를 들어, 슬픔의 정서상태를 반영하는 울음은 상대방으로부터 동정심과 도와주려는 욕구를 불러일으키며, 두려움 때문에 나타나는 도피행위는 위험으로부터 우리를 보호해 주는 기능적인 측면이 있다는 것이다. 세 번째 모형은 파생모형으로, 플루치크는 정서를 수많은 개념들이 체계적으로 관련되어 있는 파생모형으로 설명하였다. 진화론적 관점에서 성격 특성은 보다 근본적인 정서상태에서 파생된 것으로 보아, 일반적으로 한 개인이 특정한 정서 상태를 반복적으로 경험할 경우에 이를 그 사람의 성격 특성으로 간주한다고 하였다.

심리치료
[心理治療, psychotherapy]

어려움에 처한 개인의 사고, 감정, 행동을 변화시켜 스트레스를 줄이고, 더 나은 삶의 충족감을 누리는 데 도움을 주기 위한 인지적 · 정서적 · 행동적 수단. 철학상담

정신에 어떤 자극을 주어 심리적 이상을 회복시키거나 심리에 일정한 변화가 일어나도록 하여 신체적 이상을 회복시키는 것을 말한다. 심리치료라는 용어에는 두 가지 의미가 함축되어 있다. 하나는 증상이나 장애가 심리적인 것이어서 이를 치료, 교정, 변화하도록 도와주는 전략 혹은 방법을 말한다. 다른 하나는 치료 혹은 교정하는 방법이 심리적인 방법에 의한 치료기법이라는 견해다. 따라서 심리적 방법이라는 것은 이전에는 완전히 언어적 의사소통의 수단, 즉 면접상담을 지칭하고 있었지만 지금은 행동, 반응을 사용한 경우도 심리적 방법으로 간주하고 있다. 국내의료분야에서 사용하는 심리치료는 후자를 가리킨다. 특히 의료에서는 외과적 요법이나 약물요법과 대치하는 치료로서 정신치료라고 불러 왔다. 정신치료는 질병모형에 근거하고 있으며, 동시에 정신세계도 질병모형으로 접근할 수 있다는 전제를 한다. 정신치료는 이상심리 혹은 정신병리에 초점을 두며 질병요소의 제거에 치중하기 때문에 심층적이고 중핵적인 원인을 찾아 근본적인 원인제거를 목적으로 한다. 심리치료의 하위기법은 이론적으로나 치료 기술적으로도 다양한 치료로 이

루어져 있는데, 대개 네 가지 기법으로 구성되어 있다. 첫째, 면접상담법이다. 정신분석, 교류분석, 자아이론에 입각한 상담, 실존분석, 현존재 분석, 합리적-정서적-행동적 치료(REBT) 등이 있다. 둘째, 내담자 자신의 신체, 업적의 표현활동에 입각한 치료법이다. 놀이(유희) 치료, 심리극, 미술치료, 모래상자치료, 인형극, 게슈탈트 치료, 레크리에이션 치료, 작업치료 등이 있다. 셋째, 행동치료다. 조작적 강화기법, 행동분석, 이완훈련(relaxation training), 자율훈련법, 암시(체면) 치료, 자기통제, 체계적 둔감법, 길항제지법, 바이오피드백 등이다. 마지막으로, 몇 가지 기법이나 이론을 혼합한 것이다. 선(Zen) 훈련, 명상법(meditation), 내관요법 등이 있다. 내담자의 증상, 장애의 종류 및 유형, 상태에 따라 심리치료방법을 선택하는 것이 강조되고 있다.

심리평가

[心理評價, psychological assessment]

개인의 특성을 이해하기 위해 심리검사와 면접, 행동관찰 등에서 얻은 정보를 종합하고 해석하는 전문적인 과정. 심리검사

상담전문가 혹은 의사나 임상심리전문가들이 내담자나 환자의 심리에 대해 심리검사와 관찰면접 등의 방법을 통해 얻은 결과를 종합하여 판단하는 것을 심리평가라고 한다. 유사하게 심리검사 혹은 심리측정이 사용되기도 하는데, 이 용어들은 개인이 지니고 있는 심리적 특성을 객관적으로 측정, 기술하는 것에 초점을 두고 있다. 즉, 심리검사와 심리측정이 결과에 대해 어떤 가치판단을 내리지 않는 반면 심리평가의 경우는 일정한 기준과 준거에 입각하여 판단을 내리는 것을 포함하고 있다. 심리평가는 심리장애에 대한 치료적 개입과 전략을 계획하고 수행하기 위한 기초과정으로 사용될 뿐 아니라 치료와 개인의 건강보호를 촉진하는 수단으로 역할이 확대되고 있다. 따라서 임상적 의사결정을 위해, 변화기법으로, 상담계획을 위해, 상담 성과의 유지를 위해 심리평가가 사용된다. 심리평가는 개인의 성격·정서·관계 영역뿐 아니라 지능지수, 각 인지기능의 강점과 약점을 고루 파악하는 검사 패키지라고 할 수 있다. 심리검사 수행이 기본 요소로서 중요하지만 그 외에 면담, 자연적 상황이나 체계적 상황에서의 행동관찰, 기타 다양한 기록 등을 포함하기 때문이다. 따라서 심리평가는 다양한 평가결과를 종합하여 최종적으로 해석을 내리는 보다 복잡하고 전문적인 과정이라고 볼 수 있다. 심리평가의 과정을 살펴보면, 일차적으로 자문이 의뢰된 문제를 분석하고 난 다음 적절한 평가절차와 심리검사를 결정하고 검사를 시행, 채점하며 심리검사 결과를 해석하고 그 외 다른 자료와 종합하여 심리평가를 자문한 의뢰처나 인접전문가 또는 피검자에게 결과를 효율적으로 전달해 주는 일련의 절차를 거친다.

심미적 반응

[審美的反應, aesthetic response]

표현예술치료에서 상담자가 지금-여기의 즉흥현장에서 일어나는 모든 경험에 대해 즉흥자나 내담자에게 단순한 언어로 피드백을 해 주는 것이 아니라, 동작, 그림, 시적 언어 중 한 가지 형태 또는 두 가지 이상의 심미적인 표현으로 되돌려 주면서 목격자의 역할을 하는 것. 무용동작치료

표현예술치료를 심리치료에 통합하여 적용하는 과정에서, 목격자로서의 상담자가 내담자의 경험에 대한 각종 표현을 언어적으로 반영 및 요약해 주는 대신, 내담자가 치료과정에서 사용한 어떤 예술적인 표현을 함께 사용하여 반응해 주는 것을 심미적 반응이라고 한다. 예를 들어, 내담자의 동작표현, 그림 그리기, 대화 및 글쓰기 등으로 자신의 경험을 표현하면, 상담자는 이에 대하여 분석하거나 해석하는 대신 내담자가 회기과정에서 사용했던 표현예술매체 중 어느 한 매체 또는 두 가지를 섞은 형태의 표현을 사용하여 즉흥의 형태로 반영 및 요약을 해

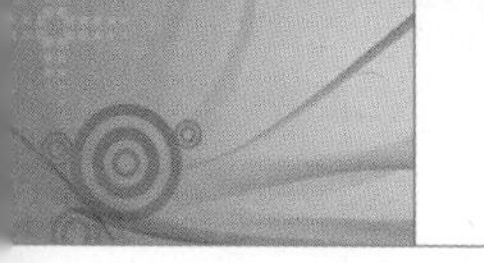

준다. 표현예술치료는 인본주의 및 실존적 현상주의 철학심리를 배경으로 하기 때문에, 내담자가 표현하는 어떤 자료에 관해서도 지시적이고 비판적인 태도를 보이지 않고 그대로 수용하는 과정을 중요시한다. 즉, 내담자와 상담자(목격자) 간에 주고받는 상호작용 속에서 투사와 전이를 매개하는 표현예술매체를 컨테이너(container)로 간주하고, 이를 통해 내담자가 자신의 경험에 대해 안전한 분위기에서 표현할 수 있도록 하는 것이다. 미학적 견해로 볼 때 치료과정에서 어떤 형태의 즉흥적 표현이 사용되든지 내담자와 상담자(목격자) 모두에게 심미적 반응이 주어지는 것은 현장의 경험과 상상의 관계를 탐색하는 기회가 된다. 상담자가 내담자와의 관계에서 심미적 반응을 하는 또 다른 이유는 언어에 의한 선형적 사고, 즉 단순한 언어논리에 지배받는 인지적 의사소통의 분석적이고 해석적인 피드백을 피하고, 상상, 이미지, 정서, 신체감각적 체험을 통합함으로써 지금-여기에서의 경험을 더욱 풍부하게 하기 위해서다. 상담자가 내담자에게 심미적 형태로 반응하기 위해서는 그림 그리기, 글짓기, 동작으로 표현하기, 춤추기 중 어느 한 매체를 사용하게 된다. 또는 글과 그림, 동작 또는 춤과 이야기의 혼합된 형태로 반응할 수도 있다. 무용동작치료 분야에서는 동작하며 말하기(talking with movement)가 내담자와 상담자 모두에게 흔히 사용된다. 이 기법을 사용할 때 자연스럽게 동작자의 언어리듬과 몸의 동작리듬이 일치하면, 동작자에게는 자기가 말하고 있는 내용의 경험이 동작과 통합되어 생생한 경험으로 내면화되고, 그 표현이 상징화되어 목격자에게도 인상을 형성하는 경험이 되어 모두에게 현장에서 살아 있고 심화된 경험이 가능해진다. 핼프린(Halprin, 2003)은 내담자 경험의 현장성과 내담자의 감정 및 동기의 알아차림을 중시하는 게슈탈트 치료과정에서 펄스(Perls)가 사용했던 용어인 목격자를 채택하고, 상담자가 내담자에게 어떤 일이 일어나는지를 알아차리고 반응하는 방법으로 심미적 역할을 강조하였다.

관련어 | 목격자

심상
[心象, Imagery]

여러 감각을 동원하여 자신의 마음속으로 어떤 경험을 떠올리거나 새로 만드는 것. 심상치료

상담에서 심상은 자신의 행동, 느낌, 생각 등 내적인 심리상태를 조절하기 위한 목적으로 활용된다. 평상시에도 우리는 어떤 것을 꼭 실제로 체험하지 않아도 그 이미지를 생생하게 상상한다거나 냄새, 맛, 소리 등을 떠올릴 수 있으며, 누구나 이런 경험을 한 적이 있을 것이다. 심상은 이러한 인간의 심리적 작용을 변화를 위해 활용하는 것이라 할 수 있다. 심상법이라고도 하며, 이러한 심상을 스스로 통제, 조절하여 효과적으로 이용할 수 있는 방법을 배우는 과정을 심상훈련이라고 한다. 심상은 오래 전부터 활용되어 왔지만 공식적인 기록으로서 체계적인 사용이 보고되는 것은 1900년대 유럽에서 부터다. 우리나라의 경우, 도교와 불교 등에서 오래 전부터 수련의 일환으로 활용되어 왔다.

심상노출기법
[心像露出技法, emergent uncovering]

심상노출법이라고도 하며, 프로이트(Freud)의 정신분석방법과 융(Jung)의 적극적 상상기법을 접목하여 레이어(Reyher)가 개발한 정신분석적 심상치료기법. 심상치료

레이어의 심상노출기법은 억압된 무의식을 약화시키기 위하여 사용하는 방법이다. 이 기법은 참여자가 눈을 뜬 채 인도되는 정신분석의 자유연상법을 병행하면서 눈을 감고 내면세계로 인도한 다음, 그 심상체험에서 떠오르는 것들을 언어로 표현하도록 한다는 특징이 있다. 이 때문에 레이어의 심상기

법을 자유연상적 심상기법이라고 부른다. 그는 근본적으로 모든 내담자가 심상을 체험하면서 자신의 심리적·정신적 문제를 스스로 자각할 수 있다고 보았다. 따라서 심상체험작업에서는 반드시 상담자의 해석이 필요한 것은 아니다. 다시 말해, 내담자가 체험하는 심상의 흐름 자체가 어떻게 흘러가느냐에 따라 올바른 치유효과가 가능하다고 보았기 때문에, 내담자가 심상을 체험한 뒤 그것을 언어로 묘사하도록 인도하는 방법에 중점을 두었다. 유도된 심상체험이 잘 안 되는 내담자에게는 상담자가 용기를 북돋아 내담자가 체험한 심상모습과 내용을 언어로 표현하도록 만들어 준다. 레이어는 내담자가 자신이 체험한 심상의 구조나 의미를 명확히 알아야 한다거나, 내담자가 심상체험을 끝까지 원만하게 이끌어 가지 못하는 경우, 내담자를 격려해 주어야 하는 경우 등에는 상담자가 심상체험과정에 직접 개입해야 한다고 강조하였다(Singer, 1974).

관련어 | 심상

심상안내
[心象案內, guided imagery]

무용동작치료에서 개인의 감정 및 삶의 패턴을 탐색하기 위한 방법으로, 시각적·청각적·촉각적·운동감각적 표상을 포함한 상징과 상상적 상황을 유도하는 것. 무용동작치료

심상은 무의식적 창조과정 및 직관, 사고, 감정, 감각 같은 심리적 기능과 함께 형성되며, 상상 기능과 같은 역할을 한다. 심상은 모든 감각—심지어 냄새와 맛까지—을 통해서 경험되는 것이지만, 흔히 시각, 청각, 신체운동감각 혹은 이 세 가지가 혼합된다. 많은 심상안내기법들이 내적으로 보이는 시각표상들의 시각화(visualization)를 강조하지만, 시각화에 문제가 있는 사람들을 위해서는 다른 감각양식을 사용하는 것도 중요하다. 심상은 보통 무의식이나 잠재의식차원에서도 나올 수 있지만 지적 차원에서도 나올 수 있다. 또한 대부분 무의식 영역에 속하는 우리 신체도 심상에 참여한다. 그렇다고 심상을 지적 수준으로 이해하고 해석할 필요는 없다. 힐먼(Hillman, 임용자, 김옥경 역, 2007, 재인용)은 "우리가 어떤 이미지의 의미를 물어볼 때마다 그 의미의 해석적 개념의 대답을 요구하기 때문에 우리는 적극적 상상에 대해 상당히 죄악을 저지르고 있다."라고 하였다. 흔히 심오한 변화는 상징적 행위의 발견과 그 상징의 변화로 일어나기 때문에, 꿈의 상징도 해석 없이 변형될 수 있을 때 더 효과적이다. 예를 들어, 정신이상, 부정(denial), 사악함, 무의미한 고통 때문에 우리 의식이 혼란되지 않도록 매체, 예술, 꿈과 치료작업을 통해 긍정적 심상을 추구하는 방법을 사용할 수 있다. 이것은 내담자들이 자신에게 의미 있는 이미지를 발견하고, 필요한 메시지를 전달할 수 있도록 하는 효과가 있다. 또한 이미지를 감정 및 움직임과 연결할 수 있으므로 그림 그리기, 이미지 춤추기, 게슈탈트 대화하기 및 글쓰기 등의 다양한 매체를 통합하여 치료과정에 이용할 수도 있다. 브라운(Brown, 2004)은 정신통합 연구에 여러 가지 예술기법을 포함하는 심상안내 기법으로 심상을 통해 하위성격들 간에 대화하기, 환상 및 백일몽 안내, 안내자의 질문에 대해 심상을 이용해 그림 그리기 등을 제시하고 있다. 핼프린(Halprin, 2000)은 동작 중심 표현예술치료과정에서 심상안내를 사용하였다. 그녀는 동물 이미지에 대한 심상안내를 이용하여 심상 시각화, 그림 그리기, 춤추기 및 글쓰기 등을 사용하였다. 그의 동물 심상안내에 대한 세부 진행과정은 다음과 같다. 먼저 내담자에게 이 심상 시각화 방법의 신비 속에 진실이 숨어 있다고 분명하게 밝힌다. 그리고 내담자 각자가 편안한 위치를 찾아서 이완된 상태에서 안내를 받을 수 있는 충분한 시간을 준다. 그다음 동물 심상안내를 위한 안내문을 소개한다. 이때 소개하는 안내문은 ① 당신의 몸속으로 들어가기 위해서 깊이 호흡하고 이완하라, ② 마음의 눈으로 빈 공간을 상상하고 그

공간을 하늘, 나무, 물웅덩이, 초원, 산 등으로 채워라, ③ 이 자연 속에서 당신이 어디 있는지 찾아서 어떤 특별한 동물을 찾기 시작하라. 호기심을 가지고 차츰 어떤 동물이 다가올 때까지 기다려라. 그 동물을 집중해서 탐색하고 그 동물과 몸이 합쳐져서 그 동물이 되어 보라, ④ 그 동물이 되어 어떻게 소리 내고, 어떻게 움직이고, 무엇을 할지를 알아내어 구체적으로 표현해 보라, ⑤ 주변에 있는 다른 동물들과 상호작용해 보라, ⑥ 동물 움직임의 탐색이 끝나면 다시 인간의 모습으로 돌아오라로 구성된다. 이러한 안내가 끝난 후에 동물 그림 그리기와 동물 춤추기 시간을 갖는다.

관련어 | 적극적 상상

심상유도음악치료 [心象誘導音樂治療, Guided Imagery and Music]

심상치료사가 음악을 매체로 하여 개인의 통찰 및 생애 중요한 문제들에 관한 해답을 찾기 위해 행하는 치료. 음악치료

심상유도음악치료는 삶의 목표, 삶에 대한 해답, 생애 중요 사건, 관계, 행동양식, 건강 등에 관련된 문제들을 해결하기 위해 고안된 심상경험으로, 개인이 가지고 있는 문제들에 관한 즉각적인 해답을 얻는 것은 물론, 기존의 상담기법들보다 더 빠른 방법으로 문제해결력을 신장시킬 수 있다고 주장하는 심리치료법이다. 이는 과거의 경험과 미래의 목표를 체계적인 단계로 통합하고 현재 상황에 맞는 문제해결능력을 키워 가는 과정이라 할 수 있으며, 자신의 정서를 정확하게 인식하고 생산적으로 정서를 표현할 수 있도록 해 준다. 심상유도음악치료는 음악치료사인 보니(Helen Bonny)가 정신 내적인 마음탐색의 도구로서 가장 적합한 것을 음악으로 보고, 고안한 방법이다. 이는 인간 내면에 관한 관점을 일깨워 그 의미와 의식적 행위에 연관시키는 고대의 명상법을 함께 사용한다. 부시(Carol Bush) 등은 대서양중앙연구소(Mid-Atlantic Institute)를 설립하여 심상유도음악치료 모델에 관한 교육, 프로그램 개발 등을 체계적으로 시행하였다. 심상유도음악치료는 개인, 학교, 기관, 보호, 호스피스, 심신질환, 정신건강 등 매우 다양한 분야에서 긍정적인 효과를 내고 있으며, 브루어(Chris Brewer)는 'Rhythms of Healing'이라는 워크숍을 진행하여 전문성 확보에 힘쓰고 있다. 심상유도음악치료에서는 정해진 형식이나 지도안을 쓰지 않고 개인의 경험에서 비롯되는 심상을 상황에 맞추어 활용하는데, 이때 음악과 노련한 심상유도를 통해서 치료과정을 진행한다. 주로 클래식 음악을 사용하여 의식상태를 넘어서서 깊이 있는 정신 내적 수준까지 탐색하여, 카타르시스, 내면 성찰, 창조적 교류, 안전감, 자신과의 만남 등을 체험한다. 클래식 음악은 음악에 폭이나 깊이가 있어 획일적이거나 제한적이지 않기 때문에 상상도 어떤 획일적인 경계나 구성을 만들지 않으면서 일어난다. 심상유도음악치료를 사용할 때 너무 널리 알려진 클래식 음악을 사용하면 사람들은 자신의 내부 경험에서 유도되는 이미지를 갖기보다는 오히려 그 연주되는 모습이나 연주가에 대한 고정된 이미지에서 벗어나지 못할 수 있다. 따라서 아주 유명한 음악은 가능한 한 피함으로써 음악 자체가 그 사람의 내부세계를 자유롭게 유도할 수 있도록 한다. 심상유도음악치료는 개인적으로 시행할 때 가장 효과적이지만 집단에서도 시행할 수 있다. 시행을 할 때는 모든 경우 준비과정에서 몸과 마음의 상태를 편안하게 해 주는 연습을 하면서 음악을 들려준다. 이때 내담자는 편안하게 눕거나 소파에 앉아서 음악을 듣는데, 대개 눈은 감아서 시각자극에서 피하도록 한다. 세션은 1시간에서 1시간 30분가량 연속적으로 진행하고, 일회성이 아니라 대개 다섯 번 정도로 연결되는 세션을 치료사와 내담자가 동의한 후 시행한다. 동질성의 원리에서 음악은 서서히 시작되다가 빠른 속도로 변화되어 간다. 그리고 절정의 상태를 지난 다음 음악이 끝나면 만다라를 그린다. 그

런 다음 감상의 경험에서 일어난 사건을 중심으로 치료사와 이야기하는 것으로 세션을 마친다. 첫 세션은 내담자와 치료사가 서로 익숙해지면서 음악의 자극에 따라 가벼운 상상의 여행을 경험한다. 이때 치료사는 내담자와의 신뢰감을 형성하는 일이 가장 중요하며, 내담자 역시 자기 내면의 깊은 세계를 열어 치료사와 함께 경험하는 것을 허용하는 것이 중요하다. 심상유도음악치료에서는 서서히 절정에 다가가야 하며 안정기를 넓게 잡고 안정된 휴식의 자리로 돌아와야 한다. 또 크기, 리듬, 템포에 급격한 변화가 없어야 하며 이미지가 계속 진행될 수 있도록 충분한 변화가 있어야 한다. 이 같은 심상유도음악치료는 관계개선, 진로, 건강 문제, 스트레스 관련 문제, 불안, 상실 및 애도 문제, 우울, 중독, 성적 학대, 인생목표설계 등에 효과적인 방법이 된다. 심상유도음악치료는 심상치료사의 인도에 따르는 인간 내면으로의 여행이라고 표현할 수 있으며 준비, 음악 체험, 종료 및 통합 등 크게 세 단계를 거친다. 심상유도음악치료를 사용할 때는, 첫째, 내담자가 상징적 사고가 가능해야 하고, 둘째, 내담자가 상징적 사고와 현실을 구분할 수 있을 만큼 인지능력이 있어야 하고, 셋째, 심상유도를 진행할 정도로 자아가 충분히 강해야 하며, 넷째, 내담자가 신경학적 손상이나 정신분열증세를 가지고 있어서는 안 된다. 심상유도음악치료는 심각한 정신적 장애를 앓고 있는 사람에게는 권하지 않는 것이 원칙이라는 점을 분명하게 유의해야 한다.

심상의 자아기능
[心像－自我機能, Ich-Funktion der Imagination]

내담자가 체험한 심상이 특정 심층적 수준에 이르는 활동을 하게 되었을 때, 심상 스스로 정신활동을 하여 내담자 자아에게 영향을 미치는 심상 자체의 자아기능을 일컫는 용어. 심상치료

심상치료에서는 심상이 스스로 자아기능을 지니고 있다고 말한다. 심상이 어느 심층적 수준의 활동을 하게 되었을 때, 심상 자체가 그 심상을 체험한 주체인 자아에게 강력한 정신활동을 발휘하여 영향을 미친다는 말이다. 예를 들어, 아침에 출근한 남편이 교통사고로 사건현장에서 목숨을 잃었다는 소식을 전해 들은 아내가 남편의 죽음을 인정하지 못하고 살아 있을 것이라는 확신을 한다면 실제로 남편이 살아 있는 것으로 여기게 되고, 이때 그러한 것을 느끼는 것이 심상의 자아기능이다. 이를 일반적으로는 환상이라고 칭하거나 헛것을 보는 현상으로 여기는데, 이는 심상 자체가 강력한 정신활동을 하여 자아의 의식에 실제처럼 느끼도록 영향을 미치기 때문에 일어나는 현상이다. 이외에도 꿈의 내용이나 의미가 꿈에서 깬 후에도 그대로 실제 일어난 일처럼 느껴지거나 혹은 다가올 가까운 미래에 일어날 일처럼 생각되는 것도 심상의 자아기능으로 초래되는 현상이다. 심상의 자아기능 때문에 사람은 자신이 체험한 꿈이나 심상의 의미를 주관적으로 해석하거나 착각에 빠지는 경험을 한다.

심상척도
[心像尺度, imagery measure]

내담자에게 유도주제심상 및 유도시각심상체험을 인도하는 표준화된 심상. 심상치료

심상척도는 심상치료에 임하는 내담자에게 제시되는 표준화 심상으로서, 유도심상, 조건적 심상, 비자발적 심상, 주제심상 등으로도 불린다. 심상치료에서는 반드시치료자가 제시하는 심상척도를 통해서 그에 관련된 심상체험으로 치료작업을 실행해 나간다. 심상치료에서 제시하는 심상척도는 유도시각심상체험을 이끄는 유도시각심상척도와 유도주제심상체험을 이끄는 유도주제심상척도 두 가지로 구분된다. 독일의 KB 심상치료에서는 유도시각심상척도를 많이 활용하고, GMIP 치료에서는 유도시각심상척도와 유도주제심상척도를 함께 사용한다.

유도주제심상척도는 다시 내담자 문제 진단 및 해결을 위한 유도주제심상척도, 내담자 자아 관련 문제 진단 및 해결을 위한 유도주제심상척도, 내담자 가치관 진단 및 교정을 위한 유도주제심상척도로 나누어지고, 각각의 하위척도를 갖는다. 또한 구조화된 심상척도와 비구조화된 심상척도로도 나눌 수 있다. 구조화된 심상척도는 심상치료기법들이 연구·개발하여 공식적으로 표준화시킨 심상척도인데 반해, 비구조화된 심상척도는 개인 혹은 집단이 임의적으로 만들어 비공식적으로 사용하는 심상척도를 말한다. 여기서 유도시각심상척도는 구조화된 심상척도다. 주로 사용하는 유도시각심상척도는 꽃, 초원, 시냇물, 산, 집, 숲 등의 기본 단계와 주요 인물, 성, 사자, 이상적 자아 등의 중급 단계, 지옥, 물웅덩이, 동굴, 구덩이, 화산, 거울, 서적 등의 상급 단계 등이다. GMIP에서 사용하는 유도시각심상척도는 이를 더 확장하여 다양하게 활용하고 있으며, 단계별로 약간의 차이도 있다. 하지만 내담자가 체험한 심상은 획일적 기준으로 해석할 수 있는 성질이 아니므로, 내담자가 체험한 모든 심상은 반드시 내담자의 개별적 내면의 정신세계에 대한 심층적인 분석 및 정밀한 해석을 전제로 해야 한다.

심상치료
[心像治療, guided mental imagery psychotherapy]

1999년 최범식이 심상을 주요 매개로 하여 실행하는 치료의 통칭으로 제안한 용어로서, GMIP라는 약어를 사용하기도 함.

심상치료

심상치료는 상담 및 임상 분야에서 심상을 치료의 핵심 매개체로 활용하는 모든 상담 및 심리치료를 통칭한다. 심상치료는 이론적 배경, 진행방법과 절차, 심상현상의 임상적 기능에 관한 이해, 취급 방법 등에 따라 여러 종류와 유형의 심상치료기법으로 분류되며, 크게는 정신분석적 심상치료, 역동적 심상치료, 행동주의적 심상치료, 그리고 단기 심상치료로 구분된다. 심상이라 함은 인간의 의식, 사고, 감정, 행동, 마음의 실제 모습이라 정의하고, 인간이 태어나서 현재 상태까지 저장된 자기 삶의 주관적 경험이 누적된 총체적 마음이라 할 수 있다. 여러 상담 및 심리치료 분야에서 심상을 다루고 있는 분야에 관한 통일된 공식 명칭은 확립되지 않은 상태로, 1999년 최범식이 제안한 심상치료(GMIP)라는 용어는 심상(imagery), 유도된 심상(guided imagery), 유도주제심상(guided mental thematic imagery), 유도시각심상(guide mental visual imagery), 유도심상체험(guided mental imagery) 등 심상을 핵심 매개체로 한 역동적 상담이나 심리치료를 행하는 것을 말한다. 심상치료라는 명칭은 19세기 말 서양에서 심상을 활용하는 여러 기법이 소개되면서 나타나기 시작했는데, 심상을 기반으로 하는 치료는 주로 정신의학이나 정신분석과 관련되어 있었다. 실제로 심상을 통한 치료는 고대 여러 통과 의례적 행사에서 실행되어 왔고, 현대에서는 명상, 요가, 이완, 최면 등과 함께 실행되고 있으며, 최근에는 행동주의적 심상치료까지 행해지고 있다. 심상치료의 이론적 전제는 내담자가 체험한 유도심상을 통하여 내담자의 마음 전체를 분석하고 재구성함으로써, 내담자의 심리적·정신적 문제, 내면세계와 역동적 체계 및 그의 부정적 마음 등이 근본적으로 바뀌어 해결된다는 것이다. 심상치료는 유도주제심상치료와 유도시각심상치료로 나누어 내담자의 문제진단 및 해결작업을 진행한다. 심상치료의 궁극적인 목표는 내담자의 겉문제뿐만 아니라 속문제까지 다루어 내담자 문제의 심층적 수준의 진단과 해결, 내담자 문제의 원인에 대한 치료, 그리고 전인적 인격형성 등이라 할 수 있다. 이처럼 심상치료는 내담자의 문제를 현상학적 측면과 실제적 측면으로 나누어 보고, 내담자가 호소하는 문제인 겉문제에 머무는 치료가 아니라 내담자가 언어로 표현한 문제 이면에 드러나지 못한 마음이나 심정에 담긴 속문제까지 치료한다. 심상치료에서는 이를 구분해서 가장 표면에는 언어로 소개한 내담자 문제, 그 이면에 문제를 소개하는 내담자의 입장과 속 심정, 가장 깊은 곳에 아직 다 드러나지 않은 내담자의 입장과 속 심정 등으로 나누어 문제를 심층적으로 인식한다. 이를 위하여 심상치료는 내담자 문제의 진단과 문제를 해결하는 데 심층적 치료이론과 치료방법을 구체적으로 제시한다. 문제를 진단하기 위해서는 우선 내담자의 주 호소문제에서 출발하여, 문제핵심을 정리하고, 마음을 정리하고, 그에 대한 분석을 실행하고, 심상체험을 경험하도록 하여 진행한다. 문제가 진단되면 심상치료에서는 내담자의 부정적 기능을 지닌 자아 및 역동 에너지를 긍정적 기능을 지닌 자아 및 역동 에너지로 전환하여 긍정적인 기능의 마음과 자아가 이상적 기능의 마음과 자아로 나아갈 수 있도록 치유 작업을 행한다. 문제해결을 위해서는 진단된 문제를 내담자가 수용하고, 유도주제심상 및 시각심상과 같은 심상체험을 통해서 내담자 자신의 자아 및 역동 에너지를 질적, 양적으로 확장시켜 현실 적응, 내적 적응, 미래 적응 등의 능력을 최대한 사용할 수 있도록 이끈다. 심상치료의 중요한 특징 중 하나는 내담자로 하여금 눈을 감게 하여 유도주제심상 및 유도시각심상 등을 직접 체험하는 방식으로 문제를 진단하고 해결하는 것이다. 심상치료는 내담자가 눈을 뜬 상태에서 그의 문제를 진단하고 해결하게 할 뿐만 아니라, 눈을 감고 마음을 직접 체험하도록 유도하여 상담하는 치료방법을 제시한다. 따라서 심상치료는 상담 및 심리치료에서 내담자가 눈을 뜬 상태에서 상담하는 방법과 내담자가 눈을 감은 상태에서 상담하는 방법을 최초로 함께 사용한 상담모델이다. 심상치료는 1회기부터 상담종료까지 단계별로 구조화된 치료방법을 활용한다. 이와 같은 치료이론과 치료방법을 가지고 있기 때문에 쉽게 접근하거나 다루기 어려운 상담 및 심리치료로 알려져 있으며, 그런 만큼 심상치료는 잘 알려져 있지는 않다.

심상홍수치료
[心象洪水治療, imaginal flooding therapy]

인지행동치료

⇨ '직면' 참조.

심신의 질병을 위한 글쓰기
[心身 - 疾病 - , writing for psychosomatic illness]

정신신체의학이론을 기반으로 정서상태를 개선할 수 있는 글쓰기를 활용하여 신체적 질병증상 완화를 꾀하는 것.

문학치료(글쓰기치료)

정서상태와 신체질병 간의 연관성을 전제로 사회적, 심리적, 행동적 요인에 대한 학제 간 연구를 통해 인간의 신체과정 및 안녕에 초점을 두는 정신신체의학(psychosomatic medicine) 이론을 기반으로 정서상태를 개선할 수 있는 글쓰기를 활용하여 신체적 질병증상이 완화될 수 있다고 하는 것이 심신의 질병을 위한 글쓰기 기법이다. 히포크라테스(Hippocrates) 시대부터 정서상태와 신체질병 간의 연관성에 대한 연구는 있어 왔고, 마음과 신체의 연관성은 정신분석적 이론에서는 아주 오랫동안 주목해 왔던 사실이다. 인간의 정서상태는 신체의 모든 세포와 기능에 영향을 미치고, 몸과 마음은 아주 긴밀하게 연결되어 있다. 여러 가지 정서적 혹은 심리적 스트레스나 억눌린 감정 등이 신체질병의 발병 원인이 될 수 있다는 것이 많은 연구를 통해 증명되면서, 의학적 치료에 정신적 원인을 해소할 수 있도록 하는 심리치료를 병행하는 경향이 현대로 올수록 강해지고 있다. 심신의 질병을 위한 글쓰기도 그 일환으로 이해할 수 있다. 심신의 질병을 위한 글쓰기는 정서상태와 신체질병 간의 연관성이 확인되어 양자 간의 치료를 병행해야 하는 환자들에게는 표현하지 못한 핵심 감정부분을 밝혀내고, 표현되지 못한 정서와 자신의 증상 간의 연관성을 개인력 및 현재 관계를 맥락으로 하여 이해하도록 하며, 치료라는 안전한 공간에서 정서를 인식하고 표현하도록 하고, 반성과 표현의 변화를 촉진하여 자신의 삶과 대인관계의 변화를 유발하고, 자신의 정체감을 육성하고, 타인에 대한 의존도를 줄이는 것을 목표로 한다. 심신의 질병을 위한 글쓰기라 해도 그 실행과정은 정서를 위한 글쓰기치료의 일반 과정과 다르지 않다. 글쓰기의 형식은 다양하다. 일기를 쓸 수도 있고, 자신의 증상에 대한 기록을 할 수도 있으며, 생활 속에서 일어나는 사건이나 감정에 대해 쓸 수도 있다. 편지나 시 등 어떤 형식이든 허용된다. 감정이나 느낌을 전혀 표현하지 않은 글이나 완성되지 않은 글도 관계없다. 저항이나 방어의 문제는 일반적인 상담이나 심리치료와 같이 다루면 된다. 이 같은 글쓰기는 환자의 삶 속에서 증상과 다른 요인들 간의 연관성을 밝힐 수 있도록 도와준다.

심신의사소통
[心身意思疏通, body-mind communication]

신체의 뼈구조와 근육운동의 균형 있는 통합으로 신체의 균형을 이루도록 하고, 이를 통해 심리의 균형을 이루고자 하는 방법. 무용동작치료

심신의학자들은 인간의 근육과 뼈를 둘러싸고 있는 근막이 근육운동을 가능케 하고 이러한 움직임을 다시 대뇌로 전하는 심리/신체 사이의 메시지 전달의 접목 지점으로서의 역할을 한다고 설명하였다. 따라서 근막이 신축성을 잃으면, 신체의 움직임을 대뇌로 전달하는 신경전달능력이 손상되어 신체와 심리 사이의 불균형이 발생한다고 하였다. 즉, 근육의 움직임을 통해 신경체계의 상태를 파악할 수 있으며, 이러한 근육의 움직임이 자유롭지 못한 상태가 심신의사소통장애를 발생시킨다는 것이다. 예를 들어, 인간이 심리적으로 긴장한다거나 스트레스를 받으면 근막이 딱딱하게 뭉쳐서 아픈 덩어리들이 생기는데, 주로 근막 자체, 피부, 인대, 뼈대 구조, 혹은 기타 조직에 나타난다. 이 부분들은 인간이 스트레스를 받을 때 주로 아픈 신체부위다. 이러한 증상들은 심신의 의사소통과정에서 심리적인 스트레스가 신체의 통증을 유발한다고 볼 수 있다. 심신의사소통에 관해 연구한 학자로는 미국의 생화학자인 아이다 롤프(Ida Rolf)가 있는데, 그는 우리 몸속 깊은 근육에 연결된 내적 근막의 구성성분인 콜라겐 요소를 통하여 인간의 신체와 심리의 연결관계를 통합적으로 연구하였다. 또한 내적 근막의 콜라겐 요소가 심신의사소통에 주요 기능을 한다는 점을 재조명한 연구자로는 펠덴크라이스(Feldenkrais, 1977)와 페이티스(Feitis, 1978)가 있다.

관련어 | 내적 근막

심신조건화
[心身條件化, body-mind coditioning]

자아이미지에 영향을 주는 요인 중에서 행동과 관련된 신체자세와 협응기능이 유아기 및 아동기에 손상되어 개인의 일반적 · 심리적 기능에 지속적으로 제한을 받거나, 심리적 방어기제가 신체자세 및 동작과 연합되어 신체 방어기제로 굳어져서 심리적 · 신체적 습관으로 유형화되는 것. 무용동작치료

일반 기능으로 조건화된 학습장애에 대해서 펠덴크라이스(Feldenkrais, 1977)는 인간은 그 능력을 제한하는 복잡한 과정 때문에 가지고 있는 잠재력의 일부분만 가지고 생활하도록 습관화된다고 하였다. 그에 따르면 이와 같은 현상이 자발성의 상실, 위축된 자아이미지, 학습장애, 감각 및 운동 발달장애, 그리고 불필요한 정서와 인지적 제약을 동반하고, 일반적인 신체적 무기력을 발생시킨다. 우리의 자아이미지는 동작, 감각, 감정, 사고라는 네 가지 요소의 영향을 받아 구성되지만, 이 요소들 모두 동작요소와 관련을 가지고 작용하면서 뇌의 운동신경피질에 특정 세포를 자극하고, 이러한 자극은 특정 근육을 활성화하는 상호순환을 하게 된다. 이것은 단순히 동작과 관련된 행동발달만이 뇌 기능 발달에 직결되어 있다는 것이 아니라, 동작과 관련된 감정, 인지, 지각, 동기, 본능 등의 전인적 통합발달이 치료와 관련이 있다는 뜻이다. 펠덴크라이스(1977)는 스키너(Skinner)의 행동주의 심리학의 조건화 개념을 수용하여 행동과 자아이미지와의 관계를 연구하였다. 또한 신체심리치료분야에서 내담자의 제한되고 미개발된 자동적 행동을 자각(알아차림)적이고 자발적인 기능의 동작들로 대체하여 탈조건화하고 재조건화하는 치료적 동작을 개발하였다.

관련어 | 조건형성학습

심신증
[心身症, psychosomatic]

불안과 같은 심리적 증상이 신체적 반응으로 나타나는 현상. 이상심리

근육통, 두통, 과민성 대장 증상, 비궤양성 소화불량, 만성피로, 호흡곤란, 건강염려증 등의 증상을 나타난다. 이는 신체적, 생리적 기능의 손상이 아니라 불안, 두려움, 공포, 분노, 슬픔 등의 부정적 정서가 신체증상으로 표출되는 질환이다. 즉, 병리적 원인이 없는데도 불구하고 신체적 불편함이나 신체적 기능 이상을 경험하고 호소하여 의학적 처치를 바라는 경향을 말한다.

관련어 | 소마신체, 신체화장애

심적 부착
[心的附着, cathexis]

심리적 에너지가 일정한 대상이나 사람 혹은 관념 등에 향하여 집중되는 것. 정신분석학

프로이트(S. Freud)는 인간의 심리세계를 에너지체계로 보았는데, 세 가지 성격구성요소 중 어느 곳에 더 많은 심리적 에너지가 집중되는가에 따라 개인의 행동 및 성격 특성이 결정된다. 한정된 심리적 에너지를 서로 많이 차지하기 위해 매 순간 원초아, 자아, 초자아는 성격구조 안에서 서로 갈등 상황에 놓인다. 예를 들어, 자아나 초자아보다 원초아가 심리적 에너지를 더 많이 가지고 있는 경우, 개인은 논리적이고 현실적이거나 혹은 규범적이기보다는 욕망의 충족에 더 많은 관심을 두고 소망의 충족이나 긴장과 고통을 즉각적으로 해소하려는 방식으로 행동하는 경향성을 나타낸다. 반면, 초자아가 심리적 에너지를 상대적으로 더 많이 좌우하는 경우, 소망의 만족이나 현실적인 대안을 선택하기보다는 오히려 완벽성을 추구하고 사회적 규범에 부합되는 행동을 하려는 경향성을 나타낸다. 또한 프로이트가 사용한 리비도라는 용어는 성적 추동 에너지를 의미하는데, 출생할 때 나타나는 리비도는 일련의 단계를 거쳐 발달해 간다. 쾌락을 주는 성적 추동 에너지가 신체의 어느 부위에 집중, 즉 심적 부착이 일어나는가에 따라 발달의 각 단계가 명명되었다. 삶의 본능이자 성적 본능이 지니고 있는 리비도는 출생 직후 먼저 입에 집중되며, 점차 성숙해지면서 항문과 생식기 등의 다른 신체부위로 옮겨 간다. 여기서 프로이트가 말하는 성(性)이란 단순히 성교(性交)만이 아니라 쾌감을 주는 모든 것을 포함한다. 예를 들면, 빠는 것, 배설이나 보유하는 것, 만지는 것과 같은 신체운동뿐만 아니라 심지어 물거나 꼬집거나 하는 잔인한 행동까지 포함된다. 이에 따라 발달단계의 명칭도 각 발달시기에 성적 흥분이 가장 민감한 신체부위에 맞추어 명명되었다. 심리적 에너지가 향해 있는 대상에 따라 자아 심적 부착과 대상 심적 부착으로 나뉜다. 타인의 심리적 표상에 부착되는 리비도를 대상리비도(object libido)라고 하며, 자아 혹은 자기표상에 부착되는 리비도를 자아리비도(ego libido)라고 한다. 또한 심리적 에너지의 양에 따라 과잉 심적 부착과 과소 심적 부착으로, 심리적 에너지의 성질에 따라 정도 심적 부착과

리비도 심적 부착으로 나눌 수 있다. 자아 심적 부착 중에서 방어기제를 유지하기 위해 심리적 에너지를 소비하는 경우를 심적 부착 저항 혹은 반카텍시스(anti-cathexis)라고 한다.

심층면접
[深層面接, depth interview]

일상적인 표면의 의견이나 지식만이 아니라 피면접자의 심층심리를 해명하고, 혹은 그것을 치료하고자 하는 면접. 연구방법

조사, 진단을 위한 것도 있고 치료를 위한 것도 있는 심층면접의 종류에는 투사면접, 마취면접, 최면면접, 자유연상법 등이 있다. 투사면접은 TAT나 로르샤흐 등의 투사검사법, 혹은 인형놀이(doll play), 모래상자놀이(sand play) 등을 이용하여 마음의 내면이나 무의식을 명료하게 하는 면접이다. 마취면접은 아미탈 등 최면제를 사용하여(보통 정맥주사) 명정(酩酊) 상태에 떨어트린 다음 억제작용을 저하시켜 비밀스럽게 하고 있는 것이나 억제하고 있는 감정을 표현하도록 한다. 최면면접은 최면상태에 빠지게 하여 억제나 억압을 완화한다. 마취면접과 유사하지만 그보다 장시간 지속할 수 있고, 여러 가지 최면 깊숙이 놓이도록 하거나 암시의 힘을 강화할 수도 있으며, 연령퇴행, 멘탈 리허설 등 이용법이 많다. 그러나 최면에 걸리기 어려운 사람도 있다. 자유연상법은 정통 정신분석치료의 기본 기법으로, 마취면접이나 최면면접처럼 단시간에 심층에 도달할 수 있는 것은 아니다. 자유연상법은 치료법이기 때문에 환자의 자아로 하여금 자신의 무의식을 조금씩 의식화하여 소화해 가도록 하는 것으로, 마취면접이나 최면면접과 같이 억제를 일거에 제거하지는 못하고 억제 · 억압되어 있는 감정이나 충동의 역학적 관계를 점차 건강한 것으로 키워 가는 방법이다. 이외에도 꿈, 공상, 이미지와 그 변화 등을 사용해서 행하는 심층면접도 있다. 대개 면접자는 피면접자를 어느 정도 통제하면서도 피면접자의 환상세계에 자신도 들어간다. 이들 심층면접은 효과도 극약이라 할 수 있는데, 자아가 약한 사람(정신병적 경향이 있는 사람, 이상성격자나 아동)에게는 위험도 많기 때문에 반드시 정도를 파악해야 한다.

관련어 | 최면치료

심층심리학
[深層心理學, depth psychology]

일상적인 정신생활을 무의식의 작용으로 설명하는 심리학의 한 영역. 정신분석학

심층심리학은 두 가지 전제를 기초로 삼고 있다. 첫째, 심리현상은 엄밀히 규정되어 있으므로 원인이 없으면 일어나지 않는다고 본다. 둘째, 행위와 감정을 불러일으키는 것은 무의식적이라는 입장을 취한다. 심리역동적 접근을 취하는 프로이트(S. Freud)의 정신분석은 기존의 의식심리학(意識心理學)과는 달리 무의식에 초점을 두고자 하였다. 정신세계를 심층적으로 분석하여 인간의 정신영역을 의식, 전의식, 무의식의 세 가지 의식수준으로 설명한다. 인간의 의식 밖에 있는 무의식이 정신세계의 대부분을 차지하며, 인간의 행동을 지배하고 행동방향을 결정한다. 프로이트는 인간의 의식구조를 빙산에 비유하면서, 마치 빙산의 대부분이 수면 아래에 가려져 있는 것처럼 마음의 대부분은 의식의 표면 아래에 있는 무의식 영역에 속해 있다고 하였다. 이와 같이 프로이트는 인간의 심리세계를 3개의 층으로 구분하고 가장 깊은 곳에 있는 무의식을 강조했기 때문에 그의 정신분석을 심층심리학이라고 한다. 정신분석적 접근을 취하는 상담자는 내담자가 말하는 배후에 있는 감정을 살피고, 나아가 그 이면에 숨어 있는 심리적 역동을 탐색해 들어간다.

관련어 | 무의식, 의식, 전의식

심층적 공감
[深層的共感, advanced empathy]

내담자가 바로 느끼지 못하거나 혹은 숨겨져 있는 내담자 삶에서의 감정과 의미를 상담자가 알게 되는 과정. 개인상담

공감은 상담자의 주요한 태도이자 기술이고, 상담의 초기단계에서 주로 사용하는 기법이다. 그러나 심층적 공감은 상담의 초기단계를 넘어서서 중기에 들어갈수록 내담자 자신의 깊은 탐색과 통찰을 촉진하는 데 도움이 된다. 심층적 공감은 내담자가 언어로 표현하는 내용에 포함되어 겉으로 드러나지만 내담자가 미처 표현하지 못한 부분까지 상담자가 찾아내어 내담자에게 알려 주는 것이다. 예를 들어, 겉으로는 친구와 잘 지내고 싶지 않은 듯 부정적 경험으로 표현하더라도 마음 깊은 곳에는 친구와 잘 지내고자 하는 긍정적 동기를 가지고 있다는 것을 상담자가 찾아 주는 것이다. 이렇듯 내담자가 미처 드러내지 못한 것은 동일시로 나타나기도 하고, 불안과 같이 내담자 삶의 주제와 연결되어 나타나기도 한다.

관련어 | 공감

십우도
[十牛圖, ten oxherding picture]

마음의 본성을 찾아가는 과정을 동자승이 소를 찾아가는 과정에 비유하여 묘사한 그림. 동양상담

선(禪) 수행과 깨달음의 단계를 잃어버린 소를 찾는 것에 비유하여 열 가지로 나타낸 것으로서 중국 송나라 시대 곽암(廓菴) 스님이 그린 것이 가장 유명하다. 우리 본래 면목을 소에 비유해서 그것을 찾아가는 과정으로 그리고 있다. 첫째 그림은 동자승이 잃어버린 소를 찾아 나선다. 이는 수행자가 자신의 본성을 찾아 헤매는 것을 나타낸다. 둘째 그림은 소의 발자국을 발견하고 따라간다. 이는 수행자가 꾸준히 노력함으로써 본성을 찾게 된다는 것을 나타낸다. 셋째 그림은 멀리 있는 소를 발견한다. 이는 수행자가 사물의 근원을 보기 시작하여 견성에 가까웠음을 나타낸다. 넷째 그림은 소를 잡아 고삐를 매어 둔다. 이는 수행자가 자신의 불성을 꿰뚫어 보는 견성의 단계에 이르렀음을 나타낸다. 다섯째 그림은 소에 코뚜레를 걸어 길들여 끌고 가는데 소는 점점 희어진다. 이는 얻은 본성을 고행과 수행으로 길들여 삼독의 때를 지우는 것을 나타낸다. 여섯째 그림은 동자승이 흰 소를 타고 피리를 불며 집으로 돌아온다. 이는 아무런 장애가 없이 자유로운 무애의 단계로서 더할 나위 없이 즐거운 때를 나타낸다. 일곱째 그림은 소는 없고 동자승만 앉아 있다. 이는 소는 하나의 방편으로서 집으로 돌아온 후에는 모두 잊어야 한다는 것을 나타낸다. 여덟째 그림은 소도 동자승도 없이 텅 빈 고요만 드러낸다. 이는 실체가 없이 모두 공(空)임을 깨닫도록 한다. 아홉째 그림은 사람 모습은 없고 잔잔한 강, 붉게 꽃이 피어 있는 산수풍경만 있다. 이는 있는 그대로의 세상을 알아차린다는 뜻으로 아무런 번뇌 없이 참된 경지를 바라본다는 것을 나타낸다. 열째 그림은 지팡이에 도포를 두른 행각승이나 목동이 포대화상과 마주한 모습이다. 이는 중생제도를 위해 속세로 나아가는 것을 나타낸다. 아주 옛날부터 인간의 마음을 소에 비유하고 수행하는 사람을 소먹이는 사람에 비유하여 왔기 때문에 소를 찾는 그림, 심우도(尋牛圖)라 불리어 왔다.

쓰기장애
[－障礙, writing disabilities]

특수아상담

⇨ '특정 학습 장애' 참조.

편찬 위원

[연구 책임자]

김춘경(경북대학교)

[공동 연구자]

이수연(대구한의대학교), 이윤주(영남대학교), 정종진(대구교육대학교), 최웅용(대구대학교)

[전임 연구원]

권희영(전남대학교), 기정희(영남대학교), 김계원(영남이공대학교), 왕가년(울산대학교), 이근배(영진사이버대학교), 이숙미(경북대학교)

[집필연구 참여자]

권기호(경북대학교), 김동일(서울대학교), 김봉환(숙명여자대학교), 김상섭(영남대학교), 김석삼(경북대학교), 문일경(서울불교대학원대학교), 박정식(박정식언어임상연구소), 박진숙(경북교육청), 변외진(영진사이버대학교), 손은령(충남대학교), 송영희(영남대학교), 송재영(영남대학교), 여인숙(경운대학교), 오정영(가톨릭상지대학교), 유영권(연세대학교), 유지영(경북대학교), 윤운성(선문대학교), 이미경(한국Y교육상담연구소), 이봉희(나사렛대학교), 이성희(경북대학교), 이자영(대구대학교), 이재인(경북대학교), 이점조(대구선명학교), 이정미(성덕대학교), 이정애(대구한의대학교), 이준기(대구청소년지원센터), 순선(대구한의대학교), 임용자(한국타말파연구소), 임은미(전북대학교), 장혜경(성덕대학교), 전은주(계명문화대학교), 정경용(부산사이버대학교), 최광현(한세대학교), 최범식(한국심상치료연구소)

[집필연구 보조원]

강명희(대구한의대학교), 곽상은(경북대학교), 김경란(계명대학교), 김동영(경북대학교), 김성범(경북대학교), 김수동(대구대학교), 김종은(영남대학교), 김형란(영남대학교), 도진희(경북대학교), 박남이(경북대학교), 배선윤(경북대학교), 손은희(경북대학교), 송현정(경북대학교), 신정인(경북대학교), 안은민(경북대학교), 안정현(경북대학교), 윤은아(대구대학교), 이년금(경북대학교), 이선미(경북대학교), 이정아(경북대학교), 정이나(대구대학교), 정재순(영남대학교), 조민규(경북대학교), 조유리(영남대학교), 진은하(영남대학교), 진현숙(경북대학교), 천미숙(영남대학교), 한예희(경북대학교)

[웹 도구 개발 참여자]

곽호완(경북대학교), 김경태(경북대학교), 김용태(경북대학교)

[웹 연구 보조원]

신종훈(경북대학교), 이상일(경북대학교), 이유경(경북대학교)

상담학 사전 ❷ (ㅂ~ㅅ)
Encyclopedia of counseling

2016년 1월 5일 1판 1쇄 인쇄
2016년 1월 15일 1판 1쇄 발행

연구 책임자 • 김춘경
공동 연구자 • 이수연 · 이윤주 · 정종진 · 최웅용
펴낸이 • 김진환
펴낸곳 • (주) 학지사
121-838 서울특별시 마포구 양화로 15길 20 마인드월드빌딩
대표전화 • 02)330-5114 팩스 • 02)324-2345
등록번호 • 제313-2006-000265호

홈페이지 • http://www.hakjisa.co.kr
페이스북 • https://www.facebook.com/hakjisa

ISBN 978-89-997-0822-0 94180
978-89-997-0820-6 (set)

세트 정가 200,000원

저자와의 협약으로 인지는 생략합니다.
파본은 구입처에서 교환해 드립니다.

이 도서의 국립중앙도서관 출판시도서목록(CIP)은 서지정보유통지원시스템 홈페이지(http://seoji.nl.go.kr)와 국가자료공동목록시스템(http://www.nl.go.kr/kolisnet)에서 이용하실 수 있습니다.
(CIP 제어번호: CIP2015024798)